Livro aberto

DO AUTOR

OS GRILOS NÃO CANTAM MAIS, contos, Pongetti, 1941; Record, 3ª edição, 1984.
A MARCA, novela, José Olympio, 1944; Record, 3ª edição, 1984.
A CIDADE VAZIA, crônicas e histórias de Nova York, O Cruzeiro, 1950; 6ª edição, acrescida de *Medo em Nova York*, Ed. Sabiá, 1969; Record, 9ª edição, 1992.
A VIDA REAL, novelas, Ed. A Noite, 1952; Record, 7ª edição, 1994.
LUGARES-COMUNS, dicionário, MEC-Cadernos Cultura, 1952; Record, 3ª edição, 1984.
O ENCONTRO MARCADO, romance, Civilização Brasileira, 1956; Record, 72ª edição, 2001.
O HOMEM NU, contos e crônicas, Ed. do Autor, 1960; Record, 39ª edição, 2000.
A MULHER DO VIZINHO, crônicas, Ed. do Autor, 1962; Record, 17ª edição, 1997.
A COMPANHEIRA DE VIAGEM, contos e crônicas, Ed. do Autor, 1965; Record, 12ª edição, 1998.
A INGLESA DESLUMBRADA, crônicas e histórias da Inglaterra e do Brasil, Ed. Sabiá, 1967; Record, 10ª edição, 1992.
GENTE, crônicas e reminiscências, Record, 1975; 4ª edição, 1996.
DEIXA O ALFREDO FALAR!, crônicas e histórias, Record, 1976; 15ª edição, 2000.
O ENCONTRO DAS ÁGUAS, crônica irreverente de uma cidade tropical, Record, 1977; 4ª edição, 1984.
O GRANDE MENTECAPTO, romance, Record, 1979; 58ª edição, 2000.
A FALTA QUE ELA ME FAZ, contos e crônicas, Record, 1980; 16ª edição, 1995.
O MENINO NO ESPELHO, romance, Record, 1982; 58ª edição, 2001.
O GATO SOU EU, contos e crônicas, Record, 1983; 19ª edição, 2001.
MACACOS ME MORDAM, conto em edição infantil, Record, 1984.
A VITÓRIA DA INFÂNCIA, crônicas e histórias, Ed. Nacional, 1984; Ática, 1994; 4ª edição, 1997.
A FACA DE DOIS GUMES, novelas, Record, 1985; 16ª edição, 2001.
O PINTOR QUE PINTOU O SETE, história infantil, Berlendis & Vertecchia, 1987.
OS MELHORES CONTOS, seleção, Record, 1987; 8ª edição, 2000.
AS MELHORES HISTÓRIAS, seleção, Record, 1987; 6ª edição, 2000.
AS MELHORES CRÔNICAS, seleção, Record, 1987; 8ª edição, 2000.
MARTÍNI SECO, novela, Ática, 14ª edição, 2000.
O TABULEIRO DE DAMAS, esboço de autobiografia, Record, 1988; 5ª edição, 1999.
DE CABEÇA PARA BAIXO, relato de viagens, Record, 1989; 6ª edição, 1996.
A VOLTA POR CIMA, crônicas e histórias curtas, Record, 1990; 7ª edição, 1995.
ZÉLIA, UMA PAIXÃO, romance – biografia, Record; 8ª edição, 1991.
O BOM LADRÃO, novela, Ática, 8ª edição, 2000.
AQUI ESTAMOS TODOS NUS, novelas, Record, 1993; 5ª edição, 2001.
OS RESTOS MORTAIS, novela, Ática; 5ª edição, 2000.
A NUDEZ DA VERDADE, novela, Ática, 9ª edição, 2000.
COM A GRAÇA DE DEUS, leitura fiel do Evangelho, Record, 1994; 5ª edição, 1995.
O OUTRO GUME DA FACA, novela, Ática, 1996; 5ª edição, 2000.
OBRA REUNIDA – 3 vols., Nova Aguilar, 1996.
UM CORPO DE MULHER, novela, Ática, 1997; 3ª edição, 1999.
O HOMEM FEITO, novela, Ática, 1998.
AMOR DE CAPITU, recriação literária, Ática, 1998; 5ª edição, 2000.
NO FIM DÁ CERTO, crônicas e histórias, Record, 1998; 7ª edição, 2000.
O GALO MÚSICO, contos e novelas, Record, 1998; 2ª edição, 2000.
A CHAVE DO ENIGMA, crônicas e histórias, Record, 1999; 2ª edição, 2001.
CARA OU COROA? crônicas e histórias. Ática, 2000.
LIVRO ABERTO, páginas soltas ao longo do tempo. Record, 2001.

Fernando Sabino

Livro aberto

EDITORA RECORD
RIO DE JANEIRO • SÃO PAULO
2001

CIP-Brasil. Catalogação-na-fonte
Sindicato Nacional dos Editores de Livros, RJ.

S131L
Sabino, Fernando, 1923-
Livro aberto / Fernando Sabino – Rio de Janeiro: Record, 2001.

ISBN 85-01-91430-4

1. Sabino, Fernando, 1923- . 2. Crônica brasileira.
I. Título.

01-0159
CDD – 869.98
CDU – 869.0(81)-94

Capa: concepção de F. S.
Vinheta de Dounê Spinola
(baseada em desenho de Rodolpho)

Proibida a reprodução integral ou parcial em livro de qualquer espécie ou outra forma de publicação sem autorização expressa do autor.

Reservados todos os direitos de tradução e adaptação.
Copyright © 2001 by Fernando Sabino, Rua Canning, 22, apt° 703, 22081-040, Rio de Janeiro, RJ, Brasil.
Fax.: (21) 247-1528

Direitos exclusivos desta edição reservados pela
DISTRIBUIDORA RECORD DE SERVIÇOS DE IMPRENSA S.A.
Rua Argentina 171 – Rio de Janeiro, RJ – 20921-380 – Tel.: 585-2000

Impresso no Brasil

ISBN 85-01-91430-4

PEDIDOS PELO REEMBOLSO POSTAL
Caixa Postal 23.052
Rio de Janeiro, RJ – 20922-970

EDITORA AFILIADA

"Pra que imaginar se do outro lado do túnel faz dia ou faz noite? Só tem um jeito de saber: é ir até lá."

MÁRIO DE ANDRADE
("Cartas a um Jovem Escritor")

"— Ah, mas é tão bom imaginar..."
(Comentário de Mariana, filha do escritor)

*Agradecimento**

ESTANDO atualmente empenhado na modesta elaboração daquilo que ouso designar bem-humoradamente minha "obra póstuma antecipada", tive a grata surpresa de receber esta consagradora distinção que me proporciona a Academia Brasileira de Letras, conferindo-me o Prêmio Machado de Assis de 1999 por Conjunto de Obra.

Desvanecido, cheguei a atribuir a temerária iniciativa a alguns acadêmicos de minha admiração e amizade pessoal. Pretendia mesmo agradecer pessoalmente a cada um — a começar pelo Presidente Arnaldo Niskier, amigo e companheiro de ofício literário-jornalístico, mas fui informado por um deles que tal não seria viável, posto que, para todos os efeitos, a votação fora secreta. Resta-me, pois, fazê-lo de público, nestas palavras que imaginei pudessem ser de breve improviso. Embora breves, para tranqüilidade dos ouvintes, tiveram não obstante de ser escritas, pois, segundo fui também informado, trata-se de um discurso "que deve constar dos anais".

Assim sendo, consultei os anais, a ver como se saíram antes de mim alguns merecedores, mais do que eu, de semelhante honraria. Antonio Candido, por exemplo, em seu discurso de agradecimento, fez um primoroso apanhado da crítica literária no Brasil. Sábato Magaldi, outro justamente premiado, apresentou um sugestivo quadro das atividades teatrais entre nós. Grandes romancistas, como Rachel de Queiroz ou Guimarães Rosa, esmeraram-se, em seus discursos, numa criatividade literária à altura da obra merecidamente premiada. Cabendo ao acadêmico Antônio Olinto, velho amigo e confrade, elaborar o discurso (certamente também primoroso) como orador oficial na solenidade comemorativa do aniversário de fundação da Academia, cheguei mesmo a pensar matreiramente em lhe pedir que me passasse à sorrelfa um rascunho, com sugestão de algumas idéias suas para a elaboração do meu.

Disponho-me então a compô-lo por mim mesmo, em tom menor, com o despretensioso espírito de uma crônica — gênero que faz parte da modesta obra distinguida por tão honroso prêmio.

SERIA mesmo a crônica um gênero literário menor? Que o diga o próprio fundador da Academia Brasileira de Letras, Machado de Assis, aqui homenageado, cujo talento criador deu à

---
*Discurso na ABL, 20 de julho de 1999.

crônica entre nós a categoria de gênero literário imortal. Não tivesse ela uma tradição que vem dos quinhentistas portugueses, como Diogo do Couto, desembarcando no Brasil com a carta de Pero Vaz de Caminha, e passando não somente por Machado de Assis, mas por outros precursores como José de Alencar, Joaquim Manoel de Macedo, França Junior, Artur de Azevedo, Coelho Neto, Olavo Bilac, João do Rio, Humberto de Campos, Alvaro Moreyra, Alcântara Machado, até nossos dias com Rubem Braga, Carlos Drummond de Andrade, Paulo Mendes Campos, Carlos Heitor Cony. Aqui mesmo, na Academia, Rachel de Queiroz, Ledo Ivo e João Ubaldo Ribeiro são três nomes de grandes cronistas que de imediato me ocorrem, entre outros que poderia mencionar.

Ao longo de minha vida literária, como meio de sustento, escrevi e continuo escrevendo crônicas, contos e histórias curtas. Perfilhei aquela original definição de Mário de Andrade, segundo a qual conto é tudo que o autor chama de conto. Assim também, tudo é genericamente chamado de crônica. Como se diz das doenças, não sendo aguda, é crônica...

O título de um livro que acabo de relançar, em edição revista e ampliada, simboliza a busca em que me empenho, como escritor: "O Tabuleiro de Damas" — que não é nem preto com quadrados brancos, nem branco com quadrados pretos: é de outra cor, com quadrados pretos e brancos. Assim também, para um escritor, é a verdade que se esconde sob as aparências e só se revela através da sua imaginação criadora.

Neste livro, procuro entender as razões que fazem o sucesso de uma obra literária ser relativo, independente da sua qualidade:

"Não posso ignorar que sou bastante lido — o que devo talvez ao fato de escrever numa linguagem que permite vários planos de leitura, abrangendo eventualmente uma gama larga de leitores — do professor ao aluno, do pai ao filho, do patrão ao empregado. Tento seguir ao pé da letra o sábio conselho de André Gide: entre duas formas de dizer, escolher sempre a mais simples. Mas nem por isso me sinto realizado. No dia em que me sentir, serei um homem acabado, como no livro de Giovanni Papini. Não poderia ser hoje em dia um escritor como o imaginava aos vinte anos. O mundo mudou, e eu com ele. Os meios de comunicação e de expressão literária evoluíram, e continuarão evoluindo sempre. Os gêneros têm fronteiras cada vez mais flexíveis, são intercomunicáveis, a ponto de escapar às classificações tradicionais. Procuro exercer o meu ofício literário fazendo com que a expressão não se subordine à comunicação, mas se harmonize com ela. Custa muito esforço, embora não pareça — e os consagrados escritores acadêmicos que me ouvem sabem disso: na cabeça e no coração de cada escritor perdura aquela sensação captada nos versos de Carlos Drummond de Andrade, epígrafe do meu primeiro livro, publicado aos dezoito anos:

> Se tento comunicar-me,
> O que há é apenas a noite
> e uma espantosa solidão."

FALEI que escrevo crônicas, entre um romance e outro. Para encerrar esta crônica-discurso autopromocional, devo confessar que, além de alguns livros de contos e novelas, escrevi três romances: "O Encontro Marcado", inspirado no jovem que eu fui; "O Grande Mentecapto", no doidivanas que continuo sendo; "O Menino no Espelho", na criança que eu gostaria de voltar a ser.

Pois devo dizer, com o respeito e a admiração que tenho por esta instituição, como representativa da melhor literatura brasileira, expoente da cultura nacional: o prêmio a mim generosamente concedido, que tanto enobrece e dignifica, fez-me sentir feliz como uma criança.

Não sendo, por isto mesmo, uma criança desamparada, e contando com a generosa aprovação dos srs. acadêmicos, venho solicitar a meu querido amigo e ilustre figura aqui presente, Dr. Alyrio Cavallieri, ex-juiz de menores e até hoje abnegadamente dedicado a protegê-los,* que receba de minhas mãos e a eles destine a expressão material do honroso — e vultoso — Prêmio Machado de Assis com que a Academia Brasileira de Letras me distinguiu. A seus ilustres membros, o meu comovido agradecimento.**

**A Lei do Menor e a Lei do Cão*, em "Gente".
**"Ao receber o cheque, no valor de R$40 mil, Cavallieri tornou público um fato conhecido por poucos: "Em 1992, o que ele ganhou com os direitos do livro 'Zélia, uma Paixão' foi distribuído entre crianças carentes. Deus lhe pague." — Mànya Millen, *O Globo*, RJ.

Revista *Alterosa*
Belo Horizonte

BELO HORIZONTE —

O caçador de borboletas

— QUAL, o melhor é não pensar mais e tocar para frente — falei.

E já ia dando um murro na cabeceira da cama onde me achava sentado, para arrematar, quando ouvi alguém falar atrás de mim:

— Também acho.

Voltei-me. O diabo do passarinho já estava na janela outra vez, disposto a me amolar as idéias. Não me contive:

— Ora, vá para o diabo, seu pardal de uma figa! Não tenho obrigação de agüentar conversa de passarinho vagabundo. Já cansei de lhe dizer que você não pode falar coisa nenhuma. Onde é que já se viu passarinho falar? Isso é um absurdo. Já para fora da minha crônica!

Fechei a cara de tal modo que ele se assustou. Olhei-o, raivoso:

— Se tivesse um bodoque aqui eu lhe mostrava.

Ele piou tristemente, e duas lágrimas miúdas (lágrimas de passarinho) lhe escorreram até a ponta do bico. Ficou andando pra lá e pra cá no parapeito da janela, com um arzinho gaiato, emburrado. Mas eu não estava mesmo para graças.

— Passarinho bestinha.

Ele resmungou uma passarinhice qualquer, tão baixinho que fiquei com pena:

— Venha cá.

Num instante estava pousado no meu ombro, piando de contente.

— Eh, vamos lá, seu coisa, vá gritar no ouvido de sua avó. Cuidado com minha roupa, hein? Agora fique quietinho aí, e me deixe pensar.

— O melhor é não pensar, e tocar para frente — falou ele, importante, estendendo a asinha direita num gesto largo, como se a frase fosse dele.

Mas não era — eu tinha certeza que alguém mais já havia dito aquilo. Quem teria sido?

— Foi você mesmo, seu bobo. No princípio da crônica.

Vejam só que ousadia. Tomando intimidades, me chamando de bobo. Não protestei e voltei a pensar nas borboletas. Como aquela que vira da minha janela pela manhã, voejando por entre as árvores, até se perder contra o azul do céu. Quem me dera ser uma borboleta! Poder sair pelos ares para onde eu quisesse, e não viver batendo com a cabeça na parede deste quarto, sem ir a lugar nenhum.

Era nelas que eu pensava, antes que o passarinho viesse me amolar as idéias.

— Isso é conversa mole para ver se melhora a sua crônica — exclamou, brejeiro, o pardal.

— O quê?! — gritei, abismado com tanta audácia.

— Essa história de borboleta.

— Conversa mole é a sua, passarinho ordinário!

— Você não me engana — continuou ele, me fazendo cócegas no pescoço com o pezinho: — Pensa que eu não sei? Esses seus olhos inchados são de quem passou a noite inteira chorando.

Em dois saltinhos ele estava na ponta de meu ombro:

— Estou com pena de você — piou, baixinho.

— Passarinho, passarinho, não facilita comigo...

— Não adianta disfarçar: chorando, sim. Que diria ela se soubesse disso?

— Diria que nunca viu em crônica minha passarinho tão pretensioso.

— Pretensioso para você, cronista que não entende de passarinho. Que não passa de um caçador de borboletas.

Estupefato com tamanho atrevimento, sacudi o ombro, e ele foi empoleirar-se no meu dedo, todo trêmulo, as peninhas do peito arrepiadas.

— Pois então me diga, seu pardal de meia-tigela: o que você queria que eu fizesse?

— Que me deixasse voltar para o seu ombro — disse ele timidamente.

— E daí? Pensa então que a vida é só comer alpiste, não é? Pois está muito enganado. Me diga uma coisa: você com certeza já andou se engraçando aí com alguma... alguma...

—... pardoca — ensinou-me ele, piscando os olhos, malicioso.

— Pois bem, você tem lá a sua pardoca, quer viver com ela, fazer para vocês dois um ninho no galho de uma árvore qualquer. Constituir família, tornar-se um pardal de bem. E lá um belo dia percebe que a pardoca nem liga para você, que não o ama como dantes...

— Quem é esse Dantes?

— Ora, vá sambar no brejo! Estou falando sério. O que é que você fazia? O que é que você fazia se desconfiasse que ela já estava de olho noutro e querendo apenas se divertir à sua custa? Então não chorava? Não arranjava um meio de se vingar?

— Não. Arranjava outra pardoca.

E veio caminhando pelo meu braço, até se achar no ombro outra vez.

— Para o diabo você e suas pardocas, seu bígamo sem-vergonha. Não vê que isso não resolve? É ela que eu quero, e mais ninguém. Qual, passarinho, esse negócio de viver não é mais comigo. Acabo dando um tiro na cabeça.

— Na cabeça dela?

— Na minha, seu bobalhão. Caçador de borboletas... E você? Passarinho sabe amar? Qual, você não pode entender. Nem você nem ela me entendem. São diferentes de mim. Você é um mero passarinho e ela, leviana como uma borboleta. Não sentirão jamais esse tédio, esse fastio da vida como já sinto.

— Que Jacinto?

Não suportei mais. Levei a mão ao ombro para atirá-lo longe, mas ele levantou vôo. Deu uma volta pelo quarto e foi pousar na janela, asinhas abertas, pronto para ir embora. Olhou-me com pena, porque percebeu que eu estava de novo com vontade de chorar.

— Passarinho, como sou infeliz. Se ao menos eu fosse um pardal...

— ... ou uma pardoca...

Voou novamente até meu ombro, piando baixinho.

— Só há uma solução — disse.

— Qual? — perguntei, esperançoso.

— É acabar esta crônica.

Isto mesmo! Fiquei entusiasmado. Tirei um lenço do bolso, fiz dele um saquinho, botei lá dentro toda a minha amargura, amarrei-o bem amarrado para que ela não pudesse voltar, e dependurei-o na perninha do pardal para que ele levasse embora. Despedi-me do alegre passarinho, com recomendações à sua pardoca, fechei a janela, e depois de pensar algum tempo na inutilidade das amarguras sem causa e das crônicas sem fim, resolvi acabar — não sem antes ter refletido que muito leitor acharia melhor não haver começado.

1940

Vinhas da ira

ACABA de ser lançada no Brasil, em excelente tradução de Ernesto Vinhais e Herbert Caro, essa grande obra americana de John Steinbeck, "Vinhas da Ira".

O seu "Ratos e Homens" já era um romance que a gente lê e não esquece mais. De uma naturalidade quente e saborosa, principalmente nos diálogos. Linguagem simples e de comovente humanidade, a desse livro de cunho realista. Foi uma amostra do quanto pode o extraordinário escritor. Com "Vinhas da Ira" é possível que ele se consagre como o maior da atual literatura norte-americana.

Trata-se de um romance definitivo em sua grandeza — que não está apenas no tema, mas no tratamento excepcional que lhe foi dado. A força de expressão de seu autor é tão exuberante que faz com que o leitor até sinta fome, quando aqueles cuja vida ele retrata não têm o que comer.

Um livro que se lê de lágrimas nos olhos. E o fim é de impressionante vigor no seu realismo e intensa espiritualidade na sua significação — para aqueles que possuem um coração capaz de sentir e olhos capazes de chorar. Quem chegar até esse episódio, dos mais tocantes que a imaginação literária tem criado, sem sentir na garganta um soluço e os olhos em lágrimas, é um insensível, que nem deveria ter aprendido a ler.

Há no romance cenas de emocionante subjetividade, que podemos captar, se soubermos atingir a idealização que os fatos sugerem, através da realidade crua de uma linguagem baixa e até mesmo pornográfica (inevitável, pois é um meio de expressão e não um fim em si). Como a morte do avô, velho membro da família dos Joad, que migram pelas longas estradas, em busca de novas e prometedoras terras. Foram tocados de sua propriedade, como milhares de outras famílias, pelo domínio premente e imperioso do trator, monstro de aço que sozinho faz o trabalho de cem homens, tirando-lhes os meios de subsistência. A vista da terra prometida, a extasiante Califórnia, aos olhos dos elementos da família que vai em busca do que viver, se dá justamente num momento em que a avó já não podia contemplar aquele magnífico espetáculo, porque jazia sem vida dentro do velho caminhão... É tocante o diálogo entre a Mãe e Tom, novamente assassino, no momento em que ele se despede para a fuga que vai empreender.

São cenas descritas com uma pujança de expressão jamais vista em nenhum outro escritor realista. Trata-se de um romancista com tamanha capacidade de transmitir-nos emoção, com uma sensibilidade tão aguda que chega a tocar, e sacode, e machuca, a alma da gente. Grandiosas em extremo no seu cruel realismo, há cenas comovedoras e de uma significação espiritual essencialmente cristã.

Sim, na verdade um grande romance, em toda a sua extensão: grande poder descritivo, belas paisagens, cenas que nos impressionam fundamente. E tudo isso com um delicadíssimo senso de resignação e fraternidade humana que faz dele, apesar da linguagem livre, uma verdadeira obra de arte.

N. da R.: À margem do artigo brilhantemente escrito por nosso colaborador Fernando Tavares Sabino temos a acrescentar que a leitura do livro "Vinhas da Ira" deve reservar-se a adultos de caráter formado, devendo ser vedado a senhorinhas e adolescentes.*

Rebecca

ESTAMOS em vésperas de sensacional pleito literário. Ou pelo menos de animado bate-boca entre duas escritoras, uma americana e uma brasileira, degladiando-se em defesa da legitimidade das respectivas obras.

Para dizer a verdade, a primeira vez que ouvi falar no livro de Carolina Nabuco foi agora, a propósito desse possível plágio. Falta de divulgação, talvez — pois acredito no mérito do romance de uma escritora com nome tão ilustre. Alega ela que a tradução para o inglês de seu livro esteve em editoras americanas, onde Daphne du Maurier trabalhava, ou que costumava freqüentar, antes de "Rebecca" vir ao mundo. E há poucos dias foi distribuída no Forum do Rio de Janeiro uma notificação à Cia. Editora Nacional e à United Artists of Brazil, fazendo ciente a ambas que a romancista patrícia pretende processá-las respectivamente pela publicação e exibição em cinema da obra "Rebecca", que considera plágio de seu romance. Consta que Carolina Nabuco processará a própria escritora americana, bem como a editora que lançou o livro.

Muita gente já se pôs em campo para discutir o assunto. Na verdade um acontecimento inédito como esse merece ser analisado, revolvido, destrinchado. Muito comentário, muitas opiniões contraditórias, para acabar não se concluindo coisa alguma e não se processando ninguém. Em todo caso, será uma boa divulgação do livro de Carolina Nabuco, que vem tendo grande sucesso de venda desde então.

Houve mesmo plágio? Pode ser que sim, pode ser que não e pode ser que talvez, como diria o mineiro. Só por se tratar de um livro brasileiro, não é motivo para se concluir que não haveria de ser plagiado. Ainda pretendo lê-lo com o mesmo interesse que "Rebecca"

---

*Nota de Redação de *O Diário*, Belo Horizonte, jornal de orientação católica. (O colaborador Fernando Tavares Sabino tinha 16 anos de idade.)

me despertou, independente do fato de um ser ou não plágio do outro. Só o confronto minucioso de ambos por leitores especializados, para confirmá-lo categoricamente. Por acaso não poderia a mesma idéia ocorrer a dois autores?

Não é de hoje que isso acontece: há escritores que têm a triste sina de ser perseguidos por suspeitas semelhantes.

Eça de Queiroz mais de uma vez se viu às voltas com incriminações de plagiário. O caso de "O Crime do Padre Amaro" foi bem sério. Todo mundo dizia ter sido decalcado em "*La Faute de l'Abbé Mouret*", de Émile Zola. Até que um dia o português resolveu protestar e escreveu uma nota para a segunda edição do livro, afirmando, em sua defesa, que o "Padre Amaro" fora escrito em 1871, lido a alguns amigos em 1872 e publicado em 1874; Zola escrevera e publicara o seu em 1875. Ninguém procurou averiguar a veracidade de suas palavras e o caso ficou por isso mesmo.

Até hoje há quem sustente que o "Primo Basílio" é plágio de "Madame Bovary" de Flaubert. Realmente, a semelhança de situações nos dois livros é extraordinária. Mas o adultério, tema central de ambos, é patrimônio comum de todos os ficcionistas universais.

Não foram poucos os intelectuais acusados de plagiários — embora raramente chegasse a haver processo e muito menos indenização judicial. A acusação de Carolina Nabuco contra Daphne de Maurier pode muito bem acabar dando em nada. Uma simples denúncia como esta já garante a propaganda do seu livro: consta mesmo que, com a repercussão do caso, a edição, ex-encalhe, está quase esgotada, logo haverá outras. (Longe de mim insinuar sequer que esta tenha sido a intenção da autora.) Mais do que isso: na base do ouvir dizer, muitos acabarão lendo "A Sucessora" simplesmente por ser *o livro plagiado de "Rebecca"*...

Na mesma tecla

DOMINGO passado publiquei neste jornal* uma crônica sobre o caso "Rebecca" *versus* "A Sucessora". Dizem que o primeiro é, nada mais nada menos, que um plágio do segundo — apesar do sucesso que o livro de Daphne de Maurier vem alcançando, apesar de já ter virado filme com mais sucesso ainda, apesar de tudo. E fui censurado por querer chegar a uma conclusão, sem ter lido, como aliás declarei, o livro de Carolina Nabuco "A Sucessora", indigitado modelo de "Rebecca".

Não pretendi concluir coisa alguma, justamente por não haver lido até então o livro brasileiro. Pois esta semana dediquei-me a fazê-lo cuidadosamente, cotejando-o com o da escritora americana, a fim de chegar a alguma conclusão, conforme pretendem de mim.

*O Diário, Belo Horizonte.

Pois cheguei foi a um estado de fusão e confusão dos dois livros, a ponto de ver Maxim de Winter ("Rebecca") casado com Marina ("A Sucessora") e tornando Alice ("A Sucessora") a mulher inesquecível de Manderley ("Rebecca").

Entretanto, notei algumas passagens coincidentes. Não vou dizer taxativamente que houve plágio, embora o enredo dos dois livros seja praticamente idêntico. Salvo na parte final: "Rebecca" termina muito diferente de "A Sucessora", com desfecho tendendo para romance policial de segunda classe; pode o seu mistério até intrigar o leitor e mesmo despertar-lhe emoção, mas o valor literário é praticamente nulo, ao contrário do que acontece em grande parte do livro.

Desse ponto de vista, sem dúvida que "A Sucessora" é superior a "Rebecca": maior conteúdo psicológico, mais natural, mais humano.

Ouvi dizer, aliás, que Daphne de Maurier foi escritora de novelas policiais, o que pode facilmente ser verificado por todo aquele que viu a versão cinematográfica de seu livro "Jamaica Inn" (Estalagem Maldita). Em "Rebecca", a escritora parece não haver conseguido fugir ao espírito novelesco que lhe é natural. Escolheu um tema delicado e difícil, soube transmitir com finura os sentimentos e as emoções da personagem principal. Não pode evitar, contudo, que o fim de seu livro decaísse sensivelmente, transformando-se em autêntico enredo policial. Se nos traz emoções e aguça nossa curiosidade, não é superior ao "Círculo Vermelho" ou "Um Perfil na Sombra" de Edgar Wallace — especialista no gênero.

Disse ter notado algumas coincidências. Não vou cotejar minuciosamente os dois volumes a cada página: que essa questão seja tratada nos tribunais. Quero apenas apontar alguns pormenores idênticos nos dois livros gêmeos.

Em "Rebecca", por exemplo, o palacete termina em chamas. Já em "A Sucessora" tal não acontece; mas a escritora insinua por duas vezes a idéia de incêndio no prédio, o que poderia trazer à mente de quem estivesse plagiando a sugestão de um episódio em que isso acontecesse. Também com referência à caligrafia de Rebecca num, e de Alice noutro, ambas as escritoras se detêm um pouco nesse pormenor, o que não deixa de ser um ponto em comum nos dois livros. Assim como o personagem de um nunca pronunciava o nome de Rebecca, assim também o do outro jamais falava o nome de Alice ("Rebecca", p. 132; "A Sucessora", p. 12). Curioso, entretanto, é que a maior figura de cada um dos livros não tem correspondente no outro: Mrs. Danvers e Miguel. Todos os demais personagens se correspondem, de um livro para outro: Rebecca — Alice, Maxim — Roberto, Clarice — Germana, e assim por diante. Em ambos os livros há um quadro célebre, uma pequena saleta que servia de refúgio para a segunda mulher, e os bailes de carnaval de um poderiam ter inspirado a passagem dramática da recepção à fantasia do outro.

E vai por aí afora. Uma porção de pontos de contato, muitas analogias, grande número de incidentes iguais. Algumas divergências, não resta dúvida. Estilos bem diferentes, é inegável. Final absolutamente diverso, o que não diz nada. Ambos são romances dignos de ser lidos, o que é dizer tudo. E continuo não concluindo coisa alguma a respeito do plágio, limitando-me a aguardar a decisão judicial. Sempre acatando as decisões do juiz, como procedem os bons jogadores de futebol.

Pois o crítico pernambucano Álvaro Lins foi taxativo, ao bater na mesma tecla: em sua seção literária do *Correio da Manhã*, por ele mantida com brilhantismo, provou cabalmente esta semana ser "Rebecca" um plágio integral de "A Sucessora" — e mais: sustentou aquilo que eu timidamente mal ousara afirmar, ou seja, que o romance da brasileira vem a ser literariamente muitas vezes superior ao da americana.

Pois é isso aí: estamos conversados.

1941

Escritor de almas

LOGO às primeiras páginas, tem-se de parar, impressionado. O choque é demasiado forte. Precisa-se de ar, a cabeça lateja até. Mas depois a gente volta com sofreguidão, já com o espírito preparado. E a primeira impressão é que Octavio de Faria, ao contrário do que acontece com a maioria dos escritores de hoje, tem o que dizer, alguma coisa muito, mas muito importante mesmo.

A literatura para ele é um meio e não um fim em si. É romancista (e não é, em essência) como poderia ser músico ou pintor. Tanto assim que não escreve bem. Seu estilo não é macio, maleável, mas duro e agressivo, cheio de arestas, sem as curvas necessárias para que o nosso espírito por elas escorregue. Um estilo, entretanto, cheio de calor e entusiasmo, que um tratamento mais aprimorado e uma brandura mais rebuscada talvez tirassem. Sua agudeza fere-nos fundo; se em certos momentos temos de descer o declive para buscar na depressão a verdade que ele nos quis dar, outras vezes é a saliência dessa verdade na página seguinte, visível e palpitante, que se sobrepõe à névoa de seu estilo, como o pináculo da montanha vara uma camada de nuvens, e surge aos nossos olhos sem esforço. (...)

Não se pode ler Octavio de Faria de um só fôlego. Há momentos em que os dedos da gente se crispam, o nosso queixo chega a tremer. Sente-se no cérebro um tumulto de idéias ferventes, a respiração se torna ofegante... Temos de parar a leitura para voltar ao normal — e vir de novo, ansiosos, sentir mais uma vez o calor contagiante daquelas idéias, que nos põem a alma em fogo, obrigando-nos a parar logo adiante, até que a serenidade volte.

Vivemos, como o autor, toda a angústia de Ivo na sua adolescência de lutas, desde o primeiro instante em que se sentiu fascinado pelo abismo. Ele não quer entregar-se, quer reagir, quer vencer a tentação. Mas essa é mais forte e ele se sente já no lodaçal do pecado. Não tem mais força, e então vai buscar o auxílio do Padre Luiz.

Este o atende prontamente, com palavras vibrantes, persuasivas, é Deus quem fala por sua boca. Sim, nada mais perigoso para Ivo, na idade em que estava, que o hábito de encontrar descanso dos nervos excitados num estado morno, sensual, a que se abandonava e que lhe trazia o sono. Um sono afinal tranqüilo, fazendo esquecer tudo mais... Mas era tranqüilidade e esquecimento da luta que se travou pouco antes. Esquecimento de Deus, que foi traído e abandonado.

"Então é preciso não dormir, padre?"

Toda a angústia, todo o desespero daquela alma prestes a se perder, tragada pela lama em que caíra, estavam nessa pergunta. O padre não podia dizer a verdade — sim, era preciso não dormir, velar sempre, lutar eternamente para conquistar a bem-aventurança eterna que Deus nos prometeu. Se dissesse, aquela alma frágil e temerosa diante do sofrimento era capaz de se apavorar, e recuaria, desesperada.

A resposta foi hábil e persuasiva, contornando a questão. Era preciso dormir com Cristo no coração e não com as tentações deste mundo. Não há repouso e sono fora de Deus, porque somente n'Ele está a verdadeira tranqüilidade. "Só Deus é o porto e o fim de todas as misérias. Porque é o começo de uma vida nova."

Os esforços do padre foram em vão. Ivo se perdeu no torvelinho das paixões humanas e se chafurdou inteiramente na lama. Também o escritor o perde de vista, deixando-o mergulhado no seu desespero. Mas sente-se que ele voltará um dia aos nossos olhos. Queremos acompanhar aquela existência atormentada até o fim. Ela continua vivendo dentro de nós. É impossível que esse profundo escritor de almas não a traga para sempre dentro de si. (...)

Trata-se do exemplo mais representativo dos escritores que penetram fundo na alma de suas criações, deixando de lado tudo mais — inclusive o estilo literário.

Raras são as vezes em que mostra a paisagem, descreve um ambiente, como alguém que chegasse furtivamente à janela de uma casa sombria e indevassável, para ver o que se passa lá fora.

Ali dentro vive o espírito do romancista, cercado de mistério, angústia, desespero. A alma de seus personagens não tem portas ou janelas que se comuniquem com o exterior. E se ele consegue tão nitidamente nos mostrar o que se passa lá dentro, é porque nós entramos para ver.

Entramos como, se não há portas nem janelas? O escritor, por meio de uma arte mágica, nos transporta lá para dentro, de repente, sem preâmbulos — e essa repentina entrada nos deixa aturdidos, ao iniciarmos a leitura de "Mundos Mortos". Sente-se, entretanto, que a casa misteriosa é realmente habitada pelo romancista, que se move dentro dela com a naturalidade de morador. (...)

A segunda parte da obra tem também como tema central as lutas íntimas, travadas no espírito do adolescente. Lutas das dúvidas e indecisões, dos sentidos e das paixões que despertam, dos preconceitos que se opõem. Mas o caso de Roberto não é como o de Ivo, da primeira parte — drama íntimo que se passa infalivelmente na vida do homem em determinada época — e sim um caso específico, que pode ser tomado até como uma perversão.

Talvez o escritor tenha usado "A sombra de Deus", em parte como ponto de contato entre o drama de Ivo ("Descoberta do Mundo") e o de seu irmão Carlos Eduardo ("O

Anjo"). Uma preparação do leitor para a parte mais grandiosa do livro, onde são mostradas algumas faces do caráter de Carlos Eduardo. E onde tomamos fôlego para mergulhar fundo nessa alma.

Mas se temos o drama horroroso de Roberto, temos em compensação o Padre Luiz. É o pastor que tudo vê, tudo consola, que torna aquelas almas inexpugnáveis à corrupção e ao pecado. Era na verdade com Deus que os alunos se explicavam, não com ele. "Que significo, que posso significar eu próprio em tudo isso? Nada. Evidentemente nada. Deus é que é tudo, meu filho." (...)

O autor atingiu seu intento. Aquele acontecimento na vida de Roberto faz com que ansiemos por conhecer intimamente a alma cândida e pura de Carlos Eduardo, não ficar apenas a contemplá-la do lado de fora. É na verdade em "O Anjo" que o escritor atinge o máximo de si mesmo. Essa terceira parte, preparada pela segunda, ficará sempre como um marco da grandeza — ou melhor, da profundidade — que conseguiu atingir Octavio de Faria, um dos maiores romancistas de nosso tempo.*

O Romancista do Absoluto, em "A Chave do Enigma".

1942

Resposta

B.H. 15/1/42.
Prezado Mário de Andrade,
Acabo de receber sua carta.* Para mim, ela vale mais do que tudo o que falaram e poderiam falar dos "Grilos".** Explico-me. Há muito esperava sua opinião, no que ela pudesse me servir, com ansiedade indisfarçável. Confesso que pensei nela antes da publicação (e esta foi para mim apenas um meio de orientação, um marco, um ponto de partida). Pois bem, a orientação esperada partiu de você, com essa carta. É como se eu tivesse publicado o livro apenas para recebê-la. Você me indica caminhos, toca em pontos de grande importância para mim, mostra os defeitos, interessado, bem-intencionado, amigo. Era isso o que eu desejava e precisava. Você não pode calcular quanto valor tem para mim certos esclarecimentos seus a questões como aquela de se serei mesmo um contista, aquela sua opinião a respeito da linguagem, etc. Quero, pois, de início, que você saiba de minha gratidão, que não é pequena.

Quanto à idade, é um pouco menor do que você achava, pois tenho dezoito encabulados anos. E aí o meu medo de sua opinião a respeito dos contos se modificar muito, mormente sabendo que alguns deles, como *O telefone*, *As rosas iam murchar* e outros foram escritos e publicados há mais de 4 anos. Temo que você ache agora que uma força possivelmente notada aqui ou ali não seja mais que resultado de um maior ardor de juventude ou de um feliz momento de criação inconsciente e ignorada. Queria até que, se fosse possível, você me esclarecesse isso, sabendo de quanta importância é para mim: se sua opinião quanto aos "Grilos", nas suas possibilidades, força criadora, conteúdo humano, etc., se modificou ao saber a minha idade.

Um ponto que me põe satisfeito pela maneira com a qual você o esclareceu, é a respeito dos contos anedóticos e porque são inferiores aos outros. Também o que você falou da linguagem — achando qualidade onde os outros só acharam timidez e acanhamento, e descobrindo cultura onde os outros descobriram ignorância — me alegrou sobremaneira. Antes de sua carta, eu estava absolutamente desorientado. Só se justificavam, para os outros, três contos (*Festinha em família*, *As rosas iam murchar* e *O telefone*), justamente

---
*"Cartas a um Jovem Escritor — Remetente: Mário de Andrade — Destinatário: Fernando Sabino", 1981.
**"Os Grilos Não Cantam Mais", contos, 1941.

os mais antigos. Os outros não prestavam para nada. Que é que eu podia concluir daí? Que aos 14 anos eu tinha uma vocaçãozinha literária, perdida inteiramente hoje!

Todo mundo está falando que meus contos nem "contos" são. Foram classificados como crônica, o diabo a quatro. Pode você calcular, pois, como veio me ajudar com essa carta que hoje recebi. Ando desanimado, estéril, mergulhado num pessimismo que você nem faz idéia.

Você me desculpe a desordem e a extensão desta carta. Queria lhe dizer várias coisas mais. Pediria até a você que me escrevesse outra vez, depois de receber esta, caso seja possível. Pelo que eu vi, suas cartas ajudam muito a gente. Aliás, era para eu já o ter conhecido, em 39, quando você esteve aqui. Mas meus minguados 15 anos me emprestavam a timidez que me impediu de aparecer na casa do Guilhermino César, na hora que você estava lá, como eu e ele tínhamos combinado. Como lamento hoje essa burrice minha. Enfim, não há de ser nada. No fim dá tudo certo.

Você não se importa se eu lhe escrever novamente. Estou encantado com sua sinceridade, e também, que diabo, gostei, e muito. Tão encantado que já aceitei sua sugestão e encurtei meu nome:

Fernando Sabino

Rua Gonçalves Dias, 1.458
Belo Horizonte

P.S. Sou mineiro sim, de B. Horizonte mesmo. Desculpe o tamanho da carta, e no mais, lá vai um abraço.

FS

1943

Estilos literários

DIZIA Cláudio Brandão, meu professor de português no Ginásio Mineiro, que existem três espécies de estilos literários: estilo brando ou singelo, estilo médio ou temperado e estilo sublime ou nobre.

Pode ser. Mas não me venham dizer que o estilo de Rui Barbosa é "nobre", "temperado", ou lá o que seja, se ele por si só instituiu uma categoria de estilo. O mesmo acontece com Machado de Assis, Eça de Queiroz, Aluísio Azevedo, Graça Aranha — com todos os escritores.

Cláudio Brandão costumava repetir a definição de Buffon: *L'estyle est l'homme même.* O estilo é o homem. Como querer que o homem seja o estilo? Portanto, é impossível uma padronização de estilos literários, que inclua o de todos os escritores do mundo.

Um mesmo fato pode ser narrado de diversas maneiras, considerado sob diversos pontos de vista, conforme o caráter de quem vê (ou de quem não vê, dada a falta de caráter). Alfredo Pujol disse que Machado de Assis, na notícia de uma simples briga de negros, compunha uma página de literatura.

Aproveitemos a briga de negros. Como se referiria a ela um reporterzinho policial de nossos dias, pernóstico e sem talento?

"Dois negros, João da Silva e Manoel de Tal, por motivo de somenos, empenharam-se ontem à noite em violenta luta corporal, no botequim da Lapinha. Antes que se decidisse a vitória de um deles, dois guardas que por ali passavam prenderam ambos e os trancafiaram no xadrez do Segundo Distrito."

Está bem nítida, nessas poucas linhas, uma nota do caráter daquele que as escreveu: "antes que se decidisse a vitória de um deles". A única imagem que esse homem consegue evocar para dar certo colorido à notícia, é uma nota de esportividade.

E Machado? Como se referiria à briga? Provavelmente assim:

"Que dois negros se entregassem ao passatempo de se desmanchar mutuamente, não é cousa de admirar, dada a circunstância de estarem ambos no botequim da Lapinha. Um primeiro copo de cachaça, um segundo copo de cachaça, uma discussão, um insulto... e começou. Não, não. Provavelmente o insulto ainda foi revidado. O senhor é isso e mais aquilo. É a senhora sua avó. Mas, pensando melhor, e se imaginarmos que haja sido um pouco diverso? É que não houve o segundo copo de cachaça, nem sequer o primeiro. A inexistência deles, adrede observada, é que teria motivado a discussão e a ofensa. E, diga-se de passagem, o ofendido foi o dono do botequim, que depois se fez juiz do pugilato. Tudo considerado, teria havido mesmo a discussão? Talvez houvesse. Os homens vivem para discutir. Se acaso eu concluísse que discutem para viver, estaria incidindo em mero jogo de palavras. Ora, paciente leitor, desculpe-me estas digressões. Voltemos à briga dos negros, que por sinal já está ficando um poucochinho longa, e pelo visto terei de dá-la por encerrada. Mas o caso é que o João da Silva... Disse que um deles se chamava João da Silva? Não? Pois digo agora. O João da Silva..."

Rui Barbosa não se referiria jamais a uma briga de dois negros, se não fosse pretexto de comentários como estes:

"Lá em cima, os politiquilhos a se desancarem continuamente, perdulariamente, infantilmente, ridiculamente, desenfreadamente. Cá embaixo a gentalha, a populaça, em luta truculenta, em pugilato renhido, de ferocidade desumana, de animalidade brutal. Ainda ontem presenciei um desses espetáculos que já se tornaram corriqueiros, comuns, triviais, dada a assiduidade com que se dão: dois negros empenhados em digladiar-se animalescamente no botequim denominado 'da Lapinha', por questão de pouca monta, pelo que foram detidos e conduzidos até o Segundo Distrito. No entretanto, nem deveriam ter sido presos. Constituem eles a evidência, a patenteação representativa da desordem tumultuária, do caos amotinado, do marasmo agoniante em que infelizmente, lamentavelmente está mergulhada a nação, e de onde, custe o que custar, haveremos por força de arrancá-la."

Seria interessante observar como os escritores modernos comentariam o mesmo fato. Refiro-me a certos escritores de hoje em dia, cujo estilo dá a impressão de ser apenas um esquema do assunto, e ainda assim alinhados de trás para diante:

"Foram trancafiados no xadrez. Por quê? Porque brigaram. Brigaram no botequim da Lapinha. Nem discutiram, nem nada. Também não beberam. Brigaram, apenas. Como se cuspissem pro ar. Mas o cuspo caiu-lhes na cara. Estão trancafiados no xadrez, a estas horas..."

Tem razão Buffon. O estilo é o homem. Entretanto, a melhor definição de estilo foi a de um aluno no meu tempo de ginásio, durante um exame:

— O estilo é o jeitão da gente escrever.

1944

O anjo de pedra

"... EXATAMENTE como se eu, impossibilitado de determinar positivamente o conteúdo da pureza, fosse procurar chegar a ele, negativamente, pelo esgotamento de todos os caminhos da impureza. Um pouco a aventura de todos nós, cristãos, em busca da salvação."

Era o que me confessava Octavio de Faria, em carta de 1941, a propósito do que escrevi sobre a sua "Tragédia Burguesa", que começava a se realizar plenamente.

Hoje esta obra atinge seis volumes — a metade do que está ainda por se realizar. Com "O Anjo de Pedra" (cuja publicação queremos registrar nesta rápida crônica, com admiração e solidariedade), ninguém poderá deixar honestamente de considerá-la um dos mais importantes conjuntos de romances de que se tem notícia. E ninguém poderá ficar insensível à palavra potente de esperança que nos traz o final deste novo livro.

Octavio de Faria vem expondo aos nossos olhos um mundo morto, afogado na tentação do pecado. Um mundo habitado por seres entregues ao efêmero, vendidos ao contingente, sem a consciência do eterno e a esperança na divina Presença — chafurdados "no lodo das ruas que o coração humano recolhe das sarjetas...".

O romancista desmascara cruamente aos olhos do leitor a miséria da condição humana. Sofre ele próprio a dor do personagem, procurando desesperadamente um caminho para salvá-lo. E sente renascer, diante dos anjos de pedra, a sua esperança de que essa pedra se desvaneça, e que a matéria morta venha ainda a reviver, ao brilho, diante dos olhos, de uma luz imperecível.

Tal é a esperança que nos dá Octavio de Faria, a que não podemos ficar insensíveis: esperança de um "encontro inesperado na voragem das ruas, quem sabe sob o disfarce de uma máscara humana, da face desconhecida do Cristo, Deus e homem, Salvador e Redentor".

1945

Cavalheiro

FOI no Congresso de Escritores este ano, em São Paulo. Fiz parte da delegação mineira, que embarcou jubilosa e aguerrida em Belo Horizonte, num trem da Central.

Ao chegar à Estação da Luz, encontramos vários confrades paulistas à nossa espera. Em meio à confraternização geral, nos dirigimos à saída da estação, quando um motorista se adiantou, abordando alguém a meu lado:

— Táxi, Cavalheiro?

Não vacilei em abraçar o escritor Edgar Cavalheiro — com quem já havia trocado cartas — dizendo-lhe quem eu era:

— Prazer em conhecê-lo pessoalmente, Cavalheiro.

Ele correspondeu ao meu abraço de maneira menos cavalheiresca do que eu esperava. Ainda assim, insisti:

— Como vão as coisas por aqui, Cavalheiro?

— Que coisas? — estranhou ele.

— Os preparativos para o Congresso, e tudo mais...

Antes que me perguntasse que Congresso, um companheiro da delegação me chamou, já dentro de um táxi:

— Você não vem conosco?

— Não — acenando-lhe com a mão: — Vou aqui com o Cavalheiro.

E já ia embarcando atrás dele no seu táxi, quando o homem arrepiou carreira:

— Perdão, mas não estou entendendo. Eu não o conheço, cavalheiro.

— Perdão digo eu — retruquei, aturdido: — O Cavalheiro não é você?

— Posso saber a razão dessa insistência em me tratar de cavalheiro?

— Mas não é esse o seu nome?

Esclarecido o equívoco, ele acabou achando graça — tratava-se de um cavalheiro — e fez questão de tomarmos o mesmo táxi, se oferecendo para me deixar no hotel.

RIO DE JANEIRO —

Brincadeira tem hora

MEU amigo Adauto Cardoso, o famoso advogado, num de nossos encontros no foro, conta-me estar defendendo um português que tentou assassinar com um formão a mulher e o amante dela. Mas logo ao primeiro depoimento de seu constituinte, confessa-me que está inclinado a abandonar a causa, porque não ficaria bem, diante daquela tragédia toda, ele é que acabasse morrendo... de rir.

E repetiu-me as palavras do homem, em sotaque lusitano:

— "Sou vigia de construção e naquela noite eu estava de serviço, quando deu-me cá umas saudades da minha Maria. Resolvi dar uma escapadela até minha casa. Ao chegar, encontro o quarto fechado e às escuras. Bati à porta. Abre, ó Maria! Sou eu! Que estás a fazer aí trancada às escuras? Ela respondeu-me que estava a dormir, mas não era verdade, porque ouvi lá dentro voz d'homem. Quem está aí contigo, ó Maria? — perguntei, e ela disse: — É o Manoel relojoeiro. (O Manoel relojoeiro é um mandrião que tem à esquina uma ourivesaria.) E que está o Manoel a fazer aí dentro a esta hora da noite? — perguntei. — Está a consertar o relógio — respondeu-me ela. Mas às escuras? — tornei eu. Ora, seu doutor, brincadeira tem hora: sou um homem sério, não admito desrespeito para comigo. Foi então que perdi a cabeça e derrubei a porta, invadi o quarto, dei-lhes com o formão que trazia comigo, e se não fosse o escuro teria acabado com eles. Porque o próprio Manoel foi quem me respondeu lá de dentro: — Um artista não precisa de luz!"

Eliana

DIA 26 de março — nascimento do primeiro filho — uma menina! De nome Eliana, já batizada com um poema:

PARA ELIANA

Tua vida principia
Na solidão de teu pai.
Teu rosto pra mim emerge
De tempos adolescentes
Ah! machucados de amor.
Teus olhos vêem de teu pai

Se irmanizando às estrelas.
Teu mistério pequenino
Há de crescer com teu corpo
Até tocar a inquietude
Das palavras de teu pai.
E adorarás tua mãe.

      Paulo Mendes Campos

1946

O sentimento e a linguagem

A IMPRESSÃO que nos dá Clarice Lispector em seu novo livro é a de que ela sofre a compulsão de sentir cada palavra que escreve. Como no da estréia, testemunhamos nele uma dolorosa e quase trágica procura da palavra essencial. O que a leitura de "O Lustre" me fez sentir não caberia, em palavras, neste jornal inteiro. *

Em Clarice Lispector, a palavra não é apenas expressão de uma idéia ou de um sentimento. A escritora tenta fazer dela o próprio sentimento. Tal tentativa exige uma desassombrada manipulação da linguagem, inerente à criação poética, mas pouco peculiar à prosa de ficção. Pelo menos na que busca as três qualidades ideais do estilo: clareza, concisão e simplicidade. É que Clarice Lispector resolveu se embrenhar na floresta obscura, desconhecida e traiçoeira da expressão vocabular. Para que esta fosse realmente o que a escritora sentia, e não meras palavras sugerindo sentimento semelhante, ela teria que ampliar o significado de cada uma e atribuir-lhes um sentido de conjunto que em si mesmas não teriam.

Neste livro, sentimento e linguagem não correm paralelos, mas integrados. Não há como estabelecer os limites do continente e do conteúdo. Forma e fundo perfazem uma terceira realidade que transcende a ambos.

Daí a sua maior vitória sobre a expressão: Clarice Lispector sabe penetrar pela porta secreta das palavras a fim de desvendar-lhes o verdadeiro sentido. Certamente deve ter lutado para realizar a façanha de integrar à linguagem o sentimento que lhe deu origem. A sua desenvoltura em lidar com as palavras é sem dúvida feita de procura ansiada, de trabalho penoso, de esforço e sacrifícios. O que evidentemente só a engrandece. Clarice Lispector domina o seu estilo não como mero instrumento de expressão, mas como algo vivo, feito de vibração e sensibilidade. Bem sabe ela que as palavras em si são duras, cheias de arestas, brutais, dispostas a matar o sentimento. Mas o da autora não se deixa vencer. Abranda as palavras, torna-as maleáveis, submissas, dominadas. Abre-se então o leque de suas múltiplas sugestões, vibram nas suas antenas soltas os mais íntimos significados. A autora junta, separa, procura, escolhe, aproveita, impõe em suma um sentimento ao significado original da palavra.

Mais precisamente: a expressão pela linguagem deveria ser a morte da palavra. Por-

---

*Diário de Notícias, Suplemento Literário, Rio de Janeiro.

que ela, como tal, destrói o sentimento, ao interpretá-lo isoladamente — eis o que sugere o romance de Clarice Lispector: "Não é isso que eu queria, vocês têm de ser *o que eu senti*, e não o que eu pensei que senti" — parece dizer a autora, em face das palavras que se oferecem. A função delas é se integrar inteiramente ao novo sentido que a própria autora recriou. A palavra bastando-se a si mesma não estabelece ligações com as demais, são tijolos que se recusam a ser parede. É preciso recriar na palavra o sentimento — em suma, é preciso *sentir* a palavra - esta a lição que nos dá Clarice Lispector.

Com tamanho domínio vocabular, ela consegue efeitos de uma musicalidade que é mais um elemento de sugestão, entrosado aos demais valores de expressão artística: "Ele falara tão grave, ele falara tão belo, o rio rolava, o rio rolava. As folhas cobertas de poeira, as folhas espessas e úmidas das margens, o rio rolava" (p. 8). Às vezes esta musicalidade nos embala, nos faz deslizar suave até o final da frase, e depois a frase seguinte se desdobrando noutras, sugerindo ritmos, despertando colorações harmoniosas em que a atenção se espraia, se entrega, lânguida, e esquece... É preciso ler de novo todo o período, captar agora o sentido tão racional das palavras se sucedendo. Então já somos "iniciados" na sua lógica mais íntima, na captação de cada sentimento seu. Iniciação que principia rompendo as limitações no vício do sentido formal das palavras, para que possamos, assim libertos, entrar em contacto com uma nova maneira de ler. De ler e de ser. Este livro é uma maneira de ser.

Quase acrescentaria: uma maneira de ser diante do tempo. Há um indisfarçável sentido de derrota da natureza humana no tempo. A razão desta derrota está no desejo sensorial e sensualizado de retorno à infância. Quando essa infância não era mais que uma ressonância na memória estagnada e inerme de uma mulher...

A falta, não direi de piedade, mas talvez de solidariedade da autora para com o destino falhado dessa mulher é lúcida e minuciosamente fria. A gelidez de sua não-interferência se desfaz no calor quase sádico da aparente naturalidade com que ela arranja na cena final os meios da personagem, depois de morta, ser tida ainda como uma mulher perdida. Daí, talvez, a aparência de "arranjo" ao fim de uma das páginas mais sensivelmente bem escritas que temos visto, que é a do atropelamento. A autora não resistiu e quis assim, de uma circunstância fortuita na movimentação da cena, completar totalmente a derrota... É um grito seu de vitória, como se exclamasse: "Ela morre, mas eu não morro com ela." (...)

Muito teria ainda a dizer desse livro, a propósito de cuja autora haverá por certo quem se lembrará de Emily Brontë... Uma sugestão tentadora aos menos avisados. É que tal comparação não tem como justificativa senão o fato de serem ambas poderosamente mulher. Esta impressão decorrerá com exatidão menos do tema do livro que da força e do temperamento de que ele é composto.

Força e temperamento que são toda a nossa esperança em Clarice Lispector. Há um visível progresso sobre o seu primeiro livro. A autora já sabe mais com que elementos pode contar, já se conhece melhor, já tem uma noção mais nítida de certos valores artísticos, um maior policiamento de sua capacidade criadora. E, sobretudo, já é mais *romance*. (...)

CIUDAD TRUJILLO —

*Noturno dominicano**

COMEÇA a anoitecer quando o avião a caminho de Nova York inicia a descida para a escala em Ciudad Trujillo, na República Dominicana, onde passarei a noite. Andarei pelas ruas, ouvirei o matraquear castelhano dos meninos seminus no bairro pobre e os elogios ao Presidente com que os adultos fogem às minhas perguntas. Visitarei o túmulo de Colombo, sorrirei amavelmente para os policiais em cada esquina.

Por ora o avião acaba de pousar, e agora as autoridades expedem ordens de entrada aos passageiros. Revista de bagagens: cigarro não pode passar. O comandante da tripulação ainda não chegou a um acordo com as autoridades. A licença de aterrissagem não está em ordem, o avião fica retido. Os guardas de blusa cáqui e braços cruzados olham compassivamente e acariciam o revólver à mostra apenas por força do hábito, não parecem pretender fuzilar ninguém. Mas em qualquer país a licença de aterrissagem é exigida e tem de estar em ordem, isso é natural, não exageremos.

A caminho do Hotel Jaraguas — outra maravilha que o Presidente, el Generalíssimo Dr. Rafael Leonidas Trujillo Molina, fez construir. Criados negros, impecáveis, perfilam-se à nossa passagem no deslumbrante hall de entrada. "La Era de Trujillo, El Benefactor", adverte junto à porta a placa de ouro que ele mesmo mandou colocar. E o gigantesco busto do grande realizador impõe respeito, dominando a sala.

Foi ele quem fez tudo isso, num curto período de dezessete anos. Em 1930, quando no Brasil Getúlio Vargas ganhava o poder, o salvador da República Dominicana iniciava também a sua gloriosa ascensão. E como o outro, vem sendo o "pai dos pobres", o "amigo dos trabalhadores", "para os humildes a única esperança". Vejamos o que diz *La Opinión*, um dos dois jornais da Ciudad (ambos pertencentes ao governo):

"...*En el campo social los progresos han sido verdaderamente sorprendentes. De una legislación precaria se ha pasado a una legislación avanzada, sin demagogias, cuyo contenido sirve de modelo a outros paises del continente.*"

---

*Noturno de Ciudad Trujillo, em "A Cidade Vazia", 1ª edição.

Muito já se escreveu sobre Trujillo. Já se falou em massacres de negros do Haiti que cruzaram a fronteira, em arbitrariedades, perseguições, fuzilamentos. Publicou-se mesmo em Nova York, há pouco tempo, um livro chamado "Blood on the Streets", que narra todos esses pretendidos atos de despotismo. Mas Trujillo não é absolutamente um ditador — nos asseguram. As eleições estão marcadas para ainda este mês. Os jornais já dão como certa a sua vitória por esmagadora maioria, pois os nomes dos dois outros candidatos são praticamente desconhecidos. Esta será "a vontade do povo"; segundo *La Nación*, será "*la evidencia, impresionante, incuestionable, de los progresos morales alcanzados bajo la edificante égida del Benefactor de la Patria*". Quanto aos negros do Haiti, país de território insuficiente para sua população — eles realmente invadiram a fronteira em 1937 depois da proibição expressa do governo. Que poderia fazer o governo senão mandar matar? Afirmam-me aqui que não se cometem arbitrariedades e tão-somente "uns poucos estudantes" estão presos por crimes políticos. E ninguém é fuzilado sem razão. É perfeitamente justificável aquela história de "*el ladrón confesó su crimen al murir*" com que a polícia de Trujillo se explicou, devolvendo o dinheiro furtado de um funcionário do governo brasileiro: pois se não passava de um ladrão!

O povo, segundo os jornais, todos do próprio governo, vive feliz, sob a proteção geral do Estado e particularmente da polícia, grato pelo favor de estar vivendo. Tudo que se diz lá fora não passa, pois, de intriga da oposição — que aliás é insignificante. E a ação do governo, produtiva e eficaz, prevê para breve o seu desaparecimento completo, dada a impossibilidade de descontentamento popular.

Agora é noite plena em Ciudad Trujillo. No terraço do hotel a orquestra faz ouvir os primeiros *merengues*. Moças dominicanas dançam a música nativa com soldados e turistas americanos em passinhos curtos e descaídas de ombros. Nos jardins ao redor da piscina, banhados de lua, já não há mais ninguém, senão noturnos empregados que limpam e varrem a grama como sombras, para os olhos exigentes dos hóspedes durante o dia. Os garçons do bar são magros, negros e de olhos tristes mas falam inglês e ninguém sabe quanto ganham, ninguém sabe onde moram e ninguém jamais saberá o que significa a tristeza de seus olhos. Além do jardim, o oceano se estende, macio e marulhante, ao longo da Avenida George Washington. Esta avenida também foi obra de Trujillo, e os sucessivos monumentos apregoam aos olhos dos que a percorrem, em letras de bronze, a significação de sua obra. "*Trujillo no abandonará su pueblo — el pueblo no abandonará Trujillo.*"

Mas o que os monumentos não dizem, é apenas evocado mudamente pela imensa extensão pavimentada, os jardins bem-cuidados, as faustosas residências, o ostensivo luxo do hotel e a demagogia dos letreiros da Secretaria do Trabalho, numa simulação de prosperidade: a presença de dois milhões de corpos que se gastam diariamente nas plantações de cana ou nas empresas de exploração do leite e do tabaco de propriedade de Trujillo. Os que adoecem no campo, enquanto o tirano apregoa a construção de luxuosos hospitais na cidade. As criancinhas seminuas que correm ao longo do nosso carro, pedindo esmola à entrada da cidade, a quem o Parque Infantil Ramfis, farisaicamente construído pelo "Benfeitor", jamais divertirá. Os que anonimamente se chafurdaram na miséria mais negra para que esse outro Pai dos Pobres fizesse a sua fortuna de vinte milhões de dólares. Os que foram assassinados, como aqueles sessenta soldados há sete meses, porque tiveram a ousadia de amar uma liberdade diferente da que anuncia o Salvador da Pátria. Os vizinhos do Haiti, que, apertados nas suas terras, viam da fronteira os enormes campos abandonados, de divulgada prosperidade na palavra oficial. Sobre isso ninguém ouve falar, ao redor é o silêncio e apenas o vento tropical entre palmeiras estáticas ressoa em nós como um abafado apelo dos oprimidos. Apenas o hálito quente da terra nos diz do sentimento aprisionado desse povo na noite que desceu sobre Ciudad Trujillo.

E a madrugada avança, enquanto a cidade se recolhe mais e mais sobre si mesma. Ao longe o mar de águas paradas se torna róseo, árvores e casas se destacam em contornos cada vez mais nítidos contra o céu. Há uma aparência de derrota em tudo, dir-se-ia que nas casas os moradores dormem para sempre, descrentes da aurora que vai nascer. Guardas embalados aqui e ali vigiam o sono submisso dos homens, presidem a solidão das ruas, perscrutam o ruído do mar, garantindo o perfeito transcurso de mais uma noite. De longe nos vem como um sopro a rumba tocada num clube ainda aberto, dizendo-nos que os donos da terra se divertem. Aos poucos a madrugada informa os homens, janelas se abrem, um primeiro operário sai para o trabalho. Num palacete do outro lado da cidade o generalíssimo Dr. Rafael Leonidas Trujillo Molina, cujo simples nome *"en un despliegue de fuerza y poderio hace estremecer de entusiasmo los restos del Gran Almirante Cristóbal Colon"*, consegue finalmente cerrar os olhos enquanto a noite despeja-lhe sobre o sono os restos de seu torvo conteúdo.

É dia, agora. O sol já nasceu, o tempo está firme, mais algumas horas e deixarei esta cidade. Os jornais da manhã me trazem notícias de outros países, espalham pelo mundo o eco de outras opressões. No Brasil a polícia atua contra o povo. Na Palestina os judeus continuam a ser perseguidos. O linchamento de mais um negro nos Estados Unidos. Lá fora o vento sacode violentamente as palmeiras. Dentro em pouco o nosso avião levantará vôo e iremos embora. Lá de cima a ilha parecerá pequena, o mundo parecerá pequeno, uniforme, pacificado.

NOVA YORK —

*Parábola do trem de ferro**

1 — HOUVE um tempo em que o homem, para se locomover, só dispunha dos próprios pés — tempo de grandes peregrinações. Depois veio um dia em que ele se lançou pela primeira vez sobre um cavalo selvagem, segurando-se ferozmente em suas crinas, e o domou. Estava inventada a cavalgadura.

2 — A época desse extraordinário feito se perdeu na noite dos tempos. Então, cansado de cavalgar solitário, o homem inventou o carro de rodas, que lhe possibilitava cômodo transporte para toda a família, à custa de um cavalo só. Estava aberto o caminho para as grandes descobertas do futuro, ou melhor: estavam abertas as estradas.

3 — Enquanto isso, caravelas cruzavam os mares, novas terras iam sendo descobertas. Até que um dia, séculos mais tarde, o homem resolveu que a força dos animais ou dos ventos já não correspondia ao seu crescente desejo de viajar, à sua ânsia de partir. Por mais cavalos que houvesse na terra, não transportariam jamais a todos, porque uns havia que possuíam muitos cavalos, muitos havia que não possuíam nenhum. Assim era, entre os homens, para com todas as suas posses. E nos mares, o vento, incorpóreo e insubmisso, era às vezes mera hipótese assustada que formulavam as grandes velas incontentáveis em meio ao demônio das calmarias. Assim era também entre os homens, para com todas as suas formulações.

4 — E foi inventada a máquina a vapor. Enquanto um homem chamado Fulton fez construir um estranho navio, sem velas e sem remos, que por si só singrava os mares, um homem chamado Stephenson fez construir uma estranha carruagem sem cavalos que por si só rodava sobre os trilhos. Eis que o homem passou a andar de trem de ferro.

(Por mais que falem mal dele hoje, por mais que os modernos aviões lhe roubem a primazia do transporte, por mais que a Central do Brasil o desmoralize, é do trem de ferro mesmo que precisamos. As modernas e avançadas teorias sobre o transporte do homem tentam em vão aposentá-lo; alguns há, reumáticos, que o negam, indagando por que o homem teria de se transportar. Outros advertem do perigo que representa a entrada do trem num túnel de onde se arrisca a nunca mais sair. Outros censuram a sua lentidão, outros preferem viajar de automóvel, outros ainda o recomendam, mas não viajam de todo. Há quem atribua a ele todos os males advindos do intercâmbio de civilização, da intercomunicação dos seres. Ridículo! Que o trem os apanhe, a todos, numa curva.

Parábola do Trem de Ferro, em "A Cidade Vazia", 1ª edição.

5 — Porque o trem de ferro tem pelo menos duas virtudes que fizeram de João Ternura um personagem para sempre inédito: é lírico e vulgar*. Vulgar, vulgo, "vulgaris" — do que é comum, do que é característico de toda gente em geral, do que pertence ao povo. O trem de ferro pertence ao povo, para ele foi feito, o povo é que é transportado. E ao mesmo tempo é o povo que transporta o trem de ferro. São os maquinistas e foguistas saídos do povo, são os próprios passageiros que, com suas malas, tristes ou risonhos, mas confiantes, ditam a utilidade da viagem, endossam a tabela dos horários, estabelecem a necessidade das paradas, autorizam o movimento das rodas, sustentam a força das caldeiras, verificam a existência da paisagem. Sem paisagem e sem passageiros os trens de ferro não seriam trens de ferro ou, pelo menos, não seriam de passageiros.

6 — Há passageiros — e, portanto, há o lirismo das despedidas. O trem possibilita a viagem de todas as virtudes e pecados. A inteligência se assenta ao lado da burrice, a prudência tira o cisco do olho da leviandade, a tristeza de partir bebe com a alegria de chegar, a lágrima rola com o sorriso. Na frente, o vagão especial dos ricos, onde as cabines se enfileiram como baias de luxo; atrás, o vagão destinado aos pobres, onde os bancos são duros e patéticos como os das igrejas — todos viajam. O trem leva consigo através de montanhas e planícies e cidadezinhas perdidas, uma carga de vida e poesia. A constante musical das rodas, o ritmo fixo, nítido e limpo de sua pressa, o campo, o pasto, a capelinha no alto do morro, o apito na curva, o túnel. E a moça no banco da frente, o estudante sentado na mala, o velho que puxa conversa, o padre que lê a Bíblia, a velha do banco de trás, outra moça, esta agora vem vindo, esperança que ela se sente no banco da gente, não sentou, o medo de perder a passagem, o embrulho ali em cima que está quase caindo, vai cair, caiu, o menino dormindo no colo da mãe, o investigador suspeitando de todos, aquele ali comendo frango com farofa, esse outro ainda é do tempo do guarda-pó, que eu vou cochilar um pouco, onde pus o meu dinheiro? tomar um cafezinho na próxima estação, ah, as estações em que o trem não pára! E a tristeza de ter partido, e a vontade de voltar, e o medo de ser esquecido, **nunca** mais nos encontrarmos, pode chorar que ninguém está vendo, só não vai enjoar, que viajar é assim mesmo — quem todavia saberá jamais o que significa a viagem de cada um?

7 — Mas, ai! Os trens de ferro tinham também seus inconvenientes, como os meios de transportes anteriores. Viajar de trem custa dinheiro, e portanto os que tinham mais viajavam melhor, os que tinham menos viajavam pior e os que não tinham não viajavam. Os que tinham mais comiam no carro-restaurante, os que tinham menos comiam da matalotagem, os que não tinham não comiam. Os que tinham mais dormiam nos leitos de baixo, os que tinham menos dormiam nos leitos de cima, os que não tinham não

---
*"João Ternura", romance de Aníbal Machado.

dormiam. Porque assim também era entre os homens. E tendo ou não tendo, a todos importunavam os atrasos, os descarrilamentos, a trepidação, a poeira, a fumaça, o calor e um sem-número de outros desconfortos. O conforto dos trens fora feito para preservar os passageiros durante a viagem, e aos poucos os papéis iam se invertendo, os passageiros iam sendo obrigados a preservar o conforto dos trens. Surgiam sorrateiramente as restrições: proibido botar os pés no banco da frente, proibido fumar, proibido abrir a janela, proibido ir ao toalete com o trem parado, proibido cuspir no chão, proibido ficar no carro-restaurante sem jantar, e um sem-número de outras proibições. Os horários se subvertiam, os atrasos aumentavam, a escala das estações era arbitrária e desconhecida. O destino dos passageiros se sujeitava à suprema vontade do maquinista. E quem protestasse seria atirado fora do trem.

8 — Eis, todavia, que o novo homem resolveu resolutamente resolver a situação de uma vez por todas, e entra em cena o seu poder inventivo. A instituição de iniciados no assunto proclama solenemente aos quatro ventos que será lançado o Trem do Futuro. Mas que trem será esse, Senhor? — os homens se perguntam, entreolhando-se, assustados. Logo, porém, se calam, boquiabertos, porque o trem acaba de surgir na curva. Lá vem ele, como um raio, metálico, elétrico e aerodinâmico, resplandecente nos seus vidros e nas suas cores. Leva ar-condicionado, água quente e fria nas torneiras, telefone, cinema no salão de luxo, bar no carro-restaurante, um segundo andar transparente em todos os vagões para que a paisagem seja devidamente apreciada. Este é o Trem do Futuro, "The Train of Tomorrow", para os que ainda acreditam nos trens. Viajar nele, a preços módicos, será uma felicidade proporcionada a todos, sem distinção. E lá vai ele, das fábricas "General Motors" diretamente a Nova York, para fazer a sua entrada triunfal.

9 — Triunfou, mas não entrou: os túneis são apertados demais para ele — e isso seus idealizadores se esqueceram de prever. A entrada das grandes cidades nos Estados Unidos se faz por meio de túneis. E são centenas de túneis, que terão de ser alargados, o que significará um trabalho de tantos anos, quanto sacrifício não irá custar! Mas é a única alternativa, não há outra: o povo precisa viajar no trem, ele não pode ficar eternamente em exibição; e assim como está, é mais fácil um camelo passar no fundo de uma agulha do que o Trem do Futuro entrar na Estação.

*Dor de dente**

O POETA Vinicius de Moraes, numa de suas elegias, pediu a Deus piedade para os cabeleireiros que se efeminam por profissão e principalmente para os que cortam cabelo —

---
*Da *Dor de Dente*, em "A Cidade Vazia", 1ª edição.

que espera, que indigno, meu Deus! Não me lembro se ele invocou também a piedade dos céus para os que se colocam sob outra espécie de sujeição expectante e indigna, ainda por cima dolorosa: os que tratam dos dentes.

Perdoem-me se deixo de vos falar em termos de turista, com referências aos anúncios do Times Square, os cinemas da Broadway, os arranha-céus do Rockefeller Center, pintando em cores encantadas tudo isso que em si já não oferece encanto algum, para falar-vos de uma simples cadeira de dentista sobre as supremas humilhações de uma dor de dente.

A similaridade das cadeiras me lembrou os versos do poeta sobre o corte dos cabelos. Em todo cabeleireiro talvez haja a vocação frustrada de um dentista; conheci mesmo um que deixou a tesoura, em Belo Horizonte, e foi ganhar a vida com um boticão em Montes Claros.

É verdade que no dentista, pelo fato muito explicável de estarmos de boca aberta, não precisamos responder a nenhuma daquelas perguntas que no barbeiro geram sempre a mais cacete das conversas sem futuro. Mas é verdade também que o simples aparato de brocas e ferramentas já nos sugere a humilhação de uma dor transcendente a toda anestesia e nos faz desejar as dentaduras duplas que Carlos Drummond cantou.

A dor de dente não é apenas humilhante: é insistente, traiçoeira e importuna, mais penosa que uma visita de pêsames, mais sutil que a filosofia existencialista, e ao mesmo tempo vergonhosa, estúpida, vulgar. A vulgaridade de um rosto inchado! A estupidez de um nervo exposto! A vergonha de um pivô! E por cima de tudo o ridículo de, em qualquer hipótese, não ter podido comparecer porque estava com dor de dente.

Já experimentei, no auge de um sofrimento físico qualquer, pensar se o trocaria por uma dor de dente. Não, não trocava. Vejo, a esta altura, um velho sorrir desdenhoso e dizer: você não sabe o que é reumatismo, menino. Outros me falam em otites, pielites, prostatites. Mas somente às mulheres concedo, por absoluto desconhecimento de causa, o direito de mencionarem a dor do parto, ante a qual nós, homens, além da que sugeriu o português na anedota, só podemos falar mesmo na dor moral.

A dor de dente é invenção do demônio e a precariedade dos dentes tende muito mais que a dialética marxista a negar a existência de Deus. Há dores afirmativas, como as musculares; dores conservadoras, como a gota e a enxaqueca; ridículas como o torcicolo; obsoletas como o lumbago. Outras, ainda, são apenas simpáticas, pelo alívio subseqüente que sugerem: a de barriga e a dos calos. Mas a dor de dente sorri a todas, desdenhosa, sobrepõe-se à eficiência dos comprimidos, arrasta-nos ao dentista, sujeita-nos ao maquiavelismo da hora marcada, reduz-nos à covardia da boca aberta, tirando-nos a vontade de viver. Com muita razão merecem piedade os que tratam de dentes.

Eu freqüentava um dentista no Village, perto de minha casa na Hudson Street.* O termo "freqüentar" sugere o hábito da convivência, o ato espontâneo de ir repetidamente e é mais apropriado a um amigo, um curso, uma livraria, uma mulher, do que a um dentista. Jamais iríamos a ele se a vulnerabilidade dos nossos dentes não nos arrastasse. Mas usei-o aqui porque virtualmente freqüentava aquele gabinete: era um dentista famoso, tão famoso que já não cogitava de granjear mais fama, e enquanto três assistentes seus se revezavam apressados, ante vários clientes que eram atendidos ao mesmo tempo, ele se sentava calmamente na sala de espera, para conversar com os que esperavam. Contava-nos casos de sua meninice, discutia em termos acalorados a situação política, verberava duramente o anti-semitismo e a segregação dos negros nos Estados Unidos (atitude que mais tarde descobri ser menos por convicção ideológica do que pelo duplo fato de ser ele judeu e ter no consultório uma mulatinha, assistente dos clientes durante o dia e dele próprio durante a noite). A única longínqua lembrança da nossa condição de clientes era trazida na conversa pelas suas constantes e envaidecidas referências a um Congresso de Prótese Dentária em Washington, onde uma revolucionária teoria sua sobre articulação das dentaduras havia triunfado.

Um dia, porém, fiz-lhe ver com delicadeza que tratar dos dentes me interessava mais do que suas aventuras estéticas no Reino da Ortodontia. Ele me convidava pela décima vez para ver sua coleção de quadros, guardada nos fundos da casa, da qual tinha desmedido orgulho. Eu, que num barbeiro já descobrira um dentista recalcado, me recusava agora a descobrir num dentista moldando dentaduras a vocação malograda de um artista plástico.

Ele se acreditava um artista. Exibiu-me seus trabalhos protéticos com minuciosas explicações e um orgulho de verdadeiro esteta do céu da boca. Depois me fez sentar, tirou-me dezenas de radiografias de todos os ângulos possíveis, mandou o assistente preparar um molde completo. Dessa vez foi só. E para ele tinha sido muito, em duas semanas que eu o freqüentava sem resultado, acreditando com ingenuidade que os dentistas americanos eram todos assim mesmo.

Na vez seguinte fui novamente atendido, depois de algumas horas de boa conversa da parte dele e alguma insistência de minha parte. Fez a mulatinha, sua companheira, buscar o molde numa estante onde sorriam centenas de bocas de gesso, muitas das quais ele já me pusera nas mãos para admirar. Agora eu contemplava a minha própria, espectador das qualidades e defeitos de minha articulação maxilar, como quem antevê o sorriso macabro da própria caveira. Concordei com ele que era um artístico trabalho, embora intimamente convencido de que no meu caso aquilo não tinha nenhuma utilidade — o

---

A Casa da Hudson Street, em "A Cidade Vazia".

que sem dúvida negava também uma das características da obra de arte. Depois ele me confessou com modéstia que pensava em extrair-me uns cinco ou seis dentes, para experimentar em mim uma nova ponte de sua invenção, verdadeira obra-prima. Só não lhe mordi o dedo porque este vilão jamais o pôs na minha boca.

Em vez de cinco dentes deixei que ele me extraísse cinquenta dólares e nunca mais voltei lá. Mas caí nas mãos de outro, este agora sem tanta fama e sem tantas veleidades artísticas. E aqui numa cadeira de dentista vou pagando lentamente este tributo semanal devido à precariedade do corpo, que nem só de dor moral vive o homem.

Piedade, portanto, para os que tratam de dentes. Imagino o que não será uma dor de dente para aumentar mais ainda o sofrimento de um soldado na guerra ou simplesmente dos que vivem na miséria. Desses milhões de infelizes que teimam em viver espalhados pelo Brasil e pelo mundo, e que só teriam bons dentes se tivessem o que mastigar. Desses para quem o dentista é um luxo a que jamais se deram e de cujas bocas até o sorriso foi roubado.

Piedade também para os que não tratam.

No Colbie's

DEBAIXO da Columbia Broadcasting System, na Rua 52, quase esquina de Madison, existe um bar como qualquer outro em Nova York. Com a diferença talvez de ser debaixo da CBS: daí terem os brasileiros que ali trabalham, como Fernando Lobo,* entre outros, escolhido o bar como o seu quartel-general. Somam-se a eles outros brasileiros adventícios que trabalham em diferentes lugares e outros ainda, mais numerosos, que não trabalham em lugar nenhum. O instinto gregário aqui se manifesta, associado à necessidade do uísque coletivo.

No Colbie's, como em qualquer outro bar, passam-se coisa ordinárias e extraordinárias. Henry, o *bar-tender*, sabe falar nomes feios em português, e é tido como extraordinário, incapaz de furtar no troco senão da terceira dose em diante. Há uma americana sardenta e dentuça, muito simpática, que a irreverência de Jayme Ovalle se apressou a apelidar de Noel Rosa. Fala em português não propriamente nomes feios (embora soem como tal): masoquista declarada e confessa, diverte-se queimando o próprio braço com a ponta do cigarro. E está pensando em embarcar para o Brasil a qualquer momento. Há também outras americanas indefiníveis que amam o nosso país, ninguém sabe direito por quê.

As paredes são decoradas com motivos radiofônicos: instrumentos de música, uma

---
*"À Mesa do Vilariño", Fernando Lobo, Editora Record, p. 42.

cantora ao microfone, coisas assim. O jantar é servido por garçons de cara esquisita, saídos da cozinha como de um tugúrio oriental. Na realidade são todos americanamente filipinos. O filé costuma ser bom, mas acaba cedo. Para os iniciados, já existe um processo nunca denunciado e bastante brasileiro de se ter um jantar completo por um dólar: cinqüenta *cents* para o garçom, cinqüenta para a menina do caixa, e não se fala mais nisso. Breve montarão seu próprio bar, casar-se-ão e viverão felizes.

Uma noite, já naquela hora "em que os bares fecham e as virtudes se negam", de que nos fala o poeta mineiro, deu entrada no Colbie's, pela mão do nunca assaz citado Jayme Ovalle,* um novo brasileiro chamado Eduardo Gomes — para o pasmo dos retardatários, todos brigadeiristas. Um deles, mais íntimo da casa, se embarafustou imediatamente pela cozinha, a ver se ainda haveria jantar. Não havia. É para o Brigadeiro! — explicava com nervosismo ao perplexo cozinheiro. E os outros, lá no bar, respiraram aliviados quando se conseguiu afinal improvisar um jantar. Muitos tinham lutado no Brasil, anonimamente e em vão, pela vitória do Brigadeiro nas eleições presidenciais. Outros acompanharam de longe, num país estranho, comovidamente, a campanha da libertação. Houve um que achou de melhor alvitre prevenir ao *bar-tender* que se abstivesse de dizer palavrões em português (ao que, evidentemente, ele não obedeceu). Uma voz bêbada ousou proferir um viva ao Brigadeiro, que foi muito censurado. Isto aqui é lugar de respeito, sua besta! — advertiram-lhe. E tudo acabou bem.

À meia-noite a porta do restaurante é cerrada. Mas lá no fundo o bar continua funcionando para os fregueses habituais. Uma senhorita de cabelos pretos está sempre irremediavelmente crispada, tentando curar duas paixões, conforme ela explica: ama dois homens, é amada pelos dois, e se perde em dúvidas por não saber qual deles escolher — desde que ambos, de comum acordo, lhe dirigiram um ultimato.

Luiz Jatobá, locutor dos jornais da Metro e diretor dos programas brasileiros na NBS, está sempre entrando e saindo, com ar de encontro marcado. Um brasileiro recita Ezra Pound, uma americana recita Manuel Bandeira: política pan-americana de boa vizinhança. Corroborando esta política, alguém da terra pergunta, muito espantado: desde quando? ao saber que o Brasil não é colônia dos Estados Unidos. Uma poetisa brasileira ali presente, fazendo balançar perigosamente a pena de meio metro no chapéu, comunica que partirá para Hollywood no dia seguinte, e todos suspiram aliviados. De outras maluquices não sei, não sou muito assíduo.

Há um rapaz de cabelos encaracolados, também brasileiro, que percorreu todo o país como ajudante de mágico — para ser preciso, de um hipnotista. Outro há que foi convi-

---

*O Hóspede do 907, em "A Cidade Vazia". — *Noturno com Jayme Ovalle*, em "A Inglesa Deslumbrada". — *Um Gerador de Poesia*, em "Gente".

41

dado a participar de um teste especialmente destinado a jovens latino-americanos, por uma organização científica qualquer. O teste era para medir a "intensidade amorosa das repúblicas irmãs" e consistia num beijo de dois minutos. Apenas? Ele próprio correu o risco de ultrapassar o tempo preestabelecido — e exibe então, glorioso, a fotografia de um verdadeiro chupão, se me perdoam a palavra, que ele deu na moça enquanto a enfermeira lhe tomava o pulso, um termômetro a temperatura e um médico a pressão arterial. A fotografia passa de mão em mão. Como cenário, um gráfico complicado. Como resultado, um convite para jantar e uma noite sem complicações. Os brasileiros venceram.

Certa noite apareceu um bêbado de bigode tipo Adolphe Menjou, com sobretudo, *cache-nez* de bolinhas e cravo branco na lapela, indo sentar-se no canto do balcão, sem dirigir palavra a ninguém — o que não é costume da casa, dos bêbados e eventualmente dos que usam cravo na lapela. Ao fim de meia hora de silêncio sobre um copo de cerveja, perguntou laconicamente ao amigo que me acompanhava, sentado ao seu lado: "Script?" — apontando para uns originais datilografados sobre o balcão. E nos olhou com desprezo, voltando-se para o canto, quando soube que era uma novela. Meia hora depois perguntou de novo: "Sobre o quê?" Explicamos pacientemente o enredo, mas ele se limitou a comentar: "Este assunto é meu." Não bebia. A cerveja se esquentava no copo. Tratava-se, pois, de um novelista. Depois de muita insistência, contou-nos que vem escrevendo um romance policial há quinze anos. É a história de um detetive que gostava de levar uma lembrancinha do local do crime — um cinzeiro, um bibelô — e que à força de investigar crimes cada vez maiores, acabou levando também lembranças cada vez maiores. Queixas de pequenos furtos começaram a surgir e o próprio detetive foi encarregado de investigá-los. Trabalhou segundo a rotina e o cerco se apertou em torno do culpado. Até que acabou por dar voz de prisão a si mesmo e trancafiar-se no xadrez.

— Trata-se de um surrealista — comentou meu amigo, baixinho, mas ele ouviu e se sentiu insultado. Tivemos de lhe explicar o que era surrealismo. Quando se falou em sonhos, porém, ele nos interrompeu, exaltado:

— Não me fale em sonhos! Tenho sonhos que me perseguem há anos. E só sonho com cavalos. Vocês explicam isso? Ontem sonhei que estava beijando um cavalo castanho. E eram beijos enormes, assustadores, que me beijavam com força, beijavam, beijavam sem cessar... Acordei espantado e, imaginem vocês o meu espanto maior... Quando vi que o cavalo *não era castanho, era branco*! Vocês explicam isso?

Voltou a apoiar-se nos cotovelos, impassível, como se não tivesse conversado nada. Ainda nem tocara no copo. Em dado momento voltou-se de novo, ergueu os braços de maneira trágica:

— Vivo rodeado de cavalos. É cavalo para todo lado, em casa, na rua, para onde me volto. Como entre cavalos, ando entre cavalos. Os cavalos até já me beijam! Quem pode suportar? Vocês explicam isso?

— Talvez porque você goste de corridas, de equitação — arriscou meu amigo timidamente.

— Detesto.

Ergueu-se e foi-se embora, inesperadamente, sem mais nenhuma palavra. Seu andar era firme. Não pagou a cerveja, cuja garrafa Henry, o *bar-tender*, recolheu com displicência. Perguntamos se o conhecia, se era algum poeta, algum escritor. Henry deu uma risada:

— Poeta, ele? É dono de uma casa de malas ali na esquina. Comerciante. Há quinze anos que pede uma cerveja aqui a esta hora para encerrar a noite, e vai embora sem tomar nem pagar. No dia seguinte sempre começa por aqui e então eu cobro.

Assim é o Colbie's: há quem beba sem pagar e há também quem pague sem beber. De outras maluquices não sei, não sou assíduo.

(Na)morada nova

COM o respeito devido a David Garnett,* ouso contar a história do homem na morada nova em que veio se meter.

Um homem de seus quarenta e poucos anos, chamado Mike, olhava as vitrines da "Furniture Center", casa de móveis da Rua 47. Viera de longe, muito longe, de uma pequenina cidade de Arkansas, tentar a vida em Nova York. Uma semana já havia passado e Mike não arranjava nada: o dinheirinho que trouxera logo se acabou e ele foi forçado a deixar o hotel, não tendo mais o que comer nem onde morar. Naqueles dois dias, cansado, desanimado e faminto, não fizera outra coisa senão perambular sem destino pelas ruas, olhando com avidez as vitrines (lindos perus assados na esquina da Rua 50 com a Broadway) e aguardando o frio da noite no Central Park.

Estas agora eram cinco vitrines, simulando quartos mobiliados: uma sala de jantar, um quarto de dormir, escritório, cozinha e banheiro. Tudo do mais alto luxo: quadros, candelabros, tapetes, poltronas de couro. Portas internas estabeleciam comunicação entre as vitrines, dando a ilusão de dependências de uma casa — talvez a casa que em sonhos ele houvesse desejado. Se bem que um apartamentinho no Brooklyn já lhe serviria.

— Como se fosse uma casa, e ninguém mora aí.

— Pois não, cavalheiro — e o empregado lhe abriu a porta.

---

*Referência a "The Man in Zoo", do novelista inglês David Garnett, sobre o homem que se dispôs a morar numa jaula do Jardim Zoológico.

Mike apontou as vitrines:

— Quer alugar?

O empregado ia lhe dando as costas, quando o gerente interveio:

— O que é que ele quer?

— Um engraçado: perguntou se "a casa" é para alugar.

Mike ganhou a rua, achando graça na idéia, e ia seguindo em frente quando ouviu que o chamavam lá da loja. Era o gerente:

— Por favor, espere um instante! O senhor diz que seria capaz de alugar essas vitrines para morar?

— Não disse isso, mas sou.

— Faça o favor de entrar. Vamos passar ao meu escritório.

Passaram ao escritório. Mike se sentou, desajeitadamente, enquanto o gerente confabulava pelo telefone com um agente de publicidade.

— Sim! Sim! Venha imediatamente — e desligou, esfregando as mãos.

Alguns minutos mais tarde o agente chegava num táxi. Pouca oportunidade teve Mike de falar, mas em pouco todas as condições haviam sido estipuladas, um contrato já fora redigido e assinado. E no dia seguinte mesmo ele se mudou para a nova morada.

Chegou às nove horas, carregando ele próprio a sua mala. As vitrines haviam sido cerradas, os anúncios em todos os jornais apregoavam com espalhafato a sua abertura para as dez horas da manhã. Alguns desocupados já esperavam do lado de fora, curiosos.

— Tudo o que você tem a fazer é ocupar as vitrines como se estivesse em sua casa — lhe explicaram. — Procure usar os móveis o máximo que puder. Pode proceder como se estivesse sozinho, inteiramente à vontade. Até meter o dedo no nariz, se quiser. Mas não se esqueça, quando tiver de se despir, as calças devem ser tiradas apenas no banheiro, atrás do biombo. Você só será visto dos ombros para cima. No mais, como lhe convier. E agora vá em frente, pode se instalar.

Era tudo que ele desejava — casa e emprego ao mesmo tempo, para não fazer nada. Ainda assim, Mike transpôs a entrada das vitrines como se o encerrassem numa prisão. Poderia olhar para a rua, para os transeuntes, mas sem tomar o menor conhecimento do que ia lá por fora: como se o vidro fosse uma parede. Passaria o dia inteiro feito um bom burguês, a fumar, a beber, a comer, a ler jornais, ouvir rádio, descansar e dormir. Que poderia desejar de melhor? Não havia razão para se entristecer.

As vitrines foram imediatamente abertas, pois, segundo havia sido anunciado, estariam em exposição desde a sua chegada. Lá fora já se alinhavam, ao longo do vidro, uma porção de caras curiosas, sem deixar espaço vago, e alguns se empurravam para ver melhor. Mike atravessou a primeira vitrine num passo duro, sem olhar para fora, sentindo-se observado, como se representasse no palco um papel. Largou a mala sobre a cama, no quarto de dormir, procurando dar naturalidade aos movimentos — pois não estava em casa? Sentou-se e, para se assegurar de sua liberdade de fazer o que quisesse, resolveu tirar os sapatos. Mas se esquecera que suas meias estavam furadas, e tão logo lá da rua deram com esse detalhe as gargalhadas arrebentaram — como se um buraco na meia fosse a coisa mais engraçada do mundo.

Mike arriscou um olhar para fora e viu, através do vidro, homens e mulheres a rir, como grandes peixes num aquário. Confundido, tornou a calçar os sapatos, arrancando novas gargalhadas dos espectadores. Tentando ignorá-los, ergueu-se, abriu a mala e começou arrumar as suas coisas no quarto. A cada peça de roupa que surgia, contudo, o povo se entusiasmava, sempre a rir, e alguns davam pancadinhas no vidro, como em aplauso. Depois deitou-se na cama, assim mesmo vestido (sentia vontade de ir ao banheiro, mas não tinha coragem), e ficou a olhar para o teto, braços cruzados atrás da cabeça, procurando a viva força se compenetrar de que estava na sua própria casa. Quase adormeceu.

Ao meio-dia um empregado da casa, vestido de libré, veio servir-lhe o almoço. Dado ao luxo da residência que as vitrines simulavam, supunha-se que o seu dono devia ser rico e ter refeições magníficas, servidas pelo criado — isso fora estipulado no contrato. Assim, depois de devorar um excelente almoço e dar cabo de uma garrafa de vinho, Mike ordenou um charuto e foi se acomodar numa poltrona, diretamente em frente ao vidro, passando a ser espectador.

Lá fora alguns curiosos, já cansados, se afastavam, enquanto outros iam chegando, em maior número. Ajuntavam-se em frente à vitrine onde ele estava, num grupo compacto, que já obstruía a calçada. O que é que tanto os interessava? Que havia de tão espantoso assim no fato de um homem exibir-se ao público no interior de sua própria casa? Já deviam ser mais de cem. Cem? Uns duzentos — Mike pôs-se a contá-los com o dedo, calmamente, o que pelo visto muito os divertia, pois era um rir sem conta. Não resistiu e lhes fez uma vastíssima careta — o que, lembrava-se agora, o contrato não permitia.

Levantou-se e passou ao quarto, desse ao escritório, novamente ao quarto. Aos poucos ia-se sentindo à vontade, achando ele próprio uma graça irresistível na sua situação. Talvez o vinho lhe houvesse subido um pouco, era possível. Descobriu de imediato uma brincadeira que achou mais do que divertida: cada vez que passava de um quarto para outro, vale dizer, de uma vitrine para outra, o povo lá fora se deslocava também, se precipitava, aos atropelos, procurando cada um se colocar melhor para ver o que ele iria fazer. Alguns trocavam cotoveladas e havia mesmo de vez em quando um princípio de tumulto. Em breve não sobrava nenhuma vaga em todas as vitrines.

Então ele fez o que estava querendo fazer desde que chegara: passou ao banheiro. Lá fora o povo se contorcia de rir ao vê-lo baixar as calças e sentar-se no vaso. A sensação de estar sendo vigiado por centenas de pessoas nas suas atitudes mais íntimas desta vez o perturbou. Refugiou-se atrás do biombo, vestiu o pijama e arriscou-se a surgir assim no quarto de dormir, renovando o entusiasmo da assistência.

Eis senão quando ele dá com aquela lourinha de minissaia, toda serelepe, fazendo-lhe sinais, caretas e gatimonhas, rosto encostado na vitrine: ela chegou mesmo a colar os lábios no vidro, como se lhe mandasse um beijo. O vinho devia ter-lhe subido à cabeça — ao ver aquilo Mike disparou a fazer gestos frenéticos, convocando a mocinha a entrar na loja.

E não é que ela o atendeu? Entrou na loja como quem não queria nada, e em pouco surgia no interior da vitrine diante dele, toda sorridente, cumprimentando-o com um abraço, como uma amiga sua.

Mike não perdeu tempo: foi logo se atracando com ela e arrastando-a para o quarto de dormir. A moçoila reagiu: assim também não! e tentava se desvencilhar de seus braços. Esperneou freneticamente, ao ser derrubada sobre a cama, enquanto ele já deixava cair a calça do pijama e tombava sobre ela, arrepanhado-lhe a minissaia com volúpia.

A multidão lá fora, no maior tumulto, entrava em delírio de entusiasmo, diante daquela cena muda de filme pornô. Guardas obrigavam o povo a se locomover, mas nem assim a ordem se restabelecia. Em pouco a polícia comparecia em peso, obrigando o gerente da loja a encerrar imediatamente o espetáculo. A lourinha aproveitou a confusão para se escafeder. Mike, devidamente vestido e recomposto ante as vitrines já fechadas, justificou-se como pôde: segundo o contrato assinado e sacramentado, não estava em sua própria casa? não podia proceder como quisesse, no recesso do lar?

O gerente, ferido nos seus brios, queria levar o caso aos tribunais. Mas o agente o dissuadiu: bem ou mal, a publicidade já fora feita, o melhor seria rescindir o contrato. Mike concordou, desde que o cumprissem integralmente, pagando o que lhe era devido.

Isso feito, arrumou sua mala e se mandou dali: naquela mesma noite comprou uma passagem de trem, embarcando de volta para Arkansas.

*Ainda que tardia**

LIBERTAS *Quae Sera Tamen*. Lembro-me que, em menino, quando lia com entusiasmo estas quatro palavras na bandeira de Minas Gerais, julgava-as não em latim mas em português mal escrito, querendo dizer: Libertas, que serás também — e completava, por conta própria: libertado.

Liberta, que serás também libertado. Nunca poderia imaginar que anos mais tarde,

---

*Ainda que Tardia, em "A Cidade Vazia", 1ª edição.

na terra que a liberdade escolheu para seu último refúgio no mundo, este *nonsense* de infância voltasse a me perseguir, revestido agora de uma autenticidade que ninguém suspeitaria. Ainda que tardia, ou seja: que já vai tarde. Que serás também libertado, ou seja: libertar-se é libertar — minha "tradução" era melhor.

Liberdade hoje é apenas um nome que se dá a logradouros públicos, a marcas de cigarros, à estátua que nos cumprimenta à entrada de Manhattan? Ou significa ainda qualquer coisa de fundamental como direito, de básico como condição, de respeitável como princípio nas relações do homem em sociedade, na estruturação das formas democráticas de governo? Ah, sim, existem as chamadas liberdades democráticas — estamos ameaçados, em nossos dias, de nos vermos prisioneiros da superstição da liberdade democrática, como se as quatro liberdades de Roosevelt fossem quatro paredes que nos encerram para sempre no mundo dos sofismas.

O abuso demagógico da palavra liberdade desvitalizou o seu sentido e a hipertrofia de seu conceito desmoralizou-lhe a aplicação. Liberdade vai-se tornando um mito — mera palavra repleta de sonoridade, mas vazia de conteúdo. Como tudo que se desliga de suas relações imediatas, para se tornar mera abstração que os homens reivindicam às cegas, sem saber como usá-la e nem ao menos reconhecê-la, quando ela realmente vier. Liberdade é a condição de se poder fazer ou deixar de fazer alguma coisa. Mas para que todos possam igualmente dispor de si, é preciso que esse poder seja regulado e limitado pelas leis. E liberdade fica sendo então a faculdade de praticar tudo aquilo que não é proibido pela lei. A liberdade de cada um termina onde começa a dos outros.

Mas onde, afinal, começa a dos outros?

Os Estados Unidos se tornaram aos olhos do resto do mundo o modelo das democracias, a terra da liberdade por excelência. Até que ponto o americano, dentro de seu regime de liberdade democrática, é na prática livre para pensar ou agir?

O americano pensa em dinheiro, só pensa em dinheiro, é obrigado a só pensar em dinheiro. De maneira geral, assim é em toda parte onde o capitalismo prevalece. Mas nos Estados Unidos pode-se ver com os próprios olhos o dinheiro brotar milagrosamente da mão de todos e ir engrossando rios de dinheiro, que convergirão para o cofre de alguns. Esses rios percorrem todo o país como veias e artérias de um organismo, estabelecem fronteiras, fertilizam, inundam, estreitam-se e se alargam, são meios de comunicação e todos têm de navegá-los.

É verdade que com dinheiro ou sem dinheiro a polícia prende quando tem de prender, os jornais falam quando têm de falar, a porta se fecha quando tem de se fechar. Mas acontece apenas que o dinheiro, em pequena escala, não subverte a ordem nem abre exceções dentro dela, justamente porque essa ordem já foi estabelecida em relação ao próprio dinheiro. O dinheiro não poderia abrir exceções numa sociedade em que ele é a regra.

Eis por que não interessam aos americanos o pequeno furto, a pequena gorjeta, a pequena esmola: porque não são suficientemente fortes para quebrar a regra, como os grandes assaltos, os grandes subornos e as grandes doações. Só em grande escala pode o dinheiro precipitar aqui o seu curso normal de ser o princípio, o meio e o fim de todas as coisas.

A regra é pensar em cifras e converter tudo em dinheiro. Os cinemas da Broadway são melhores dos que o da Rua 42, porque custam mais caro. Alguém já pensou que eles custam mais caro porque são melhores? E essa inversão do raciocínio vai acompanhando o americano em todas as coisas, até as últimas conseqüências, ou seja, até chegar à sua generalização na maneira de viver para ganhar dinheiro, em vez de ganhar dinheiro para viver.

Um objeto, uma idéia, uma atividade qualquer se impõem preliminarmente segundo a sua função econômica. O ideal de lucro se sobrepõe a todos. Ninguém é livre para pensar ou agir, porque tudo tem um valor determinado, econômico, precisa ser vendido e comprado, vale dinheiro. E o dinheiro de cada um também acaba onde o dos outros começa.

Haveria, é certo, o pensamento e a ação que não decorrem diretamente das necessidades econômicas, as idéias que a inteligência proporciona, as convicções que as idéias estabelecem. Mas a liberdade para tais ações, pensamentos, idéias e convicções é justamente a que termina onde começa a dos outros. E onde começa a dos outros?

O pensamento se exprime por palavras e o homem reivindica a liberdade de falar e escrever. Em princípio todo homem pode falar ou escrever, desde que não seja mudo ou analfabeto. Em alguns países e em determinadas circunstâncias, porém, ele será preso, espancado ou assassinado. Será demitido do seu emprego, metido na cadeia ou num campo de concentração e apontado como réprobo, traidor, imoral ou criminoso. Para que isso não aconteça é que existe a sutil distinção da língua inglesa entre os verbos *can* e *may*.

You can speak, mas *you may not*. E já é alguma coisa, porque nos regimes totalitários *you cannot* apenas. De tal maneira se aprofundou essa distinção, que atualmente já se começa a pensar em garantir justamente a liberdade de não falar e não escrever. Para ela apelaram os escritores de Hollywood, ante as perguntas do Comitê de Investigações de Atividades Anti-Americanas. Para ela estão apelando milhares de operários, em face dos *afidavits* que o Ato Hartley-Taft os obriga a assinar, como garantia de emprego. Todos se agarram nos seus direitos assegurados pela Constituição.

Apela-se muito para a Constituição, ultimamente, e isso é mau sinal. Não passa um dia em que alguém não fale nela, pelos jornais. Todos para louvá-la e defendê-la, é lógico, mas cada um a seu modo. Quando uma Constituição é respeitada na íntegra, ninguém se lembra que ela existe. Quando não é, a democracia, desviada de sua verdadeira finalidade, que é a preservação do bem comum, vai buscar nela própria as armas de defesa com que se destruirá.

Mas sem dúvida que há liberdade, dentro das condições que a própria democracia estabelece — e nem podia deixar de haver. Ninguém será preso (e espancado) sem razão. Todos são iguais perante a lei. O dinheiro não abre exceções. O direito de se locomover é assegurado (a ninguém se exige carteira de identidade). O homem será considerado inocente até prova em contrário. Os preconceitos de raça e cor serão energicamente combatidos. São as liberdades do corpo. Ao corpo será assegurado comer, beber, descansar, viajar, ouvir, falar, sentir e cheirar, integridade física e um túmulo onde se enterrar. Enquanto isso, o espírito continuará escravizado ao dinheiro, aos preconceitos ou à própria lei.

"Liberdade de espírito? Mas que liberdade é essa?" — os fazedores de democracia se interrogam, perplexos, reunidos em assembléia. Um católico inglês, o escritor e artista plástico Eric Gill, lhes sopra ao ouvido, com alguma força, porque eles são meio surdos:

— A liberdade da Pobreza!

E como eles, boquiabertos, não entendam, pois estão acostumados a ouvir falar é em riqueza, bem-estar e independência:

"Quando falamos em Castidade, não queremos dizer a castidade má, a forçada castidade dos jovens que só não se casam porque os Bancos não deixam. Quando falamos em Obediência, não queremos dizer qualquer coisa de mal. Não queremos dizer a obediência má dos escravos — a servil obediência do operário — homem reduzido às condições subumanas de irresponsabilidade intelectual — cuja única responsabilidade é a de fazer o que lhe mandam — que é plenamente humano apenas quando não está trabalhando — cuja única razão da obediência é o medo de ser demitido. Assim também, quando falamos em Pobreza, não queremos dizer uma pobreza má — desamparo, penúria, nudez, fome, desabrigo —, a pobreza má daqueles que são privados de meio de subsistência, cujo único pensamento é conseguir roupa e alimento, e quando alimentados e protegidos, dormir. Quando falamos em Pobreza, queremos dizer qualquer coisa de bom, de sagrado como a Castidade — uma coisa sagrada, fruto da razão —, como a Obediência, também uma coisa sagrada, fruto do amor a Deus — a quem servir, é a perfeita liberdade."*

Então os fazedores da paz, sem entender mas impressionados, resolvem oferecer ao homem não só uma, mas quatro, as quatro liberdades democráticas, para breve, para depois da próxima guerra. E vão dormir.

Ainda que tardia. *Quae Sera Tamen.* Que serás também... Que serás também libertado.

Peace and Poverty, em "It All Goes Together", Eric Gill.

Lombroso explica

CORES berrantes, trajes feminis, jóias e berloques, tatuagem, alcoolismo, delinqüência juvenil, corrupção de costumes, perversão sexual — são antes temas para um estudo de criminologia aplicada do que propriamente observações de um brasileiro pessimista sobre certos aspectos da vida atual em Nova York.

Perdoem-me se inicio por um prosaico exemplo que desafia toda uma dignidade da indumentária masculina. Em verdade, uma cueca de seda, com rosas vermelhas estampadas do tamanho de um palmo, suscitaria o espanto viril de meu avô, nobremente comprimido em sua ceroula de pernas compridas e laços nas canelas.

Eu não precisava buscar tão longe comparação na elegância íntima, hoje anacrônica, de nossa ancestralidade. Quero, aliás, deixar de parte a excelência do exemplo, colhido numa vitrine da Sétima Avenida, pois ele provocaria um juízo talvez precipitado sobre o duvidoso gosto do americano em vestir-se. O certo é, porém, que florzinha na cueca e quinhentos dólares por uma gravata pintada a mão, como vi em Miami, constituem uma excrescência da moderna elegância masculina a que positivamente não posso me habituar.

Tais enfeites ferem apenas a mineira suscetibilidade de quem, como eu, preconiza ainda o uso das botinas. Passemos aos enfeites que ferem a própria pele.

É de se ver em Nova York os braços e o peito de tantos operários, porteiros, *chauffeurs* e *bar-tenders* cobertos de desenhos tatuados.* Até mesmo os da chamada "gente boa", a que a ferocidade do calor põe à mostra sob a camisa aberta e as mangas arregaçadas. Não faço referência aos das mulheres, porque as tatuagens que elas por acaso possuam raramente podem ser vistas, senão pelos privilegiados. Ontem, num ônibus, o braço erguido de uma mulher "pára-quedista" não ocultava um MARY em letras azuis, na caligrafia de algum desalmado.

Não tão desalmado como aquele homem de gênio, condenado pelos tribunais há coisa de um mês, por ter escrito no peito das amantes as próprias iniciais com a brasa do cigarro. Só Lombroso explica — não foi ele que disse ser a genialidade intimamente ligada à loucura?

Enquanto isso, em praias americanas, podem ser vistas meninas de treze e quatorze anos cujo maiô não oculta, nas costas ou nas coxas, o próprio nome, em letras que o esparadrapo recortado preserva do sol. Aos quatorze anos, esparadrapo; aos dezoito, isto é, em 1950, só a tatuagem contentará. Mas ninguém sabe o que será do mundo em 1950.

Vamos encerrar o capítulo das mulheres, tatuadas ou não, antes que essas observa-

---

*_A Tatuagem_, em "A Cidade Vazia".

ções se desencaminhem. As mulheres aqui costumam com assustadora freqüência matar os maridos — e este é um hábito com que positivamente não posso concordar. No Brasil sempre houve razões para que o mesmo acontecesse, e raramente aconteceu. Lá elas prefeririam matar a outra mulher, dando assim, na preservação do marido, uma inequívoca prova, senão de amor, pelo menos de bom gosto e superioridade intelectual. Mas aqui, ultimamente, até os filhos estão pagando: no princípio deste mês uma mulher envenenou a gás os três filhos menores, de dois, três e cinco anos de idade, e depois suicidou-se. Já um pai havia pouco antes afogado na banheira o filho de dois anos, matando-se em seguida. Outra acaba de atirar no marido por entre as vestes do filhinho ao colo, ferindo também a criança. Tudo nos leva a crer que ser criança, atualmente, nesta cidade, está se tornando um tanto perigoso.

E não falei em alcoolismo: nunca ergueria contra ele a minha voz, diria melhor o meu copo, se o assunto envolvesse por extensão líricos pileques eventuais ou o inocente chopezinho das cinco. Mas a realidade é outra — aliás a mesma que o filme "The Lost Week-End" ("Farrapo Humano") não procurou esconder.

Esse filme reflete uma situação que atualmente chega a constituir calamidade nacional. Milhares de americanos são hoje vítimas do álcool. Bastaria a quantidade assustadora de bares e bêbados de Nova York, para comprovar a seriedade de um problema que nem o governo se sente capaz de resolver. Muitas medidas de limitação do consumo são tomadas. Em vários Estados a legislação dedica longo capítulo à proibição de bebidas. Mesmo em Nova York a regulamentação é severa. Esboça-se nova campanha contra a bebida, nos jornais, revistas e no cinema. Mas ao mesmo tempo que, dentro desse programa, a revista *Life* publica um longo artigo enumerando os malefícios do álcool, estampa também anúncios de diversas espécies de *cocktails*, com a dosagem recomendável.

Às nove horas da manhã um bêbado no bar em frente à minha casa me fez lembrar a anedota de Emílio de Meneses: "Já?", perguntou um amigo, escandalizado por encontrar o escritor bebendo aquela hora tão matinal. "Ainda", respondeu o inveterado. Pois o bêbado em questão, desde que o dono do bar não me conseguia trocar uma nota de dez dólares, se dispôs, com aquela característica solicitude, a me ajudar. Depois de consultar inutilmente um por um dos já inúmeros fregueses que bebericavam ao longo do balcão, saiu para a rua arrastando-me atrás de si e da nota que ele amassava entre os dedos. Não tendo conseguido trocá-la em nenhuma das lojas do quarteirão e premido pela insistência do mau inglês com que eu, agradecido, lhe solicitava que desistisse, teve então a brilhante idéia:

— Você verá se eles não trocam.

Entrou noutro bar, pediu um *brandy*, bebeu, pagou e passou-me o troco. E ante minha estrangeira perplexidade:

— *Never mind, brother! This is America!*

Não deu para sentir-me roubado porque percebi que realmente assim é a América. Deixemos em paz os bêbados, talvez seja isso que eles procuram.

Quando cheguei a Nova York, passei como todo turista pela exigência de um dólar e meio e me submeti à escalada vertiginosa dos elevadores do Empire State Building. Do alto de seus 103 andares pude apreciar o já tão enaltecido espetáculo dos arranha-céus e imaginar a vida se multiplicando entre eles numa relação multiforme de movimentos, trabalho, palavras, comunicação. Lá embaixo os homens andavam e se mexiam, canalizados na imposição cotidiana de cansaço e alegria, ambição e sofrimento. Mas me veio de repente de tudo aquilo um sentimento de coisa passada, um sabor antigo de novidade que em 1930 já deslumbrara outros turistas que não eu. Estava, por assim dizer, no ponto mais alto do mundo civilizado e era de súbito como se essa civilização tivesse precocemente envelhecido. Já não dizia mais nada a paisagem, os arranha-céus não tinham mais nada a mostrar, se revestindo de tédio e cansaço ante os olhos. A própria lente do telescópio para turistas, assestada sobre a cidade em cada canto, era um olho estatelado e morto. A voz do cicerone escorria morna e gasta sobre cada ponto pitoresco de Nova York, à força de repetir-se. O ruído das máquinas e o apito das fábricas rezavam fórmulas de uma vida que me metia medo.

Um medo premonitório da ameaça que pesava sobre o destino desta cidade.*

Foi um momento apenas, e de novo cá embaixo, essa vida me empolgava na sua engrenagem, cujas leis me haviam fugido Mas continuo ignorando como e por onde deste mundo moderno será capaz de nascer o mundo futuro, em condições políticas que reabilitem uma degenerescente condição humana.

**Medo em Nova York*, em "A Cidade Vazia".

1947

NOVA YORK —

*Uma do Ovalle**

ALMOÇO com o compositor e poeta Jayme Ovalle no Del Pezzo, restaurante italiano da Rua 47, por nós freqüentado quase todo dia. Sendo sábado, é minha intenção aproveitar a tarde livre e ir a um cinema — há alguns filmes interessantes ali pela Broadway e adjacências.
    Pergunto-lhe se não gostaria de ir também. Ele me diz que não e assim se justifica:
    — Deus fez o mundo à sua imagem e semelhança. Por que à imagem e semelhança? À imagem já não diria tudo? Alguns não serão apenas semelhantes a Deus, sem terem sido feitos à sua imagem? Deus está em toda parte, mas é uma questão de onisciência. Não tenho tempo de explicar, você querendo descubra por si mesmo. Só existimos para as coisas essenciais do espírito. Deus não está no cinema, eis tudo. Nem no teatro. Você acha que Deus freqüenta teatros?
    Pergunto-lhe se Deus estará nos concertos.
    — Você sempre com essas suas perguntas, querendo saber tudo. Mas eu respondo. Concerto? Só de Beethoven. E assim mesmo a Terceira, a Sexta e a Oitava Sinfonias. Não a Nona, que pareceria concerto de homenagem a Ele. Já no circo, por exemplo, Deus sempre estará.

*Suicidas***

SUICIDAR-SE é prerrogativa dos homens e dos escorpiões. Quando o círculo se aperta, resta-lhes respectivamente erguer o braço e meter um bala no ouvido ou erguer a cauda e meter o ferrão na cabeça.
    O suicídio, por mais que Monteiro Lobato se divirta com ele fazendo o seu engraçado-arrependido enforcar-se numa perna de ceroula,*** se é nos romances uma solução literária, apresenta-se na vida de maneira inversa, quando se salva a personagem e se suicida

---

O Hóspede do 907, em "A Cidade Vazia", *Noturno com Jayme Ovalle*, em "A Inglesa Deslumbrada", *Um Gerador de Poesia*, em"Gente".
**O Clube dos Suicidas*, em "A Cidade Vazia", 1ª edição.
***O Engraçado Arrependido*, conto de Monteiro Lobato.

o romancista. Penso é em Raul Pompéia que se matou a si próprio, em vez de, ao que me lembre, ter matado Aristarco. em seu romance "O Ateneu".

Solução para o que se vai, problema para os que ficam: o tresloucado gesto sempre deixa atrás de si uma saudade, uma dúvida e uma dívida dificilmente resgatáveis. E restam os que deixam legado ainda mais trágico para a humanidade — dessa espécie de tragédia em suspenso, de que nos fala o poeta Bandeira, na qual todos os homens morrem um pouco, se interrogando mudamente, ante os que se matam sem explicação. Por outro lado, o problema que representam os legados propriamente ditos, e a minuciosidade das estatísticas, o tédio dos criminologistas na verberação do que consideram um dos grandes males sociais. Maior talvez que o chamado suicídio lento da bebida, praticado pelos que não têm pressa. Não que o mundo perca muita coisa com aquele que resolve suicidar-se, como Nero, esse pretensioso, chegou a acreditar. Pelo contrário: o desditado que decide pôr termo à vida, em linguagem de jornal, abre um largo crédito para o mundo, fazendo crer que "a vida vale, sim, a pena e a dor de ser vivida", como no verso de Camões (ou de Bilac, não estou bem certo). Segundo o grego Nicolas Calas, os que acabam com ela são justamente os que mais a amam e veneram, a ponto de não suportar a idéia de submetê-la às contingências do futuro. E os que não amam a vida continuam a vivê-la, a despeito de suas cotidianas frustrações.

O mal está, pois, especificamente, no fato de o mundo continuar a girar indiferente para os que não se suicidam — como se o primeiro suicida não o houvesse para sempre comprometido. O beijo de Judas denunciou Cristo e a morte de Judas denunciou o mundo, pois se não é bem certo que ele se tenha arrependido com relação ao beijo, mais incerto ainda é o seu arrependimento com relação à corda que o enforcou. E, com exceção dos que se arrependem, o suicida condena o mundo com sua morte, fazendo de palhaços os que preferem, como o poeta Bilac (o próprio), "nunca morrer num dia assim! de um sol assim!". Eis exatamente o grande mal social, conforme rezam as Escrituras (quem ler, entenda), pois o suicida tenta vencer o mundo com a sua morte e a derrota da morte haverá de ser no próprio mundo consumada. Muitas coisas tenho aprendido debaixo do sol.

Esse mal social levou, nos Estados Unidos, no ano de 1946, perto de dezessete mil vidas. Somente nos três primeiros meses registrou-se um aumento de cinqüenta por cento entre homens e dez por cento entre mulheres, sobre os números no mesmo período do ano anterior.

Impressionado com esses dados, um padre americano resolveu agir por conta própria e, largando a batina, fundou uma associação, espécie de clube de suicidas (que nada tem a ver com a novela de Stevenson*), no intuito de dar a esses desesperados uma opor-

---

*Robert Louis Stevenson, Coleção Novelas Imortais, Editora Rocco, apresentação de Fernando Sabino: *O clube dos suicidas,1986*, em "Livro Aberto".

tunidade de desistirem de sua decisão. Reverendo, que do púlpito de sua igreja pregava diariamente pela salvação das almas, resolveu salvar os corpos também.

Segundo leio num jornal, os resultados a que ele chegou são surpreendentes. Salvou já milhares de vidas com seu eficiente método de tornar realidade a exclamação desalentadora que todo suicídio provoca em amigos e conhecidos: Ah! Se eu soubesse! Acontece que o reverendo fica sabendo — não só porque dispõe de agentes espalhados pela cidade, vigilantes, procurando com o olhar de verdadeiros secretas os desiludidos da vida, mas também porque esses próprios desiludidos, sabendo por seu lado sobre a existência da associação, afluem a ela em grande número, tentando uma última esperança.

Casos de toda espécie, dos mais dramáticos aos mais fúteis, passaram já pelas mãos do padre. Segundo diria o existencialista Sartre, se procuraram o padre é porque já "escolheram" a solução para o seu caso, isto é, não se matar. Mas é também verdade que muitos o procuram, com a *non-chalance* de quem já "escolheu" a outra solução e, a despeito da associação com a sua ação preventiva, acabam se suicidando.

Qual será, especificamente, a atuação dessa entidade face a um problema de natureza tão complexa como o do suicídio? Terá o padre poderes materiais para estancar nas suas fontes o próprio desespero humano, além dos poderes espirituais que a Igreja lhe dá, como representante de Cristo?

Primeiramente, ele procura selecionar os casos segundo a espécie, para a aplicação de sua terapêutica: os casos patológicos, os passionais, os financeiros. Conforme declara ele, casos há em que apenas um dólar, por si só, é capaz de prevenir o suicídio. Depois, na medida das possibilidades, tenta resolver cada um de acordo com sua natureza, pelo tratamento, assistência médica, conselhos, empregos e dinheiro.

Registram-se às vezes alguns bem desconcertantes (como o da moça que tentou se suicidar atirando-se da janela de sua casa porque um vestido que encomendara estava demorando muito a chegar). Numerosos são os que apenas simulam suicídio pelas mais variadas razões. Houve uma esposa que, gostando de impressionar o marido, ao escutar seus passos na escada, mais de uma vez abriu a torneira de gás na cozinha para morrer, sabendo bem que ele, pressuroso, entraria em tempo de salvá-la.

Um dia, porém, os passos na escada não eram dele, eram do vizinho de cima. E o resto já se sabe.

Por mais surpreendentes, todavia, que sejam os resultados atingidos pela tal associação, e embora acreditando piamente na sua eficiência, acho que o Reverendo faria melhor vestindo de novo a batina e voltando para a sua paróquia. Nada mais aconselhável, no momento, do que permanecer cada um no seu lugar, aguardando ou trabalhando os acontecimentos: o general no exército, o professor na escola, o padre na igreja. E quem não tem competência, que não se estabeleça. Se o ideal seria haver menos sol-

55

dados e mais professores, conforme declarou outro dia o Embaixador de Cuba ao da Argentina, infelizmente o número de fiéis é muito pequeno e os homens continuarão se suicidando.

Segundo me contaram, o Czar resolveu um dia pôr fim a uma epidemia de suicídios que se espalhava pela Rússia, decretando que dali por diante todo aquele que se matasse seria exposto, nu, à execração pública. E ninguém mais se matou, porque a vaidade do homem, já dizia o Eclesiastes, sendo a única realidade debaixo do sol, é suficientemente forte para sobreviver-lhe. No entanto, até hoje os jovens na Rússia continuam se matando junto ao túmulo do poeta Maiakowski — que também se matou — a despeito do fato de o Estado ter lá jurisdição exclusiva sobre a morte de cada um. E apesar da ação eficiente dessa associação que o padre fundou e que já se espalha por todo os Estados Unidos, nada impede que amanhã algum *best-seller* surja como um "Werther" americano, para causar uma onda de suicídios semelhante a que o livro de Goethe teria provocado. Como o cinema já provocou, com a morte de Rodolpho Valentino. Como as conseqüências da guerra fatalmente provocaram. Como o medo da próxima guerra está provocando agora. Só falta ser fundado um clube dos suicidas inspirado na fabulosa novela de Stevenson com este título, de candidatos à própria morte sem coragem de realizar o seu intento. Com suicídio não se brinca. Volte para a Igreja, Reverendo.

Volte para a Igreja, pois é lá de dentro mesmo que teremos de enfrentar a onda de suicídios que ameaça a humanidade. O mesmo jornal que noticiou os feitos admiráveis de sua associação, anunciou também os resultados a que chegaram os cientistas, nas experiências com seres vivos expostos à radioatividade na explosão da bomba atômica no Japão: as mais monstruosas deformidades hereditárias podem acompanhar a espécie humana por um espaço de mil anos.

Desconfio da bomba atômica, mas acredito na humanidade. E a humanidade está se suicidando, Reverendo.

El señorito*

DOUTOR Manrique acaba de declarar-me, veemente, puxando com a mão nervosa a barba preta que lhe alonga o rosto:

— ¡*Es una calamidad, hombre!*

Calamidad, para ele, é o problema de seu romance: quando não tinha dinheiro, não escrevia uma só linha; agora que tem dinheiro, não é possível escrever.

Pode ser que seja de dez dólares, a nota que leva hoje no bolso. Digamos que sejam

---

*Manrique, el Señorito, em "A Cidade Vazia", 1ª edição.

vinte. Representam o tributo de algum incauto que veio consultar-se com ele para se curar da psicose maníaco-depressiva e saiu gloriosamente curado, com mania de grandeza.

Não tenho base para julgar suas habilidades especificamente psiquiátricas. E nem me atreveria, pois qualquer consideração mal equilibrada de minha parte poderia fazer-me aos seus olhos um possível cliente. De médico e louco, todos temos um pouco, não discuto; mas se de médico ele tem o próprio diploma, de louco, mais do que eu, tem o cliente que lhe pagou os vinte dólares. Digo apenas que é médico, e acabou-se. Esculápio, diria melhor. Doutor Manrique, esculápio espanhol, tem hoje vinte dólares e está se queixando da riqueza.

Vejamos o destino glorioso e fugaz dessa notinha esquiva hoje à noite: com ela pagará o seu jantar, e possivelmente o meu, apesar dos protestos. Depois ordenará um *drink* para o matemático Bertin, para a pintora Bárbara e para mim, e dará o resto para um compatriota expatriado e recém-chegado que ainda não se ajeitou em Nova York e que ele lamentará não ter aparecido antes. Guardando apenas uns trocados para o *subway* no dia seguinte, ou não guardando nada, voltará para casa a pé, sozinho, a fim de escrever o seu romance. Porque afinal bem efêmeros são vinte dólares, para o coração inviolável no caos interior, quando se trata de fazer nascer uma estrela dançarina, como queria Zaratustra.

Vai fazer nascer, o romancista. Fazer nascer personagens, dispor situações, inventar conversas e comandar palavras, em todo esse gozo torturado e insatisfeito que é a plenitude do escritor recriando a vida. Na solidão do seu quarto, novamente sem dinheiro, Manrique terá tempo para o romance.

Na verdade, trata-se de um intelectual, um artista de pura linhagem, descendente da alta nobreza espanhola. Mas a nobreza maior do coração o levou a jogá-la inteira com o destino da pátria, enterrá-la nos escombros da sua Espanha violenta.

— ¡Yo era un señorito! — murmura, nostálgico, lembrando-se do passado que perdeu. Un *señorito*. Moço ainda, quase um menino, perdeu a casa, a família, os bens. Empenhou na luta contra o ditador o seu futuro, que persistia na memória dos tempos da *Gazeta Literária*, do convívio com García Lorca, das noites pelas ruas e salões de Madri, das discussões em que desafiava com perguntas o mestre Unamuno nas rodas dos cafés. Companheiro de Malraux durante a guerra, deixou numa operação a frio um olho ferido que lá ficou como semente morta na terra ensangüentada — marco dos tempos de sevícia. Hoje, longe da pátria, entre raros companheiros de exílio e amigos de ocasião, o outro olho continua a presidir à distância o silencioso sofrimento de sua gente, mantendo acesa a esperança.

— ¡Pero es una calamidad, hombre!

Desta vez a calamidade não é o seu romance, nem o tempo que lhe falta para escrevê-lo:

trata-se, muito justificadamente, de uma moça que acaba de passar por nossa mesa, de vestido verde e nobres qualidades físicas.

Estamos no bar-restaurante onde Manrique faz suas refeições e é encontrado diariamente — mas não para consultas. Lugar de aparência suspeita, de nome suspeitíssimo que nem me atrevo a declinar* e no entanto, senão altamente familiar, pelo menos artístico-recreativo: é freqüentado por pintores, intelectuais, estudantes e adventícios. (E por mim, desde que cheguei a Nova York.) Apesar disso, não ganha de seus freqüentadores nada de cenáculo ou panelinha. A presença de um John Steinbeck, que por aqui já andou, não desencadearia a literatura ambiente: aquele velhinho ali no canto, por exemplo, de cabelos emaranhados e barba suja, é o próprio Joe Gould, diplomado por Harvard, consagrado autor da "História Oral do Mundo"; grande figura, hoje meio pancada, se quiser poderá ficar rabiscando coisas naquele seu caderno o resto da noite sem ser incomodado. Nada, nem a entrada de outra mulher ainda mais graciosa, esta agora de preto, o fará levantar a cabeça, como acaba de fazer Manrique, que está acariciando a barba num ar de julgamento entre cético e indulgente.

— Já sei: outra calamidade.

Doutor Manrique é, incidentemente, doutor também na difícil ciência de lidar com o elemento feminino. Fruto de longa prática que lhe apurou a técnica, essa é talvez a mais consistente de suas virtudes de psiquiatra — desde que de médicas e de loucas, um pouco elas também têm.

Findo o jantar, como não aparece mais ninguém da turma além de mim, e tendo de se recolher cedo, em obediência às imposições de uma saúde precária, ele deixa comigo o ambiente já movimentado e barulhento do restaurante. Cumprimenta com distinção uma ilustre desconhecida que de passagem lhe encantou a atenção. Antigo *señorito*, curva-se com elegância para beijar a mão de uma senhora que à porta lhe é apresentada. Despede-se com um gesto do *bar-tender* seu amigo. E finalmente saímos para o frio da noite.

No caminho, estimulado pelo meu interesse, ele vai me contando passagens de sua vida, rememora incidentes, amaldiçoa o General Franco. Falo-lhe em ir ao Brasil, mas ele se firma na sua decisão de um dia voltar para a Espanha: a Espanha de sua infância, Castilla la Vieja, Barcelona nos seus versos, Granada nos seus amores, touradas, vinhos e mulheres, a Espanha na qual deixou a mocidade. E há lágrimas na sua face quando uma evocação mais viva desse passado nobre lhe ergue ainda uma vez o braço no seu grande protesto amargurado:

— *Yo era un señorito!*

---

*Minetta Tavern, MacDougall Street, esquina de Minetta Lane, Greenwich Village. — *New York, New York, 1983*, em "De Cabeça para Baixo", 6ª edição, revista,1996.

Outras do Ovalle

DE Jayme Ovalle, sobre uma crônica em que faço referência ao suicídio de Judas:
— A grande preocupação de Cristo devia ser a de que Judas falhasse e não o traísse. Isso o mundo deve a Judas: ele não falhou. Mas como a salvação do mundo só poderia vir de Cristo, Judas condenou o mundo, se suicidando.
E acrescentou:
— Convém tomar nota disso, que você pode se esquecer.
Tomei.*

Mais tarde, sobre problemas. da fé:
— A fé tem de ser criação de cada um. A fé de um santo nunca é igual a de outro. Assim como a música de um Bach jamais é igual a de um Beethoven. A fé é uma arte. O santo é o gênio da fé.

Durante o almoço de hoje no Del Pezzo, conversa sobre a obra de Salvador Dalí, a propósito de sucessivos encontros que venho tendo com o pintor, quase todo dia, para uma série de reportagens sobre ele. Ovalle se interessa, fazendo-me várias perguntas — todas, embora pertinentes, bastante originais.

Deixamos o restaurante, sem nada concluir em definitivo, fomos até a Gotham Book Mart (minha livraria predileta, ali mesmo, na Rua 47) para dar uma espiada na autobiografia de Dalí. Eu me lembrava de certas palavras suas que me pareciam importantes, e Ovalle queria conferir (realmente eram).

Já a caminho de volta ao trabalho de cada um, ambos no Rockefeller Center, começou a nevar — e de repente quem aparece à nossa frente senão o próprio Dalí! Sem chapéu nem sobretudo, correndo esbaforido, escorregando na neve em meio ao trânsito, como um doido (que talvez não deixe de ser).

— Salvador! — gritei.

Ao me reconhecer, ele se deteve na esquina, ofegante, esperou que nos aproximássemos. A neve pintalgava seus cabelos de branco, havia neve até nas pontas arrebitadas do bigode. Apresentei-o ao Ovalle. Não tivemos tempo de trocar duas palavras: ele disse que estava precisando desesperadamente de um táxi. Não seja por isto — respondi. Fui até a outra esquina e em pouco voltava dentro de um táxi. Saltei, ele entrou, depois de despedir-se do Ovalle, que murmurou com um suspiro, sem nenhum propósito:

— E eu, que deixei de conhecer Chesterton pouco dias antes de sua morte!

---
*"O Encontro Marcado", p. 40.

O pintor apertou efusivamente a minha mão entre as suas, dizendo apenas:
— *Usted es mi arcángel.*
O táxi partiu e nunca mais o vi.*

(Des)aventuras de um fotógrafo amador

SUPONHO que um fotógrafo profissional deve ter presença de espírito, ousadia e obstinação. Um fotógrafo amador deve ter apenas a câmera.

Baseado nesta conclusão, muni-me de uma e fui iniciar minha carreira no Times Square. Mas vagas ambições jornalísticas começaram logo a perturbar o meu amadorismo, acenando-me com possibilidades que me improvisariam em novo Jean Manzon do instantâneo — pois para tanto não me faltava engenho e arte.

Assim, já que não dispunha daquelas já citadas qualidades do profissional, resolvi fazer de minha reconhecida teimosia uma delas. Sou eu mesmo, pois, o herói dessas aventuras em tantos episódios quantos forem os *snapshots* tirados. (Que de gíria fotográfica, pelo menos, já ando bem informado.)

Cumpre acrescentar que era uma tarde de sábado, com muito sol, muita gente pelas ruas e um ligeiro ar de domingo para o meu desejo de distração. Andei à toa pelas calçadas, a olhar o movimento através da lente, esbarrando nos outros e pedindo desculpas. Com olhos de turista eu arrancava uma sensação inédita de cada esquina, uma surpresa de cada rosto, uma vontade de ser fotografado de cada sorriso. Até que, repentinamente, a primeira oportunidade apareceu.

1º Episódio

O casal acaba de se deter na esquina da Rua 48 com Sétima Avenida. Parece que discutem. Não, não discutem; só ele está falando, a segurar carinhosamente o queixinho dela. Aproximo-me, na expectativa. Se não sai uma briga, como a princípio eu supus, que sairá dali? Isso, isso que eu previa: agora eles andam até a entrada do *subway*, param de novo e se abraçam, enquanto eu assesto a máquina. Ela usa um vestido verde com risquinhos vermelhos, ele um terno cinzento com risquinhos azuis — detalhes inúteis pois o filme que vou usar, não sendo Kodachrome, não tira retratos coloridos. Estão se despedindo: outro abraço, outra vez ele segura no queixo dela, a quantos metros estarão de mim? Agora estão se beijando, sim, estão se beijando, será pose ou instantâneo? Beijando assim em plena rua — pronto! Esse eu não perdi. Beijo de um minuto, fiz uma boa

---

Dalí, da Catalunha, em "Gente".

exposição. Ela desce a escada, ele atravessa a rua e vai-se embora. Rodei o filme e já ia me afastando também, quando reparei que alguém me observava com atenção.

A princípio pensei tratar-se de um simples curioso: um homem corpulento de chapéu enterrado na cabeça e fisionomia pacífica que a poucos passos me encarava como quem ia dirigir-me a palavra. Instintivamente me voltei para o seu lado.

— Tirou? — perguntou ele, com ar despreocupado, se aproximando.

— Se tirei — respondi, jovial.

— O senhor vende suas fotos?

Essa pergunta inesperada me desconcertou. Que interesse poderia ter ele nas minhas fotos? Mas desconfiei logo, não só porque sua fisionomia não era mais despreocupada, como porque um investigador se reconhece pelo chapéu.

— Está interessado *nesta* foto? — indaguei, num tom profissional.

Ele sacudiu a cabeça: estava. E positivamente seu interesse não devia ter muito a ver com as excelências de minha arte fotográfica.

— *Private business?* — perguntei, a la Humphrey Bogart, pondo à prova o laconismo do meu inglês. Ele se limitou a sorrir.

— Que tal vinte dólares? — perguntou por sua vez.

Procurei pensar rapidamente: se ele oferecia de entrada vinte dólares é que por trás daquele beijo fotografado devia haver uma história mais interessante do que se poderia antes supor. Ai, a minha fracassada vocação jornalística! Havia ali algum marido enganado, uma chantagem, talvez um grande escândalo. Sempre me acreditei honesto e pretendia continuar sendo, fotograficamente falando, se me dessem oportunidade. Por isso resolvi acabar logo com aquilo:

— O senhor é detetive?

— Não.

Ele não tirava os olhos da minha máquina. Chantagem! — pensei então, segurando-a fortemente, pois ele podia até arrancá-la de mim, se aproveitando de um momento de distração — para mais tarde vir a fazer uso da fotografia contra os fotografados, exibindo-a a um provável marido. Afastei-me um pouco:

— Então ou o senhor é um chantagista ou o próprio marido.

E saí correndo. Ele correu atrás de mim, e quando ia me pegar...

Fim do 1º Episódio

2º Episódio

E quando ia me pegar o sinal de trânsito se abriu, os carros avançaram, ele não pôde cruzar a rua ao meu encalço e assim não me pegou.

No centro do Times Square os pombos comiam amendoim das mãos de uns desocupados. Preparei-me para fotografá-los (os pombos, não os desocupados). Mas eles se afastavam tão logo eu me aproximava. Comprei também um pacote de amendoins na carrocinha junto ao meio-fio, enchi a mão e estendi o braço. Aos poucos eles foram se chegando, a princípio timidamente, depois em revoada. Bicavam o amendoim na palma da mão, fazendo-me cócegas. Impossível fotografar, não dava perspectiva. Recolhi o braço, amendoim acabado, e recuei um pouco, focalizando um pombo que batia asas diante de mim, esperando mais. Seria um lindo instantâneo, o bichinho em pleno ar. Quando bati a chapa, contudo, ele já se tinha aproximado audaciosamente, pousando na própria máquina e a mirar-me com olhinhos curiosos. Desanimado, ergueu novamente o vôo enquanto eu, desanimado, erguia novamente a máquina. Então reparei que ele tinha feito cocô em cima da lente.

Fim do 2º Episódio

3º Episódio

Três negros à porta de um edifício interrompem um assunto qualquer para contemplar uma loura a poucos passos. Imaginei logo a reportagem: *"O problema dos negros nos Estados Unidos são as louras."* Ao fundo, pouco adiante, o letreiro do "Jack Dempsey Restaurant" entraria como cor local. Ainda haverá, além de mim, quem se lembre do grande lutador de boxe? Assestei cuidadosamente a câmera, sem que qualquer deles visse, e apertei logo o botão, antes que algum imprevisto acontecesse. Entusiasmado com o feito, virei o filme lembrando-me ao mesmo tempo que me havia esquecido de virá-lo antes.

Fim do 3º Episódio

4º Episódio

Um avião cruza o céu, escrevendo "Pepsi-Cola", em letras de fumaça. Detenho-me em meio à multidão que passa, volto a objetiva para o céu e disparo a máquina. Consecutivamente levo um tranco de um transeunte apressado, uma senhora me pisa o pé, dirige-me dois desaforos que felizmente não entendo, deixo a máquina cair no chão. E assim cheguei ao

Fim do 4º Episódio

5º Episódio

Um velhinho contempla embevecido o retrato de uma atriz seminua à porta de um *night-club*. Focalizo e tiro a foto de ambos. Novamente me esqueci de rodar o filme.

Fim do 5º Episódio

6º Episódio

Percebo que dois marinheiros vêm me acompanhando de longe, a observar os meus movimentos. Acabam por aproximar-se, puxam uma conversa mole. Ao saber que sou brasileiro, passam a falar no Brasil: já estiveram lá durante a guerra. Conhecem meia dúzia de palavras em português. Um deles me fala em Copacabana, o outro se refere a uma certa Lili que conheceu no "Bolero". Sugerem-me tirar um retrato meu tendo como fundo os cinemas da Broadway. Aceito a contragosto. Vagos receios de que fujam com a minha câmera. Entrego-a ao mais alto, ele me focaliza, mas quando ia bater o filme resolve na última hora voltar a objetiva para uma elegante senhorita que vem cruzando a rua. Acontece que a senhorita está acompanhada de um senhor, e o senhor sem saber se o marinheiro já fotografou ou não, protesta com veemência. Trocam uns desaforos enquanto o outro marinheiro troca olhares com a senhorita. Curiosos se ajuntam ao redor de nós, pois o cavalheiro em questão tenta arrebatar a câmera das mãos do improvisado fotógrafo. Alguém comenta a meu lado que esta história de fotografia acaba sempre na polícia. O guarda da esquina se aproxima para ver de que se trata, pois os dois discutem numa linguagem ininteligível, já cercados por pequena multidão. O homem tenta nervosamente explicar ao policial o ocorrido, o marinheiro o interrompe. Como legítimo proprietário da câmera, sou convidado a prestar o meu testemunho. Devo ter falado alguma asneira, pois de saída meu inglês arranca uma gargalhada da assistência. Tudo explicado afinal, o guarda nos manda passear, cada um para o seu lado. A câmera volta às minhas mãos. O marinheiro volta-me as costas, o cavalheiro exaltado volta à calma e quando ia voltar para a senhorita vê que ela já desapareceu, com o outro marinheiro. Não se tratava propriamente de uma senhorita.

Fim do 6º Episódio

7º Episódio

Um anúncio luminoso representando um cachorro a furtar as salchichas do cesto que uma senhora carrega. Apertei o botão no justo momento em que o anúncio se apagava.

Fim do 7º Episódio

8º e Último Episódio

Um cego toca sanfona e pede esmolas em frente ao Hotel Astor. Enquadro-o com precisão mas ao "ver-me" ele conserta o cabelo, endireita-se e sorri para a objetiva. Depois de fotografá-lo jogo um níquel no copo amarrado à sanfona, em sinal de agradecimento pela pose e de admiração pelo cinismo.

Fim do 8º e último episódio

Conclusão

Nada me custou a revelação do filme, pelo fato de não haver uma só fotografia que prestasse. Ando em negociações com o porteiro do meu edifício, que quer me comprar a câmera pela terça parte do preço que ela me custou — o que francamente considero excelente negócio, pois venderei com ela, para todo o sempre, a minha desditada vocação de fotógrafo.

Legionários

LEGIONÁRIO ainda significa para mim a cara de Ronald Colman destacada pelo pano branco na parte de trás do boné, as longas caminhadas nas areias do deserto, beduínos barbados cavalgando camelos. E o passado de crimes e paixões, derrotado diariamente pela tortura dos exercícios, pela distância e pelo esquecimento.

Nesta manhã, porém, Nova York se encheu de repente de bandeiras com letreiros: "*Welcome, Legionaires!*", e os jornais noticiavam nas suas manchetes a chegada de duzentos mil legionários. Tive de improvisar depressa outra idéia bem diferente daquela que minhas leituras de menino devem a P. C. Wren, em reminiscências do seu "Beau Geste" e do seu "Beau Sabreur", porque a palavra legionário aqui nada tem a ver com a fabulosa Legião Estrangeira. Realmente se refere à Legião Americana, associação dos veteranos da Primeira Grande Guerra Mundial, a que os veteranos da segunda também aderiram.

Duzentos mil legionários! Imagine cinco mil ônibus, de quarenta passageiros, ou o número de pessoas que cinqüenta mil carros transportariam, ou mais de dezoito mil times de futebol, com os reservas, ou quatrocentas mil pernas andando na rua. Eu, que sou de Minas Gerais, prefiro imaginar a população de Belo Horizonte inteira.

De repente Nova York se encheu de fardas esquisitas, e não há porta de cinema, sala de espera de hotel, bar, restaurante e até hospital onde não estejam centenas deles. Na sua maioria são velhos gaiatos improvisando brincadeiras, cantando pelas ruas, jogando água nas pernas das moças com suas pistolas de esguicho, pregando distintivo no peito dos transeuntes e cobrando. Ou então a desfilar em verdadeiros corsos nos seus carros camuflados de locomotivas, com sinos e apitos, que aumentam a confusão e atrapalham o tráfego. Um carnaval.

A inexistência do carnaval de verdade, na sua concepção brasileira, é um problema que o americano resolve transformando em palhaçada todas as atividades de suas associações civis. Estes são veteranos de guerra, e nessa condição sem dúvida merecem o nosso respeito. Mas não há notícia, ao que eu saiba, de outra finalidade da Legião Americana senão a preservação de um sentimentalismo em disponibilidade ou um gratuito saudosismo das lembranças da guerra. No mais, eles são é da farra e o que querem é rosetar. Ninguém tem de achar ruim, porque foram eles que venceram a guerra, conquistaram a paz que desfrutamos, etcetera.

Mas como não sou americano, e sendo eles na sua maioria da já antiga Grande Guerra, a paz que conquistaram quem desfrutou não fui eu. Além do mais, sabendo que a existência deles não impede que um dia eu seja também legionário de uma terceira guerra, não embarquei na brincadeira de um que me abordou: ele queria que eu segurasse um vastíssimo melão, não sei a que propósito.

— Hei, o que é que há contigo? Por que é que não queres?
— Porque eu não sou daqui, sou de Minas Gerais.

E fui-me embora. Eles continuaram lá, na Rua 42, atraindo a multidão para as suas macaquices. Devo estar ficando meio formalizado, cheio de preconceitos. Não sei se serão efeitos do tempo ou de minhas convicções. Mas carnaval comigo tem de ser um acontecimento tradicional de três dias de duração que o calendário acusa, ou então não é carnaval. Esse negócio de Guerra Mundial, seja a primeira, segunda ou terceira, para a qual a celebração das outras não é mais que uma preparação, ainda tem para mim uma significação que não admite brincadeiras. Talvez meus 23 anos já sejam uma nota de arcaísmo no espetáculo da alegria irresponsável, desvitalizados pelo que já aprendi, e reste muito ainda a aprender. Talvez eu seja um reacionário. O fato é que acredito e tenho esperança num mundo sem guerras, opressão nem injustiças, numa vida de fraternidade universal, e outros lugares-comuns.

Por isso prefiro ver não só nessa nostalgia gratuita do companheirismo de guerra, mas também nos "Mother's Day", "Father's Day", "Labor Day", "Freedom Day" e centenas de outras instituições americanas que os calendários e os estatutos acusam, o desvirtuamento de uma vontade de brincar que só no carnaval se justificaria. Parece, todavia, que sou o único do contra, porque todos gostam, acham engraçado e se divertem.

Menos as mulheres, é claro. Porque não deve ser nada agradável ser mulher e dar de repente com um homem deitado na calçada, levar uma esguichada de água pelas pernas acima.

Se em Nova York os legionários ousam brincadeiras como estas, imagino o que não fariam na cidade de Adirondack, N.Y., da qual não sei nada senão este epitáfio, que de passagem me chamou a atenção no cemitério de lá:

> *"Here lies remains of Anne Charlotte*
> *Born a virgin and died a harlot.*
> *For fifteen years she kept her virginity —*
> *It's a hell of a long time in this vicinity."**

Gordos

SER gordo tem as suas vantagens. O sorriso do gordo é mais paternal. O amor do gordo é mais patético. E os proventos do gordo são mais gordos.

Mas eis que começo esta crônica pelo caminho errado, pois parei um pouco para pensar quais seriam as reais vantagens em ser gordo e, mal credenciado pelos meus magros 65 quilos, não encontrei uma sequer.

No entanto, eu queria fazer aqui o meu elogio do gordo.

O mundo moderno estigmatiza, hoje, a gordura como um dos privilégios do capitalismo. O mundo moderno, industrializado, aperfeiçoado e apodrecido em fórmulas gastas de viver, selecionou o homem de acordo com o seu peso. Acomodou os gordos nos gabinetes e mandou os magros para as fábricas. Pela cabeça de qual socialista passaria a imagem de um operário gordo, entre as esquálidas figuras do proletariado cujos direitos reivindica? O capitalismo se tornou a fonte geradora de adiposidades físicas diretamente subordinadas à chamada adiposidade mental dos ricos. A barriga ficou sendo o símbolo da prosperidade que a balança acusa, e as nádegas volumosas, o eufemismo da burguesia. A suficiência dos gordos se tornou insultuosa para os magros, negando a responsabilidade das supersecreções glandulares, para fazer o peso do corpo crescer unicamente em relação direta ao peso do dinheiro no bolso e da miséria no coração.

Um erro, senhores. Nem todos os banqueiros são gordos, nem todos os bancários são magros. Nem todos os gordos são a nata da sociedade ou a coalhada da burguesia. Enquanto a gordura está aí escravizando tantos porteiros, garçons, carregadores e até guardas civis, a magreza faz prosperar felizes leitores do "Coma e Emagreça". Há, pois, quem coma e emagreça e há quem engorde sem comer.

À vista dessas considerações, vejo-me obrigado a retificar a primeira frase desta crô-

---

*"Aqui repousam restos de Anne Charlotte / Nasceu virgem e morreu prostituta / Durante quinze anos conservou sua virgindade — / Tempo longo como o diabo nestes arredores."

nica, a despeito de minha boa vontade. Piores do que a exigência de mais roupa e alimentos, mais graves que os naturais prejuízos da elegância, são as conseqüências de se ocupar maior lugar no espaço, ou com mais precisão, maior espaço no lugar.

Um gordo não corre atrás de um bonde. Ele desmente a lotação dos bancos e para ele não há lugar no estribo. Mas então, fazê-lo ir a pé, se um gordo, como os peixes, morre pela boca? Que lhe demos então um automóvel. Vejamos se ele passa nesta porta. Não passa. A escada de madeira estala, geme, ameaça ceder sob seus pés. Que lhe demos então um palacete com largos pórticos e escadarias de mármore. Os seus movimentos são lentos e as engrenagens da máquina se furtam a obedecer ao comando de suas mãos. Que o instalemos, pois, num gabinete em macias poltronas e tragamos papéis para ele assinar. Dentro do falido mundo das operações financeiras, troquemos a ordem dos fatores enquanto o produto não se liquida: que a riqueza fique sendo privilégio dos gordos e não a gordura privilégio dos ricos.

Os gordos burgueses donos da vida? Semigordos, talvez; enquanto lá fora um gordo passeia pela política sua vaidade bem-alimentada, atrás dos reposteiros a magreza diabólica espiona, planeja, elabora decretos para o gordo assinar. Misturemos os dois e teremos esse produto da nossa civilização, essa flor do lodo que viceja nos pontos-chave onde a vida se escraviza, nem tão magro para ser asceta, nem tão gordo para ser angelical: o semigordo.

Semigordo, semipolítico, semiditador, semi-intelectual — magro o suficiente para ser elegante, honesto suficiente para não ser preso. Olhos semiabertos, mãos semicerradas, semicatólico e virtuoso aos domingos, semipotente e prevaricador às quartas-feiras, encerrado entre os dois semicírculos de sua barriga e de suas idéias, o "mais vale um pássaro na mão que dois a voar, não avalizo por uma questão de princípios". Este, o falso gordo, passa longe, muito além de meus pensamentos de agora.

Estou pensando é no verdadeiro gordo, no Oliver Hardy que deslumbrou a minha infância; no Chico Bóia que deslumbrou a do meu pai. Penso num tipo popular que morava em Belo Horizonte, tão pesado que mal podia sentar e jamais pensava sequer em correr atrás da molecada quando o chamávamos de "Bolão". Penso num vizinho meu que um dia morreu pobre e gordo. Penso nesses gordos que passarão com o camelo pelo fundo de uma agulha antes que um rico entre no céu.

Nunca havia visto nenhum deles aqui em Nova York. E me perguntava onde diabo se metiam os gordos americanos.

Outra pergunta que me fazia era a respeito das roupas. Como se sabe, um terno sob medida é aqui um luxo a que raríssimos se dão. Um alfaiate sai mais caro do que o casamento de uma filha ou um descuido na adolescência. "Quem não couber num desses paletós está roubado", eu pensava, observando as roupas em tamanhos padronizados da

Casa Saks, onde se anuncia que não encontrando lá, não se encontra em lugar nenhum. E o mesmo com relação aos chapéus, meias, camisas e sapatos. Minha curiosidade por esse problema dos gordos, se acaso eles existissem por aqui, levou-me a perguntar um dia a um amigo como é que se arranjam.

— Fat Man's Shop — respondeu ele.

O que, se eu entendera bem, queria dizer "A Loja dos Gordos".

Nunca mais ouvi falar nessa Casa, nem fiquei então sabendo onde era. Mas ontem, ao dobrar uma esquina da Terceira Avenida, na parte baixa da cidade, sob as gigantescas armações de aço por onde passa o trem dos subúrbios, numa zona de bares já duvidosos e fisionomias esquivas, dei com o letreiro: "Fat Man's Shop". Uma vitrine empoeirada, uma porta larga para os gordos passarem.

Era ali que os de Nova York iam cair. Banidos como réprobos dos balcões elegantes da Saks, tinham como destino final para o pecado de suas adiposidades a Loja dos Gordos. Isso me pareceu semelhante à trajetória de uma mulher dos salões da sociedade ao prostíbulo.

Levado por tão tristes pensamentos, aproximei-me para ver de perto. Não há nada que possa descrever a vitrine, pois antes de chegar aos sapatos de quase meio metro de comprimento eu ainda estarei na perna de uma calça de pijama de pelo menos dois metros de largura. O *slack* azul-marinho vestiria um elefante. De um simples pé de meia eu faria uma camisa esporte. Se é verdade que as francesas já estão aproveitando gravatas dos maridos para fazer roupas de banho, com aquela gravata da vitrine elas fariam um vestido de baile.

Arrisquei um olhar para dentro da loja, e o que vi recriou por instantes em mim o deslumbramento vivido na infância, do alto das arquibancadas de algum circo. Vinte, trinta gordos se alinhavam ao longo do balcão — gordos, gordalhufos, GORDÍSSIMOS! Que, senhores, só mesmo me amparando nos superlativos — pois não há palavras que descrevam tanta gordura. Escolhiam suas roupas, experimentavam, trocando entre si olhares de cordialidade, sorrindo gordamente uns para os outros, tornando a experimentar. Um espetáculo que nem os poetas, nem os poetas gordos, entenderiam — e que, portanto, muito menos eu entendi.

Por que aquela minha sensação de alegria ao vê-los, felizes, comprando barato suas roupas, podendo dizer ao caixeiro "este não serve, está largo", podendo exibir sua humilde satisfação a míseros magros como eu, freqüentador de outras lojas? Por que me sentir feliz por eles, como se gordo eu fosse também? Não sabia explicar. O certo é que percebia vagamente correr pela loja, por entre as paquidérmicas figuras de seus fregueses, mais do que uma específica elegância: a afirmação do direito de ser gordo — porque no mundo ideal com que sonhamos haverá lugar para todos, inclusive para eles.

Nevada*

À MEDIDA que o dia avançava, os transeuntes de Manhattan começavam a se entreolhar, assustados:

— Dentro em pouco estaremos com neve por aqui.

E marcavam com a mão no corpo, os mais altos à altura das pernas, os mais baixos pela cintura. Às três horas da tarde estavam todos enterrados até os joelhos, e a neve sempre caindo.

O tráfego da cidade já fora completamente paralisado. Logo a neve se acumulava de tal maneira à entrada dos túneis que os trens também tiveram de parar. Não havia mais trens, não havia ônibus, não havia nada.

Nem os telefones funcionavam, porque a maioria das telefonistas tinha faltado ao trabalho.

— Meu Deus, como é que vai ser?

O problema desse aqui, como o de milhares de outros, é voltar para casa. Veio para a cidade de trem, e no caminho da estação levou dez tombos, carregou vinte quilos de neve, praguejou cem vezes contra a Natureza. A neve se acumulava no seu chapéu, sobre os ombros do sobretudo, enchia-lhe o sapato, a barra da calça e até os bolsos de fora — entrava pelo colarinho escorrendo espinha abaixo como sorvete derretido. Quando foi pegar a moeda no bolso para pagar o trem, só encontrou pedras de gelo. Quando tirou as luvas, seus dedos endureceram. Não teve coragem de esfregar as orelhas, com medo de que elas se partissem. E quando finalmente se sentou no banco do trem, sentiu escorrer água do chapéu, das mangas do paletó, das pernas da calça, dos sapatos, como se todo ele não fosse mais do que um monte de roupa enxaguada. Agora, de dentro do escritório aquecido e abafado, olha através da janela para a neve lá fora, pensando na volta.

Em pouco o problema já não é voltar para casa: é encontrar lugar onde passar a noite. Às quatro horas da tarde os mais previdentes já haviam reservado todos os quartos disponíveis dos hotéis.

Os outros que dormissem nos teatros, cinemas, salas de espera, restaurantes, ônibus parados. Das estações, de raro em raro, um ou outro trem arrancava, apinhado de gente, levando consigo a certeza de ficar pelo caminho. Maridos desalentados, pela primeira vez presos fora de casa, se lembravam das amantes que tiveram há vinte anos atrás, lamentando a oportunidade que perdiam. Outros tentavam, virtuosos, regressar ao lar custasse o que custasse, na sábia convicção de que não valia a pena queimar boa vela com mau defunto.

---
*A Nevada, em "A Cidade Vazia", 1ª edição.

Às cinco horas da tarde as estações de rádio já tinham começado a anunciar as primeiras estatísticas. Pediam a colaboração do povo, pediam calma, pediam ordem, como se a cidade houvesse sofrido um bombardeio aéreo. O prefeito O'Dywer, que havia partido para suas férias na Califórnia, mandou avisar no meio do caminho que desistia das férias e já estava voltando para enfrentar a situação. Ninguém até então podia imaginar direito em quê uma nevada daquelas seria propriamente catastrófica para a cidade. Mas havia um ar de catástrofe em todas as faces.

No Aeroporto La Guardia, onde, dizem, levanta vôo mais de um avião por segundo, não havia o menor movimento. A neve caía ainda. Mais de dez mil carros já estavam soterrados em toda a cidade. Nas estações subterrâneas a multidão se comprimia como gado. Um lugar para cada coisa e cada coisa em seu lugar! Os alto-falantes comandavam *slogans* como esse, enquanto o Departamento Metereológico anunciava que o *record* de 22 polegadas e meia, registrado em 1888, já fora batido. Uma organização conhecida como "The Blizzard Men of 88", que há 59 anos vinha fazendo conferências, divulgações e comentários sobre a maior nevada da história de Nova York presenciada pelos seus membros, convocava com urgência uma reunião da Diretoria, no sentido de encerrar suas atividades. Seria fundada a sociedade dos "Blizzard Men of 47".

E por dois dias seguidos foi assim. Nem todos, porém, ficaram presos na rua; alguns ficaram presos dentro de casa, em virtude da neve acumulada na porta. Um houve que, acostumado a chegar sempre de madrugada e não podendo suportar mais aquela situação, muniu-se ao terceiro dia de uma pá, abriu na neve um caminho de rato pela porta da cozinha e varou heroicamente a rua, enterrando-se até a virilha, em direção a um bar. Enquanto os outros, patriotas convictos, trabalhavam na pá com a finalidade exclusiva de desimpedirem a calçada, atendendo assim ao apelo das autoridades, ele tomava um solene porre para festejar sua escapada. Mas foi castigado, conforme querem os moralistas: às duas horas da manhã, por causa dos aquecedores do bar e não da bebida, teve um ataque de calor, indo parar no hospital. Lá fora fazia dez abaixo de zero, em graus centígrados.

Enquanto isso, na Madison Avenue, munidos de pás, os bombeiros trabalhavam sem descanso para salvar um cachorro que ficara soterrado na neve. Salvaram. (Era um são-bernardo). O rádio anunciava que os trabalhos de remoção, iniciados pela Prefeitura, iam adiantados, e que a Polícia, no sentido de desimpedir as ruas o mais depressa possível, estava multando quanto automóvel encontrasse pelo caminho. Dez mil automóveis, dez mil multas: para cada proprietário, nove mil, novecentos e noventa e nove consolos.

Cem mil empregados municipais trabalhando, a municipalidade a convocar ainda os homens de boa vontade a um dólar por hora. Os jornais davam com destaque o telefone, para os que quisessem se candidatar. Alguns telefonavam pedindo instruções. "Traga dois retratos e uma pá", era a resposta lacônica. Tirar retrato dava muito trabalho e com isso a disposição adquirida ali no bar já teria passado.

Ainda assim lá iam eles, e eram milhares, convencidos todos de que mais vale um dólar na neve do que dois a voar. De sobretudo e chapéu, misturados com os operários, soltavam sorrisos displicentes, como a querer prevenir aos passantes que não os confundissem, não eram meros empregados, faziam aquilo porque queriam, estavam inteiramente por conta do espírito cívico. Alguns eram francamente da farra. Empurravam a neve para os bueiros, enchiam de neve os caminhões. Cada caminhão cheio de neve valia nada menos que trinta dólares para o seu dono. Depois os caminhões rumavam para o Rio Hudson, onde a neve ia sendo despejada.

Aqui e ali se registravam as notas trágicas: ora era um bêbado que encontravam soterrado na neve, ora era uma velha que escorregava no gelo e quebrava a perna, e a última foi a do caminhão que tombou dentro do rio com neve, chofer e tudo.

O rádio começou, sem que se soubesse por quê, a pedir à população que se abstivesse de provocar incêndios tão cedo. Incêndio num tempo daqueles? Acontecia, porém, que o Corpo de Bombeiros, apavorado, acabava de descobrir que com tanta neve nas ruas jamais o seu proverbial heroísmo chegaria a tempo de apagar incêndio nenhum. Os soldados do fogo haviam levado mais de três horas para botar sete carros, com escadas, mangueiras e demais aparatos em direção à Segunda Avenida, onde um engraçado dera alarme falso só para comprovar a sua eficiência. Comprovou a eficiência da lei: no mesmo dia foi identificado, julgado e condenado a sessenta dias de cadeia em razão de sua graça. O juiz lamentou que não pudesse dar-lhe mais.

E chega de neve! Por cinco dias em toda Nova York viu-se neve, conversou-se neve, comeu-se neve, viveu-se de neve. Noventa e nove milhões de toneladas. Todas as outras atividades ficaram soterradas, todos os assuntos congelaram, a neve cobriu de branco os festejos de fim de ano, a alegria da população esfriou. Anda-se até hoje de trenó e de esqui nos bairros, mas a sério e com muito mau humor — só as crianças estão ainda se divertindo. Os galhos das árvores, cristalizados em estalactites de gelo, deram para se quebrar e cair fragorosamente na cabeça dos cidadãos. Com a queda da temperatura a neve nas calçadas endureceu, tornando qualquer caminhada um exercício de patinação. É a luta do homem contra a Natureza — advertem filosoficamente os jornais, à falta de melhor assunto, enumerando os milhares de dólares que a prefeitura despendeu. Mas a neve um dia acaba se derretendo e o dinheiro gasto acaba voltando aos cofres públicos, porque na Natureza, como dizia Lavoisier, nada se cria e nada se perde: tudo se transforma.

Meditações de leitura

TERMINO "La Difficulté d'Être" de Jean Cocteau. É curioso como um livro que nos entusiasma enquanto vai sendo lido, pode ser esquecido assim que, terminada a leitura, o recolocamos na estante.

E o contrário também se dá: livros que nos cansam, que nos irritam enquanto lidos, e que levantam o nosso entusiasmo ao fim da última página. No caso do romance, não se trata propriamente de ter uma visão de conjunto — a primeira linha de um bom romance já pode nos dar esta visão. Trata-se de chegar ao fim — o romance pode se perder, emaranhar-se, levar-nos a todos os descaminhos; se ao fim nos depositar sãos e salvos do outro lado de suas páginas, o romance também se salvou.

A importância do fim — da reta final, como ao fim de uma corrida de obstáculos: é o momento da decisão de tudo o que ficou para trás, e a última palavra pode ainda salvá-lo ou perdê-lo. (Como no caso da admirável novela "Reunião de Turma" de Fred Uhlman, cuja última palavra — literalmente — explica e engrandece a história inteira.) É nesta reta final que o romancista tem de se jogar todo, decidir o destino de sua criação, não podendo mais blefar: ou ganha, ou perde. Desconfio dos romances sem obstáculo, de leitura fácil, corrida rasa em que o leitor se emprega pouco, em que não há reta final porque todo ele é uma reta. Receio que romances como "Fome" de Knut Hamsun, por exemplo, possam não resistir a uma segunda leitura, de tal forma a primeira já satisfaz.

Estou pensando no final de "Guerra e Paz", por exemplo: Tolstoi entrando na reta final com toda a sua potência de criador, em estado de verdadeira ereção. Possuir o romance como a uma mulher, até o espasmo final, que consuma o ato de criação. Há os que se satisfazem com a masturbação.

"A eternidade não é responsável se o homem faz de si um idiota e lembra em vez de recordar. Em conseqüência, esquece em vez de recordar — porque o que é lembrado é também esquecido."

Estou lendo Sören Kierkegaard em "Etapas no Caminho da Vida"*, onde colhi alguns pensamentos para as minhas meditações de fim de ano.

"Existe uma correspondência entre o cômico e o mágico."

A observação sobre a comicidade contida em toda manifestação concreta da verdade se aplica até mesmo aos Evangelhos. A expulsão dos vendilhões do Templo, ou a vara de porcos endemoninhados penetrando mar adentro, são alguns dos inúme-

---
*"Stages of Life's Way", tradução de Walter Lowrie.

ros exemplos de episódios irresistivelmente cômicos, em decorrência da ação de Jesus Cristo.*

Para não irmos tão longe — ou tão alto: a comicidade da enunciação de certos princípios, como o de Arquimedes, por exemplo, descoberto quando o sábio tomava banho e que o fez sair pelado da banheira até a rua, a gritar: *eureka! eureka!*

"Não há comparação entre condenar um ser humano à morte e dar a vida a um ser humano. O primeiro meramente decide seu destino no tempo; o outro na eternidade."

Este pensamento de Kierkegaard é especialmente oportuno para a meditação de alguém que, num país onde é adotada a pena de morte, aguarda o nascimento de mais um filho.**

"Uma resolução negativa não sustenta aquele que a toma, mas ele é que terá de sustentá-la."

O grande problema diante do pecado está em que combatê-lo significa renunciar a ele — tomar o que Kierkegaard chamou de "resolução negativa": em vez de nos sustentar, nós é que temos de sustentá-la. O homem, por exemplo, resolve suicidar-se, mas jamais poderia resolver *não suicidar-se,* como resolução afirmativa. A luta contra o pecado é a luta contra o suicídio.

Segundo me dizia Mário de Andrade numa de suas cartas***, "os verdadeiros pecados mortais talvez sejam outros". Eu acrescentaria que os mais graves nada têm a ver com sexo, nem são contra a castidade, e sim contra a fé, a esperança e a caridade.

A propósito: não posso responsabilizar ninguém pelo destino que me dei. Longe de me desesperar, isso me favorece, pois como único responsável, sou também o único que pode modificá-lo. (E vou modificar.)

De Platão, citado por Herbert Read na revista *Adelphi* deste mês:
"O homem foi criado como um brinquedo para Deus — e isto é, na verdade, o que há nele de mais puro."

Afinal, a compreensão do que significa fazer de todos os nossos atos uma oração. Foi o que me ocorreu quando rezava uma Salve-Rainha, a repetir mecanicamente, como uma criança, palavras memorizadas e já sem significação alguma. A repentina

---
*"Com a Graça de Deus — Leitura fiel do Evangelho segundo o humor de Jesus".
**Leonora, nascida em Nova York.
****Cartas a um Jovem Escritor,* de Mário de Andrade a Fernando Sabino.

compreensão de seu sentido mais profundo, e de que nada valeriam como oração se não representassem a interpretação simbólica, em palavras, de todas as ações e pensamentos diários. Viver permanentemente em conexão com Deus, louvando-o e amando-o nos nossos menores gestos. Sem o quê, as palavras da oração não têm o menor sentido. Fazer da vida uma oração.

1948

NOVA YORK —

Nostalgia de Paris

NOVA York tem certo ciúme de Paris. Não é ciúme declarado, em termos de comparação, macerado em despeitos de amor. Nada disso. Nasce de amor enrustido, secreto e nostálgico, gênero pai de família quarentão acalentando na sombra furtivas reminiscências dos seus desmandos de mocidade.

A cada novo sucesso das gloriosas pernas de Mistinguette, que vinte anos atrás passearam no seu fanado sonho da boemia, de morar no Quartier Latin ou de beber champanhe no sapato, o nova-iorquino responde hoje com mais um filho, mais um arranha-céu ou mais uma declaração de imposto sobre a renda.

Se fala, porém, de Nova York com firmeza e convicção, colocando em seguida um ponto final de patriótica vaidade, não deixa de sugerir adjetivas reticências ao nome de Paris. A idéia, convencional de tão repetida, de que a civilização francesa, como a da Grécia, já teve a sua época de esplendor, entrando em decadência no mundo de pós-guerra, não chega a neutralizar um sentimento inconsciente, mas generalizado, de que os seus bosques têm mais vida e a vida no seio das parisienses mais amores.

Um vespertino fez há dias um inquérito entre os transeuntes de Manhattan, indagando se era verdade, conforme um escritor qualquer havia proclamado, que a mulher americana é inepta, indiferente e preguiçosa, ao passo que a francesa é inteligente e esclarecida, com maior receptividade artística e mais sabedoria nas coisas da vida. Quase todas as respostas afirmavam a capacidade da mulher americana para o trabalho, sua dedicação e eficiência diariamente comprovadas — mas reconheciam a superioridade cultural da mulher francesa, o que lhe dá mais encantos. E fora disso, insinuavam mesmo, em meio à vida trepidante de Nova York, a existência de uma secreta nostalgia de Paris, inclusive naqueles que nunca foram lá.

Durante a guerra muitos foram: as famílias dos soldados que combateram na França tiveram de enfrentar na sua volta o irredutível sentimento de desânimo que eles trouxeram para cá, em relação às coisas de casa. Vinham impregnados do espírito francês, com uma compreensão da vida mais vasta e inspirada, um sentido de humanidade que antes desconheciam. Vinham do Velho Mundo, trazendo o testemunho das tradições de séculos, plasmadas no sofrimento. Aprenderam a sua lição, e voltavam da aula abatidos. Entendiam melhor porque os franceses amavam na França a sua liberdade, enquanto os americanos amavam nos Estados Unidos o seu regime constitucional. E muitos não voltaram.

Ficaram por lá, vivendo em Paris. Não com o espírito belicoso ou simplesmente patriótico de quem continuou em campo esperando a hora do segundo jogo, mas apenas com a certeza de quem não quer outra vida. São vagamente desertores — desertores remunerados, que o Governo, segundo me informaram, deixou à solta por uns tempos para que "se educassem". Mudaram de ares, de mulheres e de convicções, e procuraram ignorar da melhor maneira possível, digamos de maneira artística, as razões do último discurso do presidente Truman ou as razões pelas quais Deus fez a América. Às vezes uma esposa, um credor ou a própria mãe, saudosos, reclamam pelos jornais a falta de notícias desses entes queridos. Mas a sua permanência na Europa tem uma invulnerabilidade que a lei garante e sua ojeriza pelas cartas, motivo que os Correios ignoram.

Um dia a mãe de um deles, numa pequenina cidade de um dos Estados do Sul, não suportou mais o silêncio do filho, e escreveu aflitiva carta ao juiz daquela comarca solicitando providências: guerra terminada, o rapaz ficara em Paris mesmo, certo de que por causa de um soldado não acaba a guerra — e desde então não enviara mais uma linha de notícias; a mãe nem sequer sabia de seu paradeiro ou estado de saúde. Podia até mesmo ter morrido! Ela vivia na maior das aflições. Esperava que alguma coisa se pudesse fazer.

O juiz, depois de verificar que a causa daquela senhora escapava à sua jurisdição, seguiu os trâmites legais: anexou à carta uma folha com o seu parecer, meteu-a numa pasta e submeteu o caso a consideração superior, encaminhando-o ao Prefeito da cidade.

O Prefeito, homem de grande saber e erudição, ponderou com justeza que fugia também à sua alçada, desde que não envolvia questão propriamente municipal; e emitindo um brilhante parecer, enviou-o ao Governador do Estado.

O processo deu entrada e foi merecendo, de estudo a estudo, a melhor consideração. Quando chegou às mãos do Governador, este, porém, teve de concluir a folhas tantas que o assunto era de competência do Governo Federal, e somente em Washington seria resolvido. Assim sendo, enviou-o, devidamente informado, a um senador de seu Estado, para que esse fizesse a gentileza de encaminhá-lo como melhor lhe parecesse. Ao senador só podia parecer que cabia ao Departamento de Estado tomar as providências que o caso requeria. Assim, valendo-se de um belo discurso no Senado, com considerações em torno da importância do Exército no mundo moderno e em face do amor maternal, remeteu o processo ao Departamento de Estado.

O soldado em causa, que na vida civil atendia pelo prosaico nome de Jones, foi então imediatamente localizado. Achava-se realmente na França, em Paris, fazendo só Deus sabia o quê nas suas horas de folga, que eram todas.

Algum tempo mais tarde a Embaixada Americana naquele país recebeu a incumbência do caso. O Embaixador ordenou que se iniciassem as investigações no sentido de descobrir o paradeiro do tal Jones em Paris. De indagação em indagação, conseguiram apurar afinal seu mais recente endereço. E lá um belo dia um funcionário especialmente designado partiu à sua procura.

Depois de atravessar toda a cidade, de se meter em becos e vielas, a errar durante horas pelos subúrbios, ele se achou finalmente em frente à casa que procurava, pronto a desincumbir-se de sua importante missão. Subiu com dificuldade quatro lances de uma escada de madeira estreita e encardida. Diante da porta entreaberta parou um pouco para respirar, e entrou.

O quarto, se é que se podia chamar de quarto aquele lugar, estava na maior desordem. Havia pontas de cigarro pelo chão, jornais velhos, livros empilhados sobre a mesa, quadros estranhos sem moldura, molduras sem quadros, três camas desarrumadas. A um canto um monte de roupas sujas subia pela parede. Sobre a cadeira havia um livro jogado, com uma gravata entre as páginas. Do outro lado, junto a um fogão fumegante, dois homens barbados se achavam entretidos a cozinhar umas cebolas, que davam ao quarto o mais consistente de seus perfumes. Escarrapachado numa das camas, fumando cachimbo, um terceiro indivíduo também barbado, em cuecas, aguardava pachorrentamente o almoço.

Ao dar com o recém-chegado, um dos cozinheiros, ocupado em enxugar os olhos que ardiam, indicou-lhe com a colher uma cadeira, dizendo-lhe que se sentasse, enquanto o outro lhe mostrava as cebolas com um sorriso:

— Estão quase prontas.

O funcionário da Embaixada, em vez de sentar-se, caminhou muito digno até o centro do quarto e perguntou com solenidade:

— Qual dos senhores se chama Mr. Jones?

O que estava na cama designou-se a si próprio com o cachimbo, olhar vagamente intrigado. Os outros dois, ao pé do fogão, se voltaram, curiosos, esquecendo por um instante as cebolas. O funcionário da Embaixada deu dois passos em direção a Mr. Jones e ergueu os braços dramaticamente:

— Em nome de Deus, menino, por que diabo você não escreve para sua mãe?

Teleolema Filicauda

A REUNIÃO estava fora marcada para as cinco horas da tarde, num dos salões do Waldorf Astoria. Teleolema Filicauda, representante do Peru, Chlorophonia Cynea Frontalis, da Venezuela e Kitta Chinensis, de Burma, acabavam de chegar.

Achavam-se presentes várias personalidades ilustres, como Dendobrates Tinctorius, Mollienista Latipinna e muitos outros. Fairfield Osborn, Presidente da Sociedade, foi postar-se diante da assembléia e, pedindo silêncio, começou a apresentar seu relatório anual:

— Tenho o prazer de anunciar que ao fim de seis anos a nossa Sociedade continua a operar dentro dos limites de sua renda sempre crescente, sem que a mais leve sombra de déficit tenha sido jamais registrada. Dos cento e sessenta mil, cento e vinte dólares de fundos, advindos de legados e doações, nem um só centavo foi usado com intuito de assegurar aumento aos nossos dividendos, mas tão somente com o de incrementar novos e criativos trabalhos na nossa Sociedade.

Tais palavras foram calorosamente recebidas com gritos, uivos e guinchos de alegria.

Na sala vizinha, a Associação dos Fabricantes de Gás Comprimido, que também realizava uma reunião naquela mesma tarde, teve de interromper durante alguns momentos os seus trabalhos, em virtude da agitação reinante no hotel. Não se reúne todo dia em Nova York uma sociedade cujas finalidades não sejam as de assegurar aumento de dividendos — e à tal extravagância se juntava a natureza barulhenta dos participantes da reunião, agora em número de mil e duzentos.

Mas o Presidente fez com que se restabelecesse a calma, e continuou seu relatório. Na sala vizinha os fabricantes de gás comprimido puderam voltar às suas preocupações, que especificamente se resumiam na procura da forma mais efetiva de comprimir o gás e expandir os lucros. Em breve, porém, foram de novo interrompidos pelo barulho: na outra sala o Secretário-Geral da Sociedade, Lee S. Crandall, interrompera o relatório do Presidente para instalar o representante brasileiro Lagothrix, que acabava de dar entrada. E que agora se recusava ruidosamente a participar da reunião como os demais ou seja: dentro de uma jaula.

Em pouco o Presidente, forçado pelo tumulto reinante, encerrava perante uma assistência de centenas de passarinhos, sapos, corujas e chimpanzés, a qüinquagésima segunda reunião da Sociedade Zoológica de Nova York.

Alexander Wetmore é um homem de seus sessenta anos, corpo avolumado, cabelos já brancos sob um chapéu de escoteiro e óculos sem aro à frente de pequeninos olhos azuis. Profissão: contador de passarinhos.

Desde 1900 que todos os anos ele veste roupas grossas de inverno, mune-se de um binóculo, apitos e demais apetrechos e sai para o campo com cinqüenta companheiros, para passar o dia contando passarinhos. No mês passado contou, junto com os outros, nada menos que 12.407, de 77 espécies diferentes. O que veio assegurar à Sociedade Nacional de Audubon que os passarinhos americanos estão desaparecendo lentamente, a se julgar pelos dados colhidos nos seus anteriores recenseamentos anuais.

Para onde irão os passarinhos? A contagem não pode ser mais eficiente e exata, desde que ultimamente tem obedecido a um sistema de especializações: alguns dos contadores apenas se encarregam dos ruídos característicos, por meio de apitos, palmas e assobios que incitam as aves a se mostrarem; outros se limitam a identificar pegadas, ninhos e ovos; outros ainda entendem somente de cantos, pios e chilreios.

Charles Mason, um desses últimos, baixa a cabeça, aperta os dedos contritamente, fecha os olhos e se concentra, cercado do mais absoluto silêncio. Está tentando captar de dentro da copa das árvores um silvo distante e quase imperceptível, para um minuto mais tarde concluir peremptoriamente:

— É um pardal.

Até o número de pardais está diminuindo. Para onde irão?

E para onde irão as focas? Vários cientistas americanos estão desde algum tempo no território do Alaska, seguindo os passos de vinte mil focas. Foram criadas com o intuito de descobrir se elas emigram ou não emigram para a Ásia, através das Aleutas.

Mas por que diacho não poderão as focas do Alaska, quando resolvem mudar de ares, viajar para onde queiram? Pensará talvez algum possível Departamento de Emigração dos Animais Árticos em exigir-lhes passaporte? Haverá no mundo fronteiras ideológicas que impeçam as focas, como aos homens, de mudar de continente?

Como se sabe, as Aleutas estabelecem a ligação do continente americano com a Sibéria — mas essa preocupação com a natureza gregária das focas não esconde nenhum misterioso objetivo de caráter político: uma foca, como tudo neste país, representa, em tese, determinada importância em dinheiro. Neste sentido, uma foca que se vai é um casaco que se perde, é uma futura atração a menos nos espetáculos de variedades, é um exemplar que faltaria nos jardins zoológicos. Mesmo livres, abandonadas nas inexploradas regiões árticas, as focas não deixam de representar embrionária fonte de rendas e sua emigração significa grande perda para a economia nacional.

Caso, pois, fique positivado que elas emigram mesmo para a Rússia através da Sibéria, possivelmente será criado um Comitê de Prevenção da Emigração das Focas do Alaska — desde que o assunto presumivelmente escapa à competência do Comitê de Investigação das Atividades Antiamericanas.

Vão-se as focas, ficam os gatos. Quando se anunciou o plano de mandar para a Europa nada menos que um milhão de gatos americanos, para exterminarem os ratos que vêm por sua vez exterminando as colheitas de trigo, Sidney H. Coleman, Presidente da Sociedade Americana de Proteção aos Animais, protestou com veemência:

— Já não há alimento suficiente para os povos da Europa e ainda querem matar de fome os gatos da América!

À primeira vista, o protesto daquele eminente senhor parece conter uma insinuação de que a vida dos povos da Europa não vale um gato pingado — desde que esse gato seja americano. Mas na realidade o que Mr. Coleman quer dizer é que nesse fabuloso plano há gato escondido: os ratos comem os grãos, os gatos comerão os ratos e os povos da Europa, na falta de grão, acabarão comendo os próprios gatos por lebres. Hipótese que, sem dúvida, vai ostensivamente de encontro às mais precípuas finalidades da Sociedade Americana de Proteção aos Animais.

Acresce a circunstância de serem os coelhos hoje em dia um prato extremamente raro e caro nos restaurantes da Europa, devido à implícita carência de gatos que o plano em questão parece sugerir.

Sem nenhuma intenção de discutir os méritos do protesto formulado por Mr. Coleman em favor dos gatos americanos, não posso deixar de imaginar o que seria o embarque de um milhão desses bichanos para a Europa. A partir do critério de seleção da gataria a ser adotado, segundo o qual sem dúvida os gatos pretos haveriam de ser segregados em embarcação aparte. Sem falar no inelutável complexo de inferioridade dos marinheiros tripulantes desse desprezível navio negreiro. Imagino mais: o que não seria a espantosa catástrofe de um naufrágio em alto-mar, a tripulação empenhada na luta contra a fúria das ondas e tendo de salvar a vida de um milhão de gatos.

Tudo considerado, e respeitando o protesto da Sociedade Americana em nome dos infortunados animais, venho humildemente sugerir uma solução que conciliaria os interesses de ambas as partes e resolveria o problema da fome, tanto dos povos como dos gatos: em vez de mandar um milhão de gatos americanos para a Europa, que se mande então um milhão de ratos europeus para a América.

Um amigo meu, interessado na criação de galinhas, descrevia-me entusiasmado as modernas instalações que percorreu no vizinho Estado de New Jersey, que asseguram um rendimento excepcional aos criadores. Contou-me, entre outras coisas, que luzes elétricas especiais se acendem durante a noite nos galinheiros, em determinadas horas, fazendo com que as galinhas saltem do poleiro e comecem a agitar-se, pressurosas, como em pleno dia. Em conseqüência, a produção diária de ovos duplica.

Tal aperfeiçoamento técnico na exploração do trabalho animal, embora eu nada entenda de galinhas, não representava novidade para mim. Mas se eu fizesse da atividade compulsória das galinhas uma imagem que interpretasse o meu pensamento no terreno dos homens, dizendo ao meu amigo que a indústria moderna explora de maneira exatamente igual a atividade dos operários, eu estaria fazendo demagogia.

Ora, galinhas! Não perderei mais tempo com animais plebeus. Como eu dizia no princípio, a Sra. Teleolema Filicauda...

Tédio

DE uma carta-resposta a Otto Lara Resende:

...Suas palavras me trouxeram através dos ares um estado de espírito de sábado frustrado tão semelhante ao meu, que só mesmo mostrando as vergonhas que minha natureza antipoética por excelência resolveu versificar, num sábado triste (guarde reserva, não mostre a ninguém e se possível não me comprometa com a posteridade), nesta

SINOPSE DO TÉDIO

Presente, ausente, amada sem idiomas
Sol do ocaso, vida sem esperanto
Mais do que a ninfa desgarrada:
Solstício de ingratidões.
Passo passado passageiro
Calma orvalhada de salmos
Que fugiram ao solfejo da minha dor.
Se eu tivesse Esperança
Se eu tivesse Temperança
Se eu tivesse Caridade
Cariátides de caristência
Na minha carência de ser
Salvaria a púlcura púrpura
Nas sílfides dos olhos meus.
Tivesse eu o segredo da alegria
Abriria a surpresa das tardes
E acharia o sepulcro de Deus.
Castas falassem as mãos
A chuva serena da música
Sorriria hosanas dos céus.
Mas nada! Lastro de pranto, ojeriza
Sementes do ódio, alergia
Sempiterna idiossincrasia
Lavrando no coração.
Tudo o que mais me agastando
Lavassem os móveis do espanto
Rompendo as ramagens do sono,
Nasceriam águas-vivas do canto!

Pássaros, agapantos
Cisnes de rosa em botão
E morreriam de encanto
Os adeuses em que o amor se meteu.
Adeus! Valsam os olhos teus!
E à sombra do livro aberto
Ameaças de longe, de perto
Os lírios do frio e do medo
Que o sono de musgos cercou.
Mares de tédio refazem
No estéril estêncil da bruma
O sal, o sangue, a espuma
Com que me organizo em seções.
Estímulos do nada, envolventes
Estrias de sono, correntes
Cadeias de dedos e dentes
Me sacrificam ao fogo
Da ordem sagrada de Zeus.
Versos brandos brincaram
Na boca da noite e se foram
Serpentes de escuridão.
Erguem para os céus o trigo
Levam a vida consigo
Mas me seguram no chão.
Coração, ai, meu coração!
Tudo o que passa, passado
O salto do abismo foi dado
Estrela do orgulho fugiu.
Soluço do tempo partido
Já estou do outro lado
Ninguém quis ver: ninguém viu.

Despedida

DE uma carta a Hélio Pellegrino:
   ...Aí vai a minha despedida de Nova York (depois de alguns uísques, é claro). Não sou poeta, nem mesmo invocando a inspiração do Vinicius,

"quando por acaso uma mijada ferve,
Seguida de um olhar sem malícia e verve
Nós todos, animais, sem comoção nenhuma
Mijamos em comum numa festa de espuma": *

O POETA, BÊBADO, FAZ PIPI

Vinha às duas horas para casa,
De madrugada, no gelo baço
de Nova York convencional.
De repente não dou mais um passo:
Levanto a cabeça, abaixo o braço,
Abro a barguilha, tiro o meu pau.
Que sensação de grandeza!
Que estranho ritual!
Pernas abertas no frio
Desafio a oligarquia
Das horas do bem e do mal —
Enquanto riscando a neve
Espumante, o mijo escreve
O meu protesto animal:
ABAIXO OS GIGANTES DO NADA!
FAÇAMOS O JUÍZO FINAL!
Urina americanizada,
Refugo da vida,

       a
        l
         i
          v
           i
            o
             t
              o
               t
                a
                 l
                  .

Soneto de Intimidade, Vinicius de Moraes.

1949

RIO DE JANEIRO —

Um Pierrot apaixonado

"O GOSTO de buscar a própria dor." Alegam as vítimas que ele usava um revólver e não buscava dor nenhuma: buscava indiferentemente o amor de qualquer senhora ou senhorita que passasse na rua.

Mas, então por que o rapaz se vestia de Pierrot? E Colombina?

Não nos apressemos: Colombina estava em casa. Para começar, João Freitas de Oliveira não era um Pierrot qualquer — mesmo porque, se fosse, não iria, fantasiado, de máscara e de revólver, botar em pânico a sociedade de Niterói, e muito menos terminar na cadeia. A máscara escondia um "recalque" e a fantasia estabelecia uma "transferência" que o revólver consumava. Sejamos freudianos.

Era um Pierrot casado, e, portanto, já em pleno terceiro ato. Colombina estava em casa, cuidando dos filhos, lavando roupa, cozinhando o jantar. Era ela mesmo que ele buscava, de uma forma que, segundo a polícia, vai contra os bons costumes, mas que, segundo Freud, se explica em ambivalência de emoções. Buscava ela mesmo: a imagem do que ela fora e que a vida em comum acabara dissipando na exigência dos contatos. O que ela representara num passado que até na memória a intimidade cotidiana acabou por neutralizar: as juras de amor, o primeiro beijo, os sonhos, o desejo da posse, os antigos momentos de paixão. Portanto, um Pierrot ainda apaixonado. O subconsciente tem dessas coisas.

E olhem que muita gente boa e até muito romance tem-se desgraçado todo com este material. Se a conversa da polícia fluminense fosse de patologia para cima (ou para baixo), teria de ir buscar as origens da tara de João Freitas de Oliveira na sua casa — e é bem provável que no quarto de sua mulher encontrassem uma fantasia de Colombina também.

Mas a polícia fluminense não tem conversa. Tão logo começaram a aparecer as vítimas do desconcertante Pierrot, os jornais noticiam, ela se pôs em campo para solver o mistério e desmascarar o criminoso.

As vítimas alegavam coisas confusas. Ora diziam que ele assaltava com um revólver, ora diziam que se aproximava candidamente, propondo noivado e casamento. Um jornal teve mesmo o desplante de dizer que uma delas, surda-muda, "declarou" que o Pierrot lhe fizera propostas inconvenientes. Só pôde ficar muda de espanto ante o revólver e surda aos seus galanteios.

Tudo deve ser verdade, menos o revólver. Aliás, foi a única coisa que o Pierrot, depois de preso, insistiu em negar. Vai lá um Pierrot legítimo pensar em revólver para cantar uma mulher!

Muitas foram as mulheres, era um Pierrot que vivia só cantando. Mas, apaixonado, ou seja: procurando cegamente realizar com alguma delas (ou com todas) o desejo que Colombina frustrou:

> "Corre após a amada esquiva
> Procura o precário ensejo
> De matar o seu desejo
> Numa carícia furtiva."

Pobre Pierrot! Encontrará pela frente apenas a repulsa da virtuosa família niteroiense, e não o prazer do sofrimento que o poeta Manuel Bandeira lhe destinou. Será preso e a polícia abrirá inquérito "sobre as suas perigosas atividades". No dia seguinte os jornais dirão, para encerrar com vulgaridade e humilhação a sua tragédia amorosa, "foi preso finalmente o Don Juan de Niterói".

Não se concebe tamanha leviandade jornalística: um Pierrot, mesmo na hipótese de ter trocado o alaúde pelo revólver, exigência da moderna civilização, não pode ser confundido com um Don Juan. Don Juan Tenorio, grande conquistador, audacioso, insinuante e simpático, jamais se meteria na pele, ou fantasia, de um pobre Pierrot desiludido e fracassado, com sua cara de alvaiade e seu jeito de palhaço, buscando em vão pelas ruas o amor daquela ingrata que Arlequim lhe roubou. Don Juan não quer mulher nenhuma e conquista todas elas; Pierrot, conquistador fracassado, procura em todas elas uma só.

João Freitas de Oliveira era um Pierrot, e não foi apenas um disfarce a fantasia encontrada no sótão de sua casa. A prova disso são as circunstâncias em que a polícia o descobriu. Contam os jornais que um guarda, disfarçado de mendigo, conseguiu captar a confiança dos filhos do Pierrot, que inocentemente lhe contaram tudo.

Querem coisa mais triste? Esta circunstância de um guarda, nos tempos de hoje, se disfarçar de mendigo e a fantasia encontrada no sótão, a inocência dos filhos... É de uma tristeza somente digna de um Pierrot e tão patética que até dispensa comentários. Em verdade a história toda é muito, muito triste. Bem contada, se para tanto não me faltasse engenho e arte, seria a mais triste dos anais da criminalidade em Niterói.

Preso o Pierrot, será dentro em pouco julgado e condenado. Como se fosse pouco a condenação de procurar, em crimes suburbanos, paliativo para a eterna dor-de-cotovelo que Colombina lhe destinou. Porque homem casado e com filhos que em desespero de causa sai para a rua em busca de mulher — são males d'amor de Pierrot, e a culpa é sempre de Arlequim.

De cabo a rabo

MEU tio Abel, Dr. Abel Tavares de Lacerda, médico do Serviço de Febre Amarela, é homem de dotes literários e fino gosto poético. Tendo viajado por todo o Brasil, colheu das viagens vasta experiência, que inclui o conhecimento da linguagem sertaneja nas suas mais bizarras variações. Dedicou-se então à curiosa tarefa literária de traduzir para esta linguagem grandes poemas nacionais e estrangeiros, que em 1944 enfeixou no seu livro "Desfile de Cigarras".

De Kipling a Cecília Meireles, de Longfellow a Vinicius de Moraes, os mais famosos poetas tiveram trabalhos seus vertidos para o caipira por esse singular tradutor.

A título de curiosidade, aqui vai o velho Camões, com seu Jacó e Raquel em versos rigorosamente matutos:

Sete anos de pastor Jacob servia	*Ora, Jacó sete ano já fazia*
Labão pai de Rachel, serrana bela:	*Que pastorava o gado de Labão.*
Mas não servia ao pai, servia a ela,	*Pai da linda Raqué; por ele, não:*
Que a ela só por prêmio pretendia.	*Mais, por ela que em paga lhe cabia.*
Os dias na esperança de um só dia	*Passando os dia, doido por um dia.*
Passava, contentando-se com vê-la:	*Se alegrava de vê seu coração.*
Porém o pai, usando de cautela,	*E acunteceu que o pai, espertaião,*
Em lugar de Rachel, lhe deu a Lia.	*Ruendo a corda, lhe entregô a Lia.*
Vendo o triste pastor que com enganos	*Quando pobre Jacó caiu no engano*
Assim lhe era negada a sua pastora	*E deu, de boa-fé a boca doce,*
Como se a não tivera merecida,	*Pela troca da prenda prometida,*
Começou a servir outros sete anos,	*Tratô de se ajustá por mais sete ano*
Dizendo: Mais servira, se não fora	*Falando: Isto era nada, se num fosse*
Para tão longo amor tão curta a vida.	*Pra tanto bemquerê tão poca a vida.*

Temos de convir que às vezes os versos hão de perder um pouco da sua força original, mas, sem dúvida, outras vezes o contrário se dá. Em vez de ouvir Cecília Meireles dizer:

> *"Eu não dei por esta mudança*
> *Tão simples, tão certa, tão fácil:*
> *— Em que espelho, ficou perdida*
> *a minha face?"*

deixa estar que é engraçado vê-la afirmar:

> *"Num dei fé da mudança que sofri*
> *Tão vezêra que inté nem se arrepara*
> *— Adonde é que dexei ou que perdi*
> *Santo Deus! O jeitão da minha cara?"*

Casos há em que o tradutor esbarra com dificuldades praticamente invencíveis. E a maior delas não deixa de ser a de traduzir para a língua do jeca poetas que já são jecas por sua conta e risco. Aqui vemos Tasso da Silveira entoando um canto

> *"grande como a porta aberta*
> *por onde vai passando os pecado.*
> *Canto de encantação, canto de alerta,*
> *canto em razão de Deus Nosso Sinhô!"*

Vemos Augusto Frederico Schmidt falando no "vento que evem lá dos cemitério", trazendo "o travo dos pranto derradero, naquelas gota que ninguém secô..." Jorge de Lima adverte: "Óia premêro a semente!" Com certeza "pramode arcançar a sarvação", e Machado de Assis se interroga dramaticamente: "O Natale mudô ou mudei eu?" Aperfeiçoando um poema de Carlos Drummond de Andrade, o tradutor acabou matando o menino de "Menino Chorando na Noite" porque "a desgraça anda sempre de galope".

Alguns poetas, como Menotti del Picchia ou Múcio Leão, ganham extraordinariamente na tradução para o jeca, como se em jeca devessem mesmo escrever, a partir do título: em vez de "Alma Errante" do primeiro, *"Coração Andejo"*; em vez de "Falando à Sombria e Misteriosa Princesa" do segundo, essa maravilha de título *"Falando pra Dona da Esperança Derradêra"*. E de Murilo Mendes, que iniciava o seu patético S.O.S. gritando: *"Oh Deus, encerra Tuas atividades em meu ser!"*, é uma beleza ouvir este outro grito, mais trágico, mais humano e sobretudo mais Murilo Mendes:

"Deus, deseste de mim! Ô Deus, me larga!"

Discreto e modesto, o autor das tais traduções poéticas se diz mero diletante, para quem a poesia é simplesmente uma das razões de viver, em meio a outras. Atualmente está empenhado em traduzir os poetas mais representativos de todos os países da América, respectivamente para o português castiço, para o português moderno e para o jeca.

E encerrando, nos fala num "poema paleontológico" norte-americano, no qual está trabalhando: trata-se da história de um monstro pré-histórico, cuja ossada foi descoberta recentemente e que se presume tenha vivido há mais de três milhões de anos. Seu esqueleto mede trinta metros de comprimento por dez de altura. Para comandar essa caranguejola toda, os cientistas concluíram que o bicho deveria ter dois centros nervosos, um na cabeça e outro na ponta da espinha dorsal. O bicho pensava lá na frente e transmitia o pensamento para trás, de onde então comandava a cauda.

Diz o poema que o monstro às vezes ficava muito nervoso porque seus dois centros nervosos não combinavam bem, não concordavam um com o outro e se rebelavam violentamente, numa briga que corria o risco de se transformar em suicídio. Todos os pensamentos eram repensados, o que faz presumir grande sabedoria no gigantesco animal.

E os pensamentos "de ponta a ponta" do original ficaram sendo, na linguagem habilidosa do tradutor, autênticos pensamentos "de cabo a rabo".

Convenções

ALGUMAS convenções a que se sujeita aquele que pratica a literatura sempre me confundiram. Às vezes chegam a ponto de me forçar a uma fuga espavorida das abstrações que implicam.

O leitor, por exemplo. O leitor é uma convenção. Só a idéia de que o leitor possa de fato existir, sendo mesmo conseqüência fatal da publicação regular e constante, já me deixa cheio de temores e indecisões, forçando-me a uma falsa modéstia na pluralização dos meus intuitos singulares.

A criação literária, como toda e qualquer atividade artística, pressupõe na sua funcionalidade uma abstração que se convencionou chamar de público — sem o qual a arte perde a razão de ser. Mas um leitor é um indivíduo alfabetizado, que além de ter meios de comprar o livro, a revista ou o jornal, carrega consigo um nome, uma profissão, um estado civil e um passado cheio de legítimas ou espúrias convicções. E o conhecimento de sua existência só nos vem através de exigências do gosto pessoal, do repúdio ou da aceitação que ele nos proporciona, em face do que escrevemos. Por sua causa a função insatisfeita do artista deixa de obedecer à necessidade interior de comunicação, para se tornar mero ofício enervante, incômodo e cansativo. Daí o chamarmos de "público" e esquecermos que ele existe.

O carpinteiro não tem necessidade de fazer cadeiras: o público é que tem necessidade de se sentar. O mesmo não acontece com o escritor, ser egoísta e solitário: ele escreve apenas seguindo suas necessidades, inclusive as financeiras, e para isso se dirige a um público convencionado, jamais cedendo à necessidade do leitor de se satisfazer. Assim, aliás, é que deve ser, e o melhor mesmo é não ter leitores individualizados.

De minha parte, confesso que não os tenho, senão como possível conseqüência a que se expõe quem se dirige a uma abstração. O que se convencionou chamar de *leitor* é o indivíduo que na rua nos diz ter gostado muito de nosso poema no *Correio da Manhã*, quando o que ele leu foi uma crônica no *Diário Carioca*.

Outra convenção é a chamada geração, que tem provocado equívocos maiores. Ainda agora andam dizendo que a nova geração não soube se servir das conquistas de gerações anteriores. Essas conquistas teriam vindo até os nossos dias como um espólio que a nova geração está malbaratando, e assim, os da geração anterior se sentem espoliados. Fala-se muito em *caminhos, obras, construções, raízes, ramos* e até *frutos* das gerações, como se cada geração fosse mais uma árvore plantada no quintal de nossa literatura.

Acredito na existência de uma geração de escritores tanto quanto acredito numa geração de sapateiros. Para eles como para nós, os acontecimentos ditam normas que influem na fabricação de poemas ou de sapatos.

Nenhum escritor tem culpa de ser da mesma idade e partilhar ocasionalmente das mesmas idéias de outros escritores — coincidência que os faz apelidados de geração. Donde se conclui que eu forçosamente deva também fazer parte de uma geração. Mas como literatura para mim não é jogo de futebol, não me responsabilizo pelo que faz ou deixa de fazer o time dos meus "companheiros de geração". Quem quiser escrever, escreva, e quem não tiver competência, que não se estabeleça. Como escritor, seja de que modo for, estará sozinho no tempo e no espaço e se alguma afinidade o liga a 1949, outras por certo o ligarão a 1870. É assim que me sinto, com dois ou três amigos, é certo, mas sem geração alguma e sozinho com meus problemas.

Salvo se disserem que isto também é uma característica da minha geração.

Assunto da semana

O ASSUNTO da semana, parece-me, foi essa famosa carta lacrada que o governador Milton Campos não enviou ao presidente Dutra sobre o problema da sucessão. Depois descobriu-se que o presidente Dutra não a recebeu e que ela não era lacrada. Portanto, não há assunto da semana.

O que houve foi Albert Camus atualmente no Rio de Janeiro, assistindo a uma macumba ferocíssima não sei bem onde e ele muito menos; depois fazendo uma conferência no Ministério da Educação a que acudiu todo o público do Municipal. Muito chapéu festivo e mais mundanismo do que desejariam os que lá foram realmente para ouvir o autor de "L'Étranger".

Contou-me o poeta Murilo Mendes que mais tarde teve oportunidade de conversar com ele três horas seguidas. Ficou impressionado ao descobrir um espírito informado de comovido otimismo, compreensão das forças do mundo moderno e fé no destino das criaturas, que se identifica perfeitamente à concepção cristã da vida.

Graças a Deus os católicos como Murilo continuam a descobrir ovelhas desgarradas e a fazer de todo ser humano matéria de salvação.

Chegada de Pedro

A ÚNICA notícia de importância para mim continua sendo a de que meu amigo Otto Lara Resende renegará Satanás, para com sua noiva Helena batizar Pedro Domingos Sabino e sagrar-lhe um destino neste mundo corrompido que lhe damos como herança.

O infante abre os olhos no berço, olha para mim, e como que desanimado com o pai que tem, ou com a crônica que ele escreve, fecha-os de novo, e dorme.

"*A um varão que acaba de nascer*"* — este é o título do poema que Carlos Drummond de Andrade lhe dedica, ao saber por mim do seu nascimento :

> "*Chegas, e um mundo vai-se
> como animal ferido...*"
> ....
> "*E contudo vens tarde.
> Todos vêm tarde...*"

Mas não tão tarde que o poeta não possa dizer ao novo filho de seu amigo:

> "*Para amar sem motivo
> e motivar o amor
> na sua desrazão,
> Pedro, vieste ao mundo.
> Chamo-te meu irmão.*

Ao que responde outro amigo meu, Rubem Braga, em sua crônica de hoje:

"Nascem varões. O poeta Carlos faz um poema seco e triste. Disse-me: quando crescer, Pedro Domingos Sabino não lerá esses versos, ou então não os poderá entender. O

---
*"Claro Enigma", Carlos Drummond de Andrade.

poeta contempla com inquietação e melancolia os varões do futuro. Não os entende: sente que neste mundo estranho e fluido as vozes podem perder o sentido ao cabo de uma geração; entretanto, faz um poema. Sinto vontade de romper esse momento surdo e solene em que mergulhamos: ora bolas, nasceu um menino. Afinal os meninos sempre nasceram, e inclusive isso é a primeira coisa que costumam fazer; aparentemente essa história é muito antiga, e talvez monótona. Mas estamos solenes. As mães olham os que nasceram. Os pais tomam conhaque e providências. O mundo continua."

Pois entre um conhaque e uma providência, o pai haverá de ensinar o menino a ler e, como ele, a amar tanto os versos do poeta como a prosa do cronista.

A estrela-do-mar

ENQUANTO caminho pela rua, levo instintivamente a mão ao bolso, como se dele fosse retirar o assunto para esta crônica. Retiro um monte de papéis, algumas moedas e dois cigarros amassados.

Quanta coisa carrego comigo! Se eu for atropelado, a carteira, o retrato, um endereço num pedaço de papel, o recado de alguém que telefonou, o recibo do telegrama cujo extravio jamais reclamarei, tudo isso ajudará a identificar-me. A carta, esquecida há dias no bolso, será provavelmente remetida como um eco da vida que se foi.

Não serei atropelado; a rua em que estou não é uma rua, é um beco, o Beco da Música. Posso continuar o inventário de meus bolsos, agora sem a impertinente impressão de que carrego comigo os ornamentos imediatos de minha morte. Mas quanta coisa carrego comigo!

Nas mãos, no momento não tenho nada, a não ser a aliança no dedo, uma indagação perplexa pelo destino de outras mãos e uma necessidade de serem lavadas, porque pegaram em dinheiro.

No pulso, um relógio marcando três horas da tarde. É um relógio novo; o último que tive deixei cair no mar ao tomar um navio. Os outros não sei. Para onde vão os relógios que tivemos? as horas que marcaram?

Nos bolsos de dentro, o maço de cigarros, a carteira de dinheiro, a caixa de fósforos, a caneta. A caderneta de endereços, como o nome indica, é de endereços; em alguns casos, só o telefone. Há nomes que já não reconheço, números de que já não preciso. Há lembranças, promessa, aborrecimento, vontade de ver, necessidade de procurar. Ou de esquecer. Melhor guardá-la.

Resta nas mãos a carteira de documentos. Paremos aqui nesta esquina para examiná-la. São retratos, recibos, cartas, meia dúzia de papéis carimbados que acusam a minha identidade e estado civil, dizem que nasci em Minas, sou eleitor, uso barba e bigodes raspados, fiz serviço militar, paguei o aluguel do mês passado, sei dirigir automóveis e não tenho sinais particulares.

Este é o cabedal ambulante, é o patrimônio portátil de um homem — coisas que comigo carrego, garantias de uma vida firme. Por que tentar afirmar e fazer viver, com essa vida, esperanças e convicções que também carrego comigo?

Percebo, todavia, que alguém mais me observa nesta esquina próxima ao Mercado. Levanto os olhos e dou com um mulato mal vestido, à espera de que eu participe da feia realidade que me cerca, para pedir-me um cigarro. Depois de atendê-lo, olho para a sua camisa aberta, e então vejo que ele traz sobre o peito, dependurada por um barbante encardido ao redor do pescoço, uma estrela-do-mar.

Afasto-me, sentindo o peso das coisas que carrego comigo. Não carrego comigo uma estrela-do-mar.

1950

Solteirão

ONTEM um redator deste jornal contava que em conversa com um conhecido seu, queixou-se da vida e acrescentou:
— Vocês, solteirões, é que vivem na folga, não têm problemas de família...
Ao que o solteirão em referência o desmentiu, narrando-lhe seu problema:
— Eu vivia muito bem sozinho num apartamento, até que um casal de amigos a quem visitava sempre e em cuja casa costumava passar a maior parte do meu tempo acabou me convidando para ir morar com eles. Alegavam que eu vivia às voltas com problemas de lavadeira, refeições, morava num quarto triste e solitário, etc. Em resumo: aceitei o oferecimento e para lá me transferi. A mudança me fez bem e vivi feliz naquela casa durante um ano. O casal tinha um filho que se afeiçoara a mim e me tratava como a um tio. Mas acontece que na semana passada o meu amigo resolveu sem o menor aviso abandonar a mulher e veja agora a minha situação: não posso também abandoná-la, deixando a casa sem direção e a família no desamparo... Resultado: vivo atualmente sob as injunções da vida de casado, cheio de problemas. O pior é que ela não tem nada a ver comigo e eu muito menos com ela.

Um queijo

O POETA Alphonsus de Guimaraens Filho me conta como o filhinho de um amigo seu esperava conseguir entrar no céu ao morrer, segundo um processo digno de meditação:
— Papai, alma tem mão? — perguntou um dia o garoto.
— Deve ter sim. Por quê? — respondeu o pai, distraído.
— Porque quando eu morrer quero levar um queijo para Deus.

Rifa poética

E POR falar em poeta, Murilo Mendes me afirma que não tem muita sorte — o que ilustrou contando-me como um dia, há muitos anos, precisou de vender cinqüenta livros raros de sua biblioteca: fez uma rifa de cem cartões a cinco cruzeiros cada.
— Consegui passar apenas um cartão — concluiu. — E foi exatamente o do número contemplado.

Olhos de noivo

OUÇO no ônibus a moça contando para sua amiga no banco à minha frente:
— Quando ele era meu noivo, eu achava que ele tinha os olhos sonhadores... Depois que me casei descobri que o que ele tinha era sono.

Meio complicado

COMO o proprietário da casa onde moro decidiu vendê-la, vencido o contrato de locação, e não sabendo, ainda mais com quatro filhos, onde é que vou morar, decidi a duras penas comprar também uma casa, à minha escolha. Para isso solicitei os serviços de um corretor.

Entre as casas de que ele dispunha, a descrição de uma me agradou particularmente, mas só poderia ser visitada em sua companhia, pois estava ocupada e o inquilino era meio complicado.

Marcado o encontro com o corretor, tive, entretanto, de cancelar a visita, pois verifiquei, consternado, que a rua era a mesma onde moro e a casa exatamente a que me disponho de bom grado a abandonar: o inquilino meio complicado era eu.

Uma dama

ALGUÉM descreve-nos o encontro de um velho com um rapaz:
— Mas eu conheci muito seu avô! — dizia o velho. — Lembro-me bem dele: era uma dama. De uma delicadeza sem par, de uma rara simpatia. Simples, agradável... Uma dama.

E acrescentou, distraído com suas reminiscências da juventude:
— Chamava-se Hermínia.

Zorrilho

"AQUI, como me vê, venho de tomar um banho abundante, com água quente, sabão e escova, como se impõe a quem é atingido pelo esguicho de um zorrilho. Fui torpemente insultado pelo general Góis Monteiro..." (Raul Pila, *Diário de Notícias*, 3.9.1950).

E o jornal acrescenta, em nota de redação: "Zorrilho é o substantivo usual no Rio Grande do Sul para designar a maritacaca, ou cientificamente, o *Conepatus chilensis*."

Do Dicionário de Laudelino Freire:

Zorrilho — mamífero, o mesmo que maritacaca.

Maritacaca — pequeno mamífero carnívoro da família dos mustelídeos, também conhecido por jaritacaca, magia-fede, cangambá.

Cangambá — também chamado marita-fede, jaguaracaca, zorrilho, gambá.

Gambá — também conhecido pelos nomes de micurê, mucura, sariguês, sarigueira, saruê e timbú.

Donde se conclui que um banho de vez em quando não faz mal a ninguém.

Chatos

O ESCRITOR mineiro Marco Aurélio Matos vem há longo tempo trabalhando uma classificação dos indivíduos chatos, da qual citamos de memória algumas das categorias a que a chatice se acomoda:

1 — *Atopia* — falta de noção de espaço. A ela se circunscrevem os indivíduos que nos abordam em qualquer lugar e que nos acompanham aonde quer que formos.

2 — *Acronia* — ou falta de noção de tempo. Observada naqueles que não têm nenhuma consideração por nosso precioso tempo, ou carência dele. Costumam visitar-nos no momento em que íamos sair para um compromisso com hora marcada e se despedem sempre assegurando que não desejam tomar o nosso tempo.

3 — *Dialogação permanente* — a dos que não nos dão tempo para falar, mais interessados em perguntar do que ouvir as respostas, interessados ainda na nossa saúde, aparência, família. Descobrem indiferentemente que engordamos ou emagrecemos, contam anedotas, dizem que andamos sumidos e nos convidam para aparecer um dia desses sem dizer onde nem quando.

4 — *Isocronia temática* — a dos que têm somente um assunto: doença, morte, aviação, a situação do Brasil, o Rio de Janeiro cada vez pior, as mulheres cada vez melhores, etc. Não levam em conta nossos possíveis temas e concordam rápido com qualquer opinião emitida para voltarem aos seus.

Cumpre acrescentar que essas categorias, segundo seu autor, quase nunca aparecem isoladas, havendo indivíduos que se classificam em todas elas, indiferentemente. Prevê-se como defesa a nossa imediata inclusão numa das citadas categorias, ou o uso de óculos escuros. Os óculos escuros funcionam como barreira e tiram ao nosso interlocutor o ponto de apoio dos olhos; descontrolado, sem ter onde fixar a vista e a atenção, ele acaba se despedindo e indo embora.

Romancistas

GRAHAM Greene, o famoso romancista inglês, encomendou à Panair de Londres que lhe enviasse do Brasil certa quantidade de "Banana Flakes", pois seu filho está gravemente doente e o médico recomendou que só se alimentasse desse produto, escasso na Inglaterra. A Panair do Brasil, recebendo o pedido da agência inglesa, entrou em entendimentos com os fabricantes no nosso país, para que ele fosse atendido.

Não se sabe até agora se o alimento foi remetido, pois os fabricantes ficaram indecisos ante a remessa de tão pequena quantidade, sem interesse comercial. Além do mais, jamais ouviram falar em Graham Greene, não tendo idéia da publicidade que isso lhes traria em todo o mundo. O romancista continua esperando — portanto, se alguém quiser prestar esse favor a Graham Greene, mande bananas para ele.

Escultora

"DÉSIR Imaginant", "Implacable", "Impossible", "Nostalgie", "However" e "Fatalité-Femme"... Não são novos perfumes e sim novos trabalhos da escultora Maria Martins, em exposição na ABI. Há também um "Louvado Seja Meu Senhor Pelo Irmão Fogo" e reina grande confusão entre os visitantes: uns não gostam, outros se deslumbram e os comentários se multiplicam em meio ao cipoal de bronze:

— Maravilhosos — exclama um.

— É a primeira vez que a arte moderna me toca de perto — comenta uma senhorinha, recuando um passo e fazendo vir ao chão um trabalho que a tocava de perto.

— Mas haverá alguém com coragem para escrever contra? — pergunta um senhor gordo.

Ao que o crítico de arte Flávio de Aquino retruca:

— Haverá: eu.

E o escritor Newton Freitas dá distraidamente o braço a uma serpente de bronze, enquanto conversa com Simeão Leal, diretor da revista *Cultura*, aos pés do Tambá-Tajá. Cobras e mais cobras, de "fazer inveja à Luz del Fuego", comenta um gaiato, enquanto o autor de "Cobra-Norato", o cônsul Raul Bopp, conversa a um canto, inteiramente imunizado.

"La Femme a Perdu Son Ombre" — e parece procurá-la com seus braços "trop longs trop étraits" atrás do sr. Ovídio de Abreu, Presidente do Banco do Brasil, que se esgueira entre Prometeu e o embaixador Carlos Martins, marido da artista.

Senhoras elegantes volteiam a cabeça para todos os lados, tersando as penas dos chapéus em outros artistas presentes que se refugiam timidamente pelos cantos.

André Breton escreve com entusiasmo sobre a famosa escultora patrícia — o que não deixa de ser um aval para os seus trabalhos — ou "momentos de escultura" — como preferiu batizá-los um jornal.

Psicologia da Criança

COM um ano e meio de idade, Pedro já descobriu a efemeridade da palavra impressa e se diverte em rasgar jornais e revistas, sentado no chão.

Neste instante, porém, enquanto escrevo, ele acaba de desvendar campo mais vasto na prateleira de uma estante. Antes que o pai interrompa o trabalho para impedir, já retirou um volume e estraçalhou as suas primeiras páginas, com o intuito inequívoco de comê-las.

Titulo do livro: "Psicologia da Criança", de Claparède.

Pregos de sobremesa

UM cidadão chamado Pascoal Santana, operado em Santos, tinha no estômago centenas de pregos, tachas, pedaços de gilete, perfazendo um total de seiscentas e vinte e seis unidades, ao peso de meio quilo. As paredes do estômago do paciente eram da grossura de quatro dedos, mas tão ulceradas que os médicos temiam uma peritonite.

Posto fora de perigo, declarou à reportagem:

— Desde os oito anos de idade eu como prego e nada me aconteceu. Mas de agora em diante vou passar a comer o que os outros homens comem. Prego, só de sobremesa.

Segundo o dicionário, trata-se de um *onívoro*: aquele que come de tudo. Pois um desses onívoros costuma postar-se no Largo da Carioca ou imediações, cercado de curiosos a apreciar sua comilância, às vezes recompensando-o com uns trocados. É um rapaz de cor, excessivamente magro, pois o que ele come não enche barriga de ninguém: pedaços de copo, tachinhas, giletes, cacos de garrafa, dispostos numa folha de jornal aberta a seus pés. Sua cara é esverdeada e a língua roxa como a de um papagaio.

A uma pergunta minha, assegurou calmamente que o segredo está na mastigação rigorosa e paciente, que torna o "alimento" passível de uma rápida e bem-sucedida "digestão".

— É preciso ter bons dentes — afirmou, com uma seriedade que não me permitiu ver os seus.

Depois de mastigar pachorrentamente uma gilete, abriu a boca e mostrou sobre a língua os pedacinhos prontos a serem engolidos. Contou-me ainda que iniciou sua carreira artística comendo terra e, posteriormente, tijolos e cacos de telha. Tais produtos, contudo, agora lhe davam azia, pelo que se viu forçado a um regime especial de vidros finos. Considerou-se, porém, ofendido, quando indaguei se costumava também comer capim. Mas acabou confessando que às vezes, com o dinheiro angariado nas suas exibições, costuma entrar no primeiro restaurante e comer um filé com fritas.

Um dos circunstantes contou-me então que o viu, num bar da Lapa, pedir um copo dágua e depois de beber a água, comer o copo, aos olhos embasbacados do garçom. Este lhe perguntou então se não aceitaria — como os pregos do outro — um cálice de sobremesa.

De tudo isso se conclui que os chamados onívoros hoje em dia não são de despertar admiração senão naqueles que não têm o que comer.

Numa redação de jornal onde trabalhei, apareceu certo dia um indivíduo desses que se dispôs a comer giletes, para com isso angariar um dinheirinho. Imediatamente recolhemos das gavetas todas as giletes com que os redatores, num costume usual na imprensa de então, costumavam recortar matérias de outros jornais para aproveitar em nossas páginas. E pela primeira vez vimos com assombro alguém comer gilete com ar famélico de quem come bolacha. Mais tarde narramos excitadamente a façanha ao Pacheco, redator esportivo, que não estivera presente para testemunhá-la.

Mas o Pacheco, como o próprio nome indica, era imune a tão frívola admiração. Limitou-se a erguer os ombros pachecamente:

— Essa redação quase nunca tem gilete e vocês ainda ficam dando as que restam para os outros comerem.

1951

Saudoso pianista

TRAGO para almoçar comigo este a quem um locutor de rádio distraído já chamou de "saudoso pianista".

Findo o almoço, sento-me à máquina enquanto o saudoso se assenta ao piano. Cada um diante de seu instrumento — com a diferença, porém, que no meu tenho de executar esse áspero ofício de alinhar palavras para serem lidas e esquecidas, enquanto ao piano Mário Cabral acaricia, com seu famoso *velvet touch*, acordes que serão sempre lembrados. Diz-me que já trabalhou bastante hoje e tem o direito de se distrair um pouco — enquanto eu devo dar cabo de minha obrigação cotidiana, que é a de escrever esta seção.*

Ora, ela se alimenta justamente do cotidiano, com suas pequeninas alegrias e tristezas, suas aventuras, seu surpreendente, ridículo, convencional ou comovido conteúdo humano. Se uma distração me resta, é a de ser apenas o divulgador desse cotidiano, como ele se apresenta, sem o *velvet touch* da imaginação criadora ou da inspiração artística.

O pianista acha que não: além de sugerir neste instante que o ruído da máquina de escrever bem poderia casar-se ao ritmo do choro de Nazareth que está executando, considera que minha obrigação, como cronista, seria a de escrever diariamente uma crônica — e não dispor assim, arbitrariamente, do material que me forneceria assunto.

Concordo e, com alguma melancolia, interrompo meu trabalho para ouvir este *blue* antigo que ele está tocando. Sim, poderia escrever uma crônica. Poderia falar, por exemplo, no efeito que me causam melodias de outro tempo, como esta, que me paralisam os dedos na lembrança incômoda de algo já vivido e perdido.

Mas acontece que isso aqui não é seção de Achados e Perdidos. O leitor não tem nada a ver com a melancolia que a música me causa, em meio à admiração pelo seu executante, que em mim se renova. O leitor não quer saber se estou mais saudoso que o saudoso pianista. O leitor me quer tranqüilo e sereno como uma máquina, no registro dos fatos.

Não passo, pois, de uma máquina de escrever.

E meus fatos, infelizmente, são só esses, que fogem ao noticiário dos jornais e que a vida vai largando, indiferente, ante meus olhos: as travessuras de uma criança, um comentário ouvido à minha cozinheira, um incidente de rua, um caso pitoresco que me

---
Entrelinha, coluna diária em *O Jornal*, Diários Associados, Rio de Janeiro.

contam, uma conversa sem sentido, um sorriso colhido à-toa numa esquina, uma gargalhada desconcertante. Tendem às vezes ao ridículo, ao grotesco, ao anedótico, esses registros — não importa: a vida de todo dia às vezes também é grotesca, o que não é nada engraçado.

Que o pianista me perdoe, mas tão logo termine essa bela melodia que seus dedos inspirados vão tecendo, terei que trocar o ritmo de sua música pelo metralhar de minha máquina, terei de deixar o harmonioso sortilégio que ele me está proporcionando, para voltar ao meu desafinado mundo do dia-a-dia.

Distraída pintora

ALGUÉM me fala nas distrações da pintora Noêmia Mourão, nossa amiga e admiração comum — como se eu não tivesse experiência própria no mundo da lua dessa excelente artista.

Lembrei-me, apenas para ilustrar, o dia em que, morando ambos no Hotel Century de Nova York, ela sugeriu que visitássemos juntos o Museu de Arte Moderna. Combinamos o encontro à entrada do Museu às três horas da tarde. Eram duas e meia quando por acaso tomamos juntos um ônibus à porta do hotel.

Em meio ao trajeto, porém, ela de súbito interrompeu a nossa conversa depois de olhar nervosamente o relógio:

— Meu Deus, quase três horas! Tenho um encontro marcado com um amigo, não vai dar tempo! Você me desculpe, mas vou ter de saltar aqui e tomar um táxi, para não chegar atrasada.

Achei estranho que ela houvesse marcado dois encontros distintos à mesma hora, mas como a conhecesse de sobra, saltei também do ônibus:

— Onde você marcou o encontro?

— No Museu de Arte Moderna.

Encontro no Museu? De repente a suspeita me assaltou:

— Com quem você marcou?

Ela pensou um pouco, a me olhar, começou a rir:

— Foi com você...

A mesma grande pintora, minha amiga Noêmia, no mesmo hotel em Nova York. Alta madrugada o telefone me acorda, era ela:

— Fernando, meu quarto está cheio de homens! — sussurrou, voz assustada: — Que é que eu faço?

Achei que fosse um pesadelo — só mais tarde vim a saber o que havia: um hóspede no quarto ao lado do seu, completamente bêbado (não era nem o Vinicius nem o Ovalle, moradores do mesmo hotel), dormiu com o cigarro aceso e botou fogo nos lençóis. Começou a sair fumaça pela janela, e como ele não abrisse a porta nem atendesse qualquer chamado, o gerente do hotel, alarmado, não teve dúvidas: convocou os bombeiros. Estes acharam mais prático, com escada Magirus, mangueira dágua e tudo, entrar pela janela vizinha.

E encheram de homens o quarto da Noêmia.

Por falar em grandes pintoras, Tarsila do Amaral também não deve ser muito deste mundo. O escritor Lúcio Rangel me contou que certa vez assistia a um disputado Brasil x Argentina em companhia dela, que nunca assistira antes a um jogo de futebol, quando marcaram um pênalti contra o nosso time.

— Vai ser gol na certa — suspirou ele.

— Mas por quê? — estranhou Tarsila: — Pois se o nosso goleiro, que é tão bom, consegue defender bolas chutadas de muito mais longe, então não vai pegar esta, que é de tão pertinho?

Até a volta

MEU caro Fred:*

Quando lhe telefonei para avisar que era forçado a interromper esta "Entrelinha", disse-lhe que estava doente e pretendia fazer uma viagem de descanso. Na realidade não posso afirmar que esteja no momento gozando de uma saúde de ferro, nem que não deseje viajar. Mas as minhas razões não eram bem essas.

Iniciei esta seção disposto a dar-lhe um sentido, embora fosse apenas o decorrente de sua própria natureza: colher no dia-a-dia o que foge ao noticiário dos jornais e nem por isso de menor interesse; o que fica dito apenas nas entrelinhas — para aproveitar a sugestão do título.

No entanto, a seção é que me deu um sentido: acabei vivendo nas entrelinhas, se assim posso dizer. De súbito me vi empenhado em configurar apenas o grotesco, o ridículo ou o simplesmente cômico das situações, sem perceber que cavava a sepultura onde enterrar a minha seriedade de viver.

Ao ler o que escrevi na véspera, cumprindo aquela determinante que faz de mim o mais fiel e exigente de meus leitores, fico às vezes de tal maneira insatisfeito, que acho melhor parar. Não é justo que eu continue a funcionar neste jornal como preguiçoso

---

*Fred Chateaubriand, da direção de *O Jornal*, Diários Associados, Rio de Janeiro.

espectador do cotidiano, para nele dar vaza ao lado mais fácil de minha necessidade de escrever.

Na realidade não sou escritor diário, nem mesmo semanal ou mensal. A ter uma profissão definida, que me credenciasse junto às autoridades constituídas, perfilhei esta. Mas o jornalismo de circunstância que tenho exercido, face aos verdadeiros profissionais da imprensa, é o do franco-atirador que se compraz em dar tiros a esmo, em meio ao tiroteio geral, sem saber onde começa e onde acaba a guerra. A minha guerra é outra. Se às vezes o campo de batalha é o mesmo, no exército regular da imprensa sou elemento perturbador.

E isso porque pretendo ser apenas um escritor, isto é, um homem que vive para escrever e que às vezes tem de escrever para viver. Por isso mesmo agradeço e não dispenso o seu precioso oferecimento de um espaço neste excelente jornal, para quando eu quiser voltar. É possível e mesmo muito provável que eu volte, com ânimo novo, a bater na sua porta. Já havia antes ocupado exatamente este espaço, em seção como esta, que morreu pelas mesmas razões: são das tais razões do coração que, já dizia Pascal, tem razões que a própria razão desconhece. No mais, grato por tudo, e até a volta.

1952

Stephen Spender

VIM a conhecê-lo em Nova York, ficamos amigos.* Passamos a nos corresponder desde então.

Agora ele vem ao Rio, onde ficará apenas uma semana: tem um programa oficial a cumprir (é convidado do Ministro da Educação, para fazer duas conferências). Levará certamente a impressão um tanto vaga e confusa deste "país do futuro" (leu o livro de Hernane Tavares de Sá, "Brazilian, People of Tomorrow", e gostou).

É tímido e quer saber se o público na sua conferência vai fazer muitas perguntas — coisa que não sei lhe informar. Gostaria de aprender português para ler Camões, mas aprendeu italiano e pode ler Dante à vontade — o que já o deixa satisfeito. Não escreve poemas há muito tempo, porque mesmo na Inglaterra é impossível viver apenas de poesia. Mas vive de escrever prosa... Gostaria de viajar pelo Brasil afora, se não tivesse de ir embora terça-feira. Diz que um dia voltará — sabemos que não: vai talvez para o Cairo, Atenas, Veneza — onde o levar o seu espírito inquieto e rebelado de homem ou sua destinação insatisfeita de poeta.

Em compensação, esteve recentemente na Itália, e me fala sobre a graça do povo italiano. Algumas mulheres, vistas pelas ruas, lhe parecem saídas dos quadros da Renascença. Alguns jovens conversam numa esquina; ele pára, ergue os olhos e vê sobre um edifício um conjunto de esculturas de mais de quinhentos anos de idade que parece representar os mesmos jovens, com os mesmos gestos e as mesmas atitudes. Pensa, porém, que esta característica do povo italiano é um pouco consciente e deliberada.

A propósito, conta que perguntou a seu filho, de seis anos de idade, o que achava de um pequeno amigo italiano chamado Pierino.

— Pierino pensa que é muito bonito — respondeu o menino.

— Por que você acha que ele pensa que é muito bonito?

— Por que ele anda com as mãos seguras atrás do corpo e olhando para cima. Todo mundo que anda com as mãos atrás do corpo e olhando para cima pensa que é muito bonito.

Algumas opiniões suas sobre outros escritores, colhidas em conversa:

T. S. Eliot — Sua maior originalidade está em não procurar ter idéias originais.

---

*O Menino e o Poeta, em "A Cidade Vazia".

Jean Cocteau — Um escritor muito mais importante do que se pensa, daqui a vinte anos é que se vai saber. Mais importante do que Gide, por exemplo.

Paul Claudel — Terrível como homem, mas grande poeta, autor de um livro genial: "L'Annonce fait a Marie".

Gustave Flaubert — "L'Éducation Sentimental", que releu recentemente, é o melhor romance que já foi escrito. Com exceção de "Guerra e Paz".

Graham Greene — Mau romancista. Sucesso devido unicamente a uma mistura de romantismo, catolicismo e sexo.

Bernard Shaw — Caduco desde 1926.

Dante Alighieri — Magnífico como poeta, mas era sem dúvida um mau sujeito.

Henry James — A excessiva inteligência dos personagens faz com que seus romances pareçam meio tolos.

Linguagem infantil

OUTRO amigo meu, Murilo Rubião, mineiro este, também em visita ao Rio, estava comigo num táxi, e se assustou com a velocidade do ônibus que passou raspando por nós em sentido contrário.

— Imagine se a gente tromba num bitelo desses — comentou.

Mais do que a observação sobre as agruras do trânsito carioca ou o verbo *trombar*, o que me impressionou foi a palavra *bitelo*. Dita assim distraidamente, foi um verdadeiro empurrão na memória, atirando-me ao tempo de infância.

A infância tem a sua gíria própria. Para nós, meninos do grupo escolar, "bitelo" queria dizer tudo que era grande, gigantesco, colossal. Não sei se o vocábulo chegou jamais a ter curso no mundo adulto. Verifico que o Aurélio não o registra em seu dicionário. É provável que se circunscrevesse a Minas, ou, mais particularmente, a Belo Horizonte daquela época.

Os termos de gíria de nosso tempo. "Boresca", por exemplo, é uma palavra que ninguém nunca mais usou. O que queria dizer boresca? Sei lá. O certo é que um menino, protestando contra os azares da sorte no jogo de gude ou de favas, dizia invariavelmente: "mas que boresca!" Daí nada concluir-se sobre a verdadeira acepção do termo, pois dizíamos também, quando a vitória nos sorria, tanto numa prova parcial como numa pelada de futebol (a que chamávamos de "racha"): "foi aquela boresca". (Não confundir com "birosca", específico do jogo de gude.)

Havia outros: "crila", para designar os desprezíveis garotos menores que a gente; "desgranhudo", adjetivo mais poderoso que "desgraçado" e mais expressivo que "façanhudo", certamente constituído da contração de ambos.

Essas e outras eram palavras que circulavam livremente no nosso vocabulário cotidiano, de certo inventadas — todas estranhas, sem justificação etimológica.

A linguagem da infância — é preciso ser menino para entendê-la. Nada de inocente — a maioria eram nomes feios, também chamados pelos mais velhos de cabeludos, e que, atualmente, à força de repetir-se, perderam a sua capacidade de expressão. Como xingarão uns aos outros os crilas de hoje em dia?

O melhor é pararmos por aqui — o assunto está ficando meio desgranhudo.

Macacos

ESTE outro me fala sobre o que ele pensa a respeito dos macacos:

— Da mesma forma que nós, homens, em relação aos macacos, nossos descendentes.

E começa a explicar:

— Não é coisa de um ou dois séculos, essa história de evolução, mas de milhares de anos, você sabe. Ora, Darwin! Se você penetrar no passado até onde a história alcança, chegará à conclusão de que nós, homens, constituímos os exemplares de uma raça que se extingue. O homem já teve sua oportunidade na face da terra. Mais alguns séculos, e será a vez dos macacos.

Faz uma macaquice e continua:

— Observe mais detidamente certos caracteres fisiológicos do homem: ausência de pêlos e de apêndice caudal, dentes fracos e curtos, mandíbulas delicadas, membros atrofiados, posição erecta, uso da palavra... Tudo isso são sinais de degenerescência e não de evolução. O homem nunca veio do macaco — caminha para o macaco. Chesterton entendeu isso bem.

Quem não entende bem sou eu. Ele explica:

— Os grandes homens se parecem com macacos, nos seus gestos, nas suas caretas, na sua rebeldia. Os macacos constituem raça em grau de adiantamento superior ao do homem. A sociedade sem classes, eles a criaram. O regresso à vida simples e pura da natureza. Agora, observe o homem: não é à toa que a única vestimenta que o dignifica se chama macacão.

Um pausa para dar mais ênfase:

— Perceba no homem aquela parte mais decente de sua personalidade que já é a manifestação do futuro macaco. Olhe um condutor de bonde, por exemplo, saltando no estribo a cobrar passagens, e me diga se não vê nele a desenvoltura, a simplicidade e a humilde resignação que caracterizam os macacos. Os macacos jamais se suicidam — mas estão presentes na alegria da multidão, nos esportes, num jogo de futebol. Os jogadores são completamente macacais! Vem do macaco o espírito de humildade que nivela o povo ou de imitação que, nos homens, gera a subserviência. Macacos não fazem guerra, não são ricos nem pobres, não trabalham, não pagam imposto. Tudo o que os macacos têm de mau no seu temperamento são ainda remanescentes do homem, que o tempo se encarregará de corrigir ou apagar.

E conclui gravemente:

— Macacos me mordam se daqui a um ou dois mil anos viver não for simples como pular de galho em galho.

Sobre essas coisas

ENTRO no ônibus. À minha frente um senhor de seus cinqüenta anos dependura-se no gancho, ajeita os jornais debaixo do braço e prepara-se para a longa viagem em pé. Todos nós, pára-quedistas, nos ajeitamos e lá se vai o ônibus, levando-nos dependurados como carne no açougue.

Eis que o homem a quem me referi descobre um conhecido mais feliz do que nós, sentado num dos bancos:

— Olá, como vai você?

O conhecido, um jovem de óculos e ar de estudante de faculdade de filosofia o cumprimenta com amabilidade e respeito:

— Como vai, professor? O senhor quer sentar?

E ameaça ceder-lhe o lugar. O professor não aceita:

— Esteja à vontade, meu filho. Passei o dia todo sentado, prefiro viajar de pé.

No que eu, evidentemente, não acreditava, pois também passara o dia todo sentado e preferiria viajar sentado. Mas agora os dois iniciaram o diálogo mais estranho que se possa imaginar:

— Então, professor: o pintor que eu arranjei esteve lá na sua casa?

— Esteve: mas não adiantou. A tinta continua a soltar.

— Ele não raspou primeiro?

— Não. Tentou raspar, mas parece que doía muito e então eu não deixei.

Eu e mais dois passageiros nos entreolhamos, espantados. Sobre que diabo estariam eles conversando? Voltou a falar o estudante:

— Se eu fosse o senhor teria mandado tirar a casca logo de uma vez.

— Não vale a pena: para tirar a casca, eu tenho de quebrar o vidro.

— Manda botar outro vidro — sugeriu o estudante.

— Onde é que eu vou encontrar outro vidro feito aquele?

Calaram-se ambos, e o ônibus prosseguia viagem. Tentei pensar noutra coisa mas não foi possível — logo os dois voltavam a conversar:

— De qualquer maneira, continua funcionando bem — comentou o estudante.
— Isso continua. Às vezes desafina, mas é natural.

Um aparelho de rádio? Quem sabe de televisão? O professor voltava a falar:

— Outro dia mordeu meu dedo. Se eu não ficasse esperto teria perdido a mão.

Um cachorro, evidentemente. Mas e a casca? o vidro? então um cachorro funciona bem e às vezes desafina? De novo falavam na tinta:

— O tal pintor disse que as cores não combinavam.
— Mas se foi feito assim!
— Ele disse que não: com o tempo foi descorando.

Um quadro! Estava explicado: o vidro, as cores, o pintor para retocar o quadro. Só que os quadros não costumam morder a mão de ninguém.

— Vou descer aqui — disse o professor, se despedindo, quando o ônibus chegou a Botafogo.

— Prazer em vê-lo, professor — respondeu o estudante. — Se precisar de mais uma meia dúzia, posso lhe arranjar bem baratinho.

Depois que o chamado professor saltou do ônibus, não resisti, pasmado com aquele estranho diálogo, e perguntei ao rapaz:

— Me desculpe a curiosidade, mas o que é que você pode arranjar "bem baratinho"?
— Como? — estranhou o estudante.
— Essa conversa sua com aquele professor — expliquei, já meio arrependido de haver perguntado: — Fiquei intrigado com essa "coisa" sobre a qual vocês falavam.
— Ah, isso? — e o estudante sorriu, fazendo um gesto evasivo: — Não é nada não. Aquele cara é meio maluco, só sabe conversar sobre essas coisas...

"Index"

O CRONISTA R.B., que vem a ser exatamente o nosso querido diretor deste semanário,* escreveu outro dia uma graciosa crônica no *Correio da Manhã*, em que me incitava a dar-lhe de presente meu exemplar de "Journal" de André Gide, sob a alegação de que aquele autor não poderia continuar na estante de um católico, por ter sido incluído no "Index".

Numa enquete aqui realizada entre pessoas gradas, fui também solicitado a opinar, como se fosse uma delas, e assim me saí dessa:

"Sempre que precisar de ler Gide, pedirei licença a meu confessor. Seguirei o exemplo do próprio Tristão de Athayde, que lê os livros do "Index", com permissão da Igreja.

---

*Comício, RJ. Sobre Rubem Braga, *A Inefável Poesia do Cronista*, em "Gente".

No meu caso, porém, há outro detalhe: já li toda a obra de Gide. E ainda tenho os seus livros em casa. No Mosteiro de São Bento, segundo eu soube, também há livros de Gide."

Quem sou eu, pecador impenitente, para ter um confessor de plantão! O assunto foge um pouco ao cotidiano, e responder nesta seção* ao famoso R.B. (quem sou eu, primo?) não deixa de ser uma aventura, mas aqui vai a resposta assim mesmo.

Meu caro R.B.:

Papa, Núncio, Bispo, Confessor: cotia não. O tom brejeiro de sua crônica admite na resposta esta e outras brejeirices de estilo. Afinal de contas você estava sem assunto naquele dia e no momento eu é que estou. No terreno da falta de assunto para crônica nos entendemos muito bem.

Mas eu dizia: Papa, Núncio, Bispo, Confessor. Se não há confessor nas redondezas, resta a própria consciência, em toda a sua plenitude. No momento estou apenas com a minha, e nem sempre em paz com ela. Mas sendo preciso e possível ir até o Papa, eu irei. Não por causa do Gide, pela simples razão de já tê-lo lido o suficiente, e sim por causa da Bíblia que, sem o *Imprimatur* e os comentários, está também no "Index", conforme você sabe.

Como católico, procuro submeter-me, na medida do possível, à disciplina temporal da Igreja. Digo na medida do possível, porque sou, como você sabe, um indisciplinado. A Igreja até que é uma verdadeira mãe: Santa Madre. Tenho feito coisas piores do que ler livros proibidos, e ela me perdoa sempre. Deus não abandona aqueles que não o abandonam — disse conhecido autor, que apesar disso figura também no "Index".

Ora, tudo considerado, não tenho razão nenhuma para guardar comigo o exemplar do "Journal" do Gide. Sou, como você disse, "um autor de entrelinhas, de crônicas e contos vagos, surrealistas. O mundo acanhado de minha vaguidão comporta apenas esta vagabundagem literária em que me consumo todos os dias, alegre ou triste, brilhante ou vazio. Afinal de contas foi Deus que me fez assim, e meus problemas ficam aqui entre Ele e eu. Não posso, pois, permitir-me os altos vôos da especulação literária, como você mesmo disse, e que me levariam de volta ao Gide, já lido e relido. Em verdade, com pandeiro ou sem pandeiro, eu brinco. Com Gide ou sem Gide, vou levando. Nem só de Gide vive o homem.

Poderia então dizer-lhe: vai levando também, R.B., e carregue debaixo do braço nas suas andanças o exemplar do "Journal" que você me pede. Mais do que isso você merece e, afinal, é o nosso querido diretor.

Mais não digo, e por uma razão muito simples. Você é um homem que há vinte anos já mantinha colóquios "com Bebú na hora neutra da madrugada". Corria então o

---
*Aventura do Cotidiano.

risco de encontrar Gide na sua estante, entre um manual de pesca e um tratado de ornitologia, da ema ao beija-flor, e com ele embriagar-se perdidamente. Em vez disso, preferiu embriagar-se mesmo com uísque, e se salvou. Hoje, se no templo de sua religião, eu por acaso incorresse no dogma, pedindo em vez de *scotch* um "Palmoral", você naturalmente faria tudo para converter-me, pois do contrário eu correria o risco de morrer envenenado.

Se até agora ainda não leu Gide, melhor que não leia mais. Como você mesmo disse, "o tempo já lhe é pouco para praticar o bem". A esta altura dos acontecimentos, uma influência como a de Gide seria para você particularmente perigosa, abrindo novos horizontes na busca vã dos derivativos. Em vez de Gide, e sem nenhuma intenção de apostolado, mas por mera sugestão do título da seção, ofereço-lhe o meu "Missal Cotidiano".

No mais, espero que você siga a recomendação do Raposão de Eça de Queiroz: "depois do jantar: chá, reza e leito".

Com um cordial abraço de seu amigo e redator, F.S.

Resposta imediata do indigitado Rubem Braga:

"Era ao Bispo que eu devia me queixar — é o que todos me dizem. Mas acho que não fica bem, pelo menos neste número de COMÍCIO, em que o Fernando Sabino, além de me intrigar com a memória de Gide, dizendo que nunca o li, e dar a entender que só tenho alguma cultura de uísque (bebida que às vezes sou obrigado a tomar para poder desfrutar, nos botequins desta praça, da companhia divertida dele e de outros chichisbéis e valdevinos) ainda pretende me deixar mal com a Santa Madre Igreja. Até parece que eu sou contra o Index — que, pelo contrário, considero uma brilhante prova da evolução do espírito liberal do Santo Ofício, que antes não se limitava a escrever o nome de um autor e seus livros numa lista negra, mas queimava caridosamente os livros — e, às vezes, o autor." R.B.

O Destino de Cada Um
PEDRO GARCIA DE TOLEDO[*]
Cobrou pela calúnia o preço de uma vida

TUDO começou quando Pinheiro, um vagabundo que morava naquela casa de cômodos de Santa Teresa, deu para trazer mulher da rua ao seu quarto. José, no quarto em

---

[*]Em 1952, eram publicados regularmente no *Diário Carioca*, com vários desenhos de ilustração, relatos do autor em forma de ficção, inspirados em fatos reais do noticiário policial, sob o título geral "O Destino de Cada Um", e assinados com o pseudônimo de "Pedro Garcia de Toledo". Os que se seguem foram colhidos como amostra.

frente, não tinha nada com a vida do outro. Mas não seria demais pedir ao vizinho que pelo menos não deixasse a porta aberta, como costumava acontecer:

— Não falo por mim — explicou: — Falo pela minha mulher e as crianças. Ainda ontem, você passou o dia aí no quarto com uma dessas e não teve ao menos o cuidado de fechar a porta. Quando a gente entrava ou saía, não podia deixar de ver.

— Olha só quem está falando de mim — protestou Pinheiro, com um sorriso cínico. — É verdade que você tem o cuidado de fechar a sua porta...

— Não estou entendendo — disse José.

— Quando você recebe a filha do Bastos na sua oficina lá no térreo...

Ainda assim, José custou a compreender. Então se atirou de súbito contra o outro, agarrou-o pelos ombros, pôs-se a sacudi-lo, aos berros:

— Vagabundo! Ordinário! Ainda ensino você a tomar vergonha!

Os vizinhos acorreram e a custo separaram os dois.

A filha do Bastos, o velho marceneiro do primeiro andar, chamava-se Marina e tinha apenas nove anos de idade. Todas as tardes ia ver José consertar aparelhos de rádio na sua pequena oficina do andar térreo. Que não passava de uma mesa tosca, algumas ferramentas e válvulas, parafusos, amplificadores e outras peças das entranhas de rádios velhos que ele comprava para reformar e revender. Enquanto Maria da Penha cuidava das crianças, fazia o jantar no fogão de querosene instalado no próprio quarto ou lavava roupa lá embaixo, na bica, o marido, curvado sobre a mesa, trabalhava sem descanso para garantir o sustento da família. E Marina, a pequena admiradora de suas habilidades, vinha ali todos os dias.

— Agora vamos ver se toca — dizia ele, ligando o rádio, aos olhos e ouvidos atentos da menina.

Ela era sua amiguinha, e José se distraía fazendo-lhe perguntas enquanto torcia um parafuso ou descascava um fio com o canivete:

— O que você vai ser quando crescer, Marina?

— Consertadeira de rádio — dizia ela.

O pai, o velho Bastos, às vezes vinha buscá-la:

— Marina, sua mãe está chamando para ir na venda com ela.

A menina saía a correr e o marceneiro se deixava ficar um pouco, em conversa com o amigo.

Os pais de Marina ficaram perplexos, ao ouvir do próprio Pinheiro as acusações contra José:

— Ele sempre me pareceu direito e respeitador — disse o marceneiro.

— Estas coisas a gente tem logo de apurar — dizia a mãe. Nutria secreta antipatia por Maria da Penha, a mulher de José, que tinha três filhos e era muito mais jovem e esbelta do que ela, com uma filha só. Chamou Marina e interrogou-a:

— Ele fez alguma coisa com você, minha filha, fez?

A menina olhou-a espantada e pôs-se a chorar.

— Acho bom vocês resolverem isso é com a polícia — aconselhou Pinheiro. — Não é possível que os filhos da gente fiquem correndo risco com tarados desta espécie.

Pinheiro era solteiro e não tinha filhos, pelo menos ao que constava.

Naquele dia, levado por estranho pressentimento, José deixou a oficina mais cedo e foi para o seu quarto. Subiu lentamente a escada de madeira velha e já gasta por milhares de pés, ganhou o segundo andar. Ruído de conversa, choro de criança, vozes de mulher saíam de todos os quartos ao longo do corredor escuro e sombrio.

José caminhou até sua porta e entrou. Maria da Penha dava banho no filhinho mais moço, curvada sobre a bacia.

— Os pais da Marina estiveram aqui — disse ela apenas, sem se voltar.

— O que é que eles queriam?

Maria da Penha puxou com as costas da mão a mecha de cabelos que lhe encobria o rosto, e voltando-se para ele, contou-lhe em poucas palavras a sórdida intriga do vizinho. Ele se limitou a comentar:

— Esse cara ficou danado da vida porque eu disse que ele trazia vagabundas para o quarto.

— Falaram até em dar queixa na polícia — acrescentou ela.

José cerrou os punhos, enraivecido:

— Se eles fizerem isso, vão se arrepender.

— Eles não têm nenhuma prova contra você.

— Para essas coisas você acha que é preciso prova?

— O que importa é que você não tem culpa — ela se limitou a dizer.

E ambos se olharam, interrogando-se mudamente.

José recolheu do armário um velho revólver que comprara para consertar e revender:

— Não posso engolir uma infâmia dessas — disse, encaminhando-se para a porta.

A mulher largou a criança choramingando na água suja da bacia e precipitou-se atrás dele:

— Deixa de loucura! Podem ir à polícia, não têm nada contra você! Acabam prendendo é o próprio Pinheiro, você vai ver. Onde é que ele arranja dinheiro para viver, se passa o dia inteiro vagabundando por aí! O que você vai fazer com esse revólver?

— Ele nem funciona, é só para assustar — assegurou José, e escondendo a arma no bolso da calça, deixou o quarto.

Foi direto ao do marceneiro. Justo naquele instante o velho Bastos discutia com a mulher, à vista de Pinheiro e da filha.

— Não vou levar a menina. Nem vou dar queixa nenhuma. Não vi nada. Não acredito que José fosse capaz de uma coisa dessas. Mas o Pinheiro disse que viu, de modo que vou pedir um conselho ao delegado.

— Vi sim — assegurava o Pinheiro. — Agarrou a menina...

José irrompeu no quarto:

— Você repete isso, se é homem! — gritou.

Pinheiro voltou-se para ele e recuou, ao ver que José avançava, decidido. O marceneiro e sua mulher quiseram interferir, mas não houve tempo. Pinheiro já havia dito, apenas a medo:

— Repito sim. Agarrou a menina e...

José fez um movimento com o braço com se fosse retirar um lenço do bolso, mas retirou o revólver e disparou dois tiros no rosto de seu caluniador, que caiu, banhado em sangue. Disparou ainda dois tiros a esmo, um deles bateu no parapeito de pedra da janela e ricocheteou, indo perder-se lá fora, na rua. Trêmulo, José estendeu então o revólver ao marceneiro e murmurou:

— Agora podemos ir à polícia.

"Preso por ter assassinado a tiros de revólver seu desafeto Joaquim Pinheiro, sem profissão, o mecânico José dos Santos Lima foi recolhido à Casa de Detenção, onde aguarda julgamento."

O Destino de Cada Um
PEDRO GARCIA DE TOLEDO
A louca sorriu depois do crime

UM dia ele encontrou a mulher agachada na cozinha, ao lado do fogão:

— O que é que você está fazendo aí, mulher?

Ela não respondeu: limitou-se a olhá-lo fixamente, com uma expressão a um tempo melancólica e trágica, como se não o reconhecesse.

— Vamos, levanta! Não estou gostando disso.

Gregório ajudou a mulher a erguer-se.

— Estava descansando — resmungou ela.

— Então isto é maneira de descansar, agachada feito uma doida?

Feito uma doida — pensava ele naquela noite, enquanto a mulher dormia a seu lado, no exíguo quarto da casinha no subúrbio: ultimamente Margarida vinha tendo atitudes cada vez mais esquisitas. Ora esquecia as coisas, trocava o nome das pessoas, ora contava fatos estranhos que, afirmava, haviam acontecido com ela. Pois não chegara a dizer que o bonde tinha desviado seu itinerário porque o motorneiro a vira na rua e resolvera segui-la até o portão de casa? Não contara que a filha do quitandeiro queria matá-la e estava pondo veneno em todas as frutas e verduras que comprava?

A princípio Gregório levava em brincadeira aquelas histórias extravagantes que sua mulher inventava. Depois começou a reagir de maus modos, para ver se ela refreava um pouco a imaginação:

— Pára com estas conversas, mulher. Você está ficando doida.

A verdade é que Margarida já tinha perdido o juízo.

Com o tempo foi-se tornando esquiva e melancólica, sempre pelos cantos, sem dirigir palavra ao marido. Deixara de inventar coisas e se limitava a cantarolar baixinho, como uma índia velha. Quando ele chegava do trabalho, olhava-a com pena:

— Não tem jeito: está maluca, coitada.

Às vezes ela tinha raros momentos de lucidez:

— Você não gosta mais de mim — se queixava. — Vai me deixar morrer.

Estas palavras lhe tocavam fundo o coração, porque ele sentia nelas a verdade: a mulher estava morrendo a olhos vistos, consumida por uma doença misteriosa que escapava à sua compreensão de homem simples e rude.

— Você devia interná-la — aconselhavam os amigos. — Chamar um médico, às vezes isso tem cura.

Sem recursos, trabalhando de manhã à noite numa fábrica de gelo e mal ganhando para seu sustento, Gregório jamais pensava em internar a mulher. Pelo contrário, ia se acostumando àquele estado de coisas: ao chegar do trabalho, já não tinha as palavras de carinho com que ela o acolhia, mas também não tinha a preocupação de vários problemas que a necessidade acumulava em casa e que ela antes lhe transmitia. Alheia a tudo, Margarida agora vivia para o seu lado, sempre cantarolando baixinho.

Um dia, porém, Gregório, ao chegar, encontrou-a debaixo do chuveiro aberto, completamente vestida, as roupas ensopadas.

— O que você está fazendo aí? — perguntou, espantado.

Ela sorriu e respondeu humildemente:

— Tomando banho, uê...

— Por que não tirou a roupa?

— Porque estava fazendo muito frio...

Gregório quase chegou a achar graça, mas a expressão de ingenuidade nos olhos da louca era trágica demais para que os seus não se enchessem de lágrimas.

Naquele dia trouxe a amante para morar com eles.

Gregório tinha uma amante. "Um homem não pode viver sem mulher", pensava. E a sua não era senão um trapo largado pela casa. Não se sentia traindo-a, quando apertava Celina nos braços e lhe dizia de seu amor. Como trair uma mulher que recebe em casa a amante de seu marido e não se importa? Foi o que aconteceu, quando Gregório levou Celina à sua casa (não tinham onde se encontrar, Celina era empregada numa casa de família). A mulher, que julgara a dormir, o surpreendeu.

— Trata ele bem, viu? — a louca disse para a outra: — Ele é bonzinho, ele merece.

Penalizada, Celina viera outras vezes, na condição de amiga, para ajudá-la, como a uma criança.

— É inútil — dizia Gregório: — Ela está completamente perdida. O melhor é você vir morar aqui, que ela não dura muito. Assim pode evitar que faça muita bobagem enquanto eu estiver fora.

E passaram os três a viver na mesma casa: o novo casal que se formara e uma sombra do passado perdida pelos cantos.

— Não sei o que você está querendo dizer com isso.

— Estou querendo dizer que você está de coisa com esse cara: já é a terceira vez que encontro vocês dois conversando no portão.

— Ele veio só para dizer que se precisássemos de alguma ajuda...

— Não preciso de coisa nenhuma. Que vá para o diabo.

Gregório empurrou-a com maus modos e foi entrando. Celina pôs-se a chorar e seguiu-o até a sala:

— Você sempre com sua mania de ter ciúme à toa. Lembra aquele dia no cinema...

— Não lembro nada. Já disse a você que não se metesse com os vizinhos. Conheço muito bem esse Cerqueira. Não presta para nada: quando vim morar aqui, andou de olho na minha mulher.

— Nesta? — e Celina apontou para Margarida que, agachada no seu canto predileto, na cozinha, sorria para ambos, abobalhada.

Gregório avançou para a amante:

— Você não tem o direito de falar dela! Pelo menos ela sempre me respeitou.

— Por isso acabou assim.

O homem esbofeteou-a com violência:

— Para você também aprender a me respeitar.

Celina era indócil e difícil de se dominar; levou as mãos ao rosto dolorido e recuou dois passos:

— Por que você não ensina ao Cerqueira a te respeitar?

Cego de ódio, Gregório sacou do bolso o furador de gelo que sempre trazia consigo e investiu contra a amante. Antes que percebesse o que fazia, deu com ela prostrada no chão, sem vida.

De seu canto, a louca olhava tudo sem compreender.

— Vamos, me ajude aqui — ordenou ele.

A louca se ergueu, obediente, e o ajudou em silêncio a arrastar o cadáver para o quintal. Em seus lábios parecia errar um sorriso de vitória.

— Vamos enterrar aqui mesmo — falou ele, munindo-se de uma enxada. Deu uma pá à mulher e ordenou: — Temos que ser rápidos, antes que chegue alguém.

Era tarde, porém: ouvindo os gritos de Celina, os vizinhos haviam acorrido e surpreenderam o assassino ao lado do cadáver, quando começava a abrir a cova.

Enquanto o levavam preso, a louca continuava a remover a terra como se nada houvesse acontecido e repetia baixinho, para si própria:

— Vamos enterrar aqui mesmo... Vamos enterrar aqui mesmo...

"Gregório Alves da Silva, operário de fábrica, foi recolhido ao xadrez por haver assassinado a amante a golpes de um furador de gelo, com a cumplicidade da própria esposa. Esta, entregue a um ataque de loucura, teve de ser internada num hospital de alienados."

O Destino de Cada Um
PEDRO GARCIA DE TOLEDO
Voltou com o filho para atender ao apelo da morte

— COM criança não serve.

— Ele é bonzinho, dona. Não dá trabalho nenhum.

— Desculpe, mas não é possível. Já temos muita criança em casa.

— Cozinho pela metade do que a senhora paga. Só para ter um lugar onde deixar o menino.

Afinal de contas, era uma proposta: a metade do que ela pagava... Precisava de uma cozinheira, não tinha dúvida, já não suportava ter de cozinhar, arrumar a casa, e ainda cuidar de quatro crianças. E aquela coitada sem ter nem onde deixar o filho, uma coisinha escura em seu colo que, para desmentir a mãe, começava a choramingar...

Não, em sua casa não era possível. Sacudiu com firmeza a cabeça, como a espantar de si um resto de piedade:

— Posso recomendar você a uma amiga minha.

Adelaide suspirou, resignada, e lá se foi, bater em outra porta.

Ninguém hoje em dia quer cozinheira com filho — pensava ela, subindo penosamente a escada de outro edifício de apartamentos. Ia sempre ao último andar pela escada de serviço e depois vinha descendo, a bater de porta em porta. Que culpa tinha ela? O filho nascera pela vontade de Deus. O pai, um vigia de construção em Copacabana, talvez nem mesmo soubesse da sua existência. A construção já se findara, os operários haviam partido e, pronto o edifício, povoara-se de moradores com seus móveis, suas famílias, suas empregadas, suas vidas, sem jamais poder imaginar que outra vida havia sido gerada ali, entre aquelas paredes, antes mesmo que tivessem revestimento e o edifício fosse habitável...

— Precisa de cozinheira?
— Este menino é seu filho?
— É sim senhora.
— Que engraçadinho. Qual é a idade dele?
— Não tem idade não: tem só dois meses... A senhora precisa de cozinheira?
— Não, minha filha, já tenho. Como é que você pode cozinhar com um filho desse tamaninho?

Sim, como é que poderia? Adelaide nunca havia pensado nisto. Afirmava sempre que o filho era bonzinho, manso, não chorava, não dava trabalho. Tudo mentira — desde que nascera não fazia senão chorar e dar trabalho. Por verdadeiro milagre ficava um pouco mais quieto, quando ela tentava arranjar emprego. Mas fraco, doentinho, milagre maior era não ter morrido ainda.

— Precisa de cozinheira?

Tinha sido ali. Mas o edifício já acabado, moderno, de paredes brancas, varandas envidraçadas e entrada revestida de mármore, já não era mais o mesmo. Nada que denunciasse o mundo de tijolo, cal e cimento onde ela passara tantas horas felizes, como numa lua-de-mel. Vinha durante a noite e entrava furtivamente pela pequena porta do tabique de madeira atrás do qual o amante a esperava. Às vezes subiam até o último andar pela escada inacabada de cimento áspero, para poder contemplar lá de cima, por sobre outras construções, o céu cheio de estrelas ou a vastidão do mar. Outras vezes se deixavam ficar mesmo no primeiro andar, onde ele estendera sua rede, único bem daquele ser errante e sem destino fixo, que passava pela vida como uma sombra, de construção em construção...

Agora tudo aquilo desaparecera. Os moradores haviam espantado com sua presença os últimos indícios da vida que fervilhava ali dentro em ferramentas, andaimes, suor...

— Deseja alguma coisa?

Ao ver o porteiro uniformizado à sua frente, Adelaide, intimidada, se conservou a distância, como que pronta para fugir. Ainda assim ele veio vindo.

— ... cozinheira — balbuciou ela.
— A entrada de serviço é por lá — e o porteiro estendeu o braço, apontando com displicência. Depois voltou-lhe as costas e afastou-se.

Adelaide caminhou a passo firme pela entrada de serviço, apertando o filho nos braços. Suspirou aliviada, ao ver o elevador. Lembrava-se do buraco quadrado e escuro, mas jamais imaginara que ali dentro correria silenciosamente um desses engenhos maravilhosos que serviam aos habitantes dos edifícios terminados. Em sua imaginação as construções, um mundo familiar, nunca terminavam.

Comprimiu o último botão. Iria ao último andar, e desta vez não levada pela mão dele, de degrau em degrau, mas subindo célere como num passe de mágica, como levada ao céu pela própria mão de Deus.

— Precisa de cozinheira?

A própria cozinheira é que viera abrir: escurinha como ela, mas saudável e bem-nutrida, cabelos esticados, de avental branco. E sem criança nos braços. Olhou para Adelaide de alto a baixo e suspirou fundo, como a indicar com isso a inutilidade da pergunta.

— Posso ao menos descansar um pouco? Subi pela escada — mentiu Adelaide, sem saber por quê.

A outra respirou fundo, indecisa, refletiu um momento e afinal lhe indicou um banco a um canto da cozinha:

— Entra. Pode sentar ali.

Acabou sentando-se a seu lado, a olhar o menino com curiosidade. Farejando simpatia, Adelaide puxou conversa, aos poucos foi-lhe contando como freqüentava aquele prédio ainda em construção, como passara ali verdadeira lua-de-mel com o amante, que um dia sumiu no mundo sem nem saber que iam ter um filho... A outra a interrompeu, ao ouvir a patroa chamando-a lá de dentro:

— Volto daqui a pouco. Fique aí à vontade.

Assim que se viu só, Adelaide olhou em torno, avidamente, tentando ordenar suas reminiscências. Sim, fora ali, não tinha dúvida. Aquela porta conduzia a uma varanda, onde outra porta dava para um pequeno quarto... Depositou calmamente a criança no banco e se ergueu, deslizou silenciosa até a varanda. Olhou para o céu, um céu claro, violentamente azul, matinal — tão diferente do mundo estrelado sob o qual vivera as suas horas de amor. Entrou no quarto e chegou-se à janela. Naquele tempo a varanda nem ao menos tinha parapeito — e quantas vezes ali contemplara o mar rolando na praia ao longe, além dos outros edifícios — outras construções... Abraçada a ele, à beira do abismo a seus pés, nunca temera cair. Agora, sozinha no mundo, com um pequeno ser a esperá-la a poucos passos, desprotegido como a própria lembrança de seus pecados, sentia-se de súbito atraída pelo vazio, arrastada pelo apelo da morte como para uma redenção...

— Mas ela estava aqui agora mesmo! Ouvi um grito e vim correndo...

— Olha o menino dormindo ali no banco.

— Será que ela... Pulou da janela, olha lá embaixo! Meu Deus, ela pulou da janela! E agora?

— Como é que você foi deixar esta mulher entrar aqui, minha Nossa Senhora!
— Eu não sabia! Ela disse que estava cansada...
— E agora? E essa criança? O que é que a gente vai fazer com essa criança?...

O Destino de Cada Um
PEDRO GARCIA DE TOLEDO
Cada algarismo alterado era mais um passo para a morte

AO descobrir que os balancetes não eram conferidos segundo as operações realizadas e sim em mera verificação do saldo final, ele descobriu também a forma ideal de enfrentar a conta mais urgente: a do médico.

Mil cruzeiros a menos não passava, no "haver" final, de um simples algarismo a ser alterado. No fim do mês, quando recebesse seus vencimentos, reporia os mil cruzeiros assim obtidos e ninguém daria pela coisa. Operação um pouco difícil de explicar, e mais difícil ainda de entender — a não ser pelos que já penetraram os mistérios da contabilidade.

Trabalhando como caixa de uma casa bancária, Manoel Murtinho tinha já vinte anos de profissão, sabia o que estava fazendo.

Não sabia, porém, que os vencimentos no fim do mês, assim que os recebesse, seriam implacavelmente devorados pelas contas; se sabia, esquecera-se desse detalhe — e quando deu por si, conseguira salvar apenas setecentos cruzeiros.

Em casa, a mulher protestou, dizendo que faltava ainda enfrentar a conta do armazém, da padaria, do açougueiro. Perdido no emaranhado de suas próprias contas na repartição, ele raciocinava: uma alteração no balancete só passaria despercebida se fosse apenas de um algarismo — tanto na casa das centenas, dos milhares ou dos milhões. E isso é também coisa que só ele entendia ou saberia explicar, com seus conhecimentos da profissão. Precisava repor mil cruzeiros — e setecentos de nada adiantavam.

Em vez de retirar os trezentos que faltavam, como era sua intenção, acabou retirando mil, das operações mais recentes, para cobrir o desfalque anterior. Descobria, assim, sem saber, nova e secreta operação financeira: refrescar os desfalques, para trazê-los sempre sob controle e ao alcance de si. Entregou os setecentos cruzeiros à mulher:

— Foi tudo o que sobrou — disse, sucumbido.

No mês seguinte regularizaria a situação.

Nos meses seginttes, entretanto, costuma sempre acontecer o mesmo que nos meses passados, quando a despesa é maior do que a receita. Manoel Murtinho não só não dispôs de mil cruzeiros para desfazer seu deslize, como também precisou de outros mil para pagar o colégio do filho mais velho.

— O menino tem que estudar — pensava. — Para não terminar um dia como eu, escravo do dinheiro alheio.

E ao encerrar as contas daquele mês, desviou dois mil cruzeiros: metade para o balancete anterior, metade para o colégio do menino. Entrava, assim, num novo e inexplorado mundo da matemática, que até ali não lhe tinha valido na profissão: o da progressão geométrica. Sabia o que estava fazendo.

Nada descobriram. E ao aproximar-se o fim do ano, sua vida, já equilibrada e sem a premência vergonhosa dos credores, permitia-lhe certa paz de espírito e mesmo certa folga no orçamento. Breve poderia cuidar, enfim, de encerrar as suas secretas operações com as cifras do Banco.

Só então percebeu que elas haviam avançado insensivelmente duas casas para a esquerda. Em outras palavras: seu desfalque atingiu nada menos que a importância de cem mil cruzeiros, redondos.

— Se eu tivesse levantado esse dinheiro de uma só vez, poderia ter feito um bom negócio e hoje minha vida estava resolvida — pensava.

Mais de nada adiantava sonhar: era preciso regularizar definitivamente as contas, antes do balancete geral do fim de ano.

Vinte anos de profissão: confiante na sua prática, no tirocínio e comprovada honestidade em tanto tempo a lidar com dinheiro alheio, Manoel Murtinho não se julgava um ladrão, pelo simples fato de haver tomado aquela quantia de empréstimo sem que ninguém soubesse. Afinal de contas não desviara dinheiro para fins escusos, não jogava, não bebia, não tinha vícios, não sustentava mulher nenhuma além da sua. Era um austero pai de família, respeitado pelos amigos e conhecidos. Um empréstimo, nada mais do que isso: com ele fizera face às necessidades da sua família, pagara aluguéis em atraso, contas e dívidas já caducas que os credores nem mais pensavam em receber. Estava em dia com as suas obrigações, era bem relacionado, tinha crédito: bastava fazer apenas uma transferência de débito.

— Preciso que você me empreste cem mil cruzeiros.

Manoel Murtinho estava na dúvida se devia ou não contar tudo ao seu melhor amigo, Mário Viegas, companheiro dos tempos de solteiro: era hoje dono de uma loja de ferragens, tinha apartamento em Copacabana, vivia próspero e feliz — e ainda assim não o esquecera.

— Estou numa grande dificuldade — disse apenas.

Não teve coragem, porém, de explicar ao amigo do que se tratava — e pela primeira vez a palavra "desfalque" rodou em sua cabeça como uma sombra ameaçadora.

— Quem precisa de cem contos não pode estar em dificuldade — e Mário Viegas soltou uma gargalhada: — Eu também gostaria de fazer um bom negocinho, se no momento dispusesse de cem contos...

Todos os amigos que procurou de repente se tornavam pobres, deficitários, mais necessitados do que ele próprio. Desesperado, vendo aproximar-se o dia em que fatalmente seu gesto criminoso seria descoberto no banco, chegara a contar a um deles para que precisava do dinheiro:

— Não se trata de um desfalque, entendeu? Um simples empréstimo. Não prejudiquei ninguém, não pretendo ficar com dinheiro alheio. A prova de que eu pago é que estou querendo repor o dinheiro antes que descubram. Afinal, os amigos foram feitos para estas coisas. Se você um dia estivesse na mesma situação, e se eu pudesse...

— Você jamais me veria na mesma situação — limitou-se a comentar um deles, despedindo-o com um sorriso condescendente.

Manoel Murtinho foi para o banco amargurado. Era inútil tentar se enganar: cometera um crime, tinha de ser castigado.

Neste mesmo dia aumentou de mais mil cruzeiros o seu "empréstimo".

— Trouxe aquele vestido que você queria.

A mulher o olhou, espantada:

— Como? Se você disse que não tinha dinheiro este mês nem para cair morto!

— Sobraram mil cruzeiros para o vestido. As contas estão todas pagas.

Naquela noite Manoel Murtinho se trancou no banheiro e, como horas depois a mulher o chamasse em vão, o filho mais velho arrombou finalmente a porta, para encontrá-lo enforcado com o cinto, pendente do cano do chuveiro.

Sobre sua cabeça gotejava água e em seu bolso encontraram apenas um bilhete:

"Peço perdão à minha mulher, filhos e irmãos.
Aos amigos, agradeço." *

---

*Na apresentação da "Obra Reunida", pela Editora Nova Aguilar, 1996, consta o seguinte depoimento do mesmo "autor": "NÃO PERDEMOS POR ESPERAR" — *Pedro Garcia de Toledo"*
"É uma característica marcante do espírito lúdico de Fernando Sabino divertir-se com seus leitores em jogos onomásticos, concursos literários, adivinhações. O título "O Homem Nu" nasceu de um concurso por ele promovido entre os leitores de *Manchete*, que publicava regularmente suas crônicas, contos e histórias reunidos no livro. Como também se valeu de um erro ortográfico seu, ocorrido duas vezes nas mesma página de "O Gato Sou Eu", para oferecer uma coleção de suas obras ao leitor que o localizasse. Em "A Faca de Dois Gumes", além de forjar uma epígrafe como sendo da autoria de um personagem do livro, e noutra atribuir a Kierkegaard um pensamento dele próprio, em cada uma das três novelas presta uma homenagem cifrada a um escritor de sua admiração: a Machado de Assis, nas referências ao mistério de Capitu; a Pirandello, quando um personagem fala "Assim é, se lhe parece", título de uma de suas peças; a Simenon, no acróstico de um fim de capítulo que diz: "eu não sabia se isso me era necessário ou não". Em "O Grande Mentecapto", o autor se compraz na citação de dezenas de nomes conhecidos através de apelidos, anagramas, homófonos, antonomásias — que sei eu. Meu próprio nome foi inventado por ele de pura blague como pseudônimo seu, numa série de relatos diários inspirados em casos policiais verídicos, sob o título "O Destino de Cada Um", que publicava na década de 50 no *Diário Carioca*.

Presente de Natal

A MENINA Eliana recebe de presente no Natal o livro "A Volta de Branca de Neve", de Sarah Marques. É um dos primeiros livros que ela lê: não tem nem sete anos.

Resolvo entrevistar a nova leitora.

— Você leu mesmo o livro, minha filha? Qual é a sua impressão?

— A minha o quê?

— Você gostou?

— Gostei.

— De que foi que você gostou?

Ela dá uma risadinha:

— Do livro, ora essa.

O livro é uma edição do "Clube dos Inéditos".

— Que quer dizer "inédito"? — pergunta a nossa entrevistada.

— Quer dizer que nunca foi editado.

— Que quer dizer "editado"?

— Quer dizer lançado, saído.

— Saído de onde?

Perco a paciência:

— Saído do prelo. Mas não digo o que é prelo.

Ela não desanima por tão pouco:

— E este livro... já saiu do prego?

— Prego não: prelo. Já saiu sim, pois não está vendo ele aí na sua mão?

— Então como é que você disse que é inédito?

Quem desanima sou eu:

— Você é que está me saindo muito sabidinha. Eu, aliás, já estou arrependido de ter começado esta entrevista.

Em seu livro de viagens "De Cabeça Para Baixo" houve por bem reproduzir em notas de pé de página as observações irreverentes e muitas vezes hilariantes, rabiscadas por Otto Lara Resende nos próprios originais, durante a leitura feita a seu pedido. E o mesmo sentimento de amizade o leva agora em seu novo livro a homenagear de maneira também original o companheiro de toda a vida, referindo-se em cada uma das três novelas ao conto *O Morto Insepulto* de Otto Lara Resende.

Antes da sua publicação, por sugestão do autor, *O Globo* promoveu um concurso: divulgou o resumo de uma das novelas, omitindo a cena final e concitando os leitores a redigi-la como a concebiam. Aquela que coincidisse com o desfecho original ganharia um prêmio, disputado com sucesso por cerca de mil concorrentes.

Nele, o menino continua a coexistir com o homem feito. Haja vista a pretendida competência profissional com que projeta ele próprio a capa e a feição gráfica de seus novos livros, a par do entusiasmo infantil com que inventa brindes para o leitor a cada lançamento: um espelhinho, um tabuleiro de damas, uma faca de dois gumes... A que irreverente brincadeira o levará agora, como *gimmick* do lançamento deste seu novo livro, com o sugestivo título "Aqui Estamos Todos Nus", a sua tendência para se divertir com a inteligência do leitor? Ele próprio já declarou em seu "O Tabuleiro de Damas" que 'leva a sério tudo, inclusive as brincadeiras'. Não perdemos por esperar."

— Que quer dizer "aliás"?

Pronto, mais essa agora: que quer dizer "aliás". Fico embatucado, mas acabo sorrindo, triunfante:

— "Aliás" quer dizer, "quer dizer".

Desta vez, eu é que te peguei! Quando ela abre a boca para mais uma pergunta eu corto rápido:

— E os anões? O que você achou dos anões?

Então, pela primeira vez, ela faz para o repórter sensacionais declarações:

— Eu já conhecia Branca de Neve da televisão. Não sabia é que ela tinha voltado. E os anões agora são outros: Boavida, Não-me-toques, Piscapisca, Quindim, Ranzinza, Chiba, Chefe... Só o Chefe é o mesmo.

— Os meus leitores querem saber o que mais você achou do livro. Isto é uma entrevista.

— Pois quero ver depois se você entrevista tudo o que eu falo.

A esta altura, sentindo-se mesmo entrevistada, ela apóia o rostinho na palma das mãos e fica a pensar:

— Acho — responde afinal, pausadamente — que o livro tem muito social.

— Muito o quê?

— Social.

— Que quer dizer isto?

— Não sei.

— Se você não sabe, por que é que disse?

— Porque eu queria usar uma palavra de gente grande.

— Muito bem. Tem muito social. Mais o quê?

— Acho que o livro é muito bom, mas tem umas palavras que a gente não entende. Essas aqui: quá... quá... quá...

— Isso não é palavra, menina: isto é riso, gargalhada. Assim, quer ver?

E gargalho para ela. Ela, porém, continua séria:

— Se não é palavra, como é que está aqui escrito?

Resolvi prudentemente encerrar o assunto:

— Agora chega de entrevista. Já é hora de dormir.

Apaguei a luz e saí do quarto, antes que entrássemos de conversa noite adentro. Agora, pela manhã, enquanto escrevo, ela se aproxima de mansinho e vem ler na máquina por cima do meu ombro. Interrompe-me dizendo que está tudo errado.

— O que é que está errado, menina?

— Aquela palavra ali em cima: gargalho. Não é "gargalo"?

— Muito bem. Mais o quê?

— Ali onde você diz que apagou a luz e saiu do quarto é mentira. Você ainda perguntou mais uma coisa.
— O que eu perguntei?
— Se eu tinha escovado os dentes.
— E o que você respondeu?
— Que tinha.
— E tinha?
— Não... — ela solta um risinho, encolhendo os ombros.

1953

Os loucos

TERMINO a leitura chorando. É incrível como o romancista aflora o ridículo, o pueril e o risível, exatamente quando está mais próximo da genialidade. Só um gênio saberia levantar de material tão grotesco, feito de lugares-comuns, convenções, inverossimilhanças e matéria-morta literária, uma obra de tão grandiosas proporções.

"Os Loucos *(O Cavalheiro da Virgem)*", de Octavio de Faria: sexto romance da série de quinze que compõem a sua admirável Tragédia Burguesa. O material de que o romancista lança mão serve exatamente para o fim a que se destina: retratando a decadência e a podridão da classe burguesa, é natural que lance mão de todo um repertório de frases feitas e idéias ou situações convencionais. Ilude-se aquele que durante a leitura julgá-lo pelo seu estilo, ou falta de estilo. É preciso ir até o fim para descobrir, maravilhado, que tudo se justifica ante a grandeza a que se destina: não há uma só palavra em todo o romance que não cumpra a finalidade a ela atribuída pelo autor. Nenhuma pode ser trocada, mesmo as mais desconcertantes, rebarbativas ou inesperadamente antiestéticas, sem prejuízo para o todo.

Se o romance é bom, não pode deixar de ser bem escrito — a isso não há como fugir. Existem princípios de estética que um dia serão invocados, na justificação da beleza iniludível deste livro. Um pouco como Henry James, Octavio de Faria dá ao leitor a impressão de que o que está lendo é falso e convencional — até descobrir por si mesmo que falso e convencional é ele próprio, é o seu insuficiente conhecimento das possibilidades da literatura. Querer que Octavio de Faria escreva bem, como escrever bem é geralmente aceito, seria como pretender que uma locomotiva fosse bela feito uma jóia, ou uma montanha plana feito o mar: Octavio de Faria escreve bem como ninguém — bem apenas como Octavio de Faria. É incomparável na sua coragem de enfrentar as situações mais convencionais e estereotipadas, indo mesmo buscar no porão da subliteratura a matéria com que compor o seu gigantesco mundo de ficção. Não se detém diante de nada, arrisca tudo, expõe-se todo — e ganha. Serve-se do mundo como ele se apresenta, para mostrá-lo tal qual é na realidade: um mundo de engano, impureza e podridão. Está lidando com a podridão do homem — é natural que os delicados torçam o nariz e recuem de nojo.

E não estou sozinho, nesta minha opinião sobre Octavio de Faria, nem na admiração que sua obra me inspira.* Há algum tempo, ninguém menos que o grande poeta Carlos Drummond de Andrade assim se expressou sobre ele, escondendo-se mineiramente sob o pseudônimo de Policarpo Quaresma, Neto, em crônica no suplemento *Letras e Artes* de *A Manhã*, sob o título *Romancista perturbador*:

"(...) *Obra que irrita, comove, perturba, massacra, seduz — enfim, que nunca nos deixa indiferentes ou neutros. (...) Temos que aceitar este romancista com o seu peculiar modo de escrever antiartístico, ou não aceitá-lo de todo. Seu poder de exprimir crises da vida moral em atos cotidianos, movimentando uma trama complexa, entrecortada, fértil em episódios pungentes e fiel à realidade da vida burguesa no Brasil de hoje — obriga-nos (é o termo) a optar pela afirmativa.*"

Recitativo

ALGUÉM me fala nos discos de poesia, que vêm tendo crescente aceitação por parte do público, e no ressurgimento da velha arte da declamação.

Não exageremos. Que o diga a mulher de um amigo meu, em face de sua recente experiência. Foi passar uns dias em Petrópolis, e encontrou na rua uma velha conhecida que não via há muito tempo:

— Querida, quanto prazer em encontrá-la! E logo hoje, que sorte a minha! Olhe, minha filha vai dar hoje à noite um recital de poesia, e faço questão que você compareça. Às nove horas: posso contar com você?

Abriu a bolsa e lhe estendeu um convite impresso com letras douradas. A vítima prometeu comparecer — mas não tão pressurosamente que evitasse chegar com meia hora de atraso ao local do crime. Encontrou um porteiro de braços cruzados diante de uma porta trancada. Exibiu-lhe o convite:

— O senhor quer fazer o favor de me deixar entrar? — pediu, já que ele não saía da frente.

— Não posso — escusou-se o homem: — O recitativo já começou faz meia hora.

A retardatária, tendo tido o trabalho de se embonecar toda para o recitativo, estava disposta ao que desse e viesse:

— Pode abrir, que tenho muita prática dessas coisas. Entro em silêncio, ninguém vai notar.

— Não é por isso não, minha senhora — tornou o porteiro, imperturbável: — É que se eu abrir a porta, todo mundo que está lá dentro vai querer sair.

***O Romancista do Absoluto*, em "A Chave do Enigma".

Primeira Comunhão

ACORDO sobressaltado, olho o relógio: sete horas da manhã. Visto-me apressadamente, não há tempo de fazer a barba. Saio em disparada, tomo um táxi, mando tocar para a igreja. Prometi a Eliana que não deixaria de ir.

À entrada me detenho, surpreendido: pensei em encontrar a igreja vazia, com uma menininha de branco ajoelhada junto ao altar, e dou com uma multidão de homens e mulheres elegantes, vestidos de seda, chapéus, a cercarem um mar de véus brancos. São mais de cinqüenta meninas e me esqueci de que todas elas têm pais, irmãos, parentes e amigos. Agora me sinto um pária, perdido entre eles, procurando ao menos localizar minha filha para receber ali o primeiro olhar amigo.

Lá está ela, na terceira fila: abaixa os olhos, finge que não me vê. Na certa se envergonha do pai, porque chegou atrasado, porque não está elegante como os outros.

Mais tarde fico sabendo que não, quando, finda a missa, ela vem atirar-se em meus braços: não me olhou, para não quebrar a solenidade da cerimônia, ficou com medo de rir... Depois me pede que escreva aqui alguma coisa especialmente sobre esse dia, que Flaubert inclui no seu dicionário de lugares-comuns como o dia mais feliz de nossa vida.

Saio, deixando-a entre as outras meninas, ao redor de uma mesa de doces. Certamente ela está feliz. Respiro fundo e concluo: eu também. Vou caminhando pela rua sem sentir, alegre, ponho-me a rir de mim mesmo, de minha figura ainda há pouco na igreja. O lugar-comum é, felizmente, o nosso último refúgio na luta pela expressão. Estou feliz — nada mais posso fazer senão agradecer a Deus em silêncio este sentimento de pureza já esquecido, este inesperado sopro de alegria, otimismo e esperança, esta felicidade que uma menina sem saber comunicou a um homem no dia mais feliz de sua vida.

1954

Menino

MARCELO Garcia, meu pediatra predileto, contou-me a história do menino abobalhado, a qual hoje poderia servir de inspiração para solucionar tantos problemas, não só familiares, como políticos e sociais.

Pois o garoto, de seus quatro ou cinco anos de idade, menino abobalhado, ficava parado batendo palmas no ar como se estivesse matando mosquitos invisíveis. O pai o submeteu a tratamento com os melhores especialistas, para curá-lo daquela doença nervosa, mas qual: lá ficava ele, feito idiota, batendo uma mão na outra de segundo em segundo. Tentou médicos de São Paulo, sem resultado; reuniu suas economias e levou o filho a Buenos Aires, sem que os médicos de lá dessem jeito naquilo. Vendeu tudo que tinha, e foi com ele para os Estados Unidos, sua última esperança. Os psiquiatras americanos tentaram todos os recursos, mas o menino não parava de matar mosquitos que só ele via.

De volta ao Brasil, enterrado em dívidas, desalentado e infeliz, o pobre pai um dia se deteve diante do garoto e ficou a olhá-lo longamente. Alheio a tudo, o filho erguia as mãozinhas no ar e batia uma na outra, ora aqui, ora ali, olhar perdido em seu mundo oligofrênico. De súbito o pai não pôde mais e explodiu, autoritário:

— Pára com isso, menino!

O menino parou.

Elefante

O TELEFONE do cartório tocou, o escrevente atendeu:

— O elefante está?
— Não estou entendendo bem: elefante, a senhora disse?
— Ele não foi aí hoje?
— Ele quem?
— O elefante.
— Que brincadeira é essa?
— Sabe onde posso encontrá-lo?
— Que eu saiba, no circo ou no Jardim Zoológico...

O escrevente se voltou, rindo, para as pessoas presentes:

— Tem uma mulher no telefone querendo falar com o elefante.
Um advogado se adiantou, muito digno:
— É para mim. Com licença.
E tomou o fone:
— Alô? É o Hélio Fontes. Pode falar.

Sapatos

DEPOIS de experimentar vários sapatos naquela sapataria da Avenida Copacabana, o freguês escolheu um. Ao mandar embrulhar, se deu conta de que o dinheiro que trazia consigo não dava para pagar, faltava quase a metade. O vendedor o surpreendeu com uma prova de confiança:
— Pode levar assim mesmo — disse, todo simpaticão: — Depois o senhor volta para pagar o resto.
Mais tarde o gerente o censurava, ao saber da transação:
— Agora você vai cobrir o prejuízo. Ele não volta nunca mais.
— Volta — afirmou o vendedor, tranqüilamente.
E contou que havia embrulhado dois pés esquerdos do sapato.

Desencontro com Neruda

OLHO casualmente pela janela do lotação. Em frente à Casa Sloper, na Avenida Copacabana, um homem de blusão verde, mãos nos bolsos, espia desconsoladamente as vitrines. Parece com Pablo Neruda.

Distraído, deixo-me levar um quarteirão mais, antes que a realidade se imponha: é o Neruda! Seja ele ou não seja, eu não posso levar comigo essa dúvida para a cidade. Desço na esquina e venho voltando.

Paro a poucos passos, fico a olhá-lo. Não, não pode ser. Lembro-me dele nove anos atrás: corpulento, imponente, o imenso rosto sempre pronto a crispar-se de entusiasmo, sob a máscara de serena sabedoria que a poesia lhe comunicava. Agora tenho diante de mim um homem abatido como um convalescente, ombros caídos, mãos nos bolsos e o olhar vago, mortiço, pairando por sobre as coisas. Mas é o rosto do poeta — e ouvi dizer que Neruda estivera doente.

— Neruda — chamo, hesitante.

Ele se volta lentamente e olha-me com ar cansado. Não se esforça para me reconhecer. Estende-me a mão num gesto frouxo — digo-lhe quem sou: há nove anos, você se lembra? Olha, eu morava ali, justamente ali naquele edifício, você jantou comigo...

— Me lembro... Comi um leitão — sorriu ele, com simpatia.
— Nove anos... Quase dez.
— É... Foi com Jorge, não?
— Jorge? — espantei-me. — Jorge Amado? Não, foi com Vinicius...
— Ah... Com Vinicius.
— E o que você está fazendo aqui, parado assim, sozinho? Vamos tomar um café.
— Café? Onde?
— Ali adiante. Mas você aqui... O que está fazendo no Brasil?
— Vim para esse Congresso de Intelectuais em Goiânia.

Eu já ouvi falar no Congresso: li a lista dos intelectuais, mais de cinqüenta nomes, onde avultavam apenas os de dois conhecidos escritores: Guilherme de Almeida e Menotti del Pichia. Os demais eram nomes sem expressão, amorfos, ignorados, de gente anônima que os comunistas ficharam como "intelectuais" para fazer número em seus congressos de cultura. Entre eles alguns jornalistas e dois ou três famosos artistas — Marlene, Luís Delfino, Grande Otelo — emprestando prestígio radiofônico e carnavalesco a uma iniciativa que não merece nome. A esse Congresso, Pablo Neruda veio oferecer a sua consciência de intelectual e a sua dignidade de poeta.

— Não posso tomar café, estou esperando aqui umas pessoas...

Não sei mais o que dizer: olho-o, pensando: o que fizeram daquele homem possante, pletórico, a palavra fácil, entusiasmada, insinuante, que nove anos atrás andava conosco pelas ruas, deixando um rastro de protesto contra um mundo sem poesia? Está satisfeito, ele? Aquietou-se, conformou-se, escravizou-se definitivamente a uma causa que é o próprio conformismo a uma nova escravidão? O que fizeram desse homem? Sugaram-lhe o sangue, abateram-lhe o peito, curvaram-lhe os ombros à força de sucessivas humilhações do poeta que o sustentava? Ou estará apenas doente? Ele também me olha, curioso, e com certeza estará pensando: o que fizeram daquele menino? "Nove anos passaram", concluo, sentindo que não há mais o que dizer.

— Bem, eu vou embora — falei, me despedindo.
— Você vai...?
— Embora. Tenho de ir para a cidade. Talvez a gente não se encontre mais...

A conversa, em mistura de português e castelhano, é cada vez mais difícil, entrecortada de silêncio. Tenho de destacar bem as palavras, nessa estranha impressão de que os estrangeiros são meio surdos. Ele deixa descansar a mão sobre o meu ombro e pela primeira vez sinto que não sou um desconhecido:

— Estarei de volta na semana que vem, no Hotel Copacabana. Não deixe de procurar-me.

Ele disse "jueves" — que dia da semana será jueves? Não me importa saber: quero afastar-me o mais depressa possível. "Detesto os mortos que voltam. São tão mais nossas as imagens!" O verso de Mário de Andrade começa a girar na minha cabeça.

— Adeus, Pablo Neruda.

As pessoas que ele espera acabam de sair da Sloper, garrulando em castelhano. Estavam comprando berloques:

— ¡Mira, que lindo!
— Un regalo... Ahora nosotros tenemos...
— pero... todavia...
— ¿... no te gusta?

Exibem um broche de prata. Neruda me apresenta vagamente a seus acólitos — a um intelectual chileno, duas ou três senhoras brasileiras. Depois olha-me pela última vez, estende-me a mão:

— Adeus.

Afasto-me, caminhando ansiado num tempo morto. Versos soltos se atropelam na minha cabeça. Versos que foram para mim a descoberta da poesia, que falam em *ceniza, sastrerias, huesos, sangre, agujeros, vinagre, niños* e *palomas*. Testemunhos de um residente da terra, testemunhos de um homem. Mas um só deles cadencia os passos e se impõe, afinal:

"*Sucede que me canso de ser hombre*"...

Resposta de Neruda

O GRANDE poeta chileno Pablo Neruda faz publicar uma carta quilométrica para dizer que nunca ouvira falar em meu nome. E procura insultar-me exaustivamente, chamando-me trânsfuga, policial, delinqüente, homenzinho, existencialista, etc. O semanário, por falta de assunto, gasta uma página inteira para ele dizer que sou um ilustre desconhecido. Uma senhora chamada Jurema, com ares de perereca azeda do Partido Comunista, conta como jantou com ele em minha casa sem ser convidada, e como se portou sem a devida compostura.

Tudo isso por quê? Porque ousei dizer que, num encontro casual com Neruda, achei o poeta muito abatido, e seu abatimento, menos do que um estado de saúde, denotava uma possível escravização à ideologia que é a própria escravidão ela mesma. Em sua carta aberta, Neruda confirma a impressão, confessando que me tratou com apreensão e desconfiança. Viu em mim um policial porque está com mentalidade de delinqüente; viu em mim um delinqüente porque está com mentalidade de policial. E se me achou com "cara de homenzinho que tomou trem errado" é porque foi trem errado mesmo julgar que ele pudesse ver-me apenas como um ser humano, com simpatia, cordialidade, compreensão.*

Casa para morar

COM um pouco de atraso, acuso o recebimento da carta de uma leitora que pode mesmo ser chamada de gentil, oferecendo-me uma casa para morar.

Foi a propósito da crônica aqui publicada, na qual eu descrevia a casa que venho procurando.** Essa que me é oferecida parece esplêndida; pelo menos é literariamente esplêndida a descrição que dela me faz a sua proprietária.

Construída por um espanhol: "um bravo filho de Sevilha, aqui refugiado de suas desilusões e acidentes de toureiro". Tem os quartos muito amplos e o teto bastante alto. Corredores estreitos. Gradis de ferro, pintados de verde-claro, protegem as janelas. O quintal é grande e fresco, com laranjeiras-barão, "tranqüilas como monjas". Há também um casal de mamoeiros "que sempre resolvem os problemas de sobremesa, quando visitas surgem, inesperadamente, para almoçar". Um barracão que poderá servir de estúdio. Jardim com fofos gramados, palmeiras anãs, rosas príncipe negro, macieiras e vinhedos. Orquídeas, antúrios, azaléas e jasmins. Do lado esquerdo um vizinho rico, fabricante de entretela. Na esquina, uma padaria, um pouco além farmácia, armazém, sapateiro. O português do bar não esquece jamais o nome do freguês. Pouco adiante o pároco da Igreja Nossa Senhora do Bom Conselho promove grandes movimentos no Largo em favor do término das obras. Moças passeiam de tarde, depois do banho, de mãos dadas e sorrisos em flor. Moram duas celebridades nas vizinhanças: a governanta do Palácio dos Campos Elíseos — porque não sei se já disse, a casa fica em São Paulo — e uma mulher misteriosa, cujo segredo ninguém conhece. Água farta, tranqüilidade, condução à porta.

O que eu poderia querer de melhor? O que eu poderia querer de melhor, minha querida amiga, se estivesse realmente procurando uma casa para morar? Devo confessar-lhe que a crônica não é tão antiga quanto as minhas passadas ambições. Foi publicada

---

*"Em 1965, à falta de alguém melhor, fui enviado de Londres ao Congresso Internacional do Pen Club em Bled, na Iugoslávia, como representante do Brasil. E me vejo num grupo de trabalho, sentado exatamente ao lado dele. Era uma situação constrangedora, e evidentemente não nos falamos — embora no íntimo eu acreditasse que ele nem se lembrava mais do incidente. Até que, numa de suas intervenções, ele se referiu inesperadamente a mim, nos termos mais lisonjeiros. Fiz o mesmo em relação a ele, quando chegou a minha vez de intervir, e depois deste rasgar de sedas, ele abriu-me os braços, finda a reunião: 'Vamos deixar de bobagem, eu era muito intolerante e hoje não sou mais, está tudo esquecido, vamos conversar, vamos ser amigos...' Foram alguns dias de afetuoso convívio, durante os quais pude ver que a paixão política cedera lugar a uma terna compreensão dos problemas da vida e do homem, debaixo da mesma sede de amor e da mesma fome de justiça social."

— *O Habitante e Sua Sombra*, em "Gente".

**Anúncio de Casa*, em "No Fim Dá Certo".

num momento em que o meu desejo de morar se circunscrevia apenas ao de não enfrentar novas mudanças. Até a mudança definitiva — poderia acrescentar, emprestando um sabor machadiano à minha um tanto combalida necessidade de escrever. Kempis diria que a verdadeira felicidade está em não desejar, porque consiste em ser livre.* De minha parte não digo nada e silenciosamente me preparo para nova mudança. Não me mudo para São Paulo, ainda desta vez, mas do quinto para o sétimo andar deste edifício onde moro atualmente.**

Convenhamos que as mudanças se vão encurtando, nas dezessete vezes em que me mudei, nesses últimos dez anos: de país, de cidade, de bairro, de quarteirão, agora de pavimento. Dia chegará em que mudarei apenas de sala para o quarto e deste para a eternidade. Mudaria o Natal ou mudei eu?

Mudemos apenas de tom: você, leitora gentil que se diz jovem e que não vende nem aluga a bela casa onde mora, mas cede-a se nela eu quiser morar — "porque uma casa dessas, só mesmo para intelectuais esgotados de físico e de idéias" — você cometeu uma imprudência. De físico vou indo bem, obrigado, mas ando mesmo um tanto parco de idéias e as suas me acenderam a imaginação: eu poderia acreditar. Como você acreditou que a minha crônica, quando publicada, correspondesse ainda às minhas razões de viver, eu poderia acreditar que o oferecimento de sua casa fosse algo mais que sua autêntica necessidade de escrever. E arrumaria as malas, embarcaria para São Paulo, estouraria aí no mesmo dia, o que é que você haveria de fazer?

Não lhe pregarei tamanho susto: limito-me a agradecer a sua linda carta e a oferta de sua casa, oferecendo-lhe o meu lugar de cronista.

---

*Thomas A. Kempis, em "Imitação de Cristo".
**A Paz na Rua Canning, em "A Mulher do Vizinho" — Em Louvor da Minha Rua, em "No Fim dá Certo".

1955

Relato de viagem — I

NÃO, jamais conseguiríamos sair do Rio de Janeiro. Malas no carro, ficamos rodando pela Praia de Copacabana, conseguimos ir do Posto 6 ao Posto 2. Não era muito, para quem pretendia ir ao Rio Grande do Sul.

— Quem sabe é mais negócio almoçarmos primeiro — propus, apreensivo. — E ficamos por aqui mesmo: esta cidade tem bons restaurantes, bons hotéis, muita coisa para se ver. E olhe só que bela praia.

Meu companheiro, ao volante, não se deixou seduzir. Olhou pela última vez Copacabana e num assomo de coragem patriótica dobrou à esquerda, enveredou pelo túnel. Estava iniciada a viagem, era preciso conhecer o Brasil.

A idéia de almoçar, porém, calou fundo no nosso espírito. Vimos ficar para trás a Praça Mauá, nossa última esperança de um filé com fritas antes de partir. Já na estrada, Millôr tomou subitamente o caminho da Ilha do Governador:

— Vamos almoçar com Rachel de Queiroz.

Assim, ainda restava a possibilidade de regressarmos ao Rio naquele mesmo dia, satisfeitos, depois de uma tarde agradável em companhia de Rachel de Queiroz. E a viagem ficaria para outra vez, não fazíamos tanta questão assim, tínhamos calma, o Brasil era nosso.

Mas não nos foi proporcionado o prazer de encontrá-la em casa. Deixamos um bilhete ressentido e famélico à grande ausente, ameaçando voltar um dia, e metemos a cara na estrada.

— Agora ou vai ou racha — assegurou Millôr.
— Rumo ao sul! — secundei, entusiasmado.

No rádio tocavam "Tico-tico no Fubá".

Ao anoitecer chegamos a São Paulo. Era preciso passar por São Paulo em brancas nuvens: do contrário nos convenceríamos de que seria melhor ficar em São Paulo logo de uma vez. E o que diabo íamos fazer por esse Brasil abaixo? Quem tivera essa idéia?

— Quem teve essa idéia, Millôr?
— Não sei. Você um dia falou...
— Eu não falei nada.
— Pois agora eu vou de qualquer jeito. Quem for brasileiro, siga-me.

— Então vamos telefonar para o delegado.

Telefonamos para o delegado e o pusemos a par da situação. Ele propôs que passássemos em sua casa para confabular. O delegado João Leite é mineiro, e segundo reza o mandamento, mineiro não conversa: confabula

— Não queremos ver mais ninguém — asseguramos a ele. — Se não chegarmos a Porto Alegre ficaremos desmoralizados.

— Não conte ao Luís Coelho!

E resolvemos, na calada da noite, levar conosco o delegado. Íamos precisar de proteção da lei. Na volta, nos deteríamos em São Paulo uns dias para contar nossas proezas, Luís Coelho ficaria boquiaberto.

Assim não quis o destino: ao descer do carro, esquivos e suspicazes na nossa roupa de briga, ouvimos uma gargalhada:

— Uê! Onde é que vocês vão, vestidos dessa maneira?

Di Cavalcanti, que ia passando, nos surpreendera em flagrante. Jantar com João Leite e Di Cavalcanti, positivamente, era melhor do que comer poeira na estrada. Nossa disposição de viajar corria por água abaixo.

Fizemos questão de pagar o jantar, o que foi um abalo sério para as nossas finanças. João Leite se indignou:

— Um absurdo, onde já se viu mineiro fazer uma coisa dessas?

E propôs que passássemos pela casa do Oscar. No dia seguinte seguiríamos viagem, podíamos ficar tranqüilos. No caminho, olhamos a residência dos Coelhos — janelas fechadas, tudo às escuras. Ainda bem:

— Deste, pelo menos, nós escapamos.

— Cuidado, irmão, que esses paulistas nos passam a perna — Millôr me preveniu.

— Não tem perigo: saindo da casa do Oscar, pegamos a estrada.

— Se for preciso, levamos o Oscar.

Doce ilusão! Era preciso levar a cidade de São Paulo inteira. Fomos recebidos com uma vaia, a quadrilha estava toda lá reunida: Oscar Pedroso d'Horta fazendo as honras da casa com seu terno branco; Clóvis Graciano com terno preto; Arnaldo Pedroso d'Horta com seu bigode preto e branco; Flávio Porto, cada vez mais Fifuca, de guarda-costas. E todos de lanterninha gelada na mão. Estávamos perdidos. Lá da cozinha veio a gargalhada sonora de Luíz Coelho, enquanto preparava nossos copos.

— Desta vocês não escapam.

Quatro dias depois, no bar do Hotel Comodoro, esbarramos com Darwin Brandão, que já sabia de nossas más intenções:

— Uê, vocês já foram a Porto Alegre? Tão depressa assim?

Era verdade, como pudéramos esquecer? Olhamos um para o outro e reacendeu-se em nós a chama viajeira. Saímos do bar como dois *gangsters* dispostos a liquidar o inimigo:

— Agora ou nunca — nos asseguramos.

João Leite, que nos albergava em seu apartamento, ao despedir-se de nós sugeriu como bom delegado que levássemos um revólver. Por pouco não lhe acertei um tiro no pé, ao disparar a arma para experimentar, estraçalhando um taco do assoalho. Fiz questão de devolvê-la:

— Não vamos precisar: somos de boa paz.

Armados apenas da melhor disposição de espírito, deixamos para trás o asfalto de São Paulo e nos embrenhamos impávidos no sertão chamado bruto.

Eram onze da noite quando chegamos a Capão Bonito: uma praça, uma igreja, um hotel, um restaurante.

No restaurante, enquanto jantávamos, perguntamos a dois jovens capão-bonitenses a origem do nome do lugar. Eles nos explicaram que ali atrás tinha um capão de mato muito bonito, em forma de coração.

— Vocês são do Rio?

E o olhar dos jovens brilhava: o Rio, para eles, era algo distante, inatingível, cheio de praias, bares, boates e mulheres nuas.

Jamais haviam saído de Capão Bonito.

Enquanto conversávamos, uma mulher velha, caolha e bêbada errava por entre as mesas. Os rapazes suspiraram:

— Vejam só o que nós temos aqui.

Vivendo no Rio, deslumbramento dos dois jovens, éramos ali dois prisioneiros de uma cidade — e essa idéia nos abateu. Eles não sabiam. Sentíamos que nenhuma viagem nos dera e nem daria aquilo que buscávamos — não sabíamos sequer o que buscávamos, e onde quer que estivesse, o certo é que escolhêramos o caminho mais longo. De súbito nos sentimos dois velhos de trinta anos junto aos rapazes de vinte. Dez anos haviam passado e afinal nós também ainda não havíamos saído de Capão Bonito.

Fomos dormir e na manhã seguinte era domingo, arrastei meu companheiro para a missa.

— Eu adoro goiabada! — dizia o padre, no seu sermão. — Já viram maior absurdo? É preciso muito cuidado com as palavras. Como se pode adorar uma goiabada? Já me perguntaram por que não escrevo, e respondi: porque não sou escritor. Quem não é escritor, não deve escrever.

— Isso é conosco — sussurrou Millôr: — Ele já nos viu.

O padre prosseguia:

— As palavras têm um sentido, é preciso saber respeitar! Só se adora Deus, não se adoram goiabadas.

Millôr esgueirou-se pela porta e bateu o pó das sandálias, ou seja: foi engraxar os sapatos. Finda a missa, juntei-me a ele e partimos. Longa era a estrada que nos levaria a Curitiba.

Relato de viagem — II

A PRIMEIRA providência que tomamos em Curitiba foi um nicolasca. Se o leitor não sabe o que vem a ser nicolasca, console-se com o garçom do hotel, que também não sabia. (A origem desta prática, ou sequer do nome, nem eu sei. Informação aos ignaros: trata-se de uma rodela de limão com açúcar colocada sobre a língua, e uma dose de conhaque bebida de uma talagada só, em seguida retirando-se da boca o limão já chupado, com perdão da palavra.)

— Muito bem: e agora?

Resolvemos telefonar para Adherbal Stresser e pedir-lhe as coordenadas da cidade. Stresser era o chefe do Serviço de Imprensa, e ninguém mais credenciado do que ele para orientar-nos.

— Recebeu um telegrama do Joel Silveira? Do Rubem Braga?

Não, Stresser não recebera, e nem podia ter recebido, pois, ao que nos constava, nem um nem outro havia passado o prometido telegrama. Em todo caso, sem objetivo definido além de chegar, ver e partir, éramos na disponibilidade de viajar dois membros dessa nobre instituição que Joel batizou de "os alegres rapazes da imprensa". E às dez horas da manhã Stresser ia encontrar-se conosco no bar, nosso quartel-general.

— Vocês hoje vão à posse do Prefeito.

Já era um programa: o Prefeito, fomos informados, vinha a ser exatamente o candidato do Bento. E Bento, também fomos informados, vinha a ser exatamente o Governador Munhoz da Rocha. Seria o nosso batismo de fogo no Estado do Paraná.

— Convém almoçarmos de vez em quando — sugeri, baixinho, ao meu companheiro.

Eram quatro horas da tarde quando, meio trôpegos, deixamos o bar, ainda sem almoço. Juntara-se a nós uma nova figura: um homem com jeito de inglês chamado Egon, na realidade brasileiro, filho de alemães. Falava com entusiasmo em Toledo, afirmava-nos que não podíamos deixar de conhecer pessoalmente. A princípio chegamos a pensar que Toledo era o nome do novo Prefeito. Mas terei de voltar mais tarde a Egon e sua simpática pertinácia: tantas fez que acabou dando mesmo conosco naquela longínqua e extraordinária cidade.

— O almoço fica para amanhã.

Por pouco não conseguíamos entrar no edifício da Prefeitura: era gente que não acabava mais. Stresser subiu na frente, abrindo caminho com os cotovelos:

— Com licença. Com licença. Deixem a imprensa passar.

A imprensa, isto é, nós, depois de empurrada, apertada e espremida, foi colocar-se junto à mesa do Prefeito. Ao primeiro discurso, porém, a gente resolveu escafeder-se. Não tínhamos nada com a guerra, Humanitas precisava comer.

Fomos aguardar os acontecimentos no Country Club. Aos poucos iam chegando outros: Ronald, filho de Stresser, Dide, da radioemissora, e seus amigos, que já eram nossos amigos. A mesa crescia, o bar se enchia de gente, e à noite já havia uísque pelas canelas. No salão ao lado corria de vento em popa uma festa, oferecida parece que ao Embaixador da França — de vez em quando explodiam palmas e aplausos. Quando descobrimos que os aplausos não eram para nós, resolvemos trabalhar por conta própria e saímos sorrateiramente pela cidade. Verificamos, perplexos, que Curitiba tem dezenas de bares elegantes, mas alguém nos alertou contra eles: não eram bem-freqüentados. Em cada um estava pronta a saltar sobre nós uma argentina de piteira para nos envolver em carícias e tomar nosso dinheiro. Em compensação, num salão de subsolo onde se dançava e se tomava cerveja, conhecido como o "Clube das Setenta e Sete", reuniam-se não *dancing-girls* com *tickets* para furar, e sim 77 moças solteiras da sociedade local, que assim coletivizavam seus anseios de arranjar marido.

Fugimos espavoridos e fomos comer um frango em companhia de dois personagens de Dalton Trevisan: ele próprio e o cronista Mário Melo Leitão. O restaurante, se bem me lembro, chamava-se "Palácio" e ficava em frente à Delegacia de Polícia. Mas ninguém ameaçou prender-nos.

No dia seguinte fomos visitar o Centro Cívico. Eu já ouvira falar vagamente nessa realização do governo paranaense, e a denominação me sugeria qualquer coisa parecida com C.P.O.R., o que bastava para apavorar-me. Tentei adiar o quanto pude a visita, sob a alegação de que fazia muito calor, deixássemos para depois. Mas o filho de Stresser estava inflexível — o pai com certeza lhe dissera: vamos impressionar esses meninos.

É mesmo de impressionar. Bento, isto é, o Governador, fez de Curitiba um grande centro de arquitetura moderna. Ele sabe muito bem da boa acolhida que sua administração vem tendo no seio da população local, pois mandou construir um palácio todo de vidro. Quem quiser pode ver o que se passa lá dentro, e isso inspira confiança. O edifício das secretarias terá 33 andares. A justiça estará pronta a ser distribuída a todos no majestoso fórum, que ficou para o fim: devagar e sempre. A praça central reunirá multidões vibrantes a aclamar a aparição, na sacada, dos futuros governadores do Paraná. O atual não terá tempo pois está plantando café. Dentro de cinco anos a produção do Estado terá superado a de São Paulo.

É o que nos dizem e ele próprio confirma, ao receber-nos amavelmente em sua casa quando o visitamos — e para corroborar, mandou oferecer-nos um cafezinho.

A geada é que foi um desastre. O Teatro Municipal em breve estará pronto, vocês viram? O maior do Brasil. A Biblioteca também faz parte do conjunto de arquitetura moderna. Será que notamos o pinheiro que ele conservou à frente do palácio, símbolo do Paraná?

O retrato de sua linda filha nos olha da parede, em despedida, o livro de crônicas de sua senhora já nos foi oferecido, o Paraná já foi todo percorrido, chegou o momento de partir.

Levo a conversinha final para o assunto da sucessão, mas ele se limita a um sorriso misterioso, como quem diz: daqui você não leva nenhum "furo" para a sua revista.

E de repente fomos embora de Curitiba, uma tarde, depois de almoçarmos no restaurante-vagão do pai de Poty. Quem for amigo de Poty não pode deixar de comer aquele arroz que seu pai inventou.

E todo mundo é amigo de Poty: as paredes de sua casa se cobrem de retratos de gente conhecida, quadros de Portinari e Pancetti, troféus de viagem, objetos de arte popular, lembranças de outras terras recolhidas por Poty nas suas andanças, desenhos seus guardados e exibidos com carinho pelo pai. Por debaixo da casa as galinhas passam ciscando num túnel de galinheiro a galinheiro, a elas exclusivamente destinado. Tudo por aqui é rústico, autêntico, belo. A mesa comprida e dois bancos. O fogão de lenha — ainda não foi inventada a geladeira, estamos em plena Idade Média.

Chegada é a hora de partir. Dr. Monastier já nos recebeu em sua casa, nos ensinou como tratar de nossos filhos: os filhos não são nada, o problema são as mães, diz ele, com um sorriso pediátrico. Na casa dos Stresser, que nos acolheu carinhosamente, enquanto Temístocles Linhares me falava de Minas Gerais e eu lhe falava do Paraná, Millôr jogou buraco com as senhoras. Jogou e perdeu, como ordena a ética local — pois as senhoras aqui saem sempre vencendo.

Deixamos para trás Curitiba e nos perdemos pelas estradas.

De súbito, pelo rádio ligado, a surpresa de uma voz familiar, a buscar-nos num vale remoto do Paraná: era o próprio vate Paulo Mendes Campos, num programa do Rio, anunciando uma música de *jazz*.

Relato de viagem — III

GOSTARÍAMOS de conhecer a Foz do Iguaçu, mas não dispúnhamos de muito tempo. Foi só falar nisso e o chefe do Serviço de Imprensa começou a tomar providências. Guardei comigo a impressão de que o Paraná está sendo descoberto e quem quiser conhecê-lo tem primeiro de conhecer o Stresser. Ele providenciaria tudo, ficássemos descansados. Um avião nos levaria, e mesmo sem garantia de reserva para a volta, de um jeito ou de outro teríamos de voltar.

Como? — nos interrogamos, já à janela do hotel de Iguaçu, quando soubemos que tão cedo não teríamos avião de volta. Olhávamos para o Rio Paraná, para os barrancos do Paraguai, a poeira vermelha das ruas. O Prefeito, chamado Guaraná, prometera levar-nos para ver as Cataratas às nove da manhã. Eram cinco horas da tarde e ele continuava a primar pela ausência — tinha ido apostar na corrida de cavalos, foi o que o Guaraná caçula veio nos avisar. Os cavalinhos correndo e nós, os cavalões, esperando. Nem ao menos comendo, como no verso do Bandeira.

O que viéramos fazer ali? Não, o mundo não vale o meu lar. Aquela cidade não tinha Prefeito: ruas esburacadas, lamacentas, por todo lado a impressão de leseira, abandono, desolação, a Prefeitura entregue às baratas. A dizer que pensávamos ser aquilo um centro de atração turística. No aeroporto quiseram até revistar nossas malas para ver se trazíamos contrabando de Curitiba a Iguaçu. Nada a fazer senão receber no rosto a cálida brisa paraguaia e aguardar com paciência nosso alvará de soltura, para enfim regressarmos ao Brasil. Desse distante país, só a agência do Banco do Brasil nos pareceu alguma coisa nacional que funcionava ali. Atrás da agência, bem instalada, limpinha e acolhedora, era a residência dos administradores. Um deles tocava piano, o outro se limitava a escutar. Fomos gentilmente recebidos em sua casa pelo pianista e esquecemos definitivamente o Guaraná em favor de uma cerveja gelada. Mas o piano estava desafinado e então o pianista preferiu exibir-nos um poderoso Colt 45, com que costumava se distrair nas horas de folga. Evidentemente não era com aquilo que ele visava os cheques no banco e então pedimos com delicadeza que virasse o cano para o outro lado.

De novo à janela do hotel. E agora, que fazer? Ninguém para nos levar às Cataratas. Ninguém para tirar-nos dali. Que faziam, para matar o tempo, os presos políticos na Ilha das Flores?

Foi quando, olhando para baixo, demos com a fisionomia familiar de alguém que nos acenava. Era Egon, o homem que queria levar-nos a conhecer a cidade de Toledo.

— Tem sete anos que foi fundada e já conta com vinte mil habitantes — comunica-nos, entusiasmado.

Egon é simplesmente o fundador de Toledo. Diretor da companhia de colonização, fez como John Wayne no filme "Rio Vermelho": plantou no mapa uma cidade.

Sim, mas o que viera fazer por aquelas bandas? Evidentemente o homem estava nos perseguindo. Na cabeça de Millôr lavrara a desconfiança de que era um agente de Perón à sua procura, mercê das reportagens de sua revista sobre a Argentina. Qualquer jornalista de *O Cruzeiro*, assado, daria um bom prato para a polícia de lá. E Millôr, se cru já é bom, quanto mais assado.

Mas Egon imediatamente arranjou um carro para levar-nos às Cataratas. O que pretendia ele, afinal?

— Levar vocês a Toledo — confessou.

Bem, as Cataratas estavam lá — eis tudo. O motorista do carro nos mostrou com largos gestos — água que não acabava mais, caindo para todo o sempre. Gravura de "Geografia", de Aroldo de Azevedo, nos tempos de ginásio. O motorista do carro acusou com veemência o que chamava de mancada do general Rondon: foi dar a metade da cachoeira para os argentinos, "devia ter tomado tudo dos gringos". Perguntamos o que achava dos paraguaios. "Qual, paraguaio é brasileiro", afirmou ele com segurança. E nos aconselhou a ir ao Paraguai — era só descer o barranco, subir do outro lado. Ao lado da Argentina achou prudente que não fôssemos. Podíamos ver o hotel de lá, do alto do hotel de cá, em final de construção.

Este sim, viria a ser um local de atração turística: o próprio Governador nos assegurara que o hotel disporia de 65 magníficos apartamentos — alguém nos esclarece que o Governador estava mal informado, seriam pelo menos oitenta. A vista, do alto do torreão, é belíssima, mas também não a descreverei — a paisagem estava lá, para quem quisesse ver. Feio é o torreão. O hotel, apesar do mau gosto arquitetônico à la Quitandinha, será mesmo alguma coisa de importante para o turismo no Brasil, quando estiver pronto. Os americanos gostam muito dessas coisas.

E enquanto isso o motorista dizia, peremptório, ao ser mencionada, em meio à conversa casual, a revista *Manchete*.

— Uma boa revista. Leio desde o primeiro número. O que era preciso é acabarem com aquela "Sala de Espera". É de morte. Como se chama mesmo aquele sujeito?

— Vão Gôgo — sussurrei timidamente.

— Não sei — continuou ele — Só sei que é uma seçãozinha de amargar. Por que esse cara não escreve umas coisas direitas?

— Quem: Vão Gôgo?

— Sei lá! Aquele da Sala de Espera. Um tal de Sabido... Aquilo não é literatura para macho.

Recolhi-me à minha insignificância, enquanto Vão Gôgo, também conhecido como

Millôr Fernandes, se engasgava de tanto rir. Ora vejam: literatura para macho. Não lhe dou aqui na Sala de Espera uma resposta de macho porque a revista não deixaria sair.

A noite baixou na cidade de Iguaçu. Sob a luz das estrelas, corre o grosso Rio Paraná. Canoas furtivas cruzam de um lado para o outro, na escuridão. Contrabando — comenta alguém, com um bocejo. Há um destacamento de fuzileiros navais à margem do rio — uma dúzia de homens, prontos para o que der e vier. Só que não dá nada, nem vem.
Fuzileiros neste fim de mundo — penso, distraído, acendendo um cigarro à janela do hotel. Millôr dormindo, a cidade toda dormindo — estou sem sono, estou sozinho, longe de tudo e de todos. Toledo tem vinte mil habitantes, nem sete anos de existência. Egon quer que amanhã tomemos um navio para subir o Rio Paraná até Porto Britânia, onde ele estará nos esperando de carro. Não sei se iremos, não sei se ficamos, não sei nada, estou aqui da janela olhando a noite e é noite dentro de mim. Egon já se foi embora, de avião, um táxi aéreo dirigido por uma pilota gordinha. Millôr está dormindo, a cidade toda está dormindo. Vinte mil habitantes. Aqui em Iguaçu, quantos haverá? O Brasil tem cinqüenta milhões menos um, neste momento eu não existo, não contem comigo. As Cataratas do Iguaçu. Podia olhar uma gravura, dá na mesma. Os argentinos ficaram com a metade, como é que o general Rondon foi fazer uma coisa dessas? Paraguaio é o mesmo que brasileiro: trabalha, briga, mata, vive, morre de fome. Literatura para macho: essa é muito boa. O Governador tem razão, aquele hotel ainda pode vir a ser alguma coisa de muito importante no Estado do Paraná. O Estado do Paraná ainda pode vir a ser alguma coisa muito importante no Brasil. O Brasil ainda pode vir a ser... Com um pouco de sede, podia ter trazido para o quarto uma garrafa de água mineral. O último cigarro, amanhã este hotel é capaz de nem cigarro ter. Subir o rio de barco — como é que Millôr foi concordar com uma coisa dessas? Podia dizer que não íamos, estamos cansados, eu pelo menos ando meio cansado, vontade de voltar para a Rua Canning, de onde nunca devera ter saído. Vontade de ver meus filhos, descansar, telefonar... Para quem? E por favor, alguém pode me dizer o que diabo vem a ser aquilo? Aquele clarão? Algum incêndio? O rio pegando fogo? Ou apenas mais um dia que vai nascer?
Pronto, acabou-se o cigarro, o dia vai mesmo nascer, e você vai mesmo dormir, rapaz, não pense em mais nada, não adianta, um dia depois do outro, mesmo que no fundo eles sejam espantosamente iguais.

Relato de viagem — IV

PELA manhã Ronald, filho do Stresser, juntou-se a nós no hotel de Iguaçu, por iniciativa do pai: dividiria conosco as agruras da viagem.

Fomos descendo a pé a estrada de terra vermelha, debaixo de um sol de três horas da tarde, até a barranca do rio. Havia dois barcos encostados e uns homens se mexendo lá dentro.

— Não consigo chegar até lá — gemeu Millôr, derretendo-se na areia quente.

Procurei recolher o que restava dele e ajudado por Ronald, que mais parecia o último dos Moicanos*, com a camisa enrolada na cabeça, conseguimos atingir um dos barcos.

— É nessa lacraia que nós vamos?

Iniciou-se logo uma discussão sobre a palavra lacraia. Ele evidentemente queria dizer *catraia*. Mas agora, enquanto escrevo, consulto o dicionário e vejo que a palavra catraia quer dizer também meretriz de baixa classe. Não sei pois, ao certo, o que ele queria dizer.

O marujo que, sentado na popa e empapado de suor, mal se moveu para receber-nos, também não saberia. Para começo de conversa, não era propriamente um marujo. Tratava-se, como de resto toda a tripulação, de um embarcadiço encardido, de nacionalidade duvidosa e que falava numa algaravia de periquito portenho. Parecia termos entrado num filme passado em Hong Kong ou em Cingapura: o barco era apertado, sujo e malcheiroso e as caras barbadas e melosas de suor que se voltaram para nós davam bem a idéia do que seria aquela viagem de sete horas Rio Paraná acima.

— Sete horas não, cinco. Foi o que Egon disse.

Resolvemos perguntar ao capitão, quando o barco finalmente se pôs em movimento. Acuados num canto do convés, que era um estrado de tábuas podres, nós três procuramos decidir discretamente qual daqueles flibusteiros seria o capitão. Acabamos optando pelo que de comandante tinha pelo menos um cachimbo.

— Que língua será que eles falam? Tupi-guarani?

Quando o abordamos com o nosso delicado castelhano, ele limitou-se a tirar o cachimbo da boca e atirar-nos na cara uma baforada. Depois voltou-nos as costas e foi espapaçar-se em cima de uns tonéis.

— *Pero, todavia...* — lastimamos.

Ao escurecer, conseguimos obter a preciosa informação: quatorze horas! Se o navio não se atrasasse. Navio? Mas vocês chamam isso de navio? Onde é que nós vamos dormir? E por falar nisso, olha só os bandidos jantando, será que não vão nos servir jantar? Aqui no meio do rio estamos no Brasil ou no Paraguai? Se estamos no Brasil, onde as liberdades constituídas, onde o Café Filho, Juarez Távora, Brigadeiro, quede a nossa gente?

— Escuta, velhinho, nós também queremos comer.

O cozinheiro levantou para nós dois olhos de bagre enquanto duas gotas de suor

---

*"O Último dos Moicanos", J. Fenimore Cooper, romance de aventuras.

lhe pingavam do rosto na panela. Sem coragem de entrar, nós três nos debruçávamos decididos na janela da cozinha, tão apertada e suja que a princípio a tomávamos pelo toalete de bordo.

— *Pero como no...*

Era uma alma cândida, o cozinheiro. Serviu-nos três pedaços de bagre frito em pratos de alumínio. Deu um palito para cada um e sugeriu que fôssemos fazer o quilo no *deck* social.

A noite baixava quando vimos, da proa, o barco embicar numa das margens. A tripulação, reunida no convés como um time de futebol americano, confabulava baixinho e de vez em quando uma catadura nos olhava por cima das outras cabeças. De súbito prorromperam em gritos e se espalharam correndo.

— Estamos perdidos. Já tiraram sorte.

Ao vermos três deles se precipitarem para o nosso lado, julgamos que realmente chegara o momento de amarrar-nos no mastro dos suplícios. Mas passaram por nós e trataram de jogar a âncora, prendendo a barcaça em terra.

— Vamos passar a noite aqui?

Esse era o atraso previsto: quatorze horas de navegação, mais doze horas de espera até que clareasse. A essa altura já destrinchávamos Egon, responsável pela nossa desdita, e o comíamos aos pedacinhos.

Um sujeito de boina na cabeça veio avisar-nos, com gestos de pajé da tribo, que um beliche, até então insuspeitado, nos fora destinado para passar a noite. Procuramos nos acomodar lá dentro, mas era tão pequeno que não havia dentro, e o calor era tanto que houvemos por bem arrastar o colchão, passar a noite na coberta, ao ar livre. Se não gostassem, que se danassem. Dormiríamos por turnos, para o caso de pretenderem assassinar-nos durante a noite.

Era uma noite quente, pesada e densa, aquela noite sobre o Rio Paraná. Deitado no convés, olhando as estrelas e sem conseguir dormir, respirei fundo e pensei que afinal bem sujo, pequeno, mesquinho era aquele barco aqui embaixo e eu dentro dele como um rato de bordo, e minha condição de homem, e meus problemas dentro de mim. Mas depois de tantos anos eu voltava a olhar o céu verticalmente e a sentir que, fosse qual fosse o meu caminho aqui na terra, estivesse onde estivesse, o mesmo céu da infância me encobria, e isso bastava para consolar-me.

Pela primeira vez naquela viagem, esquecido de seu desconforto, sorri satisfeito, depois agradeci a Deus por mais um dia, pisquei para uma estrela em despedida, cerrei lentamente os olhos e adormeci.

Relato de viagem — V

O BARCO em que viajávamos Rio Paraná acima chegou afinal ao Porto Britânia — que de porto só tinha o nome. Uma ribanceira imensa, lá em cima dois casebres, um princípio de estrada. Vinte e quatro horas naquela caranguejola imunda! Barbados, sujos, estropiados, sofrendo de insolação e escorbuto, procuramos saltar à terra. Difícil tarefa: a tripulação do corsário, em vez de ajudar-nos, procurou barrar nossos passos:

— *Pero hombre la madera pera lara lara...* — começou a grasnar o pirata que se dizia o capitão, ao qual faltava apenas a venda preta no olho e a perna de pau. Dirigia-se a mim em largos gestos, e a princípio julguei que imitasse uma arara, ou coisa parecida. Mas ele insistia e então pude entender confusamente que me perguntava pela madeira a embarcar. Transportara-nos porque lhe disseram que éramos três madeireiros a serviço da Companhia.

— Sei lá de madeira — disse, e saí correndo.

Saltei o tombadilho como Simbad, o marujo, mas fui infeliz: me esborrachei na praia como o marinheiro Popeye. Meus dois companheiros, mais cautelosos, desembarcaram escorregando pelo casco.

— Terra! Terra! — gritavam, alvoroçados.

Lá em cima, na ribanceira, um grupo de índios esperava, solene, que iniciássemos a celebração da Primeira Missa. Começamos a subida até eles.

Não eram índios — era Egon e sua gente:

— Então? — disse ele, sorrindo.

Nem respondemos, apesar da presteza com que mandou os empregados recolherem as nossas malas.

— Já sei — insistiu: — Estão furiosos comigo. Antes de mais nada, vamos tomar uma cerveja bem gelada ali na cidade, depois vocês xingam.

A cidade era meia dúzia de casas de madeira. Colonos esquivos nos olhavam. Meninos ciscavam no meio da rua. Uma mulher loura e alta desenrolava um arame junto à porta de uma oficina. Usava calças compridas e mal se dignou de olhar-nos. Não era feia, mas revelava nos gestos e na fisionomia uma inequívoca disposição de ânimo de verdadeira desbravadora do Oeste.

— Quer uma ajuda, prima?

Egon nos advertiu que não facilitássemos, porque ela era capaz de nos descer o braço. Fomos tomar a cerveja, depois tomamos a caminhonete do Egon: tínhamos ainda uma hora de poeira pela frente.

— Se não chover.

Um de nós viajaria do lado de fora, como carga, já que a caminhonete do lado de dentro só comportava três pessoas. Coube a mim, como mais moço, esta regalia. E logo começou a chover. A estrada, aberta pela própria Companhia de Colonização, só comportava um carro: toda vez que apontava lá na frente um caminhão, tínhamos de recuar até o ponto de partida.

— Do meio para lá quem recua são eles — explicou Egon.

Chegamos a Toledo debaixo de tempestade — parecia que a própria Cachoeira de Iguaçu se despenhava sobre nós. Mas uma surpresa nos esperava: o hotel, ainda que de madeira, era limpo, asseado, confortável, tinha cama de verdade, chuveiro com água quente, jantar com talheres e guardanapo. Estávamos, pois, em plena civilização.

Depois do jantar fomos até o clube, já rodeados de gente: rapazes montados em *jeeps*, com revólver no bolso da calça de lona. Este outro de onde veio, senão das areias do Arpoador? Aqui está um alemão que serviu no Afrika Corps de Rommel e acabou colono no Paraná.

Ou começou — estão todos começando: são jovens de vinte e poucos anos, sadios, fortes, bem-dispostos, que trocaram a vida de facilidade das grandes cidades pela aventura sedutora de plantar e colher. São vereadores, discutem com animação os problemas do município como no Rio discutiriam futebol. Têm família numerosa, pensam na colheita do ano próximo, aprendem agronomia e veterinária e ensinam aos colonos. As ruas ainda não foram calçadas e a terra vermelha mal batida não condiz com o bom gosto moderno dos bangalôs de madeira pintada em cores alegres, como se estivéssemos numa cidade da Holanda ou da Suíça. Mas isso não tem importância: o que importa para eles é a nova usina, que lhes proporcionará, além da luz elétrica já existente, força para novas fábricas de beneficiamento de madeira. É uma comunidade de trabalho invejável, esta que a recém-nascida cidade de Toledo acolhe. Projetos, sonhos, aventura, coragem, desprendimento, esperança — eis o que revelou aqui o melhor colono do Brasil — filho de alemães ou italianos — para fazer nascer vertiginosamente uma cidade moderna: quinhentos quilômetros de estrada, assistência médica, comida abundante e sadia para uma raça nova de brasileiros.

E por falar nisso, vamos comer alguma coisa? Faz pouco tempo que jantamos, e já nos estão oferecendo um legítimo churrasco no restaurante ali na esquina. Depois, saciados e alegres, mas mortos de cansaço, chegada é a hora de repousar o nosso pobre corpo no hotel. Nunca a cama nos pareceu tão macia — ainda que dela tivéssemos de nos levantar a todo momento quando alguém se mexia num dos quartos de madeira — achando que estavam batendo na porta.

E deixamos para trás essa terra onde cada um é dono de seu nariz, de sua gleba, de sua família e de seu destino. Seguimos para a cidade grande onde os homens se aglomeram, aglomerados nós próprios num avião de passageiros, em meio a bicicletas e jacás de galinha. O campo de aviação de Toledo foi aberto pelos seus habitantes em uma semana, para forçar assim o avião da carreira a fazer pouso ali.

De volta a Curitiba, Millôr e eu nos entreolhamos:

— Muito bem: para onde, agora?

O carro ali deixado já nos levava agora pelas estradas rumo ao sul. Íamos calados, e eu pensava como pode ser variado o destino de cada um, bastando apenas um instante de decisão para mudá-lo ainda uma vez, talvez a última, e encontrar enfim o caminho certo...

— Estamos no caminho certo? — perguntou ele, ao volante, como a responder meus pensamentos.

Aqui a paisagem merece a competente apreciação. Tudo mudou: não mais barrancos de aluvião, não mais pequenas macegas castigadas de poeira nem o mato ralo, áspero e seco ao redor de choupanas de barro castigadas pelo tempo. Paramos o carro para ver melhor: são campinas verdes, além da cerca de pedra antiga, onde pastam gordas vacas lentas, são os chalés de madeira com telhado de abas tombadas, são riachos de água pura escorrendo pela vertente, saltando em cascata mais além para fazer um remanso e depois se perder na imensidão do vale. Vamos em frente. Estamos entrando em Santa Catarina — nossos olhos se despedem dos pinheirais do Paraná e se voltam para a bomba de gasolina — súbita presença americana nesse reino normando que estamos atravessando.

E mais além a placa na estrada, para surpresa nossa, diz de um Jardim Zoológico perdido nessas lonjuras. Resolvemos dar uma espiada. Pagamos o ingresso no armazém ao lado, seguindo as instruções do cartaz, e entramos.

Logo meu companheiro arrepia carreira, empurrando-me de volta:

— Foge, foge! Está tudo solto!

Ao passar o portão de entrada, dera com uma gigantesca anta a galopar para o seu lado. Mais além, atrás de grades um tanto precárias, um autêntico tigre de Bengala! E um casal de leões, macacos, araras, pavões, cobras e lagartos. Saímos impressionados, resolvemos não contar para ninguém. Quem nunca passou por aqui, jamais acreditaria. No fundo temíamos que a dona do Jardim Zoológico, uma gorda e plácida senhora que mora na casa dos fundos, para completar o aspecto surrealista do lugar, decidisse nos recolher a uma jaula e dependurar uma placa: "Homens — 1955".

Com o quê, dou por encerrado este relato de viagem, e já não é sem tempo. Estava escrito: tão cedo não chegaríamos a Porto Alegre.

1956

Ao meu amigo

EU tinha compromissos esta noite, o aniversário de outro amigo, telefonemas a dar e receber, providências a tomar, uma crônica a escrever. Em vez disso venho para casa mais cedo me sento diante desta máquina, fico a olhar perplexo para o papel em branco sem poder deixar de pensar no que te aconteceu.

Eu queria poder te dizer palavras de consolo, meu irmão. Mas nem sei realmente se me escutarias. Afinal tu hoje não és mais aquele de ontem, ganhaste grandeza no teu sofrimento, eu te respeito de maneira nova. Alguns anos se passaram de ontem para hoje. Tens o corpo enrijecido e adulto, tens a alma experimentada de um homem, és um homem, mastigarás com dentes seguros tua porção, suportas o tranco, agüentas a parada. Pouco importa que hoje tenhas uma névoa diante dos olhos, uma nova ruga haja surgido em teu rosto, um vazio em teu coração. Essas são as regras do jogo. Hás de continuar, porque aceitas tua condição de transeunte entre o berço e o túmulo, carregas tua morte contigo, sabes o que te espera e para o que nasceste.

É curioso, meu amigo, como a morte se disfarça: morremos a cada dia e aos poucos vamos incorporando a nossa maneira de morrer à nossa maneira de existir. De súbito, porém, a morte salta ao nosso lado atingindo alguém mais, e aquilo que é mera decorrência de ter nascido passa a ser a própria razão de viver: nascemos para morrer.

Por que morremos? Tu morres um pouco em teu filho, eu de longe morro um pouco em ti como se o filho fosse meu. Ainda ontem conversávamos e ríamos aqui em minha casa, revivendo a nossa amizade desde a infância, nesta mesma sala que hoje se fez triste, incorporando tua tristeza que se fez minha. Mas houve um momento que, ao olhar-te, senti qualquer coisa de densamente trágico nos teus olhos, no rosto, no corpo inteiro. Não eras mais o menino que nós fomos, nem o escoteiro que tocava tambor a meu lado, nem o companheiro de brinquedos, nem ao menos o estudante de punho aceso junto comigo defendendo um ideal. Apenas o amigo — um homem feito, casado e pai. Eu olhava para um pai.

Agora, enquanto a noite avança, ponho-me a pensar nesse pai atingido, para com humildade recolher da morte a minha lição. Porque morreu uma criança de um ano, o mundo certamente não interromperá seu giro, e o dia não deixará de nascer, nem a vida de continuar, nem a minha crônica de ser escrita. Mesmo a brutalidade do acontecimento não impedirá que ele se incorpore ao fluxo natural dos fatos, para cuja secreta harmonia uma razão suprema haverá de existir. Por quê? — é o que me indago dentro da noite, como um cego, buscando acima de nós uma razão que os cuidados humanos não souberam encontrar.

Ela existe, meu companheiro, nem que seja apenas para redimir-te no sofrimento, redimir-me um pouco contigo e, conosco, um pouco da humanidade inteira.

1957

Das Canárias

HÁ cinco anos que me mudei daquela casa, e hoje seus atuais moradores me telefonam para dizer que acaba de chegar lá uma carta para mim. Ainda? Quem, das minhas relações, pode ignorar assim tantos anos de mudança? Intrigado, pergunto de onde veio a tal carta.

— Da Ilha das Canárias — informam-me.

Ilha das Canárias? Contenho meu espanto, e assumindo um ar displicente de quem está acostumado a receber cartas dos confins do mundo, pergunto se no envelope não tem mais nenhuma indicação. Dizem-me que tem: o nome do remetente — um nome espanholado que, estou certo, não pertence a ninguém de quem eu tenha jamais ouvido falar.

— Amanhã passo aí para buscar.

Abstenho-me de abusar da amabilidade, pedindo que abram de uma vez a misteriosa carta e leiam-na ao telefone, conforme fica a exigir minha curiosidade insatisfeita. Em verdade, temo que assuntos da mais alta gravidade, escapando de muito ao que de mais importante possa eu imaginar, sejam nela veiculados. Suponhamos que a carta me faça depositário de um segredo. Suponhamos que da Ilha das Canárias alguém me elegeu ao acaso, correndo o dedo numa lista telefônica brasileira, para uma secreta missão que ponha em jogo os próprios destinos do mundo, ou das ilhas, ou pelo menos das Canárias. Suponhamos...

Basta de suposições. Certamente não se trata de nada tão extraordinário: algum prospecto que todos estarão recebendo, uma circular, ou mesmo anúncio de algum produto canariense que lá nas Ilhas não encontrou mercado e ao qual resolvem fazer baixar noutra freguesia. Melhor mesmo nem ir buscar coisa nenhuma, jamais chegar a ler a carta, para ao menos poder viver um pouco de seu mistério. Enquanto não lhe conhecer o conteúdo, posso imaginar que numa ilha em meio ao Atlântico, cuja existência nem sequer me ocorre desde as aulas de ginásio, alguém pensa em mim, tem coisas a me dizer, resolve escrever-me uma carta. Das Canárias, Senhor. Nunca me aconteceu coisa igual.

É verdade que um dia encontrei debaixo de minha porta, como de resto, para diminuir a minha glória, deve ter acontecido a outros escritores brasileiros, uma carta procedente de Angola, na África Ocidental Portuguesa. Esta, pelo menos mais atualizada em endereço, continha mesmo uma circular: pedia material bibliográfico para uma exposição de poesia contemporânea brasileira, a se realizar naquela cidade.

Ora, não sou poeta, o que lastimo, e mais lastimei receber tão tarde aquele belo selo de Angola; desde os doze anos de idade não coleciono mais e nem me restou passá-lo aos meus filhos, pois, ao que me consta, eles ainda não praticam esse formoso vício.

Mas nem por isso a desconhecida missivista, Maria da Conceição Nobre, que logo me pus a imaginar exótica e misteriosa como verdadeira deusa africana, deixou de proporcionar-me homenagem especial: o acróstico que fez juntar à circular, este agora, como é óbvio, destinado especialmente a mim. Eram versos estranhos, que falavam na "noite opalescente que se foi" e no sol que "dealba atrás dos montes, rindo alegrias" — tudo começando com as letras de meu nome.

Fiquei deslumbrado. É a glória — pensei comigo. A alegria quase infantil de descobrir verticalmente o jogo onomástico, desde os tempos de namorado, sempre me seduziu. Os acrósticos que ensaiei, para merecer a graça de um olhar! E agora, dessa longínqua e lendária África Ocidental Portuguesa por onde, na minha imaginação, estou certo de que nem Tarzan se aventurou, me vinha semelhante homenagem. Procurei ignorar que a misteriosa missivista não devia ser angolina, ou angolense, mas simplesmente brasileira como qualquer de nós, que lá foi parar só Deus sabe por quê: Angola deixou de ser apenas a terra daquelas estranhas galinhas pintadas, para ser também o lugar onde vive uma missionária da poesia que acredita nos escritores brasileiros, na eficiência de nossos correios e, o que é mais grave, em mim.

E agora, que dizer das Canárias? Bastava um pequeno desvio em meu caminho, e hoje mesmo já teria apanhado a tal carta. É possível que ela não me traga nem versos nem acrósticos, como a outra, mas não importa: das Canárias!

Não fosse ela o que realmente é, traga-me o que trouxer, venha de onde vier: apenas um homem que, por este ou aquele motivo, procura comunicar-se com outro homem.

Ou uma mulher, por que não?

Não tem dúvida, hoje mesmo vou buscá-la.

Cheiros

ESTE cheiroso mundo em que vivemos. Leio com apreensão as críticas, em revistas americanas, do primeiro filme com cheiro recentemente estreado. Não me impressionou saber que o espectador sente cheiro de flores, logo neutralizado e substituído por cheiro de peixe — tudo dependendo das imagens que se sucedem na tela. Pouco importa que às vezes imagem e cheiro não coincidam, e o nariz aspire ainda o mais requintado perfume francês quando a câmera já deixou o *boudoir* e entrou pelo curral, para depois focalizar uma linda mulher com acentuado cheiro de vaca. Tudo resulta numa fortíssima dor de cabeça, decorrente desta inovação a que a crítica se refere como "um violento soco no nariz".

O que me impressionou foi a referência feita aos fabricantes e fornecedores dos perfumes, ditos comerciais. Por ela fico sabendo o que o americano anda cheirando, graças ao estágio de perfeição a que já atingiu sua indústria. Arrolados entre outros produtos manufaturados nessa estranha fabricação de perfumes, estão os seguintes cheiros: de papel de parede; de couro para malas e bolsas de matéria plástica; de carro novo; de charuto raro; de morangos frescos. Todos, como se vê, destinados às mais refinadas tapeações, que deviam ser casos de polícia. Na realidade são legítimos aperfeiçoamentos exigidos pelo consumidor à gigantesca indústria de falsidades de nosso tempo. Este cheiroso tempo em que vivemos.

Pena que a perfumada atividade se limite a fornecer recursos olfativos somente para fazer passar por novo um carro usado ou por couro legítimo uma bolsa de matéria plástica. Outros odores particulares que nesta ou naquela ocasião nos distraíram o espírito poderiam ser fabricados. Tornariam mais pungente a reminiscência de um tempo que se foi: compraríamos em frascos na farmácia da esquina o cheiro de terra molhada às primeiras chuvas, o de grama aparada, o dos livros lidos na Biblioteca Pública, o da Sacristia nos dias de catecismo, o do uniforme novo de ginásio, o da sala de visitas interditada à infância, o da lenha se queimando no fogão, o do tronco da mangueira velha no quintal, o do mofo dos porões de antigamente — tudo engarrafado e rotulado, para ser cheirado na solidão do quarto como num secreto ritual de fidelidade ao já vivido, verdadeira bateria de recordações proustinianas ao alcance da mão e do nariz. Com o que poderíamos também tentar passar por nova uma cheirosa vida usada.

Definição

HOUVE uma época em que os suplementos literários viviam sob o terrível dilema: renovar-se ou desaparecer. Já não havia mais o que inventar. Lembro-me, por exemplo, de Otto Lara Resende me pedindo pelo amor de Deus uma idéia para ver se animava um pouco o suplemento que ele dirigia.

— Peça a várias pessoas que definam uma coisa, sem dizer a coisa a definir — sugeri.
Ele conhecia a brincadeira:
— Apollinaire, por exemplo, certa vez tinha, sem saber, de definir serviço militar, e saiu assim: "É um par de botas rolando pela escada."
— Pois então? Telefone a vários poetas: a coisa a definir pode ser poesia.

Sugeri-lhe, como primeira vítima, um poeta mineiro de primeira grandeza, o nosso amigo Murilo Mendes, que era meio chegado a surrealismos.

— Ótimo. Mas prefiro que você mesmo telefone. Você tem mais jeito para essas coisas — concordou ele, à mineira.

Disquei para o poeta, dizendo de que se tratava. Ele se dispôs a me atender, amável:

— Definir o quê?

— Não posso dizer o quê: você tem de definir sem saber.

— Como é que eu posso definir sem saber?

— A graça está justamente nisso. É aquele jogo surrealista que Apollinaire costumava fazer. Uma vez, por exemplo, tinha de definir serviço militar e saiu assim: é um par de botas rolando pela escada. Ótima essa, não?

— Rolando pela escada?

— Só que você vai definir outra coisa, não é serviço militar.

— Que é, então?

— Não posso dizer.

— Por quê?

— Porque, como já disse, a pessoa tem de definir sem saber.

— Ah, sim: entendi. Define sem saber.

— Isso mesmo. Então defina.

Ele ficou calado um instante, mas, como eu não dissesse mais nada, perguntou:

— Define o quê?

E acrescentou, intrigado:

— Me desculpe, mas o telefone deve estar meio ruim, acho que não escutei bem: se não me engano, você falou há pouco num par de botas?

Derrotado, pedi-lhe desculpas, dizendo que a sugestão não era minha, era do Otto, a quem costumavam ocorrer tais idéias malucas, não levasse a mal, ele era assim mesmo, de vez em quando tinha essas coisas. Desliguei o telefone e, não tendo mais o que fazer (nem o que definir), recolhi-me à minha insignificância.

Santo do dia

NO mais, convém que se saiba que, segundo a folhinha, hoje, dia 30 de Dezembro, é o dia de São Sabino, virtuoso sacerdote que se negou a adorar uma estátua de Júpiter e por isso mandaram amputar-lhe as mãos. Mas ainda assim curou e converteu o juiz que o condenara, e toda a sua família.

1958

Ao redator-chefe

NÃO se assuste: não se trata de pedir aumento. Sou o primeiro a reconhecer que ainda é um pouco cedo e que seria uma impertinência fazê-lo em minha primeira crônica diária (embora humildemente reconheça que a idéia ainda possa vir a constar de minhas próximas cogitações).

A intenção aqui, porém, é outra. Quis dedicar a alguém o primeiro dia de minha presença, que espero longa, nas páginas deste jornal* — e confesso que ninguém me pareceu mais apropriado do que você, para objeto de modesta porém sincera homenagem.

Não se trata também de começar pela clássica crônica sobre a falta de assunto, em que outros se tornaram mestres. Assunto existe à pamparra: basta folhear um jornal, olhar ao redor, ou simplesmente se deter um instante, que assunto chove de todos os lados. O problema de um cronista hoje em dia é exatamente o de saber escolher. Espero mesmo que não precise de lançar mão dos que, por muito manjados, já parecem existir apenas para que se façam crônicas sobre eles: satélites artificiais, falta d'água, lotações, televisão, calor, amor não correspondido, e este farto manancial que vem a ser a desordem administrativa em geral. O assunto aqui é outro.

Vem a ser, antes de mais nada, um gesto de cortesia, qual seja o de, ao entrar, estender a mão aos donos da casa, que você representa. Afinal de contas iniciamos aqui a nossa convivência diária, e já estamos tacitamente entendidos. Você espera que eu não me atrase, eu espero que você não se adiante. Eu confio na qualidade do jornal, você na minha inspiração. E ambos, em última análise, dependemos da aprovação do público — o que quer dizer que estamos numa espécie de espetáculo, do qual você é o contra-regra e eu um dos atores. Chegou a hora de começar. Pode subir o pano.

Dito o quê, lembro-me que um ano novo também está começando e fica aqui consignado o fato, para não fugir à imposição de um assunto clássico. Não tive tempo, desta vez, como nos anos anteriores, de elaborar o meu decálogo de conduta para o ano que começa. À falta de outro, resolvo adotar os mandamentos do escoteiro que eu fui (e de certa maneira continuo sendo): uma espécie de prolongamento dos mandamentos da lei de Deus para os miúdos, entre os quais, certamente nós, os cronistas,

---
Jornal do Brasil, RJ.

nos incluímos. E um dos mandamentos diz aqui: "O escoteiro é alegre e sorri nas dificuldades."

Alegremo-nos, pois; e se de nosso convívio alguma dificuldade lhe surgir, espero contar com o mais generoso de seus sorrisos. Espero também que a vida lhe sorria neste novo ano — e peço licença para estender esse voto aos meus novos leitores. Afinal, um ano novo não é brincadeira, a vida não é brincadeira, e não costuma sorrir-nos como um escoteiro. Mas sejamos capazes de ao menos um sorriso pelo ano que passou: já vai tarde!

Agora, mãos à obra: podemos começar. E que tudo nos corra bem desde o começo, é o que desejo.

Um acordo

PARA começar, há o problema do tamanho. Mais de uma vez fui obrigado a cortar um bom pedaço desta crônica, buscando tornar menos árida a tarefa de lê-la. E para que o leitor não perca tempo, acabo perdendo o meu latim.

Existem várias maneiras de abordar uma crônica — refiro-me ao processo de leitura — vindo a constituir as diferentes espécies de leitor. Há o que entra pelo texto segundo a maneira convencional, partindo do título ou da primeira linha e chegando distraidamente à última. Estes são os mais raros. Em geral, o que chama a atenção do leitor é um nome próprio largado no meio da crônica, ou palavra que se refira a assunto de sua especialidade: "petróleo", por exemplo, ou "teatro", "contrabando", "eleição", "comunismo", etc. A palavra "sexo" também atrai leitores, e muitos chegam a lê-la onde está escrito "nexo". Parte o leitor para cima e para baixo, e, quando chega ao princípio, está também chegando ao fim. Outros simplesmente procuram com os olhos uma entrada acessível no texto, lêem até o fim e somente então, como um espectador de cinema retardatário, ficam para ver o princípio.

Nenhum, porém, como uma leitora que me abordou outro dia:

— Leio sempre o que você escreve, gosto muito. Mas gosto principalmente de ler imaginando o autor já morto há muitos anos, como se escrevesse do outro mundo... Em geral fica muito mais interessante.

Minha dificuldade maior, todavia, tem sido não a escolha do leitor ideal e sim do assunto. Sei que a um bom cronista diário como o Rubem Braga ou o Paulo Mendes Campos qualquer assunto serve — e se este acrescenta ao que escreve a força de sua vocação literária, aquele criou escola escrevendo suas melhores crônicas sobre assunto nenhum. Acontece, porém, que sou amigo de ambos e embora perfazendo três maneiras distintas de viver ou de pensar, a convivência quase diária nos sugere em geral os mesmos temas sobre o qual escrever. Ainda ontem eu ia comentar um assunto qualquer, e verifiquei em tempo que tanto um como outro já se haviam servido dele em suas crônicas do dia, não sobrando nada para mim. Isso tem acontecido mais de uma vez; e não fosse já haver eu excedido aqui novamente o tamanho de crônica a que me propus, a eles proporia talvez um sistema de rodízio de assuntos, controlado pelo menino que leva o que escrevemos aos nossos respectivos jornais: hoje eu escrevo sobre o satélite; você sobre o General Lott; ele, sobre aquela mulher. A falta d'água fica sendo minha; falta de condução, do Paulo; falta de dinheiro, do Rubem. O calor, o mar, o vento e a noite podem ser de todos; e o choro é livre. Assim nós iríamos ganhando fraternalmente o pão nosso de cada dia.

Homenagem crônica

DAQUI a pouco estará aqui o menino que leva a minha crônica ao jornal. Chego de uma rápida viagem a Minas e mal tenho tempo de respirar. Encontro à minha espera uma pilha de jornais. A carta que devia chegar não chegou. Em compensação tomo conhecimento de que o português já consertou a vitrola, que um litro de leite esquecido na geladeira foi dado pela cozinheira à vizinha para que não estragasse, e que na minha ausência o Rubem Braga telefonou. O menino que leva esta crônica é o mesmo que leva a dele ao seu jornal. Vem-me uma esperança de que tenha ocorrido um engano e que sua crônica haja sido levada em lugar da minha. Além da melhoria de padrão, uma crônica a menos, uma esperança a mais.

Infelizmente tal não aconteceu e tenho mesmo de escrever. Enfrento os jornais para ficar em dia com os assuntos. É alarmante como em apenas três dias todos eles envelhecem.

Descubro, porém, uma notícia que continua atual, pois se refere especificamente à difícil arte de envelhecer: é uma notícia de aniversário.

Não sei como pude esquecê-lo. Não fosse o aniversariante viver comemorando, na constatação freqüente de que "ultimamente têm passado muitos anos", a data de seu nascimento, que me é cara, vem a ser a véspera de outra também importante: a do aniversário de minha filha Leonora, que fui a Minas comemorar.

Cheguei à fazenda (onde ela se encontra com o resto da família) carregando um bolo de dez velinhas, um bote de matéria plástica e um pacotão de balas. Houve surpresa, a meninada me olhava como se eu fosse um fantasma. Chupou-se muita bala, comeu-se o bolo, o bote fez sucesso na piscina do clube. Afinal eis-me de volta, lepidamente paternal, para abusar dessa prerrogativa invejada por outros pais, que é a de contar pelo jornal as gracinhas dos filhos.

Poderia agora mandar um bolo de velinhas para este outro ilustre aniversariante. Ou mesmo um bote de matéria plástica, simbolizando meus votos de que continue a singrar intrépido os tormentosos mares desta vida. Mas dispenso o bolo em consideração ao número de velas e ao seu estômago infenso a doces, como dispenso também a imagem literária de mau gosto, em consideração ao seu estilo de escrever. Melhor homenagem não poderia prestar a Rubem Braga, criador deste gênero traiçoeiro em que nos perdemos, mestre em assuntos do dia (ou da noite) e sobretudo na falta deles, do que comemorar-lhe o aniversário sem crônica alguma, com apenas uma coluna vazia no jornal. Em vez de escrever, tomar como sempre alguma coisa à sua saúde.

Mas fica para depois — o menino da crônica acaba de chegar.

Jogador em viagem

A COMISSÃO técnica da seleção brasileira de futebol que jogará no campeonato do mundo proibiu que os jogadores levassem para a Suécia violões, cavaquinhos, tamborins, maracas, pandeiros, reco-recos, frigideiras — enfim, todo o material necessário à formação de um samba. E depois de afirmar que "o comportamento social dos atletas deverá ser *irreprimível* (sic), acrescenta a notícia:"Tamanco e pijama? Jamais!"

Está certo que a Comissão proíba, na defesa do comportamento irreprimível de nossos jogadores em terras estrangeiras, o uso do tamanco e do pijama: deixem que eles andem descalços mesmo, e durmam de cuecas.

Com o que, entretanto, não podemos concordar é que se proíba de maneira tão drástica o porte de instrumentos indispensáveis para se tirar um samba em viagem. Como é que os jogadores vão se arranjar, então, para marcar o ritmo? Bater com a mão no encosto das cadeiras ou com o salto do sapato no chão é que seria inadmissível, depondo contra nossos foros de gente civilizada.

Não se admite, por outro lado, que o samba seja para sempre proscrito de nossas seleções de futebol em viagem pelo estrangeiro. Já que, em última análise, não conseguimos nunca revelar ao mundo as excelências do nosso futebol, perdendo quase sempre o último jogo para um time muito pior do que o nosso, que pelo menos revelemos as excelências de nossa música popular. Além do mais, com essa medida, pretensamente moralizadora, o que a Comissão está fazendo não é mais do que estancar na fonte o rico manancial do anedotário esportivo que fez do jogador brasileiro uma figura verdadeiramente ímpar no cenário esportivo internacional.

Vamos, pois, ensinar boas maneiras aos nossos jogadores: como se portar à mesa, como falar corretamente o nosso idioma, como se vestir segundo os mais rigorosos cânones da nossa tradicional elegância — como, enfim, se apresentar no estrangeiro feitos em verdadeiros *gentlemen*, que na realidade são.

Se sobrar tempo, como fazer gols e ganhar o jogo.

Pode um jogador na Suécia até ficar pelado em campo diante de milhares de espectadores, como fez o goleiro da seleção sueca entre nós, trocando o calção em pleno Maracanã. Um brasileiro, não: um brasileiro não deve nem suar a camisa. Perca o jogo, mas ande sempre bem vestido, bem penteado e barbeado, tome banho todos os dias, escove os dentes todas as manhãs.

E não se esquecer de levar cada um sua escova, para que não se repita o que aconteceu com Perácio durante uma viagem: o diretor da seleção, tendo esquecido sua escova de dentes no lavatório do trem, voltou para apanhá-la e encontrou Perácio escovando os dentes com ela.

— Ah, é sua? — espantou-se o famoso jogador: — O senhor me desculpe, pensei que fosse do trem...

Certos nomes

DIZEM os jornais que meu amigo Abgar Renault fez um brilhante concurso para a cátedra de inglês do Colégio Pedro II, tendo sido aprovado com uma das maiores médias até hoje alcançadas. Poder-se-ia acrescentar que, assim, os sonhos do poeta mineiro vão-se tornando realidade — não conhecesse eu de longa data que espécie de coisas estranhas ele costuma sonhar.

Contou-me um dia, por exemplo, que acordou intrigado com o sonho que tivera, recolhido não sabe em que profundezas de seu subconsciente. Sonhou que estava numa recepção e um homem vestido de fraque preto se aproximou dele, tirou a cartola, curvou-se numa reverência e perguntou solenemente:

— O senhor é que é o *Broinhas*?

E por falar em mineiros, o desenhista Borjalo me diz que andou viajando pela Europa com outro mineiro, chamado Édipo. Em Paris, porém, Édipo não sabia se divertir, vivia triste, e como Borjalo um dia lhe perguntasse o que se passava com ele, respondeu tristemente:

— Estou com saudade de mamãe...

Certos nomes... Guilherme Figueiredo me fala num conhecido seu, um tal Pindela que, em Portugal, foi visitar uma senhora de suas relações.

— O seu nome, por favor? — a criada perguntou.
— Diga-lhe que é o Pindela — informou ele.
A criada foi anunciá-lo à patroa:
— Tem aí fora um senhor. Diz que é o "Pin" da senhora.

Picolé

PODE ou não um guarda chupar picolé? — eis a questão.

Um guarda municipal foi punido porque o surpreenderam em serviço chupando um picolé. Hoje os jornais se enchem de crônicas e enquetes sobre o momentoso assunto. Grande Otelo é a favor do picolé. O dono do bar Cri-cri também. Já Consuelo Leandro é contra, e está solidária com o Coronel Travassos, que justificou a punição, afirmando:

— Homem fardado chupar picolé em público é falta de compostura.

Estou perplexo, não sei o que pensar. De reflexão em reflexão sou levado insensivelmente a concluir que tudo neste mundo é relativo, inclusive os picolés. A compostura a ser guardada, no caso, é pura convenção, como a farda que o homem usava. Convencionou-se que os guardas devem andar em dupla, com as mãozinhas cruzadas atrás das costas, e isso que poderia ser tomado antes como um gesto gracioso de bailarina, passou a fazer parte do regulamento.

Regulamente-se, pois, o consumo de picolé pelos guardas em dias de calor. Eu queria ver é se o Presidente da República aparecesse em público chupando um picolé — o que ainda não ocorreu, certamente por falta de oportunidade (ou de picolés): no dia seguinte o hábito estaria generalizado entre nossas autoridades como ritual do bom gosto e da compostura.

Veja o exemplo do ioiô — algo que, hoje em dia, pouca gente sabe sequer o que vem a ser. Houve um tempo no qual a moda de jogar ioiô se generalizou de tal maneira que, não surgisse alguém portando o seu, era visto com estranheza, como se lhe faltasse uma peça da indumentária. Os ministros despachavam jogando ioiô; o próprio Presidente podia dar uma audiência jogando o seu, que a ninguém causaria espécie.

Nada impede que um guarda em serviço, vigilante em seu posto, cumpra o dever de zelar pela nossa segurança enquanto enfrenta o calor chupando um picolé — depende apenas que o exemplo venha de cima. A falta de compostura se converterá em correção e disciplina se o comandante lhe ditar as ordens também lambendo o seu, depois que o próprio Chefe de Polícia o tenha recebido saboreando um delicioso chicabon. Mas para isso seria preciso que as autoridades dessem o exemplo.

Era o que eu gostaria de sugerir ao Presidente — e tive ontem a oportunidade: a recepção que ele deu aos intelectuais, celebrando o aniversário da abertura dos portos. Tive a honra de ser convidado, e só não compareci, por julgar que se tratava de um engano: eu não sabia o que diabo os intelectuais tinham a ver, especificamente, com o assunto. E verifico agora, pelos jornais, que o pretexto de abertura dos portos pelo menos deu um trocadilho: o Presidente fotografado ao lado do cronista Sérgio

Porto. Mas estou certo de que o Juscelino aceitaria a idéia, tão ao seu feitio: chuparia, em público, o sorvete que nós, os intelectuais, lhe ofertássemos. E prestaria jovialmente mais este serviço à Nação: hoje estaria nela restaurada, em sua plenitude, a instituição do picolé.

Poetas vivos

FUI visitar o poeta Vinicius, que se refaz, num hospital de Petrópolis, do desastre que sofreu — uma batida de automóveis na estrada. A testa ficou toda cortadinha mas o mago cirurgião Pitanguy já disse que as cicatrizes não precisarão de reparos, serão discretas e honrosas marcas de uma batalha vencida.

E o poeta repousa como um general, fumando sem parar e já traçando planos para os futuros combates desta vida. A perna metida num gesso, por causa da rótula partida, lhe assegurará alguns meses de repouso antes que possa retornar às canchas. O curativo sobre o olho direito em breve será removido e assim o poeta não corre mais o risco de usar aquela elegante venda preta que lhe asseguraria, copo de uísque na mão, o ingresso na categoria de "*man of distinction*". Em suma: para alegria de seus amigos, Vinicius de Moraes, poeta redivivo, como diria Lauro Escorel, em breve retornará à poesia.

E por falar em poetas: passou praticamente em brancas nuvens o aniversário da morte de Mário de Andrade, cuja poesia as novas gerações ainda não descobriram. Lembro-me que Antonio Candido me dizia, pouco depois da morte de Mário: "É tão importante a sua obra, que uns vinte ou trinta anos hão de passar até que ela seja descoberta e atinja aos olhos de todos a sua verdadeira grandeza." Por enquanto, apenas treze anos se passaram desde aquele terrível 25 de fevereiro cujo impacto nunca hei de me esquecer. Relembro meus amigos, que eram também amigos de Mário, abraçando-se quando a notícia chegou, chorando em plena rua. Mário morreu — hoje em dia dificilmente alguém pode avaliar o que estas duas palavras representaram então, em todo o Brasil, para os jovens que se iniciavam na literatura.*

Poucos dias antes de sua morte, Mário me escrevia, como um prenúncio do que estava para lhe acontecer:

"O abatimento em que estou... Este esgotamento preventivo que dão as fatalidades que a gente não pode mudar."

Treze anos já, que Mário não existe mais. Mas vamos esperar com calma. Sua poesia não morreu e outros poetas continuam vivos, para revivê-la:

---
*Improviso do Amigo Morto, em "Gente".

> *"Com grande dignidade*
> *A dignidade de um morto*
> *Anda a meu lado, absorto*
> *O poeta Mário de Andrade*
> *Com a manopla no meu ombro.*
> *Goza a delícia de ver*
> *Nos seus menores resquícios*
> *Seus olhos refletem assombro*
> *Depois me fala: Vinicius*
> *Que maravilha é viver!"*

Continua bem vivo o poeta Vinicius, pude constatar domingo último. Não lhe falei na morte do Mário — não seria de bom gosto, depois do susto que levou. Mas estou certo de que ele saudaria, com um sorriso, a lembrança amiga do nosso grande morto, mais vivo que todos nós.

Cartas de Mário

CARTAS de Mário de Andrade a Manuel Bandeira. Passei esses últimos dias em sua companhia, como se falasse diretamente a mim, de um tempo que não vivi, o meu amigo que ele ainda viria a ser. Vou colhendo aqui e ali fragmentos dessas cartas, na sua maneira peculiaríssima de pensar, sentir e escrever:

"De todas as minhas vaidades do mundo, uma há que me agrada, porque não é vaidade. É ver minha alma escondida fazendo o Inteligente dançar."

"... tudo que não é teu, é a parte de Deus em ti."

"Sou o maior chicanista da literatura brasileira. Mas juro que chicaneio para benefício dos outros."

"Ouvinte de conferências literárias é uma espécie patológica que sofre de idiotia de primeiro grau."

"Sabe? Quando releio coisas passadistas minhas, tenho a impressão do Mário de Andrade que fui na casa dos vinte. Um sujeito grandão, feio como diabo, almofadinha, usando com exagero as modas do dia, desengonçado de corpo, com o olhar apagado, no princípio uma cabelama enorme que não havia meios de ficar quieta, um tipo antipático porém que tinha um certo sal, dava vontade da gente saber mesmo o que ele é, que a gente não esquece, que fica irritando na memória da gente."

"Eu considero você meu maior amigo, o Amigo, o que eu queria ter a meu lado na hora da minha morte, que como você sabe deve ser uma hora em que a gente não tem tempo para desperdiçar."

"Se eu pudesse escolher um tipo pra ser, eu queria ser o Ovalle."

"Meu Deus, como a paulificância me atrai cada vez mais, é espantoso! (...) Que levianinho me sinto depois dum livro bem fatigante, duma poesia bem inglesa, bem não se acabando mais!"

"Pouco me importa que alguém corresponda ou não à amizade que eu tenho. Tenho eu e isto me basta. Não é mesmo engraçado? Isso é dum egoísmo e sobretudo simultaneamente duma humildade sublime. Quando eu principio me estudando bem fundo, Manu, palavra, não posso descobrir se sou bom mesmo, se sou bom só por orgulho, ou se ruim duma vez, só sei que sou maravilhoso. A vida minha... Mas que maravilha de obra-prima é a vida minha, Manu!"

Pancetti

TENHO de Pancetti um quadro, alguns desenhos, e relativamente poucas recordações. Era um sobrado ali para os lados do Largo de Santana, numa rua movimentada e barulhenta, com lojas de atacado, caminhões fazendo descarga de mercadorias. Subia-se por uma escada estreita e escura — lá em cima morava o pintor com sua família, numa pobreza limpa e decente. O seu ateliê era num quarto da frente, apertado e incômodo. Logo de entrada ia-se tropeçando em quadros e mais quadros. A cor de tijolo das terras de Minas cedera lugar ao cinza-bege das areias de Cabo Frio e os horizontes róseos, o verde mar com sua espuma branca... Entre tantas marinhas, havia uma que me seduzia mais: as dunas escuras no primeiro plano, a areia a se perder de vista, um banhista aqui e ali, à esquerda a orla verde-branca do mar. Era uma sugestão de distância, esquecimento e calma na qual eu já me perdia. Pela primeira vez um quadro me exigia completo despojamento de mim mesmo, para penetrar num mundo de serenidade que até então eu desconhecia. Se na terra aprender é lembrar-se, no céu é ver — penso agora, repetindo o verso de Píndaro que Clarice Lispector citou em seu romance. Pela primeira vez eu aprendia a ver. O mar parecia ocupar todo o quadro; de suas águas, no entanto, a paisagem não tinha senão uma pequenina mancha, integrada na sugestão de outra realidade, mais harmoniosa e mais feliz. Até hoje aqui está diante de meus olhos, colocado de maneira estratégica, a ser visto para onde me volte, responsável pelo apaziguamento das minhas melhores horas de gratuita alegria ou de tristeza conformada. Mais, não se poderia desejar de um quadro.

Lembro-me de que, depois, Pancetti mostrou-me um que não venderia nunca: uma rua triste da São João del-Rei, vista através da janela. Era triste, era pungente, impregnado de uma solidão que fazia pensar na morte. "Isto mesmo", confirmou o pintor: "Você adivinhou: chama-se 'A Morte de Mário de Andrade', porque foi pintado no dia em que ele morreu."

Desde então, nos nossos encontros fortuitos, Pancetti abria sempre os braços para receber-me como a um velho amigo.

Vi-o há pouco tempo, quando eu saía de um cinema em Copacabana. Ia abordá-lo, mas qualquer coisa em sua fisionomia dura, impenetrável e obstinada ao passar por mim sem me ver deteve-me o gesto e me limitei a observá-lo. Andou um pouco, parou, atravessou a rua, tornou a parar, voltou-se, mudou de direção, estacou na esquina, ficou olhando, veio vindo, retrocedeu, e afinal se perdeu na multidão.

Recebendo hoje a notícia de sua morte, depois de tanto padecimento, passo a manhã inteira a evocá-lo. Dele, além do quadro, que venho carregando comigo, todos estes anos, para um momento de paz entre uma e outra mudança, ficou-me a imagem daquele homem determinado a caminhar pela rua em tantas direções, como a procura de alguma coisa, talvez o amigo, ou a mulher, talvez o seu próprio anjo da guarda, que não o deixasse tão duramente só, ao avizinhar-se o desfecho terrível.

Positividades

POR ser muito distinto, o marido da cozinheira, quando aparece, trata a patroa apenas de "distinta". A distinta pode me informar se minha mulher está? A distinta não acha que está fazendo um tempo muito bonito?

Pois outro dia a distinta resolveu chamar à ordem a cozinheira, que vinha relaxando no cumprimento de uma das suas precípuas funções, qual a de servir o jantar à hora certa. A cozinheira, mais tarde, queixou-se ao seu marido, mas este não se deixou impressionar:

— A distinta tem toda a razão. Gosto dela porque tem positividade.

"A última flor do Lácio inculta e bela" poucas vezes tem sido tão venerada como naquele relato que a cozinheira de minha irmã Conceição lhe fez, do mal de que foi acometida. Disse que estava sofrendo da vista:

— Não estou conseguindo divulgar direito as pessoas.

Recusou-se, entretanto, a consultar um oculista:

— Não gosto de médico doutor. Já detestei que não piso mais em consistório de médico doutor. Foi no dia em que comecei a sentir uma zombaria na minha cabeça e de repente, pá! dei um taque. Chamaram a insistência e me levaram para o Pronto Secorro. Lá um médico doutor depois de me catucar toda disse que eu tinha de operar os alpendres. Então eu caí numa prostituição...

Esta outra acabou de servir o jantar e depois veio recolher os pratos, cantarolando, um sorriso aberto na face negra e gorda.

— Está alegre hoje, Felismina?

— Eu, hein? — fez ela, mostrando todos os dentes: — Vocês é que não sabem! Estou rindo assim, mas não é de alegre não: no que acabar de servir a janta, vou para o quarto ficar sozinha e abrir o bocão.

Ratos e homens

FUI ver Cacilda Becker e sua companhia na peça de Eugene O'Neill por mim traduzida "Longa Viagem Dentro da Noite". As dificuldades desta obra tão densa e complexa, a partir da penosa tradução, foram enfrentadas no palco com resultado altamente compensador. O resto fica para os críticos discutirem — e eles têm discutido muito, nem sempre com a seriedade que o espetáculo merece.

Só que a certa altura deu entrada na platéia um inesperado espectador, e sua ruidosa manifestação de entusiasmo pôs em pânico a assistência, fazendo calar a artista e por pouco não estragando uma de suas melhores cenas. Entrou por trás e percorreu o corredor entre as poltronas em disparada até junto do palco, aos guinchos e assobios, quando maior era o silêncio e a tensão do público. Depois de alguns instantes de perplexidade, verificou-se que se tratava apenas de um rato, um dos muitos que habitam os bastidores desse pardieiro que é o Teatro Dulcina.

Os artistas intérpretes acabaram se familiarizando com eles; alguns, já batizados, chegam a atender pelo nome, vindo docilmente para um canto da ribalta, de onde ficam a assistir ao espetáculo. Uma noite houve em que o mais assíduo dos ratos assim estava entretido, quando um gato, surgido ninguém sabe de onde, lhe passou uma corrida. Entraram os dois pelo palco e o atravessaram em disparada, dando uma nota de realismo à decadência de uma família e sua casa, que os atores em cena, morrendo de susto, e todavia imperturbáveis, continuaram a representar.

Assisti ao resto da representação com as pernas praticamente recolhidas sobre a poltrona, ante a perspectiva arrepiante do rato resolver de súbito insinuar-se pelas minhas calças, canela acima... Ainda assim, tamanho era o interesse da peça, que me reteve na cadeira, impávido e atento, não me deixando fugir para a rua, como exigiu o meu primeiro impulso. Não haveria de ser um simples rato que me privasse da emoção de reviver até o fim um pouco da angustiante experiência que O'Neill tinha da vida e dos homens.

Helena Morley

RECEBO, em gentil oferecimento da autora, o já famoso livro "Minha Vida de Menina", de Helena Morley.

A literatura, como o futebol, tem dessas coisas. Helena Morley, pseudônimo sob o qual modestamente se oculta ilustre dama mineira, publicou em 1942 esses seus "Cadernos de Uma Menina Provinciana nos Fins do Século XIX", que foram saudados como uma das obras mais belas e impressionantes de nossa literatura. No entanto, a obra sempre viveu à margem da vida literária em nosso país, embora seja um de seus momentos felizes.

Não fosse a acolhida que lhe proporcionaram uns poucos escritores de gosto apurado, por ocasião de seu lançamento (além do grito de entusiasmo com que o saudou o romancista Georges Bernanos, então vivendo entre nós, a considerá-lo obra de gênio), talvez este livro não tivesse sobrevivido às ondas da moda que de vez em quando afogam nosso mercado editorial. E ressurge agora, em mais uma edição, depois do inesperado sucesso que foi seu lançamento em inglês, convertido em *best-seller* e saudado pelos melhores críticos americanos.

Agradeço a Helena Morley, como um favor pessoal, a oportunidade que me proporciona de revelar sua vida de menina a outra menina — e estou certo de que minha filha ainda lhe será grata por ter sido assim tão cedo convidada a esta verdadeira festa de sensibilidade.

John Dos Passos

NÃO tem nada do sujeito barulhento e extrovertido, charutão à boca e ar de magarefe, que eu imaginava, pelos retratos. É corpulento, mas delicado, quase humilde no seu jeito de se vestir, de falar, de ouvir atentamente, de se escusar a todo momento — jovial, sensível, extremamente educado.

Paulo Mendes Campos e eu o levamos num passeio de carro por Ipanema e Leblon. Distraiu-se com o que viu, encantou-se com a paisagem, perguntando-nos isso e aquilo sobre o Rio, livre pela primeira vez dos programas oficiais. Veio fazer conferências a convite do Instituto Brasil-Estados Unidos.

— Tenho de cantar para merecer a comida — disse, rindo.

Teme morrer de colapso cardíaco, mas a idéia de vir a encontrar no céu Scott Fitzgerald lhe é extremamente agradável:

— Era um homem encantador, e veja como o julgamento literário é precário, se altera com o tempo: embora ache que estão exagerando um pouco a importância dele atualmente, "The Great Gatsby" é um grande romance — e aquela série autobiográfica sobre sua própria crise, "The Crack-Up", uma obra-prima. No entanto, na época achei que era uma coisa íntima demais para se escrever, cheguei a trocar com ele umas cartas muito interessantes sobre o assunto...

Enquanto almoçamos no Albamar, restaurante de peixes, para ele pitoresco, no Mercado Municipal, continuo colhendo aqui e ali observações suas. Diz que nunca viu um fantasma, para poder acreditar em sua existência, mas em compensação concorda que Greta Garbo seja a mulher mais linda que jamais existiu. Interessa-se pelo cinema, especialmente pela atual renovação, na linha do filme "Marty", com produtores menores, e que dá ensejo à participação ativa do escritor. Cogita-se em filmar o seu "Manhatan Transfer", para o quê ele próprio escreveria os diálogos e supervisionaria a adaptação. Gosta de humorismo, e admira James Thurber, embora ache que ele ultimamente vem se repetindo um pouco, mais nas histórias que nos desenhos. De Hemingway, comenta a injustiça da crítica com relação ao seu penúltimo romance, de que gosta, já reparada pelo extraordinário sucesso do último. Entretanto, continua preferindo os seus contos. Acha graça quando lhe falo que Ezra Pound chegou outro dia a Roma fazendo saudação fascista. Considera justíssimo o prêmio que lhe deram há dez anos nos Estados Unidos, estando ainda no manicômio e condenado por traição: acha que é doido mesmo, mas um homem de gênio.

Interessa-se em saber se a mocidade brasileira está participando do entusiasmo com Brasília e a "marcha para o Oeste". Vai escrever um artigo para *Seleções* sobre a nova capital — e fica satisfeito em saber que possivelmente Erico Verissimo virá do sul para acompanhá-lo na viagem até lá. A todo momento quer saber qual a palavra que, em português, corresponde a esta ou aquela expressão inglesa — e arrisca-se mesmo a algumas frases em nossa língua: "*encontro defícil o língua de meos auos*", diz com esforço, contente como um menino, referindo-se aos seus avós portugueses. Não chego a dizer-lhe que seu nome em inglês, para nós, seria Johnnie Walker, a conhecida marca de uísque, ao aceitar a sugestão de uma cerveja brasileira, que acha excelente.

Gostou das perguntas dos jornalistas brasileiros na entrevista coletiva, embora ache difícil, nessas circunstâncias, dar respostas que interessem. Mas fica surpreendido quando lhe chamo a atenção para a semelhança de uma delas como um poema em prosa: "Sou hoje um homem maduro. Aprendi muitas coisas e escrevi outras. Estou sempre corrigindo meus pontos de vista."

Por último, esta terrível afirmação sua:

"Se há um inferno especialmente feito para escritores, ele consiste na contemplação forçada de todas as suas obras, com todos os equívocos, omissões e falhas inevitáveis em qualquer obra de arte."

Joyce

E POR falar em sofrer, aqui vai, para consolo dos escritores que padecem atrasos e recusas por parte de editores, o desabafo que faz James Joyce numa carta, recentemente publicada, a propósito da edição de seu primeiro livro:

"Dez anos de minha vida foram consumidos em correspondências e litígios sobre meu livro "Dubliners". Foi rejeitado por quarenta editores; três vezes composto, e uma vez atirado ao fogo. Custou-me três mil francos em selos, taxas, passagens de trem e navio, pois estive em correspondência sobre o mesmo com cento e dez jornais, sete advogados, três sociedades, quarenta editores e vários homens de letras. Todos se recusaram a ajudar-me, com exceção do Sr. Ezra Pound. Afinal foi publicado em 1914, palavra por palavra como escrevi em 1905."

Misses

ERICO Verissimo no aeroporto esperando uma delegação de escritores e, perplexo, vendo saltar do avião Miss Brasil, Miss Bahia, Miss Bangu, Miss Caiçaras, Mister Darwin Brandão, e eu.

Que história é essa? E o Braga? E o Paulo? Vamos tratando de dar o fora, antes que nos botem desfilando numa passarela. Josué Guimarães não há de deixar Teresinha Morango, a própria! esperando condução, mas o cavalheirismo tem de ceder à evidência: no Citroën dele não cabem mais que quinze pessoas.

No bar do hotel, todo mundo estranhando o movimento, miss passando para lá e para cá, mas que diabo está acontecendo? Você agora é empresário, está operando neste ramo? Calma, minha gente, deixa que em Porto Alegre elas aconteçam, decididamente, depois eu conto, elas estão só a passeio, nos encontramos por acaso no avião. Não trabalho com essas armas, sou apenas escritor, ora essa, cansado da viagem mas feliz por estar aqui, lá fora as meninas brilhando, como no verso do Bandeira: os cavalinhos correndo e aqui dentro nós, os cavalões, bebendo.

Já temos três galetos programados. De fome é que não morreremos em Porto Alegre, mas de frio — vai fazer frio no inferno! Gaúcho ajeita a pala e acha graça: tu não viste nada, tchê! Tomar carro este, rua essa, casa aquela.

A casa é a dos Verissimos.* Aqui se desdobra a famosa hospitalidade gaúcha. Passamos ao largo da sala dos chatos, já uma vez denunciada e nem assim eles aprendem — não o somos, portanto: vamos direto ao escritório acolhedor, com lareira crepitante.

Gaúcho em Ritmo de Tango, em "Gente".

Em pouco tenho um dos flancos tostado como um galeto. Meu companheiro Darwin Brandão, que as misses levaram para uma cerimônia qualquer, chegando esbaforido: fugiu, havia discurso. Estava falando o representante do comércio varejista. As misses ficaram lá.

No que ele muito se engana: em pouco soa a campainha, são elas. Miss Morango até ousaria pedir um autógrafo ao dono da casa, não fora tão discreta, deixou para o dia seguinte, na livraria. Miss Bahia ouvindo calada, o que é que a baiana tem?

No dia seguinte, a reunião na livraria: Erico Verissimo, Guilhermino César, Maurício Rosemblat, Josué Guimarães, Mário Quintana — velhos e novos amigos. Eis senão quando... as misses! belas e vivazes nas suas calças compridas, gárrulas como um bando de pássaros: nós também viemos. Mas isso aqui não tem graça nenhuma, meninas, é pescaria de gente grande — elas logo arrepiam carreira. Desta vez, na rua, os fãs se juntam, lhes passam uma corrida: duas delas acabam na disparada em direção ao hotel, a multidão atrás. Tchê! — diz um gaúcho: se eu tivesse aqui o meu cavalo...

Fantástica

POR que em Belo Horizonte acontecem coisas fantásticas?

Em todo lugar acontecem coisas fantásticas. Mas Belo Horizonte ficou célebre por obra e graça do jornalista Gibson Lessa, durante muitos anos diretor da sucursal do vespertino *A Noite*. Era ele quem enviava telegramas dando notícia de coisas inacreditáveis que se passavam na cidade: um ladrão que furtara a perna de pau de um mendigo enquanto este dormia; um guarda que ajudou outro ladrão a furtar um pneu de automóvel julgando ser o proprietário; um galo de três pernas, um boi de quatro chifres, uma mulher que virou homem.

Belo Horizonte chegou a tornar-se, mesmo, o quartel-general das mulheres que viravam homens. Tudo por obra e graça do Dr. David Rabelo, afamado cirurgião da cidade, que se especializara nesta operação, registrando-se cerca de vinte casos — e algumas mulheres por ele operadas são hoje ilustres pais de família.*

Mas houve também o caso da moça-fantasma e esta, somente mais tarde se veio a saber, era filha legítima da imaginação do jornalista Newton Prates. Ele mesmo me contou.

Secretário de um matutino, sem muito assunto para movimentá-lo, resolveu criar o caso de um mulher loura e bela que durante a noite surgia para o transeunte solitário nas ruas de Belo Horizonte.

---

*"*A Vida é Esta*, em "A Chave do Enigma".

A notícia fantasmagórica foi explorada em artigos, contos, poemas e reportagens pelos intelectuais mineiros, entre eles Cyro dos Anjos, Emílio Moura, Carlos Drummond de Andrade.

Aconteceu, porém, que um belo dia, ou, por outra, uma bela noite, a moça-fantasma começou a aparecer por conta própria: abordava as pessoas em lugares ermos, perguntando as horas, pedindo uma informação qualquer, e desaparecia no ar antes que lhe dessem a resposta. Entrava nos carros de praça, dava um endereço em geral nas proximidades do cemitério e, a meio caminho, o motorista, olhando para trás, via simplesmente que não transportava mais ninguém.

Percebendo que a imaginação popular o havia sobrepujado, o jornalista resolveu continuar a brincadeira. Não foi possível: um ilustre desembargador mineiro, homem respeitável e digno de fé, invadiu uma noite a redação para, apavorado, confessar que ele também fora abordado pela moça-fantasma. Desde então o jornal não tocou mais no assunto — mesmo porque a moça-fantasma já estava se saindo melhor que a encomenda, pedindo dinheiro aos incautos, raptando maridos, provocando conflitos conjugais.

Meu maior medo, todavia, não era apenas o de esbarrar com ela nas minhas madrugadas insones. Recém-saído da adolescência, eu temia sua aparição fantasmagórica a qualquer hora, mesmo em pleno dia, e me ver perdidamente apaixonado por ela, implorando-lhe que se casasse comigo.

(O que, de certa maneira, acabou acontecendo.)

Nadadora

É IMPOSSÍVEL que ela se lembre de mim. Em geral cruzávamos um com o outro em piscinas do Rio, de Minas ou de São Paulo, em meio a outros nadadores, durante campeonatos. Mas guardo ainda uma fotografia que tiraram de nós dois, ao lado do vestiário do Minas Tênis Clube, o que, na época, foi motivo de orgulho para mim. Ela era, então, a glória da nossa natação e não passava de uma criança — "Filhinha", como a chamavam. Eu também era criança e guardei dessas lembranças saudáveis, claras e festivas do tempo vivido em piscinas, o melhor de minha juventude, enquanto chegava distraidamente a homem.

Torno a vê-la hoje, num programa de televisão. Não mudou muito; é o mesmo rosto limpo e jovial de nadadora, e se dedica ainda ao mesmo esporte, mas dando-lhe outra espécie mais nobre de finalidade (coincidente, aliás, com seu próprio nome): a recuperação, pelo exercício, de crianças com paralisia infantil.

É comovente a dedicação de Piedade Coutinho à causa que abraçou e a fidelidade da grande nadadora ao esporte que elegeu. Mas seu esforço de hoje, com o qual não pode bater récordes nem vencer campeonatos, infelizmente só encontra pela frente desinteresse e alguma incompreensão. Dificuldades de toda ordem neutralizam seu esforço humanitário, que não visa lucro algum. Entraves burocráticos impossibilitam a execução de seu plano. Inutilmente ela espera providências do Governo, no sentido de desembaraçar o financiamento já concedido, e que para a Caixa Econômica se configuraria em operação financeira como outra qualquer.

Ary Barroso faz em nome dela um apelo às autoridades. Pode acontecer que sejam sensíveis a esse apelo, mas tenho as minhas dúvidas. Um compositor e uma nadadora falando em paralisia infantil pela televisão será, talvez, algo muito surrealista como reivindicação, aos olhos de um Governo voltado para interesses mais imediatos. Se Piedade estivesse ao menos pleiteando um emprego público...

Enquanto a vejo explicar em termos claros e precisos o seu problema, vou buscar o livro de José Maria Lamego, "Natação e Velocidade", que guardo comigo, de outros tempos mais serenos, fico a folheá-lo. Aqui está o retrato de "Filhinha", uma jovem morena e esguia, finalista olímpica, campeã sul-americana, que tive ao meu lado outrora, à borda de uma piscina, em dia de competição — a grande esperança da natação brasileira. Volto a olhá-la na televisão, com a mesma admiração de antigamente — e consigo captar de seu rosto — o mesmo rosto — a sugestão de uma esperança ainda maior.

Escritores

VOLTAM os escritores a falar em organizar associação. Essa idéia nem sequer chegou a funcionar aqui no Rio: meteram política no meio e a coisa deu em nada.

Ainda me lembro da última reunião da ABDE, para a posse da nova Diretoria, encabeçada por Afonso Arinos, e que os comunistas combatiam. Fomos para lá dispostos a tudo — mas a nova Diretoria, legitimamente eleita, teria de ser empossada.

E foi. Os comunistas quiseram se apossar à força do livro de atas — Carlos Drummond, na qualidade de Secretário, reagiu à altura: abraçado ao livro, defendeu-se das agressões distribuindo cotoveladas e pontapés. Até eu, que não era da nova Diretoria e nem da velha, tive de entrar na dança: me lembro que em defesa de meu único votinho, modesto porém sincero, na chapa vencedora, dei comigo perdido entre safanões e palavrões. Afonso Arinos estava armado, eu sabia — mas como eu temia que ele acabasse puxando o revólver, acabei caindo fora, porque nunca tive jeito para filme de faroeste — e nem ao menos filmando estavam.

A primeira e última reunião daquela Diretoria realizou-se na própria casa do Presidente eleito Afonso Arinos. Depois cada um saiu para cuidar de sua obrigação. E acabou mesmo no chinelo a idéia de uma associação de escritores, que em vão os comunistas tentaram levar avante, juntando noutra entidade seus milhares de escritores de fancaria.

Escritor não precisa de associação para defender direito algum: os direitos a defender são os autorais, ele próprio que defenda os seus de acordo com a lei — cada um por si e Deus por todos. E se a lei é omissa ou precária, cabe-lhe reinvindicar dos legisladores, como cidadão, que ela seja aperfeiçoada.

Escritor precisa é de agências de caráter comercial. A coexistência de vários agentes literários, permitindo a concorrência, facultaria ao produtor, que não consegue fazê-lo diretamente, o melhor veículo de distribuição de seu produto no mercado consumidor.

Porque nós, escritores, não pretendemos mais do que fornecer, como padeiros, a preços módicos, a nossa humilde mercadoria diariamente cozinhada na imaginação — o chamado pão do espírito, que, se não mata a fome, pelo menos alimenta ilusões.

Pantera

FOI em Cabo Frio, no verão passado. Eu dormia numa cama estreita, junto à janela aberta, sob a luz das estrelas. Em pouco parecia-me que acordava, ouvindo lá embaixo uma janela bater com a ventania. Estranhei que ventasse, pois ao adormecer a noite ia calma, parada e serena. Agora o vento uivava doidamente, agitando as árvores lá fora. A minha janela não mais existia, e a que me acordara continuava a bater. Acabei me erguendo para ir lá embaixo fechá-la.

Já não era a casa onde eu estava hospedado. Parecia um velho palacete, e os salões vazios se sucediam, afogados na escuridão. Aproximei-me da janela aberta e antes de fechá-la olhei para fora.

Tudo se paralisara de repente. O vento cessara de correr e não se ouvia o menor ruído, nem se podia surpreender o menor movimento. No terraço batido de luar, havia aqui e ali um pequena macega de cactos e ao fundo brilhavam as águas paradas de uma piscina. Foi então que, gelado de pavor, vi, a poucos passos, imóvel como eu, uma imensa pantera negra a fitar-me com ferocidade, os olhos amarelos faiscando. Fechei a janela num impulso de terror e fugi.

Seguiu-se, então, uma série de pesadelos confusos em que eu, entre as pessoas que moravam comigo naquele palacete, era o único para quem a fera aparecia, observando-me como um demônio parado, pronta a cair sobre mim. Quando contava para os outros, falavam-me em alucinação, mas alguém chegou a levantar a hipótese de existir mesmo uma pantera solta por ali, fugida de algum circo que estivera nas vizinhanças... Por mais batidas que dessem no bosque ao fundo do palacete, nunca chegaram a descobri-la e riam-se de mim. Acabaram todos partindo, deixando-me só.

Passei algum tempo sem vê-la. Até que uma noite, ao entrar na cozinha para fazer um café, dei com ela já no interior da casa, estacada no ladrilho, mostrando-me as presas, ameaçadora. Refugiei-me aterrado no segundo andar, mas senti que ela me acompanhava em passos lentos, macios, silenciosos. Já na cama, sob as cobertas, ouvia suas unhas baterem de leve no mármore da escada, enquanto subia, degrau por degrau... Fechei os olhos ao vê-la surgir à porta, sabendo-me perdido, e podia sentir no rosto o seu bafo quente, medonho... Por que ela não caía logo sobre mim, para me devorar? Não resistindo mais, e num último estremecimento, abri os olhos e acordei.

Acordei realmente em Cabo Frio, no quarto e na cama onde adormecera, sob a janela — acordei e vi, a poucos metros de distância, fitando-me com os olhos amarelos e ferozes, a imensa cabeça de uma pantera negra.

Soltei um grito, sentando-me na cama, a ilusão se desfez. O gato preto que estivera a observar-me o sono junto ao meu rosto, de cima do parapeito da janela, saltou para o telhado e desapareceu na madrugada.

1959

Literatura infantil

"JOÃO Felpudo", livro de criança que encheu minha infância (nos dois sentidos). João Felpudo não gostava de tomar banho. João Felpudo não cortava as unhas, não escovava os dentes, não lavava a cara. O resto, já nem me lembrava. Agora, ao folhear este livro que pensava ser de histórias ingênuas e singelas, fico horrorizado.

A mãe do "Chupa-Dedos", por exemplo, lhe diz:

— Meu filho, não chupe o dedinho, que o alfaiate, que não dorme, vem cortá-lo.

Vem o alfaiate com uma tesoura, e o que vocês acham? corta o dedo do menino.

Olhem só o caso do "Paulito-Palito". Era um menino gordinho: deixou de comer para emagrecer, foi emagrecendo, emagrecendo, virou palito e morreu, tem graça isso? Contos de horror, sinistros, medonhos, dignos mesmo de Edgar Poe, como "Paulina-Pega-Fogo": Era uma boa menina, mas um dia foi brincar com fósforo, e que sobrou dela? Um monte de cinza em cima dos sapatinhos. Outro é o "Tonico-Balança-Mas-Não-Cai": um pobre-diabo, o Tonico-Balança-Mas-Não-Cai. Um dia balançou e caiu, isto é: ficava balançando o corpo na cadeira de balanço, o pai dizia: "Não faça isso, meu filho." Ele tanto fez que acabou virando a cadeira de pernas para o ar, bateu no chão e esmigalhou as costelas. Não se falando do "Cheira-Céu", que era um poeta e teve um fim poeticamente macabro: vivia andando com o nariz para o ar, olhando o céu. Um dia vinha andando pela praia, errou a direção, entrou pelo mar adentro e morreu.

E chega. Fecho o "João Felpudo" com um arrepio de medo — e o pior é que meus filhos acham graça, quase morrem de rir, que se há de fazer? Eu, por mim, prefiro que continuem com o inofensivo hábito de ler as terríveis histórias de *gangsters* em quadrinhos.

Aeroplano

RUBEM Braga colocou o cinto de segurança e olhou para o passageiro ao seu lado: parecia um rato, encolhido de medo.

— Não tem perigo — procurou tranqüilizá-lo: — Esses aviões são muito seguros, viajo neles sempre.

Antes não houvesse falado; o pobre homem agarrou-se ao diálogo como numa tábua de salvação:

— Pois eu, é a primeira vez que ando de aeroplano. Por que não sai logo? Será algum defeito no motor?

— É assim mesmo, estão esquentando.

— Esquentando o quê?

— Esquentando os motores.

O avião levantou vôo, e o passageiro se agarrava com força nos braços da poltrona como para mantê-lo no ar.

— Não tem perigo de cair? — balbuciou: — Está balançando muito...

— É assim mesmo: são correntes de ar, várias camadas de temperatura. Chama-se turbulência.

— O senhor acha que isso é necessário?

E foi assim a viagem inteira:

— Olha lá, está pegando fogo no motor! O senhor acha que agora cai?

— Não cai não: é o fogo do próprio motor.

— Eu não sabia que tinha fogo no motor... E aquilo ali, aquele oleozinho escorrendo na asa? Meu Deus, eu acho que agora cai.

— Aquilo é o excesso do óleo, não tem importância nenhuma — tornou Rubem, já aborrecido: — Pode ficar tranqüilo que não há de cair por isso não. Aliás, daqui a pouco estamos chegando.

Ainda bem que a viagem era curta — mas o homem não ficou tranqüilo. Quando o avião fez uma curva fechada para a tomada de pista, quase perdeu a fala.

— Será que agora cai?

O Braga confirmou com a cabeça:

— Agora cai.

Padre cubano

MOVIMENTO de repórteres e fotógrafos no Aeroporto do Galeão. Alguém me diz que está sendo aguardada a chegada dos barbudos.

— Barbudos? Que barbudos? — pergunto, intrigado.

Ah, sim, os barbudos de Fidel Castro, evidentemente. O povo se aglomera junto à porta de saída dos passageiros. Uma estudante bonitinha passa para lá e para cá com um buquê de flores. E eis que surgem afinal os barbudos revolucionários — escolhidos a dedo por Fidel Castro para levar ao resto do mundo o testemunho pessoal do que foi a revolução do povo cubano. Grande idéia essa, é possível que inspire outros povos a deixar crescer a barba.

São médicos, advogados, professores que ajudaram a derrubar a ditadura de Batista.

Nove, ao todo: um deles parece Búfalo Bill; outro, meio escurinho, deixou a barba mas aparou o cabelo, meio sobre o pixaím; outro ainda, com os cabelos também aparados, mas a longa barba já grisalha...

Sua figura me chama a atenção, pela idade, talvez — não parece tão moço como seus companheiros. Aproximo-me, pergunto qual a sua profissão.

— Padre — responde simplesmente.

É o Padre Guilhermo, embora sem batina, católico, de quem os jornais já falaram: seco, rijo, mas com qualquer coisa no olhar que combina a determinação do revolucionário com a humildade do seu apostolado.

Pergunto-lhe, para puxar conversa, por que Hemingway não participou da revolução* — pelo menos ostensivamente. Afinal de contas, ele nunca perde uma guerra...

O padre fica me olhando, sério:

— Ele já não está em idade dessas coisas. Prêmio Nobel, depois daquele seu famoso romance sobre um pescador cubano...

Sua discrição a respeito do escritor me faz pensar que há na história muito mais do que cogita a minha vã sabedoria. Afinal, Hemingway continua sendo cidadão americano, e os americanos... Mas tem também Errol Flynn, que é que há?

Quanto a este, o padre não se furtou a responder:

— Juntou-se a nós na última semana, de pura publicidade, para se promover. Tudo conversa.

— Até quando haverá fuzilamentos?

— Enquanto houver assassinos — responde ele com firmeza.

— Algum pronunciamento oficial da Igreja sobre os fuzilamentos? — pergunto ainda.

— Para quê? — é a resposta imediata.

— E a participação da Igreja na Revolução?

— Ah, isso é uma longa história.

Ele não tem tempo de contar, nem eu de ouvir: é chegada a hora de meu vôo para a Europa.**

---

*O Velho e o Jack, em "O Gato Sou Eu".
**A Descoberta da Europa, 1959, em "De Cabeça Para Baixo".

LISBOA —

O dono de Portugal

DEIXO Lisboa com a sensação de que não cheguei a retribuir a Portugal o favor que Cabral nos prestou, ao descobrir o Brasil.

Durante oito dias andei pelas ruas, vi o que pude, conversei com portugueses e brasileiros, tropecei no sotaque lusitano, fiz perguntas — ou preguntas —, especulei, confabulei.

Só não cheguei a conspirar, porque para tanto me faltavam engenho e arte.

Do que pude aferir, só uma realidade existe hoje para Portugal, pesando-lhe como um jugo que viesse escravizando o país através de séculos e configurado hoje na pessoa de um único homem. Homem esquivo e misterioso como Greta Garbo, que não se vê em lugar nenhum, pois vive recolhido a uma fortaleza, mas onisciente e onipresente como um Deus. Seu nome é apenas ciciado temerosamente à boca pequena, ou formulado em tímidos trocadilhos no teatro de revista.

Dele correm as informações mais extraordinárias: não tolera o convívio senão com senhoras — ou rapazes — de hábitos duvidosos, inspirado nas suas decisões por uma rapariguita de dezessete anos. Frio, calculista, implacável como o Grande Inquisidor, lívido como um demônio, maneiroso como um diplomata, ascético como um anacoreta, insensível como um cadáver. Existe, mesmo, quem creia que ele até já tenha morrido.

Manuel Mendes, escritor e velho lutador pela causa da liberdade, um dos expoentes da oposição entre os intelectuais, confessou-me, com seu jeito de Rubem Braga português:

— O ditador está morto. Já começou a apodrecer e empestear o ambiente.

Morto ou vivo, porém, até agora não ousaram enterrar António de Oliveira Salazar.

O rei está nu. Jamais a velha história do rei que caminhava pelado pela rua, sem que ninguém denunciasse sua nudez, teve melhor correspondência que no Portugal destes dias.

Nem vestido, Salazar ousou jamais passar pelas ruas de Lisboa, quem diria nu; mas seu reinado, se não morreu, está mesmo bem agonizantezinho. Ele é o próprio Rei de Copas, Presidente, Ministro do Conselho, Eminência Parda, Salvador da Pátria — tudo isso com que se designa um ditador. Continua sendo o todo-poderoso em Portugal, mas seu poder, não há dúvida, está chegando ao fim. Todo mundo sabe disso e não quer dizer.

Sente-se no ar uma vaga expectativa de que ele ao menos morra o mais breve possível, na santa paz do nicho em que se recolheu como um urubu, e de onde continua a irradiar a sua suprema vontade. Que será depois dele?

Aprés moi, le déluge. Não tem importância, os portugueses não temem o dilúvio, querem apenas se ver livres do santo de pau oco. Alguns, mais otimistas, esperavam ainda que ele se aposentasse ao completar setenta anos, cumprindo dispositivo legal que ele mesmo decretou, segundo o qual ninguém pode exercer cargo público depois daquela idade. E o Cardeal Cerejeira há pouco tempo deu o exemplo, ao fazer setenta anos, com sua última aula na Universidade.

Outros, mais realistas, sabem que o homem não sai de jeito nenhum — a menos que haja uns tirinhos. Quando correu a notícia de que o General Juarez Távora havia chegado a Lisboa, anunciei a vários escritores de oposição que se fizeram meus amigos:

— Dizem que está na terra um professor de conspiração, com longos anos de magistério, e especialista em revoluções e derrubada de ditadores. É meu amigo, se quiserem peço a ele para abrir um curso e ir treinando o pessoal.

Brincadeiras como esta já são temerárias. Assim escritas, então, seriam capazes até de fazer abortar uma revolução, se fosse o caso. Todos esperam que o ditador caia feito um fruto podre, mas me pareceram pouco animados, exauridos em tantos anos de luta inglória. Os escritores querem escrever. O povo quer respirar. E os conspiradores? Estão na cadeia, ou asilados. Conspiração não há. O que há é aquela excitação que antecede as revoltas espontâneas. E caímos na velha anedota:

— Se o inimigo está distante, meu comandante, por que ficarmos cochichando, neste segredo todo?

— Não é segredo não — retorquiu o comandante: — É que eu estou rouco.

Pretendi fazer uma reportagem sobre a oposição entre os intelectuais portugueses. Difícil é descobrir quem não seja da oposição. Mandei fotografá-los — durante reunião havida numa editora, por ocasião de minha chegada. Reveladas as fotografias, vi que era impossível aproveitá-las: os líderes da oposição estavam todos rindo às gargalhadas.

— É porque no momento alguém anunciava que Salazar havia morrido — justificou-se um deles.

Impossível não respirar em Lisboa a mesma atmosfera que antecedeu a queda de Getúlio Vargas em 1945 ou mesmo em 1954. Nós às vezes também ríamos para não chorar. Quem não se lembra da célebre gracinha "tudo passa e Vargas fica"? Acabou passando, e que a terra lhe seja leve.

Como Salazar também passará: em Coimbra, os portugueses já deitaram manifesto, à semelhança do célebre manifesto dos mineiros, exigindo do ditador a restauração das liberdades democráticas — ou, em outras palavras, exigindo que ele caia fora. Foram centenas de assinaturas: intelectuais, advogados, médicos, engenheiros, militares, estudantes. O homem nem se mexeu. Mas também não pôde fazer como o nosso, que na época mandou botar na rua todo signatário do manifesto que ocupava cargo público.

O paralelo fatalmente se impõe. As condições podem ser diferentes, mas a situação é a mesma. Só que Salazar atualmente não pode mais — nem ousa — prender todo mundo, muito menos mandar matar, como fazia antes, por intermédio de sua polícia, tão temível como a de Filinto Müller no tempo de Getúlio. Ficou meio ressabiado com a grita que houve (especialmente na imprensa brasileira, aqui reproduzida clandestinamente, pois a portuguesa nada pode publicar) com a prisão de quatro respeitáveis intelectuais e homens públicos, entre os quais o nosso estimado Jayme Cortezão e o sociólogo Antônio Sérgio: teve de voltar atrás, e agora eles fazem o que querem, sem que nada lhes aconteça.

Não podem fazer muito: dão entrevistas à imprensa estrangeira (Antônio Sérgio concedeu-me uma, sua casa sob vigilância cerrada da polícia, e sugeriu que eu escrevesse o que quisesse, não tinha mais medo de nada). Mas são poucos e ninguém se arrisca a seguir-lhes o exemplo; a oposição generalizada, em estado latente, depois do sucesso das últimas eleições, não se arregimenta novamente com tão pouco.

Erico Verissimo passou por Portugal como um furacão. Encontrei ecos de sua passagem, no que foi para os portugueses uma das mais desassombradas campanhas contra a ditadura, realizada em conferências, entrevistas pelo rádio, palestras e visitas aos estudantes ou intelectuais nas várias cidades que percorreu.

Os salazaristas tentaram envolvê-lo numa intriga, anunciando que fora hóspede oficial do Governo e que se deixou servir de instrumento aos intelectuais da oposição. O escritor brasileiro revidou à altura, numa carta candente enviada lá da Espanha, para onde partiu e — esclarece — onde também não foi hóspede de ninguém, pois não recebe favores dos governos de força. Esta carta foi reproduzida num jornalzinho clandestino e correu de mão em mão, mimeografada, fotografada ou impressa em folhetins.

É irresistível a necessidade de falar no assunto, de tal maneira ele se impõe. Eu mesmo andei falando; e o que quer que se diga assume, aos ouvidos mal acostumados do público português, as proporções da mais ousada crítica ao Governo. A simples menção da palavra liberdade soa como um grito revolucionário. Temos de desenterrar do esquecimento velhos chavões e lugares-comuns que nos foram tão úteis na luta contra o nosso ditador — já de saudosa memória. Dizer que o escritor deve ser livre para escrever o que bem entende, que a vontade do povo deve prevalecer, que é preciso reagir contra a opressão e a tirania, soa para nós hoje em dia como eloquência barata em discurso de praça pública. Mas são palavras que o português ouve com estupefação, admiração e finalmente entusiasmo, porque lhe insuflam a consciência da realidade em Portugal de nossos dias.

De vez em quando é expulso do país um jornalista mais ousado — como aconteceu a um repórter de *O Cruzeiro*. Nem sei se, depois de escrever o que tenho escrito, me permitirão entrar novamente, como estou pretendendo.*

O que quer que se publique no Brasil sobre o regime que tiraniza os portugueses, por mais inofensivo que pareça aos nossos olhos, é arma poderosa nas mãos dos homens dignos de Portugal. É comum ver-se, por exemplo, crônicas de Rubem Braga ou de Gustavo Corção contra Salazar circulando em folhetos, de mão em mão.

Ah, se desenterrássemos tudo o que se escreveu no Brasil ao tempo da queda da ditadura — como seria útil ao leitor português, com apenas alguma troca de nomes e de datas! Vivendo de novo naquele clima, às vezes me dava ímpetos, pelas ruas de Lisboa, de dar vivas ao Brigadeiro Eduardo Gomes.

As revistas brasileiras chegam ao leitor português muitas vezes com as páginas arrancadas — mas não raro se esquecem de arrancar o índice e é o bastante para o povo saber que o brasileiro continua sofrendo com ele a sua desdita.

Numa conferência de Erico Verissimo, assistida por "mais de cinco mil pessoas", em teatro que não comportava senão mil e oitocentos espectadores, um estudante perguntou-lhe a causa, segundo sua opinião, da crise que atravessa atualmente a literatura portuguesa. O escritor brasileiro, que em Portugal é tão popular como no Brasil, respondeu simplesmente: "A censura." Tanto bastou para que o teatro quase viesse abaixo, o próprio conferencista se espantou. É que ninguém ousara até então acusar frontalmente um dos sustentáculos da ditadura de Salazar, a despeito do esforço pessoal dos homens de oposição. Os secretas da "PIDE", que é uma espécie de Gestapo à moda da casa, espalhados pela sala, se mexeram, inquietos, sem saber o que fazer. Os aplausos se prolongavam. Já houvera antes uma ovação de cinco minutos, quando deu entrada na platéia o Embaixador Álvaro Lins — mercê do asilo que concedeu na Embaixada Brasileira, apesar das fintas diplomáticas de Salazar, ao General Humberto Delgado.

As coisas em Portugal andam assim. "Não há nada mais terrível para um homem de bem do que a própria censura que se impõe" — disse-me Igrejas Caeiros, produtor de rádio, quando estudava no gravador as respostas que lhe dei numa entrevista, para ver se poderiam ou não ser levadas ao ar. E arriscou-se muito, deixando passar referências à queda da ditadura no Brasil ou uma saudação aos escritores livres de Portugal. Certa vez ele próprio, referindo-se às possessões de Portugal na Índia, ousou dizer que

---

*Não permitiriam: dez anos depois seria barrado no aeroporto de Lisboa, só sendo admitido após exaustiva intercessão diplomática de Otto Lara Resende, então Adido Cultural junto à Embaixada Brasileira em Portugal, e obrigado a permanecer sob sua custódia pessoal.
— *Roteiro Elizabeth Arden, 1969*, em "De Cabeça Para Baixo".

considerava Nehru um dos maiores estadistas de nossa época. Tanto bastou para que fosse proibido de trabalhar como produtor de rádio, locutor ou sequer ator teatral — situação que durou cinco anos, nos quais ficou literalmente desempregado. Prevaleceu-se de uma mudança de secretariado para esquivar-se ao decreto de punição, cujo texto me mostrou, transcrito na carta enviada à direção da empresa em que trabalhava: "trata-se de um homem sem sensibilidade, um português que trai os supremos interesses de sua pátria, indigno de continuar exercendo a profissão", etc., etc. Hoje, de novo trabalhando, ele confessa que perdeu muito do entusiasmo de antigamente, pois está sujeito a ser demitido, ou mesmo preso, de uma hora para outra, por um dos temíveis secretas de Salazar.

Mas deixa estar que esta polícia especial até que teria a sua graça — não fosse o aspecto macabro de sua monstruosa atividade, que se pode avaliar pelos gritos dos presos torturados noite adentro. A Polícia Internacional, que cuida da "segurança interna", é vizinha da Embaixada do Brasil. A própria Embaixatriz, horrorizada, já viu um homem que tentou escapar aos seus algozes subindo ao telhado e de lá, em desespero, precipitar-se ao solo. Vigiando a Embaixada, porém, os "tiras" portugueses são uns pândegos: ostensivos, cínicos, e sobretudo chatos, criam uma situação ridícula para Portugal e vexatória para o Brasil. Não se limitam a olhar de longe — um carro se detém e eles vêm correndo — já bobearam uma vez e não querem cair noutra.

É o famoso secreta português, ao qual só falta o distintivo à lapela. O próprio Embaixador já teve de escorraçá-los de sua porta como ratos, para que não se cheguem muito e, como no verso de Drummond, comecem a roer o edifício.

— Polícia, para mim, tem de estar fardado — disse a Embaixatriz, pedindo ao criado que os afastasse: — Estes aí podem ser até bandidos.

O que, certamente, eles são.

A História de Portugal reserva um lugar ao brasileiro Álvaro Lins, se a ditadura de Salazar vier logo a cair, como se espera. Delgado já é hoje uma longa e conhecida história.

O General Delgado esteve vivendo num apartamento isolado da Embaixada do Brasil, ao fim de um longo corredor. Álvaro Lins foi discreto a respeito de seu ilustre hóspede, para evitar que qualquer distração de sua parte viesse servir de pretexto para uma chicana de Salazar contra o direito de asilo, legitimamente exercido. No dia em que buscou refúgio, embora o ditador negue isso, Delgado ia realmente ser preso às cinco horas da tarde, para depois ser morto por um tiro perdido numa escaramuça de rua. Suas fontes de informação eram seguras, e o General não é homem de se esconder por dá cá aquela palha. Ele que se arriscasse a pôr um pé na rua. Salazar, porém, disse que nada havia contra ele, poderia sair à vontade, ir para o Brasil ou para onde quisesse. Álvaro Lins é que não foi nessa conversa, no que obrou bem — apesar da onda que o dinheiro de Salazar conseguiu despertar contra ele no Brasil, e das vacilações de nossa política diplomática.

— Não me importo de perder nem a vida, quanto mais o cargo — disse-me ele.

E revelou a sua firme intenção de ir até o fim, na defesa do direito de asilo e da integridade daquele que simboliza hoje em Portugal os direitos fundamentais do homem.

Não é só o nosso Embaixador que esteve metido na encrenca. O da Argentina se queixava com ele:

— Você é que é de sorte: arranjou com que se distrair, asilando Delgado, enquanto eu passo os dias no marasmo e na rotina.

Dois dias depois estourava na Embaixada Argentina o Capitão Galvão (companheiro de Delgado e mais perseguido ainda por Salazar), depois de varar espetacularmente o cerco da polícia. Já cumprira pena de dezoito anos, por "crime contra a segurança do regime", quando deu parte de doente e o recolheram à enfermaria da prisão. Foi ao toalete, logrou saltar a divisão do toalete de senhoras, arrombou uma janela, desceu ao segundo andar, onde amigos, já avisados, o esperavam. Tingiu os cabelos, disfarçou-se de entregador de feira e foi bater à porta da Embaixada da Argentina — já que jamais conseguiria chegar até a do Brasil. E foi um guarda de Salazar que o encaminhou à entrada dos fundos. Entrou, fechou a porta atrás de si e apresentou-se ao funcionário:

— Comunique ao Senhor Embaixador que sou o Capitão Galvão e vim buscar asilo.

O funcionário ergueu os braços, revirou os olhos e desmaiou.

É possível que quando isto for publicado a situação em Portugal já tenha evoluído — pelo menos no que se refere aos asilados políticos. Quanto aos que estão presos, não creio que sua situação mude assim tão depressa — muito embora até um padre esteja comendo cadeia sem processo por atentado contra o regime. Dizem que ele, ao ser preso, pediu permissão ao bispo para reagir — o bispo achou melhor não fazer nada, por ora.

Se fosse o Bispo do Porto, possivelmente a reação seria diferente.

O Bispo do Porto, que também se chama António, meteu o pau em António de Oliveira Salazar, numa célebre carta em fins de 58, exigindo, em resumo, que ele se retirasse da vida pública — e já iria tarde. Correram uns versinhos:

> *"Entre o António de lá*
> *E o António de cá,*
> *Existe grande disputa:*
> *Um é o filho da Sé.*
> *E o outro — não é."*

Pelas ruas de Lisboa, aliás, as anedotas se multiplicam à sorrelfa:

— Dois mais dois, igual a quatro.

— Psiu, cuidadito! Olhe que Salazar está a prender os intelectuais.

Tive oportunidade de ressuscitar algumas velhas anedotas de Getúlio, devidamente adaptadas, e que fizeram grande sucesso. O homem é sempre o mesmo, seja no Brasil, em Portugal ou em qualquer outra parte. A dignidade ferida reage desta ou daquela maneira, mas nunca deixa de reagir e cedo ou tarde se erguerá, ao impulso da chamada justa indignação. Até lá, é o medo, a insegurança, o desemprego, a miséria ou a própria angústia de viver que vão forjando mil e uma formas de fuga, da ironia ao desespero. Nunca houve tanto suicídio como atualmente neste angustiado país sob a tirania de Salazar. As condições necessárias ao exercício de um mínimo de dignidade vão deixando de existir para todos, indistintamente. Eis por que o próprio tirano não tem mais coragem de botar o nariz fora de casa: difícil lhe seria sobreviver na atmosfera pestilenta que ele mesmo criou.

— O ditador está morto. Já começou a apodrecer e a empestear o ambiente.

As palavras de Manuel Mendes me voltam, insistentes. A ser verdade a morte política de Salazar, seu "suicídio" se deu no momento em que julgou poder conceder ao povo, por ocasião das eleições, um pouco de liberdade, ainda que a "estritamente necessária".

E o povo de Portugal não se deixou saciar. Sentiu cheiro de sangue, do seu próprio sangue derramado nos dias gloriosos de campanha eleitoral, e o velho instinto de liberdade se reacendeu. Em vez de voltar a arma contra o peito, como vinham fazendo os desesperançados, descobre agora que pode voltá-la um dia contra o opressor. Renasce uma esperança de melhores dias, e cada cidadão português dará a vida, se for preciso, para mantê-la de pé. Acuado em seu palácio, cercado de sombras e fantasmas, o ditador insiste em se iludir, fazendo crer que está vivo. Está morto, consumido pelo próprio veneno que durante tantos anos destilou. Cumpre apenas enterrá-lo.

PARIS —

Velha Lutécia

TUDO que havia para acontecer na velha Lutécia já aconteceu. Tenho a impressão de que cheguei um pouco atrasado. Depois da guerra, a hegemonia da cultura francesa parece que passou do ponto, começou a derreter como um *camembert*. Ou a azedar — há qualquer coisa de *faisandé* pairando no ar, que nem mesmo o nariz de ferro de De Gaulle é capaz de absorver.

O hotel de onde escrevo está caindo há quinhentos anos. O chão do quarto é inclinado a ponto de me fazer perder o equilíbrio e o corredor parece o de um navio em alto-mar. Um dia afunda. E pode arrastar na queda o país inteiro, que já está maduro, basta sacudir que ele cai. A França Eterna caiu um dia e tornou a se erguer. A França Eterna! *La France, toujours la France*. Joana d'Arc. Napoleão. A Revolução Francesa. A Resistência.

— E depois da guerra?
— *La guerre, c'est la guerre*.
— Este caso da Argélia, por exemplo.

Depois da guerra houve o General De Gaulle. Aquela bagunça não podia continuar. O caso da Argélia? De Gaulle resolve. De Gaulle resolve tudo.

Acho que De Gaulle vem a ser, para os franceses, o que o mapa de Minas é para os mineiros: um narigudo de perfil. Mesmo nos olhando de frente ele está sempre de perfil. Outro dia foi, perfilado, receber a própria Joana d'Arc em Orleans — ou pelo menos uma jovem fantasiada de Joana d'Arc, a cavalo e tudo. *Noblesse oblige*. Quanto à Argélia...

— Mas você só sabe falar no caso da Argélia, que diabo! Tanta coisa interessante para ver, ouvir e contar!

Perdão, o que eu justamente não sei é falar no caso da Argélia. Se tivesse lido, por exemplo, *"La Question"* de Juan Jimenez ou *"La Gangrene"* de Hezil Allege, é possível que estivesse bem informado sobre a tortura infligida pelos franceses aos seus prisioneiros. Mas De Gaulle em boa hora recolheu a edição desses dois livros. Ainda assim, ouço dizer que a coisa está preta: aqui mesmo em Paris, foi assassinado ontem um grande advogado dos argelinos, dizem que pela própria polícia, mas a polícia proíbe que se fale no assunto. Tem polícia de metralhadora em tudo quanto é canto de Paris, caçando argelino para pedir documento. A qualquer instante posso levar um tiro, eu que não tenho nada com isso, nem cara de argelino. Como é que vou ter tranqüilidade para ver, ouvir e contar outra coisa?

— *Cherchez la femme*. As mulheres francesas, as pernas da mulheres francesas! Mistinguette, você não gosta de Mistinguette?

— Bem, meu avô costumava dizer que Mistinguette...

— Pois então? Vá ver Josephine Baker no Olympia — que menina sensacional!

Se for assim, é uma pena que Gide e Claudel tenham morrido tão jovens: um com apenas 82 anos e o outro com 89. E Paul Léautaud, noventa e quantos? Colette era o broto: 81. Ficaram Michaux, Giono, Cocteau — *enfants terribles!* Mauriac escrevendo sobre seu assunto predileto: Mauriac. Malraux, o romancista, hoje é Ministro da Cultura Francesa.

Para me distrair, uma volta por Saint-Germain que, segundo a referida tradição, é onde se refugiou a fina flor da cultura parisiense depois da guerra. Café de Flore — ali costumava sentar-se Jean-Paul Sartre com Simone de Beauvoir a tiracolo. (Ou no colo.)

Sim, porque depois da guerra houve o existencialismo, eu ia me esquecendo: a *cave* existencialista, com mulheres de melenas sujas, vestidas de homem — e efebos com gestos deliqüescentes de mulher, enroscados como lombrigas ao som estrídulo, histérico e esotérico do que julgam ser música de jazz. Para escandalizar a Burguesia só lhes resta o supra-sumo da originalidade de casar-se e constituir família.

Por falar nisso, por onde anda Jean Genet, o ladrão pederasta que fez de sua vida uma das glórias da literatura francesa moderna? Camus está superado depois que ganhou o Prêmio Nobel — muito "quadrado" para essa gente: hoje dirige teatro, adaptando "Os Possessos" de Dostoievski, este outro bom burguês. De Jacques Prévert ninguém mais ouve falar. A própria Juliette Gréco desertou daqui, agora é do cinema, anda às voltas com John Huston lá na África, se não me engano. Em compensação, Julien Green continua publicando seu *"Journal"*, já está adiantado, ainda este ano sai o volume do ano que vem. E esse outro, Michel Butor, que escreveu um romance na segunda pessoa, uma revolução técnica — na segunda pessoa, imagine! Não se falando de Françoise Sagan.

Depois da guerra houve Françoise Sagan. E no cinema, Michèle Morgan.

O acontecimento mais importante dos últimos tempos no mundo literário francês foi o caso de Pierre Benoit na Academia. O velho romancista, saindo do merecido esquecimento em que jazia, abandonou aquele cenáculo em sinal de solidariedade com o confrade Paul Morand, recusado sob acusação de colaboracionista. Mauriac encabeçou o movimento contra sua candidatura, provavelmente vitoriosa se o próprio De Gaulle não metesse o nariz, intervindo para que ela fosse retirada. "Sou muito grato de que queiram impedir-me de renunciar, mas ninguém pode me obrigar a sentar a força", declarou Pierre Benoit.

Este acontecimento foi o mais importante dos últimos tempos no mundo literário francês.

Ver Paris em apenas vinte dias, a Cidade Luz! É muita coisa, não posso ter olho maior do que a barriga, só me resta comer. *Au fromage* ou *aux champignons*? *Du blanc* ou *du rouge*? *Soupe l'oignon* ou *bouillabaisse*? Carne de vaca ou de cavalo? *Camembert* ou *roquefort*? *Le service est compris*? Pois então vamos comer, que no fundo ninguém quer saber de outra coisa senão continuar comendo, e quanto mais cheiro tenha, mais aumenta a glória da célebre comida francesa.

O que, incidentemente, mais aumenta também o cheiro que tresanda no interior dos cinemas, elevadores, metrôs. Não há olfato brasileiro que não se ressinta ao entrar em qualquer dos lugares públicos em que o povo costuma aglomerar-se, malgrado a mobilização de toda uma esplêndida indústria de perfumes.

Cheio o papinho, pé no caminho: saio de um bistrô e enquanto faço hora para entrar noutro, decido-me a ver Paris. Para enfrentar a cidade, mobilizo de minha parte os lugares-comuns dos visitantes deslumbrados. Vamos a eles:

— A velha Lutécia! Ah, Paris é realmente uma grande cidade. Não se tem a impressão de ver, mas de *rever* Paris. Pode-se andar na rua de qualquer maneira, ninguém repara. Respira-se um ar inteligente, não é isso mesmo? A gente se sente como se estivesse em casa. A cidade mais estimulante do mundo. O céu de Paris!

— Que é que tem o céu de Paris?

— Ah, é um céu diferente.

E continuemos:

— Cidade onde amar não é pecado. No hotel não perguntam nada, você entra com quem quiser. E mulheres são as de Paris, que elegância! Com qualquer coisa estão dentro da moda. É cidade para se andar na rua. Só a rua já é um espetáculo, cada pedra tem uma história para contar. Até o porteiro do hotel tem *esprit*. Em Paris a gente é sempre jovem. Ah, fazer um curso na Sorbonne! Tem um barzinho muito simpático, os artistas todos costumam ir lá. Que delícia, encerrar a noite comendo ostras no mercado. Mictórios no meio da rua, todo mundo vendo, ninguém liga. *Bouquinistes* à margem do Sena, tão pitoresco. O metrô é facílimo, logo se aprende. Não deixar de assistir à missa cantada de Notre Dame: vale como espetáculo. Lido, Follies Bergères, Lapin Agille — não se pode deixar de ir. Mulheres nuas — interessante é que não acham imoral, encaram tudo com naturalidade. Tem-se de dar gorjeta para tudo, senão reclamam. Não são grosseiros, chamam a gente de *madame* ou *monsieur*, pedem sempre por favor. Enfim, Paris é sempre Paris.

Com o guia Michelin em punho, os lugares-comuns da cidade não podem comigo: tenho aqui roteiros meticulosos para o visitante apressado, e infelizmente é o meu caso. Digo infelizmente porque daria tudo para passar o resto de meus dias sentado numa dessas mesas de calçada vendo Paris desfilar por mim. Mas tenho de cumprir o itinerário turístico que me impus. E então subo à Torre Eiffel, torno a descer; embrenho-me no Louvre, onde por mais de três horas não consigo passar do setor da antigüidade egípcia; encontro afinal o caminho da rua e trato de escafeder-me com a promessa feita a mim mesmo de voltar amanhã pelo outro lado; vou ao Petit Palais e dou com a cara na porta porque está fechado para reformas; resolvo fazer um *tour* para estrangeiros montado naquele ônibus de dois andares, ouço as explicações do guia, percorro a cidade inteira. Alguns transeuntes se voltam, apontam para mim, começam a rir. Desconfio que o próprio ônibus vem a ser uma das principais atrações turísticas.

Nos arredores de Paris foi encontrado o que restava do corpo horrivelmente carbonizado de uma mulher. De investigação em investigação, a polícia conseguiu identificá-lo como sendo o de uma conhecida prostituta nas rodas boêmias da cidade. Imediatamente prenderam seu companheiro, um rapaz de boa aparência que, instado pelos métodos de interrogatório aperfeiçoados em argelinos, tudo confessou: matara a mulher porque descobrira que estava havendo evasão de renda no seu repelente comércio. E revelou esta realidade estarrecedora: queimara o corpo não só para confundir a polícia, mas também para que ela tivesse morte bem violenta, como castigo exigido pelo Código de Honra vigente no *bast-fond* em que exerce sua atividade. Que Código e que Honra serão estes, a que o gigolô se referia? Fiquei sabendo então que, entre outras coisas, é tacitamente estabelecido um princípio, segundo o qual a maior falta em que pode incorrer uma prostituta é a de furtar-se à comissão usual a que faz jus seu "protetor" sobre a féria do dia — falta esta punível com morte violenta.

Em nenhum dos países europeus que visitei, a prostituição me parece tão ostensiva — somente comparável à da Praia de Copacabana e de Ipanema dos nossos dias. Não é à toa que a baixa terminologia universal a ela referente, na sua grande maioria constitui-se de vocábulos de origem francesa. Em certas zonas de Paris tem-se a impressão de que a cidade não existe senão em função disso — problema social que se irradia aos demais setores da atividade noturna. O cinema francês, por exemplo, fazendo dela uma constante quase obrigatória de sua temática, é bem um reflexo disso.

Elas estão por toda parte, ao cair da noite — na Madeleine, próximo ao meu hotel, dão-se ao luxo de fazer *trottoir* de automóvel, à cata de fregueses mais comodistas. E um dos incentivos que mantêm sempre a numerosa freguesia está nos espetáculos de *strip-tease*. "Desire", "Sex", "Sex-Apeal" — tais são os nomes dos inúmeros lugares, além do "Lido", "Follies Bergères", "Moulin Rouge", famosos no mundo inteiro, onde as mulheres se despem diante do público. Algumas terminam o espetáculo, tornam a vestir-se e saem apressadas, maletinha na mão como médicos em caso urgente, para participar de outro na mesma rua — muitos em sessão contínua desde as primeiras horas da tarde. Não creio que em lugar nenhum do mundo tanta mulher se ponha pelada em público. Dizem que em alguns antros, como no "Crazy Horse Saloon" — que me foi recomendado por pessoas de fino gosto —, o espetáculo obedece mesmo a certa orientação artística bem concatenada, como no arranjo que fizeram para *strip-tease* de alguns trechos... de Jules Renard! Noutros a coisa é francamente da mais rasgada obscenidade. Como naquele em que os fregueses são discretamente convidados, se o desejarem, e mediante prévio pagamento, a dançar na outra sala, com as "artistas" nuas da cintura para cima — ou para baixo, se preferirem.

É de se admirar que a polícia, consentindo no funcionamento de tais pontos de atração do estrangeiro, exerça tão severa vigilância sobre o comércio de fotografias pornográficas, crime grave tanto para quem vende quanto para quem compra. E nem por isso se passa um dia sequer sem que sejamos abordados numa esquina por um indivíduo em atitude esquiva, oferecendo o seu nojento artigo. Dizem que a indústria cinematográfica neste ramo, embora clandestina, é mais poderosa ainda, dando para atender encomendas de toda parte do mundo.

O francês oferece ao mundo o espetáculo deslumbrante de Paris, ou simplesmente esquece tudo em favor de um pedaço de queijo e um bom copo de vinho. O governo nada mais pode fazer para se insurgir contra o copo de vinho: perdido no paradoxo de uma campanha antialcoólica cujo sucesso viria restringir o consumo de uma das suas principais fontes de renda, limita-se a sugerir, em cartazes de propaganda espalhados nos muros, trens e nos próprios bares: "não beba *muito* vinho". Porque nunca se bebeu tanto vinho como atualmente na história da República Francesa. A advertência governamental certamente funcionará mais como incentivo do que como restrição.

Que concluir de tudo isso? Que na Velha Lutécia se vive atualmente em plena bacanal? Fim do Império Romano? Decadência do Ocidente? Não, se me lembrar de outros setores em que a vida parisiense se multiplica, nos quais o primado do espírito deixa sempre a sua marca imperecível. Afinal de contas Paris, como Roma, também não se fez num dia. E a cultura francesa, patrimônio da civilização ocidental, não se anula nem interrompe a sua evolução por causa de um mulher despida, um argelino assassinado, o sucesso de um romance medíocre, ou o nariz de um general.

Michèle

EM compensação, vários cinemas aqui em Paris estão exibindo filmes dela. Várias revistas francesas têm seu retrato na capa. Não se dá um passo sem esbarrar com seus olhos de cigana oblíqua e dissimulada como os de Capitu, a nos espiar de algum cartaz.

Pois ontem, quando eu tomava um refrigerante no balcão daquele *drug-store* na esquina de Champs Elysées, dei com ela ao meu lado, comprando cigarro, ou coisa parecida.

Michèle Morgan, a própria! Eu não podia acreditar. Estava acompanhada de Henri Vidal, que se há de fazer? Mas o rapaz não me despertou senão inveja da sua feliz e difícil condição de marido — minha atenção era toda para ela. Fiquei ali estatelado a observá-la de perto no seu vestido verde-claro e seus cabelos ainda mais claros, olhos claríssimos, de um azul quase branco: os mesmos da linda órfã, cega de nascença, do filme magistral *"La Symphonie Pastorale"*, inspirado no livro de André Gide. Eu me perdia a contemplá-los, extasiado.

A moça que a atendia e várias pessoas por ali também a reconheceram — mas todos se mantinham discretos, procuravam poupá-la da incômoda admiração que sua presença despertava. Eu, não: continuava firme a olhar a deusa — uma deusa já não muito jovem, pude notar com certo alívio perverso. Quinze anos atrás, a proximidade de sua beleza extraordinária me faria tremer nos alicerces.

Ali estava ela, o ideal de beleza feito mulher. Um pouco mais baixa do que eu imaginava, comprando cigarros mentolados, pude verificar então. Deixei-me ficar, admirando de perto seu rosto de linhas firmes onde o tempo também começa a deixar marcas, mas que ainda me faz disparar o coração.

De súbito ela voltou para mim seus olhos deslumbrantes, intrigada talvez com a insistência de minha atenção, que ao redor era surpreendentemente mais discreta. Não tive coragem de lhe dirigir a palavra, nem ao menos de lhe pedir um autógrafo (para minha filha, naturalmente — me justificaria) como cheguei a pensar. Afastei-me, afinal, a contragosto, fui para o hotel perseguindo pensamentos tolos e dormi tranqüilo, depois de perdoá-la por não haver me reconhecido.

Mas sonhei que tornava a encontrá-la, e ela me dizia:

— Olha, Fernando: fiquei sem jeito porque o Henri estava ali e podia não gostar. Mas o Otto já me havia falado em você, conversávamos sempre a seu respeito. Na maneira que você me olhava pude ver que não passo de uma tonta criação de seus vinte anos, inatingível ilusão da mocidade e que agora se desfaz...

BRUXELAS —

Moinhos, vacas e tulipas

FUI a Antuérpia e voltei a Bruxelas no mesmo dia. Nada pude ver, pois cheguei depois de quatro da tarde e todos os pontos de interesse estavam fechados. Tive de conformar-me em ler à porta de igrejas e museus algumas páginas do guia turístico que o Otto me emprestou. E regressei, não sem antes tomar um chá, que poderia ter tomado aqui mesmo. Ou no Brasil. Fui a Antuérpia tomar um chá.

O que me faz lembrar aquele outro brasileiro em viagem pela Europa que, de madrugada, dentro do trem, abriu a janela e viu um campo de neve. Chamou o guarda do trem:

— Guarda, que país é este?
— Suíça — respondeu o guarda.

Ele tornou a fechar a janela e tomou nota numa cadernetinha:

— Suíça. Mais um país que eu conheço. Dezesseis.

Meu anfitrião em Bruxelas, o inefável Otto Lara Resende, resolveu levar-me ao interior da Holanda para ver moinhos, vacas e tulipas.

As vacas estavam cobertas com uma manta por causa do frio; as tulipas, verdadeiros lençóis coloridos sobre o campo, em todos os tons imagináveis, sendo cuidadas pelos camponeses.

— Estão acabando de pintar as tulipas — informou o Otto.

A certa altura, ele se voltou ao volante, entusiasmado:

— Olha ali aquela vaca de penhoar e de óculos, fazendo para as outras uma conferência sobre as tulipas!

Mais adiante, paramos o carro num quiosque florido, comemos um sanduíche de tulipas e regressamos. No caminho vimos passar um ônibus cheio de tulipas, digo, turistas brasileiros, no qual estava escrito: "Montevidéu—São Paulo". Preferimos não entender como um ônibus de São Paulo viera parar ali.

Em Amsterdam fomos cercados por um enxame de bicicletas. Eram centenas, todo mundo pedalando, ninguém anda a pé. E não conversam entre si, vão pedalando silenciosos e graves — talvez porque a língua deles seja muito difícil: cheia de declinações, quando aprendem a falar já estão velhos, não há mais o que dizer. Que o holandês me desculpe, mas essa é a melhor explicação que encontro para o seu laconismo.

Na fronteira repeti a única frase em holandês que aprendi de ouvido, falada por vários deles: "O Alberto está aí?" E o guarda nos deixou passar sem mais indagações. Deve significar algo de muito importante.

FRANKFURT —

Casa de Goethe

TENDO visitado a casa de Shakespeare na Inglaterra,* eu não poderia deixar de visitar a de Goethe na Alemanha. Foi o que fiz hoje, com toda a unção de quem, mesmo reverenciando o poeta, desconhece o melhor de sua poesia por não saber alemão.

Devo dizer, preliminarmente, que não me foi dado verificar a existência, na casa de ambos os poetas, tanto o de Hamlet, como o de Fausto, de nenhum toalete ou banheiro de qualquer espécie. Donde fui levado à conclusão, já sustentada antes pelo Vinicius, de que os poetas realmente não fazem essas coisas.

Mas havia lá bustos e retratos do morador, numa variedade inimaginável. A im-

---

* — *Aqui Nasceu o Homem*, em "A Inglesa Deslumbrada".

pressão que tive é de que o homem se fazia pintar e bustificar a cada ruga que lhe surgia no rosto. E muitas devem ter surgido, pois, como se sabe, por mais olímpico fosse o bardo, morreu com oitenta e tantos anos bem vividos, e isso sua iconografia não pode negar.

Verifica-se, ainda, que o menino Joãozinho Wolfgang teve dias felizes, a se julgar pela casa em que passou a infância e parte da mocidade. Basta dizer que na cozinha se davam ao luxo, absolutamente excepcional para a época, de ter uma engenhosa bomba de cisterna, que proporcionava uma pia com água corrente. A casa foi destruída durante a guerra, mas a reconstruíram tal como era antes, aproveitando o mesmo material, e os móveis são ainda originais. Pude ver a própria escrivaninha, toda manchada de tinta, na qual o rapazinho, então com dezoito anos, teve o seu primeiro encontro com Mefistófeles.

De modo geral, todos os móveis são de um mau gosto deslumbrante — a não ser um palquinho de marionetes que a avó lhe deu de presente e no qual provavelmente ele experimentou a disposição cênica de seu primeiro drama. Tem também um grande relógio, gigantesco, descomunal, único no gênero, que era orgulho de Goethe: marca segundos, horas, dias da semana, meses do ano, fases da lua, e a corda leva uma década para se acabar.

Saí de lá impressionado; uma certidão de batismo do grande criador de "Werther" e das "Afinidades Eletivas", devidamente emoldurada, chegou mesmo a me fazer imaginar a emoção do padre que o batizou, ao saber o nome da criança.

Elvis

POIS é isto, meninas: não me levem a mal, mas acabei não me encontrando com Elvis Presley.

Quando soube que ele estava vivendo nos arredores de Frankfurt, onde veio prestar serviço militar junto às forças americanas aqui na Alemanha, resolvi me mexer para encontrá-lo. As coisas foram encaminhadas sem dificuldade: o pai dele, que atende ao telefone em sua casa, tem prazer em facilitar qualquer publicidade para o filho — mesmo a mais equívoca ou insignificante, como certamente seria a que eu fizesse. O próprio Exército se interessa em apresentá-lo como bom soldado raso (aliás recentemente promovido a cabo). Não tenho nenhum motivo para duvidar.

Dizem, porém, os que o entrevistaram até não poder mais aqui em Frankfurt, que se trata apenas de um bom sujeito, caladão e encabulado, completamente alheio ao que seus agentes inventam para perturbar o coração das mocinhas em flor.

Não tão em flor que não fossem capazes de se jogar sobre ele para tirar um pedaço e beber-lhe o sangue, se possível ainda quente. Há pouco tempo, quando o moço foi doar seu sangue à Cruz Vermelha, como é de praxe para os soldados americanos, tudo quanto é *fraulein* saiu correndo para doar também o seu. Ele que não se proteja quando sai à rua.

Geralmente não sai: vive fora do quartel com seu pai, sua avó (que se abalaram para aqui) e dois guarda-costas, numa pequena localidade a vinte quilômetros de Frankfurt. No princípio andou aparecendo em público com uma jovem da cidade, mas fizeram tanta onda, que ele teve de parar. Parou também o trânsito, quando foi a uma loja comprar um violão e estaria feito em pedacinhos pelas fãs mais exaltadas, se não fossem os dois guarda-costas — que ele alega serem apenas dois amigos. (Embora um deles tenha dois metros de altura e seja um ex-lutador.)

E por falar em pedacinhos, uma revista fez um concurso entre as leitoras: quem conseguisse recompor várias fotografias do cantor, publicadas em pedacinhos misturados, teria como prêmio tomar chá com ele. Elvis concordou logo: tudo é lucro, declarou. Mas não lucrou nada com a publicidade gratuita que fez do BMW, seu automóvel conversível: a fábrica lhe ofereceu o carro para ser usado durante seis meses; se gostasse, comprava; se não gostasse, devolvia — que o carro usado por Elvis Presley seria vendido a bom preço, até mesmo em leilão. Ao fim de seis meses ele fez, porém, questão de pagar o carro e não se falou mais no assunto. Quando houve um desastre com o tal carro, foi um corre-corre terrível entre as fãs, acabou-se apurando que quem dirigia era o pai.

E é só, meninas: como se vê, com tão pouco não se faz a glória de um homem, que dirá uma boa matéria sobre Elvis Presley. Afinal de contas, como diria o Garrincha, não sou nenhum Rui Barbosa, mas também não sou macaca de auditório. Confesso que minha disposição se arrefeceu ante a perspectiva de vinte quilômetros de estrada para visitar o cantor em sua casa, como acertei com o pai dele, e regressar depois de alguns minutos de conversa, para poder dizer que estive com o rei do *rock-and-roll*. Não mereço tanto.

ROMA —

Língua italiana

Entender o sistema de trens aqui não é assim tão fácil. O chamado "acelerado" é lentíssimo, pára em tudo quanto é estação; o "direto", um pouco mais rápido, pára em algumas; o "diretíssimo", vem a ser exatamente a mesma coisa que o direto; e o "rápido" é rápido mesmo. Em alguns, a segunda classe é melhor do que a primeira; noutros é praticamente a mesma coisa, com a diferença que a primeira vai quase vazia. Os preços dos bilhetes variam segundo a distância em quilômetros e se sujeitam a descontos que vão a

70%, como é o caso de jornalistas, estudantes, soldados, funcionários públicos e não sei quem mais. O turista estrangeiro, até o 12º dia de sua entrada no país, pode comprar por preço razoável um bilhete de livre circulação que lhe dá direito, durante vinte dias, a viajar de trem quando, como e para onde quiser. Mas só se lembraram de me avisar isto no décimo terceiro dia.

A língua italiana é agradável de se ouvir e mesmo quem, como eu, nunca aprendeu, logo se acostuma a entendê-la e se fazer entender. Algumas palavras, porém, me dão sempre uma vontade idiota de rir.

Já não digo o "prego", que se ouve toda hora, como resposta a um agradecimento. Mas não me acostumo, por exemplo, é a chamar carimbo de "bolo", selo de "francobolo" e envelope de "busta". Por isso é que não tenho escrito cartas como gostaria. Já não é pouco ter de chamar perfume de "profumo", manteiga de "burro" e saber que "casamento" quer dizer rompimento, "cascamorto" é um sujeito namorador, "guardar" é olhar, "calza" é meia ou "capote" é boné. Não aprendo italiano e desaprendo português.

Pappagallo

QUER dizer papagaio, mas na gíria italiana de nossos dias não significa letra em banco: segundo me disseram, refere-se especificamente aos jovens italianos que praticam o esporte da "papagalagem", muito em moda na cidade. É uma versão européia de trampolinagem, espécie de curra voluntária e blandiciosa especialmente para turistas, em que a juventude transviada daqui resolveu se especializar.

Em geral, fazem plantão junto aos monumentos e fontes, como na Fontana di Trevi, por exemplo, local de sua predileção: sabem que ali os turistas, levados por antiga superstição, vão jogar moedas na água para que suceda voltar a Roma um dia — e diz a lenda que tal realmente acontece. Mas não vão apanhar as moedas os rapazes desocupados de Roma — um verdadeiro "pappagallo" jamais pensaria nisso. Ficam por ali, de camisa esporte, exibindo o físico com ar de atletas em disponibilidade, aguardando suas vítimas.

Dizem que as do Norte, especialmente as suecas e alemãs, são as mais proveitosas — algumas vindo mesmo a Roma especialmente para isto. Assim que um ônibus de turistas despeja na rua sua preciosa carga, os rapazes se aproximam, ar displicente, escolhem a mais propícia e fazem ali mesmo a abordagem — na vista do marido ou de quem quer que seja, pois o acompanhante em geral não entende bem o que se passa, e se entende não ousa protestar. Propõem um passeio, uma serenata, um drinque, um *souvenir*, qualquer coisa — e sempre arranjam jeito de marcar um encontro para mais tarde, a sós.

A polícia, que também ronda por ali, sabe que com isso começou a exploração, mas não intervém, para não quebrar a tradição — pois, além do mais, é isso mesmo que elas querem: sempre ouviram falar na impulsividade dos italianos, o sangue quente dos latinos.

E então começa o romance. Se tudo corre bem, como em geral acontece, são passeios de lambreta, violão, serenata, ruínas ao luar — e muito amor. Eles se dizem logo apaixonados e o pretexto inicial para tomar dinheiro até parece ineficaz de tão cínico: sendo pobres e desempregados, não terão nem com que pagar o selo das cartas de amor que escreverão. Os correios da Itália levam a culpa: cobram uma exorbitância...

Afirma-se que com essa papa tão simplória o "pappagallo" na Itália consegue se defender até que muito bem. Quando não consegue, não se importa: volta para o seu posto à espera de um novo amor, às vezes até meio nostálgico, que de amor também se vive.

RIO DE JANEIRO —

Cinema

DE volta ao Brasil, recebo um convite em cima da hora, para uma sessão especial de cinema. Disponho-me a ir, ainda há tempo. Sinto-me desvanecido de se lembrarem de mim, principalmente por se tratar sempre de filmes especiais, de alta qualidade, que não têm, ou não terão tão cedo, exibição regular nos circuitos normais.

Mas o que eu gostaria mesmo é de rever certos filmes sabidamente ruins: um faroeste de Tom Mix ou Buck Jones, por exemplo. Sei que nada contam na evolução do *western*, não passavam de uma contrafação barata para divertir a molecada — mas, molecada ou não, minha infância ficou foi ali.

O cinema só se emancipará como arte, da indústria que o condiciona e o estigmatiza, quando em qualquer tempo for livre o acesso ao seu patrimônio — condição indispensável para que se firme uma tradição de cultura.

Puxa, que esta frase nem parece minha! Em outras palavras: cinema, para mim, seria bom se eu pudesse ver os filmes que quisesse, mesmo os ruins, e não os que os exibidores querem que eu veja. No dia em que pudermos comprar um filme como um livro e trazê-lo para casa, o cinema terá finalmente escapado à injunção comercial de espetáculo coletivo que o escraviza, para realizar-se em sua verdadeira potencialidade artística: não como o teatro, que depende da platéia, mas como a literatura, que o inspira. E tenho dito.

Talvez para sair perdendo... Não sei, mas ultimamente dei para desconfiar que ainda assim, por melhor que fosse, o cinema não resistiria a uma meditação mais exaustiva sobre a vida que procura recriar. Acabaríamos furando a tela, que é rasa, na tentativa insatisfeita de dar corpo à representação nela vivida. Por mais autênticos que sejam os tipos humanos no cinema, em última análise eles não "existem" mesmo, a gente acaba descobrindo; não passam de atores com ar de cachorrinhos amestrados, feitos de luz e sombra e muito *make-up*, submissos ao sadismo do diretor e seu chicote.

Sei que no teatro parece acontecer a mesma coisa — mas no teatro o que se vê é a representação de uma peça, ao passo que o cinema pretende representar a própria vida. Hamlet, todo mundo sabe quem é: só mesmo ele próprio não sabia que não passava de um personagem de Shakespeare. Mas quem será, digamos, Gelsomina, além da imagem fugaz que dela nos deu Fellini em "La Strada?" E aquele pobre operário italiano do qual De Sica só nos mostrou as aflições quando lhe foi roubada a bicicleta? A menos que não passem de meros símbolos. Quem é Carlitos senão um símbolo? E estou falando nos três pontos mais altos que o cinema já atingiu.

Melhor fora que não falasse. Fui apenas largando idéias no papel, à maneira de Mário de Andrade, para ver como elas reagiam. Reagem mal, já se vê. E, com isso, acabei perdendo a tal sessão especial.

Bustos

UMA das palavras mais indecentes que havia era a palavra *coxa*. *Seio*, então, nem se fala: a menina escondia o riso, torcendo a cara, maldando até mesmo o teu seio, ó liberdade!, quando cantava o Hino Nacional. Mais do que isso, e já estávamos em pleno domínio dos palavrões interditados.

As coisas me parece que mudaram muito desde então. Hoje até os meninos se familiarizaram com o corpo feminino, cujas partes são criticadas, medidas e cotejadas nos concursos de beleza. Qualquer garoto sabe, por exemplo, que a Miss Brasil, Marta Rocha, deixou de ser Miss Universo por causa da grossura das coxas — sem que esta palavra acenda nele mais uma acha de lenha no inferninho de malícia com que vai satisfazendo a sua necessidade de aprender as chamadas coisas da vida.

A palavra *sexo*, por exemplo, antigamente saltava a seus olhos num contexto como indiscreto rasgão numa roupa — a ponto de tomar por ela à primeira vista qualquer outra com *x* que se lhe assemelhasse, como *seixo*, ou *nexo*. Hoje o deixará indiferente: sexo é assunto manjado e sem maior ressonância no seu estado de permanente excitação.

Mas a mim, para quem essas palavras se constituíram em verdadeira comoção da inocência, ao impacto das primeiras descobertas, até hoje me deixam de sobreaviso e dão o que pensar.

Talvez por isso me tenha escandalizado um pouco o que neste ano excedeu ao próprio escândalo do carnaval, sobejando em jornais e revistas como noticiário, referências e fotografias, na forma de um busto volumoso de mulher que obstruía tudo mais.

Os leitores que me perdoem, mas a sensação é de que estamos vivendo num mundo meio maluco, no qual um marido conhecido como "O Músculo" sai por aí exibindo com orgulho a peitaria nua da esposa como se fossem as tetas de uma vaca holandesa em exposição pecuária.

Que espécie de marido é esse eu não sei, mas posso calcular. Ela, a atriz Jayne Mansfield, segundo as legendas, conhecida como "O Busto", parece que é o expoente atual de uma nova fornada de robustos corpos femininos que o cinema vai despejando na tela, segundo uma linhagem que vem de Mae West, passando por Sophia Loren e Marilyn Monroe.

Não tenho nada contra tais senhoras, muito antes pelo contrário. Acredito até mesmo que Marilyn, pelo menos, venha a constituir um caso à parte como atriz. E tem gente que gosta — embora elas sejam produzidas como pães frescos numa padaria, cada vez mais inchados. Nem vou dizer que não acho graça nesse tipo de exibicionismo, porque me parece que a coisa é justamente para se achar graça, já tendo superado todos os limites do sensualismo mais ordinário.

Então fica engraçado: a gente pára, olha, sacode a cabeça e começa a rir. Eta mundo! desgraça pouca é bobagem! é muito peito para uma mulher só! isso é que é saúde, tudo mais é conversa! E vamos longe nessa ordem de pensamentos, ou de falta de pensamentos, nos divertindo com as piadas já inocentes de tão banais ou sem graça de tão idiotas sobre a inflação desse atributo da beleza física feminina, que o cinema e principalmente as publicações eróticas se encarregaram de avacalhar.

Passada, porém, a fase, nem direi fescenina, mas apenas estimulante da distração meio pantagruélica que pode representar para os olhos a deformação, o espírito reage, provocando uma ligeira náusea.

Náusea pelo exagero, porque na realidade não é belo como um corpo de mulher deveria e geralmente costuma ser. Nem ao menos do ponto de vista puramente plástico mereceria ser exibido, a não ser como espetáculo de circo — ridículo como a mulher barbada, grotesco como o gigante e o anão, o elefante que dança, o homem que engole fogo, o palhaço que faz palhaçada.

O corpo humano é belo e se falei em vaca é porque na contemplação do úbere farto de uma vaca podemos imaginar o leite que alimenta e sentir a beleza da criação no eterno ciclo de vida a reproduzir-se. Mas nunca seria a beleza que é a imanência de um corpo de mulher ao sopro do espírito que o habita, na sua capacidade de amar e inspirar amor.

Por isso é grotesco: o espetáculo desse enorme espécime de mulher, esplêndido mamífero, bem nutrida fêmea da raça humana exibindo o busto gigantesco com ar de cadela no cio.

O corpo humano, mesmo o da mulher mais atraente, é belo porque foi modelado como um templo vivo e não como pasto onde os olhares e os outros corpos se refocilam. Durante semanas a fio nos fartamos dos seios que essa dama exibiu como dois mamões, sem ao menos aquele ar matronal das cocotes de antigamente, mas com uma lascívia oligofrênica para fins publicitários, que a imprensa também se fartou de explorar, em piadinhas bocós.

Afinal de contas um seio de mulher merece mais respeito, já não digo em nome do que nos amamentou, mas em nome do mais elementar bom gosto no domínio da estética — com suas eternas leis de proporção, equilíbrio e harmonia.

O caso da moça morta

FOI-ME contado em Bruxelas, cuja atmosfera inspira relatos tristes.

A família decidiu passar o verão em lugar mais alegre. Os pais iriam para Paris, a filha para a casa de campo de um casal amigo.

Dispensaram os criados, fecharam o palacete nos arredores da cidade onde moravam, e saíram no mesmo dia: os velhos no automóvel da família, a moça no seu próprio carro. Quando se despediam, porém, prontos para partir, ela deu por falta de sua bolsa. Tornou a entrar em casa, tomou o elevador, subiu ao quarto. Da janela mesmo acenou para os pais lá na rua, mostrando a bolsa. Os pais partiram tranquilos.

Tranquilidade que não durou muito; ao fim de uma semana ainda não haviam recebido qualquer notícia da filha, que prometera escrever tão logo chegasse a seu destino. E lá em Paris a mãe começou ficar aflita:

— Deve ter acontecido alguma coisa. Ela não deixaria de mandar notícia.

O marido procurava tranquilizá-la:

— Está lá com os amigos, se distraindo, com certeza nem se lembrou: gente moça é assim mesmo.

A mulher não se convencia:

— Estou com um pressentimento ruim.

Acabou pedindo que voltassem. Aborrecido, mas no fundo também preocupado, o marido fez-lhe a vontade, e regressaram a Bruxelas.

Ao chegar em frente à casa, deram com o carro da filha parado junto à entrada.

— Eu não disse? Alguma coisa aconteceu para ela ter voltado.

Estranharam encontrar a porta da rua apenas encostada. Logo que entraram, uma terrível onda de mau cheiro os envolveu. Como que adivinhando o que havia acontecido, a mulher soltou um grito e desmaiou.

Ela não podia sequer imaginar o que realmente acontecera. Depois de acenar da janela para que os pais se fossem, a moça se dispusera a sair também, mas o elevador, já velho, enguiçou entre os dois andares. Em vão gritou por socorro, esperou algum auxílio. Não havia ninguém para socorrê-la na casa e todo aquele que eventualmente pudesse aparecer sabia que a casa estaria fechada, a família em viagem por mais de um mês. Acabou morrendo de fome, sede, desespero — o que testemunhavam seus cabelos violentamente arrancados e espalhados pelo chão.*

Calder

UM objeto móvel de sua criação nada tem de escultura propriamente dita — na realidade o escultor Alexander Calder não *esculpe*: corta, prende, fura, amarra, entorta, dependura, e outros verbos cuja ação um escultor não utiliza no seu modelado normal. Trabalha com arames, latas, cacos de vidro, rolhas, pedaços de madeira. Com todo esse material não faz propriamente objetos surrealistas, como os que se tornaram famosos na época dos desvarios estéticos: Salvador Dalí encontrou uma pedrinha nas areias de Cadaqués, na Espanha, e a erigiu em motivo central, razão primeira e explicação última de grande parte da sua obra; Brancusi descobriu a mais perfeita realização estética na forma de um ovo — numa época em que ainda se indagava qual nascera primeiro, o ovo ou a galinha.

Calder não descobriu nada, além do próprio mistério.

Há um permanente mistério no movimento de seus "mobiles", como há mistério no desabrochar de uma flor, nos movimentos de uma aranha em sua teia, na asa aberta de um pássaro, na queda de uma folha, no amadurecimento dos frutos. Há mesmo qualquer coisa de flor, de pássaro, de árvore ao sabor do vento, peixe ao sabor das águas, nesse movimento eternamente recomeçado como o do próprio mar de Valéry.** Tem mais a ver com a pipa que o menino empina na praia do que com a escultura imobilizada em estátuas e monumentos. O artista se faz criança grande, com a sua necessidade de alegria, numa festa de formas e cores em movimento e equilíbrio. Suas criações não são para ser vistas apenas de passagem, mas, como observou Sartre, devíamos viver com elas ao nosso lado, surpreendendo a cada dia o inesperado de suas variações.

Na exposição recentemente realizada em Paris, alguém se deitou no chão para acompanhar melhor as evoluções de uma grande composição dependurada no teto. Em pouco todos os presentes, esquecidos de tudo mais, estavam deitados no chão, para melhor contemplar o jogo de formas livres que o vento ia compondo nos trabalhos do artista.

---

*Anos mais tarde Gabriel García Márquez publicaria um relato espantosamente semelhante — sem dúvida inspirado na mesma fonte.
***La mer, la mer, toujours recommencée!*, "Le Cimetière Marin", Paul Valéry.

No vento reside o segredo de sua arte. Mário Pedrosa, ao estudá-la, fala mesmo em cata-ventos, fazendo com que o próprio artista, intrigado, me perguntasse um dia em Nova York, artigo na mão, o que queria dizer esta palavra. A ela também se refere Herbert Read: "Quando visitei Calder, há alguns anos, não pensei na idade da máquina: pensei foi no ferreiro de aldeia, ou nos galhos da castanheira, em cavernas fantásticas e em candelabros de cristal, em cata-ventos e em moinhos de vento. Mas pude reconhecer também, no que vi, o trabalho de um dos artistas mais originais de nosso tempo..."

A mesma deslumbrante impressão me ficou do dia que passei com ele no ateliê de sua casa em Rhode Island, onde minha filha Eliana, então com menos de três anos, me perguntou, extasiada, se aquela era a casa do Papai Noel.*

Calder está novamente entre nós com seus "mobiles". Abre-se outra vez aos nossos olhos um mundo matinal e maravilhoso de harmonia, transparência e equilíbrio, no qual o vento gradua ritmos de forma e cor. Uma clareira de alegria estética, nestes dias de tanta aflição de espírito, em que volta a brilhar por um instante a esquecida pureza dos brinquedos de infância.

Mendigo

QUANDO se falou que ele exerceria o cargo de adido cultural em Bruxelas, não acreditou, ficou de pé atrás. E na agitação daqueles dias, em que várias providências tinham de ser dadas, viu-se vítima de uma de suas fabulações:

— "Nos primeiros tempos, eu entrava no Itamarati meio desenvolto" — confessou-me mais tarde numa carta, quando, tudo resolvido, já podia liberar a imaginação: "Depois de algumas semanas, vários começavam a me evitar, lá vem o chato. Um ou outro mais paciente me ouvia as queixas, indagava com displicência de uma secretária por que é que o expediente de minha indicação ainda não fora feito, me olhava meio entediado e me pedia para voltar amanhã."

E assim, de degrau em degrau, imaginou que acabaria barrado na porta do Ministério como um importuno:

"No primeiro dia tomaria um cafezinho no botequim da esquina, me demorava pitando um cigarro, à espera de algum amigo influente — e o tempo passando. Para poupar conversa, um ano passava, vários anos, e eu ali firme, na Rua Larga, debaixo de um sol de rachar, metido num paletozão caído na frente, os bolsos cheios de coisas e a calça rasgada, sapatos sem cadarços, sem meias e sem camisa, a barba grande, imensa,

---

Sandy, o Artesão, em "A Cidade Vazia".

profética, grisalha, a cabeleira suja e encaracolada, um olho meio caído, o outro vivinho da Silva, uns lampejos de antologia francesa na cabeça alucinada, e lá estava eu andando em frente ao Itamarati, doido varrido, dormindo atrás de uma lata de lixo, vivendo de níqueis dos empregados da Light. Me via entrando naquele café, descobrindo com o olho remelento de mendigo a turma dos diplomatas a me evitar, se cutucando, e depois, já a distância, a gritar o nome com que a gurizada me poria fora de mim, num transporte de fúria: *Ó Bruxelas!* Aí eu perdia a serenidade, cuspia palavrão para todo lado, ameaçava, invectivava, profetizava. *Lá vem o Bruxelas, mas que sujeito chato, vamos caindo fora* — diziam os mais delicados. E eu ali, brandindo a minha justa indignação aos quatro ventos. E ninguém sabendo que tudo aquilo começara com uma promessa de minha indicação para Bruxelas."

Que afinal acabou se efetivando — e Otto Lara Resende, bem cumprida a missão que lhe coube, já está de volta, livre do mendigo-fantasma que o perseguia. Mas não do melhor amigo, a locupletar-se literalmente da sua autêntica vocação de escritor.

Ano Bom

O FIM do ano se aproximando e até agora não decidi onde vou passar a noite de Ano Bom. "Boa romaria faz quem em casa fica em paz", já dizia a Otto Lara sua avó (que não parece ter legado ao neto muita sabedoria a este respeito). A sair do Rio sem destino certo, prefiro ir ficando mesmo por aqui: não creio que teria a sorte de meu amigo Castejon Branco, por exemplo.

Em suas andanças por este Brasil afora, aconteceu-lhe um dia dar consigo num vilarejo do interior de Santa Catarina — e, de repente, era a noite de passagem do ano. Sozinho, sem ter mais o que fazer, resolveu comparecer à festa no clube local, puxada a sanfona e viola. Em meio ao seu tédio, olhando aqui e ali, deu com uma alemãzinha muito bem apanhada, sem favor um verdadeiro tipo de beleza entre as camponesas que abrilhantavam o fandango. Imediatamente a tirou para dançar, procurou puxar conversa:

— Então, como é que foi o ano para você?

Ela sorriu (mostrando um dentinho de ouro):

— De trigo foi bom, mas de batatinha a geada queimou tudo.

Fim de carta

...QUANTO a mim, vou me agüentando como Deus é servido. Eu disse ontem que tinha saudade do Brasil de nossos pais? Tenho saudade de outros tempos, de modo geral. Um tempo mais completo, mais redondo, se você me entende — mais cheio, mais gordo:

o tempo das vacas gordas. Os dias se completavam como um fruto que amadurece, bastava estender a mão e apanhá-los. Agora o fruto de tão maduro parece que se rompe, vai apodrecendo. Já estamos comendo da banda podre. E sendo comidos — bicados, comidos de passarinho — ou muito me engano, ou de repente começamos a envelhecer.

Mas a parte mais podre do fruto é a que está mais próxima da semente: estamos mais próximos da semente. Basta abrir os olhos e ela tombará como uma lágrima, germinará neste soalho como uma planta e teremos de novo folhas tenras e novos frutos.

Espera, alguém me chamou — ou foi o vento? Esta janela.

Fechei a janela e volto a escrever-lhe — o que é mesmo o que eu dizia? Deixei-me levar por idéias soltas e acabei, não sei por quê, falando em lágrimas, folhas e frutos. Já nem sei como escolher as notícias que bem e fielmente me dispus a dar-lhe desta terra, e suas palmeiras onde canta o sabiá.

O sabiá, no caso, poderia ser o próprio sabiá da crônica, Rubem Braga, que mandou pedir a Fidel Castro para raspar quanto antes aquela barba. É realmente uma barba inquietante, ninguém sabe até onde poderá levá-lo. Ainda bem que ele disse outro dia estar a sua missão chegando ao fim: "Quero voltar à minha fazenda. Ler alguma poesia. Sinto-me analfabeto. Não tenho desejo de poder, de glória, nem de dinheiro. Desgraçadamente, não sou dono de meu destino." Pois eu não venci revolução alguma, e nem por isso continuo dono do meu. "Estou vivendo idéias que por si já são destinos" — disse Mário de Andrade, um poeta que ele deveria ler — "e não escolho mais minhas visões."

E com essa eu me despeço. Também me sinto analfabeto. Positivamente você me pediu que lhe escrevesse não foi para falar nas barbas de Fidel Castro. Lamento muito não lhe ter mandado hoje as notícias que você gostaria de receber — como, por exemplo, casos das ruas, da praia, dos amigos e da vida que você deixou aqui quando se foi. Fica para outra vez. É uma questão de paciência — como dizia, noutros versos, o nosso amigo morto:

"Tenhamos paciência, andorinhas curtas,
Só o esquecimento é que condensa
E então minha alma servirá de abrigo."

1960

Ary

ARY Barroso deu-me a honra de me convidar para assistir ao seu *show* na boate Fred's.

Boate, para mim, hoje em dia, ficou sendo coisa do tempo em que se amarrava cachorro com lingüiça. Confesso que andam escassas as minhas incursões nesses lugares, pelo secreto temor que me assalta de ir buscar lã e sair tosquiado: ter de pagar *couvert*, encontrar quem não devo — essas coisas. Gosto de ver onde me meto e tenho sempre a impressão de que assim que eu entro apagam a luz. Não sou grande admirador de *shows*, que me parecem servir apenas para interromper a boa música de fundo e às vezes o melhor da conversa.

Mas admiro Ary Barroso, a cuja amabilidade atendi logo, para colher dele uma hora de distração tão envolvente como uma boa conversa e ouvir a sua música no que ela tem de melhor. São números novos que Ary anda compondo e é extraordinária sua capacidade de renovação.

Não é de hoje que acompanho a carreira desse ubaense ilustre, a natureza singularmente excitada de sua mineira bonomia. (Cheguei, mesmo, a ir com ele à inauguração de um busto seu em Ubá, onde nasceu.) Inquieto e, no entanto, tão pertinaz, há anos que ele vem desafiando invejas, ressentimentos e glórias transitórias, na paciente elaboração de sua obra, que se tornou dos mais autênticos patrimônios de nossa música popular.

Há pouco tempo nos encontramos por acaso num avião a caminho de Salvador. Ao ver-me durante o vôo, veio sentar-se familiarmente no braço de minha poltrona junto ao corredor, para uma conversa cordial. Às tantas me falou no menosprezo com que em geral são tratados os compositores de música popular: não passavam de uns boêmios, farristas, samba não era coisa séria.

— Você quer ver só?

A meu lado viajavam com a devida compostura duas freiras de meia-idade. Ele se dirigiu a uma delas:

— Irmã, a senhora gosta de samba?

Surpreendida pelo inesperado da pergunta e sem reconhecê-lo, em vez de responder, a religiosa virou bruscamente o rosto para o outro lado.

— Está vendo? — ele se limitou a comentar: — Até parece que eu falei um palavrão.

Reencontro-o agora, com seu ar de menino de óculos e já de cabelos brancos, a voz descansada e incisiva ao mesmo tempo, preocupado e confiante, inocente e malicioso, entusiasmado e modesto, harmonizando na criação de um *show* os extremos de seu temperamento numeroso. Dirige-se aos espectadores como a velhos conhecidos numa conversa em família, escusa-se pela limitação de recursos, posta-se junto ao palco, zela pela continuidade do espetáculo. Vai sentar-se ao piano, executa uma de suas composições mais inspiradas, volta, preocupa-se, incentiva os artistas, controla, orienta, atento e grave como quem carrega um filho nos braços. Ao fim se abre num sorriso alegre e cordial como se estivesse em casa de pijama, acolhe o abraço dos amigos pelo sucesso alcançado.

O que me faz lembrar outro compositor de minha admiração, Jayme Ovalle, certa vez em Nova York, a presenciar comigo o ensaio de um conjunto regional tocando samba. Eram músicos brasileiros, com exceção do baterista, um porto-riquenho. Pois foi com este que Ovalle implicou, corrigindo o seu acompanhamento:

— Não é teco-teco-teco o tempo todo, meu amigo: é teco-teco-teco — *telecoteco*! Se não tiver telecoteco não é samba.

E plantado à sua frente, braço erguido, passou a reger, encaixando em voz alta o seu telecoteco no ritmo capenga do outro:

— Telecoteco... Telecoteco... Telecoteco...

No que lhe contei este lance, o "talentoteco" de Ary Barroso nele se inspirou para mais uma composição de sucesso, cuja letra afirma categoricamente, na introdução, que "o samba tem que ter telecoteco".

Doido manso

DIÁLOGO entre duas moças à minha frente, sexta-feira última, num ônibus a caminho do centro.

— Ali naquele prédio é que ele morava — apontou uma delas.

— Ele quem? — a outra perguntou.

— Meu namorado. Foi meu namorado durante dez anos, hoje não é mais. Não quis mais saber de mim. Eu gostava tanto dele... Apesar daquela mania de cuspir nos outros, à toa, à toa. Volta e meia eu tinha que sair correndo.

— Por que ele fazia isso?

— Porque era doido, uê. Todo mundo chamava ele de Doido Manso, mas ele não se importava: era manso, só cuspia de brincadeira. Um dia resolveu se suicidar. Foi para o Arpoador e sentou-se na água, ficou esperando. Como não morresse, acabou desistindo.

E a que falava soltou um suspiro:

— Ah, às vezes eu sinto saudade. Nós costumávamos ir para o Arpoador, ficar lá nas pedras, bem na pontinha, sentados, horas e horas...

— Fazendo o quê? — perguntou a outra.
— Vendo o mar bater. Ele gostava...

Batom

ESTA é casada há muitos anos, com conhecido médico de nossa sociedade. No dia de aniversário do marido, resolveu fazer uma brincadeira com ele, ignorando que com certas coisas não se brinca. Disfarçadamente retirou-lhe o lenço do bolso, manchou-o com batom e o recolocou no lugar sem que ele visse. Durante o jantar, estando à mesa todos os filhos e alguns amigos, aproveitou-se de uma pausa na conversa para, sob um pretexto qualquer, pedir-lhe o lenço emprestado. Todos, já avisados, se calaram, enquanto ela dizia, fingindo indignação:

— Que negócio é esse? Seu lenço está todo sujo de batom!

Ora, ele era um senhor de respeito, já com filhos crescidos, e jamais passara pela cabeça de ninguém que fosse capaz de meter-se ainda em alguma aventura amorosa. Entretanto, respondeu calmamente, recebendo o lenço de volta:

— Isso foi uma enfermeira, hoje, lá no hospital: pediu meu lenço para retirar o batom e eu distraidamente emprestei.

Meninos

— PAPAI, quem é aquela mulher que estava conversando com você? — quis saber o menino de sete anos.
— É uma amiga de seu pai. Por quê?
— Esquisita...
— Esquisita como, meu filho?
— Não sei. Diferente. Tudo nela é diferente. De longe parece alta, mas quando você chegou perto eu vi que não é tanto. Que é que ela faz?
— Ela é artista: pinta, desenha...
— Bem que eu vi que ela fazia essas coisas. E quem é aquela menina que estava com ela?
— É filha dela.
— Coitada daquela menina.
— Por quê? Você não achou ela bonita?
— Ela quem? A menina ou a mãe dela?
— Bem... A menina.
— A menina eu não reparei. Agora: a mãe dela é bonita, mas sabe de uma coisa? Eu é que não queria ter uma mãe assim.

— Assim como?
— Diferente da mãe da gente. Que faz essas coisas: que pinta, que desenha, que escreve. Essas coisas.
— Que escreve também? Pois seu pai...
— Pai é diferente. Mãe é que fica esquisito.
— Mas esquisito por quê?
— Ora, papai, você também não entende! Ela fica agitada.
— Pois essa minha amiga é tão calma, você não achou?
— Não achei não. Ela não parece, mas é muito agitada. Fiquei reparando quando você me deixou aqui esperando e foi falar com ela. De longe é que a gente vê. De perto a gente só vê o corpo.
— E de longe?
— De longe é que a gente vê por dentro. Por fora não parece não, mas por dentro aquela sua amiga é muito agitada. Não sei... Tem dentro dela uma coisa que pula.
— Uma coisa que pula...
— É! Uma coisa que não deixa ela ficar quieta. Eu, por exemplo, quando fico assim, saio pulando mesmo e logo passa. Ela não: ela não pode sair pulando. Deve ser muito triste, não é, papai?

A menininha se queixava de ardência e tremores no corpo.
— Está com calafrio, minha filha? — perguntou a mãe, preocupada.
— Não — choramingou ela: — Estou com calaquente.

Esta outra, de quatro anos, netinha de um amigo meu, comentou alegremente quando ele a tomou pela mão e saiu a passeio com ela:
— Mão de homem é diferente da mão de mulher. A de mulher escorrega, a de homem não.

Na sala de espera da maternidade, o futuro pai, a futura avó e um menino aguardavam.
— Se for homem, vai se chamar Bernardo — disse ele.
— Se for mulher, vai se chamar Verônica — disse ela.
— Se for cachorro, vai se chamar Duque — disse o menino.

Já com sete anos, ela sentou-se à mesa para almoçar e abriu um livro ao lado do prato. Desde que aprendeu a ler não faz outra coisa. O pai chama-lhe a atenção:
— Não lê na mesa, não, menina: come primeiro!

— Ah, deixa, papai! Estou quase acabando...

O pai toma-lhe o livro das mãos e lê o título:

Classificação de Cargos e Revisão dos Níveis de Vencimentos do Funcionalismo Civil da União

Jubileu

QUANDO dois candidatos disputavam uma vaga de Senador pelo Maranhão, foi sugerido o nome de um terceiro, como solução conciliatória: o professor Jubileu de Almeida.

Tratava-se, porém, de figura nascida da imaginação de Hélio Pellegrino, então jornalista, e que Otto Lara resolveu explorar em meio ao noticiário político — ambos com a intenção de agitar um pouco o ambiente, ironizando a mediocridade da disputa entre os candidatos verdadeiros.

Quem era Jubileu de Almeida? Ninguém quis passar recibo de ignorância e seu nome foi recebido com surpresa e acatamento pelos políticos em jogo. O próprio Ministro da Justiça de então, interessado no problema, declarou em entrevista seu respeito pela figura do professor, a quem não tinha a honra de conhecer pessoalmente, mas cujo reingresso na política, pelas suas excepcionais virtudes cívicas, era motivo de júbilo para todos.

E todos se jubilaram e rejubilaram com o Jubileu. Durante algum tempo o nome do político ideal esteve na ordem do dia: o próprio Jubileu foi "entrevistado". O "filho do Jubileu" (que não era outro senão o Hélio) telefonou a um dos candidatos, indignado, protestando contra o movimento, que viera perturbar o retiro voluntário do ilustre varão da República, posto em sossego em sua chácara no Méier.

— Mas a culpa não é minha! Sempre tive a maior admiração pelo seu pai.

Do Maranhão chegaram capciosas notícias de que o professor Jubileu não fazia parte da corrente política dos Almeida de lá, pois havia muito se afastara de sua terra. Ainda assim, seu nome se firmava como candidato, e por pouco Jubileu de Almeida não foi eleito senador. Nelson Rodrigues era um que o citava a torto e a direito.

Quem pôs água na fervura foi Rubem Braga. Escreveu uma crônica em que enaltecia as virtudes do grande homem: era um cidadão honrado, competente, culto, inteligente, sóbrio — enfim: "austero como convém à República". Hábil político, excelente administrador, merecia ser eleito, não apenas Senador, mas Presidente. Só tinha um defeito: o de não existir.

Comido pelos índios

FALÁVAMOS de índios e de seus costumes. Alguém contava casos vividos durante uma expedição às selvas amazônicas. Então me lembrei do meu amigo José Carlos

Oliveira, que uma ocasião se meteu em aventura semelhante, como repórter de uma revista.

Um dia, estoura no Rio o comunicado macabro: a expedição fora dizimada pelos índios — ferozes canibais das margens dos Tapajós. Um amigo telefona, chorando, para a casa do diretor da revista:

— O Carlinhos! Que coisa horrível! Nem um sobrevivente!

O diretor insistia em saber o que acontecera, o outro não podia falar, de tanta emoção.

— Diga logo, rapaz! Não estou sabendo de nada. Que foi que aconteceu com o Carlinhos?

— Foi comido pelos índios!

O diretor estourou numa gargalhada que durou quase cinco minutos. Desconcertado, o outro esperava que ele se recuperasse para continuar:

— Você está rindo aí feito um imbecil, pois é a pura verdade! Chegou um telegrama. Os índios comeram o pobre do rapaz.

— Cru ou assado?

— Estou lhe dizendo que é verdade! Não sei como você tem coragem. Mataram todos, um por um, picaram e comeram. Coitados!

— Dos índios?

— Coitado do Carlinhos!

— Já sei: mataram, picaram, comeram e depois passaram um telegrama: "Estava ótimo, favor mandar mais."

— Você é um monstro — dizia o outro, entre lágrimas. — Pensei que fosse amigo dele.

— E sou — respondeu o diretor, tentando conter o riso: — Tanto assim que não posso levar a sério essa notícia. O assunto não me dá muito apetite. Acabei de jantar...

E não podia mais de tanto rir. Desgostoso, o outro acabou desligando. O diretor, que não era outro senão o assaz citado Otto Lara, me telefonou em seguida para comunicar, às gargalhadas:

— Estão dizendo que o Carlinhos foi comido pelos índios. Não acredito. É engraçado demais para ser verdade.

Não era verdade: pouco tempo depois de divulgada a notícia, o nosso Carlinhos, para alegria de seus amigos, aparecia no Rio, são e salvo. Teve sua recompensa: uma bela senhorita, a quem rendia de longe acesa admiração, ao vê-lo num ônibus quase morreu de susto, mas refeita da surpresa, envolveu-o no mais carinhoso dos abraços:

— Passei uma semana sem comer carne por sua causa.

Regime

ESTA história de regime para emagrecer tem das suas surpresas. Conheci uma gorda senhora que um dia entrou a emagrecer a olhos vistos, terminou magrinha que só vendo. E como outra senhora gorda lhe perguntasse o que é que ela tinha feito, respondeu:

— Regime, minha filha. Só regime.

— Qual é o seu regime? — quis saber a outra, alvoroçada.

— É muito fácil. É assim: de manhã você não come nada, nem pão, nem café, nem leite, nada. Nem mesmo toma água. Em vez disso come uma maçã — encerrou, radiante de emagrecimento.

— E depois?

— Depois o quê?

— Depois da maçã.

— Não tem depois, não — explicou ela: — É só. Na manhã seguinte você come outra maçã.

Escala em Lisboa

ERAM dois brasileiros e tinham apenas uma hora de escala no Aeroporto de Lisboa, acrescida de mais uma hora de atraso. Resolveram, então, visitar a cidade e indagaram de um funcionário do Aeroporto qual a formalidade necessária.

— Os senhores podem adotar o processo português ou o processo brasileiro — foi a resposta.

— Como é o processo português?

— Bem, estão vendo aquela fila? Os senhores entram na fila, apresentam-se ao funcionário da Polícia quando chegar a sua vez, dizem o que desejam, exibem o passaporte e requerem licença para visitar a cidade. Depois preenchem a ficha...

— Mas isso toma muito tempo!

— É o que lhes digo: além do mais a Polícia faz mesmo questão de retardar o quanto possível o fornecimento de licenças, para diminuir o número de visitantes. Antes de duas horas os senhores não conseguirão nada. Resta o processo brasileiro...

— E qual é o processo brasileiro?

— O processo brasileiro é ir saindo como quem não quer nada, tomar um táxi, ver a cidade e depois voltar.

A revolução dos jovens iluminados*

— ESTA Revolução não foi como as outras — queixava-se, aborrecido, um próspero brasileiro que vive há trinta anos em Havana: — Desta vez só veio beneficiar o populacho!

Não cheguei a saber até que ponto sua prosperidade, na importação de café — que é a atividade a que se dedica — foi prejudicada pela "hegemonia do populacho": se, porém, ela se deve a qualquer privilégio no regime de negociatas do tempo de Batista, estou certo de que foi bruscamente interrompida.

— Veja o problema dos negros — continuou ele: — No Brasil nós também não temos preconceito racial, como em Cuba depois da Revolução. Mas lá, que diabo, o negro reconhece o seu lugar!

Como a conversa não fosse das mais instrutivas, preferi colher minhas primeiras impressões ali mesmo, no saguão do hotel, olhando ao redor: havia no momento algumas dezenas de moças de aparência modesta formando vários grupos aqui e ali, entre elas certamente algumas de cor.

Estávamos no Havana Riviera, um dos mais suntuosos hotéis da cidade, cujo luxo evocava os tempos faustosos do ditador. Foi confiscado pelos rebeldes, para saldar dívidas do Estado, deixadas pelo grupo financeiro que o construiu. A presença das moças se explicava: acabava de realizar-se uma reunião de empregadas das tinturarias. E agora, elas não só usavam do seu direito de ficar por ali, conversando, como algumas foram mesmo dançar no *grill-room* do hotel e assistir ao *show*. Posso assegurar que se portaram com mais decência e compostura que a alta sociedade de outros tempos que ali se esbaldava.

Afinal de contas, o lugar pertence hoje ao Governo Revolucionário — o que quer dizer exatamente que pertence ao próprio povo. Como o Country Club de Havana, por exemplo, entre tantos outros: nababescamente sustentado por Batista com dinheiro do povo para as longas horas de lazer de uns poucos afortunados do regime, hoje se abre a famílias mais modestas que vêem afinal reconhecido o seu direito de se distrair também. Vi gente humilde e bandos de crianças penetrando ordeiramente os seus portões para alguns instantes de alegria e distração nos longos *play-grounds* outrora quase desertos.

Por essas e outras, é que talvez se haja dito que o populacho se beneficia e não sabe reconhecer o seu lugar.

Mas qual é o lugar do povo cubano, depois da Revolução? A cidade me pareceu pací-

---
*Constante em "Furacão Sobre Cuba", Jean-Paul Sartre, primeiro lançamento da Editora do Autor. Trechos com tratamento diverso, *Nosso Homem em Havana — 1960*, em "De Cabeça Para Baixo".

fica, ordeira, disciplinada, tranqüila — nada denunciando que uma convulsão passou por aqui, abalando os fundamentos da nação, trazendo o pânico, a destruição e a morte. Ao contrário: todos parecem confiantes, tudo parece já construído e organizado e a população está viva como qualquer outra. Não vi trincheiras, nem cadáveres, nem marcas de bala; o único sinal de revolução é a presença eventual aqui e ali de um soldado barbudo, pistola à cinta, mas despreocupado, cumprindo sua obrigação, qualquer que ela seja, não parecendo disposto a fuzilar ninguém.

No entanto, alguma coisa aconteceu, sente-se no ar: há alegria, denuncia-se certa cordialidade entre desconhecidos, simpatia para estrangeiros como nós, uma efusão ambiente nos envolve, como na vigência de um acontecimento feliz: o povo está feliz. Pelo que pude observar, nesta minha visita de alguns dias a Cuba, o povo reage ante a revolução como se ela fosse obra exclusivamente sua. E talvez tenha mesmo sido — em termos de tal maneira inéditos que deixarão um dia perplexos os estudiosos de História.

Não me ocorre nada mais sugestivo como comparação do que dizer que o povo me parece estar reagindo com uma alegre, saudável, generosa e contagiante euforia, semelhante à que vivemos, nós, brasileiros, nos dias que se seguiram à nossa vitória no Campeonato Mundial de Futebol. E alguém que ouse criticar os campeões da revolução cubana, ou mais precisamente Fidel Castro, não será preso, nem perseguido, nem ao menos tolhido na livre manifestação de seu pensamento: mas despertará ao redor a mesma reação apaixonada que provocaria se falasse mal de Garrincha — ou de Bellini — no dia da chegada de nossos campeões.

Não se vê pela cidade o nome de Fidel Castro uma só vez: nem em placas de rua, nem em cartazes, nem sua figura em bustos ou monumentos de lugares públicos, nem retratos oficiais. Certamente que tamanha identidade de propósitos entre heróis rebeldes e o povo, entre os ideais da revolução e os anseios da gente cubana, provocaria a iniciativa de semelhantes homenagens. Uma lei do novo Governo, porém, as proibiu; nenhuma pessoa viva pode ser assim homenageada — a começar por eles próprios.

Nada impede, porém, que o retrato de Fidel Castro, recortado de jornal ou revista, esteja no bolso de cada um: na carteira de notas do motorista que me conduzia, junto ao retrato da mulher e do filho, como pude entrever quando ele retirava o troco; no caderno de recibos da vendedora da Sears que me atendeu, quando lá fui comprar uma das tais *guaiaberas*; na capa do caderno da menina de colégio à minha frente na rua, em lugar talvez da fotografia de Gregory Peck; e até mesmo na carteira do rapaz, empregado do hotel, ao lado do retrato da namorada.

Uma velha, parada à porta da Embaixada Brasileira, ao ver Fidel sair, passou-lhe a mão pelas barbas, dizendo alegremente: "Vá, meu filho!" Cada mãe o identifica a seu filho, cada jovem a seu pai, cada homem a seu irmão... e cada mulher ao seu amado, naturalmente.

A constância do estrangeiro na formulação das mesmas dúvidas sobre Fidel Castro só pode decorrer da influência de um noticiário sistematicamente deturpado. De outra maneira não se explica a já monótona — pelo menos para ele — insistência com que se repetem as mesmas críticas, ainda elementares e só procedentes num estágio já há muito ultrapassado da revolução:

— Foi bom até derrubar Batista — hoje é um ditador.
— Um sanguinário: fuzilar tanta gente assim!
— Já devia ter raspado aquela barba.
— Vai ou não vai haver eleições?
— Não devia hostilizar os Estados Unidos.
— Deixou-se levar pela influência comunista.

Fidel Castro, com um suspiro de cansaço, é capaz de sorrir, voltando-se com benevolente simpatia:

— *¿Si yo soy un dictador? Pero todavia...*

Não nos esqueçamos, *pero todavia*, que o nosso inolvidável ditador também falava manso, fumava charuto e usava sorrir. Não há de ser pela esmagadora impressão de autenticidade que sua presença inspira, nem pela simpatia que despertam suas atitudes quando em conversa informal — na qual chega a transparecer até mesmo uma insuspeitada timidez — que haveremos de decidir pela inexistência de inclinações ditatoriais no líder revolucionário cubano. Um ditador se denuncia através de algo além das aparências e sua existência se rege por determinantes mais profundas. A supressão da liberdade é uma delas:

— Para que a revolução triunfe é preciso que haja supressão da liberdade?

Onde víramos supressão de liberdades? — Fidel Castro perguntou por sua vez, na entrevista que nos concedeu (durante a qual se deu o misterioso roubo de sua pistola*). Tivemos de concordar que até então não víramos em lugar nenhum. O povo é livre para fazer o que bem quer — só que o povo, o que bem quer, é a própria revolução.

— Pode-se ser contra a revolução? — o jornalista insistiu.
— Pode-se — e Fidel Castro citou o exemplo da imprensa e da oposição nas classes conservadoras: — Mas nós temos também o direito de ser a favor.

E reafirmou o que, por incrível que pareça, é o mais difícil de ser entendido pelo visitante à primeira vista:

— Isto é uma revolução.

Uma Pistola a Menos, em "O Gato Sou Eu".

Para um regime legalmente constituído, há coisas que destoam do que nos acostumamos a chamar de democracia; para uma revolução em plena marcha vamos convir que há liberdade até demais.

Ninguém nos pediu passaporte para nada — é verdade que o deixamos em mãos de um funcionário da Embaixada e só nos foi devolvido à saída. Mas andamos livremente por onde bem entendemos. Ninguém foi interpelado uma só vez. E nem tivemos de invocar, onde quer que fosse, nossa qualidade de estrangeiros, hóspedes oficiais do Governo.

Vi turistas americanos pelas ruas, fotografando ou fazendo compras na cidade, sem o menor constrangimento. Em recepções que nos foram oferecidas, ouvi figuras da alta sociedade declinarem sua qualidade de contra-revolucionários, sem serem imediatamente presas e fuziladas — capazes de despertar no máximo um sorriso de indiferença em algum barbudo acaso presente. Há uma Constituição vigente — a de 1940, restaurada e restrita aos casos explícitos do Ato Revolucionário que se promulgou. E se publica diariamente em Havana um jornal de "oposição".

Aí é que a coisa me parece o seu tanto ineficiente e até pueril: o estado de sítio em qualquer país imporia imediatamente restrições à imprensa — ainda mais uma revolução nos moldes da que se processa em Cuba. O novo Governo, porém, fez questão de limitar-se a uma medida apenas antipática e que não salva a liberdade da palavra escrita senão na aparência: todo artigo de oposição leva obrigatoriamente a advertência de que seu conteúdo não reflete a verdade, sendo publicado somente pelo "respeito aos princípios que inspiraram a revolução". O que é pior do que se não publicassem: a advertência vem a ser um verdadeiro fuzilamento do autor perante a opinião pública.

Sim, os fuzilamentos. Mas se por causa deles eu dissesse que Fidel Castro é um sanguinário, qualquer cubano me olharia boquiaberto. Manolo, por exemplo, o chofer que nos serviu, e que é uma das milhares de testemunhas vivas das atrocidades cometidas pelos que foram fuzilados. Ou a esposa do atual Ministro da Educação, que recebeu numa caixa os olhos do irmão e os testículos do primeiro noivo, assassinados pela polícia de Batista. Cada um dos que tombaram ante o pelotão de fuzilamento teve antes uma história semelhante pela qual se responsabilizar.

— *Fidel Castro, desde o princípio de sua atividade revolucionária, já conhecia o nome dos culpados e levantava a documentação dos crimes cometidos: os julgamentos, procedidos dentro das mais estritas normas que regem os tribunais de guerra, com julgamento regular e direito de defesa, foram o recurso para estancar a verdadeira onda de vingança, de que o povo se deixaria possuir, massacrando culpados e inocentes.*

— *Nem todos os assassinos foram fuzilados; alguns escaparam, como, segundo Fidel*

Castro, o próprio Batista poderia prever, já em 1953: "Morre pelo regime, soldado; dá teu suor e teu sangue, te dedicaremos um discurso (...) — Mata, atropela, oprime o povo, que quando o povo se canse e isto se acabe, tu pagarás nossos crimes e nós iremos viver como príncipes no estrangeiro..."

— *Ninguém foi fuzilado senão por crime contra a pessoa humana, só punível com a morte naquelas circunstâncias.*

— *Os fuzilamentos foram suspensos, antes mesmo que todos pagassem!*

Assim se defende qualquer cubano, se interrogado a respeito do mais discutível acontecimento da revolução, e que abalou a opinião pública mundial. O próprio Fidel Castro procurou defender-se: convocou a imprensa estrangeira para que assistisse aos julgamentos. Preso por ter cão e preso por não ter: foi acusado de propiciar ao mundo o espetáculo de um circo romano em que cristãos eram atirados às feras.

Mas os fuzilamentos continuam... pela televisão. Descobriu-se essa maneira mais efetiva e nada sanguinária de liquidar com o inimigo ou traidor da revolução. Quando um aventureiro como Agueros se arvora em adversário dos rebeldes e invocando a qualidade de ex-amigo de seu líder vem a público denunciá-lo como comunista, este o fulminará com um discurso pela televisão. E não lhe restará mais nada senão refugiar-se numa Embaixada e sair do país para os Estados Unidos, onde passará a pregar suas idéias, a custa do Departamento de Estado, para auditórios mais receptivos. Como realmente aconteceu.

O que não deixa de representar sério perigo: tamanha concentração de poder, já não digo nas mãos, mas na palavra inspirada de um só homem? Que mais seria preciso para que surgisse um Mussolini, um Hitler, um Stalin?

Seria preciso talvez que esse homem começasse a trair os ideais da revolução que encarna e contra ela voltasse o poder que lhe deu o próprio povo. Pelo que pude ver, por ora não parece provável que isso já esteja acontecendo.

O Poder que lhe deu o próprio povo. Porque ninguém pode duvidar, pelo menos até agora, que a revolução vem sendo vencida pelo povo, do qual Fidel Castro se fez legitimamente representante. Não venceu com o exército: dissolveu o exército. Desarmou as fortalezas e transformou os quartéis em escolas.

Se não existem mais quartéis, nem fortalezas, nem exércitos, quem lhe garante a permanência no poder e a continuidade do processo revolucionário?

O surrado *slogan* eleitoral é usado pela primeira vez ao pé da letra: a vontade do povo — ou pelo menos de sua esmagadora maioria. Não existe nem ao menos um exército rebelde: existe o próprio povo que se armou em Sierra Maestra e o povo que se está armando agora, incentivado pelo governo revolucionário. Cada camponês que recebe o seu quinhão de terra, como decorrência da reforma agrária, recebe também uma arma para defendê-la. Não há hierarquia militar nem oficialidade organizada, nem batalhões, nem continências, nem cavalgadas e clarinadas: há rebeldes e seus chefes — também chamados de capitães. Não se apresenta arma ao Comandante Fidel Castro.

Não havendo exército regular — senão as forças de policiamento estritamente necessárias — a defesa da soberania ficará a cargo da totalidade da população. Nenhum ditador ousaria tanto: armar o povo, para que este fizesse prevalecer sua vontade.

Seja como for, aqui volta teimosamente a objeção: para que prevaleça a vontade do povo, tem de haver eleições.

Já em 1953, quando julgado pela sua primeira tentativa de revolução, Fidel Castro prometia:

"A primeira lei revolucionária devolvia ao povo a soberania e proclamaria a Constituição de 1940." E acrescentava: "... não existindo órgãos de eleição para levá-la a cabo, o movimento revolucionário, como encarnação dessa soberania, única fonte de Poder legítimo, assumiria todas as faculdades que lhe são inerentes, exceto a de modificar a própria Constituição: faculdade de legislar, faculdade de executar e faculdade de julgar."

Esta é a razão, segundo se pode depreender, pela qual até agora não houve eleições: o processo revolucionário, em pleno andamento, ainda não proporciona condições para a restauração, em sua plenitude, do regime democrático, e pode se comprometer por essa espécie de farsa que seria confirmar nas urnas o sufrágio do nome de Fidel Castro. O que está praticamente acontecendo por aclamação todos os dias — a se julgar pelas aparências.

Infelizmente, não tenho tempo senão de julgar pelas aparências. Várias jovens alegres e gárrulas que nos cercaram ao descermos do avião, carregando braçadas de flores, vestidas de saia preta, blusa vermelha e distintivo no braço — que é o uniforme do "Movimento 26 de julho" — me provocaram logo a primeira reação de suspeita: a de que Cuba sucumbira mesmo sob o domínio de uma ditadura de inspiração comunista, conforme diziam os jornais, decorrente de um processo revolucionário rapidamente deteriorado. Neste sentido aquelas moças, como um bando de bandeirantes já uniformizadas na submissão à mesma mística e recrutadas ao fanatismo da mesma causa, à moda da juventude fascista, era a primeira confirmação de minhas apreensões.

Mas o que o noticiário das agências telegráficas não permite ao resto do mundo saber, eu pude apurar logo, ao aproximar-me delas: a revolução não terminara ainda, e elas eram voluntárias que prestavam serviços de assistência social, professoras e enfermeiras, trabalhando ainda pela vitória, até o final do processo revolucionário.

Eis o que Fidel Castro, em 1953, também prometia ao povo, como processo revolucionário:

"A segunda lei revolucionária concedia a propriedade aos colonos..."

"A terceira lei revolucionária outorgava aos operários e empregados o direito de participar (...) do lucro em todas as grandes empresas..."

"A quarta lei revolucionária concedia a todos os colonos o direito de participar (...) do rendimento da cana-de-açúcar..."

"A quinta lei revolucionária ordenava a confiscação de todos os bens a todos os malversadores de todos os governos..."

São medidas que se confundem facilmente com os postulados de uma revolução comunista:

— Se ser comunista é fazer a reforma agrária, se é acabar com o contrabando; construir dez mil habitações populares; converter quartéis em escolas; moralizar a administração pública; condenar os delapidadores do bem comum; lutar pela emancipação de nossa economia e pela policultura, então podem dizer que eu sou comunista — declarou-nos Fidel Castro, na entrevista que concedeu à imprensa brasileira.

Ei-lo que chega ao aeroporto para abraçar Jânio Quadros. Antes é abraçado pelas moças e mal pode locomover-se, cercado pela alegria da multidão. Eis o ditador que chega. Olho ao redor: onde está o Gregório? Quede a guarda pessoal!? Vejo dois jovens barbudos, pistolas à cinta, como dois cosmes-e-damiões displicentes no policiamento normal de nosso próprio aeroporto. Depois Fidel Castro acompanha o visitante até o hotel, charuto à boca, indaga se está tudo bem, acomodações providenciadas, e só então se despede e vai-se embora. Se ser comunista é colocar-se além das convenções e formalidades; misturar-se com o povo e ter as unhas sujas, ainda de luto, como no tempo de Sierra Maestra; viajar duzentos quilômetros de automóvel para atender ao desejo dos jornalistas brasileiros de entrevistá-lo, depois que já se recolhera à sua casa de campo, extenuado, ao fim de mais um dia de trabalho ininterrupto; procurar enfim realizar com fidelidade temerária aquele mesmo generoso ideal cristão de justiça social que todos nós, de uma forma ou de outra, uns mais, outros menos, acalentamos na mocidade ao menos por um dia, antes de nos acomodarmos à aceitação das mais torpes contradições desta vida — então eu posso também dizer que ele é comunista:

— Nós não nos colocamos atrás de uma cortina de ferro — disse ele, quase num sussurro, para os jornalistas brasileiros que agora o escutavam num silêncio comovido: — Ao contrário... Nós viemos levantar sobre Cuba uma cortina de luz... para que o mundo possa ver a nossa realidade...

A increpação de comunismo ao movimento revolucionário cubano talvez se dirija menos à figura de Fidel Castro que à de certos companheiros seus, notadamente Raul Castro e esse legendário Che Guevara... Os irmãos Castro lembram personagens romanescos como os Três Mosqueteiros, que se completam na figura cercada de aura poética do jovem Camilo Cienfuegos. Seu desaparecimento veio dar a esse bando de rapazes iluminados a dimensão de mistério pela qual viver uma experiência extraordinária. Neste caso, não há dúvida de que Che Guevara vem a ser a própria encarnação de D'Artagnan. A impressão vagamente caricata que lhe advém das longas e revoltas melenas e da barbicha escassa, bem como do olhar vivo e malicioso que lhe dá certa semelhança superficial com Cantinflas, se apaga ante a certeza de que estamos diante de um personagem, senão de Dumas, melhor ainda: saído de uma iluminura da Renascença. Não há como resistir à sedução desta fala mansa, delicada, humilde e cativante com que ele envolve de persuasiva inteligência a sua argumentação. A isso se chama materialismo dialético ou dialética do materialismo histórico? Não sei dizer. Sei apenas que o Presidente da República, um velho de 38 anos, é o Poder Moderador. Se Fidel, com 33 anos, é o inspirado e arrebatado idealista, se Raul, com 28 anos, é a sombra fria, calculista e implacável do irmão, na impassibilidade a um tempo suave e sinistra de sua fisionomia imberbe — Che Guevara é o cérebro planejador. É quem dita o método. É quem discerne, seleciona, elabora e orienta a evolução do processo revolucionário. Sua função específica é atualmente a das Finanças — à frente que se encontra do Banco Nacional de Cuba. Ele mesmo acha graça:

— Acabei financista, às voltas com cifras...

A injusta fama de aventureiro internacional, de agitador por profissão, de mercenário das revoluções lhe adveio de apenas ser argentino e ter ido lutar na Guatemala. Depois, desejoso de derrubar mais uma ditadura, escolheu a de Cuba, aliando-se ao jovem Fidel.

— Se a daqui não desse certo, eu ia tentar outra por aí...

Deu certo e hoje não é naturalizado, mas cubano autêntico, com todos os direitos de cidadania. Andou pelo mundo, foi ao Egito especular sobre a reforma agrária e outras iniciativas de Nasser. Onde conheceu Jânio Quadros:

— Desde então este homem já me impressionou profundamente — confessa-me o nosso candidato da Oposição.

Se é comunista, tem o cuidado de servir-se apenas dos métodos revolucionários marxistas que sua experiência lhe pode propiciar, sem impor-lhe a ortodoxia, sem informar a revolução cubana de nada da sua presumível ideologia. Nem ao menos emprega o reconhecido e já surrado jargão internacional: nem por um momento o ouvi falar em

União Soviética, em proletariado, em materialismo dialético, em capital colonizador, em imperialismo capitalista. Fala, apenas, a linguagem advinda da realidade que está enfrentando: a luta pela libertação econômica, social, política e cultural de Cuba em face diretamente dos Estados Unidos e sua esmagadora vizinhança. Trata-se, pois, de uma revolução cubana. Cuba não pode mais continuar sendo uma zona boêmia onde os americanos vêm divertir-se no fim de semana. Nem esta espécie de galinheiro no quintal da América, onde engordar galinhas de ovos de ouro para a riqueza de seus donos: Cuba pertence aos cubanos. Suas terras estavam em mãos de quinze ou vinte latifundiários. Desses, a maioria de estrangeiros. Dessa maioria, a maior parte de americanos — e havia em Cuba seiscentos mil desempregados. Como a revolução pode deixar de estar contra os Estados Unidos, que apoiava Batista para perpetuar tal estado de coisas? Qualquer semelhança com a Rússia, no entanto, vem a ser mera coincidência:

— Se ela também tivesse terras aqui, seriam desapropriadas...

Perguntei a Che Guevara se a atitude de Cuba frente aos Estados Unidos e a tendência socializante da política revolucionária não podiam servir, todavia, de cabeça de ponte da URSS para um infiltração comunista que ameaçasse a integridade da América. Ele se limitou a sorrir, cético:

— Em que sentido? Estrategicamente? Mas se os Estados Unidos têm radar para acusar teleguiados enviados diretamente de lá, não teriam recursos bélicos para controlar militarmente e mesmo ocupar este pedacinho de terra cercado de água por todos os lados, a vinte minutos de Miami, aqui mesmo no seu nariz?

Tornou a sorrir:

— No entanto, não têm radar, nem recursos de qualquer espécie para impedir que aviões saiam de lá, e venham jogar bombas incendiárias nos nossos canaviais...

"Se declaraba, además, que la politica cubana en América seria de estrecha solidariedad con los pueblos democráticos del Continente..."

Isso afirmava Fidel Castro em 1953, na sua célebre defesa *La Historia me Absolverá*, que foi como uma antecipação do seu atual programa de governo revolucionário. Como, pois, Cuba veio a perder a magnífica oportunidade de prestigiar de saída a Operação Pan-Americana, iniciativa do Brasil? Se a OPA não resolvia diretamente o problema da emancipação econômica de Cuba frente aos Estados Unidos, pelo menos poderia servir-lhe como uma acha de lenha a mais na fogueira que a revolução já acendera. Somente por ter sido iniciativa do Brasil? Teria Juscelino simplesmente tirado o peixe da boca do gato?

— Até que ponto o Brasil se antecipou à sua iniciativa no plano internacional com a Operação Pan-Americana? — perguntei a Fidel Castro. — Em outras palavras: se o Brasil não tivesse proposto e realizado a OPA, Cuba começaria por uma OPA?

Evidentemente, esta pergunta, tal como foi formulada, não tinha outra resposta senão a que ele me deu, desconversando: a de que o mundo tinha outros povos subdesenvolvidos além da América Latina. Anteriormente Fidel Castro já tivera posto sob suspeição a OEA, declarando que a independência dos povos latino-americanos nela agrupados não era suficiente para sequer atender o convite de comparecer à Conferência idealizada, extensiva ao resto do mundo. É inegável, porém, que ele já percebia, ou acabou percebendo, que nada conseguirá, se perder esse verdadeiro patrimônio já conquistado: a congregação de esforços de toda a América Latina, configurada na OPA, pela causa comum, que vem a ser pelo menos parte da causa de Cuba.

Em face do quê, como interpretar a sua intempestiva declaração contra o Pacto do Rio de Janeiro, que deixou a América estarrecida e literalmente perplexo o próprio Departamento de Estado? O número desta semana do *Time*, que enxerga longe com vistas curtas e escreve torto por linhas retas, tentou entender e explicar a desafiadora declaração, de tão graves conseqüências para a própria segurança das Américas — parece mesmo que vendo o galo cantar sem saber onde: "Renunciando ao Pacto do Rio, Castro aparentemente o identificou com o Pacto de Caracas de 1954..."

Pois foi mesmo quase isso que aconteceu. E aqui entra a chamada bisbilhotice de repórter, que sempre fui meio desajeitado para usar, reconhecendo-me humildemente inepto para tal espécie de atividade. Circunstâncias me permitiram, porém, que ouvisse de fonte altamente bem informada sobre o caso a possível explicação para a resposta evasiva que Fidel Castro deu a uma oportuna pergunta de Rubem Braga, durante a entrevista aos brasileiros:

— O senhor pretende denunciar o Pacto do Rio de Janeiro?

Do que ele disse, depreendeu-se apenas que pretendia era trazer a responsabilidade da declaração feita nas vésperas, durante um programa de televisão, para os ombros do homem Fidel Castro e não do atual Primeiro-Ministro de Cuba. Ou seja: quando se manifestara contra o Pacto, evidentemente não o fazia oficialmente, mas emitia apenas a sua opinião pessoal. Estava, pois, como se diz, tirando o corpo fora.

Por quê?

Simplesmente porque, ao referir-se ao Pacto do Rio de Janeiro, no ardor de um discurso empolgado e talvez de que já se esteja ressentindo, cometeu o que se pode chamar de um *lapsus linguae*: queria referir-se e estava pensando, na realidade, no Pacto de Caracas. Quando deu pelo equívoco, era tarde: os telegramas das agências já cruzavam o mundo e suas conseqüências já se faziam sentir. Confessá-lo seria diplomaticamente imperdoável. Ficou decidido, então, que a melhor saída seria um habilidoso e gradativo recuo.

E por fim, Camilo Cienfuegos. Independente das decorrências da própria revolução, ou das circunstâncias em que se deu seu desaparecimento — que estranho mistério, poético, místico ou metafísico, se irradia da vida e da morte deste jovem herói predestinado? Era o irmãozinho mais moço, o caçula dos revolucionários da primeira hora, e que aos 24 anos desapareceu, depois de participar, ao lado de Fidel, do triunfo da revolução. E ele ficou pairando na lembrança comovida dos que sobreviveram, como fonte de inspiração afetiva, verdadeiro anjo da guarda dos que restaram — e na veneração do povo, como símbolo de pureza dos ideais da revolução. Sua morte até hoje não esclarecida, desaparecendo como Saint-Exupéry com o avião que o conduzia, provocou uma onda de ultrajantes suposições. Ocorrida às vésperas de importante decisão relativa à reabertura dos tribunais de julgamento, os inimigos da revolução tentaram infamar os seus heróis: constou ter havido discussão e briga entre eles; extenuados de cansaço e se agüentando à custa de drogas e excitantes, teriam chegado a trocar tapas e bofetões; Camilo se rebelara contra a decisão dos demais e por isso fora vítima de vergonhosa traição... Mais tarde constou ainda que talvez estivesse vivo, muito embora Fidel Castro fosse ao extremo de seus esforços, tentando localizá-lo — e o povo alimentava a esperança de vê-lo reaparecer de uma hora para outra... Deste clima de excitação emocional talvez tenha nascido o tom intempestivo da resposta também emocionada de Fidel Castro, com a descortesia que julgou surpreender na minha pergunta, durante sua entrevista aos jornalistas brasileiros:

— O senhor pode nos dizer o que realmente aconteceu com Camilo Cienfuegos?
— Esta pergunta é ofensiva aos ideais da Revolução — respondeu ele bruscamente:
— Pergunte ao povo cubano o que aconteceu com Camilo Cienfuegos.

E sem mais nada dizer, retirou-se intempestivamente, dando por encerrada a entrevista.

Embora formulada de maneira simples e direta, a minha pergunta foi num tom de voz que não admitia outra intenção senão a de saber o que acontecera realmente com Camilo Cienfuegos, através do testemunho de seu melhor amigo. Tudo se restringiu a uma questão semelhante à do célebre telegrama da anedota: *Papai mande dinheiro*. Se Fidel Castro a interpretou de uma maneira, Che Guevara a acolheu de outra, prontificando-se amavelmente a me esclarecer:

— Há alguma possibilidade de que ele ainda esteja vivo?
Guevara — Sim, como não?
— E neste caso, onde estaria?

Guevara — Não se saberia dizer. Seqüestrado, talvez...
— Por quem?
Guevara — Por Trujillo, quem sabe?
— Neste caso, o tal comandante Farinas, que o transportava no avião, pode também estar vivo...
Guevara — Também, não: eu não disse que Camilo está vivo. Disse que é possível. E como os dois viajavam no mesmo avião...
— Ouvi dizer por aí que a família do comandante Farinas desapareceu recentemente de Havana... Isso não poderia ser uma indicação de que ele estivesse vivo?
Guevara — Não... Eu não ouvi dizer nada a respeito.

Tudo se limitava ao meu desejo, identificado ao deles próprios e ao de todo o povo cubano (a quem Fidel Castro mandou que eu perguntasse o que acontecera) de que o jovem herói pudesse ainda estar vivo. Desejo que logo se desiludiu na certeza que me deram de que, em qualquer hipótese, ou ele já teria aparecido ou, se seqüestrado pelo inimigo, teria antes resistido até a morte.

Eu me lembrava do que me haviam contado sobre a primeira aparição pública dos libertadores de Cuba em Havana. Fidel Castro falava então a uma multidão de centenas de milhares de pessoas, tendo ao lado Camilo, atento às suas palavras. Houvera uma revoada de pombas e algumas delas voejavam em torno do herói de Sierra Maestra. Aos poucos se foram, restando uma apenas — uma pomba branca que insistia em pousar-lhe no ombro. Durante horas seguidas falou ao povo, ignorando o que se passava, e mesmo com o movimento eloqüente dos seus braços, a pomba não o abandonou, para o pasmo da multidão. A certa altura Fidel se cala, ofegante, e se dirige a Camilo, sem se afastar do microfone:

— ¿*Voy bien, Camilo?*
— *Vás bien, Fidel.*

O povo ouviu o rápido diálogo e logo o empolgou, numa espécie de coro entusiástico, *vás bien, Fidel!* mais tarde erigido em *slogan* da revolução vitoriosa:

Vás Bien, Fidel.

RIO DE JANEIRO —

Furacão

PASSEI esta semana metido dia e noite numa oficina gráfica do Rio, acompanhando a confecção instantânea do livro de Sartre "Furacão sobre Cuba". Com ele a nossa Editora do Autor se antecipa aos primeiros lançamentos já programados.

Sete dias apenas decorreram entre a entrega dos originais e os primeiros exemplares da meteórica edição. — Nem por isso a apresentação gráfica deixa de ser de boa qualidade.

Para tanto, contamos com a competência e a boa vontade de nosso amigo Borsoi, dono da Gráfica, que se virou como pôde para que o livro saísse em tão curto prazo. Tratava-se de lançá-lo a tempo de alcançar a presença do autor entre nós, para uma festa de autógrafos.

Autor que, por todos os títulos, mereceria mais do que a homenagem a ser-lhe prestada. Como se sabe, Jean-Paul Sartre é uma das maiores e mais controvertidas figuras de intelectual do nosso tempo. Profundamente interessado nos problemas do mundo atual, fez questão de ir conhecer de perto a realidade de Cuba, surpreender os jovens revolucionários na intimidade da luta cotidiana para manter de pé as conquistas da sua revolução. Resultou daí o o testemunho mais completo, independente e esclarecedor até agora surgido sobre este extraordinário acontecimento. (Ao final do livro Rubem Braga e eu, seus editores, comparecemos com nosso depoimento pessoal sobre o que também pudemos observar em Cuba como correspondentes.)

Eram quase nove da noite, e nada de Sartre chegar. A multidão se organizava em fila, no saguão ainda inacabado do Super Shopping Center de Copacabana. Rubem e eu não teríamos onde nos enfiar se ele não chegasse. Seria um furacão sobre nós dois.

Mas, para alívio nosso, acabou chegando, em companhia de Simone de Beauvoir. E foi um sucesso; autografou noite a dentro nada menos que oitocentos exemplares.

Quarto de despejo

ENQUANTO isso, continua fazendo sucesso o "Quarto de Despejo", da favelada Carolina Maria de Jesus — a mais legítima vocação literária surgida nos últimos tempos entre nós.

Infelizmente, não se poderá saber qual o destino da autora daqui por diante, dentro e fora das letras. Seu extraordinário livro já foi traduzido para treze idiomas no resto do mundo. Deus queira que ela consiga permanecer imune às perturbações de toda ordem que lhe devem estar revolucionando a vida, através de novas experiências. Uma criatura como essa não entra impunemente para a nossa comunhão social, sem pagar o preço que a iniqüidade da glória e do dinheiro faz questão de exigir.

Já um sintoma espantoso de que a engrenagem maldita da sociedade há de exigir-lhe um humilhante ritual de aceitação, podemos surpreender em seu próprio livro: depois de descoberta pelos agentes da sua consagração literária, depois que uma revista publicou reportagem sobre ela, depois de ser recebida em gabinetes de diretores de jornal e ter jantares em sua homenagem, continuou durante alguns meses a catar papel na rua e a viver com seus filhos no maior desamparo. Por que não lhe saciaram ao menos a fome, com um adiantamento, mínimo que fosse, de seus direitos autorais, como ela merecia? Prefeririam que as novas páginas dramáticas de seu diário continuassem a se inspirar na mais autêntica miséria?

Se assim é, os que a incentivam a escrever defendem a teoria segundo a qual se deve sempre furar os olhos do passarinho para que ele cante melhor.

1961

Sofá

ERA uma família, naquela cidadezinha mineira, cujas moças não ficavam para tia, conforme constava. Sete jovens solteiras, ai de quem se aproximasse! Não conseguia escapar. Dispensava-se a fase das danças no clube, cinema no domingo, passeio de mãos dadas na Praça da Estação, namorinho na porta da rua. O primeiro incauto que aparecia ia direto para dentro de casa, namorar no sofá da sala de visitas, sob a fiscalização complacente dos já futuros sogros. Quando dava por si estava noivo, dois meses depois estava casado.

Assim, passaram por aquela fulminante experiência e foram apanhados para sair casados nada menos que oito jovens intimoratos, a saber: sete que se casaram com as sete moças, e um oitavo que se casou com a primeira, a qual nesse meio tempo enviuvara.

Enquanto isso, na casa em frente... Ah, na casa em frente duas solteirinhas esquecidas e desmilingüidas iam ficando solteironas, a mãe fiscalizando o movimento dos vizinhos. Olha lá, minha filha, quem está entrando hoje, aquele rapaz que andou te procurando no mês passado, já viu só? Está aí, está casado, olha lá, foi direto para o sofá da sala de visitas.

Um dia, essa pobre mãe, já desesperada, não teve dúvidas: realizado o último casamento na outra casa, atravessou a rua e foi até lá, para dois dedos de prosa, cumprimentar os afortunados vizinhos. Conversa vai, conversa vem, acabou propondo — já que não iam precisar mais dele — comprar o sofá.

Gêmeos

A FUNCIONÁRIA da escola voltou-se para a mãe, intrigada:

— A senhora encheu a ficha de um de seus dois filhos botando a mesma data de nascimento do outro. São gêmeos?

— São gêmeos de pai.

— Gêmeos de pai? Que história é essa?

— São filhos do meu marido — explicou a mãe: — Um é meu e um é da outra. Nasceram no mesmo dia, logo são gêmeos de pai.

Rotina

ACONTECEU numa casa de saúde do Rio. Ao examinar a paciente já na sala de operação, o cirurgião estranhou:

— Que é isto? Não fizeram a preparação.

E já irritado:

— Dei ordens à enfermeira! Que foi que houve? Assim não posso operar!

Saiu à procura da enfermeira responsável pela preparação da paciente:

— Por que você não fez o que eu mandei?

— Eu fiz — protestou ela, estupefata.

— Fez coisa nenhuma. Vim ao hospital inutilmente, perdi meu tempo. O campo operatório não foi preparado. Não foi feita a raspagem.

— Juro que fiz, doutor — a enfermeira insistia, aflita.

— Que foi que você fez?

— O que o senhor mandou: sabão, raspar com gilete e mertiolate.

O médico resolveu apurar aquilo e se dirigiu ao quarto para onde a paciente retornara. E apurou logo: a enfermeira havia cumprido suas ordens, mas, por engano, na acompanhante, irmã da outra.

— Como foi isso? — indagou dela, perplexo: — Em vez de fazerem a raspagem na sua irmã, fazem na senhora, e a senhora nem protesta?

— Bem que eu achei esquisito — explicou a mulherzinha: — Mas a enfermeira me mandou tirar a roupa e foi fazendo logo, então eu pensei que fosse rotina, aqui no hospital...

Dificuldades

ESTOU decididamente encantado com este livro "Dificuldades da Língua Portuguesa", editado pelo Fundo de Cultura e que me foi gentilmente remetido pelo seu autor Zélio dos Santos Jota. Mal sabe o Sr. Jota o bem que fez ao Efe Esse: há muito esperava ter em mãos um livro assim.

Devo, não nego, ao competente linotipista que me compõe diariamente esta crônica, endireitar aquilo que por delicadeza poderia chamar de meus "cochilos" ortográficos e gramaticais. Em matéria de língua portuguesa, com este livro na mão, estou apto a quebrar qualquer galho que me possa surgir.

E é uma tremenda galharia que vai crescendo ao longo dos anos na frondosa árvore da minha ignorância. Houve um tempo em que eu julgava saber gramática, era metido a entender de semântica e filologia. Hoje em dia, não só abandonei semelhante pretensão, como me surpreendo, ante a obrigação cotidiana de escrever, cometendo erros de displicência ortográfica que envergonhariam um aluno de escola primária. E desaprendo com a maior rapidez aquilo que a todo momento busco relembrar.

A todo momento, por exemplo, tenho de saber se uma palavra se escreve com s ou com z; irritado, recuso-me a ir mais uma vez ao dicionário, pois tenho certeza que é com s: escrevo com s — no dia seguinte vou ler, era com z.

Erros ainda mais graves me ocorrem: outro dia, escrevi "exitar" em vez de hesitar; é verdade que hesitei (ou exitei), a olhar a palavra com ar apalermado, sentindo que havia nela alguma coisa esquisita (ou exquisita), o que me deixou estupefato (ou estupefacto).

Há dias em que uma dificuldade gramatical das mais manjadas, dessas que servem de exemplo em tudo quanto é manual de português, faz-me empacar teimosamente, perplexo como diante da esfinge com seu segredo: decifra-me ou devoro-te! Acabo tendo de embrenhar-me em torneios de estilo só para evitar a dúvida, mais cruel que a negação.

Espero que este livro do Sr. Jota seja a minha salvação. Com ele em punho, penetro impávido na floresta ortográfica, habitada por sinônimos, parônimos, homônimos, superlativos, plurais, aumentativos, diminutivos e quanto probleminha de lingüística miúda me possa surgir.

Estou apto, agora, a escrever sem susto a minha crônica, que, aprendo logo, também se pode dizer *clônica* — quando significar certo tipo de convulsões, como costuma acontecer.

Azul

ANTES de mais nada, meu abraço de parabéns a Manuel Bandeira, pelo seu aniversário. Estive outro dia com o Rubem Braga visitando o poeta, e encontrei-o mais bem disposto e jovial do que nunca. Deus assim o conserve, para alegria de seus amigos e glória da poesia.

Por falar nisso, Manuel prometeu para a nossa Editora do Autor a próxima edição de sua Antologia Poética, devidamente revista e aumentada, à semelhança do que fizemos com a de Vinicius. Só que a parte ainda inédita não será tão numerosa, pois o poeta se confessa de produção cada vez mais rara:

"Poesia não é brincadeira e nem deve ser desperdiçada. Com o correr dos anos, consegui pelo menos prática suficiente para identificar em mim o verdadeiro estado poético que deve ser posto em verso."

Desses preciosos momentos de poesia vividos em concentração e profundidade é que nos dará agora, pela primeira vez em livro, poemas que talvez sejam os mais depurados de toda sua obra.

No mais, para não fugir à imposição do assunto, faço questão de também registrar, já um pouco tarde, não a extraordinária façanha de um homem ao penetrar o mistério do espaço sideral, mas a verdadeira eclosão de poesia no testemunho desse homem, enunciado com a pureza de um verso de Bandeira: a Terra é azul.

O impacto de uma realidade sensível aos olhos do primeiro cosmonauta tem a força do descobrimento do mundo pelo primeiro homem. Mais do que uma ilusão de ótica, é uma nova gênese do universo, a redimir nossa existência: se a Terra é azul, estamos justificados por habitá-la. Justificação que se incorpora, aliás, à verdade poética já enunciada por Ferreira Gullar em seu poema concreto:

"*ar azul mar azul arco azul marco azul*"

Terra azul.

Tudo azul!

O poeta Manuel Bandeira que se dê por bem pago: melhor presente de aniversário não poderia receber, que a inspiradora recompensa dessa extraordinária descoberta, ao completar mais um ano de existência dedicada à procura do azul.

Para Virgínia

MINHA filha Virgínia, que acaba de fazer doze anos, recebeu o seguinte presente de aniversário:

O QUE DISSERAM AS FLORES A PROPÓSITO DE UMA OUTRA CHAMADA VIRGÍNIA

— Coitada da Virgininha
Dizia a rosa em botão.
De Fernando os filhos todos
Já ganharam um poeminha
Só a Virgínia é que não.

— É mesmo! — dizia o cravo
Suspirando em seu jardim.
Isso assim não está direito
Eu já estou ficando bravo
Que gentinha mais ruim.

— Ah, já sei! — disse a verbena
Exibindo suas cores.
— Vamos pedir um poema
Ao poeta, não apenas
Autor do "Rancho das Flores".

E em companhia da zínia
Foram a ele em comissão.
— Faço sim — disse o poeta.
Faço porque a Virgínia
Mora no meu coração!

— Faço porque a Virgininha
Como eu, começa com V
E faço — ajuntou o poeta —
Porque ela é uma menininha
Como igual já não se vê.

— Faço, refaço e trefaço
Exclamou, pondo-se em pé.
E faço com estardalhaço
Como um foguete no espaço
Ou um louco buscapé!

— A rosa tem muita prosa
O cravo perfuma a sala
Mas a Virgínia Sabino
Não tem nada de orgulhosa
E além de flor ainda fala!

Por ela compro barulho.
Por ela, meu Deus do céu!
É dela que eu sou escravo.
Por ela dou um mergulho
Do alto da Torre Eiffel!

Por ela atiro cruzado
Mato três de cada vez.
Por ela, a flor Virgininha
Por ela atravesso a nado
Todo o Canal de Suez.

Minha menor namorada!
Por ela dou saltos mortais
Pois ela é a minha musinha
E eu, não é nada, não é nada,
Sou o Vinicius de Moraes."

Reconhecimento do Anjo

ESTOU no centro da cidade, parado em frente à Biblioteca Nacional. São seis horas da tarde. Quero ir para casa, mas neste lugar, a esta hora, não haverá jamais condução possível.

Desanimado junto ao meio-fio, deixo-me abater por um sentimento de impotência de quem nada pode fazer senão contemplar pacificamente os horrores do trânsito. É uma sensação de inutilidade que me esmaga, como preço que a vida moderna nos cobra pela ousadia de sermos simples pedestres. Não saberia tomar nenhuma providência e, desorientado, já que nem ao menos um táxi seja possível tomar, sinto-me perdido como, no poema do Mário, "os que já não sabem mais para onde ir".

Então ouço uma voz atrás de mim:

— Esperando condução?

Volto-me e, deslumbrado, contemplo a jovem de cabelos cor de cobre e perfil de linhas puras que me fez esta pergunta. Não, não é possível existir coisa mais bela: a pergunta foi uma ilusão dos sentidos e a figura da jovem inexiste, nascida do Renascimento Italiano e largada à sua própria sorte em plena Avenida Rio Branco.

Não tenho tempo sequer de responder: ela deixa a calçada e vai varando serenamente a onda de automóveis que o sinal vermelho acaba de refrear, e segue em direção ao outro lado, onde um lotação aguarda — *completamente vazio!*

Então me precipito atrás dela, no justo momento em que o sinal se abre. Perdido entre buzinas e freadas bruscas; acossado pela manada furiosa de automóveis, consigo, como no verso do poeta, "abrindo nosso passo entre espelhos maduros", atingir também o lotação, que existe, é uma realidade.

Já acomodado num dos bancos da frente, com um suspiro de alívio, posso afinal voltar-me para contemplar a autora de tamanho milagre. Ao fundo do lotação, serena, hierática, a jovem "italiana", além de mim, é a única passageira.

De súbito a reconheço. Então, com um rápido olhar de respeito, admiração e agradecimento, endireito-me no banco, para prosseguir viagem, protegido, abençoado, feliz: é o meu anjo da guarda.

1963

Antipático

ALGUÉM lhe afirma que é considerado meio antipático por muita gente. E procura consolá-lo:

— Agora que te conheço melhor, já não acho tanto assim.

Foi para casa se sentindo a mais antipática das criaturas. Em vez de protestar, se limitara a sorrir — o que devia ser mesmo o cúmulo da antipatia.

Há razões para que o achem antipático, reconhece. Em geral inquieto e açodado, dá sempre a impressão de estar se despedindo para se encontrar com uma pessoa muito mais interessante. Isto basta para que o olhem, pensando: "Eu não vou com esse cara." Em conversa, parece achar mais importante perguntar do que ouvir a resposta. Isto basta para que dele se aborreçam os que acham mais importante responder que perguntar. Muitas vezes acabam tomando por ironia o que ele diz apenas por ingenuidade ou distração. Já agradeceu o elogio de um estrábico, dizendo: " Qual, são seus belos olhos." Já disse a um gordo de mais de cem quilos, por gentileza, quando soube que o mesmo tinha entrado num regime feroz: "Realmente, nunca te vi tão magro." Já cumprimentou uma senhora pela sua boa aparência, exclamando: "Até que você não está nada feia." Não acerta jamais, quando lhe dizem, para que se espante, o preço absurdo de alguma coisa, por não saber se deve achar espantosamente caro ou espantosamente barato. Em geral desaponta o interlocutor com um comentário estapafúrdio — quando não provoca desapontamento maior, acertando de puro palpite. Se lhe pedem uma opinião, não diz coisa com coisa. Nem sempre reconhece as pessoas que lhe foram apresentadas. Troca sistematicamente o nome das já conhecidas, acaba sempre se precipitando de cabeça no abismo das gafes mais desastrosas. Os seus gestos e expressões fisionômicas não correspondem ao que está sentindo e costumam, mesmo, sugerir o contrário, gerando situações as mais disparatadas. Defende-se da timidez falando demais para esconder o pensamento, e em conseqüência fala o que não deve, não ouve o que lhe falam.

Tudo isso, convenhamos, não é mesmo de molde a atrair para ele nenhuma simpatia. Mais antipático ainda, porém, a meu ver, é tentar ele aqui, usando matreiramente a terceira pessoa, justificar a antipatia que sua maneira de ser costuma despertar.

1964

LONDRES —

Esses ingleses

CHEGANDO ao hotel, pedi um quarto de solteiro, depois de me certificar do preço. Subi, acomodei-me, e só então percebi que havia algum engano: o quarto era imenso, com uma cama de casado e duas de solteiro — provavelmente muito mais caro do que eu pretendia. Não tive dúvidas — voltei à recepção:

— Houve algum engano: pedi um quarto simples e o senhor me deu um com três camas.

O homem refletiu um instante e aconselhou-me polidamente:

— Não precisa usar as três: use uma e ignore as outras duas.

Tomei o trem subterrâneo com destino a Wimbledon, à procura de um apartamento para alugar, na suposição (equivocada) de que os de lá fossem mais baratos. No caminho, o trem se torna elevado e na última estação antes da Ponte de Putney se detém um instante, começa a voltar. Estranhando aquilo, salto numa das estações pelas quais já havia passado.

— Que devo fazer para ir a Wimbledon? — pergunto a um guarda.

— Tome o trem — responde ele.

— Tomei o trem — insisto, aborrecido — mas no meio do caminho ele voltou.

— Sinto muito — encerra o guarda, delicadíssimo: — Mas ou bem o senhor tomou o trem errado ou bem o senhor já foi a Wimbledon.

Saindo pelas ruas de Londres e sem conhecer a cidade, uma senhora brasileira se distraiu com uma vitrine e perdeu de vista o marido. Sem nenhum dinheiro, falando mal o inglês, não sabia o que fazer para voltar ao hotel. Andou de cá para lá, no meio da multidão, irresoluta, sentindo-se miserável no frio que fazia, começou a chorar. Logo alguém se acercou, solícito, oferecendo ajuda.

— Perdi meu marido — explicava ela, entre lágrimas, traduzindo para o inglês as palavras, uma a uma: — *I lost my husband!*

O homem tirou o chapéu, consternado:

— Sinto muito, minha senhora: meus pêsames.

E se voltou para os circunstantes, que já se detinham, penalizados:
— Ela perdeu o marido.
Todos, muito contritos, deram-lhe pêsames.

Guimarães Rosa me contou que estava em Londres e desejando localizar uma rua, resolveu pedir informação. Abordou o primeiro que encontrou: um velho gari da municipalidade, com o carrinho de limpeza, imaculado no seu modesto uniforme branco. O velho o atendeu polidamente e pôs-se a dar explicações. Mas o seu inglês tinha uma pronúncia completamente ininteligível, e como o londrino jamais faz um gesto explicativo, Guimarães Rosa ficou na mesma. Agradeceu, todavia, para não prolongar mais aquilo, e foi seguindo.

Foi seguindo na direção errada, pois logo ouviu um tropel atrás de si — era o gari que se precipitava ao seu encalço, para preveni-lo de que o caminho não era aquele. Novas explicações incompreensíveis, durante as quais o romancista brasileiro só fazia pensar numa coisa: "Como é que eu saio desta? Não vou conseguir entender e não me livro deste velho nunca. Assim que eu tomar de novo o caminho errado ele vem correndo atrás de mim, e vamos ficar nisso a vida inteira."

Então se preparou interiormente, tornou a agradecer muito a gentileza, e quando o gari menos esperava saiu em disparada, dobrou correndo a primeira esquina. Ouviu ainda o outro a chamá-lo, mas já ia longe: "Desta vez ele não me pega" — concluiu, vitorioso.

Bola de gude

EM matéria de bola de gude, os ingleses que me desculpem, mas não recebo lição de ninguém. Modéstia à parte, fui dos bons. Minha coleção, conquistada em cricadas de estilo, antes de cair na birosca, era de fazer inveja a muito moleque de rua em Belo Horizonte. Sei tecar de fininho ou de cheio — no batizado, ninguém me faz morrer pagão*.

O que eu não sabia é que os ingleses, que inventaram o críquete e o futebol, fossem de praticar também este esporte. A bela taça disputada no campeonato realizado em Tinsley Green durante a Semana Santa é a prova da seriedade com que encaram o jogo da bola de gude.

Mas é levar a seriedade um pouco longe: aqui, os disputantes são homens feitos, de barba na cara — os meninos se limitam a ficar olhando de longe, como simples espectadores.

---

*_A Vitória da Infância_, em "O Homem Nu".

Venceu o campeonato e conquistou a taça a equipe dos Tucanos de Crawley. Orgulhosos com a vitória, manifestaram a sua disposição de sair para campeonatos internacionais, desafiando jogadores de outros países.

Pois se for assim, estou às ordens dos Tucanos. Quando chegar a vez do Brasil, é só me avisar.

Delicadeza e distração

PARA começo de conversa, há o problema da língua. Por mais que eu pretenda saber inglês, de repente a palavra certa se recolhe, recusa-se a atender ao apelo da memória: esconde-se num emaranhado de sons, empurra em seu lugar outra palavra, em geral absolutamente inadequada para a ocasião. (Aconteceu ainda agora, a propósito da bola de gude: não consigo me lembrar o nome do jogo em inglês.)

Minha experiência, como vítima dessa desastrosa confusão vocabular, já vem de longe. Anos atrás, quando cheguei pela primeira vez aos Estados Unidos, tive de preencher um questionário das autoridades aduaneiras, no qual deveria declarar o objetivo de minha viagem. Presumo que, no meu caso, haja preenchido corretamente a declaração, em inglês, segundo a qual o objetivo da viagem era o de assumir as funções de auxiliar de Escritório Comercial do Brasil em Nova York. Quando chegou a vez de minha mulher, porém, antecipei-me a ela, na presunção de que meu inglês era melhor, e preenchi também o seu formulário. Ao entregá-lo, tive a surpresa de ver o funcionário se abrir numa sonora risada. Não satisfeito, convocou os demais e mostrou o que eu havia escrito, em meio às gargalhadas gerais. "Boa piada", me disseram então, cordialmente, e me despacharam sem mais formalidades.

Finquei pé, intrigado, e quis saber qual era a graça. O funcionário então me mostrou o que tomara por uma voluntária gracinha de minha parte: em vez de escrever que o objetivo da viagem de minha mulher era *"joining the husband"*, ou seja, acompanhando o marido, eu havia escrito *"enjoying the husband"*, ou seja: *curtindo o marido*.

O marido, desde então, tem curtido ele próprio as trapalhadas idiomáticas em que se costuma meter. Aqui na Inglaterra às vezes me consola o fato de saber que não sou o único.

Ainda ontem um amigo, recém-chegado do Brasil, telefonou para minha casa.

— Onde você está? — perguntei logo, pretendendo ir a seu encontro.

— Estou falando num telefone de rua. É na rua... Espera, deixa eu olhar na placa ali do outro lado: estou na rua "Ladies".

— Vê se em frente tem uma rua "Gentlemen" — perguntei então.

Confundir um toalete público com nome de rua não chega a ser tão grave como as confusões em que costumo me meter, de pura distração. A delicadeza formal com que geralmente o inglês atende um simples pedido nosso de informação exige que sejamos delicados também: dizer bom dia, com licença, por favor. De minha parte, não chego a afirmar, como Rimbaud que "*par delicatèsse j'ai perdu ma vie*", mas este excesso de delicadeza nem sempre se dá bem com o excesso de distração que costuma infernizar-me a vida.

Como aconteceu, por exemplo, na minha visita à dona de um apartamento que eu pretendia alugar. Tratava-se de alguém da mais fina educação — o que, de resto, costuma ser instância normal do inglês no trato cotidiano. A certa altura da conversa, ao saber-me brasileiro, ela gentilmente se ofereceu para me preparar um café. Procurando corresponder britanicamente à gentileza, fiz um gesto delicado de escusa, dizendo-lhe que não se incomodasse. Só que em vez de "*oh, don't bother*", como deveria ter dito, falei distraidamente "*oh, don't bother me*" — o que, em bom português, quer dizer "*não chateia*".

Onde morar

DEPOIS de quatro meses de procura e de visitar nada menos que 58 casas e apartamentos, encontrei em Londres onde morar. Alguns foram encontrados que me serviriam, mas a condição expressa dos proprietários de não permitir cachorros, nem pássaros nem crianças me pareceu um sério obstáculo.

Houve um, mais condescendente, que admitia pássaros, mas "só engaiolados". Não tenho pássaros nem cachorros; que fazer, no entanto, com minhas crianças, já em vias de sete, que é conta de mentiroso? Afogá-las na banheira? Sugeri engaiolá-las, mas o homem, horrorizado, não concordou com a sugestão.

Outros, mais compreensivos, não faziam maior questão, admitindo que criança é coisa que acontece até mesmo nas famílias inglesas. As casas que me ofereciam, porém, não comportavam a minha. Algumas eram longe demais, ou não tinham banheiro, ou não tinham espaço suficiente para me mexer. Aquela de Chelsea, perto de Sloane Square, bem jeitosa, aliás, ameaçava vir ao chão, com um ruído ensurdecedor, toda vez que o trem subterrâneo passava lá pelas profundezas. A de Hampstead era um encanto: com dois banheiros, jardim com gerânios, garagem para dois carros, e uma sala de estar onde, pelo tamanho, afastados os móveis, poder-se-ia até disputar uma partida de futebol. Mas o aluguel era tão alto que a princípio julguei tratar-se do preço de venda — até que não me pareceu muito cara. A de Maida Valle era tudo que eu precisava: bom tamanho, bons móveis, boa localização, bom preço. Mas outro pretendente que se antecipara tinha preferência, e acabou ficando com ela. Amaldiçoei o felizardo, sem saber ainda tratar-se de uma respeitável senhora que admiro de longa data, chamada Marlene Dietrich.

E assim, de porta em porta, eu andava às tontas por aí, procurando moradia. Enquanto isso, ia me arranjando como podia no apartamento em que vim me encostar, modesto, mas dá para esconder de chuva: uma espécie de água furtada que descobri logo nos primeiros dias, graças à gentileza da *lady*, sua proprietária.

Lady mesmo, viúva de um *lord*, que até foi pintor de certo renome, chegou a pintar o retrato de Churchill. Ao dar com o anúncio no jornal, telefonei-lhe imediatamente, e depois de expôr o meu problema tive a surpresa de ser convidado para um chá em sua casa. Fui recebido num ambiente cheio de cortinas, tapetes, alcatifas e coxins, que me fez lembrar "O Crepúsculo dos Deuses". Não se tratava propriamente de Gloria Swanson — mas a sua beleza castigada pelo tempo, quase trágica na decadência do ambiente, parecia evocar glórias passadas e me deixou vagamente apreensivo, ante a gentileza a um tempo austera e envolvente com que fui acolhido.

Em vez de chá, por exemplo, ela preferiu servir-me vodca. Sua distinção era espontânea e a nobreza, da mais alta estirpe: começou por reduzir o aluguel e admitiu logo que eu me instalasse, sem contratos e sem exigências, com crianças e com meu problema de procurar lugar melhor. Desde então não mais a vi. Envio-lhe regularmente o aluguel e vou vivendo na sua mansarda, com a estranha sensação de me haver tornado personagem de Dickens.

Outro dia recebi dela uma carta vazada no seguinte teor:

"Desculpe não ter-lhe feito uma visita, mas tenho estado ausente de Londres a maior parte do tempo, aproveitando no campo estes lindos dias de verão. Espero que nada lhe esteja faltando, e muito embora o prazer de tê-lo como inquilino, espero que realize breve o seu desejo de encontrar melhor acomodação para a sua família. Até lá, conte sempre com o melhor interesse em atendê-lo no que vier a precisar."

Mas isso era apenas o preâmbulo. Aqui vem o motivo principal da carta:

"Recebi hoje uma nota da moradora do apartamento abaixo do seu, também minha inquilina, perguntando-me sobre a possibilidade de suas crianças fazerem um pouco menos de barulho, especialmente à noite, pois ultimamente ela anda muito cansada. Pede-me também que, se for possível, elas não deixem mais pedrinhas na grama dos fundos, pois estão impedindo que o aparador de grama funcione como devia. Lamento muitíssimo incomodá-lo com essas trivialidades, mas ela tendo-me escrito, senti que era minha obrigação transmitir-lhe o seu pedido."

Diante de semelhante reclamação, desta vez, sim, senti vontade de afogar as crianças na banheira. Em vez disso, mandei à minha distinta senhoria umas flores com um pedido de desculpas e recomendei aos meninos que só ameaçassem derrubar a casa até as sete horas da noite. E fui vivendo como podia, até encontrar lugar melhor.

Pois a esperança é a última que morre: acabei encontrando.

O lado direito

OS ingleses acreditam que o lado direito é realmente o direito — e, em conseqüência, o esquerdo é o lado errado. O resto da humanidade, pois, está errada, insistindo em colocar o volante dos carros do lado errado, ou seja, do lado esquerdo. O automóvel, para eles, não passa de um estágio moderno na evolução das viaturas de tração animal. O cocheiro sentava-se à direita nas antigas carruagens, para que seu longo chicote, brandido sempre pela destra e não pela canhota, não circulasse no ar sobre a carruagem, ao risco de atingir a orelha de um nobre passageiro antes de chegar ao lombo dos cavalos.

— Estamos certos — alegam eles. — O resto do mundo é que está errado.

A inversão do volante implica logicamente na inversão da direção. Em conseqüência nós, os de outras nações, estamos sempre na contramão.

Desde que aqui cheguei, aprendi a não ser atropelado. Criei logo um reflexo condicionado, segundo o qual o carro atropelador viria sempre da direção oposta a que eu esperava.

Meu senso de direção, todavia, foi por água abaixo quando comecei a me utilizar do trem subterrâneo. Na estação, custei a entender que os trens das duas plataformas em cada estação também estão na contramão. Virar pelo avesso toda uma concepção de trânsito de um momento para outro era proeza bem difícil para mim — pobre mortal afeito aos imprevistos do trânsito carioca, no qual prevaleceu sempre o lema da fé em Deus e pé na tábua. Eu me sentia andando pelas ruas de Londres meio de lado, torto, canhoto e caolho, tentando corrigir mentalmente o que me parecia uma aberração visual, como um filme passado de trás para diante. Mas aos poucos fui me acostumando.

Até que me vi, eu próprio, atrás de um volante no lado direito (dito entre nós "na boléia"), correndo pelas fitas de asfalto das estradas inglesas em escandalosa contramão. Ao ultrapassar um carro à minha frente, pela direita, como manda o figurino britânico, vem-me a sensação de estar praticando uma ousadia que me custará desastrosa fechada. Perco a noção de espaço. Sinto que está faltando um pedaço do carro à minha direita. Tento corrigir com o corpo a ameaçadora contramão do imenso ônibus surgido na curva e que vai cruzar comigo. Ao fazer eu próprio uma curva, ponho a funcionar o pisca-pisca do lado oposto, levado pela estúpida impressão de que se vou dobrar à direita, para seguir a lógica rodoviária da Inglaterra, devo indicar que dobrarei à esquerda. Até agora ainda não atropelei ninguém, não provoquei nenhuma colisão e — Deus seja louvado — não feri o direito daqueles que a companhia de seguros chama de terceiros. Em matéria de trânsito, na Inglaterra, o candidato a terceiro sou eu.

O pior, ou pelo menos o mais azarado, deve ser um cidadão chamado William Henry Cooper. Vê-se pelo nome que não é brasileiro como eu, nem ao menos estrangeiro, mas inglês dos legítimos, acostumado portanto a estar sentado deste lado e não daquele, bem como a estar indo para lá e não vindo para cá.

Fiquei sabendo, pelos jornais, que o referido cidadão já tinha sido reprovado nos exames de habilitação nada menos que cinco vezes. Como acabou conseguindo licença para dirigir, só Deus sabe. O certo é que transformou sua habilitação em notícia, tornando-se conhecido da noite para o dia em toda a Inglaterra.

Por quê?

Simplesmente porque em dado momento, numa estrada a caminho de Maidenhead, deu uma fechada em outro carro, houve colisão. Embora ninguém saísse ferido, o que fez do acontecimento uma notícia de primeira página foi o simples pormenor de estar dirigindo o outro carro o príncipe Philip, que vinha de Windsor em companhia da esposa.

— A senhora se machucou? — perguntou uma mulher, moradora dos arredores e que acorreu logo.

Ao olhar mais atentamente, quase caiu para trás: era a própria Rainha da Inglaterra! Sem mais o que dizer, ofereceu seus préstimos:

— Quem sabe Vossa Majestade quer descansar um pouco ali em casa? Tomar uma xícara de chá?

A Rainha agradeceu e se foi com seu marido, graças a Deus ambos sem um arranhão. E o fato não passaria para mim de um simples acidente a que todos, mesmo as rainhas, estão sujeitos, não fosse a súbita consciência que me veio do risco que eu corro: assim como aconteceu com o dono do outro carro, poderia ter acontecido comigo. Imagino, como seria provável, que eu não reconhecesse tão depressa a Rainha e muito menos o marido dela. E saísse para cima dos dois numa discussão à brasileira sobre quem tinha razão:

— Vai me desculpar, velhinho, mas vocês pra mim vinham na contramão. Não cria caso porque senão vai ser pior. Vamos dar um jeitinho nisso antes que a situação se complique. Ninguém teve nada, só o meu carro é que estragou, te agüenta aí, ô corôa, que é que há? Isso acontece, vamos dar o fora antes que chegue a polícia.

Para que não aconteça comigo, desde então redobrei de cuidado e todo carro que surge em direção oposta me deixa de sobreaviso. Vou tratando de dirigir bem direito, ou seja, bem à esquerda, cauteloso como um velho: deixa ele passar; pelo sim, pelo não, pode ser o da Rainha.

A mulher e a flor

MINHA filha Virgínia de vez em quando me pede ajuda, ao redigir um cartão para uma amiguinha no Brasil. "A primavera aqui está linda", começo a ditar: "cheia de sol e de flores." Ela protesta logo: "Não vou mandar para ela essa bobagem, parecendo composição escolar." E eu, o escritor, desço do alto de minha prosopopéia, melindrado: "Pois então escreva você, que já tem treze anos, sabe escrever o que quiser. Esta bobagem é a única coisa que eu sei escrever num cartão."

Na realidade, é impossível mandar, num cartão, mensagem de cordialidade menos convencional. Não chego a ponto de repetir aquele brasileiro que só sabia dizer, nos cartões enviados de Paris a seus amigos: "Paris é realmente uma grande cidade." A minha banalidade epistolar não baixa a tanto, embora seja irresistível a imposição do lugar-comum.

Nos Estados Unidos, por exemplo, reza a tradição que um cartão deve dizer sempre: "A paisagem é linda, pena que você não esteja aqui." O que não impede que, vez por outra, o automatismo do americano em relação à frase-feita leve-o a escrever, por distração: "Você é linda, pena que a paisagem não esteja aqui."

O que acontece em Londres, todavia, é que a presença do sol e das flores nesta primavera é algo tão surpreendente que não resisto à tentação de espalhar a notícia aos quatro ventos.

Surpreendente para mim, brasileiro, que me acostumei a imaginar Londres cinzenta e opaca o ano inteiro, por influência talvez da literatura, especialmente policial. Jamais imaginei, digamos, Sherlock Holmes caminhando num dia claro e cheio de sol, sobre a grama dos parques, de um verde intensíssimo, coberta de flores.

Flores por todo o lado. Aquilo que eu pensei fosse apenas uma praxe do protocolo diplomático ou amoroso é instância normal na vida do inglês: receber ou dar flores a qualquer pretexto e mesmo sem pretexto algum. Pois do contrário, para que tanta flor, senão para serem ofertadas e recebidas?

A maior parte, entretanto, se compõe de flores que existem para ficar onde estão: nos jardins e quintais, ou, à falta destes, no parapeito das janelas. O inglês cultiva suas flores como verdadeiras jóias da natureza — e eis-me aqui de novo usando imagens de composição escolar, minha filha tem toda a razão. Não há boa literatura que resista à inspiração tão florida e primaveril.

Mas para o inglês, trata-se realmente de jóias — do contrário, por mais bonitas sejam, não justificariam o desvelo quase obsessivo com que são cultivadas.

O caso de Lady Portman, por exemplo, que os jornais recentemente noticiaram, ilustra isso bem.

Lady Portman tinha a seu serviço, na mansão de Beaconsfield onde mora, um jardineiro de nome Frank Kligenspor, que há 47 anos vem cuidando das flores alheias como se fossem suas. Tamanha dedicação lhes dispensa, que chegou a afirmar ao juiz, quando era julgado pelo crime praticado:

— Não gosto de ninguém se metendo com as minhas flores quando não estou presente.

Quem se metia com elas, a enxerida, era a própria Lady Portman, sua patroa, que ousou pedir-lhe a chave da estufa.

— Sou uma espécie de jardineiro da velha guarda — explicou ele mais tarde: — Não acho direito o patrão querer entrar na estufa durante a ausência do jardineiro. São plantas e flores delicadas, quem sabe lidar com elas sou eu.

Sobre o patrão, propriamente, o Visconde Portman, afirmou tratar-se de homem delicado e sensível; que o respeitava como jardineiro, nunca deixando de felicitá-lo pela beleza das flores por ele cultivadas. Mas Lady Portman, na sua opinião, era de amargar:

— Uma criatura realmente insuportável — arrematou.

Tudo começou quando certa manhã Lady Portman resolveu, ela própria, dispor os vasos no parapeito da varanda, sem consultar o jardineiro sobre a conveniência de tão temerária iniciativa. Depois se meteu a aparar a grama do jardim.

— A grama não deve ser aparada agora — ele advertiu.

Quando ela pediu a chave da estufa, para depois esquecer a porta aberta, ele acabou perdendo a cabeça. Afirmou ironicamente o promotor público, ao acusá-lo, que não poderia imaginar cena mais pastoral: o jardineiro cuidando de orquídeas e outras plantas raras; a pobre senhora rondando, interferindo, dando palpites, deixando a porta da estufa aberta. O jardineiro de súbito avançando para ela, dando com ela no chão numa formidável rasteira e depois desferindo-lhe uma dúzia de palmadas no lugar adequado.

— Foi muito mais do que isto — arrematou o promotor: — Lady Portman saiu com marcas de pancadas em quase todas as partes de sua anatomia.

O jardineiro, por sua parte, fez desfilar na Corte verdadeiro batalhão de depoentes, que testemunharam a sua competência profissional ao longo dos anos, desde 1917:

— Sempre ajuda um pouco olhar as coisas com alguma perspectiva — justificou-se.

O juiz não foi nessa conversa e o multou em trinta libras, além das custas, e o proibiu de aproximar-se a menos de um milha da mansão dos Portman durante pelo menos três anos.

Nada mais justo; o jardineiro cometeu realmente um crime, pois aqui, mais do que em qualquer lugar, numa mulher não se bate nem com uma flor.

Crianças

A POBRE mãezinha deu por falta de sua filha de sete anos, e então mandou um bilhete ao gerente do cinema:

"Fui à sessão hoje pela manhã com oito crianças. Verifico agora que só tenho sete aqui em casa. Pode fazer o favor de verificar se a oitava não estará ainda por aí, no meio da platéia?"

As vaga-lumes do cinema encontraram logo a garotinha: estava assistindo ao filme dos Beatles "A Hard Day's Night" pela quinta vez, e não havia jeito de querer sair.

Durante as três semanas de exibição, diariamente vêm mães ao cinema recolher os filhos sumidos.

Muitos entram para a sessão matinal de dez e quarenta e só saem depois da última exibição noturna. Levam consigo sanduíches e cachorro-quentes. Um menino de oito anos, deixado pelo pai no cinema à hora do almoço, só foi encontrado às oito e meia da noite, numa das primeiras filas: "Vim sentar aqui para ver melhor", explicou ele.

Qual será a destes jovens músicos cabeludos, para atrair assim a admiração infantil? Talvez por que sejam puros, sem preocupação artística, senão a de exercer espontaneamente a alegria de viver?

Não preciso ir muito longe: Minha filha Verônica está com três anos e já é fã dos Beatles. Faz questão de ter o cartão-postal com a fotografia dos quatro, vendida por toda parte em Londres, e dorme com ela sobre o travesseiro. Outro dia arrastou a mãe para assistir ao diabo do filme. Agora, não satisfeita, insiste em voltar com o pai: "Se você não for comigo, vou sozinha." Acabo tendo que ir.

E como o assunto hoje é mesmo criança, deixa eu falar agora na linda menininha que acaba de vir ao mundo aqui em Londres, com aquela carinha de índia peruana que toda criança tem ao nascer. O pai, que não se dá ao respeito, faz questão de exibi-la na maternidade, até aos que visitam outras mães — os ingleses ficam boquiabertos.

O acontecimento, reconheço, é trivial; acontece nas melhores famílias. Mas acontece também o fenômeno de uma criança que nasce ser sempre uma chance a mais que o mundo tem de se fazer digno de merecê-la. O diabo é que com essa, fora dois varões, já são cinco — cinco moças para casar. O pai, um pouco apreensivo, comunica, pois, ao mundo, este fantástico acontecimento: nasceu uma menina, que se chamará Mariana.

Uma elegância britânica

OU muito me engano, ou sorrateiramente os hábitos da terra começam a atuar sobre mim. Já vejo sintomas alarmantes. Basta dizer que, de uns tempos para cá, passei a usar chapéu!

Não daquele de Carlitos, conhecido no Brasil como chapéu-coco, que ao inglês não traz conotação de comicidade, muito antes pelo contrário: com o indefectível guarda-chuva, empresta-lhe a mais conspícua seriedade, compondo o uniforme tradicional do homem de negócios, a caminhar apressadinho pela City, pasta debaixo do braço.

O chapéu que me cobre o coco não é daqueles. Nem mesmo é o chapéu de feltro convencional, geralmente usado para esconder a careca. Serve-me apenas nos dias de chuva e de frio: é um chapeuzinho meio fagueiro, tirante a tirolês, que sobrou para mim do espólio do Ministro Geraldo Eulálio do Nascimento Silva, que se mandou da nossa Embaixada para ser Embaixador ele próprio em climas mais temperados.* Fico meio encabulado de botá-lo na cabeça, mas não há outro jeito: faz frio e chove mesmo, este é o que tenho, outro não compro. Cobrirá certamente outra cabeça — a que me suceder, quando chegar a minha vez de partir.

Além do mais — vá lá, coragem, confesse logo! — que significa um mero chapéu, elegante ou gaiato, para quem não sabe como esconder que está usando suspensórios? Já se vê que minha situação é triste: a indumentária vai-se tornando, com o correr dos dias, exatamente igual àquela de antanho, que usava o meu respeitável avô. E no entanto, como a dentadura do poeta mineiro (ou a palavra *antanho*), ouso crer que ainda não sou bem velho para merecê-la. Os suspensórios, Deus seja louvado, servem-me para não deixar cair as calças. As calças inglesas, nem por ser inglesas, deixam de cair, quando não há o que as segure no lugar. E, por um capricho da moda, continuam sendo daquelas que não admitem cintos senão à altura do tórax, como as de George Raft nos velhos filmes de *gangsters*. Tenho a esperança de que seu corte antiquado, sob a tesoura rigorosa dos famosos alfaiates londrinos, esteja tão-somente marcando passo, como tudo mais, à espera de que a moda evolua.

Enquanto isso não acontece, resta-me aderir às ligas. A tanto ainda não baixei — ou, se preferirem, a tanto não subiram as minhas meias. Eis por que vivo sob o castigo cotidiano de senti-las escorrendo perna abaixo e sendo implacavelmente devoradas pelos sapatos, como acontecia no meu tempo de menino. As meias inglesas, mau grado o valioso fio da Escócia, são geralmente de cano alto e para se deter na barriga da perna, exigem o uso compulsório das ligas de elástico.

---

*XXIV — LONDRES, em "O Tabuleiro de Damas", 5a. edição, revista e ampliada.

Há mais: há o colete. O anacronismo do uso do colete reabilita, na minha lembrança, ditos coloquiais antigos e expressões obsoletas de gíria: manga de colete, tirar o nome do bolso do colete. Seus bolsinhos quase me levam a usar lusitanamente a palavra *algibeira*. E há coletes requintados, de cores extravagantes, como o amarelo, ou mesmo vermelho e dourado, que tenho esperanças de jamais vestir.

Ao cachimbo, resisto o quanto posso. Houve um tempo em que eu achava bem fumar cachimbo, desde que não fosse derrotado afinal pela obrigação constante e insuportável de limpá-lo. Mas o fato de quase sempre ser levado a acender um cigarro depois de algumas cachimbadas, acabou denunciando aos meus olhos a vaidade juvenil de meu cachimbo, que não passava de uma necessidade de fazer perfil. Os ingleses que me desculpem, mas prefiro continuar pitando o meu cigarrinho, fiel à convicção de que, mais do que ele, o medo do câncer é que é justamente uma das causas do câncer.

No mais, sinto que ando a passos largos para a bengala que me espera. Esta sim, contaria de imediato com a minha incondicional adesão. Mas percebo ao redor que seu uso vem lamentavelmente cedendo lugar ao guarda-chuva, ou mesmo a coisa nenhuma.

Em todo caso, a quantidade de bengalas que pude ver num departamento de achados e perdidos sugeriu-me que os ingleses talvez não as tenham desprezado como é de se supor, mas as estejam perdendo a cada passo. Cheguei a sair com uma, embora apenas para assegurar o equilíbrio enquanto me recuperava de um acidente. Tenho-a aqui guardada, na esperança de ainda vir a usá-la — não para amparar-me os passos quando chegar o tempo da velhice, mas antes disso, como imperativo de uma futura elegância definitivamente britânica.

Entendimentos conjugais

A MULHER deve contar com a proteção da lei quando o marido é pão-duro... Bem, deve ou não deve? — eis a questão.

— Deve! — respondem elas em coro.

São as sócias da Federação Liberal das Mulheres Inglesas.

Quais exatamente os objetivos da tal Federação, não cheguei a ficar sabendo — embora minhas inclinações ideológicas sejam decididamente liberais, e minhas convicções afetivas decididamente a favor da mulheres.

O certo é que elas, por seu lado, não parecem tanto a nosso favor. Pelo menos é o que deduzo desta causa que resolveram abraçar com tamanho fervor feminino. A lei determina apenas que os maridos devem prover o sustento de suas esposas, providenciando no sentido de que nada lhes venha a faltar. Mas a lei não especifica como, nem com quanto.

E, segundo as referidas esposas, elas não passam de meras depositárias dos ganhos do marido, gastando com ele próprio o dinheiro que se digna de trazer para casa.

Eis uma discutível afirmação, que pode dar margem ainda a muita controvérsia. Será difícil convencer a um marido, por exemplo, que o dinheiro gasto num vestido, numa jóia ou num chapéu, foi em última análise gasto com ele, pelo fato de uma esposa que se preza só se enfeitar para os olhos diletos de seu companheiro.

De qualquer maneira, quanto seria razoável exigir de um marido para as despesas pessoais da esposa? Isso na suposição, fartamente justificada pelas próprias, de que uma esposa, mesmo uma esposa inglesa, deva ter despesas pessoais.

Os entendidos na matéria, que certamente não são os maridos, sustentam que a importância devida às sustentadas fica entre cinco e dez por cento do rendimento. Os outros noventa ou noventa e cinco por cento seriam para prover o sustento da família. O que os entendidos se esquecem de especificar é com quantos por cento os maridos devem contar para as suas despesas pessoais.

Uma baronesa — a Baronesa de Summerskill, para ser exato — declara solenemente que a percentagem é ridícula:

— O marido e a mulher devem dividir igualmente o dinheiro que ganham: metade para um, metade para o outro.

E a família?

— Vai bem, obrigado — responderia o gaiato que se metesse a seguir o esquema da baronesa.

Só nos resta sacudir a cabeça gravemente e suspirar: coitado do barão. A menos que a ilustre dama esteja se referindo aos casais que compartilham igualmente da difícil empreitada matrimonial não apenas nas despesas, mas também na receita.

Pode acontecer, porém, que quem parte e reparte leve a maior parte. Tenho um amigo, mais realista que o rei, ou seja, que a baronesa, cujo desprendimento elevou a cem por cento a sua tese: entrega todo o ordenado à mulher. Passa então a pedir-lhe dinheiro a todo momento, para o ônibus, para o cigarro, e às vezes, num rasgo de galanteria, para lhe comprar um presente. Assegura-me que o processo dá resultado: a mulher jamais poderá reclamar falta de dinheiro.

Ele, por seu lado, tem uma arma secreta: gratificações, recebimentos inesperados e qualquer ganho extra jamais são faturados, indo diretamente de seu bolso para o alheio, por cima do balcão do *pub* da esquina.

Um casal que jamais chegará a se entender nesse particular é o que George e Olive Allen um dia tiveram a infelicidade de compor. Isto porque nunca chegarão a se entender como marido e mulher em matéria conjugal alguma, que dirá com respeito a dinheiro. Nem sequer chegaram ainda a um acordo sobre como se deitar na sua cama de casal.

Afirma o juiz que a cama é de dimensão normal, e que podiam chegar a perfeito entendimento, como milhares de casais em todo o mundo, que dormem em camas pelo menos tão estreitas. Porque o caso, digo, o casal, terminou na Corte, com pedido de divórcio.

Ela se queixou de que ele não lhe deixava espaço para dormir, com sua mania de encolher as pernas. Ele alegou que as pernas se encolhiam por si mesmas, durante o sono.

Freud explica isso: a postura fetal, o regresso ao ventre materno...

Pois deu Freud contra. Alta madrugada, a mulher houve por bem que aquilo era um desaforo:

— Arreda pra lá.

E o sacudiu com força: ou bem ele esticava as canelas, no sentido literal, ou acabaria esticando no sentido figurado. Como resposta, ele plantou os joelhos na mulher com tanta violência que deu com ela no chão.

— O caso à primeira vista não parece muito grave — considerou o juiz. — Mas sou forçado a convir que acabará sendo.

E concedeu o divórcio.

Donde se conclui que há, entre o céu e a terra, ou seja, entre marido e mulher, muito mais coisas do que cogita a vã filosofia da Federação Liberal das Mulheres Inglesas.

Borboletas ao pé do altar

ESTA sim, é uma moça que leva a sério tudo, principalmente o casamento. Para Christine Smith, o casamento é coisa a ser decidida ao pé do altar. Diz o rifão que se desfaz até na porta da igreja — está errado: não se desfaz aquilo que não foi feito, e há um momento além da porta, o último, em que ainda se pode voltar atrás.

Pois foi justamente este momento que Christine escolheu. Quando o padre lhe perguntou se aceitava aquele homem como marido — aquele homem era seu noivo de quinze meses, seu namorado de mais de quatro anos — ela respondeu com firmeza:

— Não.

E como o padre, boquiaberto como bom inglês, continuava a olhá-la sem entender, a moça acrescentou, a título de esclarecimento:

— Eu não quero me casar.

Depois ela começou a chorar e saiu correndo para a sacristia, deixando o noivo, padrinhos e convidados estupefatos, mas firmes nos cascos, aguardando os acontecimentos: a cerimônia ia tendo um desenrolar absolutamente inédito. O padre correu atrás da moça, como num filme italiano. Poucos minutos depois voltava, esbaforido e desalentado, deixando cair os braços:

— Não houve jeito: disse que não casa e não casa mesmo, pronto, acabou-se.

O noivo, a esta altura já vagamente inclinado a acreditar que havia alguma coisa errada em tudo aquilo, perguntou onde estava ela.

— Voltou para casa — explicou o padre: — Para a casa *dela*, se me permite esclarecer.

Os amigos do noivo, formados já à porta da igreja com saquinhos de arroz e confete para a tradicional despedida, olharam em desolado silêncio o carro que se afastava, levando a noiva sozinha e em prantos. Dentro da igreja, todavia, o noivo, por seu lado, acabava de tomar uma dramática resolução: não passaria recibo.

E veio saindo da igreja, sozinho, pelo centro, em passos lentos. Desavisada, a moça lá do coro, sentada no órgão, sentiu que chegara a hora, não teve dúvida: rompeu na marcha nupcial.

Era de se ver o noivo casado com a mulher invisível — ou consigo mesmo, com as suas mais secretas apreensões.

Apreensões que houve por bem não comunicar a ninguém. À porta da igreja, convocou amigos e convidados, mandou-se com eles para a recepção preparada no clube local.

Inglês é mesmo gente difícil de se mancar: houve a certa altura quem até sugerisse cortar o bolo. O noivo não deixou. Mas deixou que todos se servissem de champanhe à vontade, para refrescar a cabeça. Quando enfim um conviva mais curioso ou indiscreto ousou perguntar que diabo de celebração era aquela, em que a noiva escapulia pela tangente e o noivo vinha celebrar sozinho o casamento que não houve, este último retrucou com firmeza:

— Ainda vai haver, não se preocupem.

Instado pelos demais, acabou esclarecendo que pretendia visitar a moça, conversar com ela, tudo se arranjaria. Caso não se arranjasse, ficassem tranqüilos, os presentes seriam todos devolvidos.

Homem sábio! Ou pelo menos de muito boa conversa. Aqui o vejo, na fotografia que os jornais hoje publicam. Todo sorridente, carregando ao colo a noiva — também sorridente — *depois* do casamento, que acabou se realizando mesmo, alguns dias mais tarde.

Não me perguntem como ele conseguiu convencê-la. Só sei dizer que houve um momento de verdadeiro suspense, quando o padre chegou cauteloso ao ponto fatal da pergunta que não admite resposta senão afirmativa. O silêncio se prolongava, os convidados se entreolhavam. Mas Christine Smith de súbito se abriu num sorriso nupcial e sacudiu a cabeça:

— Aceito.

Rolou pela igreja, em uníssono, um suspiro de alívio. Não havia mais dúvida: agora ela queria casar.

— Eu sempre quis — explicou ela mais tarde: — Não sei o que me aconteceu da primeira vez.

E experimentou uma explicação que era a um tempo expressivo sintoma de mal súbito e lírica declaração de amor:

— Na hora de dizer sim, senti o estômago cheio de borboletas.

Maridos

ALTO, moreno e simpático, com 35 anos de idade. Ajuda a lavar a roupa, lembra-se dos aniversários e sabe distinguir entre um bolo feito em casa e um adquirido na confeitaria.

Pessoalmente encarna-se na figura de um cidadão chamado Brian Sutherland, professor de artes e ofícios. Foi escolhido em Londres esta semana, entre seis finalistas, numa competição de 1.400 concorrentes, como o marido inglês ideal.

Os pretendentes tiveram de se submeter a um teste escrito que daria comigo na rua da amargura como o pior dos maridos. Não só não ajudo a lavar a roupa, nem me lembro dos aniversários, como seria desclassificado se me perguntassem o que andaram perguntando aos candidatos, ou seja: o que fazer quando o neném estiver com soluço, como fritar batatas, como limpar panelas de alumínio.

Os exames de classificação não pararam aí. Os maridos tiveram de discar o número do telefone de emergência completamente no escuro, identificar dez objetos de uso doméstico, e dar outras provas de sabedoria caseira.

Donde se conclui que o marido ideal, pelo menos na Inglaterra, deve ser fundamentalmente caseiro — saber tudo que se passa dentro das quatro paredes de um lar, como verdadeira dona de casa. Pouco importa que na rua ele se estrepe. Ser sensato em relação ao dinheiro, por exemplo, é a virtude principal numa lista de cinco que o marido ideal tem de praticar. As outras são, pela ordem: "ser capaz de se lembrar", o que não significa apenas ter boa memória: lembrar aquilo que lhe diz a mulher, evidentemente; "ser bem arrumado", "ter interesse em comida" e, por último, "ser razoável".

De nossa parte, sejamos razoáveis. O mundo nesta última semana passou por acontecimentos muito mais importantes do que a escolha do marido ideal na Inglaterra. Os próprios ingleses escolheram, por escassa maioria, o homem que julgaram capaz de liderar o seu destino. Não sendo ideal, coisa em que os eleitores de bom senso não acreditam, vai ter ainda assim, como o bom marido, de distinguir entre o bolo feito em casa e o bolo adquirido na rua; ter de se lembrar de tudo, ser sensato com relação ao dinheiro e, sobretudo, ser razoável — para corresponder à expectativa do eleitorado, pois do contrário terá de ceder lugar a outro. Neste país, assim como para o casamento, também para a política se admite o divórcio.

Casamentos e congressos se dissolvem se for o caso, não adianta ser alto, moreno e simpático. A simpatia do novo Primeiro-Ministro, que não é alto nem moreno, nasce do poder de convicção com que soube se impor na defesa de suas idéias. Às vezes nasce diretamente de seu cachimbo, como domingo último, na fotografia publicada pelo *Sunday Times*, em que se vê aureolado por uma rodela de fumaça que ele próprio expeliu — simbolizando a responsabilidade que paira agora sobre sua cabeça, de corresponder à esperança do povo.

Este outro, George Hughes, é um homem de quem se pode dizer que deu um mau passo, quando se casou. Para começo de conversa, sua mulher, em matéria de experiência matrimonial, vinha já com uma alta quilometragem, mais rodada que um Ford de bigodes: sendo divorciada, trazia consigo nada menos que sete filhos.

Mister Hughes é homem de boa paz e acolheu os sete filhos da mulher com disposição de espírito. Para confirmar semelhante disposição, ela compareceu nove meses depois com seu oitavo filho — o primeiro de Mister Hughes.

Mas não ficou aí: acabou esperando o nono. E este, conforme ela confessou com a cara mais limpa deste mundo, não era de Mister Hughes, mas de outro homem. Pois até isso Mister Hughes engoliu. Um filho a mais, um filho a menos, seja de quem for... Acontece, todavia, que a mulher, não satisfeita, lá um belo dia largou o marido com a filharada e se mandou com um tal de Mister Jones, que não tinha entrado na história.

— Essa não! — protestou Mister Hughes, e saiu para a ignorância. Arranjou uma barra de ferro, foi atrás de Mister Jones e largou-lhe o ferro na cabeça. Depois telefonou para a polícia:

— Me segurem que eu vou ter um troço.

No julgamento o juiz se mostrou compreensivo:

— O senhor declarou no seu depoimento que tinha intenção de matar. De minha parte, ouso dizer que isso foi declarado sob a emoção do momento. Porque se tinha a intenção de matar, não sei como não conseguiu, usando semelhante arma. E se tivesse conseguido, esteja certo de que haveria excesso de atenuantes.

E o condenou apenas a dezoito meses, pois com uma mulher daquelas o que ele merecia era cem anos de perdão.

Deixemos em paz a mulher de Mister Hughes. O que se espera de mim, nesta crônica, é falar dos hábitos ingleses, comentar fatos, narrar casos e incidentes da vida cotidiana na Inglaterra, que revelem um pouco de seus costumes e tradições. E quando dou por mim, estou sempre a falar da vida alheia.

Poderia comentar, por exemplo, as aventuras e tropelias da águia que fugiu há dez dias do Jardim Zoológico, assunto do momento em Londres. Ou falar na neve que caiu outro dia, pela primeira vez neste inverno, cobrindo a cidade de branco. Ou ainda nas pombas de Trafalgar Square, que desafiam o frio e continuam pousando nos ombros de turistas encapotados. São assuntos que merecem, usualmente, a atenção dos cronistas que se prezam.

Pois em vez disso, aqui estou de novo, para falar de outro casal. Eu não resisto, é muito tentador. Porque a mulher de Mister Hughes, com seus nove filhos e tudo mais, perto da mulher de Maurice Frankel, não passa de uma santa e dedicada esposa.

Maurice Frankel, quando chegava do trabalho, costumava ficar rondando sua casa, até ganhar coragem de entrar. Não era para menos: a mulher vinha a ser um virago de meter medo em Frankenstein. Por causa dela, há trinta anos que a vida do marido é um inferno.

E aqui está outro juiz sensível ao triste destino de certos maridos:

— É de se espantar que ele tenha esperado tanto tempo.

E lhe deu ganho de causa na ação de divórcio. Entre outras provas do tratamento que o homem recebia da esposa, apresentou ele um diário no qual anotava, como um desabafo, as expressões que ela usava: "Besta. Animal. Trabalho como uma escrava o dia inteiro. Jamais imaginei que acabaria casada com semelhante cavalgadura."

E assim por diante. Mas agora, já divorciado — e eis um dos mais terríveis males do divórcio! — o homem acaba revelando que encontrou outra mulher, esta sim, um amor de criatura, com quem pretende se casar em breve.

Ou tem vocação para herói, ou é mesmo uma cavalgadura.

Para encerrar, que a conversa já vai longa, falemos de novo em maridos. Desta vez, porém, para me referir a um senhor chamado Edgar Francis, que se não é o marido ideal, já se mostrou capaz de conquistar o primeiro lugar entre os eternamente apaixonados. Quando a moça que ele amava não correspondeu à sua paixão e começou a sair (ou entrar) com alguém mais, Edgar Francis, desgostoso, arrumou as malas e se mandou para a Austrália.

Mas isso foi em 1918. O rival de Francis deu azar, e logo morreu na guerra. A moça nunca se casou. A bem dizer, nunca se casou até ontem. Quarenta e seis anos depois, isto é, quarta-feira passada, Francis inesperadamente voltou para Inglaterra, já com 72 anos de idade. No dia seguinte à sua chegada, procurou a antiga namorada para pedi-la em casamento. Esta, com setenta anos, não vacilou em aceitar e se casaram ontem. Ela afirmou que durante todo esse tempo não pensou em outra coisa senão nele. O que pode ser um pouco de exagero, mas em todo caso, o certo é que os dois partiram hoje para a Austrália, em viagem de lua-de-mel.

A palavra proibida

O ESCRITOR Kenneth Tynan por pouco não põe a Inglaterra inteira em polvorosa. Ninguém poderia jamais esperar que verdadeira bomba viria explodir sobre a sensibilidade moral britânica, através de uma pequena palavra, pronunciada durante um programa de televisão.

O programa versava exatamente sobre o problema da censura — mas, em casa de ferreiro, espeto de pau: ninguém se lembraria de censurar um programa sobre a censura. Kenneth Tynan discreteava com inteligência e elegância sobre o tema proposto, tendo como interlocutora a romancista americana Mary McCarthy. E o assunto em causa era dos que interessavam particularmente àqueles dois. Ela é autora de livros como "Memórias de Uma Infância Católica" — terrível depoimento sobre as deformações a que se sujeita uma criança, escravizada aos preconceitos de uma sociedade puritana. Ele, além de excelente crítico de teatro e cinema, vem a ser diretor artístico do Teatro Nacional. É, portanto, explicável que o problema da censura tocasse a ambos de perto.

Mas não tão de perto a ponto de deflagrar o escândalo público, através de uma palavra dita casualmente, para dar ênfase à resposta. É que o animador do programa, a horas tantas, teve a coragem de dirigir a Tynan a seguinte pergunta:

— O senhor permitiria a representação, no Teatro Nacional, de uma peça em que houvesse, digamos, uma relação sexual em pleno palco?

— Sem dúvida alguma — respondeu Tynan prontamente.

Como, todavia, a resposta talvez lhe parecesse evasiva, resolveu acentuá-la, repetindo afirmativamente a pergunta: sem dúvida alguma, conforme o caso, ele permitiria a representação no Teatro Nacional, em cena aberta, de uma relação sexual.

O assunto, em si, não seria de escandalizar nenhum inglês. Só que, em vez de usar o polido eufemismo do outro, no calor da conversa valeu-se tranquilamente do palavrão tradicional.

Ora, o palavrão não passando de uma palavrinha, reza a tradição que ela vem a ser justamente uma das famosas "palavras de quatro letras", que são absolutamente impronunciáveis e impublicáveis em inglês e em qualquer idioma, com quantas letras tenham. A não ser, talvez, em tupi-guarani: os índios fazem as coisas naturalmente e costumam dar nomes aos bois. Não usam de civilizados rodeios para referir-se aos atendimentos do amor ou da santa natureza.

Pois logo se disse que o crítico inglês procedeu como verdadeiro selvagem.

E o mundo inglês veio abaixo. A mesa de telefones da estação entrou em colapso, incapaz de receber ao mesmo tempo tantas chamadas de protesto. Em toda parte pronunciamentos indignados começaram a se fazer ouvir. Um deputado conservador declarou que caíra em estado de choque ao ouvir semelhante palavra através da austera BBC. Um deputado trabalhista afirmou que "usar tal expressão num programa público é um ultraje", e pediu uma comissão de inquérito. Chegou mesmo a ser exigida a demissão do diretor da estação.

No entanto, meu Deus, se atentassem bem, talvez acabassem descobrindo que a expressão era absolutamente castiça, com toda certeza usada e justificada pelos clássicos da língua de Shakespeare. O próprio bardo, se não chegou a empregá-la diretamente, cansou-se de usar sinônimos ou metáforas afins, com que o vulgo de sua época se referia à mesmíssima coisa. Coisa esta que, aliás, já na sua época, era em si perfeitamente natural, acontecendo nas melhores famílias.

Enquanto se desencadeava a tempestade, Kenneth Tynan, imperturbável, se recusava, como se diz, a retirar a expressão — o que seria impraticável, pois teria de retirá-la de milhões de ouvidos ingleses, àquela hora já escandalizados com o que haviam escutado. Referira-se ele, com toda naturalidade, a algo que, no seu entender, "nenhum ser racional jamais acharia diabólico, particularmente revoltante ou totalmente proibido", conforme fez mais tarde questão de acentuar.

Está muito bem, ninguém achava diabólica ou revoltante a coisa em si — mas a palavra, a palavra! esta sim, era totalmente proibida.

Proibida, e no entanto todo mundo a entende e repete sempre à boca pequena. Foi o que pretendeu sustentar o chefe do controle dos programas da BBC, dando mão forte ao escritor:

— Confesso que, quando ouvi, fiquei um pouco surpreso mas de maneira alguma me escandalizei. Pareceu-me expressão adequada ao tom da discussão que se travava: uma discussão responsável e conseqüente.

O assunto ganhou as ruas e todos passaram também a discutir. Não o assunto em si, mas a conveniência ou inconveniência do vocábulo. O ato a que ele se refere vir um dia a ser representado em pleno palco do Teatro Nacional não parece, até o momento, pelo menos, ser coisa de escandalizar inglês. A palavra, sim.

Embora não seja, como na anedota (brasileira), a sicuta que matou o filósofo: é soda, Fócrates.

O pecado de ser jovem

IMAGINO que, no Brasil, os Beatles devem ser considerados pelos mais velhos como quatro débeis mentais: quatro doidinhos cabeludos cantando músicas desengonçadas para a histeria das macacas de auditório.

"Que é que está pretendendo essa mocidade hoje em dia?", perguntam os que um dia foram moços, sacudindo a cabeça. Os *rocks* e os *mods*, por exemplo, com seu vandalismo nas praias de veraneio, estão sendo considerados verdadeiro caso de calamidade pública na Inglaterra. E isso num país que se caracteriza pela seriedade e pela circunspecção, aprimoradas ao longo dos séculos. Que diabo está acontecendo?

Os *rocks* se distinguem dos *mods*, dentro da mesma atitude de inconformismo diante da vida. São os que andam de motocicleta com suas namoradas na garupa, usam cabelos longos e desarranjados, calças *blue-jeans* justíssimas e desbotadas, blusões e capacetes de couro: são displicentes e relaxados. Já os *mods* são os elegantes: cabeleira também longa, mas bem cuidada, paletózinhos apertados de veludo ou camurça, calças de cano estreito, sapatos de salto carrapeta. As moças têm os cabelos curtos e, à primeira vista, é difícil distinguir quem é homem e quem é mulher. Estas, porém, costumam usar saias até os pés, como as do princípio do século, ou botas de couro até os joelhos.

Todos, indistintamente, são considerados grosseiros, estúpidos e covardes. Segundo afirmou um juiz, ao condenar alguns deles a seis meses de cadeia pela sua atividade predatória, só são corajosos quando em bando, como ratos. Numa guerra, seriam heróis, morreriam pela pátria; em tempos de paz, se fazem heróis de si mesmos, como césares de fancaria, em busca de sensação. Travam encontros violentos, invadem bares e restaurantes, ocupam as ruas, as praias, as estradas, provocando arruaças e tropelias por onde passam. A nação inteira se alarma, os jornais se enchem de notícias, os editoriais pedem medidas drásticas.

Acho, com franqueza, que deve haver algum exagero em tudo isso.

Para começo de conversa, é muito esquisito que milhares de jovens se juntem para promover desordens e o resultado seja tão insignificante: algumas vitrines quebradas, copos e pratos atirados para o ar, algumas escaramuças, um ou outro ligeiramente escalavrado a tapas e bofetões. No meu tempo, cinco ou seis se reuniam com semelhante propósito e o resultado, modéstia à parte, era praticamente o mesmo. A polícia, que se mobiliza para enfrentá-los, em geral se compõe de um contingente de no máximo cem, duzentos homens desarmados — e consegue prender dezenas deles. Haverá motivo para tanto alarme?

Talvez os mais velhos se alarmem por outras razões. Na verdade é alarmante e, mais do que isso, francamente assustador, ver tantos jovens se reunirem para dar sinal de vida, para dizer a que vieram de maneira tão destemperada: é a única de que são capazes, não lhes foi ensinada outra melhor. É possível que os antigos valores de toda uma civilização estejam sendo ameaçados. E ameaçados de uma renovação espontânea, incontrolável, libertária, capaz de assumir as formas mais inesperadas e surpreendentes. O ruído das motocicletas deve parecer mesmo o fim do mundo — um mundo que ostenta glórias passadas e ultrapassadas como as roupas fora de moda de alguém que já morreu.

Na realidade, os jovens estão perdidos numa floresta de tradições, preconceitos e lugares-comuns que não têm, para eles, qualquer significação. São árvores mortas, galhos secos que é preciso cortar — e talvez seja o que, sem saber, esses jovens estejam fazendo com os seus desmandos. Sem saber e sem ao menos se incomodar: desprevenidos, despreocupados e inocentes, é possível que estejam próximos como ninguém das fontes de inspiração criadora, que antigamente só os raros mereciam, capazes de conduzir ao céu e ao inferno, de alterar a face do mundo ou de gerar obras de arte.

E a nota mais espontânea desta inocência, diante do perigo de viver, vem sendo dada pelos Beatles. Como as crianças e os mendigos, estão salvos porque nada têm a perder: não são geniais, não são grandes músicos, nem ao menos pretendem ser expressão de coisa nenhuma, senão da própria gratuidade de existir. Como Jayme Ovalle agradecendo a Deus porque respirar é de graça, os quatro rapazes ingleses vão cantando como Deus é servido, e azar de quem não goste. "Pode ser que nossa música não preste", eles mesmos confessaram outro dia, aceitando com indiferença o que é expressão da verdade, "mas o certo é que nos divertimos." A sua cabeleira grande não chega a significar rebeldia, como a barba dos revolucionários. Significará, quando muito, preguiça de cortar o cabelo — e numa época em que os pecados capitais se fazem virtude, a preguiça pode perfeitamente vir a ser virtude também.

Príncipe de Gales

DIZER que me lembro seria mentir. Mas quando comecei a dar os primeiros passos neste mundo, meus ouvidos começaram a colher o eco da passagem do príncipe pelo Brasil.

E ainda mais: da passagem por Belo Horizonte. Um dia me apontaram na rua a moça com quem ele teria dançado, num célebre baile em sua homenagem, realizado no Automóvel Clube. Uma bela moça da melhor sociedade mineira, muito cotada e conceituada entre os rapazes da época. Dizia-se que ele, ao vê-la, atravessou o salão e foi diretamente a ela, tirando-a para dançar. Hoje deve estar casada e cercada de filhos, talvez ainda bela, quem sabe?

Os jornais se enchiam de retratos do Príncipe de Gales, em todas as roupas e uniformes, em todas as posturas, em todos os continentes. Nuns aparecia de farda, noutros a cavalo, noutros ainda explorador, espingarda na mão ou montado num elefante. Não cheguei a acompanhar, e nem poderia, o sucesso de sua presença no Rio, ao lado do irmão, que não lhe fazia sombra. Soube mais tarde que foi ainda mais sensacional, com festas, banquetes, recepções, tardes esportivas, noites elegantes, passeios, homenagens, honrarias. Lembro-me dos seus olhos claros de menino no rosto limpo, que tinha algo de delicado e triste como o de um cão. Esta a lembrança que me ficou de sua presença, estampada com insistência em todos os jornais e revistas, como o acontecimento político e social mais importante da época.

Depois foi o escândalo do casamento. Feito rei, renunciava à coroa para casar-se com a mulher que amava. Era o episódio mais sensacional que o mundo podia produzir, embalado numa ilusão de paz e esquecimento, procurando enterrar no passado o pesadelo da Grande Guerra, naquela euforia falaz que antecederia outra guerra ainda maior. Era a dose de romantismo, a injeção de sentimentalismo fácil que vinha distrair o mundo de seus cuidados e empolgá-lo numa onda de admiração pelo grande gesto: abdicar o trono pelo amor de uma mulher.

Num ensolarado jardim, em sua residência do interior da França, um velho inglês está sentado muito sério e muito rígido, olhando dramaticamente para a câmera. Durante anos se deixou fotografar em todas as posições, em todas as vestimentas, em todos os lugares. A vida mundana da alta sociedade internacional o apanhou em sua engrenagem, e depois do famoso casamento, o célebre casal se viu olhado aqui e ali pela curiosidade do noticiário, em festas, jantares e recepções. Fugindo aos encargos protocolares que a coroa real lhe impunha, não escapou dos compromissos sociais a que o forçaram os que se alimentavam do prestígio de sua extinta realeza. Agora, como fantasma de si mesmo, prepara-se melancolicamente para ser filmado.

A vida do Duque de Windsor, a "História de um Rei", se baseará em suas lembranças e comentários, cobrindo desde os dias de estudante aos atormentados anos vividos como Príncipe de Gales, sua visita ao Brasil, a ascensão ao trono como Eduardo VII, e a abdicação sensacional.

Há poucos dias ele chegou a Londres, conduzido pela mão da esposa, como um cego, para uma delicada operação nos olhos. E se tornou de novo notícia, quando a Rainha anunciou que visitaria o Duque no hospital e receberia a Duquesa pela primeira vez. Esta não tem ainda aquele ar de imponente ruína que a idade empresta às mulheres belas — sua beleza nunca foi extraordinária e vê-se, hoje, que a cirurgia plástica andou tentando ocultar no rosto os estragos do tempo.

O retrato dele, todavia, que tenho à minha frente, é o de alguém que carrega consigo um mistério e espera ansiosamente seja um dia desvendado. Apesar dos olhos mortiços, embaçados de recordações, apesar do traço amargo de sua boca, das rugas, dos cabelos sem viço, há em seu rosto um ar estranho de menino de castigo, fantasiado de homem. Valeu a pena? Que teria sido dele, se fosse Rei até hoje? Que teria sido do mundo? Imóvel e sério diante da câmera, ele parece fatalizado pelo medo de contemplar seu próprio passado, de descobrir ainda neste mundo a importância do papel que não chegou a representar.

Anônimos

"A MELHOR cura para alguém viciado no jogo é encontrar outro que tenha o mesmo vício", assegura um membro dos "Jogadores Anônimos", organização similar a dos "Alcoólatras Anônimos" e que acaba de ser fundada na Inglaterra.

Procurando preservar seu anonimato sob o pseudônimo de "Harry" e escondendo o rosto com uma folha de papel quando procuraram fotografá-lo, o ex-jogador americano que veio dos Estados Unidos para fundar aqui a organização já existente lá, revelou como aprendeu a controlar seus impulsos de despejar na corrida de cavalos todo dólar em que conseguia pôr as mãos.

Afirmou que durante dezessete anos o jogo foi para ele uma obsessão. Era um homem trabalhador e bem-sucedido nos negócios, mas todo dinheiro que ganhava ia para os cavalos. Nunca conseguiu permanecer no mesmo emprego por mais de um ano e meio, porque freqüentemente pedia dinheiro emprestado aos colegas. Passou cheques sem fundo, envolveu-se no contrabando de bebidas, acabou na prisão. Quando os parentes pagavam suas dívidas, isso apenas lhe abria caminho para mais apostas e mais dívidas.

Jogo para ele era uma doença, "exatamente como o câncer ou distúrbio no coração. Uma vez que você se torna um jogador compulsivo, você é um doente e sua vida pode ser arruinada". Sua obsessão particular eram os cavalos, mas fundamentalmente a mesma coisa acontece com qualquer espécie de jogador em todo mundo, seja ele rico ou pobre.

Por sugestão de sua mulher, "Harry" procurou um psiquiatra, que o tratou durante sete anos sem o menor sucesso. Sua explicação para o fracasso do tratamento é a de que o jogador compulsivo é também um mentiroso compulsivo, e que somente outro jogador nas mesmas condições está aparelhado a compreendê-lo. Descreveu os paradoxos que envolvem o raciocínio de um homem nessas condições, tornando difícil qualquer tratamento. Fala sempre em ganhar, amaldiçoa a sorte quando perde, mas na realidade está tentando apenas destruir a si mesmo. Mesmo quando procura ajuda, procurará lutar através de mentiras e evasivas, contra a possibilidade de cura.

"O mais difícil é conseguir de um jogador compulsivo que reconheça ser um doente", afirmou ele.

Com 41 anos de idade, "Harry" já perdeu mais de quarenta mil libras em apostas. É casado e tem um filho de 21 anos. Atualmente ganha cerca de dez mil libras por ano. Três anos atrás, quando entrou pela primeira vez em contato com os "Jogadores Anônimos" ganhava seis mil libras e estava desesperado. Acreditava-se um fracassado, e foi a uma reunião sem muita esperança, ouvir trinta outros como ele contar cada um a sua história. Em cada história ele reconheceu a sua própria.

Daí por diante conseguiu deixar de apostar nos cavalos, e ainda se livrar dos sintomas que o punham nervoso e irascível ao menor pretexto. Com exceção de dois meses de recaída pouco mais de um ano atrás, desde então não mais apostou.

"O segredo está em descobrir que se os outros podem deixar de jogar, você também pode", assegurou "Harry". Revelou que nas reuniões encontrou médicos, professores, bem como simples operários. Era uma espécie de fraternidade, sendo tão forte o motivo comum que ligava aqueles homens. Os membros se auxiliam mutuamente. Pela primeira vez os jogadores conseguiram entrar em contato com verdadeiros amigos. Os que têm dinheiro contribuem; não pelo pagamento de dívidas, que é a maneira mais fácil de liquidar com um jogador, por lhe abrir caminho para recomeçar a jogar, mas convocando os credores e explicando-lhes a natureza do problema — garantindo-lhes pagamento gradual de acordo com as possibilidades do devedor. "Até agora, todo credor que tenho encontrado entendeu perfeitamente e se dispôs a colaborar", explicou "Harry".

Esclareceu ainda que não condena o jogo do ponto de vista moral. Para muitas pessoas pode ser um divertimento sem inconveniente algum.

O novo grupo dos "Jogadores Anônimos", já em pleno funcionamento, teve sua primeira reunião esta semana, na Tuffon Street, Londres. Ao contrário de outras entidades semelhantes, não pede ajuda em dinheiro a ninguém: "estamos aqui para ajudar-nos a nós mesmos, e seria nossa destruição se alguém mais nos ajudasse", é o que afirmam os que se dispõem a lutar contra o vício do jogo.

Como se fosse pouco, os ingleses estão encontrando solução para os seus problemas pessoais na prática cada vez mais intensa de algo que poderíamos chamar de anonimato gregário. Centenas de pessoas que desejam trocar impressões sobre problemas comuns, sem revelar sua identidade, deram para se juntar numa espécie de clube a que deram o nome de "Neuróticos Anônimos".

Outros, cujo problema vem a ser especificamente conjugal ou familiar e que já os conduziu à dissolução do casamento, reúnem-se em grupo sob a denominação de "Divorciados Anônimos".

Os neuróticos e os divorciados vêm funcionando como grupo em encontros regulares, nos quais discutem uns com os outros seus problemas conjugais, psíquicos ou sexuais. O nome de cada um é conhecido apenas dos organizadores — embora muitos revelem a identidade assim que se estabelece a confiança.

"Com isso conseguimos quebrar a barreira de silêncio que existe na civilização moderna, no plano da comunicação humana", afirmou um deles.

O grupo dos neuróticos tem mais de duzentos sócios, o dos divorciados mais de quatrocentos. Não se conclua daí que haja mais divorciados que neuróticos na Inglaterra, ao contrário: se grande é o número de neuróticos solteiros, maior deve ser ainda o dos que ficaram neuróticos depois de casados.

Seja como for, parece dar bom resultado a idéia de se juntarem alcoólatras, jogadores, divorciados ou simplesmente neuróticos para resolver em comum seus problemas, dentro do mais rigoroso anonimato. Ainda agora ouço dizer que no Brasil foi recentemente fundado clube semelhante, reunindo os que sofreram alguma vez enfarte do miocárdio. É de se esperar que a iniciativa se multiplique, e eu sugeriria de saída a fundação de várias agremiações semelhantes, nas mais variadas espécies de problemas comuns a muitos e que aumentam a dificuldade de viver.

Os Preguiçosos Anônimos, por exemplo — entidade que contaria de imediato como a minha decidida inclusão: a daqueles para quem viver, antes de ser muito perigoso, como afirma Riobaldo Tatarana, dá muito trabalho, segundo opinião de Macunaíma, "o herói sem nenhum caráter". Aliás, cada um dos pecados capitais forneceria motivo para a formação de outros tantos grupos de anônimos: os Gulosos Anônimos, os Soberbos Anônimos, os Irados Anônimos, os Invejosos Anônimos, os Pão-duros Anônimos... O mal é que as vítimas de tais males já são anônimos para si mesmos na sua condição de vítimas, se assim me posso expressar: em geral não conhecem sequer a natureza do seu problema e muito menos o problema de sua natureza.

Quanto a mim, se não me inscreveria em todos eles e pela mesmíssima razão, ou seja, pela pretensão de não me julgar categorizado a tanto, pelo menos de um grupo sei que seria dos primeiros a participar: o dos Indecisos Anônimos — daqueles que, como disse o poeta, entre dois caminhos vacilam e se perdem por um terceiro.

Tenho alguns irmãos que eu sei vítimas da mesma desgraça: corações irresolutos, diariamente esmagados pelo drama das opções. Só não me decido a lançar pelo rádio um apelo a meus companheiros de indecisão para que resolvamos nossos problemas em grupo, porque não é de nossa natureza resolver nada, juntos ou separados.

Para dar uma pálida idéia do que seja o demônio da dúvida a infernizar-me a vida, basta o que me acontece num dia comum aqui em Londres, como em outro lugar qualquer. Antes de botar o nariz fora de casa, já o problema se botou na minha cabeça, em forma de uma escolha a que não posso fugir: levo ou não levo o sobretudo? Estamos em pleno verão, mas nem por isso deixará talvez de fazer um frio desgraçado ao cair da tarde. E até lá terei de carregar comigo este trambolho dependurado no braço. A menos que comece a chover, como sempre acontece de tardinha, quando Londres amanhece banhada de sol. Neste caso, deveria levar apenas o guarda-chuva... No que decido não levar nada, ou a levar sobretudo e guarda-chuva, terei de tomar o trem subterrâneo, para não chegar atrasado ao trabalho. No entanto, prefiro ir de ônibus — num desses ônibus vermelhos de dois andares que alegram tanto as ruas da cidade. Consumo o meu tempo na esquina, entre o ponto do ônibus e a entrada da estação. Quando percebo já ser tarde para um e outro, resolvo tomar um táxi. Não passa nenhum táxi. Avanço para a estação, no justo momento em que o ônibus se aproxima. Arrepio carreira, saio correndo, agora não vou mais de trem, já estou no ônibus, chegarei atrasado. Subo, ou me sento aqui mesmo? Lá em cima é mais agradável; no banco da frente tem-se a impressão de estar sendo conduzido por um estranho veículo sem chofer como num parque de diversões. E além do mais, na parte superior é que se pode fumar. Mas eu estou justamente procurando pretexto para fumar menos... O trocador, me vendo vacilante diante da escada, sobe-não-sobe, adverte-me polidamente que é proibido viajar de pé. Olho para a frente, para cima, penso até em desistir, saltar do ônibus, tomar um táxi... Acabo subindo.

Subo no ônibus mas baixo cada vez mais no meu próprio conceito. Depois de um dia de trabalho como os outros, vejo-me diante de cem novos dilemas. E aí é que começa realmente o grande problema de dispor do resto do meu dia. Em geral me decido sempre pela fórmula com que Otto Lara Resende, outro grande membro da confraria dos indecisos, resolveu o problema de ter que decidir:

— E então fica resolvido assim: depois eu resolvo.

Eis porque creio que os indecisos anônimos seriam para mim a mais oportuna das iniciativas, nesta seqüência de associações do anonimato que vêm proliferando em Londres.

A menos que já se cogite de uma que abranja todas as demais, tocando fundo o grande problema do ser humano buscando comunicação — a dos que se sentem sozinhos na multidão: os Anônimos Anônimos.

Como não matar

EM fevereiro do ano que vem será lançado, na Inglaterra, um livro chamado "Como Não Matar Sua Mulher" (O representante da Editora do Autor em Londres já está tratando de adquirir os direitos de tradução para o português, por uma questão de afinidade: os diretores da Editora do Autor são intransigentes na defesa do direito que cada um tem de não matar sua mulher.)

O autor do livro, médico de larga experiência familiar, prefere manter o anonimato por motivos de ética profissional. Afirma ele que os maridos em geral reconhecem seu dever de não matar as esposas, mas não de mantê-las vivas.

O que quer dizer com isso?

Quer dizer, por exemplo, que as mulheres costumam insistir em que os maridos tenham sempre um período adequado de descanso, e para isso elas se viram o dia inteiro pela casa, do momento que pulam da cama de manhã cedo ao momento que tombam, exaustas, à noite. O marido pode remediar em parte esta situação, segundo o autor, dando um pouco mais de importância ao trabalho da mulher como dona de casa. Pode mostrar simpatia pelos seus problemas e interessar-se pela sua vida apertada e cheia de atribulações. Perguntar o que é que ela está cozinhando, por exemplo. Farejar o ar com volúpia, destampar as panelas, pedir para experimentar um pouquinho — enfim: ficar rondando a mulher na cozinha até que ela o ponha para fora.

No quarto de vestir, perguntar que vestido ela pretende usar, porque não põe aquele preto que lhe fica tão bem — e quando ela confessar com raiva que não consegue mais entrar dentro dele, nem de longe falar em regime: prometer comprar-lhe outro mais largo, e ir tratando de dar o fora.

Mas estou divagando: o que o autor do tal livro sustenta é que se deve mostrar algum amor pela mulher que se escolheu para suportar — *to suport* — no sentido de sustentar, certamente. Para ele, as mulheres infelizmente consideram aquele que vive protestando amor dentro de casa, mesmo que tenha outras mulheres lá fora, muito melhor marido que o tipo fiel mas indiferente e lacônico.

E vai mais longe: não é verdade que a mulher moderna pouco tenha a fazer dentro do lar, com a série de máquinas domésticas que realizam todo o trabalho de lavar, passar, cozinhar, etc. Afirma o autor que tais máquinas vieram é sobrecarregar os encargos da mulher. Quem tem máquina de lavar e passar não manda roupa para a lavanderia. O carro à disposição da mulher faz com que ela saia a todo momento para fazer compras que antigamente seriam encomendadas pelo telefone, ou para buscar no colégio os meninos que antes viriam de ônibus ou mesmo a pé.

Quer dizer com isso que, para não se matar a mulher, não se deve dar-lhe máquina de lavar nem deixar que ela guie automóvel?

Absolutamente: o que o livro quer dizer é que tomar conta de casa é para a mulher um desafio que se reinicia a cada manhã. A repetição é que é letal. Fazer hoje as mesmas coisas que terá de fazer amanhã. E assim por diante.

Convém, a esta altura, esclarecer que a referida obra é franca e decididamente a favor das mulheres.

Para terminar — ou para começar (o livro é longo), o autor aconselha ao marido experimentar reduzir a apenas uma hora por dia o trabalho doméstico da mulher; convencê-la, por exemplo, que nem todas as partes da casa precisam de rigorosa limpeza diária. Se com isso conseguir reduzir o trabalho dela em dez por cento, talvez esteja estabelecendo a necessária diferença entre uma razoável sensação de cansaço ao fim do dia e um inevitável esgotamento nervoso ao fim de um ano de vida conjugal.

Embora eu também seja a favor das mulheres, não posso deixar de referir-me ao primeiro efeito desastroso que o livro "Como Não Matar Sua Mulher" veio provocar. Um gaiato antecipou-se, publicando antes outro livro sob o título "Como Matar Seu Marido". Aqui vão algumas maneiras de matá-lo, sugeridas pelo autor:

— Assumir compromissos mundanos todas as noites, sem levar em consideração o seu cansaço.

— Chamá-lo ao telefone na hora do almoço ou do jantar.

— Oferecer-lhe cigarro toda vez que ele se esquecer de acender um.

— Se ele tiver de tomar um trem, deixá-lo dormir até não restar mais tempo senão de disparar para a estação.

Pela amostra, pode-se verificar, com o devido respeito, que o autor não passa de um inocente em matéria de homicídios conjugais. Há outras maneiras muito mais eficazes de matar o marido, inclusive do coração, como parecem sugerir as que o autor candidamente enumera. Ou talvez ele seja casado e prefira não divulgá-las.

E como me sobra um minuto, conto para encerrar o caso de uma mulher que não está pensando em matar o marido e de um marido que não está pensando em matar a mulher — embora perfeitamente habilitado a enterrá-la.

Trata-se de um coveiro. Há tempos George Morrison, o coveiro, escreveu uma carta a um jornal de Darlington, onde mora, queixando-se de que as moças hoje em dia não namoram e muito menos se casam com os coveiros. No dia seguinte dezesseis moças respondiam à carta — o que prova que maridos, mesmo coveiros, andam escassos também na Inglaterra. Entre as dezesseis moças o coveiro elegeu Delia, com quem acabou se casando.

Agora a mãe de Delia está inconsolável. Passa o dia inteiro suspirando de tristeza:

— Bem que eu percebi que ali havia coisa. Quando era noivo ele afirmava que era jardineiro, mas durante oito meses só falava que passava o dia cavando. Que diabo de jardineiro é esse que cava, cava e não planta nada? Só agora fiquei sabendo que o que ele planta é defunto.

O coveiro se justifica dizendo que não quis aborrecer os pais da moça. Quanto à mãe, no que ficou sabendo, pôs o casal para fora de casa. E ele ergue os ombros, conformado, como a dizer: ainda hei de enterrá-la um dia.

Deve estar precisando de ler, com urgência, um livro que ninguém jamais escreverá, chamado "Como Não Matar Sua Sogra".

Uma boa velhinha

ADA Keeley é uma senhora de apenas 66 anos, mas aparenta muito mais: surda-muda de nascença, vivia encostada numa organização de caridade, entre companheiras de infortúnio.

Um dia, uma assistente social, Nellie Sims, de 49 anos, comovida com a solidão da velhinha, convidou-a para ir viver em sua casa, em Essex. E a velhinha, toda contente, para lá se transferiu.

Mas Nellie Sims tem três filhos, já rapazes, atualmente entre 19 e 23 anos, que são de amargar. Assim que se acostumaram com o novo membro da família, começaram a infernizá-lo. Não podiam ver a velhinha posta em sossego num canto, que iam lá chateá-la com gatimonhas e macaquices. De vez em quando a surpreendiam cochilando na cadeira de balanço, e então viravam a cadeira para trás, quase matando a velha de susto.

Até que, no começo desta semana, a crueldade dos três patuscos teve um desfecho inesperado. Tanto chatearam a velha outro dia, que de repente a pobre abriu a boca e pela primeira vez em 66 anos saiu de sua garganta um berro de socorro:

— *Help!*

Foi a primeira palavra que pronunciou na vida.

A partir de então, pôs-se a falar correntemente.

Assombrados com o milagre, os rapazes convocaram o médico da família, que compareceu com a versão científica do caso:

— Há cinco anos, quando veio morar aqui, ela era completamente surda-muda. Mas os jovens fizeram por ela aquilo que a Medicina não sabe como fazer. Surdez e mudez podem ser causadas por um choque profundo em qualquer época da vida, mesmo no nascimento. Mas se houver um contrachoque correspondente, o surdo-mudo pode recuperar sua capacidade de ouvir e falar. A menos que exista lesão nos nervos, o que não parece ter sido o caso.

O caso, na explicação da própria velhinha:

— Como é que eu havia de agüentar calada o tormento desses três demônios?

E os demônios:

— A princípio não sabíamos como fazer amizade com ela, então resolvemos nos divertir um pouco. Ela até parece que gostava das brincadeiras, mas outro dia deve ter havido certo exagero de nossa parte, pois ela desandou a gritar por socorro.

Os rapazes e a velhinha se tornaram, a partir de então, amigos em língua de gente. Ela sorri, toda alegrinha, enquanto os três esfregam as mãos:

— Agora é que vamos nos divertir com ela à vontade.

Cachorros ingleses

CRUZO na rua com uma senhora empurrando um carrinho. Não é carrinho de criança: é um carrinho de cachorro. Dentro, muito refestelado, vai um pequinês.

No convite para a grande exibição aérea de Farnborough:
"Lamentamos informar não ser admitida a entrada de mulheres e de cachorros."

Provérbio inglês:
"Todo cachorro tem direito a uma mordida."

Testamento da milionária Phyllis Satterthwaite, ex-campeã de tênis, e que morreu recentemente aos 74 anos de idade, deixando uma fortuna para organizações veterinárias e protetoras de animais:
"Odeio os seres humanos. Deixo meu dinheiro para os cachorros."

Ouço assobios insistentes lá fora, na rua. São duas horas da manhã. Ocorre-me que seja algum amigo brasileiro chegado de surpresa — largo o livro que estou lendo, vou até a janela. Vejo uma velha de capote vermelho chamando o seu cachorro. Certamente o levou à rua para o pipi costumeiro, e ele escapuliu, já vai longe.

A velha assobia que é uma beleza. O cachorro ameaça entrar no portão da esquina, depois de fuçar aqui e ali. A velha se volta, me vê à janela, faz um gesto desolado, deixando cair os braços. Imito-a, solidário, e por um instante representamos um pequeno diálogo mudo, feito de mímicas: o senhor já viu só, mas esse cachorro! Pois é, minha senhora, ter cachorro dá é nisso. Ela deve morar numa dessas casas em frente. Desistiu de assobiar; encosta-se na amurada do jardim, à espera. Faço-lhe uma mesura e me afasto da janela. Meia hora depois fecho o livro, e antes de apagar a luz, dou nova olhada — lá está ela, ainda às voltas com o seu cachorro! Só que agora é outra velha, e outro cachorro.

Descubro então, assombrado, que enquanto a Inglaterra dorme, as velhas saem à rua para aliviar os seus cachorros.

Enquanto os crimes mais espantosos, os assaltos mais espetaculares merecem dos jornais apenas meia dúzia de linhas, a imprensa londrina se enche diariamente de notícias sobre cachorros. Retratos de cachorros cobrindo meia página, histórias de cachorros desaparecidos ou aparecidos, esquisitos ou engraçadinhos. Cachorros de cegos, cachorros de corrida, cachorros de colo, de estimação, de concursos caninos — uma cachorrada de meter medo cobre a imprensa inglesa da primeira à última página.

De vez em quando, para variar, surgem os gatos. Isto é, quando nenhum cachorro se perdeu na neve, ou cometeu uma façanha heróica, ou foi parar no alto de uma árvore, ou percorreu léguas de distância para voltar aos braços do dono. Os gatos são mais discretos e se limitam a roçar em pernas de atrizes na ordem do dia ou enroscar-se ao colo de algum político em evidência.

E se um dia falham cachorro e gato, vem a águia. Esta águia já ficou meio desmoralizada no ano passado, quando fugiu do Jardim Zoológico e acabou recapturada: nem as eleições provocaram tanto furor jornalístico como a perseguição da águia na sua vilegiatura pelos céus ingleses. Até parecia o célebre gavião da Candelária, inventado por Luís Paulistano, nos saudosos tempos do nosso *Diário Carioca*. Mereceu páginas e páginas de reportagens. Pois agora o diabo da águia tornou a fugir! Começo a acreditar que os jornais de vez em quando providenciam a sua fuga, temendo que escasseie o estoque de cachorros e gatos, e fiquem reduzidos apenas ao seu assunto único e honorífico: a família real. A Princesa Margaret saiu às compras. O Príncipe Philip foi ao teatro. A Rainha chegou à janela. Mas isso é matéria de primeira página, disputando espaço com o noticiário internacional, que, naturalmente, se restringe à Rodésia e ao último pronunciamento de Ian Smith. Como encher as demais páginas? Tome cachorro. Faltando cachorro, tome gato. E faltando gato, não havendo por aí algum urso de feira ou filhote de leão, o jeito é soltar a águia.

    O dia em que esses animais faltarem como assunto será uma data funesta na imprensa inglesa. Nesse dia só restará publicar qualquer coisa sobre algum país diferente, distante, exótico — o Brasil, por exemplo.

1965

LONDRES —

Funerais de Churchill*

UM espetáculo coreográfico, com a grandiosidade de uma tragédia de Shakespeare. O palco são as próprias ruas de Londres. Rigorosamente ensaiado nos dias anteriores, madrugada adentro, os funerais de Churchill seguem passo a passo o ritual de uma tradição de séculos.

Mas não há tragédia no ar. Há frio, muito frio, fustigando o meu rosto, enquanto aguardo no meio do povo a saída do esquife, em silêncio, olhos fixos no pátio de Westminster Hall. Há tristeza também, mas uma tristeza solene, emocionada — a tristeza de todo um povo que assiste gravemente a um momento já consagrado pela História. Dentro de alguns minutos — precisamente às 9 horas e 42 minutos — surgirá à porta a procissão conduzindo o esquife até a carreta mortuária.

Estou na rua desde sete horas, procurando uma boa localização no meio do povo; não precisava tanto, pois tudo foi previsto, organizado, como se cada um dos milhares de ingleses que enchem as ruas tivesse recebido dos organizadores uma localização previamente determinada. O tráfego normal das ruas no trajeto do cortejo vai-se fechando gradativamente: Whitehall às 7:45; Strand às 8:15; Cannon Street às 9:30; Watterloo Bridge às 9:45; London Bridge às 11 horas — e assim por diante.

Eis que surgem os oito soldados do batalhão de granadeiros carregando aos ombros o esquife. Todos ao redor rigorosamente imóveis, os cento e poucos marinheiros que puxarão a carreta perfilados e de cabeça baixa. Ninguém se mexe, a não ser os oito homens, procurando não revelar na fisionomia tensa o grande peso do caixão, e caminhando em passo lento e cadenciado. Por um instante se imobilizam, antes de depositar na carreta a sua carga. Não se vê um só movimento, como se tivéssemos diante dos olhos uma fotografia antiga, esfumada na claridade difusa do inverno. Ao fundo, a torre do Parlamento, cor de ouro velho, com os ponteiros gigantescos do Big-Ben marcando exatamente 9 horas e 45 minutos. Soam as conhecidas notas do carrilhão, que daqui por diante ficará em silêncio até meia-noite.

Quando a imobilidade absoluta já começa a afligir — dois, três minutos apenas —

---

*Sobre a morte de Churchill, *A Inútil Vigília*, em "A Inglesa Deslumbrada".

um bando de gaivotas corta o ar alegremente, batendo asas por cima das cabeças curvadas. Como se tivessem disparado um dispositivo invisível, num só movimento a Brigada de Guardas apresenta armas. Os marinheiros, sob uma áspera voz de comando que soa estranhamente alta, evoluem em ordem unida, estacam, marcham de lado num passinho miúdo de *ballet*, emparelham-se à frente da carreta. Dado o comando, o cortejo fúnebre se inicia.

É a primeira vez que esta carreta de artilharia conduz um simples civil. Até aqui tem sido unicamente utilizada para os enterros reais. Durante os funerais da Rainha Vitória, em 1900, um defeito no veículo exigiu da escolta de marinheiros que desatrelassem os cavalos e acabassem de puxá-la no restante do trajeto. Desde então a carreta passou a caber oficialmente à Marinha.

Vamos seguindo por Whitehall, a passo lento. Lá no meio de duas maciças filas de povo, segue a procissão, enquanto eu me esgueiro ao longo das paredes, tentando acompanhá-la. O que não é difícil — não há atropelos, nem correrias, nem fotógrafos, nem policiais à solta: cada um permanece em seu lugar, cumprindo rigorosamente o papel de figurante num acontecimento histórico.

Agora estamos entrando em Trafalgar Square, onde foi montado um dos inúmeros postos de televisão: neste momento quatorze estações européias e possivelmente outras americanas através do "Telstar", estarão transmitindo o espetáculo para o mundo inteiro. É possível que o mundo inteiro esteja me vendo agora, quando deslizo com ar conspícuo à frente de uma das câmeras, buscando colocar-me do outro lado. Logo atrás da carreta, vejo uma imagem rediviva do próprio Churchill: seu filho Randolph, corpulento e curvado, de preto, lembrando a figura familiar do pai logo depois da guerra. Como ele, seguem a pé os demais membros da família. Um pouco à frente a viúva, rosto encoberto por denso véu preto — é a única nota pungente de sofrimento pessoal, destacando-se dramaticamente na grandeza imponente do espetáculo. A Banda de Música executa a "Marcha Fúnebre" de Mendelssohn. Há dez bandas de música distribuídas ao longo do cortejo que tocarão daqui por diante marchas fúnebres de Chopin, de Beethoven, de Händel, e a famosa "Canção da Morte" de Sommer. Há tempos, Churchill pediu que houvesse bastante música em seus funerais. Certamente está sendo atendido.

Consigo antecipar-me ao cortejo, que vem precedido de alguns policiais montados, uma Banda de Música a cavalo e outra a pé. Estamos em Aldwich, por detrás dos estúdios da BBC. Há ninhos de fotógrafos e cinegrafistas por todo lado. Ao longo das janelas e telhados o povo se debruça, em silêncio. Segue-se um intervalo e surge a figura de um homem sozinho a pé. É Lord Mountbatten, de Burma — o antigo criador dos comandos durante a guerra, companheiro de Churchill ao longo de tantos momentos heróicos. O frio cada vez mais cortante, um ou dois graus abaixo de zero. Há um pouco de geada aqui e ali, ao longo do meio-fio; alguns ciscos de gelo sobre o casaco negro dos acompanhantes. As fisionomias são sérias e graves — seis figuras isoladas são outros tantos comandantes das diversas Armas, chefes do Estado-Maior e da RAF, antigas figuras de heróis durante a guerra e que sobreviveram vinte anos para levar ao túmulo o seu grande chefe.

Enquanto isso, os membros da Família Real estão chegando à Catedral de São Paulo, onde o corpo será encomendado. Com uma precisão cronométrica, chega o Rolls-Royce da Rainha, às 10:23. Chefes de Estado de todo o mundo já chegaram, às 9:45, para aguardar o cortejo no interior da nave. A figura gigantesca de De Gaulle faz contraste com a do Presidente de Israel, pequenino, quase desaparecido à sua frente. O Prefeito de Londres empunha uma das cinco tradicionais espadas da cidade — a preta, para as ocasiões fúnebres. Vai solenemente até a porta receber a Rainha e membros da Família Real, todos de preto, encaminhando-os para o lugar de honra, sob a cúpula.

Vejo aqui da rua vários homens e mulheres chorando discretamente, quando o esquife se aproxima. Os oito granadeiros, assistidos por mais quatro, tiram-no da carreta e começam a transportá-lo escada acima. Por um momento o caixão vacila nos seus ombros, tem-se a impressão de que estão preocupados e tensos sob o peso que conduzem. Logo se firmam, porém, acertando o passo, escada acima. A fisionomia de um deles, um jovem de cabelos cortados rente, se crispa, colado à bandeira que envolve o caixão. Em cima dele, disposta num coxim de veludo, a maior comenda que Churchill recebeu. Outras — medalhas, armas, brasões — vão em pequenas bandejas, dependuradas no pescoço de quatro acompanhantes, de longe lembrando pitorescamente tabuleiros de doces. A meu lado uma mulher de meia-idade ergue o braço, como se fosse dizer alguma coisa, e suas pernas fraquejam; ela desmaia, amparada pelos circunstantes. Em pouco é transportada para uma das ambulâncias nas ruas adjacentes, onde se instalaram os serviços médicos, e para onde afluem os casos semelhantes. São senhoras, crianças, velhos e mesmo alguns moços que acabam sucumbindo de cansaço ou de frio, na emoção da espera desde as primeiras horas do dia.

Dentro da Catedral ecoam as palavras de um dos altos dignitários da Igreja Anglicana. São palavras pausadas, solenes, de evocação da figura do morto e de encomendação da sua alma à vida eterna. Isolado no meio da nave, o esquife sobre a essa parece por um instante abandonado e entregue à própria sorte. Agora é que seu destino será decidido, e ele está sozinho diante de Deus. O coro entoa hinos religiosos. Lá em cima, num nicho especial, aglomeram-se os únicos fotógrafos que tiveram entrada permitida. Aqui embaixo me sinto cercado de nobres, parlamentares, chefes de Estado, perdido num mundo de grandeza a que normalmente jamais teria acesso e temendo ser olhado como um intruso: não estou de fraque, nem ao menos de preto, como os demais, e certamente não imaginam que tenho comigo aqui no bolso uma disputada credencial, neste momento cobiçada lá fora por jornalistas de várias partes do mundo.

Procuro com os olhos o Ministro Vasco Leitão da Cunha, representante do Governo Brasileiro. Não consigo localizá-lo em meio aos demais, mas sei que está aqui — foi visto ao entrar, com a pontualidade britânica que o caracteriza. Einsenhover também entrou discretamente, e seu antigo companheiro de guerra, Marechal Rudnov, da Rússia. São dezenas de países aqui representados — entre 93 convidados, só a China Vermelha recusou o convite.

Um sacerdote agora está lendo com voz pausada uma epístola, creio que de São Paulo Apóstolo. Outro hino, este agora americano — e o toque de silêncio, dado por um clarim solitário e comovente. A cerimônia está finda, exatamente na hora prevista.

Parte novamente o cortejo, agora em direção à Torre de Londres. Os carregadores simbólicos do caixão se acercam: Clement Attlee, Marechal Alexander, ex-Ministro Mac Millan, Marechal-do-ar Visconde Portal de Hungerford são algumas das famosas fisionomias que posso reconhecer. Todos com mais de setenta anos, já castigados pelo tempo e pelas lutas passadas ao lado de Churchill. Attlee, que o derrotou nas eleições logo depois da guerra, está com 82 anos: mal pode andar, apoiado numa bengala. À sua frente, Lord Mountbatten parece um jovem, forte e desempenado, nos seus 64 anos.

Não consigo chegar ao píer da Torre de Londres em tempo de ver o embarque do esquife na pequena lancha da Marinha. Mas vejo-o agora cortando as águas do Tâmisa em direção à ponte de Waterloo: Churchill parece estar se despedindo para sempre de Londres, da Inglaterra e de seu povo, sumindo na distância, e tendo ao fundo a silhueta famosa do Parlamento onde viveu seus momentos de glória. Na estação de Victoria passará para o trem cuja locomotiva tem o seu nome e, acompanhado apenas pela sua família, seguirá para o cemiteriozinho de St. March Church, onde será enterrado, no lugar que ele mesmo escolheu, ao lado de seus ancestrais. Uma simples sepultura já está aberta na grama, a esperá-lo.

Ladrões de respeito

ACABO de tomar conhecimento da existência de uma senhora mais corajosa que muito homem. Além do mais, Lady Margareth Corwalle provou que é realmente uma *lady*. Pois quando o assaltante irrompeu pela sua casa adentro, máscara no rosto e revólver em punho, a distinta não se abalou:

— O que é que o senhor deseja? — foi perguntando logo.

— Dinheiro — rosnou o homem, um pouco sobre o óbvio, mas já meio intrigado.

Não ficou aí a curiosidade de Lady Margareth. Quis saber exatamente quanto ele queria. A resposta foi categórica:

— Quanto tiver.

E o bandido brandia o revólver ameaçadoramente junto ao rosto da mulher.

— Vira isso pra lá — protestou ela: — Assim o senhor não arranja nada comigo. Está querendo dinheiro para quê?

A um bandido não fica bem dizer à sua vítima o destino que pretende dar ao dinheiro. Mas o ar de Lady Margareth era o de quem exigia uma resposta, e ele então se limitou a dizer que precisava desesperadamente de dinheiro, só isso.

— Pois vamos ver o que se pode fazer — arrematou a mulher.

E foi buscar a bolsa, despejou na mesa seu conteúdo: quatro libras e dez xelins. Era tudo que tinha em casa. Chegava?

— Chegar não chega. Mas se é tudo que tem... — e o homem, mais à vontade, embolsou o dinheiro, preparando-se para partir. Antes, porém, afirmou que acreditava nela, nem ia se dar ao trabalho de procurar. Em compensação, ela que não lhe preparasse uma falseta.

— Falseta como? — protestou a mulher: — Explique-se melhor.

— Chamar a polícia, por exemplo — esclareceu ele.

Lady Margareth falou que dera o dinheiro, estava acabado: não chamaria a polícia.

— Promete?

— Já disse que não chamo. Agora vai tratando de ir embora.

E acompanhou-o até a porta dos fundos, embora ele insistisse em sair pela janela.

— Por aqui é melhor — aconselhou ela: — Pela janela o senhor pode se machucar.

O bandido chegou mesmo a estender-lhe a mão, em despedida, antes de se afastar.

Lady Margareth voltou aos seus cuidados, mas quase em seguida o telefone chamou. Era um vizinho que queria conversar fiado. Contou-lhe sua aventura e o vizinho não teve conversa: disse que ia chamar a polícia e desligou. Da janela da cozinha ela pode ver ainda o vulto do assaltante tentando achar uma saída pelo jardim. Chamou-o, nervosa, dizendo-lhe que se mandasse, pois a polícia vinha aí.

Mas a polícia, que não dorme no ponto, chegou ainda em tempo de prendê-lo.

Agora é o julgamento. O assaltante protestou inocência. O juiz, perplexo, perguntou à vítima se era verdade tudo aquilo, se chegara mesmo a apertar a mão do assaltante.

— É verdade — confirmou ela: — Ele concordou em ir embora e eu concordei em não chamar a polícia. O aperto de mão foi para selar o acordo. O que é que o senhor queria que eu fizesse?

Lady Margareth não tinha outra coisa a fazer: para uma verdadeira *lady* até um ladrão pode ser digno de respeito.

Delicadezas

O PADRE de minha paróquia iniciou a prédica da missa de domingo último com uma estranha pergunta, dirigida diretamente aos fiéis:

— Alguém que me ouve alguma vez já esteve para cometer suicídio?

Como ninguém respondesse — e nem era para responder — prosseguiu pedindo que tentássemos imaginar o que seria do desespero de um candidato ao suicídio, súbito ante a possibilidade de salvação, através de uma presença amiga que lhe levasse uma última esperança. E comunicou que estava fundada uma organização de prevenção de suicídio em Hampstead — bairro onde as mortes por suicídio atingem a cifra alarmante de uma em dez, sem considerar as tentativas. Convocou voluntários para a nova organização, que atende dia e noite aos que, antes de despedir-se da vida, resolvem fazer ainda esta última tentativa. Por meio dela, algumas vidas já foram salvas.

Recebo mais uma carta convidando-me para pronunciar uma conferência sobre o Brasil — só que desta vez não é para estudantes e sim para os presos de uma penitenciária. Com a proverbial delicadeza britânica, o missivista adverte que a fixação de dia e hora ficarão inteiramente a meu critério, "pois os ouvintes podem esperar".

Há momentos que a extrema delicadeza do inglês até me faz desconfiar que estão de brincadeira comigo. Dois professores da Universidade de Oxford me convidaram para um drinque, quando visitei recentemente aquela cidade. No bar, um deles perguntou o que iríamos tomar e voltou-se para o garçom, depois de cumprimentá-lo cerimoniosamente, como se falasse a um ministro:

— Rogo-lhe a fineza de servir-nos dois uísques com gelo.

Daí a tradução de certos diálogos ingleses parecer tão convencional. Como passar para a linguagem brasileira tamanha rasgação de seda?

O garçom agradeceu o pedido, por sua vez pediu licença, e em pouco trazia a bebida. Só então o professor se lembrou que éramos três:

— Oh, sinto muitíssimo! Só trouxe dois?

O garçom se adiantou:

— Realmente, senhor: peço-lhe perdão, só trouxe dois. Sinto muito.

O professor levou a mão ao peito:

— Absolutamente! Eu é que peço perdão: por um lamentável equívoco, só pedi dois. A culpa foi inteiramente minha.

E eu ali esperando. O garçom tornou a pedir desculpas, o professor tornou a protestar. E ambos os professores empurraram-me o seu uísque, fiquei com dois e eles sem nenhum.

— Não seria o caso de pedirmos mais um? — sugeri timidamente.
— Mas decerto! Lamento muito, queira me desculpar.

O garçom disse também que lamentava e se dispôs logo a trazer outro. Antes que ele se afastasse, porém, o professor fez questão de reafirmar:

— Não tem nada de que se desculpar, pois a culpa foi inteiramente minha!

Quase pedi desculpas por existir e pela minha grosseria de querer tomar um uísque. O garçom pediu licença, agradeceu — como agradecem! — e foi buscar a bebida. Serviu-me, tornou a agradecer e — palavra de honra — tornou a pedir desculpas. E se foi — graças a Deus e ao professor, que, já distraído, não ouviu. Se ouvisse, certamente sairia correndo atrás dele para dizer que não, quem pedia desculpas era ele próprio e mais ninguém.

Contingências da natureza

ASSIM deveria o assunto ser rezado pelo *Evening Standard*, dada a sua bíblica importância, nesta época de luxúria e iniqüidade, na satisfação de desejos vis:

Naquele tempo um grande clamor cresceu entre o povo e todos imprecavam em fúria contra a Estrada de Ferrro Britânica, por serem os toaletes para uso dos que viajavam abomináveis até aos olhos em trânsito dos viajores.

E eis que Diretores reunidos em seu Cenáculo se perturbaram e ordenaram aos arquitetos e construtores: "Ide às profundas da Victoria Station e erguei ali os mais luxuosos e esplendentes toaletes de Estrada de Ferro do mundo. E que seu esplendor faça dobrar o número de freqüentadores."

Os engenheiros e construtores fizeram como lhes fora ordenado. E o custo de sua obra ascendeu à cifra fantástica de cinqüenta mil libras esterlinas. Na manhã do primeiro dia os arautos da Imprensa, do Rádio e da Televisão acorreram para contemplar, maravilhados, o que a Estrada de Ferro Britânica havia realizado. E não continham seu entusiasmo, espalhando aos quatro ventos a boa nova. Porque brilhantes eram os azulejos azuis que cobriam as paredes, e eis que mãos malfeitoras não mais poderiam inscrever ali suas palavras pecaminosas, brotadas de torvas paixões. E sobre as paredes foram dependurados espelhos, para refletir o rosto dos viajores. E para eles foram construídos chuveiros, a fim de que se banhem em suas águas abençoadas, livrando-se da poeira dos caminhos da Estrada de Ferro. E mediante algumas moedas podem prover-se de toalhas e sabões. Para as mulheres, conforto ainda mais sedutor é proporcionado: assentos forrados de couro para se refazerem do cansaço e tapetes macios cobrindo o chão para o repouso de seus pés. Assim terão todos condições ideais para a satisfação das contingências fisiológicas a que estão sujeitos.

Bem, trocando em miúdos: o assunto pode ser um tanto chulo ou trivial, não tenho culpa. O inglês parece sentir estranha sedução por essa espécie de lugar, que a todo momento se torna motivo de protesto ou de aplauso, segundo o menor ou maior conforto proporcionado.

Ainda agora acaba de ser publicado um livro que se vai tornando rapidamente em grande sucesso de livraria, e noutro tema não se inspira, sendo a última palavra em matéria de informação a interessados. Não é exatamente o meu caso, mas enfim... pode ser o do leitor.

Trata-se do mais completo guia de toaletes em Londres, com descrições minuciosas e até estrelas de classificação, como as de hotéis e restaurantes. Eis que fico sabendo onde, como e quando se pode encontrar nesta cidade satisfação de premências menos nobres, a que estamos sujeitos, como imperativo fisiológico de nossa humilde condição humana.

Guia debaixo do braço e portanto devidamente equipado em face de qualquer emergência, saio para essa nova espécie de *tour* pela cidade.

Assim, verifico de saída que os freqüentadores da Bolsa de Valores, por exemplo, contam com uma pequena, limpa e moderna instalação sanitária, rigorosamente ao gosto britânico, mais acolhedora que as demais da City com as suas pesadas paredes de mármore. Vem a ser, mesmo, o lugar ideal para o cliente marcar encontro com o corretor. Aberto das dez e meia da manhã às três da tarde. Gratuito. Uma estrela.

Já o da Galeria Nacional, embora os constrangedores avisos proibindo fumar (em vários outros há mesmo cinzeiros estrategicamente colocados), é o mais quente de Londres, circunstância já conhecida dos usuários, que durante o inverno costumam expender horas ali, em que pese seu gosto artístico.

O do Design Center, em Haymarket, deve a justa fama ao Duque de Edimburgo: ele teria feito naquele local um histórico pronunciamento sobre o que representa, na sua opinião, o maior desperdício de água em todo o país: "Para meio litro que se verte, uma descarga de dois galões." A decoração me parece de bom gosto, sobre o alaranjado, com fórmica cinzenta e branca. Os espelhos são demasiadamente baixos, ou os freqüentadores demasiado altos: todos se curvam diante do lavatório para olhar sua própria figura, devolvendo à fisionomia, antes de sair, aquele ar de quem não faz essas coisas.

Estou agora noutro lugar conhecido, o Lyons Corner House, no Strand, uma estrela, sete da manhã às onze e meia da noite. Aqui, a impressão é grandiosa. Treze cubículos para senhoras, informa o guia (estes não me é dado ver), mas tudo é pago: para depois lavar as mãos, sem eufemismo, paga-se quatro pences, com direito a enxugá-las no aparelho de ar quente. Há balança, perfume, sal de fruta, aspirina e todo o instrumental de maquilagem à disposição das freqüentadoras, mediante pagamento, é claro. Os homens, não se sabe mercê de que odioso privilégio, contam com mais lugares — dezessete ao todo, faço questão de contar: sete sentados e dez em pé. Os que usam Bilcream nos cabelos estarão bem servidos. Os que não usam sairão despenteados. Mas o que me impressiona aqui é a deslumbrante decoração, os ricos cromados, o mármore negro e brilhante, os ornamentos de madeira, como um cenário das revistas musicais de Hollywood na década de 30. Tem-se a impressão de que de súbito as paredes vão se abrir para que Ginger Rogers surja rodopiando pela mão de Fred Astaire. O lugar, aliás, pouco falta para levar-nos a sair dançando, aliviados, e há mesmo restos de música cigana emanando lá de cima, do restaurante, como um acompanhamento inspirador.

Em Brook Street procuro conhecer o de Kagawa, como o próprio nome indica (ou quase: soletra-se *Kahawa* — perdão, leitores). Trata-se de uma Coffee House onde se pode comer excelentes sanduíches, nem parecem ingleses. Devo dizer que infelizmente não encontrei o caminho de casa (ou da casinha, como se dizia em Minas). Ainda bem que não estava precisando: aqui sim, em Mayfair, bairro grã-fino, acho que o inglês não faz mesmo essas coisas.

Pois experimente agora uma visita ao Buckingham Palace. Em matéria de satisfazer necessidade, será uma experiência inesquecível. Apresente-se ao portão lateral, e ele se abrirá por obra e graça de um personagem metido num fraque vermelho com enfeites dourados. Diga-lhe a que veio, estenda-lhe o pagamento adiantado de cinco xelins e siga-o por uma estreita passagem. Ali ele obterá de um companheiro do mesmo bloco carnavalesco uma chave, com a qual abrirá a porta que lhe dará entrada a um longo corredor. Se conseguir se agüentar até lá, siga-o sempre, atinja a escada, desça-a, e estará enfim no lugar desejado, a cuja porta seu acompanhante esperará respeitosamente que você se desincumba (com perdão da palavra) do que ali o trouxe. Em nenhum lugar de Londres isto se dará com tão impressionante cerimonial.

O da Embaixada Americana, ao contrário, atinge-se facilmente através da biblioteca e caracteriza-se pela porta de seus cubículos, aberta na parte de baixo à altura das canelas e na parte de cima à altura dos olhos, dando aos que se trancarem lá dentro a sensação de continuar do lado de fora.

E assim por diante: toaletes de todos os tipos, para todos os gostos e predileções, reais ou plebeus, elegantes ou modestos.

Insisto em que não é minha culpa venha eu referir-me aqui a este lugar em que todos os homens se fazem realmente iguais. O assento, digo, o assunto é delicado — mas o próprio inglês lhe empresta um pouco daquela outra espécie de delicadeza que sabe imprimir a tudo em sua vida, das mais refinadas virtudes do espírito às mais humildes exigências da natureza.

Gente célebre

TODO ator, mais dia menos dia, enfrenta no palco um momento de pesadelo. É aquele momento em que o bigode e as barbas postiças saltam no ar, a um gesto arrebatado; em que o frouxo de riso se desencadeia ao olhar o comparsa numa cena mais dramática; em que de repente desaparecem por completo da cabeça as palavras da fala seguinte, mil vezes decorada.

E é sobre isto que o ator inglês Kenneth More escreve, num livro lançado na Inglaterra este mês. O título é "Kindly Leave the Stage" ("Favor Deixar o Palco"). Trata-se de uma coleção variada de casos pitorescos sucedidos com atores — pitorescos quando contados, mas que no momento lhes pareceram mais dramáticos do que o drama que representavam.

Os mais comuns, afirma o autor, são o da porta e o do revólver. Por mais perfeito que seja o cenário, por mais garantida seja a arma, municiada com cartucho de pólvora seca, chega lá um dia em que o revólver com que deve matar o rival não dispara. E o drama vira comédia. Kenneth More narra o caso do ator que, antes de deixar a cena, virou-se para o comparsa e exclamou: "Me encontre lá amanhã. Mas por favor, não se atrase." E dirigiu-se resolutamente para a porta. Mas a porta não se abriu de jeito nenhum, por mais que ele se esforçasse. Tentou abri-la para fora, depois para dentro, e nada. Perdendo a paciência, começou a sacudi-la, já correndo o risco de jogar toda a parede do cenário no chão, na esperança de que ocorresse a alguém lá da coxia a feliz idéia de vir ajudá-lo a safar-se. E os demais atores aguardando, perplexos, que ele saísse de uma vez, para que pudessem prosseguir a representação, dizendo em voz alta coisas que não constavam da peça. Desesperado, ele avançou para a parede, que simulava grosso lambri de madeira trabalhada, e deu um violento murro no papelão. Depois alargou como pôde o rombo aberto, rasgando-o de cima a baixo e através do buraco se escafedeu.

E o pesadelo do revólver, contado também por Kenneth More: certa vez o ator que deveria morrer abriu os braços dramaticamente, pronto para cair morto quando o outro lhe apontou o revólver, e o tiro não veio. Em vão o assassino puxava o gatilho, a arma não disparava. Acabou atirando longe o revólver enguiçado, num ímpeto de raiva, e ficou olhando aparvalhado para a sua pretendida vítima. Esta não teve mais dúvida:

— Me chuta — sugeriu baixinho.

O assassino obedeceu e lhe mandou um violento pontapé. Ele se contorceu e tombou ao chão, exclamando:

— Ai, vou morrer. A ponta do sapato estava envenenada.

E por falar em gente célebre, o cantor americano Proby, de quem eu jamais ouvira falar, mas que se não era célebre, acredito ter-se tornado agora: é dos tais de provocar delírio na assistência feminina, descabelada e histérica, conhecida no Brasil pela designação de macacas de auditório.

Outro dia, em Luton, ele fez sua aparição no palco, com cabelo no estilo Tom Jones (que anda muito na moda ultimamente entre os jovens), para uma frenética assistência de mil e setecentas fãs. Mas não chegou a cantar os três minutos do segundo número: suas calças apertadas de *cowboy* começaram a se romper em lugares que, afirmou-se mais tarde, eram adrede preparados, pois o mesmo já acontecera no número anterior. E o promotor do espetáculo não teve conversa. Mandou baixar a cortina e devolver o dinheiro dos ingressos. Quase baixaram o pau (sem trocadilho) no promotor do espetáculo. O teatro por pouco não veio abaixo, mas o homem agüentou firme:

— Este negócio de cabelo grande — declarou ele — eu não me importo. Mas tudo tem limite. Principalmente em matéria de calças.

Enquanto isso, James Bond continua provocando uma onda de imitadores na vida real. Anthony Underwood, por exemplo, é verdadeiro êmulo do agente secreto 007. Como, porém, não ousa instalar metralhadoras automáticas em seu carro, descobriu maneira um pouco mais inofensiva de bancar o James Bond na estrada.

E outro dia o motorista de um carro que o seguia à noite pela estrada teve o susto de sua vida: de súbito à sua frente se acenderam dois poderosos faróis que o deslumbraram, como se o outro carro viesse ameaçadoramente em sua direção. Era o MG esporte de Anthony Underwood.

— Vinha atrás de mim um carro de faróis acesos — justificou-se ele, depois que o outro o denunciou à polícia. — Dei-lhe passagem, não passou. Então acendi meus faróis traseiros. Mandei instalar exatamente para esses casos, não sabia que era proibido.

Pois ficou sabendo, depois de quatro libras de multa.

Outro é Andrew MacNeill. Dizia para a mulher, com quem se casou em 1928, que era agente do Serviço Secreto da Marinha.

— Uma espécie de James Bond, compreende?

E com isso vivia se ausentando de casa dias e dias. Agora, porém, descobriu-se que as missões secretas deste James Bond eram junto a outra mulher, com quem também se casou. Ambas, ao saber da patranha, entraram em juízo com uma ação contra o bígamo.

— Não sei por que esse barulho todo — protesta ele, aborrecido: — São, todas duas, mulheres finas, inteligentes, deviam ter um pouco mais de compreensão. Afinal de contas, eu me casei com elas!

"Leave it alone"

O TRIBUNAL Popular, ou que nome tenha, aberto ao público, representa verdadeiro manancial de assuntos para crônica. Como fica perto dos estúdios da BBC, onde tenho que ir toda semana para enfrentar o microfone, sempre que possível passo o resto do dia lá. São pequenos casos de infração da lei, submetidos a julgamentos sumários (eu diria *hilários*) realmente para inglês ver.

O de Roland Donovan, por exemplo, a que assisti ontem.

Embora simples operário de uma fábrica, ele gosta lá de seus livrinhos. E ficou impressionado com um anúncio numa revista, que dizia:

"Biblioteca particular à venda. Livros estrangeiros para colecionadores."

Na melhor boa-fé deste mundo, Donovan escreveu ao endereço indicado, pedindo uma lista de livros. Havia um que lhe atraiu particularmente o interesse: um livro italiano, obra de qualidade e sustância, chamado "Conselho Sobre Sexo". Não perdeu tempo em encomendá-lo, mediante a remessa de três libras. Três libras não é pouca coisa por um livro, ainda mais para um operário de fábrica.

Logo chegava a encomenda pelo correio. Abriu o pacote, não sem certa sofreguidão, mas o que viu já o deixou meio escabriado: não era propriamente um livro, senão um simples caderno tendo colado na capa uma tirinha de papel com o título datilografado: *"Advice on Sex"*. E dentro, logo na primeira página, escrito a mão, o seguinte e único conselho:

"Leave it alone."

O que em bom português, quer dizer mais ou menos:

"Deixa isso pra lá."

— Deixa pra lá uma ova — protestou o operário, furioso.

E deu queixa à polícia. A esta não foi difícil prender logo o responsável, o livreiro Sidney Ellis, aliás velho conhecido das autoridades, por estas e outras: é a oitava vez que o prendem. O que não o impede de protestar em juízo:

— Não vejo nada de ilegal nisso. O homem encomendou um conselho sobre sexo e eu dei.

— O que eu encomendei foi um livro chamado "Conselho Sobre Sexo", o que é muito diferente — reagiu Donovan. — E por três libras! Me sinto roubado.

— Roubado, não. Você recebeu o conselho, não recebeu?

— Qual foi o conselho? — quis saber o juiz.

— *"Leave it alone"* — antecipou-se a vítima: — Não encomendei conselho algum. Encomendei um livro. E, com a devida vênia, Excelência, isso é conselho que se dê?

— Depende — ponderou o juiz. — Quando se trata de sexo, tanto pode ser *"leave it alone*" como *"don't leave it alone"*, segundo circunstâncias que seria ocioso especificar aqui. Mas quando se trata de lei, jamais!

— Pois então foi ele quem violou a lei — e o acusado apontava sua vítima. — Quis receber um livro pornográfico, recebeu apenas o que prometi: um conselho. Que, na minha opinião pelo menos, vale muito mais que três libras.

— Quis receber um bom livro — admitiu o outro. — E que até mesmo podia ser um pouco *sexy*, como o título prometia. Mas nunca pornográfico. Eu sou lá disso?

O juiz interveio, voltando-se para o acusado:

— O que o senhor propôs vender foi um livro e não um caderno com um conselho escrito a mão. E ainda mais um conselho de sabedoria discutível. Fica, pois, multado de acordo com a lei em dez libras, mais sete de custas.

E encerrou o assunto:

— Se quer um conselho, nunca mais apareça neste tribunal. E arranje uma ocupação mais decente do que oferecer conselho a quem não pediu. Ou por outra: deixa isso pra lá.

Notícias de importância

NUMA antiga e excelente crônica, meu amigo Rubem Braga se queixa do noticiário dos jornais: só desgraças, assassinatos, desastres, intrigas, traições. E preconiza ele um tipo de jornal que só, ou também, publicasse outros acontecimentos importantes na vida de cada um.

Por exemplo: um operário deixa o serviço, encontra-se com um companheiro, vão ambos para um botequim, tomam uma cerveja, conversam, contam anedotas, distraem-se, depois vão alegremente cada um para sua casa, onde são recebidos pelas esposas com carinho e amor. Ou o caso de um rapaz que conhece uma moça, namora a moça, casa-se com ela, e desde então vivem ambos felizes. Coisas assim, que podem não valer como notícia de sensação, mas que são justamente aquelas a que se referia o poeta inglês, pelas quais os homens morrem.

Tenho pensado nisso a cada manhã, ao ler os jornais mais austeros da Inglaterra. Às vezes me vem a impressão de estar lendo o jornal que o Braga pedia. São quatro ou cinco linhas para um homem encontrado morto no interior de um carro — notícia que no Brasil se transforma num crime do Sacopã. Mas sobre uma menina de dezesseis anos que se casou com seu professor de 27 anos, anteontem, dão duas colunas com fotografia.

E assim por diante. Só que as notícias dessa espécie, como não podia deixar de ser, têm às vezes um toque tipicamente inglês, que as tornam inteiramente fantásticas.

A do pombo de Mr. Bibb, por exemplo. Mr. Bibb tinha um pombo. O pombo era de Mr. Bibb. Um dia o pombo de Mr. Bibb voou de St. Malô, na França, participando de uma corrida de pombos até a Inglaterra. Só que o pombo de Mr. Bibb nunca chegou à Inglaterra.

E daí? Daí, adianta o jornal, que Mr. Bibb, desconsolado, esqueceu seu pombo e foi cuidar da vida. Isso se passou em 1962. Agora, três anos decorridos, Mr. Bibb recebe um recado do cônsul inglês em Manágua, na Nicarágua: "O seu pombo-correio não tem um anelzinho na perna com o registro 60-D-8847-WUHW? Pois é: o seu pombo está aqui."

Mas está lá como? Depois de tanto tempo? Voou 4.500 milhas até a Nicarágua? Impossível: não há pombo no mundo capaz de semelhante proeza, agüentar a travessia do Atlântico. Deve ter tomado carona em algum navio pelo caminho.

Seja como for, o certo é que o pombo está lá. E o pior, informa o jornal, é que o cônsul teve notícias do paradeiro dele nas mãos dos nativos de Karawala — uma tribo em plena selva. Quando descobriram aqueles sinais cabalísticos presos na perninha do pombo, acharam que era um mensageiro dos deuses, e o prenderam numa gaiola colocada no centro da povoação, para ser devidamente adorado.

Mr. Bibb exultou: imediatamente pediu ao cônsul providências para mandar o seu pombo de volta. Esta semana recebeu afinal a resposta, a triste resposta, foi um choque: o pombo morreu.

— Morreu? Mas morreu de quê? — e Mr. Bibb, um limpador de janelas de Aldridge, não há meios de se consolar: — O meu medo é que o coitadinho não tenha morrido de morte natural, mas tenha sido comido assado (ou mesmo cru) pelos nativos: ofereceram o bichinho em sacrifício e passaram a adorar o anel de sua perna.

Sobre o pombo de Mr. Bibb o jornal dá uma notícia de primeira página, longa como um necrológio.

Outra notícia é sobre Mr. Combes. Mr. Combes tem uma mulher. A mulher é de Mr. Combes. Um dia ela disse a Mr. Combes que um sujeito no escritório onde ela trabalhava não acreditava muito nisso.

— Ah, não? Pois eu ensino a ele.

O sujeito era um tal de Godfrey. Perante o juiz, Mr. Combes explicou:

— Esse tal Godfrey começou a assumir uma atitude muito pomposa com relação à minha mulher. Nada de mais, só que ele andava muito pomposo. Então resolvi lhe enviar um presente, de brincadeira, para acabar um pouco com a sua pompa.

A brincadeira de Mr. Combes consistia num bolo, um desses bolos de noiva cheio de enfeites, que ele enviou ao tal Godfrey. Que significação teria aquilo? O tal Godfrey não sabia. Nem quis saber: ao receber pelo correio o bolo, desconfiando de alguma patranha, levou logo para a polícia:

— Que é isto? — perguntou o sargento, chamado Stonecliffe.

— Me mandaram de presente. Pelo sim, pelo não, convém verificar.

— Se não estou enganado, tudo leva a crer que seja um bolo — tornou o sargento Stonecliffe.

— Pois então? Um bolo de noiva. E eu não estou noivo nem nada. Aí tem coisa.

O sargento Stonecliffe se inclinou, interessado, e olhou intensamente o bolo para ver se tinha coisa. Tinha: ao cutucá-lo de leve com um lápis, o bolo explodiu-lhe nas fuças.

Mr. Combes acabou na cadeia: não foi difícil descobrir ter sido ele o autor da brincadeira que acabara ferindo um policial. Agora está sendo julgado, e terá de pagar cinqüenta libras de multa.

— Este sargento Stonecliffe não tinha nada que se meter — protesta ele: — Para que foi chegar a cara tão perto? O explosivo que tinha no bolo não dava para matar nem um passarinho. Era só para dar uma lição nesse tal de Godfrey, que andava muito pomposo para o lado de minha mulher.

Já o caso de Bárbara Gibbon, que o jornal de hoje noticia, é um pouco mais sério.

Ela é da Polícia Feminina e anda fardada. Ainda assim, aquele homem parece que não respeita farda, quando se trata de uma mulher bonita: ela foi passando e ele lhe deu uma palmada de encher a mão.

Aquele homem — John Pritchard — está sendo processado, pois Bárbara, segundo ela própria declarou, ficou muito surpreendida e contrariada: uma ofensa ao pudor, e ainda mais contra uma policial!

— Foi só uma palmadinha — justificou-se ele. — Peço desculpas, mas eu não sabia que estava cometendo uma ofensa ao pudor de ninguém.

Perguntado por que correra quando a vítima, auxiliada pela sargenta Doris Jones, tentou prendê-lo, respondeu:

— Por isso mesmo: porque elas queriam me prender.

Pritchard foi multado em vinte libras, para aprender que uma "palmadinha, um toque de mão, mesmo uma cócega, neste país, têm conotações sexuais, em se tratando de alguém do sexo oposto".

E um membro da Polícia Feminina não deixa de ser do sexo oposto.

Qualquer coisa

"ALGUMA *coisa?*

Alguém? Alguma coisa para alguém?

Qualquer coisa. Todos nós, mais dia, menos dia, teremos um. Grande, pequeno, tamanho médio, de todos os tamanhos. Eles vêm de todos os tamanhos. Mas só parecerão gigantescos quando não se souber mais o que fazer com eles.

E aí é que nós entramos."

Mas vamos devagar: que diabo vem a ser isto? Que coisa é essa, pequena, de todos os tamanhos, e quem somos "nós" que entramos? Entramos bem? Pelo cano?

A coisa: problemas.

Nós, isto é, eles: "Qualquer Coisa Para Qualquer Um", que é o nome da firma.

Uma firma que se propõe a resolver o insolúvel. Se ela própria não resolve, ajudará a encontrar quem o faça. A vida pode estar correndo muito bem hoje em dia, mas amanhã, quem sabe? Os problemas têm o mau gosto de aparecer quando menos esperados. Por que não deixar que o pessoal de Qualquer Coisa Para Qualquer Um faça alguma coisa? E note-se que o cliente de Qualquer Coisa jamais é qualquer um.

Há apenas uma pequena exigência: os serviços são cobrados. Com dinheiro tudo se arranja. Os preços são a partir de uma libra e vão subindo, na razão direta do tamanho do problema. Pode-se ser sócio da organização à base de uma libra anual ou cinco libras para a vida inteira — um problema que já fica resolvido. A partir daí, o sócio terá direito a informações sobre advogados, bancos, lojas, táxis, feiticeiras, cursos noturnos, osteopatas, fotógrafos, igrejas, escolas de dança, decoração, emissão de passaporte, ventríloquos, banhos turcos, pitonisas, arquitetos, clubes de atletismo, cantores, estofadores de móveis. Alguns extras: babá de crianças, entradas de teatro, acompanhantes para qualquer ocasião, passeios em elefantes, reserva de hotéis, seguros, caça a perdizes, cutia não.

Mulheres também não.

Mas testemunhas de casamento, isso pode se arranjar. E leões empalhados também. Cabelos postiços, stradivarius legítimos. Buscar menino no colégio, já se viu coisa mais chata? E esperar gente na estação? Pois a firma tem quem faça tudo isso. E mais: entrega de embrulhos, conserto de canos furados, levantamento de árvores genealógicas, avaliação de jóias, certidões de nascimento, veterinários, conselhos de cozinha, arqueologia, física, biologia, aerodinâmica, economia, hipnotismo, instrumentos musicais, exames pré-nupciais, psicanálise, relações públicas, cachorros, gatos, anéis de noivado, pesca de salmão, mordomos, botar o carro na garagem, levar o cachorro para fazer pipi, ensinar a dirigir.

Qualquer coisa. Tudo.

Tudo não: até aqui, procurei limitar-me exclusivamente ao que a miraculosa organização promete fazer. Em matéria de quebrar-o-galho está sozinha, mas tem coisas que ela não faz. E que os anos não trazem mais. Um belo poema, por exemplo. Já não peço tanto: escrever por mim esta crônica, ou mesmo certas cartas, atender certos impulsos, satisfazer certos desejos, realizar certas idéias — enfim, tudo o que a antiga musa canta. Me ensinar com quantos paus se faz uma canoa, mostrar onde a porca torce o rabo, me dizer quem era o pai do filho de Zebedeu e de que cor era o cavalo branco de Napoleão. Um canivete, por exemplo — sem cabo, sem folha, sem mola, sem nada. Isso não me dão. Nada. Ninguém. Qualquer Coisa Para Qualquer Um? Nada para ninguém.

Em resumo: não entro para sócio.

Da cabeça aos pés

EU nunca tinha ouvido falar em John Antrobus. (Desconfio que não chego a constituir exceção, pois duvido que no Brasil alguém já tenha ouvido falar neste homem com nome de veículo coletivo.) Por isso não podia saber que se tratava de conhecido autor de teatro.

Pois fico sabendo agora, depois da conferência que John Antrobus realizou, ou pretendeu realizar, na semana passada. Não sei que peças escreveu, e, para ser sincero, não tenho maior interesse em saber. Só sei que uma coisa ninguém pode mais falar de John Antrobus, e é que ele não tenha peito.

O público a quem Antrobus se dirigia era constituído de mais de cem moças estudantes. Talvez por isso ele tenha iniciado suas palavras se justificando:

— Sei que deveria ter comparecido com uma roupa mais adequada à ocasião: vestido de maneira formal, com paletó e gravata. Mas acontece que eu me recuso a me conformar com preceitos mesquinhos e convenções idiotas. Então vim como quis: de suéter e *blue-jeans*.

A explicação, sobre ser impertinente, era desnecessária: estava se vendo que o homem tinha vindo como bem quisera, e obviamente estava se lixando para a formalidade da ocasião.

À vista disso uma das suas ouvintes resolveu apartear:

— Se o senhor é contra convenções e preconceitos, então não devia usar nada.

O conferencista em perspectiva ponderou gravemente:

— Acho que você tem toda razão.

Para mostrar que tinha peito, retirou a suéter e a camisa. As coisas, como se vê, começavam a caminhar para a ignorância. E engrossaram definitivamente quando, na confusão que se seguiu, alguém o desafiou a tirar o resto.

— E por que não? O resto é parte do vestuário a que se atribui uma importância bastante relativa: não vale pelo que é, mas por aquilo que esconde. E que não é absolutamente necessário esconder, pois se todo mundo tem!

Para confirmar o que dizia, tirou as calças e a cueca.

Fechou-se o tempo. As moças, num pandemônio, se precipitaram para a porta, aos gritinhos, mas a porta ficava exatamente atrás do conferencista nu, e na confusão parecia que muitas avançavam para ele.

Entre os poucos homens presentes, encontrava-se um deputado trabalhista. No dia seguinte o ilustre parlamentar manifestava publicamente o seu protesto indignado:

— Acho que o fato de eu ser homem não me dispensava de abandonar também o recinto, tão escandalizado quanto as moças.

A sociedade literária da universidade que patrocinava a conferência veio também a público, para apresentar escusas pelo incidente:

"Lamentamos que um dos conferencistas nossos convidados tenha procedido sem o necessário comedimento, pretendendo dirigir-se ao distinto auditório em condições incompatíveis com o decoro que sempre presidiu às nossas atividades culturais, ou seja: nu da cabeça aos pés."

Ao que John Antrobus resolveu também manifestar-se, apresentando pelos jornais a sua veemente defesa:

— Não é verdade que eu tenha ficado nu da cabeça aos pés. Continuei usando meias e sapatos.

O que vem provar que, mesmo para inglês ver, o decoro que preside às atividades culturais, como as peças da indumentária, também é relativo: vale não pelo que é, mas por aquilo que esconde. E nada mais indecoroso do que um pé.

Portas de bar

NO mais, vou saindo de um *pub* pela porta giratória, quando o inglês à minha frente delicadamente me cede a vez: *after you, please...* Agradeço, retribuindo a delicadeza: *oh, thanks, sir, but please, after you...* E começou aquele jogo britânico de rapapés que nunca terminaria, se eu não o encerrasse à brasileira, perguntando por que diabo em certos bares as portas eram giratórias, em vez das comuns, de abrir e fechar. Ele me deu logo uma explicação que me pareceu bastante satisfatória:

— Por mais frustrados que estejamos ao chegar a hora de fechar e não podermos tomar mais um, como certamente gostaríamos, não temos como sair irritados batendo a porta.

Pois a deste outro *pub*, à beira da estrada, é de abrir e fechar — e já estava se fechando às três horas da tarde, quando, a caminho de Londres, parei o carro e saltei, morto de sede: daria tudo por uma cerveja.

Junto à porta já semi cerrada, o *barman* perguntou se acaso eu queria ir ao toalete ou coisa parecida. Sim, queria coisa parecida — informei: tomar uma cerveja. Ele deixou-me entrar, acabando de fechar a porta atrás de mim e avisando que infelizmente tinha de cumprir o horário: de acordo com a lei, o bar se fechava às três horas, só reabriria às seis. E apontou uma mesa: eu que me sentasse ali e esperasse. Obedeci, embora a lógica britânica, nem sempre das mais inteligíveis, me levasse a perguntar:

— Esperar três horas aqui sentado fazendo o quê?

Ele preparava qualquer coisa atrás do balcão, de onde surgiu trazendo na bandeja uma garrafa e dois copos:

— Tomando uma cerveja.

E sentou-se à minha frente, servindo uma para mim, outra para si.

A Rainha do Brasil

ELA é conhecida na Inglaterra como a Rainha do Brasil. Para o inglês, o Brasil seria, pois, um reinado: o reinado da graça e da perfeição esportiva.

Os jornais recordam sua primeira vitória, em 1959, e o regresso à pátria num avião presidencial, escoltada por quatro caças da Força Aérea, com honras de Chefe de Estado. Acham natural que a sua figura esteja imortalizada no museu de cera de Madame Tussaud, entre os grandes vultos da História Universal. Chamam-na de pioneira — heroína da América Latina — a mulher que mais tem feito para divulgar no exterior o nome do Brasil.

Maria Ester Bueno é uma figura solitária. Sensível, reservada, independente, vence campeonatos nos quatro continentes com a naturalidade de quem cumpre um destino traçado lá nas quadras de tênis do astral superior. Viaja sempre desacompanhada, sem secretária, agente de imprensa, treinador, massagista ou roupeiro — toda a numerosa *troupe* que cerca um campeão para colher um pouco da sua glória e de seu dinheiro. Ela própria estabelece as condições de contrato nos torneios de que participa. Em Londres, prefere ficar num pequeno hotel de Kensington, onde entra e sai à vontade, anonimamente, embora capaz de despertar atenção na rua e se ver cercada de pedidos de autógrafos. Não sabe, não gosta ou simplesmente não quer viver da fama que seu nome veio conquistando, a cada triunfo, até ser considerado o da maior tenista do mundo. Seus amigos são os colegas de esporte, com quem costuma distrair-se nos raros momentos de intervalo, entre uma e outra partida. Não busca a companhia de outros nomes famosos, para com eles dividir espaço nas colunas sociais ou no noticiário internacional, fora da página esportiva.

No entanto, além de sua atuação de campeã dentro de uma quadra, o que desperta admiração do público é a graça que sua figura veio emprestar a um esporte já de si considerado como dos mais elegantes. Seu uniforme é geralmente escolhido com um rigor de bom gosto que faria supor fosse ela participar de um desfile de modas.

Esta é, aliás, a novidade dos últimos tempos nos torneios femininos de tênis. São belas moças vindas de todas as partes do mundo, que participam das disputas de Winbledon (misturadas, aqui e ali, é inevitável, com uma ou outra virago de meter medo).

Para acentuar o predomínio da beleza, uma roupa diferente é feita para cada jogo de Maria Ester. Amanhã ela poderá aparecer com uma saia bordada e incrustada de pedrarias, que ninguém se espantará: um torneio de elegância corre paralelo ao torneio esportivo. Antes de cada jogo, ela experimenta uma suéter azul, depois uma branca, finalmente uma amarela. Acaba optando pela amarela que, segundo um cronista inglês, "vai melhor com os seus olhos brilhantes e profundos, completando o bronzeado de suas pernas longas e espantosamente belas". É este o tom de admiração com que a imprensa comenta a sua atuação. Aqui vai, como exemplo, o que dela diz um comentarista esportivo, relembrando a primeira vez que a viu jogar, em Roma, aos dezoito anos de idade, quando "tomou a cidadela romana de assalto".

"Contra um fundo de mármore branco que subia verticalmente em direção a um céu azul imperial com ciprestes de sentinela entre bustos de senadores romanos, o volátil temperamento latino levou os espectadores a excitação febril. Movendo-se como pantera, rebatendo como um varão e no entanto graciosamente feminina, ela imprimiu o seu estigma de fogo no espírito dos espectadores. Seduzidos pelo seu desempenho, exultando com a feliz coincidência de seu nome, puseram-se a cantar, no ritmo do jogo: Bueno! Bueno! Bueno! Com esse canto, ela levantou o campeonato italiano."

Para o brasileiro que, de longe, acompanha a impressionante carreira de Maria Ester, o torneio de Wimbledon, em que ela mais uma vez se empenha, não pode oferecer explicação para esse extraordinário fenômeno: ganhando, ou perdendo — o que raramente acontece — sua personalidade é das raras que consegue, cada vez mais, arrebatar a admiração tão esquiva do público inglês.

Comentário de um espectador a meu lado (digno de Armando Nogueira) ao assistir, terça-feira, a última atuação de Maria Ester Bueno em Wimbledon, frente à campeã australiana:

— É a primeira vez que vejo alguém jogar tênis com amor à bola. Esta mulher parece tratar a bola com carinho: manda-a para o lado de lá mas está sempre pronta a recebê-la de volta.

"Swinging city"

O LONDRINO não ficou muito satisfeito com a revista americana *Time*, botando a sua cidade nos cornos da lua em matéria de grandes acontecimentos. A reportagem, que logo se espalhou pelo mundo como imposição da moda, afirma que em Londres as coisas estão acontecendo.

Acontecendo o quê? — se interroga o londrino, farejando o ar. Às vezes, como agora, pode acontecer um sol pálido e frio, assinalando algumas horas de verão, depois de longo e tenebroso inverno. Para o londrino, a Copa do Mundo que acontecerá aqui não chega a ser um extraordinário acontecimento.

Está acontecendo o que sempre aconteceu — conclui ele, com a famosa fleuma britânica: o que o *Time* fez, foi simplesmente alinhavar mexericos de colunas sociais, numa tentativa de promover Londres e transformá-la numa *swinging city*, eis tudo. Ou seja, botar a cidade pra jambrar.

O que Londres tem é pudor de ver denunciadas, assim de público, as coisas que sempre aconteceram. Coisas para as quais a cidade nunca deu a menor confiança. Em verdade, Londres não é de dar confiança a ninguém. Nada mais autenticamente londrino que aquela patética confissão de Caio de Freitas no seu admirável livro sobre a Inglaterra, quando é levado a reconhecer, olhando a cidade do outro lado do Tâmisa, que sua raiva contra ela era apenas a mágoa de uma paixão não correspondida. Londres é aquela mulher solitária no fundo do salão, misteriosa, hierática, ignorada pelos que se deslumbram com outras mulheres de encantos mais fáceis. Até que ela de súbito se impõe como a mais bela e desejada, justamente no momento em que resolve sair, sem aceitar a companhia de ninguém, indiferente à perturbação que deixa atrás de si. Os que então passam a desprezá-la em favor de outras, não fazem senão repetir o eterno enamorado, que chama de ordinária e mulher de vida fácil o objeto de sua paixão. Em suma: Londres sempre foi verde como os frutos da fábula. E o que os interesses da moda estão fazendo é tentar colocá-la, madura e desfrutável, ao alcance de todos — isso o londrino não pode perdoar.

Mas Londres se esquiva, escondendo seus encantos, aparentemente desencantada como uma solteirona do interior. Para surpreendê-los é preciso certa calma — aquela que Bilac não teve para envelhecer, segundo o poeta mineiro.

Uma caminhada ao longo de Bond Street, por exemplo, à primeira vista parecerá simples passagem por uma rua comercial qualquer. Distraídos com as vitrines de suas lojas, não chegaremos talvez a perceber que acabamos de cruzar com um famoso pintor, um campeão de boxe, uma grande bailarina, um costureiro real, um escroque internacional, um sultão das Arábias, uma amante de James Bond, um banqueiro suíço, um armador grego, um caçador africano, um cassado brasileiro, um espião russo, um almirante bátavo. (Ou batavo.)

Não é apenas uma clássica mistura de raças, tipos ou categorias sociais: é o ajuntamento de indivíduos cujo modo de vida nada tem a ver com as normas tradicionais. E se espiarmos além da fachada dos edifícios, começaremos a descobrir os recantos secretos onde Londres se oculta — os becos georgianos, os *pubs* vitorianos, os mercados de antigüidades ou de legumes, as cavalariças de outrora transformadas em apartamentos de luxo, os parques em cuja grama os namorados se estendem abraçados (mesmo de sobretudo, se estiver frio), os jardins cobertos de flores. E os clubes atrás de velhos muros, com seus imensos salões, suas paredes de madeira antiga, seus garçons de libré, suas mesas de jogo por onde correm milhares de libras.

Agora Londres está na moda. Esgotando Paris, Roma, Nova York ou as praias da Riviera como atração turística, o interesse publicitário das grandes revistas tenta apresentá-la como a cidade do momento. E sua atração se concentra nos jovens londrinos, que estão revolucionando os costumes e desafiando as convenções, com seus cabelos compridos e suas roupas extravagantes. Lisonjeados, eles se organizam em torno desta nova convenção, passam mesmo a revolucionar os costumes e desafiar as convenções. Com isso procuram corresponder ao que os fotógrafos americanos esperam deles. King's Road se torna para Londres o que foi no passado Montmartre para Paris, a Broadway para Nova York, a Via Veneto para Roma: o mesmo que poderia ser a Praia do Pinto para o Rio, no dia em que os interesses econômicos internacionais resolvessem promover também os subdesenvolvidos.

Enquanto isso a velha Londres espera, indiferente. Quando passar a nova onda da *op-art* e do ié-ié, como passou a do iô-iô, do golfinho e do bambolê, continuará a mesma cidade antiga, a defender encantos milenares que deslumbraram Dickens ou Johnson, e resistir aos ataques dos novos conquistadores como resistiu às bombas de Hitler, para no final dos tempos morrer majestosamente, como uma velha rainha. Velha e solteira.

Necessidade de poesia

ENTRE os acontecimentos que normalmente ocorrem na vida cultural da Inglaterra, pelo menos três tiveram recentemente na poesia a sua razão de ser: uma exibição de poesia concreta em Oxford, que acabou estupidamente depredada pelos próprios estudantes; uma sessão dedicada a T. S. Eliot; e a presença de grandes nomes da poesia mundial em Londres, como Neruda, Voznesensky, Allen Ginsberg, que provocou uma noite de leituras de poemas no grande auditório do Albert Hall, com entrada paga.

Poesia com entrada paga — e no entanto mais de seis mil espectadores compareceram, sendo que muitos tiveram de ficar do lado de fora. O tom poético foi dado de entrada, com as flores distribuídas aos que chegavam. Era de se ver o imenso anfiteatro, repleto, expectante, o público cercando o grupo de poetas que de pé, inquietos, aguardavam o início do espetáculo como cristãos que fossem ser atirados às feras.

No entanto, não houve nada do sarau literário que eu temia, com recitativos de mocinhas palpitantes revirando os olhos, levando a mão ao peito ou abrindo os braços em gestos espetaculares.

O recitativo à velha moda decididamente caiu de moda — a coisa agora é feita em grande escala, poética mesmo para valer — e tome poesia. Simon Vinkenoog foi o primeiro, recitando um poema em memória de Kennedy, e que terminava num "yeeeeeaaah", verdadeiro miado de gato que a assistência repetia, em gritaria ensurdecedora. Allen Ginsberg interpretou uma espécie de canto tibetano, marcando o ritmo com címbalos, autêntica bossa nova poética.

Outros poetas se seguiram, conhecidos e desconhecidos. A nota política foi dada por Adrian Mitchell, com um poema cujas estrofes terminavam seguidamente com o verso "conte-me mais mentiras sobre o Vietnã". Despertou aplausos entusiásticos, embora houvesse entre os espectadores quem talvez preferisse contar algumas verdades. Com Ernst Jandl, um concretista vienense, a poesia quase entrou em colapso. Seguiram-se poemas humorísticos, malucos ou simplesmente idiotas, que despertaram confusão no público, pois a partir de então ninguém sabia mais se devia rir ou não, ouvindo os poemas sérios. Havia uma moça que fazia gestos e macaquices, tentando interpretar em silêncio a poesia que ia sendo declamada. Alguns circulavam carregados de livros e revistas. A garota que resolveu aparecer toda pintada de verde, como a mulher dourada de James Bond em "Goldfinger", se esqueceu da respiração através dos poros e quase se foi como a outra, tornando-se imortal: teve de ser levada nos braços em busca de socorro médico.

E assim, foram quatro horas seguidas de poesia atirada à multidão — o que vamos convir que não é pouco, tendo em vista a generalizada escassez poética que vem se registrando no mundo de hoje.

Alguns dias depois se realizava a homenagem a Eliot, em auditório menor e público graças a Deus mais distinto: uma introdução de Stravinski, uma escultura de Henry Moore e leitura dos poemas selecionados por Auden. Emprestaram a sua voz, além da presença física, os atores Laurence Olivier, Paul Schofield, Peter O'Toole, entre outros. Desta vez não havia proteção policial do lado de fora, como aconteceu no Albert Hall, pois, no dizer de um guarda ali presente, "em ocasiões como esta, em que tantos poetas se reúnem, nunca se sabe o que pode acabar acontecendo, é melhor não se meter".

A nota pitoresca foi dada por Groucho Marx, narrando reminiscências de seu amigo Eliot. Neruda deixou de comparecer, e Voznesensky limitou-se a agradecer com uma curvatura os aplausos à sua presença, não declamou nada (mesmo porque seria em russo, ninguém entenderia. Aliás, tenho razões para desconfiar que, na seleta assistência, poucos haveriam diferentes de mim, que jamais ouvira falar em Voznesensky).

Para encerrar, a voz do próprio Eliot, seca, triste, precisa, nos poemas que deixou gravados, fez da noite o melhor testemunho da imortalidade de sua poesia.

Enquanto isso, outro poeta ressuscita — desta vez brasileiro. Pouca gente no Brasil já ouviu falar de seu nome, que a semana passada esteve sob os olhos de milhares de leitores ingleses. Eu mesmo jamais soubera de sua existência até que Paulo Mendes Campos, alguns anos atrás, me transmitisse o maior entusiasmo por um exemplar de sua obra poética, verdadeira raridade, encontrada por ele na Biblioteca Nacional. O autor (não fora a esdrúxula maneira de escrever e pronunciar seu nome, talvez estivesse perdido na minha memória como um Sousa Andrade qualquer), viveu no século passado e era conhecido, ou melhor, desconhecido como Sousândrade.

Trata-se de um desses raros fenômenos literários que podem surgir em qualquer lugar, ignorados em seu tempo, para um dia fazer história. No caso, o fenômeno surgiu no nordeste brasileiro. O mérito da redescoberta veio afinal a caber a Augusto e Haroldo de Campos — os incansáveis cultores do concretismo e tradutores de obras quase intraduzíveis como a de Ezra Pound. Foram eles que desenterraram, atualizaram, anotaram e relançaram a obra do poeta brasileiro Sousândrade.

E é essa obra, pela sua importância internacional, apesar da língua portuguesa em que foi escrita, que vem merecer agora longo comentário crítico do suplemento literário do *The Times* de Londres.

Nascido em 1833, Sousândrade aos vinte anos subiu o Amazonas e observou os costumes dos índios Jurupari, antes de mudar de rumo e se mandar para Paris, diretamente para a Sorbonne. Passou a vida viajando pela Europa e pela América. Sua visita a Londres, registrada num artigo republicano com ataques à Rainha Vitória, por pouco não provoca a proclamação da República. Voltou finalmente para sua terra, onde morreu, esquecido e ignorado, em 1902. "Se algum poema merece o título de epopéia da América Latina, é este", diz a crítica inglesa, referindo-se a uma obra sua.

Devo aos dois intelectuais paulistas a alegria de ver confirmada a existência de Sousândrade como grande poeta brasileiro do século passado. Existência abafada por uma barreira de silêncio no Brasil, mas cuja importância é enaltecida num jornal da Inglaterra, onde a Poesia continua sendo artigo de primeira necessidade.

Um inglês à minha espera

SIR Hugh Greene não é importante personalidade apenas por causa do seu irmão Graham, o grande romancista: é o diretor-geral da BBC. E a sua atual projeção advém da renovação por ele introduzida nos programas da tradicional emissora.

Entre outras novidades, passou a proporcionar na estação oficial livre acesso ao pronunciamentos da oposição. Tal liberalidade, por ele defendida em nome do regime democrático e do povo inglês a quem pertence em última análise a BBC, vem-lhe valendo as mais candentes críticas por parte dos lideres do governo no Parlamento.

Outro dia, mercê da simpática missão que a nossa Embaixada me incumbiu — ofertar à emissora uma coleção de discos da música popular brasileira — fui por ele recebido em audiência com horário britanicamente pré-estabelecido: de três às três e quinze da tarde.

Ao ver-me diante dos seus dois metros de altura, a maneira não menos elevada com que me recebeu levou-me a fazer desajeitamente uma referência de simpatia pouco diplomática sobre a polêmica em que se via metido e sua louvável atuação. Com duas ou três palavras de delicada esquivança, ele deu por encerrado o assunto como sendo de mera rotina, sem maior relevância. E passou a outro, de ordem prática, com a devida vênia, a saber: a BBC poderá transmitir as músicas gratuitamente ou terá de pagar direitos autorais?

Pergunta da maior pertinência britânica, que não me haviam preparado para responder. Limitei-me a um comentário evasivo, presumindo brasileiramente que sim, até prova em contrário. E já à porta, esgotados os nossos quinze minutos regulamentares, ousei pedir-lhe que me concedesse uma entrevista para o *Jornal do Brasil*, do qual sou correspondente em Londres.

— É jornalista? — exclamou, espantado: — Pensei que fosse diplomata!

E concordou de imediato. Não só me fez entrar novamente, como me conduziu até sua mesa, de cuja gaveta retirou uma garrafa de *malt-whisky* e dois cálices, servindo-nos enquanto comentava noutro tom, agora completamente à vontade:

— Posso lhe assegurar que estou levando pau de todo lado: do governo, da oposição, de todo mundo, você nem imagina!

E passou-me um dos cálices, erguendo solenemente o seu:

— À sua saúde!

Virou o conteúdo de uma só vez, eu o imitei. Quando, entusiasmado, eu já me dispunha a iniciar a entrevista, sugeriu, depois de consultar os seus próximos compromissos numa agenda:

— Podemos passar um fim de semana na minha casa de campo, para conversarmos. Que tal na primeira quinzena de julho?

285

Foi o que ficou sacramentado — sem que eu, brasileiramente, acredite que venha a ter condições de cumprir. Embora, estando atualmente em meados de abril, não teria de esperar muito pela entrevista, segundo os padrões britânicos: menos de quatro meses.

O inglês não tem pressa para coisa nenhuma, muito menos para falar de si mesmo.* É a experiência que venho colhendo por toda parte, já nem me espanto mais. A sua impassibilidade diante da premência do tempo e das incertezas do futuro chega a dar impressão de que somos eternos.

Em dezembro do ano passado, por exemplo, fui convidado para fazer uma conferência um ano mais tarde, em dezembro próximo — precisamente no dia 17, às 19 horas e 40 minutos. Não vacilei em aceitar, pois até lá certamente não estarei mais aqui. Convites para jantar com um, dois meses de antecedência não são raros. A cadernetinha de bolso de cada inglês é um verdadeiro rosário de encontros, visitas, jantares, viagens, planos estabelecidos para o ano inteiro e, às vezes, para o ano seguinte.

— Pretendo ir ao Brasil em março do ano que vem — me disse um, em março deste ano. — Queria que você me indicasse um bom hotel no Rio, para eu escrever amanhã fazendo a reserva.

Um brasileiro já afeito aos hábitos britânicos me preparou o espírito assim que cheguei:

— Eu não me espantaria mais nem se descobrisse que eles marcam na caderneta com antecedência de dois meses até para dormir com a mulher. E assim mesmo, quando for a própria. Sendo outra, no mínimo seis meses.

Não creio que cheguem a tanto (eu diria no máximo quinze dias). Mas a verdade é que me advém uma sensação de insegurança ante tamanho espírito de previsão: até lá onde estarei? estarei vivo? acaso serei o mesmo? E tomando nota na minha própria caderneta, para que os compromissos não se atropelem (o que de si já é um esforço acima das minhas forças), percebo que estou lavrando a minha própria sentença, abrindo mão da brasileira disponibilidade que me desonestiza, num empenho do futuro que me acabrunha.

Como um condenado, vejo estender-se à minha frente uma série implacável de convites aceitos por distração ou de encontros que por leviana delicadeza eu próprio marquei. Pessoas que mal conheço atendem com impávida deliberação à sugestão apenas amável de nos vermos de novo qualquer dia desses, puxando lápis e papel para anotar a data, hora e lugar.

Sinto-me vivendo naquela mesma atmosfera dos vinte anos, engajado no tormento

---

**Em Londres, Como os Ingleses*, em "Deixa o Alfredo Falar!"

do serviço militar todos os dias, e perdendo pontos com as minhas faltas; já ameaçado de expulsão, chegava a comunicar com desalento aos amigos:

— Só não me suicido esta noite porque não posso faltar à instrução do CPOR amanhã.

Não posso morrer, nem adoecer, nem ao menos me distrair pelo caminho: na esquina de cada dia, de cada semana, de cada mês, em meu próprio interesse, tem um atencioso inglês à minha espera, relógio na mão, contando os minutos.

Mulheres de todo tamanho

O INGLÊS, entre outras virtudes, tem a de não se surpreender com coisa alguma. E, como decorrência natural, aquilo que poderia constituir para outros povos o insólito, o improvável, o surpreendente, passa a constituir instância normal da sua vida cotidiana.

Ainda agora fico sabendo, por exemplo, do próximo encontro das duas irmãs Liliam e Maud, que se dará dentro de poucos dias. Acontece simplesmente que as duas não se vêem há apenas sessenta anos. Uma tem 87, outra tem 82, e se separaram quando Liliam se mudou para a América ainda moça, enquanto Maud ficava por aqui. Outro dia Maud recebeu carta da irmã, informando ter conseguido enfim juntar dinheiro para voltar e revê-la, depois de sessenta anos de separação.

Pois este foi o comentário da outra, toda excitadinha, enquanto aguarda a chegada da irmã:

— Para mim é um verdadeiro sonho: nossa família sempre foi muito unida. Só estou receosa de que ela esteja um pouco mudada.

Já o problema de Anne Rostow não era o tempo ou a distância que a separava de outra pessoa: era a altura que separava a sua cabeça do chão. Anne Rostow media nada menos que dois metros e doze centímetros de altura.

Media, não mede mais. Foi submetida a uma série de operações, que lhe deram, ao fim, a altura modesta de 1 metro e 85.

Uma mulher de 1 metro e 85 centímetros de altura é de um pé-direito que se pode chamar de apreciável. Ainda assim, Anne ficou contente, "por se ver reduzida a uma proporção normal", segundo declarou. Agora pode entrar numa loja e escolher um vestido (é só baixar um palmo ou dois na bainha da saia). Não precisa mais se agachar para passar nas portas. Pode dançar sem se preocupar com a cabeça do parceiro pouco acima da sua cintura. E, o que é mais importante: pode andar na rua, sem tanta gente a olhar para cima com curiosidade.

— Agora estou feliz — afirma ela: — Sou uma mulher como outra qualquer.

Também não exageremos — afirmo eu. Não sei em que parte de seu corpo os cirurgiões andaram cortando, para reduzir a altura em quase 30 centímetros. Presumo que nas pernas. Em todo caso, em 1 metro e 85, convenhamos que ainda tem mulher de sobra.

Outra é Louise Crampton. Com esta não aconteceu nada de extraordinário, senão que se casou. E o casamento nada tem de extraordinário, senão que ela está com 34 anos e o noivo, Peter, apenas dezesseis. Até aí tudo normal, pois não foi casamento precipitado — já se conheciam há dois anos, desde que ele tinha quatorze. O fato de até hoje ainda não fazer a barba não chega a constituir impedimento, pois um noivo imberbe não é coisa assim tão espantosa — cedo ou tarde a barba lhe haverá de crescer. Estão passando a lua-de-mel na casa dela em Kent, a cuja porta há uma legenda em latim: "*Parva sed apta mihi*" — o que em português quer dizer mais ou menos: "*Pequeno, mas serve.*"

Enquanto isso Hu Lenng pintava o seu novo restaurante chinês da cor que mais lhe agradava: vermelho-claro. Mas o restaurante é em frente ao Palácio de Windsor, e as autoridades do Palácio se alarmaram: a Rainha tem um esquema de cores apropriadas para as redondezas, procurando preservar a beleza do lugar. É justamente ali que a família real costuma passar temporadas de descanso. E o tal esquema de cores para descanso dos olhos, perfeitamente harmonizado à paisagem, que a Rainha idealizou, inclui o azul, o verde e o cinzento — mas o vermelho, não.

O chinês coçou a cabeça, ou mais provavelmente a barbicha, ao tomar conhecimento da apreensão que a cor de seu restaurante havia causado: os funcionários chegaram mesmo a lhe pedir que mudasse aquela cor antes que a Rainha visse. Mas ele tinha lá também o seu esquema de cores:

— Vermelho-claro é vermelho chinês, cor que dá sorte. Mas eu mudo. Gosto de fazer as coisas direito, para que sejam gratas aos olhos de Sua Majestade.

E no dia seguinte mandou pintar o seu restaurante de marrom.

Tem mais: tem o susto desse lixeiro Arthur Hudson, quando estava recolhendo um monte de cinzas com uma pá. Eis senão quando ele escuta um ruído esquisito: havia ali debaixo uma coisa que se mexia. Ajoelhou-se e limpou as cinzas com as mãos para ver o que era. Quase caiu para trás quando viu: era uma menina recém-nascida.

— Só fico a pensar o que aconteceria, se a menininha não tivesse chorado — comenta ele, horrorizado: — O caminhão tem um compressor automático e num segundo ela estaria esmagada debaixo de uma tonelada de lixo.

Ao apanhá-la, ela parou de chorar. Ele é que quase chorou de emoção, ao limpar-lhe os olhos cobertos de cinza. Agora quer adotá-la, mas a lei não permite, pois não é casado.

— Por isso não, que eu me caso — afirma ele com veemência, olhando ao redor e pronto a levar ao pé do altar a primeira que aparecer.

Mas a criancinha não pode esperar. E a solução, enquanto isso, parece ter sido encontrada. Seus colegas de trabalho, todos casados, se dispõem a adotá-la de sociedade, cada um contribuindo com parte de seu salário. Isso, segundo afirmam, para que possam educá-la como uma verdadeira *lady*.

E eis o que há de mais extraordinário neste país de aristocratas: uma menina enjeitada, criada por quatrocentos lixeiros, pode realmente vir a ser uma grande *lady*.

Exemplos de honestidade

A HONESTIDADE na Inglaterra faz parte da tradição. A concepção britânica de honestidade impõe como princípio modelar os dez mandamentos da lei do escoteiro. Não fosse inglês o célebre Baden Powell — não o nosso excelente violonista da bossa nova, mas o velho *Lord*, fundador do escotismo, que veio impor ao mundo juvenil a dignidade das calças curtas.

Quer dizer com isso que na Inglaterra não há ladrões?

Há, mas os ladrões aqui procedem, em geral, de acordo com uma estratégia profissional, segundo a qual o roubo tem de ser para valer: coisa bem feita, caprichada, que exige em contrapartida uma Scotland Yard para descobrir o culpado. Ou para não descobrir — como no já célebre assalto ao trem pagador, do qual o grosso do dinheiro até hoje não apareceu. Assaltos à mão armada, golpes sensacionais, planos perfeitamente executados, e em grande escala, é o que geralmente prevalece no mundo britânico do crime, denunciando uma consciência profissional que é uma espécie de honestidade invertida, se assim me posso exprimir. O oportunista, o batedor de carteiras, o vigarista é um tipo de criminoso malandro relativamente raro por aqui. Criminoso inglês em geral é sério, não brinca em serviço.

Mas não estou me referindo a esse tipo de honestidade cuja inexistência gera o crime. Refiro-me à honestidade daquele jogador de futebol, por exemplo, que, avançando perigosamente para o gol, num momento decisivo para a vitória de seu time, se deteve já dentro da área, bola nos pés, e voltou-se para o juiz:

— Seu juiz! Eu estava impedido, e o senhor não apitou.

Ainda que pareça inacreditável, tenho tido oportunidade de colher exemplos deste tipo de honestidade por aqui. Ainda outro dia era um cidadão chamado Alec Worthington, que até na Inglaterra pode ser considerado um caso raro. E agora ele está certamente nas garras da dúvida mais cruel. Valerá a pena ser honesto?

Aconteceu simplesmente que Alec tem uma casa, pela qual paga imposto, como qualquer cidadão britânico. Há pouco tempo, entretanto, resolveu, de pura curiosidade, comparar o imposto que lhe era exigido com o que pagavam outros cidadãos, proprietários de casas semelhantes à sua, nas vizinhanças. E descobriu que pagava menos. Pareceu-lhe, então, que na realidade estava pagando muito pouco. Em vez de rejubilar-se com a descoberta, foi direto às autoridades competentes para reivindicar um direito seu de cidadania: o de pagar tanto quanto os outros.

— Não acho isso justo — alegou: — Tem gente que mora até em casa de parede-meia pagando mais do que eu. Deve haver algum engano.

Em vão lhe disseram que não havia engano algum, era aquilo mesmo: a taxação das outras casas era mais recente, ele se beneficiava da diferença por ser um contribuinte mais antigo.

— Não acho direito isso — insistiu ele. — Faço questão de pagar o que todo mundo paga. Nossos direitos são iguais, nossos deveres também devem ser.

A repartição arrecadadora considerou estranha a reivindicação, mas resolveu estudar o problema com carinho e lhe dar uma solução imediata. Tão logo o fizeram, verificaram os fiscais que o homem estava realmente pagando muito pouco. E em vez de 88 libras por ano, que era o montante de sua tributação, resolveram cobrar-lhe 114 libras. Além do mais, tinha de pagar imediatamente, e sob pena de multa progressiva, a diferença sobre os impostos passados. A esta altura Alec concluiu que a coisa já estava indo um pouco além do que ele pretendia:

— Espera lá — protestou logo: — Quer-me parecer que os senhores estão aumentando demais. Os outros não pagam tudo isso.

— Pois o senhor vai pagar, já que fez tanta questão — retrucou o encarregado do assunto, com a chamada fleuma britânica. — E pela tabela, cálculos feitos, levadas em consideração as características do imóvel e a zona em que se acha localizado...

O proprietário do imóvel, este modelo de honestidade, ousou afirmar ainda que não achava muito justo lhe cobrarem a diferença sobre os impostos já pagos.

Se não acha, azar: vai ter de pagar direitinho, sem tugir nem mugir. Não adianta querer bancar o malandro.

Para terminar, eu poderia citar outros casos de tão estarrecedora honestidade. Prefiro, todavia, referir-me àquele inocente velhinho, paralítico numa cama, cuja única distração era de se fazer rodear de moças. Houve denúncia contra ele, pois os namorados das moças resolveram se insurgir contra a gratuita distração do velho: passaram a lhe exigir dinheiro, e a história acabou vindo a público, como mais um caso de chantagem. Aliás, observo de passagem esse exemplo de ética, raro até na imprensa inglesa, quando se trata de matéria de escândalo: o nome do velhinho não apareceu no noticiário sobre o julgamento que os jornais publicam. Ele é sempre referido como "Mister X".

Pois até a própria esposa de Mister X saltou em sua defesa: o marido está doente, não faz nada de mais, gosta de ter gente jovem em sua companhia. E daí? Quem é que não gosta?

É o que me pergunto: quem é que não gosta? E lastimo a sorte do velho, em face da malícia do mundo. Mas agora surge um detalhe que até então não havia sido revelado: duas mocinhas contam, e o velho confirma, que outro dia foram visitá-lo levando cada uma num embrulho o maiô biquíni que haviam acabado de comprar. A certa altura da visita perguntaram-lhe se podiam experimentar a sua nova roupa de banho. O velho concordou, e como não houvesse no momento outro cômodo em que pudessem trocar de roupa, ele sugeriu esconder a cabeça debaixo do lençol até que elas vestissem seus biquínis. Assim fez, e só olhou de novo quando elas lhe asseguraram que podia olhar, já estavam "vestidas".

O que, em última análise, veio depor em favor do acusado, e vem tornar pertinente o seu caso, com o qual finalizo esta crônica, que já vai longa: pensando bem, se não havia ao menos um buraquinho no lençol, isso não deixa de constituir outro exemplo de britânica honestidade.

Poeta e cientista

DE vez em quando dou com a figura de um homem alto, meio curvado, de cabelos brancos e olhos azuis, caminhando nas proximidades de minha casa. É o poeta Stephen Spender. Já o encontrei num domingo, distraído, lendo um jornal pela rua. Ao ver-me, exibiu com alegria infantil uma fotografia sua no suplemento literário.

A primeira vez que nos encontramos foi em Nova York, 1947. Spender tinha então 38 anos e eu 22.* Esteve duas vezes no Brasil e agora nos fizemos vizinhos. De vez em quando marcamos um almoço, na sua casa ou na minha. Ao dar com as minhas paredes pateticamente nuas, fez questão de me emprestar alguns quadros, enquanto eu aqui estiver — inclusive uma gravura de Goya e um belíssimo desenho de Marino Marini a ele dedicado.

Mas prefiro encontrá-lo por acaso, como nos tem acontecido tantas vezes — e é reconfortante poder contar com sua presença em Londres, entre suas constantes viagens. Em geral acabamos sempre falando em Paulo Mendes Campos, que ele conheceu no Rio.

**O Menino e o Poeta*, em "A Cidade Vazia".

Agora não o verei mais tão cedo. Stephen Spender acaba de ser convidado para exercer as funções de consultor em poesia durante um ano na Biblioteca do Congresso, em Washington.

E por falar em Paulo Mendes Campos, imagino o sucesso que deve estar fazendo no Brasil o seu mais recente livro, "O Colunista do Morro": além de várias crônicas, juntou ele o seu depoimento sobre a fascinante aventura no mundo inconsciente, através de experiências com o ácido lisérgico.

A propósito, quero registrar o lançamento, na Inglaterra, esta semana, de um livro sobre o mesmo assunto: "Drugs of Hallucination", de Sidney Cohen. Aqui, ao contrário do trabalho através da sensibilidade de um poeta, é um cientista que nos esclarece sobre a importância do ácido lisérgico no tratamento psiquiátrico. O autor faz questão de advertir sobre os perigos de se encarar a droga como tratamento em si mesmo, senão como um simples ponto de partida para aplicação de métodos de interpretação tradicionais. O paciente, passado o "instante zen" da reação provocada pela droga, poderá ser levado a um estado de depressão profunda ou mesmo enterrar-se numa psicose declarada.

De qualquer maneira, os dois trabalhos se complementam, e ao estudo do cientista, com as naturais limitações do objetivo a que se destina, acrescenta-se o extraordinário depoimento de um escritor, através de sua experiência criadora.

Comandos

NADA a ver com "Qualquer Coisa Para Qualquer Um" — a firma quebradora de galhos sobre a qual falei dias atrás. A dos comandos é mais séria.

No quinto andar de um edifício de escritórios no centro de Londres encontro uma das mais estranhas organizações de que se tem notícia. É composta de um grupo de ex-comandos da Marinha Real e se propõe a fazer qualquer coisa, mediante pagamento. O tenente John Lindsay, de 28 anos, é o diretor da firma, que assim se anuncia no *Sunday Times*:

"Temos armas e viajamos. Somos uma firma original. Nosso serviço cobre o mundo todo e é estritamente confidencial. Nossa organização conta com comandos, pára-quedistas, franco-atiradores, advogados e investigadores de seguro. Vamos a qualquer lugar e a qualquer hora. Tentaremos tudo. James Bond não pode conosco. Se você tem um trabalho difícil a ser bem executado, procure-nos."

Tudo começou há um ano, quando cinco ou seis antigos comandos trocavam impressão sobre as dificuldades da vida civil. Tiveram a idéia, puseram anúncio no jornal e aguardaram os acontecimentos.

Em pouco as cartas começaram a chegar de todas as partes. Ao fim de um ano de atividades, além dos seis sócios permanentes, mais cinqüenta ex-oficiais se registraram em todo o Reino Unido para serviços eventuais e cerca de 250 como agentes no exterior.

Que espécie de atividades, precisamente? É o próprio chefe da organização quem me informa:

— Parte é trabalho de rotina: procurar pessoas desaparecidas, fazer sindicância para adoções, etc. Mas de vez em quando aparece coisa bastante original.

— Como, por exemplo?

— Por exemplo: dois pedidos de assassinato. Um envolvendo a liquidação do Primeiro-Ministro, que evidentemente foi recusado. Já o outro chegou a merecer certa consideração de nossa parte.

E conta que três homens escreveram da África:

— Tinham de cumprir um juramento feito durante a guerra a um companheiro moribundo: matariam o homem que violentara a mulher dele. E ele havia enlouquecido por causa disso. Conseguiram localizar o paradeiro do homem de lugar em lugar, até Israel, para afinal descobrir que ele já havia morrido.

Ainda bem, pensei comigo; do contrário, que fariam com ele? Mas não cheguei a perguntar.

Outros casos, mais comuns, são resolvidos com rapidez e eficiência. O da atriz, por exemplo, que se queixou de um rico francês com quem ia se casar e que acabou se casando com outra. Mas ficou-lhe devendo cinco mil libras, sem jamais pretender pagar. Dois homens da organização foram a Paris e disseram ao francês que se ele não pagasse o caso seria divulgado em todos os jornais. No dia seguinte a atriz recebia um cheque de cinco mil libras — e pagava quinhentas libras pelo serviço.

— Como se vê, são métodos de trabalho relativamente simples.

Mas há também outros casos para os quais os comandos encontram soluções mais originais. E o chefe John Lindsay não me esconde sua disposição de ir até mesmo contra a lei para ajudar um cliente em apuros:

— Se for necessário e nos parecer justificável — acrescenta com firmeza.

Não parece, entretanto, ser homem de violências. Veste-se bem, tem olhos azuis e cabelos castanhos cortados rente. Mora com sua mulher e dois filhos numa casa confortável nos arredores de Londres, não fuma nem bebe. Um jornalista inglês chegou a ver nele um misto de Robin Hood e James Bond. Na realidade, segundo afirma, é apenas um "ex-comando", que põe sua experiência profissional a serviço do próximo, como meio de ganhar a vida.

Às vezes, é um pai aflito que apela para a organização por ele fundada, pedindo que salve sua filha das mãos de um sedutor. Outras vezes são complicações de esposa. A mulher de um pastor anglicano, por exemplo, que havia tido um filho numa ligação ilegítima, e da qual o reverendo não chegara a saber. O filho foi adotado por alguém mais, e o tempo passou, ela se casou com o pastor, tudo parecia esquecido. Até que um dia o antigo amante aparece na cidade e a reconhece, ameaça contar tudo ao marido — a menos que ela concorde em ter relações com ele toda semana. Depois de algumas semanas de inferno, ela apelou afinal para a organização. O homem foi procurado, e ao se ver ameaçado de uma surra ao fim da qual nem sua mãe o reconheceria, desapareceu para sempre. (Sinal de que, pelo menos, sabia quem era sua mãe.)

Caso semelhante é o da moça que, num momento de tentação, deu um desfalque de 150 libras na firma em que trabalhava. Descoberta por um colega, foi por este ameaçada de denúncia à polícia, a menos que concordasse em ir ao seu apartamento de quinze em quinze dias. Aterrorizada, ela se submeteu a primeira vez, mas da segunda encontrou ali mais dois homens, e foi forçada a se entregar aos três. Então pediu ajuda à organização.

Quinze dias depois tornava a ir, mas agora acompanhada de quatro comandos. Estes, sabendo que os três espertalhões eram casados, sugeriram que fossem todos em conjunto contar o que se passava a cada uma das três esposas — a menos que concordassem em contribuir cada um com cinqüenta libras, para cobrir o desfalque da moça, na firma em que trabalhava. No que foram imediatamente atendidos, o dinheiro foi reposto e a moça deixou de ser importunada.

Até dos Estados Unidos os comandos costumam receber propostas de serviço, em meio à sua volumosa correspondência diária, que é atendida, depois de cuidadosamente selecionada. Ainda há pouco tempo foram convidados a mandar alguns homens a Cuba, usando fundos da CIA, mas se recusaram. Política não é o seu forte, conforme se pode ver na maneira pela qual se anunciam:

"Se você é um indivíduo com algum problema ou está em apuros ou simplesmente desesperado, mande-nos algumas linhas. Você provavelmente ficará surpreendido ao ver como podemos ajudá-lo. Nosso preço? Bem, depende: se gostarmos do serviço..."

Casos de chantagem são facilmente resolvidos. Durante cinco dias os comandos vigiaram um chantagista que ameaçava uma alta personalidade com fotografias que o comprometeriam aos olhos de sua mulher. Quando apanharam o chantagista sozinho, usaram o método direto: foram-lhe às fuças:

— Devolva as fotografias ou nós lhe arrebentamos a cara.

Quanto a mim, não estou ameaçado de chantagem, nem nunca fui fotografado de maneira a comprometer-me aos olhos de ninguém. Também não prometi matar ninguém nem, ao que eu saiba, me meti em alguma encrenca ainda pendente de solução.

Existir um grupo de homens capazes, a preço módico, de fazer justiça com as próprias mãos, não deixa de ser motivo de tranqüilidade. Mas, pensando bem, que impunidade é essa, desses Novos Cavaleiros da Távola Redonda? Ainda bem que o Rei Artur era inglês: já no século XV pregava a justiça a ser praticada pelos comensais da sua famosa mesa, na qual havia sempre lugar para mais um.

A tradição britânica talvez abençoe estes comandos do bem — sem lhes dar, todavia, imunidade para praticar desmandos em nome da justiça. Espero que estejam, como os demais cidadãos, sujeitos ao império da lei, que na Inglaterra tudo indica ser igual para todos.

O fantasma decadente

E COMO esta terra continua sendo a dos castelos mal-assombrados, convém que eu dê notícia de alguns fantasmas britânicos.

Ainda outro dia eram dois policiais em sua ronda a cavalo, na localidade de Chequers, que vieram, apavorados, relatar no quartel:

— Nós vimos. Nós vimos.

— Vocês viram o quê? — perguntou o sargento de guarda.

— Nós vimos um fantasma.

— Essa não — retrucou o sargento.

Pois essa sim, senhor: os dois policiais, um de nome White e outro de nome Lucas, juraram por aquela luz que os alumiava terem visto uma luz branca surgir da janela de uma das mansões vazias daquela zona, e tomar no ar a forma de um ser humano.

O sargento declarou mais tarde que os dois estavam tão descontrolados e tremebundos que mal podiam falar — só o conseguindo depois de tomarem uma xícara de chá.

Procedida uma investigação rigorosa, concluiu-se que os dois policiais devem ter-se assustado é com a súbita aparição de um terceiro, que também fazia a ronda por aqueles lados. Eles, porém, protestaram:

— Então nós somos tão idiotas a ponto de confundir um colega com um fantasma? E se era ele, pior ainda: como é que conseguiu vir lá de cima, da janela da casa, caminhando pelo ar e cercado de luz?

Enquanto isso, uma companhia imobiliária de Devon está fazendo bons negócios, depois que resolveu especializar-se em casas mal-assombradas. Um dos diretores, Philip Cohn, explica a razão do sucesso:

— Muita gente gosta de ter um fantasma em casa, para dar ambiente e fazer companhia. Mas exigem fantasmas autênticos, nada de tapeações: não pode se tratar só de lenda ou fantasia.

A tal firma vendeu recentemente o Castelo Cidleigh, famoso pelo seu cachorro preto com olhos vermelhos flamejantes, e a Mansão de Waterslade, perto de Dartmouth, que tem o fantasma de uma senhora cuja cabeça é carregada elegantemente debaixo do braço. Aliás, já me convidaram para visitar a tal mansão, mas tive o bom senso de não aceitar o convite: não gosto de mulheres que andam com a cabeça debaixo do braço.

Já me falaram também em outras propriedades mal-assombradas que a mesma companhia tem para vender. Entre elas, uma com fantasma daqueles à moda antiga, que anda arrastando correntes; outra com um homem de vermelho; outra com um cão — o Cão.

Pior do que todos eles é o Louis. Louis é o fantasma que costuma aparecer no vilarejo de Brading, ilha de Wight. Alto e magro como convém aos fantasmas, aparece para os mortais num casarão antigo, que pertenceu a uma legendária figura chamada Louis de Rochefort, à época de Carlos II. Há pouco tempo apareceu para um casal de hóspedes, que estão correndo até hoje.

Agora, todavia, Louis tomará outro rumo. Reza a lenda que o tal Rochefort foi assassinado e enterrado ali, e apareceria enquanto seus restos mortais não voltassem para a França, de onde viera, como pirata. Um tal Mr. Osborn Smith comprou o casarão e resolveu transformá-lo em museu. Ao fazer umas escavações, encontrou uma ossada humana. Não teve dúvida: era dele, era do fantasma. Osborn Smith não é de brincar em serviço: vai levá-lo pessoalmente à localidade que tem o nome dele, Rochefort, na costa francesa, para ficar por lá, como queria, bem enterradinho, e não aparecer para mais ninguém.

Ando muito receoso de que os fantasmas da Inglaterra acabem desmoralizados, com a idéia dos vivos de explorá-los como atração turística. Tomei conhecimento desta fonte de renda através da experiência de um inglês bigodudo com quem troquei conversa no *pub* da minha esquina:

— Cheguei a ganhar um bom dinheiro — afirmou ele.

E me contou que herdara no condado de Kent uma velha mansão abandonada há muitos anos. Quando descobriu que continuava sendo habitada pelo fantasma de seu tataravô, que a fizera construir e que morrera em circunstâncias misteriosas (rezava a crônica que fora enterrado vivo), conseguiu transformá-la em ponto turístico da localidade. Nas noites de lua cheia o fantasma do velho costumava surgir para os visitantes, da maneira mais inesperada, ora atravessando paredes, ora brotando do chão, ora despencando do teto. A acorrência dos curiosos era cada vez maior e a bom preço — até que, com o tempo, o fantasma foi perdendo a vergonha e começou a importuná-los, pedindo dinheiro:

— Uma noite o velho me fez uma cafajestada — conta-me o seu tataraneto, cofiando os bigodes. — Apareceu para mim de repente, assim que me viu sozinho, e teve o caradurismo de me exigir uma participação de cinqüenta por cento no negócio. Como eu me negasse, revoltado, ele cometeu a indignidade de desaparecer para sempre.

Continua aos quarenta

ANTHONY Storr é o autor de um livro chamado "The Integrity of the Personality", que aliás não tive ainda, nem creio que venha a ter tão cedo, ocasião de ler. Não ando preocupado com a integridade de minha personalidade, nem da personalidade de ninguém. Para dizer a verdade, não é dos temas que mais me fascinam. Acho que seria mais proveitoso a cada um pensar na integridade do mundo, antes que ele se esfacele — e a personalidade que se cuide.

Mas não posso deixar de me interessar pela tese que o referido autor divulga agora, relativa a uma nova concepção de vida para os de meia-idade. Seu livro sobre o assunto ainda está para ser lançado — vou tratar de lê-lo assim que sair, se não demorar muito a sair e me apanhar ainda nesta fase da minha vida. Porque a meia-idade é justamente a que de súbito me vi lançado pelo tempo, e sem o menor aviso prévio. Como diz Camus, não deixei de ser jovem: a juventude é que me deixou.

Vamos convir que estou em boa companhia. Olho ao redor e vejo muita gente de meia-idade como eu. A tese, pois, interessa a um grande número, e embora não seja especificamente inglês, como os pequenos episódios que me acostumei a comentar aqui, merece também um comentário.

A vida inglesa se compõe de aspectos decorrentes da postura psicológica que todos assumem em relação à idade que têm, e se deixam impregnar de uma consciência firme com relação ao tempo. Os ingleses, no seu comportamento cotidiano, são todos homens de meia-idade.

Pois agora vem o homem explicar que a vida não acaba aos quarenta anos, como se acredita geralmente, e nem começa, como pretende o idiota. Simplesmente continua. E cita Jung, segundo o qual, a partir dos 37 anos, começam a ocorrer em nós algumas mudanças da maior importância.

Vamos com calma, que o terreno é perigoso. Que mudanças são essas?

Diz o autor citado, num transporte de otimismo que me faz vibrar de entusiasmo:

"É possível que estejamos caminhando para uma era em que a época da vida em torno dos quarenta anos seja finalmente encarada como uma segunda adolescência, um trampolim para novas partidas..."

Até aqui tudo bem. Um pouco de exagero, talvez, mas reconfortante para os que, como eu, já se iam acostumando a encarar a adolescência como um longínquo e obscuro passado a se recordar, ou melhor: a esquecer.

E prossegue ele, justificando-se: as descobertas de Freud é que são exageradas, enfatizando a importância dos primeiros cinco anos de vida na formação do destino futuro de cada um. A insistência na fase infantil veio dar ao homem a impressão de que, com trinta e tantos anos, está atingindo enfim um grau definitivo de maturidade, sem esperança de futuro desenvolvimento nem de novas experiências. Nada mais se aprende, o caráter já está definitivamente formado — ou definitivamente perdido, conforme o caso. Tudo o que o homem tinha de ser, já é.

No entanto, este será justamente um dos períodos críticos, em que o desenvolvimento de cada um, em vez de completar-se, torna-se mais agudo. Na adolescência, por mais atormentada que seja, os problemas que o jovem enfrenta são claros e definidos — embora nem sempre para ele próprio. O jovem sente necessidade de conquistar o seu lugar na ordem estabelecida, ainda que tenha de violentá-la. E tem de violentá-la, porque precisa provar a si mesmo a sua coragem e aos outros a sua independência, até ser admitido no mundo adulto.

Aos quarenta anos, o homem já foi admitido ou definitivamente expulso há muito tempo. A sua independência já foi estabelecida, pelo menos em relação aos ainda mais velhos. Só lhe resta conformar-se com a ordem que lhe foi imposta, ou lutar com todas as suas forças por uma ordem melhor.

Com que forças? Aquelas que já foram aprimoradas, que atingiram o estágio definitivo do aperfeiçoamento e da estabilidade psicológica, segundo a concepção tradicional da meia-idade. O homem normal está amadurecendo, aparentemente realizado na vida. Por que a vida ainda terá de lhe trazer problemas emocionais, comuns apenas aos neuróticos?

No entanto, para o autor cuja tese tanto me seduziu, essa é justamente a época dos grandes desequilíbrios na vida de cada um. É a ocasião em que se dá a maioria dos fracassos conjugais, em que se registram na alma humana as mais profundas depressões, em que eclodem vícios inesperados, dos quais o mais comum é o alcoolismo — que uma relativa estabilidade financeira às vezes vem facilitar. Os menos atingidos, os aparentemente mais equilibrados e maduros, nem por isso deixam, aos quarenta anos, de manifestar insatisfação, traduzida em infidelidades conjugais, mudanças de ocupação e estados de inexplicável irritabilidade.

Do ponto de vista especificamente sexual, não é verdade que a capacidade sofra então um declínio abrupto, como se costuma afirmar. Não seria preciso um Kinsey para vir revelar que o declínio é lento e imperceptível, prolongando-se até a velhice. Aos quarenta anos, a capacidade do homem costuma, mesmo, exacerbar-se, por falta de adequação entre a sua condição e as possibilidades que a vida lhe oferece. É a idade em que o homem compara a sua situação, de maneira talvez desfavorável, com os sonhos da juventude. Com tudo aquilo que poderia ter sido e que não foi, como diz o poeta.

E que ainda poderá ser, assegura com firmeza o psicólogo inglês, abrindo generosamente esta janela para os homens de quarenta anos: se o problema não existe, ele tem de inventá-lo. Tem de descobrir novos estímulos e sair para novas conquistas. O seu desenvolvimento continua. A sua atividade criadora, se ele é um artista, se torna cada vez mais exigente. Se é estudioso dos problemas do mundo, a necessidade de ampliar seus conhecimentos se faz cada vez mais profunda.

Devia haver escolas onde alunos de quarenta anos se preparassem para continuar a viver. Não há solução de continuidade na existência do homem de meia-idade, e ele continua caminhando do berço para o túmulo em mudanças sucessivas. Era preciso que a sociedade lhe proporcionasse novas perspectivas de reafirmar sua capacidade vital, de escolher o tipo de trabalho que melhor convenha, de dinamizar a experiência adquirida. Seja qual for a solução que a sociedade do futuro venha a oferecer, termina o autor, que esta época da vida não se componha mais de frustração em face do que passou, a não ser para os infelizes cuja auto-estima repousa exclusivamente na aptidão física.

De minha parte, obrigado pelo que me toca. É uma tese oportuna, a desse psicólogo inglês, tese que já tenho idade para, com entusiasmo, subscrever e assinar.

Nobres para sempre

NÃO tive ainda ocasião de contar como foi o acontecimento mais importante dos últimos tempos na Inglaterra: a investidura dos novos membros de *The Most Excelent Order of the British Empire*.

Coisa como essa jamais se viu no Palácio de Buckingham. Não é exatamente o lugar em que se esperaria ver alguns milhares de admiradores gritando histericamente pelos Beatles.

Começou de manhã cedo, e ali pelas dez e meia já havia um Esquadrão de Cavalaria de 150 policiais tentando conter a multidão. Foi quando apontou ao longe o Rolls-Royce com os quatro *lords*. Antes que chegassem às proximidades do Palácio já havia moças em debandada se precipitando em direção ao carro. Mesmo depois de cruzar o portão, os Beatles ainda não estavam a salvo. Pela primeira vez na História, a Guarda Real se viu seriamente ameaçada de uma invasão do Palácio por verdadeira turba ululante de mocinhas.

Enquanto os rapazes esperavam numa ante-sala, um dos dignitários presentes se adiantou e respeitosamente pediu-lhes um autógrafo.

— Não é para mim — fez questão de esclarecer: — É para a minha filha. Aliás, a bem dizer, confesso que não imagino o que ela pode ver de tão maravilhoso nos senhores.

Fez-se ouvir de súbito os primeiros acordes de *"The King and I"*, executado lá fora por uma banda militar. Ringo pôs-se a dançar sozinho, tomado de entusiasmo:

— Está chegando a hora, pessoal.

A hora de serem recebidos por Sua Majestade, evidentemente. Lord Chamberlain, que é o arauto real, convocou-os solenemente pelos nomes:

— Sir John Lennon! Sir George Harrison! Sir Paul MacCartney! Sir Richard Starkey!

Os quatro se adiantaram em formação militar. (Mais tarde confessariam haver ensaiado antes.) Curvaram-se como um só homem, e estavam elegantíssimos: de gravata com o laço muito bem dado, camisa branca imaculada e terno preto — com exceção de George, que estava de azul-marinho.

— É um grande prazer condecorá-los — disse a Rainha, voltando-se para John: — Vocês têm trabalhado muito ultimamente?

— Não, Majestade — respondeu John: — Temos descansado muito ultimamente.

— Vocês trabalham juntos há muito tempo? — perguntou ela a Paul.

— Trabalhamos juntos há muito tempo — respondeu Paul.

— Quarenta anos, precisamente — acrescentou Ringo.

— E você também, desde o começo? — perguntou ela a Ringo.

— Não, eu fui o último a aderir. Sou aquele pequenino que fica atrás.

Os quatro receberam as respectivas medalhas, agradeceram e saíram, nobres para sempre. Mais tarde Sir John, Esquire, diria que a Rainha era muito boazinha, "até parece com a mãe da gente".

Lord Ringo

POIS não é que um dos Beatles, nem bem saiu do Palácio, foi parar no hospital?

A notícia de que Lord Ringo teve de ser operado da garganta já deve estar sendo divulgada no mundo inteiro — certamente acompanhada do tranqüilizador esclarecimento de que ele não deixará de participar das próximas cantorias do conjunto.

Mas o noticiário local menciona, em todos os jornais, os problemas enfrentados pelo hospital. São centenas de cartas e telefonemas das admiradoras pedindo como *souvenir* as amígdalas extraídas da garganta do rapaz.

— Um pouco mórbido, você não acha? — comentou ele com o cirurgião.

Dezenas de telefonistas se revezam 24 horas por dia fornecendo os últimos boletins sobre o estado de saúde do famoso paciente. Instalou-se ontem uma mensagem gravada que repete sempre a mesma informação a quem discar Covent-2332. Ainda assim, todos os telefones do ramal de Covent Gardens, onde se localiza o hospital, entraram em pane, pelo excesso de chamados, alguns interurbanos — do resto da Europa ou mesmo dos Estados Unidos.

O próprio Ringo acha graça, conforme confessou ontem ao seu colega George, que foi visitá-lo, repetindo meu amigo Marco Aurélio Matos:

— O diabo é que quando eu rio, dói...

Festival de cinema

SEGUNDO me disseram, Ibrahim Sued tem sustentado que o sucesso de um Festival de Cinema repousa menos na presença de famosos cineastas que de mulheres bonitas. A ser verdade — e Ibrahim sabe o que está dizendo, tem experiência no assunto (de mulheres bonitas, digo) — o Festival Internacional do Filme no Estado da Guanabara será um sucesso.

Pelo menos no que depender de mim. Por insensatez do Governador Carlos Lacerda, estou encarregado de compor, convidar e levar comigo a delegação britânica. Nela fiz questão de incluir entre outros grandes nomes, a deslumbrante equipe de namoradas de James Bond.

Algumas, como Honor Blackman, mais conhecida como "Pussy Galore", já conquistaram fama em todo o mundo, por haver enfrentado o bravo 007 em violentas cenas de amor. Outras, como Claudine Auger, Molly Peters, Martine Beswick, estão às voltas com ele na nova produção da série, "Thunderball", quase terminada, em que Adolfo Celi faz o papel do vilão Emilio Largo. Luciana Paluzzi é outra figura conhecida do cinema italiano recém-saída das garras de James Bond. Está vai não vai, lá da Itália, às vésperas de iniciar novo filme. June Thoburn completa o time inglês, e desta vez os brasileiros é que ficarão boquiabertos.

Esta foi a maior dificuldade encontrada para compor a delegação de artistas, diretores e produtores ingleses: é gente que não dorme no ponto e, mal terminam uma filmagem, iniciam outra. Os contratos são exigentes, feitos com longa antecedência e não respeitam jamais o sistema brasileiro de deixar para última hora que no fim dá certo. Muitos queriam ir e não irão devido a compromissos profissionais a que não podem faltar nem por um dia. Alec Guiness me escreveu da Itália, dizendo que não poderia ir, por causa de um filme que está iniciando. O mesmo alegou Maximilian Schell, da Iugoslávia; Peter Sellers, de Paris; Richard Burton, que está com sua linda mulher em Nova York às voltas com uma peça; Laurence Olivier, que estará representando pelo interior da Inglaterra. Cary Grant telefonou pessoalmente, passando-me o susto de minha vida, para dizer que pensa em ir ao Rio breve, mas no momento vai passar a lua-de-mel no Japão.* Sean Connery também telefonou para dizer que tentaria ir de Nova York, ainda que só para um fim de semana, se seu novo produtor, Jerry Helman, da Warner Brothers, lhe der uma folga.

Um que me afirma estar disposto a ir, Michael Caine, seria hoje no Brasil um nome famoso como o de Sean Connery, se já estivesse em exibição nos nossos cinemas o seu

---
*XXIV — LONDRES, em "O Tabuleiro de Damas", 5ª edição, revista e ampliada.

filme "Ipcress File". O tipo de espião que encarna é em tudo o contrário de James Bond: homem caseiro, tímido, de óculos, gosta de se meter na cozinha para preparar seus pratos prediletos, é discreto e meio desajeitado, mas faz tremendo sucesso com as mulheres, e sabe resistir às torturas do inimigo, para afinal sair vitorioso.

Completando a representação britânica, o ator característico Robert Morley dará a nota pitoresca, em meio a grandes diretores como Alexander Makendrick, autor, entre outros sucessos, de "O Homem do Terno Branco", aquele gozadíssimo filme com Sir Alec Guiness. Outro filme seu, "High Wind in Jamaica", com Anthony Quinn, concorrerá oficialmente ao Festival, com grande chance de ganhar. Com isso Makendrick não pôde aceitar sua participação no júri, e em sua substituição estão sendo tentados diretores da categoria de Tony Richardson, Richard Lester, Peter Brook.

Outro Peter famoso cujo compromisso teatral o impede de ir: Peter O'Toole. Mal está dando conta de uma peça atualmente encenada em Londres, a exigir-lhe um desgaste físico que o fez cair de cama outro dia. Em compensação, vai ninguém menos que Fritz Lang, um dos inventores do grande cinema de todos os tempos. E o ainda jovem Roman Polanski, diretor de "Repulsion".

Este filme, "Repulsion", é a história de uma neurótica, perseguida por uma fobia sexual que a levava a assassinar os homens com quem tinha relações. Violento drama de nosso tempo, em grande sucesso atualmente em Londres. Não poderá concorrer ao Festival do Rio, por já ter sido premiado em outro certame do gênero.

Carlo Ponti continua telefonando e telegrafando de Roma, para manifestar sua vontade de ir ao Rio com a mulher, Sophia Loren. Vontade tenho eu que ela vá! Está fazendo um filme em Londres e já prometeu comparecer, caso termine em tempo. Ernest Hecht, meu editor na Inglaterra (o que não é vantagem, pois é também editor de Arthur Hailey, Harold Robins, e outros menos votados), se empenha pessoalmente em conseguir a presença dos Beatles, também seus editados. O filme "Help" já está conseguido, para concorrer pela Inglaterra. Quanto aos famosos intérpretes, ainda resta uma esperança de conseguir sua presença.

Se não forem, irão pelo menos as "James Bond girls".Tanto melhor, combateremos à sombra.

Flagrantes conjugais

TER ou não ter — eis a questão. Uma questão de que Hamlet não chegou a cogitar, não houve tempo. Vivesse Ofélia nos dias de hoje e talvez o doce príncipe acabasse casado com ela, seu dilema seria outro. Acontece nas melhores famílias.

Pois não é este o caso de Greta Murray. Greta sempre quis ter. Seu marido é que não quer. Então, desanimada de tentar convencê-lo, a moça saiu de casa tarde da noite, vestida de camisola, arrombou a vitrine de uma loja e furtou dois bonecos, um carrinho de criança e uma pequena manta. Depois se foi, orgulhosa, empurrando o carrinho com os bonecos.

Quando um guarda, curioso, lhe perguntou onde obtivera aquilo, ela contou calmamente que acabava de assaltar um loja. Foi presa, mas não houve força humana que afastasse dela os dois bonecos. "São meus filhos", dizia a cada momento.

Durante o julgamento, o juiz confessou a sua dúvida em condená-la: "Não posso afirmar que tenha havido intenção de praticar um crime", afirmou. E absolveu a mulher.

Pois nem assim o marido se convenceu.

Já o caso de Marilyn Mc Greadis é diferente. Marilyn também não está esperando criança, mas tem todos os sintomas: enjôos pela manhã, dores de cabeça, tornozelos inchados. Ainda ontem ela reclamava, aborrecida, mas bastante a propósito:

— Já estou ficando cheia.

Evidentemente não usou este verbo, no sentido que lhe empresta a gíria brasileira, e muito menos no sentido bíblico: em verdade vos digo que não o usou em sentido algum, desde que o mesmo não tem correspondente em inglês. Quis apenas dizer, em outras palavras, que já está ficando cheia de aflição.

E não é para menos. Quem está esperando criança, para daqui a três semanas, é sua irmã gêmea Elaine.

E Elaine não começou a manifestar os sintomas da gravidez senão muito depois de Marilyn — o que, no mínimo, constitui uma clamorosa injustiça, cometida contra a outra pelos misteriosos desígnios da genética. Dizem os médicos que o fenômeno é raro, mas conhecido da ciência: alguém sentir os sintomas físicos do que acontece ao seu irmão gêmeo. Marilyn está sendo vítima do que se convencionou chamar, nos círculos ginecológicos, de "gravidez fantasma".

A irmã declarou, aliás, não ser esta a primeira experiência que as duas têm em comum, depois do casamento de ambas, realizado no mesmo dia. O único consolo para Marilyn é o de saber que, ao chegar a sua vez de ter filho, por uma simples questão de eqüidade, Elaine é que terá os sintomas.

Esta outra tem uma espécie diferente de queixa a fazer, decorrente das relações — ou da falta de relações — conjugais: requereu o divórcio, alegando como causa o fato de ser o marido comunista:

— Ele que escolha entre mim e as suas convicções políticas.

Mas que têm a ver as convicções políticas do pobre homem com a harmonia de sua vida conjugal? É o que parecia escapar ao juiz, e que ela teve de esclarecer. Contou que seu marido não lhe dava a menor atenção dentro de casa, mas era capaz de tudo para comparecer a uma reunião política. Certa noite a deixou sozinha e saiu para a rua, andou quatro milhas em plena neve apenas para assistir a um comício comunista.

— Não tenho nada contra os comunistas — encerrou ela. — Tenho é contra meu marido. Para mim essa história de comunismo é desculpa, para encobrir o seu fracasso como homem no casamento.

Explicação pertinente, que pode esclarecer e explicar a origem dos grandes movimentos políticos que mudaram o rumo da História.

E para encerrar esta série de flagrantes conjugais e extraconjugais que recolhi esta semana em Londres, refiro-me respeitosamente ao grave problema que vem atormentando John Felstead e sua noiva Lizzie Smith.

John começou a namorar Lizzie há um ano. Pretendiam casar-se em breve, mas agora acabam de chegar à dolorosa conclusão de que isto tão cedo não será possível.

Acontece que o cachorro de John não tolera o cachorro de Lizzie.

Outro dia os dois animais se viram frente a frente pela primeira vez, e foram tomados de violenta antipatia um pelo outro. Olharam-se com ódio, rosnaram insultos de parte a parte e acabaram engalfinhados; trocando furiosas mordidas — o que foi um grave prenúncio para a futura vida do casal. Como nenhum dos respectivos donos se dispõe a separar-se de seu cachorro, o casamento foi adiado, até que encontrem uma solução.

Convém que encontrem logo. Não tenho nada com isso, mas sou de opinião que a harmonia dos cachorros não vale a espera dos noivos, pois, esqueci-me de dizer, John está com 74 anos feitos e Lizzie com 65. Afinal de contas, tudo tem o seu tempo na face da terra, e não sou eu que o digo, mas o velho Eclesiastes.

Mais um Natal

AVISO num restaurante de Brighton, que o dono fez imprimir no cardápio, à revelia dos garçons:

"Somos seus amigos e lhe desejamos um Feliz Natal. Por favor, não nos ofenda, dando-nos gorjetas."

Junto à porta de saída, entretanto, os garçons fizeram dependurar uma caixinha sob o letreiro: "Ofensas."

E no dia de Natal, como sempre, todos os bares de Londres permanecem fechados. Mas consegui realizar o milagre de encontrar em Chelsea um bar aberto, lá para as dez horas da noite. Meio desconfiado, fui entrando — logo um dos fregueses se adiantou, copo de cerveja na mão:

— Perdão, cavalheiro, mas o senhor já foi à igreja hoje?

E se justificou estendendo o braço ao redor, para apontar os demais fregueses, que bebiam cerveja em silêncio.

— Porque aqui dentro, nós todos já fomos.

E sem esperar resposta, passou-me o seu copo de cerveja, pedindo ao *barman* outro para si.

Festejou-se o Natal, já se festeja o Ano Novo. Há, porém, muita gente na triste perspectiva de passar ambas as festas em completa solidão. Como é o caso de Ethel Denham, uma velhinha com mais de oitenta anos de idade.

Dona Ethel não tem filhos nem marido: nunca chegou a se casar. Mora sozinha numa pequena casa de Exeter, fruto de sua aposentadoria. Para que não lhe aconteça alguma coisa sem ter a quem apelar, foi instalada à porta de sua casinha uma luz vermelha, que ela pode acender para pedir socorro, em caso de necessidade.

Na noite de Natal esta necessidade veio, mais imperiosa do que nunca. A boa velhinha não agüentava a idéia de estar sozinha e passar o Natal sem ninguém. Então acendeu a luz de socorro e aguardou os acontecimentos.

Em pouco chegava um guarda de serviço, para ver o que tinha acontecido. E viu que não tinha acontecido nada.

— Fique um pouquinho — pediu ela. — Vamos conversar um pouco.

O guarda teve pena e resolveu ficar. Para não estar sem fazer nada, enquanto conversava fiado com a velhinha, fez um chá, aproveitou e lavou a louça, limpou a cozinha, deu uma arrumação na casa.

Para quê! Há gestos de solidariedade e compreensão que exigem outros, pois acostumam mal. Ou acostumam bem, ainda que na simples necessidade de participar da humana convivência. A dona da casa, encantada, na noite seguinte, depois de fazer o jantar, ficou esperando o seu Papai Noel tornar a aparecer. Como ele nunca mais viesse, não teve dúvida: acendeu a luz do pedido de socorro. Em pouco surgia outro guarda, para saber o que havia.

— Fique um pouquinho — pediu ela: — O senhor não aceita uma xícara de chá?

Mas este estava de serviço mesmo, não era mais noite de Natal nem nada. Então confortou a velhinha como pôde e caiu fora.

Ela, desde então, está esperando o primeiro guarda voltar — aquele sim, tão bonzinho que ele é. Não se conformando mais, depois de três noites de espera, vestiu um capote, enrolou-se num chale e saiu para o frio da rua até a guarnição local, a fim de saber onde andava o seu amigo. Mas não lhe guardara o nome, de modo que o comandante da guarnição, apesar de sua boa vontade, não conseguiu localizá-lo. Agora, a velhinha apela através do jornal, pedindo ao próprio que apareça uma noite dessas, para um dedinho de prosa, para uma xícara de chá.

Outros, cuja necessidade material é mais imperiosa ainda que o convívio, tiveram quem apelasse em nome deles durante o Natal. O vigário da minha paróquia, em West Hampstead, resolveu perder a cerimônia, durante a prédica:

— Vou ser claro e quem tiver ouvidos para ouvir, ouça: estamos nas vésperas do Natal, é preciso ser generoso, proporcionarmos aos pobres um fim de ano decente. Eles também têm direito. Quero hoje uma coleta mais abundante que nos outros domingos. Falei claro? Pois vou lançar mão de uma parábola, para não perder o hábito, e porque fica mais bonito. Já usei essa parábola em outros Natais, e com grande sucesso. Lá vai ela, prestem atenção.

E pôs-se a contar a história daquele inglês que estava passeando pelo campo, como só os ingleses costumam fazer, quando de repente caiu uma chuvarada. Ele, naquele descampado, não tinha onde se esconder. Avistou ao longe uma árvore solitária, correu para lá — mas era uma árvore desgalhada e desfolhada, quase que só tinha tronco. No tronco havia um oco — o homem não teve dúvida: meteu-se no oco da árvore, para se esconder da chuva.

Vai daí, no que a chuva amainou, o homem quis sair do oco da árvore, não houve jeito: a água tinha feito inchar a madeira e a passagem, já estreita, estreitara-se ainda mais. Ali estava ele, prisioneiro da árvore, sozinho no meio do campo, jamais sairia dali, certamente morreria entalado. Então começou a meditar na estupidez que fora sua vida, sempre preocupado com o próprio bem-estar, sem jamais pensar em seus semelhantes. Nunca lhe ocorrera dar uma esmola para os pobres no Natal, por exemplo. Se freqüentasse a igreja da sua paróquia (e aqui o vigário fazia um parêntese: "que certamente podia ser esta aqui mesmo, ele podia ser um dos senhores que estão me ouvindo"), ele seria sensível a este apelo à sua generosidade. Mas não: gastava dinheiro à toa, com bobagem, nunca abrira mão de um mínimo que fosse para atender à necessidade de alguém. E foi-se sentindo cada vez mais ínfimo, diminuindo diante de si mesmo, com a consciência da sua própria iniqüidade. Deu-se então o milagre: tanto diminuiu, ficou tão pequenino, que conseguiu sair do oco da árvore.

E o vigário arremata:

— Vamos ter uma estação bem chuvosa este fim de ano! Cuidado com o oco da árvore em que se meterem! Lembrem-se da própria pequenez! Dêem esmolas aos meus pobres!

Já o dono de uma área de estacionamento de automóveis onde costumo parar o meu carro, em pleno centro de Londres, deixa-se impregnar à sua maneira do espírito de generosidade reinante no Natal. Tanto assim, que dei com o seguinte aviso ali afixado:

> *"Feliz Natal! Hoje o estacionamento aqui é gratuito.*
> *Glória a Deus nas alturas e paz na terra aos homens*
> *de boa vontade!*
> *Em tempo: a paz na terra aos homens de boa vontade*
> *termina impreterivelmente à meia-noite."*

1966

LONDRES —

Guarda-chuvas e capacetes

QUANDO aqui cheguei, só o fato de ser brasileiro fazia de mim um bugre, perdido em meio a tanto requinte britânico. E o guarda-chuva que trouxera comigo não era de encobrir a consciência da minha deselegância: já bem usado, mal me encobria da chuva. Um patrício mais afeito às coisas da terra me aconselhou a comprar um novo:

— Não fica bem você com esse guarda-chuva velho, ainda mais na terra dos guarda-chuvas.

Em resposta, vali-me de um argumento não apenas de brasileiro, mas de mineiro: para que comprar outro, se aquele, que era dos bons, ainda agüentava uma reforma?

Se aqui é a terra do guarda-chuva, Londres fez desse objeto surrealista o símbolo da elegância. O inglês que se preza anda pela City de chapéu-coco, pasta preta na mão, guarda-chuva dependurado no braço. Mas enrolado, fino como bengala, principalmente nos dias de sol. Nos dias de chuva é possível que o deixe em casa, para não ser forçado a abri-lo.

E lá fui eu por Piccadilly Street carregando o meu guarda-chuva também devidamente fechado e enrolado. Realmente, ele estava com um defeito no fecho, que pedia reparo. Ao dar com uma loja de guarda-chuvas, lembrei-me de mandar consertá-lo. Com naturalidade, fui entrando.

E com maior naturalidade ainda fui saindo, ao perceber onde havia entrado: justamente na "Brigg-Umbrelas" — a mais importante loja de guarda-chuvas da Inglaterra, famosa de pai para filho no mundo inteiro, desde 1600. O nome "Brigg" vem a constituir o supra-sumo dessa instituição chamada *umbrela,* tão sólida como a libra esterlina, tão imortal como a obra de Shakespeare, tão respeitável como a Família Real.*

Pois foi ali mesmo que um brasileiro meu conhecido, em Londres de passagem, resolveu também consertar o guarda-chuva que trouxera consigo.

O homem de casaca que o atendeu, solícito, tomou o guarda-chuva na ponta dos dedos, braço esticado, franzindo o sobrolho, como nas traduções de romances ingleses:

— *I am sorry, sir,* mas não me parece que seja um Brigg.

---

*Na Inglaterra, Como os Ingleses, 1986, em "De Cabeça Para Baixo".

E acrescentou, ao devolvê-lo, com uma mesura de despedida:
— Receio que não seja nem mesmo um guarda-chuva. *Good day, sir.*

Hoje só falei em guarda-chuvas, não abordei sequer um assunto do dia. Pois então, para encerrar, aqui vai um, e palpitante, que está em todos os jornais, prometendo ainda muita controvérsia.

Trata-se de algo em pauta para ser decidido brevemente pelas autoridades na Inglaterra (ou seja, no máximo dentro de vinte anos): a mudança do tradicional capacete azul-marinho do guarda inglês* por uma espécie de quepe verde-oliva.

Imediatamente foi fundado um comitê para estudar a questão. A própria polícia pretende violentar a tradição: acha preciso criar uma imagem nova do policial inglês, que corresponda aos tempos atuais. Alega-se que o atual capacete, além de incômodo, feio e pouco prático, é absolutamente inútil como proteção. Ao primeiro movimento, ameaça cobrir os olhos e cair da cabeça.

Mas se Deus cobre com a capa, o diabo descobre com o chocalho: a polícia começou por fazer uma espécie de plebiscito sobre a mudança proposta, e as opiniões se dividiram quase igualmente. Além do mais, para mudar o capacete, vai ser preciso mudar também o uniforme. Mais um comitê deverá ser fundado — e isso certamente dará assunto para mais vinte anos de discussão. Até lá os guardas londrinos, como os guarda-chuvas, continuarão tradicionalmente integrados à paisagem britânica, pois o preço da liberdade, tanto em relação à ordem pública quanto em relação à incerteza do tempo, continuará sendo a eterna vigilância.

Aliás, segundo ouvi dizer, não sei se é verdade, há uma lei especial que protege o policial inglês, por andar desarmado, contra qualquer tipo de agressão ou mesmo desrespeito à sua autoridade: se o capacete cair ao chão por obra de alguém mais, este alguém se sujeita à pena de prisão imediata. Esta seria a razão pela qual os guardas enfrentam calmamente qualquer incidente na rua ou simples aglomeração com o capacete quase solto no alto da cabeça, a presilha frouxa, fora do queixo.

Suco de laranja

UM garçom ou um empregado de cozinha, quando espreme uma laranja, está apenas espremendo uma laranja ou fabricando suco?

A idiotice da pergunta implicaria numa resposta também idiota — se não envolvesse séria questão com a qual se viu às voltas a justiça britânica.

---

*Um Capacete, em "A Inglesa Deslumbrada".

E ela deixa de pertencer ao Ministério das Perguntas Cretinas, passando a interessar diretamente ao Ministério da Fazenda na Inglaterra, ao ser assim formulada:

— Pode-se espremer mil e quinhentas libras de laranja?

— Pode-se! — respondeu imediatamente o representante do fisco.

— Não! — protestou o representante do Savoy, do Berkeley e do Claridge, grupo de hotéis interessados na espremedura de laranjas.

A questão, diante da justiça, gerou outras de igual transcendência:

— Quando o fazendeiro tira leite da vaca, ele está fabricando leite?

— Está!

— Não está!

— Neste caso, quem está fabricando é a vaca.

— Perdão, Meritíssimo, mas vaca não paga imposto.

E o representante do fisco saltou em defesa de sua causa:

— Além do mais, uma vaca não produz cem mil copos de suco de laranja para serem vendidos aos hóspedes de hotel sem pagamento de imposto. São 1.500 libras de imposto que estão em jogo.

— Mas produz copos de leite para serem vendidos a quem gosta de leite, inclusive aos mesmos hóspedes.

— E que pagam imposto — tornou o homem do fisco.

— Os hóspedes?

— Não: os fabricantes de leite.

A esta altura o representante dos hotéis sentiu que começava a perder a questão. À falta de mais argumentos, tentou fazer o engraçadinho:

— Essa é boa. Peço um suco de laranja e quando vejo o garçom espremendo a laranja, posso dizer: olhe o garçom fabricando suco de laranja.

— Vamos levar mais longe o argumento — interveio o juiz: — Quando uma dona de casa espreme uma laranja, está fabricando suco?

— De certa maneira, está — insistiu o fisco: — Fabricando para consumo próprio. Se vender a alguém, terá de pagar imposto.

— Eu estava apenas argumentando — retrucou o juiz, aborrecido: — Não me venha o senhor amanhã pleitear cobrança de imposto de donas de casa que espremem laranjas.

E deu por encerrada a sessão, prometendo decidir na próxima.

Manequim

OUTRO dia o *Daily Express* publicou a fotografia de um cidadão carregando um manequim em Piccadilly Circus. O manequim, com suas pernas esticadas, seus braços tensos, não era uma figura de massa: era uma loura chamada Gall Sherer, modelo americano e que veio se exibir em Londres. O cidadão era o marido dela.

A história dessa moça começou como a de tantas americanas que sonham atingir um dia o estrelato no cinema e buscam na profissão de modelo o caminho mais fácil. Um dia, porém, já cansada de tentar abrir o seu caminho nos desfiles de moda, resolveu tentar pelo menos fazer um pouco mais de dinheiro com a própria profissão de modelo. A idéia lhe veio quando se exibia numa exposição de vestidos femininos e, estando momentaneamente imóvel, ouviu uma freguesa retardatária murmurar, admirada:

— Meu Deus, esse manequim até parece vivo.

Imediatamente lhe ocorreu que um modelo morto pode fazer mais dinheiro que um modelo vivo. E tinha razão: de trinta dólares diários, passou a fazer duzentos. Bastava ficar o dia inteiro parada, como se fosse uma boneca de massa, dentro de uma vitrine de modas.

De tempos em tempos dava uma piscadela de olho, para mostrar que era gente e despertar mais atenção.

Atualmente, Gall Sherer pode ficar até oito horas seguidas sem fazer o menor movimento, a não ser piscar de quinze em quinze minutos. Sua imobilidade começou a desafiar todos os recursos de quem quer que se postasse defronte a vitrine, fazendo gatimonhas para lhe provocar risos. Nada menos que 49 comediantes americanos, atraídos por sua fama, vieram tentar arrancar-lhe ao menos um sorriso e fracassaram. Inclusive Bob Hope que, desapontado, jurou descobrir o seu segredo.

Metê-la no táxi foi outro problema: o chofer sugeria que para transportar mercadoria como aquela só chamando um caminhão de entregas.

— Não é mercadoria, é minha mulher — explicou o marido.

— Neste caso, pode entrar — concordou o chofer, ajudando-o mesmo a colocar a mulher no banco de trás.

O marido explicou que ela não era paralítica, era uma artista, por isso estava dura e parada feito uma boneca.

— Tem gente que gosta — comentou o chofer.

Depois de tentar em vão atrair a atenção dos transeuntes, que nem sequer piscavam ao vê-la, a mulher foi recolhida, para ser apresentada de novo numa vitrine de modas, qualquer dia desses. Há quem sugira que se ela ficasse em movimento entre os manequins de massa faria mais sucesso.

Eleições e outros xelins

UMA sugestão para o Brasil, em época de eleições: em High Wycombe, aqui na Inglaterra, os candidatos a cargos eletivos, quando vencedores, em vez de prestar declaração de bens, são pesados antes da posse e ao fim do mandato. Se engordaram, pau neles! serão julgados por corrupção.

Outra idéia original, esta só podendo ser de origem mineira (e, se não me engano, quem a formulou foi o romancista mineiro Cyro dos Anjos): para contentar a maioria dos eleitores, que é sempre do contra, ficaria instituído o voto negativo. Ou seja: além do voto a favor de um nome, um voto contra outro. No resultado final, a contagem apuraria o saldo positivo ou negativo entre os votos a favor e contra recebidos pelo candidato.

— O senhor vai votar nos conservadores ou nos trabalhistas?

Quem perguntava era o funcionário de uma organização de pesquisa de opinião pública, em suas entrevistas pela rua.

— Vou votar nos dois — respondeu o eleitor.

O entrevistador lhe explicou pacientemente que não era possível:

— O senhor pode votar só uma vez.

— Pois então? — retrucou o outro: — Só uma vez nos dois.

Não havia jeito de fazer o homem entender:

— O senhor tem de votar ou num, ou noutro. Ou vota nos trabalhistas, ou vota nos conservadores.

— Pois então não voto.

— O senhor não compreende que tem de escolher aquele que o senhor quer que seja seu representante?

O homem vacilou um pouco, coçou a cabeça e voltou à carga:

— E se ele perder? Fico sem representante? — e fez um gesto de desprezo: — É a isso que chamam de democracia...

O entrevistador lhe apresentou outra alternativa:

— A menos que o senhor queira votar no candidato liberal.

— Voto nele também — encerrou o homem.

Um sistema democrático em funcionamento regular, como coisa perfeitamente integrada na rotina de um país, decorrência normal de sua organização, é espetáculo hoje em dia inédito para um brasileiro. Custa-me acreditar esteja a Inglaterra mais uma vez às vésperas de decidir o seu destino nas urnas. A menos de um mês das eleições, não se vê nas ruas uma só faixa ou um só cartaz, e os jornais, à falta de melhor assunto, se limitam a publicar noticiário como este: a decisão que os partidos tomaram em face dos programas políticos de televisão.

Tudo começou quando Wilson, líder dos trabalhistas, decidiu desafiar Heath, dos conservadores, para um confronto diante das câmeras — ou vice-versa, já não estou bem certo. Grimond, líder dos liberais, a terceira e talvez decisiva força que pesará na esperada vitória dos trabalhistas sobre os conservadores, resolveu aparecer também. O líder dos conservadores não quis saber disso: a coisa tem que ser entre nós dois, protestou Mr. Heath. Da discussão sobre o assunto no Parlamento não nasceu a luz, mas a escuridão, ou seja: a decisão, apoiada por um e outro, e com relutância pelo terceiro, de não participarem conjuntamente de programa ao vivo diante do público. A agência organizadora do programa perdeu a cerimônia e protestou: se não for como queremos, se não passar de um mero programa de estúdio, será uma verdadeira chateação! Queremos que haja público, para participar com seus aplausos.

Ou com suas vaias — protestam os referidos líderes, já escaldados de outras experiências: nas eleições anteriores houve programas assim, em que representantes dos três partidos compareciam à televisão diante de um auditório. O auditório, naturalmente, se dividia em três partes mais ou menos equilibradas, de adeptos de cada um dos três partidos. E enquanto um terço aplaudia, dois terços vaiavam — como resultado, ninguém era ouvido.

Os conservadores precisam aliciar votos dos liberais, para diminuir a atual diferença no número de representantes, que os trabalhistas procuram consolidar. Recusando-se a partilhar com eles de um programa, Heath talvez tenha contribuído para a esperada vitória de Wilson. E este foi, até o momento, o acontecimento mais emocionante em relação às eleições de 31 de março, pois, ainda que nos pareça estranho, o Exército, a Marinha e a Força Aérea não vão se pronunciar sobre o assunto.

E nem sobre assunto nenhum, que não os de sua estrita competência. O da adoção do sistema decimal para a moeda britânica, por exemplo, de que atualmente se volta a falar. Como se sabe, uma libra tem vinte xelins. Um xelim tem doze pences. A metade, portanto, não é cinco, é seis. Há uma moeda chamada meia coroa, no valor de dois xelins e meio, ou seja: dois xelins e seis pences. Existe a meia coroa, mas a coroa inteira não existe. Em compensação, o guinéu também não existe: equivale a uma libra e um xelim, ou seja, 21 xelins, e não passa de um truque para embrulhar o freguês e arrancar-lhe mais um xelim por libra, muito usado pelos médicos de Harley Street e pelas lojas mais grã-finas. Xelim, palavra esquisita! E tem também o florim, que vem a ser dois xelins, e os apelidos: bob, por exemplo, é o próprio xelim (palavra que já me está soando antipática como um espirro).

Se você entra na loja e dá com o empregado de ar apatetado, não tente fazer seu pedido antes que ele se ponha às suas ordens: está realizando mentalmente a complicada conferência do troco que acabou de dar ao último freguês. Quem nunca fez, tente fazer a simples operação de subtrair quatro libras, oito xelins e dois pences de seis libras, três xelins e meio — para ver como é fácil. (Não se esqueça: meio de seis.)

Por essas e outras, não há estrangeiro que consiga conferir troco ou ao menos aprender razoavelmente o manejo da moeda inglesa senão ao fim de alguns meses de agonia. E ainda assim está sujeito a dar gorjeta maior que a despesa. A explicação que formulei há pouco, por exemplo, me parece de uma clareza meridiana, e no entanto duvido que, a esta altura, alguém não iniciado nessas pragmáticas do sistema monetário britânico saiba repetir o que aprendeu de mim. O brasileiro, via de regra, não é de ser embrulhado em terras estranhas, mas na Inglaterra ele começa a entrar pelo cano no momento em que pretende mentalmente saber a quanto, em nossa moeda, corresponde um xelim.

Agora estão falando em adotar o sistema decimal — como a Austrália, que conseguiu se livrar dessa complicada herança, vinda dos tempos do Império Britânico. Mas o inglês não tem pressa, e desde 1963 o Comitê encarregado de estudar a reforma monetária já tem pronto o projeto que agora é divulgado, para adoção dentro de mais alguns anos. Conservarão a libra como unidade, dividida não mais em vinte xelins, mas em cem cents (ou centavos, na nossa língua). Mas a emenda corre risco de acabar pior que o soneto — digo, que o xelim, pois já falam em meio centavo, e até em um quarto de centavo.

Assim, explica o inglês com um sorriso, será muito simples: um quarto de centavo valerá cerca de um xelim.

Tudo bem, tudo normal

ANUNCIA-SE que no ano que vem serão experimentadas as primeiras pílulas anticoncepcionais para homens. Vinte voluntários, estudantes da Universidade de Londres, servirão de cobaias para o teste, com duração de quatro meses, e pelo que receberão quarenta libras de pagamento. Todos estarão segurados contra qualquer dano que possam vir a sofrer na sua capacidade de reprodução. O teste é uma exigência do Comitê Dunlop, que vetou a droga até que ficasse provado ser inofensiva à saúde.

Convidado a manifestar-se a respeito, um conhecido psicólogo inglês assim encerrou suas declarações:

— Com o quê, não havendo criança, agora é que ninguém ficará mesmo sabendo quem é o pai.

A moça de dezoito anos foi ao médico buscar um certificado para apresentar no seu trabalho, justificando a ausência por estar resfriada. O médico, ela revelou mais tarde, perguntou se por acaso estava grávida. Ela disse que não sabia. Ele pediu para examiná-la, lamentando que não tivesse vindo em companhia da mãe. Ela disse que a mãe também estava resfriada, mas já que viera sozinha, melhor que examinasse logo.

E examinada foi. Exame um tanto minucioso, pois terminou com o médico a abraçá-la e beijá-la. Não conte para o seu namorado — pediu ele. E lhe deu dois certificados, além de uma receita de remédio contra resfriados.

Mas a moça contou para o namorado. O namorado da moça não conversou: foi procurar o médico. Lamento muito o que aconteceu, disse o médico. Lamenta uma ova, disse o namorado: vai escrever uma carta contando tudo e pedindo desculpa. E conta ele próprio, na polícia, o que se passou:

— Ele começou a escrever a carta. Quando eu sugeri a expressão "tentativa de estupro", ele se negou a continuar. Dei-lhe um murro nas fuças, mas não acertou bem. Acabei sentado em cima dele, e ele começou a dizer de novo que lamentava muito. Depois me pediu para não machucá-lo no rosto, porque tinha outros clientes esperando lá fora. Sugeriu que eu podia chutá-lo à vontade, se quisesse, mas no rosto não. Eu avisei que se chutasse, ele sairia muito machucado, porque eu estava usando botinas pesadas. Resolvi botá-lo de pé e dar um murro definitivo para encerrar o assunto. Ele saiu caindo pelo consultório e se despejou numa cadeira que acabou se quebrando. Quando saí, ele continuava a dizer que lamentava muito.

Arte para cachorro

QUEM ainda não sabe de que são capazes os cachorros ingleses, ouça esta: o cachorro de Dona Elizabeth Mann está aprendendo datilografia.

Dona Elizabeth é filha do romancista Thomas Mann. O que poderia explicar seus dotes literários, mas não do cachorro. Só que o cachorro, embora tivesse nascido em Florença, onde vive sua dona, é de ascendência inglesa — o que explica seus dotes cachorrais.

Eu vi com meus próprios olhos uma carta escrita pelo Arli — este é o nome do bicho, abreviatura de Arlechino, em italiano, ou Arlequim, em bom português. Só que Arli escreve é em inglês. A carta assim dizia, em linguagem telegráfica de cachorro:
Dear dear
near fear gear see searbear bad sad mad go bad good dog get ball and go bed
O que, traduzido e com a devida pontuação, que Arli ainda não aprendeu, quer dizer:

Querido, querido:
Perto do medo, o mecanismo de ver e cauterizar. O urso é mau, triste, louco e vai mal. O cachorro bom pega a bola e vai para a cama.

O que é mais do que uma carta: é um poema. Pelo menos tem poesia pra cachorro.

E como é que esse cachorro foi aprender a escrever a máquina? — certamente perguntará o leitor. É muito simples: começou a aprender a ler por meio de cartões com letras pintadas que sua dona colocava para ele escolher. Debaixo do cartão tinha alguma coisa para ele comer. Pavlov ficaria besta: em pouco tempo ele já sabia soletrar e daí para a máquina de escrever foi um pulo. A máquina é Olivetti, elétrica, construída especialmente para ele: tem as teclas enormes, do tamanho de uma laranja. Arli escreve com o focinho, o que pode não ser muito elegante, mas com as patas não seria vantagem.

Dona Elizabeth Mann afirma que seu interesse não é ter um cachorro ensinado, de circo, como se poderia imaginar. Absolutamente! É aprender alguma coisa sobre a inteligência dos animais, e, por extensão, dos próprios homens. Já aprendeu, por exemplo, que se podemos ampliar o alcance da inteligência de um cachorro, certamente se poderá fazer o mesmo com a de um homem. E explica uma porção de coisas inteligentes e instrutivas, que infelizmente não consigo guardar.

Já não me é pouco a profissão de escritor, que me obriga a martelar o teclado noite adentro, não há cachorro que agüente. Diz ela, por exemplo, que já fez semelhantes experiências com outros animais. Na Índia, ela possuia um elefante que escrevia com a tromba. "Era um excelente aluno", acrescenta. Não diz se escrevia "a mão" ou a máquina. Mais surrealista do que um elefante que escreve à pata, é imaginar uma máquina de escrever tamanho elefante. E porque diabo teria ela um elefante? É dose pra elefante. Fala também num macaco chamado Bob, a quem ensinou as primeiras letras em Santa Bárbara, na Califórnia. Não tinha o talento de Arli — embora os dois já tenham feito parceria uma vez, e se deram muito bem.

O surrealismo corre por conta da seriedade com que essa senhora se refere às suas experiências. Os surrealistas faziam coisas semelhantes como simples e gratuita maneira de expressão. Expressão de quê? Já é querer saber demais.

Lembro-me, por exemplo, a idéia que os surrealistas franceses discutiam nos cafés durante noites e noites: uma peça teatral destinada somente a cachorros. Afinal um teatro foi alugado, cada cadeira da platéia foi ocupada por um cachorro e a peça foi levada à cena. Depois de uma introdução orquestral, o pano subiu, mostrando uma almofada de cetim sobre a qual descansava um enorme osso. A cachorrada avançou para o palco, latindo, e caiu o pano, encerrando-se a primeira antipeça da História.

Anti-peça, anti-romance, pop-art, op-art, kinetic-art. Os movimentos que se sucedem a cada dia na arte de nosso tempo são analisados atualmente na Inglaterra em face dos que no passado tiveram a sua moda, como o surrealismo e o dadaismo. Pelo menos visto sob a perspectiva de sua importância histórica, parecem estar na ordem do dia neste país. Uma galeria em Londres inaugura uma exposição dadaísta. Enquanto isso, dois livros com magníficas ilustrações são publicados ao mesmo tempo, e merecendo estudos críticos nos suplementos de domingo: "Dada, Art and Anti-Art", de Hans Richter, e "Surrealism", de Patrick Walborg.

A grande diferença que críticos como Philip Toynbee encontram entre movimentos de quase meio século atrás e os de nossos dias é que os primeiros pretendiam a destruição da arte tradicional e a proclamação de um reinado de anarquia artística, ao passo que os de hoje não pretendem nada. O anti-romance francês e até o teatro sem público, que no Brasil já mereceu apoio de um teatrólogo como Nelson Rodrigues, são mencionados em relação aos movimentos de rebeldia do passado — salientando-se um elemento que era constante nas manifestações de então e que hoje raramente aparece: o senso de humor. Como no teatro para cachorros.

Hoje, vejo ao meu redor as tentativas mais estrambóticas de violentar os meios de expressão de artes tradicionais, como a pintura e a escultura. As fotomontagens do gênero Man Ray e outros, ampliações de desenhos das histórias em quadrinhos, objetos de uso diário anexados à tela me deixam sério e deprimido, como me deprimem sem razão ou simplesmente chateiam os anti-romances ou as anti-peças. Não chego a achar graça, como me faziam rir um Alfred Jarry ou, entre nós, um Oswald de Andrade.

Na verdade não é mesmo para achar graça. Percebo indistintamente que se trata de algo terrível, como o julgamento de toda a humanidade, já num último estágio de civilização — esta civilização — e prestes a se perder com uma simples explosão.

Ou com um soluço, segundo pretendeu o grande poeta.*

Um Othello a menos

OUTRO dia chegou ao teatro de Chichester, onde Laurence Olivier foi levar o seu famoso "Othello" para algumas apresentações, um pedido de dezesseis ingressos.

Dezesseis ingressos, assim à última hora? Evidentemente devia tratar-se de uma brincadeira.

Não era. Era Sua Majestade, a Rainha da Inglaterra, que deveria comparecer, acom-

---

*Not with a bang, but a whimper, em "The Hollow Men", T.S. Eliot.

panhada naturalmente de sua comitiva. Foi um corre-corre, mexe daqui, mexe dali, acabaram arranjando os dezesseis lugares para os ilustres espectadores.

Mais tarde houve protestos do público, ainda que respeitosos: afinal, nem com meses de antecedência se consegue um só ingresso — pode a plebéia fila de espera ser assim sem mais nem menos furada pela realeza?

A gerência do teatro teve de se explicar. Nada disso; as reservas haviam sido feitas em abril pelo Duque de Norfolk. Houve foi confusão na última hora, pois pensaram que se tratasse de *mais* dezesseis lugares — e isso também já seria demais, mesmo em se tratando da Rainha.

Parece desculpa de mineiro.

Por estas e outras é que já desisti de assistir a esse fabuloso espetáculo, que vem sendo chamado de "a representação do século". A minha última esperança de adquirir um ingresso foi por ocasião da passagem de Carlos Lacerda por aqui, em visita oficial. Sugeri cavilosamente ao Governador da Guanabara que manifestasse desejo de ir — e a tradicional gentileza britânica certamente providenciaria dois ingressos: um para ele e outro para mim. Ele manifestou mesmo — e tomei eu próprio a iniciativa de fazer em seu nome a sugestão à autoridade competente, que logo nos atendeu — com um ingresso.

Pensei ainda em escamoteá-lo, para o quê me valeria da distração de seu dono. O programa oficial dele era intenso e a idéia de acrescentar-lhe à última hora uma sessão de teatro e depois suprimi-la passaria despercebida até do próprio interessado. Mas este foi mais rápido e sem dizer água-vai, embolsou o precioso ingresso (que, diga-se de passagem, teve de ser conseguido com o próprio Laurence Olivier).

Acabei desistindo — a menos que cometesse a loucura de oferecer centenas de libras por uma entrada, como tenho visto alguns malucos fazerem de vez em quando, na seção de pequenos anúncios dos jornais.

Ainda assim, fui até lá dar uma espiada, ver como iam as coisas. A fila para aquisição de ingressos reservados (que à última hora são disputados a tapa na bilheteria do teatro) começa a formar-se à tarde, na véspera de cada representação. Fiquei estarrecido — eram centenas, milhares de pessoas, na sua maioria estudantes, postados numa fila que se estendia por vários quarteirões. Durante a noite essa gente dorme em plena calçada, guardando o seu lugar, nas proximidades do teatro. Muitos se revezam, com parentes e amigos, que lhes trazem sanduíches e bebidas para ajudar a agüentar a espera e assumem seu lugar para lhes dar algum descanso.

Desisto de uma vez — meu amor ao teatro não chega a tanto. Não há pedaço de papel mais difícil de se obter em Londres hoje em dia que o diabo desse ingresso. A interpretação de Olivier se transformou em verdadeiro mito moderno.

O famoso ator nunca escondeu seu receio de que Othello fosse um dos papéis mais difíceis de interpretar, em toda a galeria shakespeareana. É, pelo menos, o que dizem os jornais a seu respeito. Quando lhe perguntaram porque esperou tanto tempo para encarnar Othello, respondeu:

— Acho que Shakespeare e o ator Richard Burbage tomaram um porre certo dia e Burbage disse: "Posso interpretar o que quer que você escreva. Qualquer coisa." Ao que Shakespeare respondeu: "Ah, é? Pois espera que já te pego, desgraçado." E escreveu "Othello".

Olivier só faltou acrescentar que Shakespeare escreveu "Othello" para que ele representasse. E representasse para que muita gente fosse ver e eu não visse, por não conseguir ingresso. Aliás, se o grande ator tivesse um pouco de bom senso, me telefonaria, dizendo:

— Sabino, meu velho, soube que você ainda não foi me ver, mas isso é uma lástima! Mando-lhe um ingresso hoje mesmo.

Como tal não vai mesmo acontecer, um Othello a menos, uma esperança a mais. (Em tempo: Carlos Lacerda acabou não indo, e não sei onde foi parar o diabo do ingresso que lhe arranjei.)

Esqueço Olivier e escondo meu ressentimento, passo a pensar em outros atores famosos. Charlie Chaplin, por exemplo. Não propriamente ele, mas seu filho, que foi preso esta semana, acabo de ler nos jornais: John Chaplin, de dezoito anos de idade, preso em companhia de Peter Lawrence Adler, de vinte anos (filho de Larry Adler, aquele da gaitinha de boca) e uma moça de quinze anos.

Que crime cometeram os três? Moça de quinze anos... Nada disso! Foi o de furtar moedas atiradas pelos visitantes de Londres na fonte ornamental de Marble Arch. Levados a julgamento, o juiz inesperadamente sugeriu aos jovens que protestassem inocência, para que se pudesse levantar importantíssima questão: a quem pertencem as moedas atiradas num lago público?

— A meu ver, Meritíssimo, e com a devida vênia, pertencem à Municipalidade — justificou o detetive que os prendeu.

— E o senhor pode me dizer por que a Municipalidade guarda o seu dinheiro no fundo de um lago?

Com essa o policial não contava. Pôs-se a explicar que a Municipalidade manda limpar regularmente o lago e recolhe as moedas. Vai daí achar que o dinheiro pertencia à Municipalidade e a mais ninguém.

O juiz não foi nessa conversa: dinheiro atirado numa fonte é dinheiro atirado fora, fica sendo de quem achar.

— Não creio que as pessoas atirem moedas ali com o propósito de doá-las à Municipalidade — acrescentou.

Meio ressabiado, o detetive admitiu que aquilo devia ser uma imitação do que se fazia na Fontana de Trevi, em Roma: para trazer sorte.

Não tenho dúvida: atirarei hoje uma moeda (de um pence) no tal lago ornamental de Marble Arch. Pode ser que com isso tenha a sorte de conseguir um ingresso para ver "Othello".

Quad

UMA palavra de quatro letras deu para aparecer com certa freqüência nas conversas literárias ou artísticas.

Em inglês, palavra de quatro letras quer dizer palavrão. A palavra a que me refiro nada tem de imprópria: é *quad*. Escreve-se q-u-a-d. Que quer dizer *quad*?

Quad para você também.

De saída, informo com segurança: *quad* é o sucessor do *camp*. Só não tem absolutamente nada a ver com *camp*.

Ah, sim... Mas o que quer dizer *camp*?

Meu Deus, o que é a ignorância. *Camp* é, ou deve ser, ou possivelmente seria uma espécie de pseudofilosofia pop.

E... o que quer dizer *pop*?

Sinto muito, mas chorar não posso. O *camp*, eu dizia, é um princípio pseudofilosófico, e sua essência se afirma através de observações paradoxais, como por exemplo:

"Isso é tão ruim, que é até bom."

Se o *camp* afirma que o prazer estético decorre de alguma coisa artisticamente má, como um desenho do Superman, o *quad* vai mais longe, afirmando que ele só decorre de alguma coisa sem nada de artístico. Por exemplo: pintar a Capela Sistina.

Agora, entenda-se!

Pois se entenda que pintá-la teria dado prazer a Miguel Ângelo — no momento em que acabou.

O *quad* é o anti-heroísmo — é procurar o desconhecido sem a menor preocupação de sucesso. Até aí vou eu. E daí?

Daí que o *quad* nada tem a ver também com o *square*, que procura o já encontrado — embora espíritos pouco esclarecidos vejam na palavra uma corruptela da velha gíria, com que se designava o que era quadrado: as formas acadêmicas e convencionais. O *quad* não é também o reverso da "coisa jovem" — uma contra-revolução dos maduros, se assim posso exprimir-me. O equívoco nasceu do fato de se considerar a palavra como uma abreviação de "quadragenário", ora, por favor! Essa não!

Já sabemos o que *quad* não é. Mas o que é que ele é?

Quem não sabe, não sabe também o que é bom gosto. O bom gosto se manifesta justamente no fato de se perceber que uma coisa é tão boa, que vem a ser uma droga. Mas até aí morreu o Neves, ou seja, o *camp*, que sustentava a recíproca.

O *quad* não se limita a virar conceitos pelo avesso. Numa pesquisa histérica, digo histórica, suas origens podiam remontar até a alguns preceitos evangélicos, como o que diz que "aquele que nada tem, até isso lhe será tirado". Mas os artistas de vanguarda não foram tão longe, ao preconizar os princípios, ou os fins, da nova filosofia, ou ciência estética, ou estética científica.

A verdade é que se fala muito em *quad*, a qualquer propósito e principalmente sem propósito algum. É expressão corrente em Londres, Paris, por toda parte onde alguém esteja procurando exprimir o inexprimível. Margaret Mead não pensa noutra coisa. Jean-Paul Sartre ainda está por fora, mas Michael Taker já morou na jogada. Michael Taker foi um poeta inglês que em 1906 morreu de fome em Berlim. Ao morrer, já em voz quase inaudível, murmurou para um amigo seu chamado Karli:

— Karli... Four *quad*...

E acrescentou uma última palavra, que Karli afinal não ficou sabendo direito se era "snakes" (serpentes) ou coisa parecida. Provavelmente "steaks" (filés), quatro filés, sugeridos pela fome que dava cabo do poeta. Em vez de alimentá-lo, Karli saiu correndo para lançar o novo sistema.

Que não implica necessariamente em deixarmos de trocar as meias todos os dias, como afirma Stanley Reynolds, em longo e substancioso artigo no *Guardian* sobre o assunto. Nem em andar sem elas, ou deixar o cabelo crescer no pescoço. Implica, fundamentalmente, em colher da vida prazer semelhante ao que experimentaram cinco mil estudantes americanos, segundo o *Time Magazine*, em notícia sobre algo chamado *"The American Wall Experience"*, que veio dar base científica ao sistema. Numa experiência controlada cientificamente, cinco mil estudantes bateram com a cabeça numa parede durante certo tempo. Ao fim da experiência, só seis deles disseram não ter sentido uma espécie de prazer — ou seja, não experimentaram o *quad*. Mas acabaram confessando que o *quad* lhes veio afinal, quando sentiram prazer em parar.

O mesmo prazer que me vem, parando por aqui.

Projetados no infinito

FOI há mais de seis meses, no ano passado, quando estive no Brasil:

— Você podia fazer lá de Londres um programa semanal sobre a Copa do Mundo — propôs meu amigo, que é produtor de televisão.

E me expôs minuciosamente as condições.

Não entendo muito de televisão, mas como não devia ser mesmo para valer, aceitei.

— Pode ser sobre a vida em Londres, sobre o que você quiser. Só que tem de ter futebol no meio.

Lidar com inglês implica em ligeiro inconveniente: levam tudo ao pé da letra. Diga a um deles, por delicadeza, que apareça em sua casa qualquer hora dessas, para ver só: ele aparece. Ou então lhes fale no amigo que encomendou um programa semanal para televisão no Brasil: imediatamente acreditam e fundam um comitê para debater o assunto.

O diretor do Escritório Central de Informações em Londres, a quem cometi a imprudência de procurar, ouviu-me com extrema atenção, achou ótima a idéia, e se dispôs a ajudar-me: marcou uma reunião para a semana seguinte e me mandou logo uma carta formalizando, em itens numerados, tudo o que havíamos conversado sobre o assunto pelo telefone.

A cada novo telefonema, meu interlocutor era outro, o que nenhuma diferença fazia: fora disparado um dispositivo que pusera a funcionar verdadeiro plano de operações, cujo prosseguimento eu já não seria capaz de deter. E andava às voltas com diretores, produtores, técnicos de som, operadores de câmera, cada vez me afundando mais: facultavam-me acesso aos filmes de arquivo, dariam os filmes prontos para exibição e por um preço muito em conta, segundo afirmavam. Em conta de quem? De meu amigo lá no Brasil, como eu previa, nenhuma resposta — embora de tudo lhe desse notícia, em carta acompanhada de planos, condições e orçamentos.

Semanalmente os ingleses me telefonavam para saber em que pé estavam as coisas. Em vão eu lhes dizia que brasileiro era assim mesmo, tivessem paciência, no fim daria tudo certo. E me preparava interiormente para escafeder-me da alhada em que me havia metido.

Na certeza de que a resposta jamais viria, acabei por forjá-la, em termos categóricos, reproduzidos numa carta que enviei aos ingleses, para salvar a cara: lamentava muito, mas meu amigo lá no Brasil havia decidido não realizar mais o tal programa.

Dias depois recebo uma carta de outro amigo brasileiro, produtor de outra estação de televisão: que tal se eu, que estava em Londres, fizesse um programa semanal sobre a Copa? Podia ser sobre a vida em Londres, sobre o que eu quisesse. Só que teria de meter futebol no meio.

Desta vez preferi procurar um *cameraman* meu conhecido, que aceitou fazer o trabalho comigo: arrolou o material necessário, procurou um auxiliar, fez um orçamento que enviei ao meu amigo. Pedi-lhe que respondesse logo, ao menos para dizer não, pois meu colaborador era inglês, jamais acreditaria que não viesse resposta.

Teve de acreditar: até hoje não veio resposta.

As coisas estavam neste pé, quando me aparece pessoalmente o diretor de uma estação de televisão brasileira:

— Você bem que podia fazer um programa semanal sobre a Copa.

Comecei a rir: havia meses que eu não fazia outra coisa senão programas semanais sobre a Copa para a televisão no Brasil. Sobre a vida em Londres, sobre o que eu quisesse. Só que tinha de ter futebol no meio. Eu já andava meio cansado daqueles programas feitos de nada e projetados no infinito.

— Comigo é diferente — protestou ele. — Até o dia dois de março lhe passo um telegrama dizendo sim ou não.

Alarmado, telefonei ao *cameraman*, que nem queria mais ouvir falar de mim:

— Parece que desta vez a coisa é diferente.

E na realidade era: precisamente no dia dois recebi um telegrama pedindo "mais cinco dias para uma decisão definitiva". Pouco importa que um cartão, enviado logo depois, tivesse levado trinta dias para chegar-me às mãos — o certo é que pela primeira vez eu encontrava um brasileiro capaz desta extraordinária façanha que na Inglaterra somos forçados a praticar todo dia: a de cumprir o combinado. Exultante, telefonei para o *cameraman*, que a essa altura já se tornara brasileiramente meu amigo:

— Acabo de receber uma resposta: dizendo que até agora nada ficou decidido. Precisamos celebrar.

E convidei-o para tomar uma cerveja.

Dylan Thomas sob a Via Láctea

EM 1943 a BBC encomendou a Dylan Thomas um trabalho, "Under Milk Wood", que viria a ser uma das mais famosas obras do poeta. Mas ele parecia relutante em atender a encomenda — foi preciso que um produtor da BBC, Douglas Cleverdon, tomasse a si a tarefa de arrancá-la do autor, isso já em 1946. Somente em 1953 o manuscrito lhe chegou às mãos.

Cleverdon mandou tirar três cópias e devolveu os originais ao poeta. Dylan Thomas devia viajar naquela semana para os Estados Unidos. Como era de seu costume, saiu por aí, manuscrito debaixo do braço, bebendo cerveja em vários bares do Soho. Às vésperas da partida, telefonou para o produtor:

— Perdi os originais. Tinha de levar para os Estados Unidos, o que é que eu vou fazer?

Cleverdon tranqüilizou-o, prometendo levar-lhe uma cópia na hora do embarque. E assim fez. O poeta lhe deu o nome de seis bares por onde havia passado:

— Se encontrar o manuscrito, pode ficar com ele para você — teria dito.

Teria dito — se disse mesmo, isso já é questão para o juiz resolver. Porque o caso acabou na Corte esta semana. Dylan Thomas, como se sabe, morreu pouco depois nos

Estados Unidos, em coma alcoólica, numa longa agonia, a partir de uma noitada em que tomou dezoito doses seguidas de uísque*. A partir de então seus manuscritos, que ele costumava vender por uma libra ou mesmo por alguns copos de cerveja, passaram a valer um bom dinheiro. Cleverdon encontrou o que procurava logo no primeiro bar indicado pelo poeta, e passou a dizer que não o venderia por preço nenhum (mesmo porque naquela época não lhe dariam por ele mais do que 25 libras).

Em 1961 já pensava de maneira diferente: acabou vendendo por duas mil libras a um colecionador, que afirma valer o manuscrito, hoje em dia, pelo menos dez mil libras. A viúva de Dylan Thomas, a esta altura, resolveu entrar na história: o manuscrito lhe pertence, como herdeira — a menos que o outro prove ter havido doação.

Em defesa de seu direito, Cleverdon conseguiu convencer o juiz sobre a existência dos dois elementos que, pela lei, caracterizam a doação: o *animus donandi* — que, em se tratando de Dylan Thomas, não seria difícil presumir — e a efetivação da entrega — que se objetivou através da indicação exata dos bares onde o manuscrito poderia ser encontrado.

E a viúva, além de ver rejeitada a sua pretensão, ficou sem duas mil libras, com as despesas do processo.

Enquanto isso, se lá na Via Láctea, ou "acento etéreo", como queria o poeta português, "memória desta vida se consente"**, o poeta inglês certamente estará acompanhando com indiferença todo o caso. Para acabar formando amargo juízo sobre a ganância dos que não lhe deram o que mereceu, quando viveu neste mundo: tudo isso por um simples manuscrito seu, que para ele não valeria nem uma dose de uísque — que dirá dezoito.

Oitenta miligramas

DE repente surgiu para a opinião pública britânica um assunto mais importante que a Rodésia. A Inglaterra inteira passou 24 horas discutindo esta questão transcendental:

— A quanto corresponde, em doses de uísque ou copos de cerveja, oitenta miligramas de álcool?

Porque esta é a quantidade já estabelecida, depois de anos de estudos e pesquisas, como limite tolerável de álcool em um decilitro de sangue de quem estiver dirigindo automóvel depois de haver bebido.

Em outras palavras: quem estiver dirigindo, a partir de julho próximo, quando a nova

---

*"Dylan Thomas in America", J.M. Brinnin.
— "The Last Days of Dylan Thomas", Rob Gittins.
***"Sonetos de Amor", *XI*, Luiz de Camões.

lei entrará em vigor, estará sujeito a ser detido por um guarda e convidado a soprar um balãozinho de plástico transparente. Dentro do balãozinho tem umas pedrinhas amarelas de uma substância química, que ficarão verdes se houver álcool no hálito do freguês. Neste caso, o motorista é levado à delegacia, para o teste de sangue. Basta uma gota, tirada com um alfinete da ponta do dedo ou da orelha, como o freguês preferir. Só que não haverá jeito de escapar: quatro meses de cadeia ou cem libras de multa, se os testes acusarem uma quota de álcool acima de oitenta miligramas.

Oitenta miligramas: eis a questão. Três uísques? Quatro? Dois duplos? Quantas cervejas? Ninguém sabe dizer. Varia de bêbado para bêbado, que dirá para quem não está acostumado a beber. Dizem os entendidos — e, no caso, são as próprias autoridades que apresentam a nova lei — que uma mocinha que jamais bebeu, com um cálice de *sherry* em estômago vazio já pode estar atingindo o índice dos oitenta miligramas. Só que uma mocinha que nunca bebeu não tem nada que tomar um *sherry* de estômago vazio e depois ainda sair dirigindo — é o que concluem as referidas autoridades.

Em compensação, um velho bebedor pode ir até seis ou oito doses duplas ou uma dúzia de cervejas e ainda ficar dentro do limite permitido.

Como? São mistérios que as supraditas autoridades não explicam, nem condenam como a mais clamorosa das injustiças.

O que não impede que continuem se reunindo para debater o assunto. A nota de sensação foi dada pelo magistrado Arthur Davey, na Convenção Anual dos Magistrados Britânicos, realizada esta semana em Londres: foi por ele vigorosamente aprovada uma moção em favor de tornar ofensa à lei dirigir qualquer veículo a motor depois da ingestão de "determinada quantidade de álcool".

— Mas este é justamente o ponto em questão — alegou um dos magistrados. A lei tem de ser clara: qual é a "determinada quantidade"?

Ao que o Dr. Arthur Davey, com a devida vênia, referiu-se tranqüilamente ao seu próprio caso: todos os dias toma dois uísques antes do almoço, mais dois antes do jantar, além de umas e outras por aí, no decorrer das madrugadas. Está atualmente com 78 anos e desde 1910 bebe diariamente pelo menos meio litro de uísque. O que nunca o impediu de dirigir perfeitamente o seu automóvel.

— Aliás, quando vim para esta reunião — arrematou, para a perplexidade dos outros magistrados — tomei dois uísques, ou por outra, mais dois, já são três horas da tarde. Vim dirigindo muito bem, salvo erro ou omissão.

Miró

EM matéria de arte na Inglaterra, falemos de coisas mais sérias. Como a exposição dos últimos trabalhos de Miró, por exemplo, atualmente na Galeria Marborough. O próprio artista espanhol, já com 72 anos, pequenino mas sólido e desempenado à minha frente, com olhar atento, observando tudo que se passa ao redor, enquanto conversa. Seus quadros são atualmente vendidos por vinte, trinta mil libras, mas ele me afirma não se esquecer do tempo em que ninguém daria por eles um tostão de mel coado. Conta que em 1936 participou de uma exposição surrealista em Londres e foi ridicularizado pelo público e pela crítica. Hoje, é ele próprio que me assegura:

— Eu não gostaria que meus quadros naquele tempo se vendessem como hoje. Teria sido um desastre para a minha carreira. O sucesso é uma coisa muito perigosa e nos faz muito mal, quando somos jovens.

Caminha descansadamente ao longo de seus quadros, olhando um e outro, detém-se diante do que lhe é favorito, o recente "Lição do Céu", já vendido por trinta mil libras:

— Eu pinto como um operário — diz ele: — Oito horas por dia. O único conselho que poderia dar aos jovens pintores de hoje é este: trabalhem. Não há outro jeito. Não há caminho curto para o sucesso.

Depois de reconhecer que, no seu caso, o sucesso veio mais depressa do que esperava, acrescenta:

— A gente tem de ter a cabeça muito fria para combater seus maus efeitos. Os jovens pintores hoje em dia conseguem tudo muito facilmente. Eles não passam fome. Aos trinta anos já estão fazendo sucesso e pensando em comprar um segundo carro e um casaco de peles para a mulher. Isso não é nada bom. O bom é que um pintor tenha passado fome. A fome lhe dá forças, lhe dá vontade de ir para a frente. Desenvolve os músculos, no trabalho pesado.

E o artista, pequenino, diz que vai sair por aí, anônimo pelas ruas, para encontrar os novos pintores em galerias e museus, ver o que eles estão pintando hoje em dia. Mas principalmente rever Londres dos velhos tempos, com suas galerias e museus, suas ruas e seus parques — tempos em que o sucesso ainda não se havia transformado para Joan Miró no fantasma assustador, que lhe arrebata um quadro mal acabado de pintar em troca de trinta mil libras.

Guerra em tempo de paz

O MINISTÉRIO da Defesa da Inglaterra convidou o adido militar soviético para assistir à manobra chamada "Exercise Lifeline". E lá ficaram os dois, um general inglês e um general russo, presenciando de palanque a movimentação dos batalhões que participavam do exercício.

Até aí tudo bem, tudo normal. Só que não havia movimentação nenhuma, e ao fim de duas horas de espera, o russo acabou perdendo a paciência:

— Nunca vi nada mais sem graça — falou, em inglês macarrônico, dispensando o auxílio do intérprete. — Fui convidado para assistir a uma manobra militar e o que vejo são dois helicópteros preguiçosos pra lá e pra cá, trazendo um canhãozinho dependurado de meia em meia hora. Os homens que desembarcaram nesta praia já estariam mortos há muito tempo, olha lá: por que não cavam trincheiras no chão?

O general inglês explicou como pôde que o exercício não era completamente tático, ou seja, não se desenvolveria segundo condições que prevalecem durante um combate real. Além do mais, os soldados não podiam cavar trincheiras, porque iam estragar os pastos e o Governo de Sua Majestade teria de indenizar os fazendeiros.

— Pastos? — perguntou o russo. — Que quer dizer *pastos*?

Seu conhecimento do inglês, não sendo essas coisas, forçou o outro a explicar melhor:

— O pasto é tudo isso aí: a grama que as ovelhas comem.

— Ovelhas?

— Ovelhas — tornou o general inglês, buscando com os olhos alguma ovelha na paisagem. — Aquele bicho que faz assim: *meeé... meeé...*

— *Meeé... Meeé...* — repetiu o russo, compenetrado, tentando entender.

Enquanto isso, a batalha ao longe continuava. Não havia grande progresso na evolução do combate, pela inexistência de inimigo a combater. O sol da primavera varou as nuvens, participando das manobras aéreas como um *objeto não identificado*: os demais eram aviões que voavam ao longe, aguardando o momento de intervir.

Os dois militares continuaram firmes — mais tarde assistiriam a exercícios de verdade, impressionantes, com mais de quinhentos pára-quedistas descendo dos céus, dispostos a matar ou a morrer. Mas naquele momento, confraternizados diante da paz bucólica que reinava sobre os campos da Gália, eram apenas dois homens fantasiados de guerreiros, buscando alguma compreensão fraterna além das palavras.

— Agora é que o exercício de verdade vai começar — sugeriu o inglês, farejando o céu.

Ao longe, as barcaças se aproximavam da franja da praia para iniciar o desembarque de mais tropas. Ambos começaram a rir, felizes, na expectativa.

— Então *meeé* — disse o russo.

— *Meeé* para você também — retrucou o inglês.

O roubo da Taça

OUTRA poderá ser feita, sem dúvida — e certamente os ingleses tratarão de fazê-la — isto é, se houver tempo. Não será fácil reproduzi-la em todos os detalhes concebidos há 36 anos por um francês chamado Jules Lefleur.

Mas aquela, a legítima, que nos custou tanto suor e tantas emoções, a estas horas não existe mais: já deve ter sido derretida e vendida literalmente a peso de ouro.

Os ingleses, que não são de ficar boquiabertos, não fecharão a boca tão cedo. O Chefe do Serviço de Segurança, sob cuja responsabilidade a Taça estava sendo exibida no Westminster Center Hall ao ser roubada, só faltava chorar. Os repórteres o rodeavam, curiosos, aguardando um pronunciamento seu.

— Por favor, senhores — implorava ele humildemente: — Há trinta horas que me sinto esmagado. Podíamos até perder a Taça, mas na disputa da Copa, não desta maneira! No momento não tenho declarações a fazer.

O encarregado da tal exposição, um senhor de bigodes imensos, parecia mais tranqüilo:

— Fizemos o possível, mas quem haveria de imaginar que justamente num domingo, a exposição fechada ao público, os guardas lá de plantão, alguém ia roubar a Taça?

De todas as partes chovem críticas, suspeitas, observações irônicas. Já andam perguntando por que o presidente da FIFA não dormia com a Taça em seus braços. Outros acham que tem dente de coelho nisso. Um inspetor da Scotland Yard afastou energicamente qualquer outra hipótese:

— Foi roubo mesmo, e do bom. A Taça vale ouro, pois ela não é de ouro?

O tal inspetor chega a descrever um tipo suspeito, mas se contradiz tanto, que a descrição poderia ser até de mim mesmo: um tipo comum, de cinco pés e dez polegadas de altura (equivalentes a um metro e setenta e cinco, como no meu caso), olhos e cabelos escuros, como os meus. Felizmente, faz referência a uma cicatriz para identificá-lo.

O que se sente no ar é que a Taça desapareceu, talvez para sempre.

Pois não é que ela foi finalmente encontrada? Uma semana desaparecida e eis que nos subúrbios de Londres um cachorro chamado Pickles a encontrou num terreno baldio, enrolada em jornal. O dono do cachorro, modesto comerciante, acabou embolsando o prêmio oferecido a quem a encontrasse, de nada menos que cinco mil libras.

Diante do quê, sinto-me à vontade para finalmente contar a verdadeira história do roubo da Taça Jules Rimet.

Ora, aconteceu que era um domingo, dia do Senhor. Eu, metódico como um metodista, resolvi comparecer aos serviços religiosos da Congregação, ali no Westminster Hall. Eram onze horas da manhã e fazia um tempo lindo, isto é: céu encoberto, um frio desgraçado, mas não chovia.

Depois de juntar-me ao coro dos fiéis no salão principal, me lembrei que a Taça estaria em exibição. Certamente bem vigiada — pensei, correndo os olhos ao redor. Não vi guarda nenhum. Aquilo me afligiu. Já outra vez me assaltara aflição igual: quando a Taça foi trazida do Brasil para ser entregue à FIFA, por ocasião do sorteio das chaves. Veio num estojo parecido com uma maleta de mão, como se fosse uma muda de roupa. Naquele dia, tive de conformar-me em vê-la passar às mãos neutras de quem não havia suado para merecê-la.

Mas agora ela estava ali de novo, ao meu alcance. Era o caso de guardá-la em lugar seguro. Para isso procurei primeiro o secreta que devia estar pelas vizinhanças. Fui até à porta e o vi na esquina, no seu uniforme de secreta da Scotland Yard: terno preto, colete e chapéu-coco. Aproximei-me dele:

— O senhor é o secreta?

— Às suas ordens — respondeu ele, piscando o olho, com um ar secretíssimo.

— Eu sou o suspeito. Preste bem atenção em mim.

Ele mal me olhou e disparou a recitar:

— Cinco pés e dez polegadas de altura. Olhos e cabelos escuros. Uma cicatriz no rosto.

Protestei:

— Não tenho nenhuma cicatriz no rosto.

— Isso é o que o senhor pensa: todo suspeito tem uma cicatriz no rosto. Pronto, já está reconhecido. Agora mexa-se.

Meti-me de novo no salão, passei pela Congregação, que entoava o último hino, pedi a bênção ao pastor e embarafustei-me escada acima. Depois de varejar vários corredores, acabei dando com uma porta trancada, atrás da qual farejei a Taça. Não me foi difícil arrombá-la, mercê de uma chave de fenda que trago sempre comigo para semelhantes emergências. Entrei. Em vão procurei um guarda que me orientasse. Tive de achar a vitrine da Taça por mim mesmo. Desparafusei o suporte do cadeado, abri a portinha traseira e meti a mão, empolguei a Taça pelo pescoço. Segundos depois estava na rua, a ilustre dama de ouro debaixo do sobretudo. O secreta me viu sair e olhou-me com tamanha perspicácia policial que o sangue gelou-me nas veias.

— Estou descoberto — pensei.

Não, não estava descoberto: estava salvo, e a Taça também. Afinal, ela pertencia ao Brasil, ia voltar ao Brasil depois que vencêssemos de novo a Copa: e se por acaso não quisessem entregá-la? Pelo sim, pelo não, convinha ficar desde já em mãos brasileiras, o seguro morreu de velho.

Mas foi tão grande a alaúza pelos jornais, que fiquei com medo de acabarem com a disputa da Taça, já que não havia mais Taça. E resolvi devolvê-la — de maneira discreta, que não atraísse para mim a atenção do mundo. Sabendo da discrição dos cachorros ingleses em semelhantes assuntos, procurei um vira-lata meu conhecido chamado Pickles e pedi sua colaboração:

— Pickles, eu vou deixar a Taça Jules Rimet embrulhada num jornal lá num terreno baldio ao lado da sua casa. Domingo à noite, quando seu dono levar você à rua para fazer pipi, você disfarça, sai fuçando aqui e ali e acha a Taça. Morou?

— Morei — latiu Pickles. Em inglês, naturalmente.

E o resto já se sabe: a Taça foi encontrada onde a deixei. E agora, jubilosos, os ingleses vão exibi-la de novo. Convém tomar cuidado comigo.

Diário da Copa — 1

A IMPRESSÃO era de que todo o Brasil enchia as arquibancadas do Estádio de Goodison Park. Entre 47 mil assistentes, cinco mil brasileiros faziam a maior torcida jamais ouvida em Liverpool, deixando boquiabertos os ingleses, que naquela cidade são considerados os verdadeiros fanáticos do futebol. A torcida do Everton, católica, e a do Liverpool, protestante, inimigos tradicionais, juntaram sua gritaria para aplaudir a Bulgária. Mas o que se ouvia mesmo era o bumbo de um brasileiro, que a televisão BBC tentou localizar na arquibancada e acabou encontrando, para botá-lo no ar como a mais exótica das manifestações de entusiasmo.

Por todo lado havia fotógrafo brasileiro trabalhando em meio à torcida. E em meio à brasileirada, o meu editor e amigo Ernest Hecht, único inglês que torce para o Brasil, já apostando contra a Inglaterra.

Findo o jogo, como de se esperar, veio o carnaval — com confete, serpentina e batucada. Eram brasileiros realizando aquilo que nem Napoleão nem Hitler conseguiram: a invasão da Inglaterra.

Com proveito para ambos — comenta, tranqüilo, um dos nossos diplomatas: — Os ingleses aprenderão umas tantas coisas, os brasileiros aprenderão outras.

Vi gente humilde, roupinha pobre, ar de provinciano, sozinha na arquibancada com sua bandeirinha brasileira, e olhos esbugalhados. Vi um Chevrolet Impala com chapa de

Porto Alegre que veio parar em Liverpool só Deus sabe como. Vi gente que viajou milhares de quilômetros e cruzou o oceano pela primeira vez para viver em algumas horas a emoção de sua vida inteira. Em campo, onze homens começaram a atender essa gente.

Diário da Copa — 2

A CONFUSÃO era tanta que acabei perdendo na Estação de Euston a minha caderneta de endereços, ao embarcar para Liverpool. Na manhã seguinte encontro em minha casa um envelope gordinho contendo a caderneta perdida. Antes que desse por sua falta! Em curta e delicada carta, uma senhora chamada Mrs. Noyce informava havê-la encontrado e a estava remetendo pelo correio. Conto isso para mostrar que nem a Copa do Mundo, verdadeira guerra travada nos campos de futebol, impede que se exerça, como sempre, a eficiência dos correios e da prestimosidade britânica.

Dito o quê, passo a falar na confusão maior que foi a volta, o trem dos torcedores brasileiros furiosamente invadido por passageiros de tudo quanto é nacionalidade, a caminho de Londres. Os que haviam tomado a precaução de reservar lugar teriam de viajar de pé. Um dos brasileiros logo se dispôs a resolver a parada na ignorância, pois os invasores se recusavam a sair: "Pessoal, se quiserem eu ponho os gringos para fora no braço." Ninguém quis: vários eram negros que faziam parte de delegações da Nigéria, do Mali, da Costa do Marfim. Haviam viajado milhares de quilômetros para ver o Brasil jogar. Ao fim de certo tempo, confraternizados, passageiros de todas as nacionalidades trocavam impressões, como se fossem de uma só raça: a dos admiradores de Pelé.

Enquanto isso, o massagista Santana se desdobrava à entrada do ônibus, quando deixava o vestiário com a nossa seleção, aturdido com os pedidos de autógrafos. Não entendia bem por que os fãs o distinguiam tanto — até que alguém descobriu a causa: fora apontado à multidão como sendo o pai de Edson Arantes do Nascimento, vulgo Pelé.

Ando nas ruas de Londres tropeçando em brasileiros. Alguns alvoroçados, outros desavorados, sem hotel, sem ingresso, sem dinheiro: muitos chegaram até aqui aos trancos e barrancos, só Deus sabe como. Surgem os primeiros casos: um que foi roubado em 600 dólares; outro que, voltando de Liverpool, tomou o trem errado e foi parar na Escócia; outro ainda que se viu obrigado a largar uma bolacha numa senhora que lhe faltou ao respeito.

Em compensação, Pelé recebe uma oferta de um milhão de dólares do Internazionale de Milão, e nem toma conhecimento. "Eu teria de aprender italiano", disse ele: "Além disso, eu gosto é de sol, e meus amigos estão no Brasil."

Diário da Copa — 3

A ALEGRIA do palhaço é ver o circo pegar fogo. A brasileirada, no momento em que escrevo, já espera pelo pior nessa Copa do Mundo. Se terça-feira formos eliminados, já na quarta a maioria estará se mandando por aí, espalhando-se pela Europa a cata de aviões para voltar ao Brasil. Ninguém pensa em continuar na Inglaterra vendo o final do campeonato, a despeito do dinheiro gasto em ingressos, hotéis e demais despesas com pagamento antecipado. Os que vão pagar em prestações ainda teriam a humilhação de continuar pagando durante longo tempo depois da derrota. A maioria dos que vieram se compõe de gente humilde, que juntou seu dinheirinho com o maior sacrifício e veio parar aqui só Deus sabe como.

Por todo lado se aglomeram os brasileiros, aflitos neste sábado chuvoso de Londres, a fazer cálculos envolvendo o malfadado "*gol-average*" (ou "gol-Havelange", como eles dizem). Foi-se há poucos minutos a esperança de que a Bulgária tirasse a graça de Portugal, como a Hungria tirou a nossa. Agora teremos mesmo é de enfiar muita bola em Portugal na terça-feira, para que as esperanças voltem. Ou enfiar as esperanças no saco.

Até lá, vamos agüentando, como Deus é servido, a gozação dos ingleses, tirando a sua casquinha dos sul-americanos à nossa custa. "*Rapsódia Húngara em Liverpool*", diz o *Daily Express*, a propósito da derrota do Brasil frente à Hungria. Os outros jornais até que nos pouparam, reconhecendo simplesmente que os dias do grande futebol brasileiro já se foram, e tirante Pelé, o nosso time é tão bom ou tão ruim como outro qualquer. Ninguém entendeu a confusão em campo, os jogadores sem posição definida, conforme a "nova tática" dos nossos técnicos. E a torcida inglesa, esmagadora, incentivando a Hungria, botava a nossa no chinelo. Tivemos de baixar a crista, bandeiras e bandeirolas verde-amarelas se recolheram à sua insignificância. Mesmo o bumbo, cujo som, segundo um jornal inglês, "parecia vir das profundezas da selva amazônica", teve de parar as suas batidas, que estavam chateando todo mundo ao redor (inclusive os próprios brasileiros). Era como se aplaudisse a seleção húngara — o que, aliás, seria mais do que merecido.

No trem de regresso a Londres, os ânimos estavam meio esquentados. Houve confusão e correria, cada um buscando garantir o seu lugar. No vagão ao meu redor eu via gente dobrando as faixas que haviam retirado do estádio ao sair: "*Goiás Está Presente*", "*Nova Iguaçu Está Presente*", "*Os Mineiros com Vocês*".

Quatro torcedores, esquecidos da derrota, improvisaram dentro da cabine uma animada roda de jogo em cima da Bandeira Nacional.

Agora, é aguardar terça-feira — a esperança é a última que morre. E ficar preparado para o pior.

Diário da Copa — 4

NO que depender de incentivo dos brasileiros, os três gols contra Portugal haverão de sair: telegramas de todos os lados estão chegando à concentração do time em Lymm. O próprio Presidente Castelo Branco mandou dizer que confia na nossa seleção. Juscelino também confia — é o que afirmou em mensagem aos nossos jogadores. Enfim, esperança é que não falta.

De minha parte, espero que esta página do meu humilde Diário da Copa seja publicada antes do jogo, para que eu não faça papel de bobo diante dos leitores, a falar no sonho que tive esta noite: Pelé metendo o terceiro gol no último segundo de jogo, depois de um passe maravilhoso de Duda. Duda? Sim, Duda Cavalcanti, a jovem atriz, minha linda amiga, que está por aqui, com sua longa cabeleira, escalada na ponta esquerda em meu doce mundo onírico.

Fora do sonho, a duda, digo, a dura realidade: agora é que vamos ver mesmo se as relações entre Portugal e Brasil são de pai para filho. Enquanto isso, as coisas endurecem também fora do campo: já cinco torcedores brasileiros andaram entrando no pau sem saber como nem por quê. Os detetives da Scotland Yard anunciam solenemente estar tentando descobrir e prender a quadrilha que por pouco não acaba com os cinco infelizes no clube de jogo situado num porão de West End. Dois foram postos a nocaute; outro recebeu no rosto um talho de dez centímetros (ou quatro polegadas, como preferem medir aqui) de um agressor que o confundiu com uma garrafa e tentou abri-lo com uma saca-rolha.

Tudo começou quando um dos patrícios nossos, depois de ganhar 85 libras na roleta, exibiu triunfante uma nota de mil cruzeiros, que lhe foi arrebatada das mãos e rasgada; os arruaceiros partiram então para a ignorância, mostrando o que a Hungria fizera com o Brasil: cadeiradas e garrafadas que deram com os cinco brasileiros no hospital. Pagaram pela imprudência, pois em terra de macuco, nhambu não pia. Ou, como diz o Rubem Braga nos seus raros momentos de sensatez: passarinho que come pedra sabe o rabo que tem.

Ignorando o nosso drama cívico diante do próximo jogo contra Portugal, uma organização de caridade oferece cinco mil libras pela bola ao final da partida. Diante da agonia que estamos vivendo neste instante, é até sacrilégio ficar pensando nestas bobagens, em termos de disputa final.

A dizer que ainda está para chegar do Brasil um navio cheio de torcedores. Estes correm o risco de voltar sem ter visto sequer o Brasil em campo. Enquanto isso, os jornais ingleses se enchem de comentários sobre o drama dos brasileiros. Um deles fala na "gerontofilia" dos dirigentes da nossa seleção, escalando os "velhinhos" Gilmar, Bellini, e Djalma Santos. Todos se referem a Garrincha como "a sombra do passado". E são unânimes em afirmar que tirante Pelé, o Brasil já não é mais aquele.

Chega a ser patético o ar de aflição dos brasileiros pelas ruas de Londres, desavorados, sem saber o que pensar nem aonde ir. Alguns vão às compras, outros se preparam desde já para fazer turismo, forrando o coração de consolos falazes. Alguém me telefona para dizer que está na rua há dois dias e duas noites, esqueceu o nome e o endereço do hotel onde se havia hospedado. Outro me informa que Hungria e Bulgária já estão acertadas definitivamente, como nas Olimpíadas, para um resultado que desclassifique o Brasil: tem provas disso, o acordo já foi assinado e sacramentado.

Em meio a tamanha guerra de nervos, lá vai o Brasil, disposto a pagar a Portugal com três gols o benefício que nos prestou Cabral com suas três caravelas, nos descobrindo. Que os portugueses se arrependam disso, é o que, já meio desesperado, ainda espero.

Diário da Copa — 5

ESPERANÇA vã — era de se ver, depois da derrota, meu amigo Armando Nogueira, arrasado, tentando ainda em Liverpool transmitir pelo telefone a notícia ao nosso *Jornal do Brasil*, de que é também correspondente. A seu lado um colega português, noutro telefone, ditando aos berros o título da notícia para o seu jornal em Lisboa:

— A VITÓRIA DA BOLA QUADRADA!

Assim os brasileiros até agora se referiam ao futebol lusitano...

Parece incrível, mas a estas alturas a Copa do Mundo nem bem chegou ao fim e na Inglaterra já é coisa do passado. Os jornais voltam a falar em *cricket*, golfe e no torneio olímpico da Comunidade Britânica. De futebol mesmo, nem uma linha, a não ser neste ou naquele suplemento especializado, já com ar de coisa antiga. Aos poucos os brasileiros vão-se mandando para Paris e outras cidades, a caminho de volta.

Aqui e ali repontam ainda uns saldos da ocupação de Londres pela legião de torcedores desapontados. Quatro ou cinco batedores de carteira patrícios em cana — e a cana inglesa é dura, quando se trata dessas novidades d'além-mar. Houve também meia dúzia de brigas, felizmente sem mortes a lamentar, embora alguns tivessem ido parar no hospital. Outros ainda ficaram zanzando pelas lojas de Oxford Street, aproveitando as liquidações de verão e enfrentando o frio desgraçado que está fazendo, enquanto aguardam que a Varig lhes arranje viagem de regresso. Todos, por serem brasileiros, se julgam titulares de um jeitinho para voltar mais cedo, e de uma preferência à base do prestígio ou da boa conversa. (São exatamente os que não apenas se esqueceram de fazer reserva, mas carregam excesso de peso que não pretendem pagar.) Outros simplesmente não têm o dinheiro da passagem e se oferecem para "acertar as coisas quando chegar no Brasil". É preciso uma paciência de santo para tentar atender com cortesia britânica a onda de pretendentes a um regresso antecipado, depois do melancólico desfecho da Copa do Mundo. Eu mesmo vou pegando as sobras, às voltas com dezenas de conhecidos que me pedem para "quebrar o galho".

Com o quê, resolvo encerrar também o expediente, vou me preparando para fazer a pista. Já avisei ao senhorio que pretendo entregar a casa dentro em breve. No que eu disse *yes*, ele começou a aparecer a cada instante, trazendo sempre novo pretendente ao lugar. Ainda outro dia invadiu com um deles o banheiro, para surpreender-me no banho, já que o trinco da porta não funcionava, como teve aliás ocasião de constatar. Ao dar comigo mergulhado como uma odalisca na banheira cheia de água tépida, que é a única maneira digna de um brasileiro enfrentar a cada manhã o frio deste verão inglês, avisou polidamente que eu não me incomodasse. E ficou por ali assuntando. Só faltei pedir-lhe que me ajudasse a ensaboar as costas.

Acho prudente que ele consiga logo apanhar outro inquilino, antes que a casa acabe de cair. Há um buraco no teto, que ameaçou desprender-se um dia por causa de um cano furado, e que o jardineiro ofereceu-se para emendar, ficando a emenda pior que o soneto. O corrimão da escada ainda tem a sustentá-lo alguns balaústres, que a força hercúlea de minha filha Mariana, com um ano e meio de idade, dependurando-se como um periquito degraus acima, ainda não foi capaz de arrancar. O madeirame do soalho geme sob meus passos, ameaçando ceder, e qualquer dia desses o vizinho de baixo recebe em sua sala de estar a minha inesperada visita, caída do céu por descuido. Não há fechadura de porta cuja maçaneta não saia na mão, nem papel de parede sem marca de dedo das crianças. Os cacarecos aqui existentes a guisa de mobília já não andam lá muito bem das pernas. Vou ter de ressarcir o senhorio do prejuízo antes de partir, ou mandar fazer alguns consertos por conta própria — quando melhor fora botar de uma vez a casa no chão e construir outra. Não espero merecer o benefício das estranhas cláusulas contratuais que falam nos "atos de Deus" e no "desgaste do uso". Se atos de Deus costumam regular na Inglaterra as leis do inquilinato, desgaste de uso tive eu próprio durante o tempo que morei aqui.

Mas confesso que, apesar de tudo deixo a casa com certa relutância. Apeguei-me a ela aos poucos, acostumei-me ao seu pé direito alto e solene, às sancas com ramagens de gesso, a lareira de mármore preto, as grades de ferro batido guarnecendo as janelas — enfeites de lugar que já teve melhores dias (e possivelmente melhores moradores). O número 13 à porta nunca chegou a me assustar. O que me aflige um pouco é a expectativa do regresso, a essa altura dos acontecimentos. Logo agora que nem ao menos campeões do mundo somos mais.

Esta mágoa vai mesmo custar a passar. Sinto que me fizeram de bobo, eu também acreditei. Mas enfim, deixa pra lá: como diz o Osman Lins, um dia é da caça e outro da pesca. Futebol à parte, já ando cansado de ser inglês. Outro inverno se aproxima, e o verão este ano foi uma piada de mau gosto. O sol aqui não é mesmo de nada, uns raiozinhos de tapear inglês, e tome chuva. Só me resta o banho de lua — ando mais pálido que um defunto, não me acostumo a usar estas pernas branquicelas de avô da gente. Espero em Deus vê-las estendidas na areia de uma praia, tostadas por um sol brasileiro daqueles de fazer ferver a cuca. Até lá, continuarei usando e abusando deste microfone da BBC — das páginas diárias do *Jornal do Brasil*, semanais da *Manchete* e mensais de *Cláudia*, para falar de Londres, dos ingleses, de tudo — menos de futebol.

Diário da Copa — 6

ERNEST Hecht, meu editor e melhor amigo em Londres, recebeu de seu amigo Roger Alleh, dono do Lymm Hotel, onde se hospedou a seleção brasileira durante a Copa do Mundo, uma carta que diz, entre outras coisas:

"*Todo mundo aqui, desde o mais humilde até os nossos policiais e as hordas de crianças, todos os nossos empregados, minha família, enfim, todos simplesmente adoraram os brasileiros. A tristeza da partida deles e o sofrimento causado por sua desventura foram inacreditáveis. Jamais vi coisa semelhante; não houve uma simples nota discordante, apenas felicidade o tempo todo, somente para ser substituída pela tristeza do vazio que eles deixaram ao partir. Agradeço-lhe muitas vezes por me haver encorajado a recebê-los, quando esteve aqui. Houve um interlúdio de espera, enquanto todos contávamos que a seleção inglesa viesse, o que seria alguma compensação para o vazio deixado pelos brasileiros; mas como mediante certos arranjos o jogo errado é que deveria ser disputado em Everton, acabamos pegando os russos. Como são diferentes: sérios, severos e cacetes, dirigidos por um político intransigente...*"

Para tão triste epílogo, é pelo menos um consolo.

Domingo de inverno

DOMINGO de inverno, ou seja: nada a fazer. Ficar com as janelas hermeticamente fechadas, vendo a neve através da vidraça: são pequenos pontos brancos riscando o ar, grãos de gelo tocados pelo vento, ainda não é propriamente uma nevada — mas o chão já se cobre de branco e sobre os automóveis lá fora, na rua, se acumula uma camada de grani-

20. Seis graus abaixo de zero. Não botar o nariz fora de casa de jeito nenhum. Ler os jornais, olhar a televisão, pensar na morte da bezerra, tomar um banho quente, coçar-se com método, meter-se na cama, dormir.

Mas é domingo, dia de missa. E as crianças estão impossíveis dentro de casa. Ainda há pouco entraram em franca rebelião contra a mãe, correndo pela sala aos gritos, mexendo em tudo, dando patadas escada acima, precipitando-se escada abaixo.

Verônica, com cinco anos, é quem manobra a televisão: tem poderes ditatoriais quanto à escolha dos programas e acaba de botar o vólume de som ao máximo. Um cantorzinho de voz esganiçada passou a interpretar aos berros uma canção antes suave e inofensiva. Bernardo, com três anos, mais parece um estivador; arrastando pela casa seu caminhão já sem rodas, atropelando cadeiras e embaraçando-se nas minhas pernas. Mariana, hesitante entre continuar engatinhando até dar com a cabeça na parede ou erguer-se sobre as perninhas, decide buscar apoio na toalha de mesa, que é finalmente puxada, levando tudo de cambulhada: xícaras, copos, açucareiro, uma garrafa de leite.

Não adianta chorar sobre leite derramado. Atiro longe o jornal, ergo-me e, do alto de minha ameaçada autoridade paterna, assumo o comando, pondo a funcionar o meu duvidoso dispositivo de segurança: convoco a mãe, as crianças, estabeleço o plano das operações com ordem unida. Vamos sair à rua! Todos devidamente encapotados! Em fila indiana! Ordinário, marche!

Ao abrir a porta, uma lufada de vento gelado quase me derruba, refrigerando as minhas heróicas disposições. Ainda assim, enxoto até a calçada as crianças, como uma ninhada de pintos felpudos nos seus casacos. Alvoroçados e felizes, e largando no ar baforadas de fumaça das nossas respirações, nos embolamos à porta do carro, querendo entrar todos ao mesmo tempo. Foi preciso desta vez que a mãe restabelecesse o princípio da prioridade, segundo o qual os homens se acomodaram no banco da frente e as mulheres no bando de trás. O carro saiu aos solavancos, o motor se recusando a funcionar enquanto frio.

Tomei caminho de Swiss Cottage, subi a ladeira em direção a Hampstead. No pequeno lago artificial, completamente gelado, vários meninos brincavam de escorregar, alguns munidos de patins. Mas lá no meio o gelo, já rachado em grandes pedaços flutuantes, era perigoso, foi preciso conter as crianças:

— Vamos escorregar na neve, ali no parque.

Eu trouxera uma espécie de bacia de alumínio com alças de couro, apropriada à mesma brincadeira em que outras crianças se entretinham com seus trenós: escorregar do alto da colina branca, entre gritos de alegria e sobressaltos a cada acidente do terreno. E algumas quedas, logo saudadas com risos dos circunstantes. Eu ainda não havia experimentado o brinquedo, herança de outros invernos que um amigo, também pai de família, me deixara ao partir com os filhos para climas menos implacáveis. Destinava-se, evidentemente, às crianças, mas alguns adultos sem compostura se arriscavam ao mesmo esporte.

Resolvi experimentar também. Foi a bacia ganhar velocidade e, pequena para conter-me, logo me expelia como um rojão colina abaixo, espadanando pernas e braços no ar, aos trambolhões. Ergui-me, limpando a neve do sobretudo e, apalpando o corpo dolorido, recolhi os restos esparsos da minha dignidade de pai:

— Vamos embora, já está escurecendo.

Foi um custo retirar dali as crianças. Verônica, a essa altura, considerava-me o mais desalmado dos pais e queria sempre escorregar mais uma vez, a última, enquanto neve existisse, até que o inverno se fosse. Bernardo escapara das mãos da mãe e corria longe pelo parque, um pontinho vermelho e preto na brancura da paisagem.

Conseguimos afinal nos recolher ao carro e vínhamos voltando pela alameda que contorna o parque, quando recebemos a primeira pancada por detrás, logo seguida de outra. Eu me preparava para tomar a rua à esquerda e diminuíra a marcha. Dois, três estrondos consecutivos, ruído de vidros quebrados, de lata amassada. As crianças dispararam a chorar, num coro assustado e assustador, mas logo o desvelo aflito da mãe verificava que nada haviam sofrido além do susto. Saltei do carro, do carro atrás do meu saltou um sujeito gordo e de cabelos brancos, do carro atrás do dele saltou um sujeito magro de blusão de couro. No Brasil certamente iríamos às fuças um do outro, tentando apurar de quem fora a culpa. Aqui, entretanto, o gordão limitou-se a estender-me um cartão, pelo qual vi tratar-se de um cirurgião-dentista de Kensal Rise, o magrinho estendeu-me a mão, dizendo ser um mecânico de Camden Town. Seu carro deslizara na neve, provocando as colisões em série. Todos sofreram avarias, mas o mais avariado fora justamente o dele. Asseguramo-nos mutuamente que as nossas companhias de seguro cuidariam do caso e nos separamos como perfeitos cavalheiros. Recolhi as crianças, que já se aproveitavam para folgar de novo pelas calçadas cobertas de neve, e me mandei para casa: estava na hora da Missa das seis, que prometia ser especialmente longa neste preguiçoso domingo de inverno.

Domingo negro

NA semana passada escrevi sobre o domingo de inverno. Era, de qualquer maneira, um domingo branco. Quando eu era branco, os domingos eram dourados. Hoje, que minha alma ganhou pátina, e se cobriu com a fuligem do tempo como uma chaminé pela qual já passou bastante fumaça, sou forçado a admitir a existência de um domingo negro. Pelo menos em Londres.

Há tempos andava na moda uma melodia chamada na versão inglesa *Dark Sunday*, na francesa *Sombre Dimanche* e que em português ganhou o título mais categórico de *Domingo Maléfico*. Mas creio que foi a versão alemã que andou espalhando, como *Werther* de Goethe, uma verdadeira epidemia de suicídios pela Europa de então. Quem me contou isso foi Chameck, meu amigo pianista da antiga Orquestra Kolman, no Cassino da Pampulha, em Belo Horizonte, ensinando-me a tirar de ouvido, ao piano, a famosa canção. Mais tarde, já no Rio, sobrestimando minha vocação de baterista amador, convidou-me a acompanhá-lo num *tour* musical pela Europa — que não chegou a se realizar*, e pouco tempo depois ele morria, atacado de estranho mal. Ficou-me a lembrança do amigo, trazida sempre de mistura com a evocação da melodia fatal.

Pois ainda há pouco ouvi um trecho da mesma música, pelo rádio rapidamente desligado, neste domingo escuro, sombrio, maléfico, negro — e são três horas da tarde.

Os relógios acusavam oito horas da manhã, mas ainda era noite lá fora. A partir de então uma claridade difusa filtrou-se durante algum tempo através do cinzento sujo do dia em pleno curso e logo tornava a escurecer. É a noite que se antecipa com suas sombras — às vezes parece apenas a projeção, através de nossos olhos velados, de uma noite interior ainda maior.

Nos domingos é que a sensação se torna mais aguda, pelo vazio que se abre entre as obrigações dos dias da semana. A princípio julguei que ela nascesse de certa quietude, assegurada no trato diário com os ingleses. Não há atritos, no cerimonial britânico da convivência. Ao contrário: há uma sensação de liberdade interior, de respeito à nossa integridade de indivíduo, jamais ameaçada. Somos o que quisermos, fazemos o que quisermos: basta um sorriso, um pedido de licença, de favor ou de desculpas. Ninguém nos barra a passagem, nos corta a palavra, nos fecha os ouvidos, nos volta as costas. Nada nos ameaça, não há desgaste inútil nas nossas energias, e ao fim do dia retornamos à nossa casa como se acabássemos de acordar.

Isto: como se acabássemos de acordar. Mas em meio à noite, para enfrentar lá fora a escuridão de um domingo. Com a lentidão física e mental dos estremunhados. Não há estímulo, não há excitação exterior capaz de rasgar as trevas do dia e reabastecer a nossa mente, esvaída no bojo da verdadeira noite.

Ou muito me engano, ou foi num domingo semelhante que os ingleses inventaram aquilo a que chamam de *spleen*.

**Aqui Jaz o Músico*, em "Gente".

Não há luz do dia que reilumine a nossa alma egressa das sombras. Não há sol que se eleve no horizonte para nos redimir com seu calor. Como na fusão de duas nuvens, a nossa impalpável realidade interior não encontra barreiras e se mistura a uma atmosfera fosca, emoliente, que o próprio *fog* londrino vem apenas tornar mais densa, apagando os contornos da vida. É o silêncio feito matéria. É o movimento em câmera lenta, somos peixes no mundo glauco das águas, ectoplasmas de nós mesmos, flutuando no ar, integrados na eternidade do nada. Tudo nos une, nada nos separa. Nenhuma idéia nos ocorre. Nenhum pensamento nos sensibiliza. Nenhum gesto atende ao nosso desejo de renascer. Partimos para a conquista da sabedoria e não passamos do *A* da palavra abismo. A inspiração se torna fumaça de cigarro, regride à infância, fica brincando no ar. E vai mais longe ainda, mergulhando na mensagem que o domingo negro de Londres parece querer transmitir: a de que nada vale a pena, tudo que tinha de ser já foi, sempre é tarde — até que o espírito de Deus volte a rolar por sobre as águas.

Despedida

QUANDO, há mais de dois anos atrás, ficou entendido que eu faria uma crônica semanal para ser transmitida aos ouvintes do Brasil através da BBC, não cheguei a estranhar. A minha vida inteira tem sido feita de escrever crônicas, e se os leitores durante tanto tempo me aturam como cronista, os ouvintes agora que agüentem. Só me pareceu excepcional o fato de merecer semelhante honra da BBC, a famosa estação britânica que desde a última guerra se tornou para mim o símbolo da cultura e da liberdade, em luta contra as forças do obscurantismo e da tirania.

Ao ser contratado, todavia, somente então tomei consciência de um detalhe que me deixou encafifado: eu mesmo teria de ler ao microfone as minhas crônicas. Ora, acrescentar à obrigação de fazê-las a dura prova de ler aquilo que eu próprio escrevi, coisa que sempre deixei por conta de leitores incautos, me parecia a mais penosa das experiências. Além do mais, nunca pretendi ter dicção que prestasse. Minha voz, pelo menos ouvida pelo lado de dentro de mim mesmo, sempre me pareceu de alguém que não reconheço e que simplesmente não é o meu tipo.

Acabei concordando e, o que é pior: acabei me acostumando — sempre restando-me o consolo de saber que se o mesmo não aconteceu ao ouvinte, cabe-lhe a prerrogativa de não escutar. E liquidei os escrúpulos quanto à minha prosa com a mesma reflexão o seu tanto desaforada que Carlos Drummond usou para justificar sua poesia: "se meu verso não deu certo, seu ouvido é que entortou".

Durante dois anos e meio compareci semanalmente a este microfone, com uma pontualidade britânica que a mim mesmo espantou. Falei de tudo que pude e que não pude — e neste ponto faço justiça aos diretores da BBC, que jamais puseram reparo em tão destemperada falação. Comentei o que vi e o que não vi, contei o que sabia e o que não sabia — não houve assunto que escapasse à loquacidade de quem, não sendo especialista em nada, se julga credenciado a falar de tudo. Falei do tempo e das quatro estações, da delicadeza do inglês e da grama dos parques, das pombas de Trafalgar Square e dos policiais da Scotland Yard, da Família Real e das partidas de *cricket*, do tráfego londrino e dos cachorros de estimação, dos mordomos, dos fantasmas, dos *pubs*, dos crimes, dos casamentos, dos divórcios, dos brasileiros na Inglaterra e dos ingleses no Brasil. Se os ingleses me escutassem ficariam boquiabertos. Ao fim, tudo somado, devo mesmo ter metido o meu bedelho onde quer que houvesse assunto a comentar, da reflexão séria ao mexerico, como é da natureza dos cronistas. Não ouso sequer pensar no ouvinte — essa entidade misteriosa, de cuja existência chego a duvidar; vejo-me apenas falando sozinho como um doido, dentro de uma sala vazia e diante do testemunho ironicamente mudo e às vezes sinistro de um negro microfone.*

Pois agora aqui estou pela última vez. Volto amanhã, se Deus quiser, para o Brasil. As escassas notícias que se divulgam na Inglaterra sobre o meu país nem sempre são as mais esperançosas. Ainda assim não esmoreço, conformado pela certeza de que se fosse esperar a situação melhorar, correria o risco de acabar morrendo de velho no estrangeiro.

Mas não volto completo, como esperava. Deixo em Londres uma parte de minha vida. Já não digo amizades e relações de convivência, nem as grandes experiências proporcionadas por uma civilização em que o respeito à liberdade do indivíduo é que condiciona os interesses da comunidade. Alguns momentos inéditos que a cidade soube proporcionar — um ângulo de rua antiga, que os olhos surpreendem numa esquina, o silêncio noturno cheio de sortilégio que os ouvidos tentam interpretar, uma palavra de delicadeza, um sorriso de simpatia que o inglês nos dispensa a cada instante, e a paciência no duro ofício do viver cotidiano, erigida como a suprema virtude a praticar. Tudo isso fui recolhendo a cada dia, em pequeninas experiências a que meu espírito inquieto de brasileiro se conformava, para anexá-las à minha maneira de ser. E que agora terei de deixar aqui, largadas por estas ruas, devolvidas à cidade a que pertencem.

Desta cidade levarei talvez a lembrança mais objetiva do que oferece de pitoresco: os homens de chapéu-coco, os incríveis bigodes, os jovens cabeludos, os velhos de fraque e cartola, os guardas da Rainha, os ônibus de dois andares, o tráfego de contramão — tudo que faz em Londres o espanto ou o deslumbramento do forasteiro. Só que não me sinto

---

XXIV — LONDRES, em "O Tabuleiro de Damas", 5ª edição, revista e ampliada.

mais forasteiro, sei que entre mim e a cidade se travou certo entendimento silencioso, pelo qual viveremos, como nos amores impossíveis a que temos de renunciar: sei que ela me faria feliz e no entanto temos de nos separar. Minha cidade é outra, outros são meus cuidados e compromissos e dela agora eu já estou me despedindo.

Se voltar um dia, é para olhá-la com a apenas distraída ternura com que de vez em quando revivemos um sonho da mocidade.

1967

RIO DE JANEIRO —

O triunfo do espírito

UM leitor me escreve pedindo que lhe fale sobre o livro de Dag Hammarskjold, a que me referi certa vez, e que não conseguiu encontrar no Brasil.

Boa sugestão, em meio a tanta aflição de espírito e nenhuma espiritualidade.

Não sei se haverá tradução para o português. O que li foi a edição inglesa, sob o título "Markings", por sua vez traduzido do sueco pelo poeta W.H. Auden, em colaboração com Leif Sjöberg. É uma obra de tremenda força espiritual, que faz lembrar Thomas de Kempis:

"Peça a Deus que sua solidão o leve a encontrar alguma coisa pela qual viver, e suficientemente grande para morrer por ela."

São palavras do homem cuja morte em 1961 deixou o mundo perplexo diante de um mistério: até hoje não ficou esclarecida a queda, em plena selva do Congo, daquele avião no qual viajava o político sueco, então secretário da ONU, Prêmio Nobel da Paz. Como uma mensagem vinda do outro mundo, foi encontrado no apartamento de Nova York, onde morava, um diário que, segundo suas próprias palavras, era uma espécie de "livro branco onde registro meus entendimentos comigo mesmo e com Deus".

Não podendo ofertar o próprio livro ao leitor que me escreve, ofereço-lhe alguns pensamentos do autor, que vou resumindo ao acaso.

Para ele, existe uma só maneira de sair da selva sufocante onde se trava a batalha pelo predomínio, pela glória e pelo poder, que é aceitar a morte:

"Por que desejamos tanto que os vivos continuem a lembrar de nosso nome depois que morrermos?"

O pobre que existe em nós... E o morto também. No seu entender, ninguém escapará da uma anônima imortalidade: as consequências dos atos que praticamos podem não se apagar, mas sem ser identificadas e rotuladas — para nossa honra e vergonha. Não há como escolher a moldura de nosso destino — mas o que pomos nela somos nós:

"Quem deseja a aventura, terá a aventura — na medida de sua coragem. Quem deseja o sacrifício será sacrificado — na medida da pureza de seu coração."

Ele pedia apenas algo que não lhe parecia despropositado: que a sua vida tivesse algum sentido. Não via como acreditar jamais que não estivesse absolutamente só. Considerava a única espécie de dignidade realmente autêntica aquela que resiste à indiferença dos outros.

A nossa responsabilidade é tremenda: se falhamos, Deus, traído por nós, falhará à Humanidade. Acreditamos poder assumir a responsabilidade diante de Deus — mas seremos capazes de assumi-la *em nome* de Deus?

Jamais teremos feito o suficiente, enquanto houver alguma coisa mais a contribuir. Esta é a resposta aos nossos resmungos diante daquilo que consideramos um fardo e uma incerteza sem fim:

"Não procuremos a morte. Ela nos encontrará. Procuremos o caminho que faz da morte um complemento. A nossa concepção da morte responde a todas as questões que a vida nos apresenta."

Quando ele pensava nos que o haviam precedido, sentia-se como se estivesse numa festa, naquela hora morta, depois que os Convidados de Honra já saíram. Quando pensava nos que viriam depois dele, sentia-se tomando parte nos preparativos de uma festa de cuja alegria não poderia participar. E chegava então a uma conclusão definitiva:

"Mais alguns poucos anos, e então? O único valor da nossa vida é o seu significado *para os outros*."

E já que a crônica de hoje se fez mais séria, quero dar notícia de outro autor surpreendente, americano este, de nome John Howard Griffin. Escreveu há tempos um extraordinário romance, "The Devil Rides Outside" ("O Demônio Ronda Lá Fora"), que por acaso me caiu às mãos — também não creio que haja tradução para o português. Narra a história de um jovem músico que, depois da guerra, deixou a vida boêmia de Paris e meteu-se a fazer pesquisas sobre canto gregoriano num convento do sul da França. Apesar de ateu, resolveu submeter-se rigorosamente às regras da vida monástica, resultando daí uma aventura mística das mais fascinantes, em que o espírito acaba triunfando sobre a matéria.

Uma experiência inédita — a de um monge vivida por um leigo.

Não tinha mais nenhuma informação sobre o autor, senão a de que era cego: durante a guerra, membro de um grupo de manutenção da Força Aérea Americana, perdera a vista ao aproximar-se de um avião que acabava de pousar com avarias e que subitamente explodiu. Pouco tempo depois de ler seu livro, dei com uma notícia no *Time*, narrando como oito anos mais tarde voltara a enxergar, em circunstâncias que a medicina não explicava. Teve então a oportunidade de ver pela primeira vez a mulher com quem se casara — e é comovente o relato de seu deslumbramento, ao descobrir que ela era mais bela ainda do que se acostumara a imaginar. Outra experiência inédita: a de um cego que recupera a visão.

Finalmente, um dia encontro um livro chamado "Black Like Me" ("Negro como Eu"), em que o autor, o mesmo John Howard Griffin, narra a sua experiência de branco que se fez negro para viver o drama da segregação racial. Um médico de New Orleans concordou em mudar-lhe a cor da pele, mediante tratamentos e banhos de raios ultravioleta. E ele passou a experimentar não o que sofre um negro no sul dos Estados Unidos, mas o que sofreria um branco se o tratassem como negro.

Descobriu que era perigoso para um negro olhar não apenas as mulheres brancas, mas sequer os anúncios onde elas figuram. Ou que um dos maiores problemas que os negros enfrentavam na vida cotidiana era descobrir um toalete que não fosse exclusivo para brancos. As humilhações se sucediam a cada passo, e nas menores coisas — a dificuldade em ser atendido por um garçom, em comprar ingresso de cinema se não tivesse dinheiro trocado, ou mesmo em obter uma simples informação.

Homem estranho, esse John Howard Griffin: veterano de guerra com a experiência de um monge, branco com a experiência de um negro, visionário com a experiência de um cego. Talvez lhe haja ficado alguma coisa de monge, de negro ou de cego — para redimi-lo da sua dolorosa vocação de escritor.

1968

Coisas simples e banais

AINDA bem não reiniciei a minha crônica, e já me sinto curvado ao peso da responsabilidade. Aqui estou, com algumas interrupções, desde o primeiro número de *Manchete*. Muitos anos se passaram, muita água correu debaixo da ponte. Aquilo que a princípio nos parecia uma lírica aventura no reinado da matéria impressa se tornou a peça mais importante de um grande complexo jornalístico e industrial. Como ouso aqui ocupar uma página, falando apenas nas coisas simples e banais da vida de um homem? Encho-me de dúvidas, e entre elas surpreendo a que hoje me inibe: numa revista moderna, será a minha crônica um anacronismo?

Só não chego a sugerir que a substituam por um belo anúncio encimado por meu nome, por medo de ser mal compreendido. No entanto, lucraríamos todos: o meu nome, a revista e o produto anunciado. Porque a moderna concepção de jornalismo nos levará fatalmente a essa submissão da página literária às exigências de nosso tempo, para bem servir ao leitor que, em última análise, é o principal interessado: a crônica transformada em texto de propaganda e o nome do cronista erigido em elemento de promoção publicitária.

Vivemos uma época em que toda atividade humana pressupõe a produção de bens de consumo. E o atendimento do maior número possível de indivíduos dentro da sociedade exige uma padronização à qual não poderá escapar o leitor, este grande consumidor de papel impresso. O fato tem de lhe ser apresentado de maneira objetiva e eficaz, sem interpretações singulares que comprometam o tom genérico e impessoal.

E a crônica é de uma insuportável singularidade, dentro do jornalismo moderno. A instituição do *copy-desk*, com seus métodos de uniformização do texto e depuração do essencial, veio torná-la cada vez mais um gênero literário do passado. A própria reportagem assinada, feita ao sabor do talento de seu autor, em tom pessoal e participante, teve de ceder lugar ao trabalho de equipe profissional e competente, capaz de produzir o mais rápido possível matéria de fácil assimilação pelo maior número possível de leitores. E capaz de assegurar cada vez maior mercado ao anunciante, que afinal de contas é o principal sustento de qualquer jornal ou revista.

Os anúncios tendem a ser cada vez mais belos, interessados e interessantes. O interesse que despertava antigamente a fotografia de uma bela mulher na praia, em nada a comprometerá se nela figurar a marca de fabricação de seu maiô. Uma reportagem sobre determinada indústria, ou sobre um país amigo só terá a lucrar, se informada dos dados que ampliem a divulgação de seus produtos. O jornalista de nosso tempo acabará sendo mais um publicitário que um escritor.

Quanto a este, com as suas fantasias e seu pobre mundo de ilusões, não passa hoje em dia de um mascate de esquina metido num supermercado. Sua mercadoria não chega mais a ser nem a idéia que inspira, o sentimento que consola ou a pausa que refresca. Melhor do que um poema ou uma crônica é uma coca-cola ou um chicabon. Pois então vamos anunciá-los. Uma crônica só de anúncios seria de ponta a ponta a melhor. Boa até a última gota. Só isso dá ao leitor o máximo.

Hoje não escrevi propriamente uma crônica, mas um desabafo. E um desabafo ainda encontrar espaço nesta revista é para ela a melhor recomendação. Outras crônicas virão, certamente, enquanto a simples necessidade de comunicação de um escritor não for esmagada pelas ferozes engrenagens de nosso tempo. Até lá, continuarei escrevendo sobre as coisas simples e banais da vida de um homem. Para os que ainda se interessam pela vida simples e banal dos outros homens.

A Rainha na visão dos trópicos

NO dia 25 de julho de 1968 chegava ao Brasil um "Comet" do Comando de Transporte da Real Força Aérea, trazendo a bordo onze tripulantes e dezesseis passageiros. Sua missão, dada a rigorosa precisão dos menores detalhes, devia ser para a Inglaterra tão importante como a do satélite Apolo VI para os Estados Unidos, abrindo caminho para a viagem à lua: eram altos funcionários do Palácio de Buckingham, abrindo caminho para a visita ao Brasil de Sua Majestade Elizabeth II, Rainha da Inglaterra.

O próprio avião da RAF, durante a viagem, teve por missão testar a rota a ser percorrida pela soberana inglesa. Ao grupo de funcionários do Palácio Buckingham coube a tarefa de manter contato com as autoridades brasileiras, a fim de que todos os pormenores do programa a ser cumprido fossem cuidadosamente observados.

Que pormenores foram esses? Consta que até os degraus das escadas que a Rainha deveria subir foram medidos, para verificar se tinham altura normal. Realmente, a ilustre visitante perderia sua majestade se fosse obrigada a desengonçar-se para subir ou descer degraus de altura acima do normal — como por exemplo, os da arquibancada do Maracanã.

O Maracanã, propriamente dito, terá a honra de sua presença, para assistir a um jogo entre as seleções do Brasil e do Chile. Mas evidentemente a Rainha não será obrigada a galgar as arquibancadas como qualquer torcedor do Flamengo: subirá de elevador até a Tribuna de Honra, onde as cadeiras de madeira prensada foram substituídas por luxuosas poltronas de estrutura metálica, estofadas de couro vermelho. (Certamente depois serão retiradas.) O percurso até o estádio já foi traçado, o tráfego estará desimpedido — ai dos simples plebeus que quiserem chegar nesse dia ao Maracanã! O portão 18, por onde entrará o cortejo real, ficará interditado ao público quinze minutos antes de sua chegada. Há meses que a gigantesca praça de esportes vem se preparando para a grande ocasião: todas as dependências estarão rigorosamente limpas, o gramado do campo estará mais verde e viçoso do que nunca, tudo estará funcionando na mais perfeita ordem: não haverá atropelo nem empurrações. Espera-se que a própria torcida saiba corresponder a tanta distinção, abstendo-se de excessos e dos gritos de "bi-cha! bi-cha!" com que o juiz costuma ser saudado, e que poderiam ferir os ouvidos delicados de Sua Majestade, caso ela demandasse ao intérprete a tradução.

Esta é a primeira viagem de um soberano inglês à América do Sul. Do ponto de vista prático, espera-se que nossas relações comerciais com a Inglaterra, cuja intensidade vem declinando sensivelmente desde a última guerra, sejam com isso incrementadas. Somente dois países serão visitados: o Brasil e o Chile. Perguntei a um funcionário da Embaixada Inglesa porque foram escolhidos exatamente estes dois, no numeroso elenco tropicalista da América Latina. Ele respondeu, vacilante:

— O Chile, porque é um país de governo democrático. E o Brasil... Bem, o Brasil é o maior e mais importante da América do Sul, não é isso mesmo?

Tive de concordar, modestamente, quanto ao nosso tamanho e importância — embora invejando as razões que levam a Rainha ao Chile. Pelo menos, bem útil seria para o gigante pela própria natureza receber, uma vez por ano, visitas como esta: o país inteiro sofreria então um limpeza em regra, como vem acontecendo por onde a Rainha deverá passar. Ainda há pouco, a caminho de Petrópolis, sofri um atraso de duas horas porque a estrada recebia às pressas revestimento novo em toda a sua extensão — e um dos encarregados da obra justificou a urgência, com mobilização excepcional de operários, informando:

— Acho que é porque a Rainha vai passar por aqui.

Em Brasília, o Hotel Nacional, que a receberá por uma noite, vive dias de intensos e rigorosos preparativos. É também a primeira vez que a Rainha se hospedará num hotel, como qualquer viajante, e os próprios membros da Corte estão apreensivos: o Príncipe Philip, quando aqui esteve, passou a noite no Palácio da Alvorada; por que não teria ocorrido ao nosso Presidente ceder a sua casa à Rainha e ir ele próprio dormir no Hotel Nacional? Não entendem, esses ingleses, certas sutilezas políticas da nobreza cá da terra: não sabem que sua Rainha, descendo de um palácio a um hotel, ela sobe — ao passo que nosso Presidente desce mesmo.

Em Recife, onde Elizabeth II ficará um dia, as autoridades, influenciadas pela fama da pontualidade britânica, chegaram mesmo a providenciar no sentido de que todos os relógios da cidade marcassem o tempo com exatidão. Com isso podem fazer da capital de Pernambuco a cidade mais pontual do mundo. Mas ficariam um pouco desapontados se soubessem que em Londres, conforme pude verificar diariamente, pelo menos um de seus famosos relógios públicos, o de Marble Arch, durante mais de um ano marcou as horas como os nossos, ou seja: de maneira completamente maluca. Os ingleses, como diz o outro, não são tão ingleses assim.

Apesar disso, ou por isso mesmo, ficaram atrapalhados com o recente cancelamento do horário de verão no Brasil, em decreto presidencial. Já tinham cronometrado o seu programa há mais de um ano, levando em conta o atraso oficial de um hora nos relógios, e agora coçam a cabeça, aborrecidos: esses brasileiros! Não podendo deter o sol no seu curso, como gostariam, refazem às pressas toda a sua programação.

A chamada "Operação Logística" da viagem real constitui, no papel, um verdadeiro compêndio de mais de cem páginas tamanho ofício. As autoridades brasileiras ficaram encafifadas com os exemplares em português a elas destinados, descendo às mais surpreendentes minúcias. O plano estabelece até a hora exata que a Rainha deve começar a comer e o que deve comer.

Inspirados em tal exemplo, os encarregados de recepcioná-la fizeram distribuir também suas instruções. O Governador da Guanabara recomenda aos convidados para o almoço que pretende oferecer no Museu de Arte Moderna, em pequeno cartão anexo ao convite, que deverão chegar às doze horas e trinta minutos em ponto, porque depois da Rainha não entra mais ninguém — e mulheres sem chapéu não entram nem antes nem depois.

Já o *chairman* da British & Commonwealth Society of Rio de Janeiro, em sua instruções à colônia inglesa, é de uma precisão ainda mais minuciosa que a do britânico Governador da Guanabara para com seus súditos. No prospecto que fez distribuir, informa aos sócios onde devem buscar os convites para a recepção que a Sociedade oferecerá à Rainha e seu consorte no Iate Clube. Os residentes em Niterói, por exemplo, deverão buscá-los no "Rio Cricket Club". (Tomo conhecimento, incidentemente, dessa coisa fantástica, que é a existência em Niterói de um clube de cricket.) E depois de esclarecer que não serão admitidos menores de quinze anos, especifica os trajes a serem usados:

"Homens: terno passeio de qualquer cor. Sem chapéu. Mulheres: vestidos de verão ou saia e blusa. A cor ao gosto de cada uma. Luvas e chapéus facultativos."

Em outras palavras: todos podem ir vestidos como quiserem.

Informa ainda que haverá duas entradas para a recepção, e que ambas poderão ser usadas. Quanto ao estacionamento de automóveis, esclarece que o espaço no interior do clube é limitado: o convidado que não chegar cedo e não encontrar mais vaga, terá de estacionar do lado de fora.

É tudo? Longe disso: o movimento na Embaixada Britânica vem sendo cada vez mais intenso. A Embaixatriz, em plena atividade, supervisiona todas as pequenas reformas, a limpeza especial dos jardins, o arranjo do platô aos fundos da Embaixada, onde será construída a creche, cuja pedra fundamental a Rainha vai lançar. Depois de muita vacilação, ficou decidido que não haverá orquestra na festa que o Embaixador lhe oferecerá. O fundo musical será de música ligeira em gravações. Melhor assim: orquestra brasileira oferece sempre o risco de, a horas tantas, mandar brasa em ritmo de carnaval e cair no samba.

Em São Paulo os preparativos não são menos intensos. A residência do Conde Matarazzo, onde a Rainha deverá se hospedar, que de si já era majestosa como um palácio, a estas alturas deve estar mais limpa e arrumada do que nunca. A nobreza paulistana mobiliza o fausto de seu condados: os do Conde Crespi também receberão a Rainha, e sua Fazenda Calunga — Nossa Senhora da Calunga — está sendo redecorada. Todos os recantos da casa já foram examinados e devidamente fotografados pelos agentes de segurança britânicos que precederam Sua Majestade: uma bombinha de terrorista, nos tempos que correm, ainda que de São João para assustar a moça, não teria graça nenhuma. Na fazenda, além de móveis coloniais, objetos antigos e uma valiosa pinacoteca de grandes artistas nacionais, há plantações de café, algodão e laranja. Espera-se, assim, que a importante hóspede tenha ali ocasião de conhecer um aspecto diferente de nossa realidade social e econômica. Outros aspectos menos atraentes, como uma plantação de favelas no Rio ou de mocambos no Recife não lhe serão proporcionados. Em compensação, segundo informam os jornais, na Fazenda Calunga há uma magnífica estância de criação de cavalos, que deverá constituir para ela a principal atração.

Elizabeth II vem a ser verdadeira especialista em cavalos. Grande parte de sua vida é dedicada à equitação e às corridas — suas distrações prediletas. Entende como ninguém do assunto e raro é o páreo de importância que não é disputado — e ganho — por um cavalo seu. Não que haja marmelada nas corridas, para que o cavalo da Rainha vença sempre. Mas ela própria reconhece, aborrecida, que prevalece em geral uma tendência a ignorar certas circunstâncias e a enfatizar outras que sutilmente lhe garantam a vitória. Quando um cavalo seu ganhou recentemente importante corrida na França, e foi desclassificado por uma irregularidade apontada pelo jóquei inglês Brian Taylor, que entrou em segundo, houve verdadeira revolta nos meios turfísticos da realeza britânica. O pobre jóquei, que apenas cumprira um dever para com seu próprio patrão, passou a ser esnobado por todos e seu gesto considerado verdadeiro ultraje à Rainha.

Opinião de que Sua Majestade não participou: as corridas de cavalos são uma das poucas ocasiões em que ela pode sentir-se alguém com a mesma chance de outra pessoa qualquer, e viver algumas horas como gente, não como rainha.

Então rainha não é gente? Não vive como gente? Não ri, não chora, não ama, come, bebe e dorme como a gente? Trata-se acaso de uma deusa? Será desrespeito acreditá-la de carne e osso como qualquer comum dos mortais? Pois, segundo me contaram, os americanos fizeram pior: numa enquete entre soldados em guerra, para saber com que mulheres sonhavam nas suas noites de solidão, ainda que pareça incrível, a Rainha da Inglaterra ganhou longe, inclusive de Marilyn Monroe. Isso pode ser coisa de americanos — muitos dos quais, aliás admiradores de Kennedy, confessaram abertamente haver deixado de votar nele porque não se sentiam bem escolhendo para seu Presidente um homem cuja mulher lhes despertava desejos de passá-lo para trás. São, no fundo, manifestações de respeito e admiração cuja sutileza Freud explica aos mais realistas que o rei.

Quanto à Rainha, propriamente, o peso da tradição acumulada ao longo dos séculos em torno de sua dinastia, a aura de mistério quase sobrenatural que cerca a sua existência de soberana, a unção quase mística dos súditos ante a sua realeza — entre seus títulos, tem o de Chefe da Igreja Anglicana — fazem dela uma figura hierática, intocável. Fora e acima dos partidos políticos como Chefe de Estado. Mas também fora e acima das imperfeições desta vida, como mulher. No dia em que uma vizinha nossa em Londres soube que eu vira a sua Rainha de perto (num *garden-party* de rotina protocolar que ela oferece todos os anos às missões diplomáticas), ficou extasiada, revirou os olhos, quase perdeu a fala e foi buscar toda a família para me conhecer e admirar. Acho que não causaria tanto assombro se tivesse dito a um romeiro de Fátima que vira com meus próprios olhos a Nossa Senhora do mesmo nome.

No entanto a Rainha é, na realidade, uma mulher chamada Elizabeth, gente como qualquer dos mortais, e vive como gente, mas no círculo íntimo de sua vida particular. É o reduto mais fechado de sua existência disposta em círculos concêntricos: os outros são o círculo da vida pessoal e o da vida pública.

Aqui, tenho de reconhecer que não é nada fácil escrever sobre a Rainha da Inglaterra. Mesmo a um jornalista inglês a tarefa costuma ser árdua. As fontes de informações, além dos comunicados oficiais, são raras e escassas. O público tem de contentar-se com o noticiário de rotina, e satisfazer-se romanticamente com os comentários sentimentais sobre o mundo de pompa e tradições em que vive a sua Rainha, como numa história de fadas. Os mais afortunados se dão por felizes em vê-la fugazmente, de longe, durante alguma aparição oficial, ou passando velozmente em seu automóvel a caminho de alguma das suas diferentes residências no campo, como Windsor e Balmoral. O rigor do protocolo, o respeito a costumes seculares, as restrições oficiais ao público em geral — e aos jornalistas em particular — são estritamente observados: a Rainha não dá entrevistas coletivas e muito menos pessoais, só pode ser fotografada em público a distâncias previamente estabelecidas. No "Speakear's Corner", tradicional ponto de comícios no Hyde Park, em Londres, onde qualquer um pode falar à vontade, baixar o pau no Governo, criticar as Forças Armadas, ofender a Deus e o mundo sempre sob proteção da polícia — só três proibições devem ser rigorosamente respeitadas: angariar dinheiro, ir ao desforço físico e falar da Rainha e sua família. Porque do Hotel Hilton, em Park Lane, se pode avistar os jardins do Palácio de Buckingham e assim perturbar a intimidade da família real, o gerente decidiu proibir que se tirassem fotografias de suas janelas. Um dia o próprio Lord Snowdoun, que é também fotógrafo profissional, foi impedido de fazê-lo, pouco importando sua condição, que ele invocava, de membro da família real, como marido da Princesa Margaret.

Para ser amada, a Rainha não precisa ser vista nem ouvida: basta a sua existência, como instituição. A reconhecida aversão que ela tem por microfones faz com que raramente chegue ao povo a sua voz. Seus programas anuais de televisão, por ocasião do Natal, se constituem de uma saudação tão tímida e sem graça que já houve quem sugerisse ser melhor substituí-los por uma simples cena familiar, a ceia posta, uma árvore de Natal ao fundo, ela se limitando a desejar a todos, maternalmente, um Feliz Natal. Pela televisão em cores, afirmam os entendidos, seria realmente mais sugestivo e tocante.

Alguns raros podem ter a sorte de um dia esbarrar com ela numa de suas incursões matinais às grandes lojas como a Selfridge's ou Harrods, para uma compra rápida, mal tendo tempo de escolher direito, que dirá olhar uma vitrine. Evidentemente, tais lojas privilegiadas ostentam um imponente brasão na parede, atestando já ter merecido a honra de uma visita real.

Um ou outro, mais raro ainda, teve um dia a glória de ser recebido por ela em audiência, já no segundo círculo de sua existência de Rainha — o da vida pessoal.

Este viu diante de si uma mulher de seus quarenta anos, de grandes olhos azuis, estatura média e porte menos imponente do que imaginava. Há nela qualquer coisa leve, frágil, delicado como porcelana — impressão talvez decorrente não apenas da tonalidade de sua pele, de um rosa translúcido, mas também dos vestidos de gosto duvidoso, com babados e laçarotes, que lhe dão certo ar de boneca. Os vestidos ultimamente melhoraram um pouco — talvez por influência da moda francesa, que levou certa revista ao sacrilégio de uma fotomontagem, na qual a sua roupa pesada, de austeras mangas compridas, foi substituída por um Courrèges de saia curta. Mas ela ainda insiste nos sapatos baixos e grossos e nos horrorosos chapéus, quando não em lenços enrolados na cabeça, como se estivesse de rolinhos — tudo conforme a tradição da elegância britânica.

Quanto ao mais, elegância de lado, ela é pessoalmente um pouco a miniatura de si mesma. Uma imagem reduzida da figura real que nos acostumamos a ver nas fotografias oficiais. Seria uma imperdoável hipocrisia de minha parte dizer que é uma mulher bonita; mas a possível feiura de seu rosto se anula debaixo da impressão de dignidade, de reserva e, meu Deus! de elegância que sua presença transmite, nascida talvez da determinação de um caráter amadurecido no cumprimento do dever. E vem disso uma estranha beleza.

Seu olhar é firme e direto. Mas desista quem quiser surpreender nele a expressão de sua personalidade humana. Ao contrário, os olhos irradiam apenas o frio mistério que faz a essência da monarquia britânica, símbolo de grandeza para todo um povo. Tão poderoso é ainda o mito dessa grandeza, que se ela fizer então um comentário qualquer como "que belo dia, hoje", ou "acho que vai chover", essas palavras parecerão ao visitante exprimir a mais humana das observações.

A então Princesa Elizabeth jamais teria subido ao trono, não fosse a surpreendente renúncia de seu tio Eduardo. Até hoje aí está ele, feito Duque de Windsor, dizem mesmo que recebendo quinhentos dólares como qualquer nobre arruinado, para comparecer a festas mundanas do *internacional set* e com isso fornecer matéria aos colunistas sociais. A educação da menina teria mesmo sido inadequada para alguém que um dia seria Rainha: aprendeu a ser uma mulher de sociedade, estudou piano, francês, equitação e adquiriu conhecimentos suficientes para manter uma conversa animada e inteligente — conversa que não somente a Coroa, mas a timidez nata raramente lhe permitiu. O preparo profissional a exigir-se de uma Rainha foi, realmente, adquirido em seus quinze anos de reinado. E a prática lhe deu especialmente uma noção exata dos limites entre os compartimentos estanques em que se divide a sua vida.

No da vida pública, ela sabe exibir o sorriso estereotipado e protocolar, quando necessário — diferente do sorriso mais largo e espontâneo a que se permite em sua vida pessoal e que se abre às vezes numa risada em sua vida particular. Mesmo nesta, todavia, os poucos que dela participam reconhecem que ela sabe manter certo tom de formalidade capaz de fazer sempre presente a sua condição real. Não que tenham de inclinar a cabeça antes de apertar-lhe a mão, como se deve fazer numa audiência pessoal. Nesta, o visitante talvez estranhe o aperto de mão recebido: seus dedos seguros sem que os dela o sejam — é o "toque real" protocolar. Os entendidos em protocolo sabem que ninguém deve beijar a mão da Rainha — a não ser os ministros, por ocasião de sua nomeação (e, evidentemente, o marido, noutras ocasiões). Aquele que adotar para com ela uma postura distraída ou relaxada pode passar pelo vexame de ser chamado à atenção. Consta, por outro lado, que ela se aborrece com os que, intimidados com tamanha realeza, se assustam e mal ousam abrir a boca quando ela lhes dirige a palavra.

Como se vê, não é mole lidar com a Rainha.

A dificuldade na convivência de uma mulher que acontece ser Rainha, mesmo para seus amigos mais chegados, não advém apenas da postura instintivamente reverente, que nos leva a emprestar um sentido sacrossanto aos atos mais simples da sua vida cotidiana. Decorre também da naturalidade que ela tem de manter, face aos partidos políticos. Em momento algum pode se permitir comentários críticos ou simplesmente graciosos sobre figuras públicas ou acontecimentos políticos. Terrível limitação — se considerarmos que a bisbilhotice, via de regra, faz o melhor das conversas. Deixa estar que deve ser chato receber um simples sorriso alvar, como resposta a um comentário animado sobre assunto controverso.

Não há dúvida, pois, que no fundo deve ser uma vida solitária, a dessa mulher. É verdade que tem duas ou três amigas, como a filha de Lord Mountbatten, em cuja casa de campo às vezes passa o fim de semana. Mas à noite ela costuma ficar só: o marido tem mais compromissos sociais do que ela. Às vezes assiste a um programa de televisão como qualquer outra dona de casa, sempre com um olho nos compromissos a serem cumpridos no dia seguinte como Rainha, e que deverá estudar previamente. Se lhe sobra tempo, costuma distrair-se lendo um livro de Agatha Cristie. (Não me perguntem como fiquei sabendo.) Dorme regularmente às dez e meia, e um sargento da Guarda Real permanece a noite inteira de sentinela no corredor (não me restando a menor chance de visitá-la, pelo menos durante a noite). Raramente recebe visitas, mesmo durante o dia, a não ser em festa oficial. De tal maneira acostumou-se a ser sozinha que às vezes, em Windsor ou Balmoral, afasta-se deliberadamente do resto da família, assobia convocando seus cachorrinhos e sai com eles para uma longa volta a pé pelo campo. Esses cachorrinhos, aliás, são o desespero das sentinelas da Guarda Real: tão logo aparecem, os soldadinhos começam a bater os calcanhares em posição de sentido, prontos para apresentar armas à Rainha, que nem sempre vem atrás.

No Palácio de Buckingham, ela toma o café da manhã às oito horas. O solene ritual das refeições, com pajens e garçons deslizando solícitos para atender ao menor gesto seu, vai aos poucos cedendo lugar a certa informalidade, que lhe permite até fazer às vezes o próprio chá numa chaleira elétrica. Às nove horas ela já está em sua mesa de trabalho, assessorada por um secretário particular. Lê pessoalmente as cartas que recebe (a não ser as obviamente escritas por malucos). As respostas são padronizadas, e assinadas pelo secretário. Aos conhecidos, responde do próprio punho. (Nem a Rainha escapa à mania inglesa de escrever cartas.) Passa então a ler vorazmente os jornais, depois de despachar o expediente, não tendo mais nada a fazer. Procura estar bem informada de tudo e sua entrevista semanal com o Primeiro-Ministro, que em outros tempos não lhe tomaria senão alguns minutos, dura às vezes mais de uma hora. Recebe em audiência todo embaixador estrangeiro que chega ou que parte, e preside toda tarde ao Conselho Real, para aprovar as decisões sobre assuntos que lhe dizem respeito. Depois do quê, dedica-se aos seus problemas particulares, que incluem os filhos — dois casais distanciados em idade por dez anos de diferença — quase compondo duas gerações. Os filhos menores se beneficiaram com a evolução dos costumes hoje em dia, que já começa a afetar os hábitos reais: não se portam com o excesso de comedimento e cerimônia a esperar-se de um príncipe; é comum aos amigos da casa tropeçarem hoje num velocípede ou brinquedo largados pelo caminho. Já não são apresentados à mãe toda tarde pela governanta, lavados e bem penteados, como acontecia aos mais velhos. A própria Rainha às vezes lhes dá banho e se distrai brincando com eles. Dispensam uma dedicação especial aos cachorrinhos, cujos nomes — Whisky, Sherry e Sugar — revelam um pouco as predileções da mãe, embora não conste que ela goste de beber: talvez goste de açúcar. A alimentação dos filhos é servida através de impressionante ritual; ela própria ministrando os ingredientes trazidos numa bandeja pelo mordomo.

Assim vive, em linhas gerais, a mulher que talvez seja a mais rica do mundo: suas posses são avaliadas em cerca de cinqüenta milhões de libras. Mais da metade dessa fortuna consiste em coleções de arte acumuladas durante quatro séculos. (Se algum dia acabarem com a monarquia na Inglaterra, o novo regime vai começar com os cofres cheios.) Seu salário de Rainha, além do que o orçamento britânico destina à manutenção da Corte, é de sessenta mil libras anuais, sob a designação específica "Her Majesty's Privy Purse", ou seja: para a bolsa particular de Sua Majestade.

E o marido em tudo isso? Houve quem estranhasse que, no programa de sua visita ao Brasil, conste que ela chegará num avião e exatamente quinze minutos depois o marido chegará noutro. Não digo a precisão dos horários, com tão pequeno intervalo, que é coisa mesmo de ingleses — mas por que em aviões separados? Será que a Rainha confia tão pouco na segurança dos próprios aviões da RAF, pretendendo com isso diminuir o risco de um desastre para ambos? É que virão de pontos diferentes: Elizabeth II vem de Londres e Príncipe Philip vem do México, onde foi assistir às Olimpíadas. Mas consta também que os dois vão se encontrar em Dakar, e de lá é que virão, em aviões separados!

São injunções do dever, a que nem uma Rainha poderá fugir. As secretas razões que comandam seu destino, talvez nem ela mesmo entenda. Certamente não pode formar com o Príncipe um casal como outro qualquer. Há segredos de Estado que são do conhecimento dela e que até ao próprio marido lhe é proibido confiar. Ele mesmo, em determinadas ocasiões, tem de seguir ao pé da letra o protocolo devido à esposa, sob risco de ser por ela imediatamente enquadrado. Em certos documentos a ela confiados, ele jamais poderá tocar. Certas conversas que ela tem com o Primeiro-Ministro, ele jamais poderá ouvir. Em certas circunstâncias, nem ele pode dirigir-lhe a palavra, sem que isso lhe seja antes por ela solicitado. E assim por diante. Quem casa com Rainha e não é rei, tem de ser súdito também.

Vá um brasileiro entender essas coisas! Por muito menos proclamamos a República. Há por todo o Brasil uma expectativa incontida, uma curiosidade, uma inquietação: todo mundo se pergunta não propriamente como é que a Rainha vai se dar conosco, mas como é que a gente vai se dar com a Rainha. Há jornalistas ameaçando avacalhar o protocolo e entrevistá-la, custe o que custar. Outros se limitam a imaginar as gafes que certamente serão cometidas, as mancadas dos nossos figurões, os atrasos, as confusões, que vão levar por água abaixo os planos tão minuciosamente elaborados. Somos mesmo subdesenvolvidos, que é que há? A comitiva real, que inclui altos dignitários e funcionários da Corte, agentes de segurança, cabeleireiros e até pasteleiros, se juntada à tripulação da fragata Britânia e dos cinco helicópteros da força-tarefa que escoltará a Rainha, dá um total de cerca de oitocentos ingleses. Certamente ficarão boquiabertos: na confusão generalizada de nossos dias: como esperar que lhes proporcionemos algo menos que um carnaval?

Talvez nada disso aconteça, o programa se cumpra religiosamente, tudo dê certo a tempo e hora. Em qualquer hipótese, será sempre um acontecimento o encontro dos reis da organização com os reis da improvisação.

É possível até que a honrosa visita de Sua Majestade Elizabeth II, Rainha da Inglaterra, passe para os anais de nossa História como um de seus momentos mais felizes, em meio à infelicidade geral.

Coroa bem-apanhada*

— ESSA rainha vai acabar entrando pelo cano.
— Por quê?
— Vir no Brasil uma hora dessas? Pau comendo solto por aí...
— Tem polícia pra proteger ela, que é que há?
— Polícia? A polícia mesmo é que está baixando o pau, armando bochincho...
— Psiu, fala baixo, crioulo. Tá querendo ir em cana? Meu chapa! Solta mais uma, bem gelada!
— Vi o retrato dela na capa de uma revista: até que é uma coroa bem apanhada. Nós vamos tomar mais uma?
— Vamos. Te agüenta aí que quem paga sou eu. Hoje estou com o tutu.

**Conversa de Botequim*, em "Deixa o Alfredo Falar!"

— O rei também vem?
— Que rei?
— Marido da rainha.
— Tu é mesmo crioulo doido: o marido dela não é rei, é príncipe.
— Quem te disse isso?
— Vai por mim.
— Essa não! Marido de rainha só pode ser rei. Príncipe é filho, ó meu.
— Pois o dela é príncipe. Deixa pra lá, tu não entende disso. É coisa de inglês.
— Um cara aí me disse que ela vai inaugurar a ponte Rio—Niterói.
— Só se for nadando. A ponte ainda nem começou!
— Diz também que ela quer ver o Pelé jogar.
— Cariocas e paulistas. Eu tou nessa boca.
— A gente devia ter uma também, até que era bacana.
— Uma o quê?
— Uma rainha.
— Tu tá com essa rainha na cabeça, que é que há?
— Porque é que não pode ter?
— Porque aqui não é reinado, é presidência, só por isso. Pra te falar a verdade... Posso falar a verdade?

— Pode. Mas fala baixo, crioulo, que não tou pra entrar em fria. Olha o doutor aí na outra mesa ouvindo a gente. Acaba essa e vamos pedir outra mais gelada.

— E daí? Tou falando o que todo mundo sabe: que esse país tá uma joça. E tá mesmo.

— Pronto, começou a ignorância. Continua assim, que eu vou puxando.

— Só uma rainha pra dar jeito nessa gente, botar respeito. Enquadrar essa polícia, esses milicos.

— Com essa eu me mando. Garotão! Suspende a brama, traz a a nota! Tu ainda vai se dar mal, crioulo.

— Pera aí! Não tou falando nada de mais. Só tou falando que uma rainha mesmo de verdade ficava no trono até morrer, todo mundo respeitava ela, não tinha esse negócio de exército toda hora tirar o presidente e botar general. Tou certo ou não tou?

— Tu tá é no fogo, olha aí: entornou a lourinha.

— A gente pede outra. No tempo do Getúlio não tinha dessas coisas: Getúlio era feito uma rainha.

— Não tinha? E o fim que ele teve? Pára com essa conversa de comunista, crioulo, que tu ainda vai ver o sol nascer quadrado. A gente já não tivemos rainha? Princesa Isabel, Pedro II, essas coisas? E deu certo? Me diga se deu certo.

— Pede outra cerveja pra gente chulear a conversa.

— Então muda de assunto. Pára de falar nessa rainha, que já tá enchendo.
— Então no que é que a gente vai falar?
— Sei lá. Melhor ficar calado do que ficar falando besteira.
— Mas tu concorda que nem conversa boa a gente pode ter mais.
— Ah, isso eu concordo. Olha aí, essa tá que é uma beleza de gelada.

Forma oblíqua

MEU amigo Antônio Houaiss, famoso não só pelo seu conhecimento do léxico como pela maneira erudita com que se exprime*, tanto por escrito como oralmente, assim teria manifestado sua discordância numa conversa qualquer:
— Discrepo, e di-lo-ei por quê.
Há quem ponha em dúvida a legitimidade desse pronome oblíquo metido no meio do verbo, falando em mesóclise e outros palavrões. Mas há também quem dê a frase como perfeitamente certa, alegando tratar-se de objeto direto.
De minha parte, não me meto a dar palpite na animada discussão que logo se trava, e me limito a evocar mentalmente outra preciosa expressão do mesmo autor, ouvida recentemente:
— Tais assuntos são de encher quaisquer sacos.
E por falar em pronome oblíquo, restaure-se a verdade histórica: Jânio Quadros jamais teria falado "fi-lo porque qui-lo", como hoje é voz corrente na boca do povo.
Se há uma virtude que ninguém lhe nega é a de saber colocar os pronomes com muito mais precisão que as idéias, e seria imperdoável que não lhe ocorresse, como ordenam os puristas, que a conjunção atrai o pronome.
O que ele realmente disse, ainda nos primórdios de seu requinte vocabular, foi bem mais simples, e a propósito de uma entrevista concedida, quando Governador de São Paulo, ao jornalista mineiro Marcelo Tavares.
Atendendo exigência sua, Marcelo levou-lhe as perguntas por escrito. Depois de lê-las atentamente, Jânio voltou-se para ele:
— Boas perguntas. Fê-las o senhor mesmo?
— Fi-las — Marcelo respondeu, sem piscar.
Jânio o olhou com surpresa:
— Amas também a forma oblíqua?

**O Operário da Cultura*, em "Gente".

Camelos

NÃO sei a que propósito, falávamos em camelos. Lembrei-me de mencionar na conversa o livro do inspetor Thompson, do serviço de segurança do Primeiro-Ministro Inglês e guarda-costas de Winston Churchill durante praticamente toda a sua vida.

Em tempo: o inspetor Thompson já esteve entre nós. Era aquele velho de chapéu-coco que acompanhou a Rainha da Inglaterra em sua visita ao Brasil. Marcou época o seu surpreendente comportamento em Brasília, quando a Rainha e comitiva se encaminhavam para a entrada do Palácio da Alvorada. Cumprindo rigorosamente os dispositivos de segurança e para não se afastar da primeira linha da comitiva, mantendo-se ao lado de sua protegida, o inspetor não vacilou: entrou no lago ali existente e continuou caminhando, com água pela virilha, até a outra margem.

Pois é esse mesmo inspetor Thompson quem nos descreve com detalhes uma viagem de camelo feita por Churchill no Saara, quando acumulava as funções de Secretário do Ar e Secretário das Colônias, em companhia do legendário T.E. Lawrence (autor de "Os Sete Pilares da Sabedoria"), para visitar umas escavações. Eram duas horas e meia através do deserto, "pelo caminho que os camelos preferissem". Diz o inspetor:

"Nunca tive muita simpatia por camelos. Podem parecer pitorescos à distância, mas nunca os vi a uma distância suficiente para perceber essa agradável característica. Eles fedem. São rebeldes e desdenhosos. São misântropos, egocêntricos, e não foram feitos para transporte. Foram feitos para durar um longo tempo por si mesmos, que é o melhor que se pode dizer deles. Sua mordida é perigosa e sua saliva contém toda espécie de germes e bactérias, inclusive o espiroqueta da sífilis. Estão sempre entregues a constante manifestação de desconforto, produzindo um estranho som oriental de gargarejo jamais ouvido no mundo ocidental, mesmo num jardim zoológico. Olham por cima da gente, nunca para a gente. Parecem bastante pacientes quando agachados para oferecer montaria, mas se erguem primeiro com as pernas traseiras, projetando invariavelmente o montador incauto na areia, por sobre sua cabeça — acontecimento sempre recebido com júbilo, ao redor, pelos xeiques montados a cavalo."

E prossegue o seu relato, por si mesmo uma deliciosa crônica que não resisto à tentação de acabar de traduzir:

"Eu sabia que ia fazer papel ridículo num camelo, e senti também que o camelo sabia disso. Mas não creio que eu parecesse pior que Winston Churchill. Onde quer que estivéssemos, ele sempre arranjava jeito de aparecer vestido com as roupas mais surpreendentes."

"Um sargento das 'Mil e Uma Noites', que mais parecia um assassino aposentado, mostrou-nos duas montarias que T.E. Lawrence tinha escolhido para nós. A minha era um animal ossudo e gigantesco, guarnecido com uma sela de madeira, dessas de carrossel. O de Mr. Churchill era semelhante, com a diferença que possuía alguns músculos visíveis e não tinha aquele aspecto piramidal de antiguidade do meu."

"Num camelo não há nada em que se agarrar, a não ser o céu. E não há nenhum instrumento visível de comando ou direção. A gente simplesmente vai para onde o camelo for. Existe uma corda da sela à narina direita do camelo, mas tão inútil quanto o cordão da campainha de um castelo abandonado, a se julgar pelos puxões que nela dei e o efeito que isso produziu. Numa das vezes o camelo olhou para trás, diretamente para mim, e olhou com tanta raiva que, num ato reflexo, botei logo a mão no revólver e parei de puxar."

"Subitamente percebi que Churchill, no meu flanco direito, corria o risco de se ver em seus próprios flancos de uma hora para outra: havia escorregado para um lado da sela e estava procurando desesperadamente alguma coisa no ar em que se agarrar para não cair. Eu já sabia, por experiência própria, que essa coisa não existia e que não se pode fazer rigorosamente nada, em semelhante situação. Fiquei olhando, fascinado e, como eu, uma centena de *sheiks* a cavalo."

"O inevitável momento da separação chegou, afinal. O Secretário do Ar e das Colônias foi projetado no ar, para esborrachar-se no meio de uma de suas colônias, entre nuvens de areia e relinchos de cavalos. Sentado no chão, ele se limitou a olhar ao redor, procurando o seu chapéu. Vários *sheiks* se apressaram a desmontar, oferecendo seus cavalos. Mas ele tinha vindo para montar num camelo, e num camelo tornou a montar. E foi assim que acabamos conseguindo chegar ao nosso destino."

1969

Razões de uma jovem inglesa

MAIS um dos "Rolling Stones" (Brian Jones, desta vez) é preso pela polícia londrina por "uso de entorpecentes". No caso, deve ser ácido lisérgico: já seu colega Mick Jagger, pouco antes de vir recentemente ao Brasil, havia sido processado pela mesma razão. Procurou-me no Rio, recomendado por um amigo comum, mas evitou tocar no assunto — ao contrário de sua jovem e frágil companheira Marianne Faithfull, que praticamente só falou nisso.

Frágil em aparência: na verdade, com apenas 21 anos, a famosa cantora inglesa que se iniciou com sucesso no cinema (acabava de fazer um filme dirigido por Jean-Luc Godard) é uma das mulheres mais inteligentes e sensíveis que já encontrei. Cheguei na ocasião a anotar uma conversa a sós que tivemos em minha casa sobre o uso de psicotrópicos, e que aqui vai, com a sua permissão, para informação aos interessados, devidamente resumida:

M. — O que importa é ver os outros e a si mesmo sem as máscaras.

— Isso o álcool às vezes também nos dá. Estou convencido de que é uma sensação ilusória. Já tentei escrever sobre o efeito do álcool, possuído de uma visão fulminante da verdade, para no dia seguinte verificar que só havia escrito bobagens.

M. — Porque o álcool embrutece: diminui a pessoa. E você fica pensando que sua compreensão cresceu, quando na verdade foi você que diminuiu. Ao passo que o ácido lisérgico dinamiza aquela parte do cérebro que geralmente não mobilizamos. Você sabe que não usamos nem a décima parte da capacidade de nossa mente — e por extensão, de nosso corpo.

— O ácido lisérgico acrescenta alguma coisa?

M. — Não: apenas mobiliza recursos normalmente ignorados. Faz a pessoa ficar do seu tamanho exato. Caem as máscaras. E a pessoa passa a ver os outros na sua extrema fragilidade, a amá-los exatamente por causa de seus defeitos e fraquezas. Aquilo que normalmente despertaria indiferença ou mesmo repulsa passa a ser motivo de amor. Um homem com o dedo no nariz, por exemplo.

— O mesmo também se pode atingir através da experiência mística. Não digo dedo no nariz, mas certos atos aparentemente grotescos se tornam capazes de despertar amor e compaixão.

M. — Só que para ser místico você tem que passar trinta anos meditando no Himalaia. Ao passo que com o ácido lisérgico você chega lá em dez minutos.

— Mas através de um recurso artificial, de fora para dentro.

M. — E o que não é artificial? Olha, eu sou de origem e formação católica. Mas acho que a moral católica criou artifícios incríveis na distinção entre o bem e o mal. Se você descer até o fundo na compreensão dos outros, despindo-se das várias camadas de preconceitos que o sufocam, você vai encontrar uma coisa pequenina chamada alma, pura como uma semente. Nela, a distinção entre o bem e o mal não existe. Fora dela tudo é artifício, inclusive as coisas naturais: comer, beber, vestir-se. Você não toma remédio? Neste sentido é que o ácido lisérgico é artifício. E daí? Ele convoca em você aquilo que já existe, não tira e nem acrescenta nada. E não vicia como a cocaína, a morfina, o álcool e a nicotina. Você, por exemplo, não pode deixar de fumar — é pois, um viciado. Devia ser preso.

— Dostoievski não precisou de ácido lisérgico. Nem para escrever, nem para ser preso.

M. — Porque ele era Dostoievski. Hoje ele teria de lançar mão de outros recursos de compreensão de si mesmo e do mundo. Porque do contrário seria apenas um intelectual. E o intelectual, você sabe, intelectualiza.

— E Cristo? Este não era um intelectual.

M. — Quem sou eu para falar de Cristo. Ele já nasceu sabendo.

— Fale na morte, então.

M. — Que é que tem a morte? É uma conquista. Cada um tem de descobrir a sua. Com todo o seu corpo, onde ela já está. Aceitá-la. Conquistá-la.

— Como Guevara.

M. — Guevara conquistou a dele. Mas nem você nem ninguém pode morrer a morte de Guevara. Cada um tem de morrer a sua.

— Você tem 21 anos. Que pretende fazer de você mesma?

M. — Por enquanto é em mim que faço a minha revolução. Fora de mim, você concorda que não podemos aceitar o mundo como ele é. Faço o que posso, em sinal de protesto.

— Por exemplo.

M. — Por exemplo: não pagar o imposto de renda. Aqui isso talvez não fosse grande novidade — mas na Inglaterra é. E lá, estão usando um terço de nosso imposto para armamentos. Reajo contra isso: usam meu dinheiro com a guerra, portanto contra o mundo e contra mim. Reconheço que é um pouco difícil compreender minhas razões, do ponto de vista da América Latina. O caso de vocês é diferente: há problemas mais imediatos, mais orgânicos e objetivos a resolver, e vocês se realizam ao enfrentá-los. Para entender é preciso ver do ponto de vista da supercivilização lá de fora, onde as coisas já chegaram a um ponto tal que não oferecem mais nenhuma perspectiva. Nem com ácido lisérgico.

A conversa foi mais longa, mas, ao contrário do que ela pensava, isso já dá para entender. Entender por que essa jovem inglesa está sujeita a ser presa amanhã em seu país, como viciada em entorpecentes. Ou simplesmente ser apanhada na engrenagem do vício, capaz de dar com ela ladeira abaixo na decadência e no fracasso.* Por todo o Brasil outros jovens estão sendo diariamente presos, sob pretexto diferente, ou sob nenhum pretexto.

Relato

PROCURO recriar, em seus próprios termos, o relato que me fez um ator de teatro, sobre a tortura que sofreu na prisão, onde foi parar sem saber por quê:

— Só percebi que alguma coisa de anormal estava acontecendo no centro da cidade quando terminei o ensaio no teatro e fui tomar o ônibus. Tinha havido uma passeata de estudantes, ou coisa parecida. A praça estava cercada, ninguém podia passar. De repente aquela mão no meu ombro, um sujeito me barrando a passagem. Alguém mais me segurou o braço e torceu para trás com violência. Antes que eu falasse qualquer coisa, fui atirado num carro.

— Não vi se pegaram algum outro. Você sabe, nessas horas a gente não vê nada direito. E durante o percurso me vendaram os olhos, não pude ver mais nada. Me levaram não sei para onde, eu não tinha a menor idéia de onde estava. Mas na primeira noite ouvi gritos, gritos pavorosos, urros de dor que nem pareciam de gente. Vinham ali de perto, de alguma sala ao lado. Imaginei que eu também devia ter gritado assim. Não tinha noção do que estava acontecendo. Só sabia que haviam tirado a minha roupa e me deixado sozinho, nu, de olhos vendados, mãos amarradas nas costas e atirado num chão frio. Os braços doíam horrivelmente nas articulações. Minha cabeça latejava. Não entendia nada do que me tinha acontecido e desejava morrer. Fiquei a noite toda largado ali.

— Mas houve um momento em que senti alguém agachado junto a mim. Alguém que colocava um cigarro aceso na minha boca, dava-me uma pancadinha amistosa no ombro e ia embora. Na hora fiquei comovido, como se fosse o meu próprio anjo da guarda. O cigarro me caiu da boca e não consegui apanhá-lo. Queimou sozinho ali a meu lado o tempo todo, a um palmo do meu rosto. As mãos estavam dormentes e eu não sentia mais os braços. Já devia estar delirando: acabei com dois novos braços que surgi-

---

*"Vagabond Ways" (Instinct Records) mostra que Marianne Faithfull não tem mais voz. São miasmas arrojados por uma garganta estraçalhada. Mas ela está lá, inteiraça, Marianne, a '*unfaithfull* da decadência fosforescente': nas dez faixas de seu novo disco prova ser a rainha das esquinas mais fedorentas. Os caminhos vagabundos do título são sempre autobiográficos, porque Marianne não mente jamais. Tem o orgulho de ser descendente de Sade Masoch, e sempre declarou em alto e bom som na década de 70: "Transei com todos os rapazes dos Rolling Stones e eles me destruíram o sexo. Nunca mais tive orgasmo depois disso." (Ezequiel Neves — Especial para *O Globo*, 2.5.2000).

ram de meu corpo, podendo movimentá-los à vontade. Tentava apanhar o cigarro com aquelas mãos de fantasma e não conseguia. Levava a mão no rosto e não sentia a mão. Então percebi que ela não existia, estava amarrada nas costas — e a dor voltava.

— Quando os gritos pararam, tentei dormir um pouco. Era tudo que me restava fazer. Mas amarrado como estava não conseguia encontrar posição. Fiquei nisso até de manhã. Percebi que havia amanhecido, apesar da venda nos olhos. Passei o dia inteiro sozinho, sentado no chão. Não sentia fome nem medo. Perdi a noção do tempo, não pensava direito as coisas. E à noite vieram me buscar, me levaram para outra sala — parecia estar cheia de gente, aos cochichos. Mas podiam ser só uns cinco ou seis. Senti que me observavam de perto, pelos comentários que faziam: que eu era bem dotado — coisas assim. Falavam palavrões o tempo todo.

— Não eram ofensas nem xingamentos: palavras de gíria, apenas. Uma gíria toda deles. Pela voz, imagino que fossem mais ou menos da minha idade: trinta anos, ou pouco mais. Fui distinguindo um e outro pelo que falavam. Não pareciam sádicos, pelo contrário: pareciam pessoas normais como a gente, só que do outro lado. Difícil de explicar. E havia qualquer coisa de vagamente homossexual na curiosidade deles por mim, nas perguntas que faziam.

— Eram perguntas sobre minha vida. Nada que me parecesse um interrogatório. Me chamavam pelo nome, com familiaridade, sabiam que eu era do teatro. Citavam nomes de pessoas minhas amigas, o que a princípio me deixou espantado. Depois me ocorreu que nada podia ser mais simples: a minha caderneta de endereços. Queriam saber se eu já tinha dormido com essa ou aquela atriz, se eram boas de cama.

— Houve um momento em que senti cheiro de café, ouvi ruído de xícaras. Alguém corria um café ao redor. Me perguntaram se eu queria e não respondi. Ele deve estar é com sede, alguém disse: dá um refresco para ele. E me serviram na boca um copo com refresco que eu, já então com uma sede medonha, bebi pensando que podia ser até veneno, pouco estava me incomodando. Mas era refresco mesmo, uma laranjada gelada. Mal acabei de beber, alguém atrás de mim me despejou uma xícara de café quente nas costas. Chegou a queimar, mas aquilo não foi nada, comparado com os choques.

— Quando me deram o primeiro choque, disseram que eu não tivesse medo, agüenta firme que isso não é nada para um machão feito você. Como um dentista quando vai usar o motor. Os choques eram simplesmente apavorantes. Você já deve ter levado choque em alguma tomada, sabe o que a gente sente. Só que muito mais forte e prolongado. A sensação terrível é a da perda dos limites do corpo, a gente se dissolve no ar. E entra numa espécie de convulsão epiléptica. Dá vontade de bater com a cabeça no chão para sentir que ela existe, inventar outra dor maior que a do choque. Na hora qualquer espécie de morte é preferível.

— Já me disseram que para certos presos o choque não é o pior. Chegam a perguntar entre si: será que vai ser choque? Eu prefiro o caldo, diz um. Pois eu prefiro queimadura de cigarro, diz outro. Me queimaram com cigarro só uma vez — aqui no peito, olha a marca que ficou. Alguém simplesmente apagou o cigarro no meu corpo. Logo outro mandou que não fizessem mais isso, justamente porque deixava marca. Bobagem, porque fiquei todo marcado, posso mostrar a você daqui a pouco. Ouvi dizer de um que destruíram os mamilos com alicate.

— Eu tinha horror era do choque. Parece que perceberam, porque quase o tempo todo foi choque mesmo que me deram. Graduavam a corrente, iam aumentando até que os gritos correspondessem ao que esperavam. Faziam comentários antecipando a reação: se ele for macho mesmo, desta vez ele não grita. A princípio fiz força para não gritar, achando que era isso que esperavam de mim. Não sabia nunca o que queriam e toda minha preocupação era descobrir a vontade deles, me antecipar, fazer o que quisessem.

— Acho que não queriam nada. Não me perguntavam coisa nenhuma entre um choque e outro. Houve um momento em que a máquina do choque não estava funcionando bem. Uns choques mais fraquinhos, mas eu gritava assim mesmo e me contorcia, fingindo que eram fortes. Eles desconfiaram e alguém começou a rir. Então um outro falou: vamos experimentar em você que está rindo aí. E devem mesmo ter dado um choque no cara, pois ouvi um grito — e tudo terminou entre risadas.

— Aplicavam os choques com dois fios, colocados ao mesmo tempo em diferentes partes do corpo. De olhos vendados eu não via nada, mas, pelo ruído que fazia, tenho a impressão de que era uma pequena máquina com manivela. Chamavam a máquina de telefone. Diziam que estavam me chamando no telefone, antes de aplicar um choque. Até que um deles me disse: agora você vai levar o último, prometo que vai ser o último. E não tão forte como os outros, prometo também.

— Antes haviam me dado um choque na boca que quase me matou. Foi como se tivessem tocado com uma broca no nervo exposto dos dentes todos. Para que eu não mordesse a língua, tinham enfiado na minha boca alguma coisa, desconfio que um boneco de celulóide. Um choque tão forte que o boneco explodiu e fiquei cuspindo sangue e pedaços de celulóide durante algum tempo. Então é que o tal tipo me falou bem delicado que eu ia levar o último, e mais fraco que os outros. Não acreditei, me preparei para o pior. Mas era verdade: foi mais fraco, e realmente o último. Senti por esse sujeito uma espécie de gratidão, como se fosse meu benfeitor: o que ele me pedisse para fazer naquele momento eu faria.

— Depois me levaram de volta para a primeira sala e me deixaram lá. Devo ter dormido ou desmaiado no chão de cimento, não sei. Só me lembro quando, de manhã, me transferiram para um quarto com uma cama. Percebi que alguma coisa havia acontecido, pois um deles me disse: você é bem relacionado lá fora.

— Ali o tratamento era outro. Devolveram minhas roupas e documentos, me deram de comer. A dor que senti quando me desamarraram foi insuportável: já nem me lembrava que tinha braços, estavam completamente insensíveis. As mãos pareciam patas de elefante, de tão inchadas. Não podia segurar o garfo, tive de comer aquela paçoca com a língua, feito cachorro. Me deixaram desamarrado, sob promessa de não retirar a venda dos olhos. Promessa que cumpri à risca, até mesmo quando fui ao banheiro.

— Percebi que ia ser solto a qualquer momento, esperavam só que as marcas diminuíssem. Andavam preocupados com isso — durante os dois dias que passei ali, sempre vendado, vinham me visitar toda hora. Fingiam não ter nada com o que me haviam feito e desconversavam quando eu tocava no assunto. Mas certas vozes eu reconhecia perfeitamente. Podiam ser militares, da polícia, ou de alguma organização terrorista. Houve um que estava conversando comigo, quando ouvimos gritos vindos de longe — não tão terríveis como os da primeira noite, mas eram gritos de dor. Ele saiu precipitadamente do quarto dizendo: ôpa, estou nesta.

— Conversávamos sobre tudo: teatro, cinema, esportes. Eles pareciam querer mais ouvir que falar. Eu tinha a impressão de estar vivendo num mundo de pesadelo, no qual eles eram normais e eu o único louco. Acabaram me soltando à noite, de uma hora para outra, sem aviso nenhum. Me puseram num carro, sempre de venda nos olhos, entre dois deles. Depois de muito rodar, o carro parou. Mandaram que eu descesse, e contasse até quinhentos antes de tirar a venda. Obedeci, ouvindo o carro se afastar — cheguei a errar a contagem e começar outra vez. Vi então que estava numa estrada. Pedi carona a um caminhão e vim para a cidade. O resto você já sabe.

1970

De dez em dez anos

POUCA gente põe reparo na tirania que o sistema decimal exerce sobre nós. O hábito de raciocinar de dez em dez se impõe a todos os nossos pensamentos.

"Daqui a dez ou vinte anos" — dizemos, com a maior naturalidade, como se dez anos fossem uma brincadeira. Apenas o inglês, que não é deste mundo (pelo menos este mundo decimal em que vivemos), escapa a semelhante deformação, e é livre para pensar sem as limitações impostas pela decimalidade (se é que existe essa palavra) dos costumes. Só recentemente é que se cogita admitir o sistema decimal na Inglaterra, e assim mesmo restringido à moeda.

O inglês continua podendo dispor do seu tempo como quiser. Para ele é perfeitamente natural afirmar que o espetáculo se iniciará dentro de treze minutos, ou que o trem chegará às sete e quarenta e três, ou que o ônibus partirá pontualmente às oito e vinte e dois. Inexistindo o sistema métrico, esta versatilidade em relação ao tempo se estende ao espaço. Se lhe perguntamos a que distância fica determinado lugar, ele informa delicadamente: fica a sete minutos de caminhada. Sei lá que distância percorro em cinco minutos, quanto mais em sete! Para ele, espaço e tempo se fundem e se confundem, na aplicação prática da teoria do campo unificado de Einstein.

A mania americana de enumerar eventos de cada decênio acabou nos legando a "década", instituição da era moderna a que todo o mundo se submete (com a mencionada exceção britânica). Como se o tempo não fluísse de segundo a segundo, ao longo das mais sutis variações. E como se as décadas não formassem um todo único a que chamamos passado, indivisível e, hélas! malgré Proust, irrecuperável.

Para me distrair, fico a imaginar cada década com sua configuração própria, simbolizada por uma grande cidade, na qual, durante essa fração de tempo, teriam se passado os fatos mais marcantes de nossa época.

A primeira década do século seria de Viena, centro da arte e da ciência durante aqueles dez anos. A Viena de Stefan Zweig, que sobre ela escreveu um livro. Era a capital da cultura. Já com dois milhões de habitantes, a cidade atraía visitantes de todas as partes. Queriam ouvir e apreciar os volteios da valsa vienense, sob a inspiração da derradeira geração de Strauss. Ou as operetas de Franz Lehár — "A Viúva Alegre", "O Conde de

Luxemburgo". Ou as peças de Hofmannsthal, que ali nasceu. Na poesia, pontificava Stefan George, de origem germânica mas que por ali andou. E a psicanálise — o século amanheceu deitado no divã de Sigmund Freud.

A loucura deste século parece ter começado em Viena. Tanto mais que ali, por volta de 1907, veio parar um obscuro pintor nascido numa cidadezinha da fronteira com a Alemanha, um jovem chamado Adolf Hitler.

A década seguinte foi de Paris — apesar da Primeira Grande Guerra, que lhe consumiu quatro anos. Foi a época da eclosão dos movimentos revolucionários nas artes e nas letras — como o cubismo, iniciado ao fim da década anterior com Picasso, Bracque e tantos mais. O dadaísmo: Tzara, Duchamps, Picabia. O surrealismo: Breton, Dali, Antonin Artaud. (Estou enumerando de memória, ao acaso das lembranças.) Na música, Debussy, Eric Satie; Darius Milhaud à frente do *Grupo dos Seis*, não sei o nome dos outros cinco. E Mistinguette mostrando as pernas. E Colette; e Gertrude Stein abrindo as pernas, digo, as portas para Joyce, Ezra Pound, Hemingway e *tutti quanti*. A efervescência se daria mais tarde, com o próprio Hemingway, Scott Fitzgerald, e os freqüentadores da livraria de Sylvia Beach, já na década de 20. Mas foi na anterior que tudo começou — como diria Hemingway, Paris era uma festa.

E a festa continuava pelos anos seguintes, ao embalo do cinema experimental: o de Buñuel e Dali com "Un Chien Andalou" e "L'Age d'Or", e ainda Epstein, Man Ray, René Clair, Léger com seu "Ballet Mécanique", Cocteau com "Le Sang d'un Poet", já no final da década. E ainda, com seu célebre filme "Rien que les Heures", o brasileiro Alberto Cavalcanti (que vinte e tantos anos mais tarde eu viria a conhecer nos bares do Rio, planejando entre um porre e outro dirigir um filme com roteiro meu).

Hollywood, todavia, é que marcou época nos anos seguintes, dando aos filmes ali realizados uma projeção universal. O cinema mudo, na fase áurea, fez daquele pequeno reduto em Los Angeles o centro de atração do mundo inteiro, onde as coisas aconteciam — a festa agora era ali: os grandes filmes, os grandes astros e estrelas, os grandes escândalos. Basta lembrar dois nomes de primeira grandeza, como Greta Garbo e Charlie Chaplin, para fazer de Hollywood o símbolo da década de 20 (ou dos anos 20, como se diz hoje em dia), com o prestígio que o cinema falado a partir de 1930 viria consolidar.

A crise de 29 e a lei-seca pareciam sugerir que semelhante posição, em relação à década seguinte, passaria a ser ocupada por Chicago, sob a égide de Al Capone. Mas os anos 30 já tinham outra grande cidade destinada a se impor ao resto do mundo.

Não houvesse a Alemanha começado a ressurgir das cinzas da Primeira Grande Guerra já antes dos 30, bastaria o advento do nazismo em 1933 para fazer de Berlim o centro de atenção do mundo inteiro.

De atenção e de apreensão — porque os acontecimentos que caracterizam cada decênio podem também ser catastróficos. E a ascensão de Hitler ao poder já prenunciava a catástrofe.

Apesar disso, ou por causa disso, em Berlim é que as coisas aconteciam — conforme testemunham os que por lá andaram naquela época. Entre eles, meu amigo Moacir Werneck de Castro, que jamais me deixaria mentir*. Vivia-se um clima de euforia e excitação, como se já desse para sentir que a paz no mundo estava com os seus dias contados.

Enquanto a Alemanha se preparava para a guerra, preparava-se também para vencer as Olimpíadas de 1936, como glorificação do nazismo. E para o grande fiasco do século — com a derrota de vários de seus atletas arianos e dolicocéfalos, como o que perdeu os cem metros rasos, ante a fúria de Hitler, para Jesse Owens, um modesto negro americano, consagrado o mais rápido corredor do mundo em todos os tempos.

No cinema, a Ufa dava as cartas. Os musicais de Liliam Harvey, mulher para homem nenhum botar defeito. Von Sternberg (na realidade nascido em Viena e criado em Hollywood), inaugurando a década com o filme da Ufa que lançou a maior estrela alemã do cinema: Marlene Dietrich. (Tão alemã que renegaria sua nacionalidade, tornando-se americana por repúdio ao nazismo.) Além de "Anjo Azul", pelo menos três grandes filmes marcaram os anos 30 com o sinete do cinema alemão: "A Ópera dos Três Vinténs" de Pabst, "M" e "O Testamento de Dr. Mabuse", ambos de Fritz Lang. (Que tive a honra de trazer comigo de Londres ao Rio em 1965, para participar do Festival Internacional de Cinema.)**

Continuo citando de memória, que é de curta-metragem, para me lembrar de outros eventos em Berlim na década de 30. De sua atmosfera, nos dão idéia as novelas de Christopher Isherwood, que lá vivia, como "Goodbye to Berlin" e "Sally Bowles". O poeta Stephen Spender, de quem me tornei amigo***, também passou ali uns tempos, nos anos 30.

Como símbolo da época, a presença de Berlim se fazia sentir nos céus do mundo inteiro, através de estranhas e gigantescas máquinas voadoras, como o hidroavião Dox Dornier com seus 16 motores. (Ou seriam *só* oito?) E o Graf Zeppelim com sua silhueta de grande peixe manso — para relembrar o verso (daquele doido de hospício cha-

---

*"Europa — 1935 — Uma aventura de juventude", Moacir Werneck de Castro.
**XXIV — LONDRES*, em "O Tabuleiro de Damas". 5ª edição, revista e ampliada.
***O menino e o poeta*, em "A Cidade Vazia".

mado Febrônio) que Manuel Bandeira considerava então um dos mais belos da poesia brasileira:

> *"Propiciar-vos-ei grandes peixes mansos*
> *E um enorme lambari."*

Na década de 40, voltou-se para a América o centro das atividades que a Segunda Guerra Mundial tornou impossível na Europa. E quem falava em América naquele tempo, queria falar Nova York.

Para ali afluíam ondas de refugiados europeus, alguns ilustres, outros nem tanto, mas todos fazendo da cidade a capital do mundo. Apesar do *black-out* nos primeiros cinco anos, Manhattan como que se preparava no escuro para a grande festa de luzes e sons que a inundariam nos outros cinco. Desta "festa" tive ocasião de participar, morando em Nova York durante mais de dois anos, na segunda metade da década, em meio a "oito milhões de solitários" — "por isso lhe disse adeus".*

As luzes da Broadway — não somente dos cinemas e teatros, mas dos anúncios: dos cigarros Camel, o fumante expelindo anéis de fumaça; o da Coca-cola, no vértice do Times Square, que se tornou o centro do mundo; os letreiros luminosos com as notícias do dia, correndo em volta do edifício do *The New York Times*; os desenhos animados, com silhuetas de sombra e luz num imenso cartaz.

Sem sair da Broadway e adjacências: os teatros levavam musicais como "Oklahoma", "South Pacific", "Kiss me Kate", "On the Town" — este com Frank Sinatra e Gene Kelly. Ou peças como "A Morte do Caixeiro-Viajante" com Fredric March, "Um Bonde Chamado Desejo" com Marlon Brando. Época do Actor's Studio, de Elia Kazan, formando astros como o próprio Marlon Brando, e Montgomery Clift, Paul Newman, Jack Palance, Rod Steiger, Shelley Winters, Joanne Woodward, James Dean.

Os cinemas exibiam "The Lost Week-End", de Billy Wilder, com o "farrapo humano" Ray Milland errando bêbado pela Terceira Avenida, e "Naked City", de Jules Dassin, com Ted de Corsia fugindo da polícia em correria pela Ponte de Brooklyn. Nova York se exibia aos pés de Fredric March e Dana Andrews, extasiados com o que viam a bordo do bombardeiro que os trazia de volta da guerra em "The Best Years of Our Lives", de Willian Wyler.

As mulheres usavam sapatos plataforma ou salto anabela, lábios vermelhos e o cabelo num rolo horroroso no alto da testa. O símbolo sexual era Betty Grable, com seu maiozinho de saiote na frente, que hoje em dia até uma freira acharia careta. Kinsey

---

*Oito Milhões de Solitários e Por Isso lhe Digo Adeus, em "A Cidade Vazia".

mandando ver, no seu sensacional *report*, e descobrindo coisas do arco-da-velha em matéria de sexo — como, por exemplo, que a metade da população masculina dos Estados Unidos tivera experiência homossexual depois da adolescência (o que não representava ainda o advento *gay* dos anos 70, mas já era um bom começo); ou que 93 por cento dos adultos praticavam o chamado vício solitário. O que levou um desconsolado velhinho a dizer para outro, num *cartoon* (se não me engano de James Thurber em *The New Yorker* na sua fase áurea), contemplando as garotas de saiote a patinar no Central Park:

"*Only now they say masturbation is harmless...*"

Por falar em *The New Yorker*: James Thurber, Harold Ross e o resto da turma se encontrando toda tarde no bar do Algonquin, onde se tomava (e ainda se toma) o melhor martini-seco de Nova York. Na literatura, os anos 40 assinalaram o sucesso de Henry Miller e a estréia de praticamente toda a ficção americana contemporânea: Truman Capote, Norman Mailer, Gore Vidal, J. D. Salinger, Irvin Shaw, Willian Styron, Carson Mc Cullers, Ralph Ellison, Saul Bellow. Na poesia, os grandes nomes eram ainda os de e. e. cummings (assim mesmo, com iniciais em minúscula) e Robert Lowell. John O'Hara absoluto no conto. A *Partisan Review* se tornando o quartel-general da vanguarda literária, e abrigando as dissidências da esquerda na resistência ao macarthismo. O jornal-revista *Politics*, último reduto do trotskismo heróico de Dwight Macdonald.

No jornalismo, brilhavam em colunas rivais Drew Pearson e Walter Wintchel, ambos freqüentadores do Club 21, para colher notícias em meio às altas figuras da sociedade local. E Leonard Lyon, com seu "Lyon's Den" no *Daily News* (ou no *Daily Mirror*, já não me lembro bem), dando notícia de todo mundo.

Mas o "beautiful people" da época freqüentava mesmo era o El Morocco, onde certa noite dei de cara com Cary Grant entrando, ou o Copacabana, onde dei com George Raft saindo. (Ambos infelizmente não me reconheceram.) Era moda também dançar o *jiterburg* no *roof* do Rockefeller Center, ou de rosto colado no Blue Angel, com Eddie Duchin ao piano. E a noite terminava invariavelmente no restaurante de Jack Dempsey, na Broadway, com o próprio ex-campeão de boxe, ídolo de minha meninice, em conversa com os fregueses.

O prefeito italiano Fiorello La Guardia, gordo, baixinho e popularíssimo, tentando exterminar o crime organizado. As lutas de Joe Louis atraindo celebridades, em meio à multidão do Madison Square Garden. Primórdios da televisão, com programas de Ed Sullivan. Pelo rádio, as Andrews Sisters cantando "Rum and Coca-Cola".

O *jazz* em sua fase de ouro. A era do *swing* e das grandes orquestras, em *shows* ao vivo nos cinemas da Broadway: Benny Goodman, Artie Shaw, Jimmy Lunceford, Cab Calloway, Harry James. A bateria de Gene Krupa no Palladium. E na Rua 52 se alinhavam bares e *night clubs* com uma sucessão de atrações na mesma noite: Nat King Cole, Billie Holiday, Roy Eldridge, à escolha. Minha emoção ouvindo o piano de Art Tatum, maior ainda ao descobrir que ele era cego. Lena Horne cantando "Stormy Weather". Lionel Hampton cantando "Hey-ba-ba-re-bop!" e Nova York inteira repetindo. Colleman Hawkins no Carnegie Hall, tocando "Body and Soul", sozinho e de chapéu. Eddie Condon a meu lado no bar com seu nome, naquele tempo em *downtown*, com animadas *jam-sessions* para "amadores" às terças-feiras. *Jazz* em toda Manhattan, de ponta a ponta — do Nick's, no Village, com Muggsy Spanier, quase debaixo de minha casa, ao Savoy, no Harlem, com Count Basie (onde uma noite fui parar com Oscar Niemeyer e o poeta José Auto). No Paramount, a orquestra de Tommy Dorsey sucedendo a de Duke Ellington, para lançar seu novo *crooner* Mel Tormé, em substituição a outro chamado Frank Sinatra.

O fenômeno Sinatra — legiões de fãs histéricas que desmaiavam ao vê-lo, as chamadas *bobby-sockers*, invadindo a Rua 46 toda vez que o jovem cantor pretendia almoçar em sossego na pequena *trattoria* em frente ao nosso hotel — o Century, onde só dava brasileiro: Jayme Ovalle e Vinicius de Moraes, as pintoras Noêmia e Djanira, e tantos outros além de mim e da tripulação da Panair. Devemos ter sido os precursores da zona de comércio verde-amarelo que se alastrou por ali desde então.

Roma e "la dolce vita" dos anos 50, sob a inspiração de Fellini. Mastroiani encarnando a perplexidade e o desencanto do homem daquele tempo — e cultuado pelas mulheres como um ideal de beleza masculina que culminaria nos fracassos do Bello Antonio. A Via Veneto repleta de gente famosa em seus bares e cafés, ou no terraço dos seus hotéis de luxo. Numa das mesas do Jardim de Europa, café onde se reuniam os boêmios de Roma, o Rei Farouk, destronado, gordão e saudoso dos tempos em que era rei de verdade. Na mesa ao lado o filho de Mussolini, pianista amador. Ao fundo, tomando um campari comigo, o jornalista brasileiro Carlos Alberto Tenório. Gianna Maria Canale, estrela então em evidência, noutra mesa, sorrindo ao ouvir falar do Brasil, onde já estivera. Kim Novak atravessando a rua em direção ao Hotel Excelsior, perseguida por uma cambada de *papparazzi* com suas câmeras. Aldo Fabrizzi, o padre em "Roma, Cidade Aberta" de Rossellini, passeando sozinho pela calçada e olhando por cima dos óculos com seu ar bovino. Enquanto isso, Grace Kelly provocando ajuntamento de curiosos ao fazer compras na Via Condotti.

Estas são algumas das anotações de um só dia, que fiz em crônica de Roma naquele tempo.

Antonioni e Visconti completando com Fellini o triunvirato dos grandes diretores, que levariam, cada um a seu modo, a extremos de sugestão psicológica o neo-realismo de

De Sicca e Rossellini nos anos 40. Gina Lollobrigida, Sophia Loren, Claudia Cardinale, como tipos da beleza latina que se impunha ao resto do mundo. Os estúdios da Cinecittà, com as superproduções de Dino de Laurentis e Carlo Ponti, ofuscando os tempos gloriosos de Hollywood.

Certamente houve na Itália (e fora dela) outras manifestações de importância. Na política, o democrata-cristão De Gasperi, como Primeiro-Ministro, enfrentava Togliatti, à frente do maior partido comunista do Ocidente: Dom Camillo enfrentava Dom Peppone. Na literatura, basta lembrar, além de Malaparte, Guareschi ou Pasolini, escritor e cineasta, apenas a publicação póstuma da obra de Cesare Pavèse, e "Il Gattopardo" de Lampedusa, ou o lançamento de "Contos Romanos" de Moravia. Mas foi sem dúvida o cinema que veio a fazer de Roma a cidade mais representativa dos anos 50.

E dos anos 60? Quando o *Time Magazine* inventou para Londres a designação de *swinging city*, como o lugar onde as coisas estavam acontecendo, a novidade se alastrou por outras revistas do mundo. E as coisas começaram de fato a acontecer. Para mim, a coisa mais importante que acontecia até então era eu morar ali. Londres parecia um desses bairros simpáticos mas meio fora de mão, onde só vai quem tem o que fazer lá. Estava para a Europa como Cosme Velho para o Rio. Londres era o Cosme Velho do mundo.

De súbito as pessoas começaram a cruzar o canal e invadir a capital inglesa. Repórteres e fotógrafos afluíam para documentar o que estava acontecendo. Cheguei a desconfiar que as agências de viagem tentavam promover a cidade, depois de esgotadas as possibilidades de Roma nos anos 50. A liberação do jogo também poderia ter motivado tamanha badalação: os luxuosos clubes londrinos na certa se preparavam para atrair e absorver a jogatina expulsa do Caribe por Fidel Castro. O Playboy Club fazia preceder a inauguração de sua filial em Londres de enorme campanha publicitária, para aproveitar a Copa do Mundo de 66. As *gangs* americanas se transferiam para Londres e mais de uma vez vi George Raft em pessoa à porta do seu cassino na Berkeley Square, jogando uma moedinha para o ar como um *gangster* de seus filmes.

Os visitantes invadiam os magazines da Oxford Street, desciam pela Regent Street até Piccadilly Circus ou subiam pela Shaftesbury Avenue até Bloomsbury, perguntando desarvorados onde ficava afinal a tal Carnaby Street. Era a rua da moda — apenas dois quarteirões com lojas de roupas exóticas.

King's Road, em Chelsea, por seu lado, vinha a ser em Londres o que fora a Via Veneto em Roma, a Broadway em Nova York, Montmartre em Paris. De ponta a ponta circulavam jovens vestidos de maneira não apenas exótica mas estapafúrdia: calças debruadas como fardamento antigo, pareôs, saias arrastando-se pelo chão, caras pintadas de branco — havia de tudo, como num desfile a fantasia. Ursula Andrews podia passar pela gente com uma blusa transparente em cima da pele. Terence Stamp podia ser visto ao fundo do café Guys and Dolls, abraçado a outro jovem. Mick Jagger e Marianne Faithfull deslizando num Jaguar conversível, olhos indiferentes para a multidão, depois de um cigarrinho de marijuana. Naquela época haviam sido presos por causa disso, na sua casa de Cheyne Walk. Em 1969, por essas voltas que o mundo costuma dar, acabaram ambos em minha casa no Rio, numa visita durante a qual ele não abriu a boca. Em compensação, ela manteve comigo a sós uma longa conversa mais que instrutiva sobre o seu uso de drogas, que me serviu de tema para uma crônica e um conto*.

Em King's Road, como em Bond Street, Knightsbridge ou Park Lane, a todo momento se podia cruzar com gente famosa. Era a década da princesa Margaret e Lord Snowdon, seu marido fotógrafo. De Mary Quant. Dos Beatles.

Os Beatles! Sempre juntos, os quatro estavam em toda parte e em lugar nenhum: na Abbey Road, onde morava Paul MacCartney, o que bastava para perturbar o dia todo o tráfego obrigatório a caminho de minha casa; no rádio ou na televisão, nas lojas de discos — na beatlomania, alastrando-se como epidemia em roupas, desenhos, retratos, anúncios, publicações; na butique dos quatro, The Apple, situada na Baker Street, que Sherlock Holmes outrora tornou famosa. Agora outro herói vinha suceder o velho detetive, na figura de James Bond, como sinal dos tempos que os anos 60 inauguravam.

Até que um dia... Não se sabe dizer se foi propriamente em Londres, no Vaticano, em Pequim: o certo é que de súbito, em determinado momento dos anos 60 (do qual minuciosa pesquisa poderia precisar até o dia e a hora exata), a conjunção de vários acontecimentos provocou uma comoção que virou para sempre o mundo de cabeça para baixo. O Concílio Ecumênico, a permissividade sexual, a pílula, tudo isso junto e muita coisa mais, fizeram com que de repente o mundo não fosse mais o mesmo, como sob o efeito de um cataclisma. De um instante para outro, tudo que prevalecia até então em matéria de costumes, bons ou maus, tornou-se anacrônico, obsoleto, ultrapassado. A humanidade, sob risco de extinção numa guerra nuclear, teria de ser reinventada.

E nisso ficamos. Estamos iniciando os anos 70 sabe Deus como. É a época dos *gays* e

---

*1969 — *Razões de uma jovem inglesa*, em "Livro Aberto".
O Fariseu, em "O Galo Músico"

dos *sapatões*, das drogas, da depravação, da tortura, do terrorismo, dos assaltos e dos seqüestros a mão armada, sob o signo da mais desvairada violência. Talvez o epicentro de tamanho terremoto venha a ser uma cidade do Oriente Médio ou do Extremo Oriente, como símbolo desta década assustadora que mal se inicia.

A menos que semelhante honra, para graça ou desgraça nossa, acabe conquistada pelo próprio Rio de Janeiro — a Cidade Maravilhosa.

1971

STUTTGART —

Márcia vai bem

EU havia estado com ela antes, em Londres, quando dançou com Nureiev no Covent Garden, em 1965. A Embaixada Brasileira pretendia homenageá-la com uma recepção, um coquetel ou coisa parecida, mas ela se esquivou delicadamente, alegando falta de tempo. Tive a impressão de que na realidade não desejava homenagens de quem quer que fosse, inclusive de brasileiros.

Era no que eu pensava agora, numa tarde de sábado, em meio a mais uma viagem pela Europa, enquanto o trem corria pela linda margem do Reno a caminho de Stuttgart.

Destino estranho, o dessa moça. Nada mais tem a ver com Ipanema, onde tomou suas primeiras lições de dança com Pierre Klimov. Agora, aos 33 anos, vive radicada numa cidade em pleno coração da Alemanha, simples *fraulein* como as outras. No entanto é considerada atualmente nada menos que a maior bailarina do mundo. Nesta mesma noite eu a veria no auge da consagração, que para ela já é coisa de rotina. O sucesso, como tal, parece lhe ser também indiferente.

O imenso *foyer* do teatro estava repleto quando cheguei. É a seleta platéia de Stuttgart, uma das mais entendidas e exigentes em matéria de dança. O *ballet* desta noite, "Carmen", como todos os de John Cranko, especialmente criado para Márcia Haydée, na verdade não parece passar de mero teatro dançado. Mas a simples presença dela no palco lhe dá proporções de verdadeira criação artística: ora solando, ora contracenando com Richard Cragun, ou apenas em meio às outras, ela é sempre, como no verso de Mário de Andrade, de uma inimaginável liberdade.

Ao fim, vem receber os aplausos do público, e sacode num gesto soberbo a grossa cabeleira negra que lhe cai pelos ombros, quando agradece com um olhar as flores que lhe atiram de um camarote. É o momento de grandeza de uma artista — e é isso que ela procura, ao renegar tudo em favor da arte.

Qual o segredo de sua arte?

É ela própria quem me responde:

— Seis horas de ensaio por dia.

Estamos no enorme salão de ensaios aos fundos do Grosses Haus, Teatro Oficial de Wurtemberg, em Stuttgart, numa fria segunda-feira de outono. Vim encontrá-la em meio a mais de vinte bailarinas, fazendo exercícios de barra sob o comando de um jovem professor. De perto, sua beleza é bem diferente da que exibe no palco. Tem os cabelos presos em coque, o rosto suado, e a malha de ensaios, gasta pelo uso, não chega a ser a de uma graciosa bailarina. Mas há qualquer coisa de obstinado que a distingue das demais com quem se exercita: esta é uma mulher que sabe o que quer.

Depois dos exercícios coletivos, ela me retém para assistir ao seu ensaio individual com Richard Cragun.

Embora *ballet* não seja o meu forte, a experiência me fascina. Vejo desdobrar-se em minuciosa precisão cada passo do próximo espetáculo a ser dançado ("Canção da Terra", de Gustav Mahler). É o próprio mistério da dança que se desvenda aos meus olhos — os secretos mecanismos de cada passo e cada gesto surpreendidos ao vivo, como no momento de sua concepção. Ao fundo, feito uma sonâmbula, a substituta eventual de Márcia (Joyce Cuoco) repete sumariamente cada uma das seqüências ensaiadas.

Findo o ensaio, ela vem sentar-se com um gemido num pequeno banco junto a mim: torceu o tornozelo, tem de ir ao médico — explica-me. Fico a observá-la, enquanto ela tira a sapatilha com um suspiro de alívio. Vem-me vaga suspeita de que essa torção no tornozelo seja um delicado pretexto para adiar a entrevista que lhe propus. Limito-me, então, a uma série de perguntas rápidas, que ela vai respondendo também rapidamente:

— Como foi o seu primeiro contato com Nureiev?

— Ele escreveu me convidando.

— Você mora sozinha aqui em Stuttgart?

— Com uma empregada.

— Nunca descansa? Nunca tira férias?

— Uma vez por ano passo quinze dias em Montecarlo.

— E o que você faz em Montecarlo?

— Tomo aulas de dança com uma professora que tem lá.

Por sua vez, ela me pergunta quando estarei de volta ao Brasil.

— Se puder me fazer um favor...

Diante de mim, afinal, por um instante fugaz, a menina que um dia saiu sozinha do Brasil, levada pelo seu sonho, hoje realizado, de se tornar uma grande bailarina:

— ... eu gostaria que você telefonasse para mamãe dizendo que me viu e que vou bem.

Prometo fazê-lo e, despedindo-me dela com um afetuoso abraço, anoto o nome e o telefone de sua mãe. Pretendo informá-la assim que chegar, com a renovada admiração por sua filha, que Márcia vai bem.

RIO DE JANEIRO —

Montaigne no original

ULTIMANTE tenho passado horas lendo Montaigne. Eu sabia que um dia isso ainda ia acabar acontecendo.

Minhas experiências anteriores não foram muito longe. Mas desta vez me caiu nas mãos uma tradução de Sérgio Milliet (excelente), que estou lendo com o maior encantamento.

Tenho de reconhecer que minha dificuldade até aqui provinha exatamente do francês arcaico, que me dava certa preguiça de entender a cada linha. Digo isso ao Otto e ele concorda, sugerindo-me fazer como todo mundo: ler Montaigne na tradução do Sérgio Milliet e sair dizendo haver lido no original.*

---

*IV — LEITURAS — " O Tabuleiro de Damas", 5ª edição revista e ampliada.

1972

RIO DE JANEIRO —

Manchete

É ISSO aí: de novo em *Manchete*. Um vício como o de fumar. A gente pára e torna a começar, quantas vezes? Da última vez que parei de fumar, pedi uma licença sem vencimentos em carta ao diretor Adolpho Bloch, sob a alegação de que sem fumar não sabia escrever. Ele acabou me atendendo, depois de tentar me seduzir com quatro cigarros por mês, um para cada crônica semanal.

Estou neste entra e sai praticamente desde o primeiro número, há vinte anos. (Uma arara na capa? Ou uma caleça imperial, não estou bem certo.) Dois ou três contos, depois algumas crônicas de abertura, depois uma seção com um título de toalete (*Damas & Cavalheiros*), outra chamada *Sala de Espera*, e *Aventura do Cotidiano*, e *Crônica de Londres*, e mais crônicas do Rio mesmo — tudo entremeado de pausas para meditação, minha e do leitor. Parece pouco, mas dezenove não são vinte: com isso vinte anos se foram, uma vida inteira.

Longe vai o tempo em que minhas cartas ao Adolpho (de pedido de aumento) eram tão caprichadas que ele pensava em fazê-las publicar como se fossem crônicas. Depois ele próprio chegou a tentar o gênero. E para disfarçar a falta que sentiu de mim, andou dizendo por aí que não recebeu nem uma carta de leitor reclamando contra minha ausência. (Sei que não é verdade: e as várias cartas de leitor que eu próprio me encarreguei de escrever e lhe enviar?)

Pois agora aqui estou mais uma vez — e se o leitor não felicitá-lo por isso, como deveria, espero que pelo menos não lhe escreva reclamando contra a minha volta. Em compensação, prometo parar de novo, assim que chegar o momento.

Zelda

ACABO de ler "Zelda", a biografia da famosa mulher de Scott Fitzgerald, escrita por Nancy Milford e que já vendeu um milhão de exemplares nos Estados Unidos. Não sei se foi lançado em tradução no Brasil, mas é livro que eu recomendaria a quem quiser conhecer uma das mais comoventes histórias de amor deste século: a do romântico e trágico casal Fitzgerald, vista pelo lado de Zelda, a mulher-símbolo da alegria dos *twenties* e que acabou esquizofrênica, morrendo queimada num incêndio do hospício. Numa de suas últimas cartas ao médico dela, Fitzgerald dizia:

"Talvez metade de nossos amigos e parentes lhe diriam com a mais honesta convicção que a minha bebida levou Zelda à loucura — e a outra metade lhe asseguraria que a loucura dela me levou à bebida. Nenhum dos dois julgamentos significa alguma coisa: todos seriam unânimes em afirmar que cada um de nós viveria feliz vendo-se livre do outro — opinião tanto mais irônica quanto nunca estivemos apaixonados um pelo outro em nossa vida. Álcool em minha boca é doce para ela; e eu acalento as suas mais extravagantes alucinações..."

João Feijão

NOME de batismo: Antônio Carlos Brasileiro de Almeida Jobim. Deixou cair o Brasileiro e ficou Antônio Carlos de Almeida Jobim. Tirou o Almeida: Antônio Carlos Jobim. Depois ficou sendo Antônio Jobim. E finalmente, Tom Jobim.

Apenas isso? Só? Não. Um americano com quem andou lidando numa de suas idas a Nova York só o chamava de maneira um tanto estranha: Mister Bim. Depois passou a chamá-lo de Jo, quando ganhou intimidade. Só então Tom percebeu que o impossível acontecera, seu nome havia encurtado ainda mais: o homem pensava que ele se chamasse, em inglês, simplesmente *Joe Bean*. Ou seja, em bom português: João Feijão.

Primeiros números

NA semana passada me referi aqui ao primeiro número de *Manchete*. A capa é realmente uma foto da caleça imperial, verifico agora; a arara é a do segundo número. Com o pé no escribo da caleça, tem uma jovem chamada Inês Litowski. É a propósito de uma reportagem sobre bailarinas: Tamara Kapeller imaginando um bailado no Museu Histórico.

Esta é a coleção da revista, encadernada em vários volumes, que Darwin Brandão me emprestou para folhear. Começa a 26 de abril de 1952. Ou seja, há exatamente vinte anos, valha-me Deus!

A reportagem de abertura é sobre a Câmara dos Deputados, com fotos de vedetes políticas da época: Artur Bernardes, Aliomar Baleeiro, Israel Pinheiro, Flores da Cunha, Ivete Vargas, Emílio Carlos, Afonso Arinos, Benedicto Valladares, Tenório Cavalcanti. Um conto do Cyro dos Anjos. A seção *Damas & Cavalheiros*, então assinada por PMC (Paulo Mendes Campos). Outra seção, esta de Silveira Sampaio. E o império da moda, que Roma pretendia dividir com Paris — mulheres com vestidos que hoje seriam de matar de rir, se já não estivessem novamente na moda. E pouca coisa mais: a revista tinha só quarenta páginas.

O segundo número é mais movimentado: tem Ademir e Pinga se abraçando depois da vitória do Brasil no Pan-Americano de Futebol. Tem Linda Batista "fazendo Paris sassaricar". Tem reportagem sobre a Academia com retrato de acadêmicos. E outros bichos: estes, na reportagem de Pongetti *Os Bichos Também Choram*. Não é gíria não, bicho é bicho mesmo, no Jardim Zoológico. Daí a arara na capa. É isso aí, bicho. E uma página de humor chamada *Acho-te uma Graça*...

Mas nem tudo envelheceu. Um conto do Rubem Braga, por exemplo, logo no terceiro número, *Lembrança de um Braço Direito*, que o autor modestamente chamaria de crônica, ao incluir em livro seu. Em compensação, logo adiante vem uma reportagem sobre nosso azar na Copa de 50 frente ao Uruguai, com este "primor" de título: *Um Urubu... aí pousou na nossa sorte*. A vida amorosa de Ingrid Bergman. Góis Monteiro condecorando Eva Peron. E Dorothy Dandridge, alguém ainda se lembra? Um texto de Drummond sobre Ouro Preto. Danuza Leão em página inteira: "provavelmente seria coroada Rainha dos Brotos Cariocas", diz a legenda, e eu concordo: provavelmente sê-lo-ia, como di-lo-ia Jânio Quadros — que aliás até aqui ainda não apareceu. Aparece Eros Volusia tentando "fazer a Europa curvar-se ante o Brasil". Heleno de Freitas: "a indisciplina não compensa". Os generais Estillac Leal e Etchgoyen dando as cartas. Uma linda jovem figurando em reportagem fotográfica: Maria Candelária. A funcionária exemplar: Ilka Soares.

No número 8, um belo quadro de Djanira na capa. Os penteados de Doris Day, de meter medo. Marechal Dutra no barbeiro (recomendo, a propósito, por muito instrutiva, a leitura da história *O Barbeiro do Marechal*, do meu livro "A Mulher do Vizinho"). Silvio Kelly batendo récordes de natação, Darwin Brandão escrevendo sobre motocicletas no Leblon, em moda naquele tempo. O galã Anselmo Duarte sendo processado por ter atropelado um cara e isso já era notícia de página inteira. Carlitos fazendo 63 anos e terminando *Limelight*... O cirurgião Lutero Vargas realizando uma operação diante das câmeras. Earl Leaf, o "fotógrafo do *sex-appeal*", apresentando modelos de maiôs — mais castos hoje em dia do que as vestes de uma irmã de caridade.

Dean Acheson entre nós, em várias fotos, tomando café com Nereu Ramos, com Valter Moreira Sales, com Ricardo Jaffet, com Getúlio Vargas — hoje estaria na folha de pagamento do Instituto Brasileiro do Café.

Eliane Laje na capa (estamos no número 13) — aquela do filme "Caiçara", uma graça de mulher. Debate sobre educação sexual: todo mundo de acordo em que deve haver, mas cada um a seu modo. Entre os debatedores o Padre Álvaro Negromonte, aquele que advertia às donzelas em livro seu sobre o assunto: "cuidado com os namorados que querem segurar na mão, é por aí que eles começam". (O que suscitou oportuna pergunta de Rubem Braga, numa crônica: "Com o devido respeito, por onde o padre queria que eles começassem?"*). Logo adiante é Marilyn Monroe que surge... Leon Eliachar passa a assinar a seção de humorismo. Carmen Santos e o cinema brasileiro. Eisenhower ganhará a eleição? A Vênus do século XX era... Jane Russell. Páginas e páginas sobre o Papa Pio XII e o Vaticano, para contrabalançar. E Ava Gardner, linda de morrer. Isso é que era mulher, podes crer. Fluminense campeão, em cores na página de honra: Píndaro, Jair, Edson, Bigode, Castilho e Pinheiro, de pé; Telê, Orlando, Marinho, Didi e Robson, agachados. Casamento de Marlene e Luís Delfino assistido por cinco mil pessoas. O colorido dominará o cinema? — é o que se pergunta, já no número 17. Outra linda mulher da época: Gene Tierney. Marina, do crime do Sacopã, desmaia em juízo ao inocentar o Tenente Bandeira. Ademar Ferreira da Silva campeão olímpico do salto tríplice. Elegância no Jóquei: cada chapéu de dar susto em assombração — menos o de Maria Gracinda, mulher de se tirar o chapéu. Os bares famosos da cidade: Bar Badinho, Tudo Azul, Bar Michel, Juca's Bar, Maxim's, L'Escale. Mudaram os bares ou mudei eu? E dizer que nem cheguei ao número 20, não saí de 1952.

Só mais esta — a festa do castelo de Coberville, de Jaques Fath, com um elenco de convidados o seu tanto surrealista, digno de encerrar por hoje esta resenha maluca, ou, como diria o poeta, esta louca correria dos fatos: Darcy Vargas e Jean Louis Barrault, Ginger Rogers e Schiaparelli, Luís Gonzaga e Clark Gable, Elizete Cardoso e Claudette Colbert, Danny Kaye e Ademilde Fonseca, Paulette Goddard, Joaquim Guilherme da Silveira e Merle Oberon.

Bororó

NO último número de *Elle*, de que as mulheres são leitoras — uma boa revista para se ler no banheiro — encontro um artigo sob o título "Une fiancée pour le Bororo". A princípio pensei tratar-se do Bororó, o nosso conhecido sambista e boêmio. Logo verifiquei que a autora, Renée Pierre Gosset, se referia a um índio bororó, e narrava suas recentes experiências nas selvas brasileiras.

Começava por dizer que o Brasil é um país mirabolante que despede seus ditadores por carta registrada, e que depois de construir uma capital do ano 2000 exclusivamente por via aérea, do primeiro prego ao vigário para consagrar a catedral, abre em plena selva uma estrada imensa que não conduz a lugar nenhum. Com uma extensão equivalente a oito vezes o território da França, atravessa a Amazônia inexplorada, onde ainda existem

---

Quer Dar-me o Prazer? — em "No Fim dá Certo".

animais da era secundária. E onde vivem (sob árvores de mais de quarenta metros, em meio a emaranhados de cipós, pantanais cheios de piranhas, crocodilos, flores carnívoras, serpentes gigantescas), índios de diversas tribos, ainda na idade da pedra, "nesta selva glauca onde penetra apenas uma ligeira luz de aquário". Serão 140 mil, segundo os pessimistas, um milhão, segundo os otimistas — ou vice-versa —, o certo é que cedo ou tarde com eles se defrontam os novos desbravadores: candangos de chapéu de palha, jovens engenheiros de camiseta, topógrafos de *blue-jeans*, tratoristas de pescoço taurino, capacete de plástico amarelo. Esta é a nova leva de pioneiros da selva, que sucede a dos antigos traficantes de escravos, os garimpeiros, os seringueiros cujos sonhos febris se perderam neste inferno verde. Os índios já estão ao redor, misteriosos, invisíveis, sua presença se faz sentir — ora numa flecha embebida em curare, que a qualquer momento pode atingir a nuca de um operário, ora num teodolito que desaparece misteriosamente para se transformar em totem.

Até que um dia eles surgem. De súbito, o acampamento dos trabalhadores da estrada se vê cercado de uns cinqüenta índios, armados de flechas e tacapes. Em suas vestimentas de domingo (nus e o corpo pintado de amarelo), eles aguardam. O intérprete dos brancos avança cautelosamente e faz gestos propiciatórios na compra do direito de atravessar impunemente o território deles. Oferece garrafas de cachaça, espelhos de bolso, missangas. E aquele que parecia o chefe bororó, sempre sacudindo a cabeça de forma negativa. Era inútil e o intérprete já ia desistir, quando o índio de súbito anunciou o seu preço:

— Índio quer noiva — falou, lá na língua deles.

Uma noiva! Isso era paga que os mais categorizados indianistas não haviam previsto. O intérprete sorriu para ele: índio quer apito?

— Uma mulher — acrescentou o bororó, para ser bem compreendido. Uma mulher — aquilo era coisa que eles próprios, os desbravadores da Transamazônica, há muito tempo não viam.

O índio agüentou firme: não queria saber de conversa. E como o intérprete insistisse em dizer que mulher eles não tinham, o bororó apontou com o tacape o topógrafo da equipe, um rapaz de Pernambuco, ainda imberbe e de longos cabelos louros de *hippie*:

— Quero essa aí.

A rota da Transamazônica prosseguiu, afinal. Mas foi preciso primeiro baixar as calças do jovem topógrafo, para convencer o chefe bororó.

Mais que um Tostão

— FOI uma verdadeira injeção de ânimo. Como se eu estivesse começando tudo de novo.

É Tostão quem me fala, ao fim de um dia tumultuado: o de sua chegada triunfal ao

Rio, onze e meia da noite. Estamos no quarto do Hotel Novo Mundo, onde ele pôde enfim refugiar-se. Acabamos entrando pela noite numa boa conversa de mineiros.

Conta-me que estreou oficialmente aos seis anos de idade. Era um jogo entre os infantis do IAPI e do Atlético, tudo guri de dez, doze anos — ele, com seis, compareceu de camisa, calção e chuteira:

— Eu era uma espécie de mascote. Mas na hora faltou um jogador e fui escalado, meio de brincadeira, para fazer figuração. Na ponta esquerda — porque podia me machucar se entrasse no meio do bolo. Sempre a mania de me escalarem na ponta esquerda...

E pela primeira vez esse homem tranqüilo, tímido e jeito meio triste se abre num sorriso jovem e feliz, digno do menino Odnanref:*

— Acabei fazendo o gol da vitória.

Nunca se assustou, embora sendo meio franzino, com o tamanhão de meter medo de certos zagueiros que aparecem para marcá-lo. Prefere até jogar contra marcadores mais pesados, de porte atlético como os europeus. O principal, para ele, é evitar o corpo a corpo: usar a cabeça para não levar o pé. Talvez por isso nunca haja sofrido fraturas, contusões sérias, distensões — nenhum acidente além de uma bolada no olho, que lhe descolou a retina.

Problema de saúde também não tem nenhum; apenas ligeira rinite alérgica, que lhe dá à voz um tom de mineiro songa-monga um pouco resfriado. Tem jeito de quem está com sono, mas as pálpebras meio caídas e o queixo sempre erguido são de quem se habituou a olhar ao longe. Futebol para ele é visão de conjunto, é antevisão da jogada. Não gosta de firulas nem jogadas individuais; evita disputas de bola, joga sempre para o time. Acha sempre que poderia ter jogado melhor, ao deixar o campo. Aqui fora é tímido e meio caladão. Longe do futebol procura ter vida própria, fazer coisas que gosta: ouvir um sambinha, um violão do Paulinho Nogueira, do Paulinho da Viola. E músicas do Chico e do Tom — prefere as que têm mais sentimento humano e poesia. Gosta de poesia: Vinicius, Carlos Drummond de Andrade. Lê sempre que pode:

— Não é por estar na sua presença — informa rindo: — Mas já li vários livros seus.

Dos estrangeiros, prefere autores como Hermann Hesse: com mais conteúdo, mais pensamento, uma filosofia meio oriental. Não é de ler um livro só para se distrair. Quando percebe, se distraiu mesmo e leu dez páginas sem prestar atenção. Achou "Cem Anos de Solidão" notável, mas teve de ler duas vezes, da primeira ficou confuso. Não sabe se é meio vago ou avoado, o certo é que tem alguma dificuldade em se concentrar. Se não fosse jogador de futebol, gostaria simplesmente de exercer uma profissão que o levasse a conhecer ou compreender melhor o ser humano.

Minha Glória de Campeão, em "O Menino no Espelho".

Não se sente uma figura pública fora do futebol, nem com obrigação moral de colocar sua popularidade a serviço de uma causa, seja ela qual for. Sua causa é o esporte e sua obrigação, a de tentar corresponder ao que esperam dele. Procura sempre evitar que suas palavras possam ofender, magoar ou apenas desagradar as pessoas.

De repente percebo que estamos de conversa há mais de duas horas. Ele faz questão de me acompanhar até o elevador. Ao despedir-me, sinto que estou apertando a mão não apenas de um craque, mas de um excelente sujeito chamado Eduardo Gonçalves de Andrade, mais que um Tostão: um menino de ouro, um homem de bem.

Lei do cão

NEM tudo são amenidades. Quem vive de escrever sobre assuntos colhidos na vida de todos os dias não pode mais se furtar ao registro de fatos não tão amenos que também estão acontecendo todos os dias.

Podemos imaginar, por exemplo, o que aconteceria se alguém desse um coquetel em sua casa, convidando 45 pessoas, e o único local para recebê-las fosse um *living* de quatro metros por quatro, ou seja, dezesseis metros quadrados. Por mais confortável que fosse para os moradores, uma sala nessas condições não comportaria todos os convidados, ainda que comprimidos uns contra os outros.

Certamente não haveria brigas — pressupõe-se que todos fossem pessoas civilizadas. Mas também não haveria coquetel algum, porque ninguém teria espaço sequer para se mexer.

Pois agora imaginemos a mesma situação, mas não no conforto de um lar e sim numa cela de delegacia policial, de quatro metros por quatro onde estejam recolhidos 45 presos. Não estão ali para uma festa, mas para pagar por um crime que vários nem chegaram a cometer.

Muitas vezes um inocente detido "para averiguações" vai passar algumas horas ou mesmo alguns dias no meio deles. Não se trata de gente fina, mas de criminosos, viciados, psicopatas, ou simples marginais submetidos a toda sorte de maus tratos, vivendo em condições subumanas e conhecendo como regra de conduta apenas a lei do cão.

Na semana passada os jornais do Rio noticiaram o caso de um lavrador, preso apenas como suspeito de furto de fios telefônicos, que foi amordaçado, violentado e morto a pancadas pelos companheiros de prisão, na delegacia de Nova Iguaçu, porque depois de vários dias sem dormir reclamou um lugar no chão de cimento onde pudesse descansar o corpo. Eram exatamente 45 presos numa cela de dezesseis metros quadrados.

LOS ANGELES —

Coalhada de automóveis

CENA filmada no alto do Pão de Açúcar. A moça tinha de dizer, com um suspiro romântico, olhando a cidade: "Cidade maravilhosa... Luzes feéricas... Colar de pérolas da baía de Guanabara... Avenidas coalhadas de automóveis..."

— O quê? — protestou ela: — Coalhada de automóveis? Essa não!

Naquele tempo o cinema brasileiro era assim.

Não deve ter melhorado muito — pois aqui estou eu, dirigindo um carro em plena Hollywood, também metido em cinema. Mas tendo como sócio David Neves, um cineasta de verdade, que vai compenetrado ao meu lado, uma câmera na mão e uma idéia na cabeça. O pretexto da viagem é uma série de filmes curtos (ultracurtos — no máximo cinco minutos cada um), "Crônicas ao Vivo", para a TV Globo.*

Eis senão quando de súbito me vejo perdido entre luzes feéricas, em meio a um tráfego louco, numa coalhada de automóveis.

— E agora, como é que eu saio desta?

— Por que você entrou aí?

— Onde é que você queria que eu entrasse? Fui seguindo o tráfego e de repente...

De repente me aconteceu o que eu mais temia: acabei caindo numa *free-way*, essas assustadoras auto-estradas que cortam Los Angeles por todo lado. São cinco pistas em cada mão, com milhares de carros fazendo mais de cem quilômetros por hora. E lá vou eu em disparada no meio deles.

Há saídas ao longo da estrada, com imensos e perturbadores letreiros verdes — mas não dá para sair; estou na extrema esquerda, e se ouso me desviar para a direita, acabo provocando uma colisão de duzentos carros.

— O jeito agora é ir em frente.

Vou em frente como num pesadelo, sem poder diminuir a marcha, cercado de carros por todos os lados. Maldita a hora em que aluguei um e me meti a dirigir neste tráfego. São loucos — os tais que perderam tudo, menos a razão: todos obedecem rigorosamente as leis do trânsito! Ao passo que eu, pobre diabo egresso do Rio e de seu pandemônio habitual, onde a gente faz o que bem quer, cada um por si e Deus por todos...

Os letreiros se sucedem, vertiginosos — Sepúlveda, Ventura, San Diego — vários de origem latina. "Hoje é o primeiro dia do resto de sua vida", diz um deles (em inglês), não sei a que propósito — o que absolutamente não me reconforta. Devo estar indo para o

---
Minha In-Experiência de Cinema, em "Deixa o Alfredo Falar!".

Norte, daqui a pouco saio da Califórnia, acabo chegando no Canadá. Em desespero, acendo o pisca-pisca para tentar uma brasileirada.

— Não faça isso! Olha os homens aí atrás.

Os homens. Eles estão em toda parte, em seus carros de radiopatrulha, lanterna giratória no teto. Se vêm atrás e a luz vermelha se acende, vá tratando de ganhar o acostamento e parar, porque a coisa é com você. Ai de você se não parar! Ouvirá de súbito irromper do alto-falante uma voz poderosa como a própria voz de Deus, trovejando ordens com a menção cabalística das letras e algarismos da licença de seu carro.

E você tem de acabar parando mesmo, suado e trêmulo, para logo se ver cercado de marcianos impecavelmente fardados, já de revólver em punho:

— Mão sobre o painel. Nem mais um movimento.

São seres estranhos estes: de uma calma neutra e distante, incomunicáveis como se não pertencessem à espécie humana. E implacavelmente eficientes — os guardiães da lei. Vão às últimas, se for preciso.

Só que no caso não é preciso — para que o revólver? Até aqui você nem sequer sabe que infração praticou. Luz apagada? Excesso de velocidade? Ou simplesmente ignorou a onipresença deles, deixando de olhar no retrovisor de seis em seis segundos, como manda a lei? Qualquer dessas infrações será o pretexto que lhes dá o direito de apanhá-lo talvez na mais grave delas — na verdade um crime inafiançável, cinco dias de cadeia até o julgamento: o de dirigir havendo bebido. Como sempre se bebeu um pouco por aí, nem precisam farejar cheiro de álcool para fazê-lo saltar do carro, e executar ali mesmo um quatro com as pernas e o dedo indicador na ponta do nariz, andar sobre linha reta, e outras gatimonhas não muito distintas.

Numa cidade em que praticamente todo mundo tem carro — oito milhões de carros para doze milhões de habitantes — ninguém pode beber sossegado. As reuniões sociais costumam terminar em complicadas confabulações sobre o problema de voltar para casa:

— Você, que bebeu menos, leva o meu carro. — Você tomou quantos? Mais de três? Vai no carro dela, deixa o seu comigo. — Já você, do jeito que está, é melhor dormir aqui.

Como os ônibus são escassos e os táxis um luxo a que poucos se dão, acaba sempre alguém tendo que ir buscar seu carro em algum lugar no dia seguinte. A não ser que apele para a própria polícia, que mantém um serviço especial de transporte de bêbados: basta você telefonar para a delegacia dizendo que não se sente em condição de dirigir, e mandam de graça um policial para conduzir seu carro.

Em pouco já não me vejo perdido num mar — ou coalhada — de automóveis. Foi-se a sensação angustiante de ter "os homens" atrás de mim. Ao fim de uma semana de prática, a *free-way* me parece uma avenida ampla e segura. A própria velocidade se anula no fluxo uniforme do tráfego. Cada qual na sua pista, guardando a mesma distância um do outro — que noção de ordem! Que gente civilizada!

Tamanha disciplina, de tão monótona, acaba me dando nos nervos — então acendo o pisca-pisca, olho pelo espelhinho, aguardo minha vez, vou mudando gradativamente de pista — cumpro todo o ritual do perfeito motorista, em obediência à sinalização. E ganho facilmente a saída.

Estou agora em pleno centro urbano. Esta é Vine Street, larga e calma como todas as ruas desta cidade. Detenho o carro ante cada pedestre, dando-lhe primazia no atravessar a rua, como é uso aqui. Em cada esquina uma parada no sinal de trânsito. Vou seguindo lentamente, não tenho pressa.

Ganho a pista central, delineada em amarelo, exclusiva para os que vão dobrar à esquerda. Aguardo a minha vez, sozinho agora, dirigindo um carro ao entardecer, numa rua de Hollywood. Sunset Boulevard — vem-me um sentimento de euforia, de onipotência, por me ver sozinho dirigindo um carro na famosa rua da famosa cidade. E esse nome que para mim já não passava de uma marca de cigarros... Hollywood, Sunset Boulevard, Rua do Crepúsculo, um filme de Gloria Swanson — aos poucos a euforia vai dando lugar a uma sensação pungente de ausência, de tempo passado, de ilusão perdida. Estou mesmo sozinho, cercado de mitos, seres de luz e sombra — onde estão eles? Scott Fitzgerald? Humphrey Bogart? Carole Lombard? E mais longe ainda, Tom Mix da minha infância? Não passam de fantasmas, os ídolos que eu cultuava, todos já se foram? Então é esquecê-los, como uma parte de mim que se foi para sempre. E seguir em frente.

O sinal se abre, vou seguindo tranqüilo em direção ao crepúsculo.

Crônicas ao vivo

RESUMO de algumas das "Crônicas ao Vivo", documentários de três a cinco minutos de duração (iniciando-se todos com uma tomada em *zoom* do imenso letreiro "HOLLYWOOD" no alto do morro):

"O Mapa da Mina" — O trânsito de oito milhões de carros em Los Angeles, numa sucessão de *free-ways*, pontes pênceis, viadutos, motocicletas, polícia, *out-doors* — *travellings* de dentro de um carro.

"O Homem Mau" — Reencontro com o ator Broderick Crawford. Uma aposta feita com ele no Rio quando lá esteve há vinte anos atrás. Não só se lembra, como admite ter perdido a aposta — de um dólar, que faz questão de pagar.*

---

*O Mundo É Pequeno, em "O Gato Sou Eu".

"Água de Beber" — Um americano que importa cachaça do Brasil para comercializar, novamente destilada, mais suave, mais clara — e mais cara. Reside em Oxnard — cidade perto de Los Angeles: pretexto para cenas panorâmicas filmadas do helicóptero.

"A Cidade Invisível" — Túmulos de artistas famosos, como o de Marilyn Monroe com a rosa que seu marido, o escritor Arthur Miller, prometeu colocar ali pelo resto da vida. A decadência dos grandes estúdios, a calçada da fama no Chinese Theater, Beverly Hills, casa de Carmen Miranda, o crepúsculo em Sunset Boulevard.

"Visita ao Bruxo" — Alfred Hitchcock em seu estúdio, um barbeiro a lhe cortar o cabelo enquanto conversa. Trechos de filmes seus apresentados por ele. Revelação de truques usados. Idéia de novo filme passado no Rio, como o seu "Notorious", com Cary Grant e Ingrid Bergman.*

---

*O Bruxo do Suspense, em "Gente".

1973

RIO DE JANEIRO —

Chico

A SUA maior emoção? Foi a primeira: no Festival de Nancy, quando a encenação teatral de "Morte e Vida Severina", por ele musicada, conquistou o primeiro lugar:

— E eu lá no meio da turma, tocando violão. Uma empolgação total.

E desafinação também: o atabaque entrou em órbita, o ritmo se acelerou, e o que era uma marcha-rancho virou marchinha. Uma de suas raras parcerias — com João Cabral e à revelia do poeta: este só foi saber já na Europa.

São perguntas minhas que Chico Buarque vai respondendo mansamente, como é de seu feitio. Estamos frente a frente, numa mesa do Bar Jangadeiro, dois chopes de permeio. Afirma que embora o envaideça, como é natural, o sucesso não acrescenta nem atrapalha. Não perseguiu um ideal de realização artística, tudo veio normalmente. Suas últimas composições não refletem preocupação de ordem literária na elaboração das letras: aliás, em literatura, seria prosador e não poeta; de preferência contista ou romancista. Usaria como tema sua experiência pessoal, que é a da vida urbana — como na música, aliás. Confirma o que me confidenciou certa vez: sim, gosta de escrever, mas sem pretender nunca misturar uma coisa com a outra — sem usar a popularidade de compositor para se lançar como escritor. No caso de "Roda Viva", por exemplo, houve certa confusão, acabaram por identificá-lo com o personagem principal, o artista devorado pela máquina do sucesso. Não houve nada disso. A vocação literária, se existir, há de se realizar naturalmente, como tudo em sua vida até agora.

Esta última observação é mais minha do que dele — de sua parte prefere, mesmo, não tocar no assunto.

Achou divertida a sua recente experiência de ator, no filme musical de Cacá Diegues, ao lado de Nara e Bethânia. Só participou porque o Cacá insistiu, pois se considera péssimo ator. Na televisão sempre teve até vergonha de se ver depois. Em cinema houve algumas passagens que chegou a tomar gosto em representar. O ambiente ajudava: de uma camaradagem como nunca encontrou antes.

Teve de interromper seus estudos de música porque viajou. Mas pretende continuar. Agora vai viajar de novo. Cumpre seus compromissos profissionais — viagens, *shows*, gravações — mas acha, como diz o Vinicius, que direitos autorais é papo cancerígeno.

Foi convocado a depor numa CPI em Brasília, disse o pouco que sabia e entendia, e o engraçado é que acabaram mandando seu depoimento por engano para o Tom, que entendia ainda menos.

Só é capaz de fazer uma letra compondo simultaneamente a música. Daí talvez não se dar muito bem com parceiros. Acontece várias vezes o parceiro ter uma idéia musical, que lhe sugere uma letra sem relação com a idéia dele. Então abandona a parceria e faz música própria. Como foi o caso de "Apesar de Você", por exemplo: era uma idéia sua, que não conseguiu desenvolver de acordo com uma sugestão musical do Tom, para parceria — e partiu então para a sua própria criação.

Considera-se um executante sem maior expressão, que toca apenas razoavelmente seu instrumento. O que o leva a compor não chega a ser exatamente necessidade de comunicação: é uma necessidade interior, para si próprio, de fazer alguma coisa... Não ficaria nada tranqüilo se não o fizesse. É duro atravessar uma fase como lhe aconteceu recentemente, de dois, três meses, sem conseguir fazer nada. Uma sensação de que não dá mais nada, acabou, envelheceu, morreu... A necessidade de fazer independe da obrigação assumida. Às vezes tem de entregar alguma composição e ela não está pronta na hora, a inspiração não vem de acordo com a obrigação. Já chegou a marcar gravação sem música feita, para acabar fazendo praticamente na hora. E nem por isso sai pior — às vezes sai até melhor.

A verdade é que o processo de criação é penoso e exaustivo. A inspiração pode ocorrer a qualquer hora e em qualquer lugar. Em geral é uma frase apenas, uma palavra, um acorde. A frase sugere outra... Acontece muito no chuveiro. Muita música sua nasceu debaixo do chuveiro, tem de se enrolar na toalha e sair correndo para não esquecer.

Quando termina, sente-se muito inseguro quanto ao resultado, sensível à crítica, depende da opinião de alguém. Para isso tem a Marieta, a quem costuma até arrancar do sono para ouvir. E ainda bem que ela sempre acha bom.

Embora não seja um requintado, pelo contrário, tem lá suas exigências. Não gosta de ouvir música de fundo, no meio de conversa. Então se limita a ouvir as novidades: Milton Nascimento, Piazzola (que já conhecia) são os mais recentes. Acha que o Brasil tem bons cantores mas em pequena quantidade. Na Itália, por exemplo, o número de bons cantores é maior. Aqui, o compositor em geral é o melhor intérprete das próprias músicas: Vinicius, que não é um grande cantor, canta bem as dele. Noel mal podia abrir a boca por causa daquele defeito, e também cantava bem as suas. Mário Reis canta bem, mas dando a sua interpretação. A interpretação de João Gilberto de "Saudade da Bahia", por exemplo, é notável, indo além do que o Caymmi criou. Gosta do Edu Lobo cantando, do Ary Barroso, até do Lamartine Babo: o próprio compositor tem mais chance de sentir a música.

Não acredita em Deus nem é supersticioso, embora tenha tido formação católica: estudou em colégio de padres (Colégio Santa Cruz, em São Paulo). Eram padres canadenses e no ginásio tudo foi legal, mas no científico o negócio pesou. Não pensa no futuro, não se imagina como um velho. Tem muito medo de morrer de repente, num desastre de carro ou de avião. Não tem medo de avião em si, mas qualquer coisa que acontece ele diz: é agora. Por isso só faz planos imediatos: para ir à praia, por exemplo. Está sempre esperando a morte a qualquer momento. Medo de não terminar alguma coisa que esteja fazendo: alguma música, alguma gravação...

Depois de pedirmos mais dois chopes, a uma pergunta minha ele me fala sobre suas novas aventuras no mundo da criação. Fico a olhá-lo, tentando descobrir no rosto do homem feito aquele jovem que revolucionou a música brasileira, falando em Januária na janela ou vendo a banda passar. É evidente que ele não compõe mais a imagem do bom menino, do garotão tímido e simpático que toda mãe gostaria de ter como filho, todo rapaz como amigo e toda moça como namorado. Continua jovem, tímido e simpático, mas não é mais garotão. O tempo passou, a banda passou, ele tem quase trinta anos, é casado, pai de família. E continua integralmente fiel à música, razão principal de existir.

Nessa fidelidade reside a sua grandeza, como ser humano e como artista.

Brasília

"*BRASÍLIA é artificial. Tão artificial como devia ter sido o mundo quando foi criado. Quando o mundo foi criado, foi preciso criar um homem especialmente para aquele mundo. Nós somos todos deformados pela adaptação à liberdade de Deus. Não sabemos como seríamos se tivéssemos sido criados em primeiro lugar, e depois o mundo deformado às nossas necessidades. Brasília ainda não tem o homem de Brasília.*"*

Só mesmo o gênio desta extraordinária escritora que é Clarice Lispector seria capaz de definir o estado de espírito de quem, como eu, se vê de repente numa cidade feita antes do homem. Como será o homem de Brasília? Um diplomata? Um dentista vindo de Lavras? O sertanejo de Catolé do Rocha que se tornou dono de botequim? (Em Brasília os donos de botequim não são portugueses.) Ou aquele ser andrógino, de terno branco, ombros finos e ancas largas, pálido como um jogador de pôquer antes de sua última cartada, que vi à porta do Hotel Nacional? Depois de pronta, que descendentes meus, perdidos na nebulosa do futuro, virão habitar esta cidade que é o próprio "espanto inexplicável"? Provavelmente será povoada por inseminação artificial. Uma cidade onde "por mais perto que se esteja, tudo é visto de longe" — deixemos que fale ainda a minha amiga Clarice:

---

*1970 — 20 de junho — Nos Primeiros Começos de Brasília, em "A Descoberta do Mundo", Clarice Lispector.

"Olho Brasília como olho Roma: Brasília começou com uma simplificação final de ruínas. A hera ainda não cresceu. — Além do vento há uma outra coisa que sopra. Só se reconhece na crispação sobrenatural do lago (...) — Esperei pela noite, como quem espera pelas sombras para poder se esgueirar. Quando a noite veio percebi com horror que era inútil: onde eu estivesse, eu seria vista. O que me apavora é: vista por quem? (...) — Este grande silêncio visual que eu amo. Também a minha insônia teria criado esta paz do nunca.(...) — De minha insônia olho pela janela do hotel às três horas da madrugada. Brasília é a paisagem da insônia."

Mas nem todos vêem Brasília com essa prodigiosa força poética. Alguns são bem mais explícitos. Para o Senador Mem de Sá, por exemplo, Brasília não merece o clima que tem. "Cidade maldita!", teria exclamado Jânio Quadros, pouco antes de chegada a sua hora de bater o pó das sandálias. Para Cláudio Lacombe, o melhor lugar de Brasília é o aeroporto. Para Castejon Branco, o lugar mais animado é uma pracinha de cidade do interior sem banda de música.

— Vamos lá dar uma espiada — insisti.

É uma espécie de centro comercial chamado Gilberto Salomão, distante alguns quilômetros de qualquer lugar, como tudo aqui: várias lojas, bares, restaurantes, boates com bom aspecto, simpático, agradável. Em Munique estariam repletos. Aqui estão às moscas. Entramos num e noutro para ver de perto, os garçons nos olham, desolados, porque não ficamos.

Já no Hotel Nacional, alguns hóspedes podem ser vistos, espalhados pelas mesas ao redor da piscina. Quase não conversam, e têm o aspecto desanimado e lerdo dos aquáticos numa estação de águas. No bar, dois forasteiros conversam com sotaque nordestino. Na boate, a escuridão não permite que se vejam as mulheres à espera de um freguês inexistente.

Resolvemos resumir a nossa noite num café da esquina — há o café, mas não há esquina.

De manhã; abro a janela e tenho a sensação de haver caído uma bomba atômica durante a noite, a cidade desapareceu.

"Essa beleza assustadora, esta cidade traçada no ar."

O Palácio Itamarati é o máximo de beleza e perfeição que a arte de Niemeyer chegou a atingir. Os seus longos corredores parecem os de um imenso navio. A profundidade do campo de visão sugere por todo lado uma perspectiva de cinema : a câmera de Hitchcock colhendo suspense num ambiente supermoderno. O luar na Praça dos Três Poderes como um buraco luminoso no céu de um quadro de Magritte. A catedral, fantástica como uma aranha gigantesca de um filme de terror. Dizem que no seu interior não prevalece mais o aspecto sóbrio e majestoso das paredes desnudas, já havendo santinhos dependurados. Não chego a entrar para ver.

E o poste com a bandeira maior do mundo — assunto mais discutido em Brasília quando está ventando: na hora de hastear, a adriça não encaixa na carretilha — e está sempre ventando. O vento levanta rodamoinhos de poeira. A poeira ainda existirá por muitos anos, apesar de tanta grama plantada: uma semana de seca e a grama desaparece, afogada em pó. Quando chove tudo vira lama.

Mas tem quem goste: as crianças, por exemplo, que não sabem o que é uma praia. Cyro dos Anjos afirma que não há lugar melhor para se escrever. Ou seja: pensar na morte da bezerra. E os egressos do interior, que se viram promovidos na sua condição social: estes não têm de que se queixar.

Já os banqueiros se queixam do alto índice de cheques sem fundos, os juizes do alto índice de desquites, as autoridades de trânsito do alto índice de acidentes. É o paraíso dos lanterneiros. Para os estudantes, o *campus* universitário pode não ser o de nenhuma Harvard ou Yale, mas é uma realidade, apesar de tudo de errado que se fez ali. E o Jardim Zoológico, segundo os ornitólogos, já é bastante apreciável no setor das aves. As araras é que andaram querendo se mandar e roeram a tela de arame do viveiro.

Para quem não vinha aqui há muito tempo, é surpreendente o número de árvores. Quer dizer que plantando, dá? Quando Israel Pinheiro era presidente da Novacap, mandou chamar uns japoneses para que plantassem. Os japoneses voltaram desanimados: o senhor desculpe, mas essa terra não dá nada não. E Israel, impaciente: se desse, para que é que eu ia precisar de japonês?

O homem entrou correndo no aeroporto com um bolo de notas na mão crispada (dinheiro ganho no pôquer ao longo da noite) e pediu aflito no balcão:

— Depressa, uma passagem para aquele avião ali.

— Mas aquele avião vai para Corumbá — estranhou o funcionário.

— Não perguntei para onde.

Os que se conformam em ficar revelam espantosa disposição para o trabalho: saem de casa às oito da manhã e nunca regressam antes da oito da noite. A partir daí, nada a fazer senão esperar o sono diante da televisão, quando não têm mais dinheiro para perder no carteado, funcionando noite adentro em quase todos apartamentos. E são acordados antes da hora pelo canto eletrônico de cigarras transistorizadas, poderosas, gigantescas como bichos de pesadelo.

Quem beber em casa alheia vai se dar mal para achar o caminho da sua própria. Vou até a pequena zona de comércio de uma superquadra para comprar cigarro e na volta me perco numa floresta de edifícios absolutamente iguais uns aos outros. Não hei de conseguir achar nunca mais o apartamento de meu amigo onde estou hospedado. SQS — 307 — Bloco F — Apt°. 502, leio na minha caderneta. Só falta o carneiro do cemitério. *"Ó vida futura! nós te criaremos."** É preferível mesmo encontrar o caminho do aeroporto.

E saio de Brasília sem olhar para trás como a mulher de Lot, para não me converter numa estátua de sal.**

Campeão

SIGO diretamente do aeroporto de Congonhas ao Espéria — clube esportivo onde ele passa a maior parte de seu tempo, com a mulher e os filhos.

Chegamos juntos — vejo saltar de um TL vermelho um rapaz com ar jovial e descontraído, calça verde-alface, cinto largo, camisa azul riscadinha de punhos dobrados, blusão vermelho no braço. Caminha sorrindo para mim como se fôssemos velhos conhecidos:

— Foi bom você ter vindo. Já li o que você escreve. Jóia.

Há tempos um jornal noticiou que ele foi visto com a mulher na feira de livros da Cinelândia, comprando um livro meu. Ele se lembra:

— "O Homem Nu", não é? Jóia.

Vamos caminhando lado a lado pelas alamedas do clube. À entrada várias pessoas que estavam por ali vêm cumprimentá-lo. Ele atende um e outro, jeito simples e feliz: é isso mesmo, muito obrigado, sim, foi duro mas estamos aí, obrigado, muito obrigado... Numa vitrine lateral um retrato seu de mais de um metro de altura. Ele mal dá uma olhada e vai passando. Parece ser realmente uma dessas criaturas raras a quem o sucesso não afeta. Jóia.

Lutador de boxe: um sujeito enorme, de braços grossos, manoplas assustadoras, orelhas de couve-flor, nariz achatado, queixada poderosa. Pura impressão de criança. Jack Dempsey, Joe Louis, e outros pesos-pesados de minha infância. Pois um peso-pena, que durante a luta parecia tão forte pela televisão, na verdade é menor do que eu! Este homem sentado à minha frente no restaurante do clube poderia ser um ciclista, ou aquele ponta-esquerda pequenino e esperto que veio dos juvenis. Há mesmo nele um ar qualquer de menino inteligente que lembra o Tostão. Com 37 anos, diz que se sente ainda com 25. O queixo e as orelhas são normais, o nariz não é achatado. Pelo contrário: está com uma pequena saliência esfolada, única marca que a última luta lhe deixou no rosto.

---

*Mundo Grande, em "Sentimento do Mundo", Carlos Drummond de Andrade.
***Gênesis, 19-26*, "Antigo Testamento".

De pugilista só tem mesmo os olhos pequenos, encravados debaixo de supercílios salientes — o que não quer dizer nada, eu também tenho.

Pois este é o Éder Jofre, ex-campeão mundial de peso-galo, novo campeão mundial de peso-pena, que ressurgiu para o boxe depois de quatro anos de ostracismo. É considerado hoje pelos entendidos um dos dez maiores pugilistas de todos os tempos.

— Você foi muito brigão quando menino?

— Pelo contrário: sempre fui controlado como hoje. Não me meto em briga nem em discussão. Não perco a cabeça: deixa pra lá! E vou saindo. Quando menino, o velho me dizia só que se eu apanhasse em alguma briga, chegando em casa tornava a apanhar. Eu tinha de me virar, não é?

Sua voz tem ligeiro sotaque de paulista do interior, vagamente anasalada, enrolando um pouco os erres. Ou talvez seja a ascendência estrangeira: pai argentino, sangue francês e italiano dos avós. A comida italiana, aliás, é o seu fraco de vegetariano por convicção. No momento está comendo um espaguete ao alho e óleo e me pergunta se em Londres (pretende ir lá em julho) tem muitas tratorias. Hoje, na sua nova categoria, pode comer quanto quiser. E até mandar um vinhozinho de vez em quando — para confirmar, ordena para nós uma garrafa de *rosé*.

— Antes eu só comia ar o dia todo. O velho não me deixava engordar.

A todo momento fala no pai, com carinho:

— Se não fosse ele, nem sei. Desta vez eu disse para ele: vou vencer, se Deus quiser. E o velho: se quiser e se não quiser. Vai vencer mesmo, Ele queira ou não queira.

Pergunto se é católico e ele vacila, sopesando a pergunta com as mãos abertas no ar:

— Bem, sabe como é. Para dizer a verdade... Não sou muito chegado, não é? O velho é que fala em Deus toda hora... mas só para xingar.

Dois meninos o interrompem, pedindo autógrafos. Ele parece ter um fraco por crianças: brinca com os meninos, trata-os com ternura. E é de se ver a sua euforia na presença da filha de quatro anos, como se não a visse há longo tempo. Daqui por diante sua atenção estará dividida entre mim e Andréia, que acaba de chegar da piscina em companhia da mãe — uma mulher ainda jovem, cabelos negros e olhos oblíquos, de uma fisionomia suave e contida mas de firmeza no olhar.

— Andréia está aprendendo natação.

Fala no outro filho, Marcel, de nove anos, que não parece ter jeito para o boxe. Tanto melhor. Terá jeito para outra coisa. A mãe, por sua vez, me revela que o marido tem jeito para desenho. Chegou a estudar, mas acabou desistindo:

— Entrei para o Liceu de Artes e Ofícios para aprender desenho arquitetônico, não é? Eu era pobre e um dia comprava uma régua, outro dia um esquadro, depois uma prancheta, assim aos poucos porque o dinheiro não dava. Aí então o teto do Liceu caiu. As aulas iam ser noutro lugar. Fui buscar o meu material, disseram que só no dia seguinte. No dia seguinte a mesma coisa. No quarto dia eu não fui e no quinto falaram: já entregamos ontem o material dos alunos, agora não vai ser possível mais. Então mandei tudo para o inferno e fui embora.

Promete, a meu pedido, fazer um desenho especial para mim. E passa a falar com entusiasmo em seus pintores prediletos:

— Renoir. Esse é jóia. Tem um quadro dele naquele museu de Paris na frente do Louvre, que quadro, Fernandão! Olha, vê se você manja: uma janela aberta, com um céu azul, aquelas nuvens todas, tudo de pinceladas curtas... O fino. Gosto muito também de Cézane... Cezánne? Falou. Este mesmo. E Modigliani, não é? E aquele outro, o Gauguin.

Olho para as suas mãos largadas sobre a mesa, tento conciliar a violência de um soco com a delicadeza de um traço de desenho. Mãos de *boxeur*. Mas que podiam ser de um artista.

— Você, que é um manso de coração, Éder, como concilia a sua maneira de ser com a violência do boxe?

Pela primeira vez ele se faz sério e sacode a cabeça, categórico:

— Comigo não há violência. A violência nasce do ódio e eu não sinto raiva de ninguém. Muito menos do adversário. Pelo contrário! Olha, uma vez, quando eu começava no profissionalismo... Aquele cara, ele parecia tão forte e logo no primeiro *round* levou uma no queixo e caiu sentado. Então me falou: Éder, vê se manera comigo, você vai vencer mesmo, preciso disso, tenho mulher e filhos. Fiquei com pena e fui manerando até o terceiro *round*. Pois não é que o cara entra num *clinch* e de repente me dá uma tremenda dentada no peito, que quase me arranca um pedaço? Aí sim, eu tive raiva, acabei com ele no quarto *round*. Depois tive pena de novo.

— E quando o lutador insiste em bater na parte fraca, na ferida aberta com um soco?

— É a parte fraca, você mesmo disse. Ele entra no ringue nas mesmas condições que eu, em perfeito estado, não vou bater num aleijado. E corre os mesmos riscos. É uma disputa para vencer ou perder, não é? Eu também não apanho? Faz parte do jogo. Tem de usar a cabeça: às vezes faço que apanho. Fico tonto, guarda frouxa, para ele pensar que eu estou liquidado e relaxar. Eu volto e acabo a luta. Tem suas regras, é um esporte, não uma briga. É um esporte que dá oportunidade a gente pobre, como eu fui, de ser alguma coisa na vida. Homenagens eu não quero: falaram em fazer um busto, pois podem fazer no meu túmulo, se quiserem. O que eu quero é fazer o que eu gosto. E eu gosto de boxe, sabe como é?

— Para você então é uma competição, como a natação, o tênis.

Ele se concentra para responder:

— Mais: é mais requintado. Não, não é essa a palavra. Uma coisa assim como... O contato é mais humano, compreende? Respeito, é isso: respeito. A gente respeita o outro. Por exemplo: armo o golpe, o gongo soa mas ainda posso acabar com a luta naquele momento, e então eu paro o golpe no meio. Sabe como é? Boxe para mim é isto. Falam muito em Máfia, em gangsterismo... É exagero, todo esporte tem. Lá fora pode ser, aqui no Brasil não há. Estou nisso desde menino. Agora, depois da vitória, me perguntam se não está na hora de parar...

Passa as mãos na cabeça e sorri, indeciso. Tenho vontade de lhe dizer que pare, não haveria momento melhor. Mas me calo, solidário, como diante de um amigo que tem de decidir sozinho o seu destino.

E esta será a sua vitória de campeão.

Em torno de uma praça

O GENERAL Osório sentou praça em Ipanema. E a praça ficou sendo o quartel-general do ipanemismo — se assim posso me referir ao estilo de vida que o bairro veio a ter.

Que estilo de vida é esse? Daqui da minha Rua Canning, sentinela avançada de Ipanema, posso ver o princípio da Visconde de Pirajá, que conduz diretamente à praça.

Uma menina de seus quatorze, quinze anos atravessa a rua em frente ao Teatro Santa Rosa, desviando-se graciosamente de um carro em disparada e atingindo a calçada numa verdadeira pirueta de *ballet*. Nada mais natural, pois está com uma malha preta de bailarina, sapatilhas de dança e uma tira de pano prendendo os cabelos.

Logo adiante o cobrador de um ônibus parado no ponto pede ao sorveteiro junto ao meio-fio que lhe estenda pela janela um picolé. Uma velha sai do Mar e Terra empurrando um carrinho de compras: lá vai ela, a vovozinha, com uma calça comprida vermelha de bocas largas e uma frente única ciclame, que é a cor da moda. Em direção oposta uma jovem mãe, metida num justíssimo *blue-jeans* desbotado e com aquele galeio de quadris, vai conduzindo o carrinho com dois lindos gêmeos. Todos olham, comentam, elogiam os filhos, de olho na beleza da mãe. A caminho da praia, surge na esquina uma moça de biquíni e uma barriga de meses. E assim por diante.

Essa é a fauna de Ipanema — para só falar no que tenho diante de meus olhos. Por aqui começa o meu périplo. Estou diante do canguru de massa que monta guarda à esquina da praça, em frente ao Gordon, com crianças grimpadas em suas reentrâncias e saliências. Esse Gordon é uma lanchonete relativamente nova, com sanduíches de quatro andares e nomes sofisticados: *diabólico, toreador* — por aí. Posso dobrar a esquina e começar pelo antigo Teatro de Bolso, ou cortar a praça em diagonal e ir até o centro, onde operam os lambe-lambes, para render minhas homenagens à Fonte das Saracuras.

Fala Roberto Braga, filho de Rubem, o Sabiá da Crônica. Doutor em Praça General Osório, ele que andou estudando o assunto:

"*A Fonte das Saracuras tem quase dois séculos de existência. Foi feita por Mestre Valentim em 1795, por encomenda do Vice-Rei Conde de Rezende, para o Convento da Ajuda, e removida para a Praça General Osório há 60 anos. A água jorrava pelo bico de quatro saracuras de bronze, tamanho natural, e quatro tartarugas chumbadas no granito. As tartarugas ainda estão lá, mas as saracuras foram retiradas. Em vão o Serviço de Parques do Governo da Guanabara tentou substituí-las por réplicas de chumbo, mas elas somem pouco tempo depois de sua colocação.*"

A fonte ficou sendo o núcleo de concentração da Banda de Ipanema, no Carnaval ou fora dele, nas grandes ocasiões. Aos domingos a praça é o epicentro da comoção de formas e cores que a percorrem, sob ocupação dos *hippies* com sua feira. Hoje é comércio organizado, fichado e controlado. No princípio era comoção mesmo, praça de guerra, quando a polícia baixava no lugar e expulsava todo mundo à sua maneira. Um dia me vi em meio a um desses charivaris, e não havendo condições de correr sem perda de dignidade, deixei-me ficar, calmamente não é bem a palavra, mas esperando que me poupassem, o pau comendo ao redor. Um guarda me interpelou, um pouco sobre o truculento, e me limitei a declinar meu endereço daquele tempo: General Venâncio Flores, 100/304. Ele me fez uma continência e se foi.*

O Teatro de Bolso já não existe. Se não me engano, quem o inaugurou foi Silveira Sampaio, com a sua "Garçonnière de Meu Marido". Era uma figura querida na praça — e insubstituível, dessas que deixam a tal lacuna. A sua "Trilogia do Herói Grotesco", despretensiosa e engraçada, marcou época no nosso teatro de costumes.

Eram cinqüenta espectadores, se tanto — boa parte dos quais em poltronas atrás das colunas, mas podendo vislumbrar um bom pedaço do palco. A impressão que se tinha da platéia é que assistíamos dos bastidores, em boa intimidade com os atores. Vinicius, como na sua mesa do Bar Veloso, cantando a *Garota de Ipanema*. Nara Leão cantando *A Banda*. Leila Diniz partindo gloriosa para o rebolado em *Tem Banana na Banda*, já se tendo tornado a figura mais querida da praça e adjacências. Por fim Aurimar Rocha assumiu o lugar — mas depois que ele partiu para a sua própria casa de espetáculos, ainda houve um resto de vida no Teatro de Bolso, transformado por Cacá Diegues no cineminha *Poeira*, de filmes raros em 16 milímetros.

Não se esquecendo, é lógico, de mencionar Millôr Fernandes, que ali iniciou no Rio a sua carreira de teatrólogo, com a peça "Do Tamanho de Um Defunto". Hoje, de uma cobertura a cavaleiro da praça, ele comanda os acontecimentos. Mas, segundo faz ques-

---

*De Como Cheguei a General, em "A Falta que Ela me Faz".

tão de deixar claro, sua jurisdição não vai além da pracinha que o separa da praça de verdade: um pequenino quadrilátero na conjunção de três ruas, que ele pretende ainda leve um dia seu nome, já tendo sido batizado de Praça Cacilda Becker, que morava também por ali, com Walmor Chagas.

De repente Mônica Silveira atravessava a praça de biquíni, a caminho da Praia do Arpoador. Donde aquele lindo desenho de Carlos Thiré, *Mônica na Praça*, em sua exposição na Pétite Galérie.

A Pétite Galérie foi invenção de Franco Terranova e dos Josés da Ducal — o José de Carvalho e o José Luís Moreira de Souza. A precursora das galerias de arte na Zona Sul. A arte se multiplicava em torno da praça. Em matéria de móveis, por exemplo, surgiu a Oca, do Jairo Costa e do Sérgio Rodrigues. O Gardênia, aliás, aquele restaurante ali ao lado, foi decorado pelo Sérgio. Antes era um botequim onde Vinicius ensinou o dono a chover no molhado, ou seja, fazer uma excelente batida de vodca com limão.

Mais um restaurante — o Rio-Napoli — que não tem nada de especial além do espaguete, mas onde um dia me vi apresentando a linda mineira Angela Diniz a Carlos Drummond de Andrade: "Minas além do som, Minas Gerais". Logo à esquerda a galeria de *boutiques*. Numa esquina, a casa de móveis, onde Tenreiro já deu lições em matéria de bom gosto; na outra, uma casa de sucos de frutas que se dá o requinte de ter o nome em francês: *Au Bon Jus*. Em cima, a cobertura onde Tati de Moraes podia ser vista regando as plantas, através do binóculo de Rubem Braga lá de seu próprio jardim suspenso na Rua Barão da Torre.

Chego enfim ao lado principal da praça. Aqui neste prédio velho já funcionou uma alegre gafieira — hoje é o Restaurante Abaeté, que fornece comida de pensão a preços módicos. Mais além morou o pintor Raimundo Nogueira. Entre um prédio e outro, pequenos becos misteriosos conduzem a lojas de faz-tudo, casas de antigüidade, oficinas mecânicas, eletricistas, fazedores de chaves e as estranhas moradias escondidas no miolo do quarteirão.

Outra galeria de *boutiques* — a mais recente, onde outrora funcionava o simpático Cinema Ipanema.

E outro lugar onde outrora retumbaram hinos, e que hoje não existe mais*: o Jangadeiro que, transferido para fora da praça, já não é mais a mesma coisa — ninguém nos devolverá o gosto dos chopes de antigamente. Resta o consolo do caldo de cana na esquina, para acompanhar um delicioso pastel de queijo. E depois folhear umas revistas na melhor banca do bairro, a do Nino, que tem o bom gosto de ficar aberta a noite toda.

---

*Voltou a existir em fins de 1999.

Completada a volta, regresso à minha casa com a sensação de não haver encontrado o que buscava. Uma amiga, que cruzou comigo há pouco, duvidou que eu chegasse até o fim no meu propósito. Talvez tivesse razão: uma simples praça, por mais que evoque lembranças e sugestões, não é lugar de se encontrar coisa alguma, para quem nem ao menos sabe o que procura.

1974

Alfredo, cláusula única

— AS editoras podem ir mal: crise do papel, retração do crédito, falta de capital de giro, essa coisa toda. Mas os editores vão muito bem, obrigado.

Esta é uma visão surpreendente do problema editorial no Brasil. E de alguém que deve saber o que está dizendo: o editor Alfredo Machado. Eu mesmo — que, associado ao Rubem Braga, me meti a editor (com inexplicável sucesso), em boa hora me saí dessa. Não teria coragem (nem condições) de oferecer dez mil dólares por García Márquez, mesmo sendo, com Rubem Braga, o primeiro a editá-lo no Brasil. Preferi me ocupar com atividades menos arriscadas. Ou mais condizentes com o nosso tempo — como respondeu o meu sócio, quando uma senhora lhe perguntou o que pretendia ele fazer na vida, tendo vendido a Editora Sabiá:

— Não sei ainda se teste Cooper, cursilho ou análise de grupo.

Ser editor será assim tão penoso? Alfredo Machado acha que não:

— Desde que você edite aquilo que o público esteja querendo ler. Estamos num regime capitalista; é a lei da oferta e da procura. E livro não quer dizer só cultura, mas também entretenimento, distração.

Pelo jeito, o leitor hoje em dia só está querendo se distrair.

Numa entrevista pela TV sobre o hábito da leitura, Alfredo encerrou-a dirigindo-se diretamente ao telespectador:

— Agora desligue essa televisão, e vá ler um livro.

Folheio o catálogo da sua Editora Record: livros de Scott Fitzgerald, Remarque, Lawrence, Updike, Steinbeck, McLuhan, Irwin Shaw, John Galsworthy, Romulo Galegos, García Márquez, Wodehouse, Chesterton, Carlos Castaneda, Nabokov — inegavelmente boa literatura, e todos de sucesso — ainda que alguns por motivos extraliterários. E livros de arte, como o de Germain Bazin sobre o Aleijadinho, gravuras de Segall, desenhos de Debret.

— Procuro publicar aquilo que o público está querendo comprar. É isso que os outros editores não me perdoam.

Livros de Gibran, Irving Wallace, Morris West, Mazo de la Roche e outros autores populares continuam batendo récordes de venda. O carro-chefe é mesmo Harold Robbins, para cujo sucesso contribui o nome de Nelson Rodrigues como tradutor. Ou os títulos que o editor vai inventando para as traduções, de acordo com o gosto do público: "O Garanhão", "Os Insaciáveis", "Os Libertinos", "O Machão".

— Que é que faz vender um livro? O título? A capa? O assunto?

— O título, a capa, o assunto, sei lá. O sucesso lá fora ainda é a melhor indicação.

— E o autor brasileiro?

— Que é que tem o autor brasileiro?

— Essa lei que estão querendo fazer, obrigando os editores a lançar uma percentagem de autores brasileiros, como fizeram com o cinema.

— Só que o cinema, eles obrigam é os exibidores, que são os que levam o filme ao público. Obrigarão as livrarias a comprar a mesma percentagem de autores brasileiros?

Alfredo Machado: casado há 28 anos, tem três filhos (dois trabalhando com ele). Cinco viagens ao estrangeiro por ano (três aos Estados Unidos e duas à Europa). Torcedor impenitente do Botafogo, não perde um jogo de seu time. Assistiu a todas as Copas do Mundo desde 1950. Compadre do editor americano Alfred Knopf (através de quem se tornou amigo de Jorge Amado). Introdutor no Brasil do meu editor inglês Ernest Hecht (através de quem nos tornamos amigos). Costuma almoçar no Nino's, gosta de seu uísque, fuma cachimbo (pilhas de cachimbo sobre a estante atrás de sua mesa). Conhecedor e divulgador das últimas e melhores anedotas, como a do corcunda no mictório, por exemplo. (Não dá para contar.)

Começou aos quatorze anos traduzindo legendas para o antigo (e saudoso) Suplemento Juvenil dos primeiros tempos de Flash Gordon, Tarzan, Mandrake, Dick James e outros heróis de nossa infância.

Passou para o Globo Juvenil, traduzindo Li'l Abner e em pouco chamava a si o encargo de representar essa gente toda, escrevendo aos produtores em Nova York, para onde partiu aos 23 anos com a cara e a coragem. Nascido de uma família humilde: o pai era funcionário dos Correios e o avô, italiano, veio ao Brasil, segundo afirma ele, "trazido pelo incentivo ao desenvolvimento do nosso sistema de transportes":

— Veio ser condutor de bonde.

O exemplo típico do *self-made man*:

— Como todo aquele que se faz por si mesmo — comenta, rindo —, reconheço que sou um pouco mal acabado.

Da minha parte, reconheço que faz bem à alma e distrai o espírito encontrar esse tão bem acabado exemplo de senso prático e saúde mental, de honestidade sem alarde e eficiência sem jactância, de camaradagem, otimismo e bom humor.

Consta que ele teria firmado com Jorge Amado um contrato composto de uma cláusula única e irretratável, pela qual o escritor se obriga a continuar seu amigo, mesmo que venha a ser publicado por outra editora.

De minha parte, com ou sem contrato, já me obriguei a cumprir fielmente essa cláusula desde o momento em que o conheci.

Segredo do Antonio's

EU não entendia por que meu contador vivia dizendo:

— O senhor gosta de churrasco, hein?

Até que, ao fechar o balanço do ano findo, ele foi mais explícito:

— O senhor vai me desculpar, mas o que comeu de churrasco no ano passado não é normal: não vai poder ser por conta da firma.

Então entendi: ele se referia às contas que eu lhe encaminhava para descarregar na nossa Bem-te-vi Filmes Ltda., como despesas da firma. Mas pouca gente entenderia que as notas de minha despesas do ano no Restaurante Churrascobrás Ltda. não eram propriamente de churrasco, sendo esta apenas a razão social do bar, conhecido por todo mundo como Antonio's.

A primeira vez que estive no Antonio's foi em 1966, pela mão de Otto Lara Resende, que por sua vez foi levado por Walter Clark e Armando Nogueira. Hoje, acrescidos de Boni e Borjalo, formam a cúpula diretora da TV Globo, e são dos mais assíduos, principalmente ao almoço. Otto, ele próprio, anda meio sumido ultimamente. Depois que adquiriu a duras penas uma extraordinária e invejável categoria para beber, passou a temer a concorrência dos que não se comportam tão bem como ele.

E não deixa de ter sua razão. Uma noite abri a porta do Antonio's e dei com toda a turma da pesada ao longo do balcão: Carlinhos, Lulu, Gagá, Catinari e Roniquito. Só faltava o saudoso Zequinha que, mesmo depois de morto, segundo o *maître* Zelito, que é dono de fino humor, continua a freqüentar o Antonio's. Não me restou, por absoluta incompetência ante tão respeitável linha de ataque, senão fazer meia volta e ir baixar noutra freguesia. Porque dos trezentos litros de uísque ali consumidos mensalmente, só aqueles cinco dariam conta da metade.

Mas isso foi na fase bélica. Houve várias fases, e hoje em dia a barra anda limpa, o lugar anda calmo e sossegado. Mesmo naqueles tempos as brigas eram raras, não passavam de acidentes de trabalho. Só me lembro de uma, naquela noite em que o Roberto Braga foi ao toalete, deixando vazio por um instante seu lugar junto ao balcão, ao lado da moça. Veio o deputado e se sentou no lugar dele. (Ninguém sabia quem era, mas tinha cara e óculos de deputado.) O dono do lugar regressou e pediu delicadamente que ele se levantasse. Ele se recusou, sem nenhuma delicadeza. Então Roberto Braga tirou-lhe os óculos e os partiu em dois pedaços. Um amigo do deputado se adiantou e fez o mesmo com os óculos de Roberto Braga. A coisa se generalizou e literalmente num abrir e fechar de olhos quem usava óculos ali por perto do balcão ficou sem eles. Ao todo, doze óculos foram quebrados, verificou-se depois. E às tontas, agitando-se como ceguinhos, os envolvidos na brincadeira iniciaram a pancadaria.

Só me lembro que, em meio ao charivari, pau comendo por todo lado da casa repleta, Luíz Coelho, de passagem pelo Rio naquela noite, subiu na mesa do centro e começou a cantar a *Traviata*, com seu vozeirão todo, para ver se serenava os ânimos. Rubem Braga esbravejava, abrindo caminho aos pescoções: estão batendo no meu filho! Ninguém se entendia e quando dei por mim, estava de pé sobre a mesa das sobremesas, sapatos atolados no tabuleiro de tortas e compotas, gritando: parem com isso! parem com isso! Ante meu grande pasmo, de súbito todo mundo parou mesmo e se voltou para mim, esperando o que eu tinha a dizer. Sugeri que a casa oferecesse champanhe a todos, no que fui prontamente atendido. Entre mortos e feridos, todos haviam escapado.

Meia hora depois, quem entrasse no Antonio's daria com o ambiente alegre de sempre, a freguesia, confraternizada, comentando animadamente o acontecimento. Só o deputado com seu amigo haviam desaparecido.

Qual o segredo do sucesso do Antonio's na noite carioca? Segundo Aloysio de Sales, eleito "presidente da casa", não há no mundo um bar com tanto charme — e ele é um que conhece os bares deste mundo. Trata-se de uma espécie de *pub* londrino em versão brasileira — não propriamente um restaurante. A comida é bem razoável (às vezes excelente), mas os fregueses regulares só eventualmente jantam, e assim mesmo porque, segundo ensina Brás Cubas, humanitas precisa comer. A bebida é o forte da casa.

Quanto a drogas, nunca ouvi falar. Prevalece o espírito preventivo do Ribamar, o *barman* querido de todos: ao saber que um freguês vinha cheirando pó trancado no pequenino banheiro, sugeriu se não seria o caso de instalar lá dentro um potente ventilador.

Às vezes aquilo parece um clube privado: todos os fregueses presentes são amigos ou pelo menos se conhecem. No entanto, há noites em que não aparece um só conhecido — e nem por isso a maioria dos presentes deixa de ser composta de fregueses assíduos. Trata-se de um revezamento permanente e a freguesia obedece a movimentos cíclicos regulares: há quem passe longa temporada sem aparecer e uma noite ressurge, para voltar a freqüentar regularmente. O récorde de permanência contínua estabelecido por Paulo Mendes Campos: quinze horas seguidas sem arredar pé. Outros, como o advogado Fernando Veloso, compareçem religiosamente para o almoço todos os dias. E se perguntarmos a um dos sete garçons (Zelito, Domingos, Serafim, Marcos, Antoninho, Mauro e

Mesquita) quais são os melhores fregueses, ele dirá, para surpresa nossa, serem aqueles dois casais de americanos que todas as noites jantam e bebem na mesa três, fazendo uma despesa nunca inferior a oitocentos cruzeiros. O espantoso é que nós, os profissionais, nunca reparamos neles, como de resto em tantos outros fregueses também assíduos. E são apenas treze mesas, comportando 52 pessoas (o que não impede que haja noites com mais de cem).

Qual o segredo do Antonio's? Para os amadores, estará talvez na possibilidade de ver de perto o Chico Buarque, o Tom Jobim, o Vinicius ou outro nome famoso. Mesmo que, por um estranho acaso, aconteça sempre que, justamente quando os curiosos lotam a casa, em geral no sábado, nenhum deles esteja presente. Mas continua sendo "o lugar deles".

A presença de quem quer que seja no Antonio's é imprevisível, de Juscelino Kubitscheck ao Chacrinha — ou de Tônia Carrero a Leila Diniz, para falarmos de duas gerações de lindas mulheres. As celebridades em visita ao Brasil costumam surgir de maneira inesperada. Uma noite a porta se abriu, um homem entrou sozinho, tomou um drinque no balcão e se foi sem que ninguém lhe desse atenção: era Nureiev. Outra noite, Mick Jagger entrou comigo, trazendo a mulher, Mariane Faithfull, montada às suas costas. Outras figuras ilustres que não me lembro ou não cheguei a ver apareceram por lá. Já o Pelé, por exemplo, tinha um imenso retrato seu na parede e no entanto, ao que me conste, lá não foi sequer uma vez.

Retratos dos fregueses mais conhecidos cobriam as paredes: Di Cavalcanti, Vinicius, Chico, Tom, Boni, Paulo Mendes Campos, Cássio Fonseca, Rubem Braga, Lúcio Rangel, Aloysio de Sales, Marcos Vasconcelos, César Tedim e Carlinhos de Oliveira compunham a galeria. E um anúncio da Editora Sabiá, com alguns desses, e mais, Sérgio Porto, que não podia faltar. Mas havia também o de Regina Leclery em lugar de honra, junto à porta — seus lindos olhos a nos observar com doçura e simpatia onde quer que nos sentássemos. Aquela fotografia por si só fazia a alegria da casa, quando ela não vinha trazer em pessoa o encanto da sua presença. Até que uma noite Moacir Werneck de Castro e Antonio Callado conversavam comigo ao pé do imenso retrato e ele de súbito se desprendeu da parede misteriosamente, caindo ao chão. Moacir soltou uma exclamação de espanto, Callado ficou calado. Ao mesmo tempo o telefone tocou — era Rubem Braga, à minha procura, para me dar a notícia do desastre de avião naquele dia, em que nossa amiga havia morrido.

Em sinal de pesar, a direção da casa decidiu retirar *todos* os retratos.

E hoje as paredes nuas do Antonio's dão o testemunho do vazio que ficou no coração dos que amavam Regina, e são praticamente todos os que chegaram a conhecê-la.

Em junho de 1966, dois jovens e simpáticos garçons espanhóis do Nino's, Florentino e Manolo, se juntaram ao cozinheiro Antônio e compraram um pequenino restaurante chamado Le Grill, no Leblon, ali na Avenida Bartolomeu Mitre, quase esquina de Ataulfo de Paiva. A casa não ia bem, apesar do Edu da gaita, que funcionava como atração artística. Passou a se chamar Antonio's por causa do cozinheiro, à falta de nome melhor. Um ano depois o Antônio se passou para o Antonino's, mas o nome ficou. Manolo e Florentino se revezavam, um durante o dia, outro à noite. E o sucesso veio sem que eles próprios soubessem bem explicar por quê. Até hoje, ninguém sabe.

Manolo foi passar férias na Europa, já vai para sete meses, e não voltou. Consta que está pensando em entrar para um convento. Em se tratando do Manolo, nada é de causar espanto. Nem mesmo seu cartão de visita onde se lê: "Manolo R.R. — Taxidermia, Coquetéis e Ciências Sociais". Porque o Manolo, que abrevia o próprio sobrenome, se diz realmente taxidermista, mas, segundo Florentino (que deixou de morar com ele quando era solteiro por causa do cheiro do formol), nunca conseguiu empalhar nada além de um peixe. O que não impedia que ele me dissesse, num momento de maior ternura pelos fregueses:

— Seu Fernando, gosto tanto de meus amigos aqui do Antonio's, que meu sonho era ter em casa um balcão como este, e sentadinhos aí, o senhor, Seu Francisco, Seu Tom, Seu Vinicius, Seu Paulinho, todos empalhados segurando um copo.

Uma noite ele nos perguntou o que queria dizer lápide. Dentro em pouco voltava para perguntar o que queria dizer epitáfio. Surpreendido, um de nós perguntou por sua vez que diabo de preocupação macabra era aquela. Ao que ele respondeu candidamente:

— Tem palavras em português que ainda não conheço bem. Nos dias de folga gosto de ficar passeando no cemitério e vendo aquelas coisas todas escritas nos túmulos.

Era tocante a alegria quase infantil com que sabia acolher um freguês amigo, já lhe estendendo um uísque ainda à porta da rua. Ou o jeito de querubim com que maneirava na despesa, reduzindo-a à metade, mesmo que eventualmente, e por distração sua, algum desavisado acabasse pagando o dobro.

O segredo do sucesso do Antonio's certamente se deve em parte (em grande parte!) ao Manolo.

E certamente mais ainda à personalidade do Florentino. É um homem de fino trato, que sabe exercer com competência o seu ofício. Discreto e sensível, não precisou ler Dale Carnegie para fazer amigos. É capaz de afastar os maus fregueses com a mesma eficiência com que sabe dispensar aos bons consideração especial: um uísque raro para ele, um licor para ela, um chocolate para as crianças.

Porque as crianças também freqüentam o Antonio's. Minha filha Mariana, de nove anos, é assídua à hora do almoço, e não se limita a reivindicar de entrada um guaraná: vai para trás do balcão ajudar a preparar (ou atrapalhar) coquetéis, mete-se na cozinha, diverte-se com a caixa registradora. Outras crianças circulam aos domingos por entre as mesas, ocupadas por uma freguesia egressa da praia, com belas moças de biquíni apenas cingidas por uma toalha à cintura.

Alguns fregueses antigos debandaram: uns mudaram de bar, outros viajaram, outros ainda deixaram de beber ou simplesmente perderam o gosto pela noite. Vejo-me sozinho na minha mesa de sempre, acabando de jantar, e já passa de uma hora da manhã: o bar sem ninguém, além de mim e os garçons. É um lugar acanhado, o ar refrigerado nem sempre funciona bem, a música em cassete não é das melhores. E às vezes fica assim, completamente vazio, para que, diante de um uísque, a gente possa sentir mais profundamente o gosto da solidão. Que é que nos traz sempre de volta a esse lugar? Qual é o segredo do Antonio's?

E de repente o telefone chamando. São quase duas horas da manhã.

É um amigo insone perguntando como vai o movimento. Digo-lhe que aqui não há nada — o melhor que ele tem a fazer é dormir, que dentro em pouco vou fazer o mesmo.

Nem bem dez minutos são passados desde que desliguei o telefone, e o bar começa a se encher, para em breve ficar lotado, num movimento que se prolongará madrugada afora até seis horas da manhã: Tarso de Castro, Ruy Guerra, Vanda e Edu Lobo, Bráulio Pedroso e Marilda, Maurício Roberto e Maria, Marcos Vasconcelos e Regina, Nando Delamare e Miéle, Aloysio de Oliveira, David Neves, Nara Leão e Cacá Diegues, Joaquim Pedro de Andrade, Márcia e Zózimo Barroso do Amaral, Ana Maria Tornaghi, Toquinho e Suzana Gonçalves, e ainda meus filhos Pedro, Leonora e Eliana — estes são alguns que surgiram da noite, egressos de outros lugares, para ver o que estava acontecendo por aqui. Há sempre uma expectativa do imprevisível, a esperança de um encontro, a certeza da alegria no convívio.

Talvez seja este o grande segredo do Antonio's.

O professor de bola

"A HISTÓRIA de sua carreira é a de um atleta que conseguiu elevar ao nível de arte um simples brinquedo de infância."

Assim se referem a ele os autores de "Drama e Glória dos Bicampeões", Armando Nogueira e Araújo Neto:

O livro tem uma dedicatória a que me associei, juntamente com Rubem Braga, na qualidade de seus editores:

"Este livro é dedicado aos bicampeões do mundo, na pessoa do atleta Nílton Santos

— homenagem dos autores e editores à figura de homem que tanto dignifica o futebol, como autêntica expressão popular da cultura brasileira."

Nível de arte? Cultura brasileira? Que diabo de futebol é esse que ele pratica e que merece tanta consideração, além dos limites lúdicos de um exercício físico, como outro esporte qualquer? "Jogador de um equilíbrio extraordinário" — esclarecem os mencionados autores, "que jamais caiu no campo a não ser derrubado, craque que vive o futebol em todos os seus lances porque sendo zagueiro, tem alma de atacante. Nasceu com o talento de fazer gols e acabou glorificado pela arte de evitá-los. Hoje, quando o futebol parece descambar em busca da força bruta, Nílton Santos faz-se bicampeão do mundo como a expressão mais autêntica do futebol-sensibilidade."

Ei-lo à minha frente — o jogador mais condecorado do futebol brasileiro, depois de Pelé. Não fossem os cabelos já grisalhos, o maior lateral esquerdo que o mundo já conheceu parece aos 49 anos um rapaz de trinta. Sereno, tranqüilo, ele é a imagem perfeita de um ex-campeão. Alto e esguio, tem ainda uma compleição atlética que me faz lembrar a frase de Marques Rebelo, *d'après* Jules Renard: "O tempo conserva de preferência aquilo que é um pouco seco." Seco na forma física, mas com a mesma simpatia no convívio e a mesma distinção que fizeram dele o jogador mais querido e respeitado da torcida brasileira.

Achei que nesta época de Copa do Mundo seria interessante uma conversa com o craque que, crioulo à parte, melhor encarnou no Brasil o verdadeiro espírito do futebol. Que os leitores acaso desinteressados do esporte me desculpem, mas hoje o assunto é este.

Para eles, o consolo desta surpresa que lhes reservo: Nílton Santos também não gosta de futebol.

O futebol não lhe trouxe fortuna. Seus bens se resumem num carro, um apartamento no Leblon, onde mora, e uma casa (alugada), na Ilha do Governador, onde nasceu.

Prefere até hoje disputar suas peladas na Ilha ou onde for convocado a jogar com seus velhos companheiros. Houve um dia em que dois times de peladeiros amadores disputavam sua inclusão e ficou decidido que ele jogaria o primeiro tempo num e o segundo tempo noutro. O jogo terminou empatado de 4 x 4: ele fez os oito gols.

Hoje em dia só aceita jogar pelada na base mesmo da brincadeira, para se distrair, de tênis ou descalço, sem juiz nem nada. Juiz só faz atrapalhar. Ainda há pouco tempo, numa disputa no Aterro do Flamengo, houve um que o chateou a ponto de ser forçado a "pregar-lhe uma mãozada".

— Futebol é esporte ingrato: você treina, se concentra, faz um sacrifício louco, joga o que pode e o que não pode, para na hora um sujeito vestido de preto meter um apito na boca e acabar com a sua alegria.

A propósito de juízes, conta-me coisas que escapam aos olhos de um simples torcedor (do Botafogo) como eu. Certa vez, por exemplo, era um jogo do seu time contra o Santos, em São Paulo. O Botafogo estava ganhando de um a zero e o tempo já havia se esgotado, a assistência se retirava — nada de se ouvir o apito do juiz. Que diabo está acontecendo, seu juiz? — ele reclamou: o jogo já terminou, acaba logo com isso! E o juiz, impassível: ainda faltam três minutos. Ao fim de cinco minutos, tornou a reclamar, sem resultado. Simultaneamente, uma bola cruzada passa por sua cabeça, Manga se adianta, Pelé surge ninguém sabe de onde e faz o gol. O juiz voltou-se para ele, sorridente: agora acabou. E deu o jogo por terminado.

— Tive de me conter muitas vezes para não quebrar a cara de um juiz — confessa ele.

Não se conteve, mais recentemente, quando propiciou a Armando Marques a sua "mãozada", e fez com que o saltitante juiz se recolhesse mais depressa ao vestiário despencando escada abaixo. Hoje se arrepende:

— Foi parar no segundo lance de cinco degraus, já pensou? Podia ter quebrado a espinha, e acabado na cadeirinha de rodas, veja só a minha situação.

Já não era mais jogador, mas acessor técnico do time, e sua atitude lhe valeu sério aborrecimento no processo a que teve de responder, do qual se livrou graças à atuação de vários amigos.

— Os amigos são a melhor coisa que o futebol me deu. Mas tem muito maluco dentro do campo. Você veja o caso do Almir, por exemplo. O que ele fazia, durante um jogo!

Almir, o que acabou sendo assassinado numa briga de bar em Copacabana. Para ele, o caso de Almir era "pura cuca": dizem que o pai bebia muito e quando chegava em casa tarde da noite, fã de Joe Louis que ele era, acordava o filho para uma luta de boxe.

— E o Almir acabou revoltado, querendo brigar com todo mundo.

Quanto a ele, como já se viu, nunca foi muito de levar desaforo para casa. Na Copa de 54 acabou expulso do jogo contra a Hungria por ter baixado o braço num adversário desleal. E ainda outro dia, numa disputa de pelada no Aterro, teve de apelar para a ignorância:

— O sujeito era forte pra burro, e já na hora de sortear o campo ficou me olhando com ar de provocação. Depois me deu um sarrafo na primeira oportunidade. Quando repetiu a gracinha, eu avisei: olha aí, meu irmão, vai manerando, tá bem? Eu já desencarnei desse negócio, estou aqui só de alegre, como você, então vai levando, tá? Aí ele me deu outra sarrafada. Então não tive conversa: ah, é guerra, né? E na primeira bola dividida, que diabo, eu sei fazer o negócio, na primeira bola dividida ele levou a dele, saiu carregado do campo, o juiz nem deu a falta. No dia seguinte é minha mulher que chega da rua aborrecida: você andou brigando no Aterro? Me fiz de desentendido: brigando, eu? Mas não estava entendendo mesmo. Então ela me contou que o cara não era senão o dono da quitanda onde ela faz compras. O outro dono tinha reclamado dela: o seu marido ontem quase matou o meu sócio.

Para ele, Copa do Mundo é coisa muito difícil de ganhar:

— Quem ganhou as Copas foram Pelé e Garrincha, não tenha dúvida. Tudo mais é questão de sorte. A saraivada de bolas na trave, de azar do adversário na porta do gol, de coisas estranhas que acontecem em favor da gente! Se não fosse Garrincha em 62 não sei o que seria de nós. Gilmar, excelente goleiro, não falava muito mas inspirava confiança. Zito também jogava meio calado. Bellini, grande capitão. Eu nunca quis ser capitão — queria ser tenente, para poder falar e cantar o jogo à vontade, sem parecer que estava mandando.

Didi jogava o fino, mas aquela história de acalmar o time em 58, indo buscar a bola no gol e levando até o meio de campo, foi de puro acaso. O que acalmava mesmo era a existência do Mané ou do Pelé.

— O crioulo é perfeito, dentro ou fora do campo. Você viu em setenta o que ele fez, servindo bola a todo mundo pra fazer gol. E os cruzamentos do Gerson! Agora não sei o que vai ser de nós, francamente, sem esses para garantir. Agora todo mundo é igual, tanto faz um como outro. Vão baixar o pau no Jairzinho, pensando que ele é que é o homem, já preveni a ele. Zagalo é inteligente e conhece futebol, mas não sei não.

E para surpresa minha, que transfiro aos leitores, me confessa o seu desinteresse como torcedor de futebol:

— Depois que parei, nunca mais fui a um jogo no Maracanã. A não ser na homenagem do Garrincha: paguei meu ingresso, joguei na preliminar dos veteranos e fui-me embora sem assistir à Seleção. Costumo ver pela televisão, mas em geral durmo antes que termine o jogo.

E me assegura, com a respeitável convicção de quem sabe o que está dizendo:

— Ver futebol é muito chato. O bom mesmo é jogar.

*Voz de veludo e de luz**

NAQUELE dia o Presidente Eisenhower já devia estar meio baratinado. Visita oficial é sempre assim: protocolo, discursos — da outra vez houve até um beijo pouco protocolar que um deputado baiano lhe pousou na mão ao ser recebido no Parlamento**. E ia se-

---
Voz de veludo e de luz, em "Gente", 1ª edição.
**Deputado Otávio Mangabeira, como orador oficial.

guindo pelo corredor daquele estranho palácio em Brasília, ao lado do Presidente Kubitschek, quando de repente estacou: que diabo era aquilo? De onde vinha aquela música? Que belo coro de vozes era aquele?

Segundo o cerimonial, cuidadosamente preparado pelos rapazes do Itamarati em comum acordo com o Departamento de Estado, ele devia ir passando sem se deter. Mas se deteve: espera aí, essa eu quero ver de perto, estão cantando uma música da minha terra.

No salão, um coral de vinte e tantas vozes quase juvenis executava "Glory, glory, alleluhah!". Ignorando as determinações do programa oficial, Eisenhower entrou e sentou-se. O Presidente do Brasil o acompanhou, já reintegrado àquela simpática simplicidade que o povo se acostumou a associar ao nome de Juscelino: logo tirava discretamente o sapato, como era hábito seu, já cutucando com familiaridade o ilustre visitante com o cotovelo: o senhor vai ver e é já. E para a jovem solista que se destacava no coral:

— Maria Lúcia, canta "É a ti, flor do céu".

Ela cantou. E ao fim da serenata, o Presidente dos Estados Unidos quis saber, através do intérprete oficial, qual era a idade daquela jovem. O intérprete levou-lhe a resposta:

— Ela disse que é segredo de Estado.

— Diga que eu faço questão de saber — insistiu Eisenhower..

A cantora:

— Diga ao Presidente que sou maior de vinte e um.

E Eisenhower, como um sorriso conformado:

— Eu também.

Assim Paulo Mendes Campos se expressou em relação a ela:

"*Sua beleza juvenil se mascara de uma contenção sem idade. Desde menina, Maria Lúcia desaparece no canto, suprime a personalidade quando canta, transforma-se no canto, como a ave que descola do ramo e vira o vôo.*"

A menina era uma espécie de Minou Drouet de Belo Horizonte: fazia poeminhas. Depois, mais grave ainda: declamava poesias. Mas em sua casa todos cantavam: dos doze irmãos, no meio daquela cantoria toda, seis pelo menos estariam, anos mais tarde, no coro do Madrigal Renascentista que encantou Eisenhower e marcou época no mundo musical brasileiro.

Mas ela já estava, aos quatorze ou quinze anos, cantando um canção do mar de Dorival Caymmi, num concurso da Rádio Guarani. Ganhou o concurso, foi aplaudida e aclamada, viveu seu primeiro e mais puro momento de glória. Até hoje tem uma queda pela música popular.

— Eu ainda chego lá — me diz, interrompendo a conversa para atender o telefone. Deixou na vitrola músicas não suas mas de Chico Buarque, Tom Jobim, por aí.

— Você chega lá onde? Na música popular? — pergunto, quando retomamos a conversa.

Ela me fala na sua admiração pelo Tom, de quem é amiga. Não se sente comprometida com esta ou aquela espécie de música, embora tenha praticamente se especializado nas "Bachianas" de Villa-Lobos e em compositores brasileiros modernos, como Marlos Nobre, Lindenbergue Cardoso, Fernando Cerqueira. Profissional, mas não carreirista: prefere deixar que as coisas aconteçam naturalmente, sem buscá-las com obstinação.

— Como boa mineira, você dorme no chão para não cair da cama...

Pelo que me conta, achando graça, tem o hábito de dormir literalmente no chão.

Seus hábitos são simples: vive acomodada numa sadia solidão em seu agradável apartamento junto à montanha num recanto de Botafogo. Não é notívaga, mas quando a conversa é boa vai até de manhã. Não passa o dia inteiro estudando canto: apenas cantarolando — o que é surpreendente numa artista de sua categoria, cuja carreira internacional se iniciou pelas mãos de Leopold Stokowski:

— E que mãos! — exclama ela: — Eu me lembrava daquelas mãos que deslumbraram Diana Durbin em "Cem Homens e Uma Menina". E mal podia acreditar.

Mal podia acreditar que estivesse cantando para o famoso maestro. E por recomendação da grande cantora Bidu Sayão, que sabia de quem se tratava:

"Eu sempre tive esperança de que alguma jovem brasileira viesse tomar meu lugar. E, quando encontrei Maria Lúcia Godoy, soube que não precisava procurar mais. Fiquei de boca aberta quando a ouvi cantar."

Stokowski pode não ter ficado de boca aberta, mas se esqueceu dos rigorosos cinco minutos que concedia a cada candidato: "Cante essa, e mais essa" — pedia, depois de ouvi-la interpretar *Scherazade* de Ravel. E convidou-a para cantar sob sua regência com a American Symphony no Carnegie Hall, depois com a Philadelphia Orchestra no Lincoln Center. Daí para frente ninguém mais a segurou: multiplicaram-se os concertos na América, na Europa, em trinta países da América Latina.

Mas lhe sobra tempo para ir todos os anos interpretar a Verônica na procissão da Semana Santa de Congonhas do Campo.

A respeito da cúpula do mundo musical entre nós, ela prefere não falar. Presumo que deva existir na área dirigente da música brasileira o mesmo jogo de interesses predominante noutros setores especializados — sobre o que ela discretamente silencia. Sei que há anos não canta na Sala Cecília Meireles ou no Teatro Municipal — mas sei também que foi convidada (e aceitou) a participar como solista da recente *tournée* da Orquestra Sinfônica Brasileira pela Europa, contribuindo decisivamente para o grande sucesso alcançado. A sua tendência a se manter eqüidistante dos extremos, mais mineira que aristotélica, faz com que ela sabiamente se preserve, não sendo jamais apanhada pela engrenagem.

— Você é de setembro, não é?

Ela sorri, apertando os olhos:

— Você sabe muita coisa a meu respeito, mas o ano...

— Isso de setembro foi puro palpite. Sei que você passou pelo Ginásio Mineiro alguns anos depois de mim. Você era bem mais moça — e ainda é.

— Eu? Já sou uma senhora, olhe lá.

Uma mulher sem idade, que o tempo só faz aprimorar, como os vinhos raros. Nada de *prima donna*, nenhum traço de afetação ou vedetismo que a ópera nos acostumou a atribuir a cantores líricos. De *blue-jeans* e camiseta como uma jovem estudante, tem um jeito familiar de *the girl next door*, como dizem os americanos — não fosse a voz que, mesmo apenas falando, sugere aquele denso e profundo mistério da criação: uma voz em que a poesia se reflete. É o seu material de expressão artística, como a palavra para o poeta ou o barro para o escultor, que ela modela segundo uma técnica aprendida e aprimorada. Mas principalmente atendendo ao impulso secreto da sua inspiração:

— A voz, a inteligência e o sentimento andam juntos, acabam sendo uma coisa só: o que é pensado existe e se for sentido pode ser realizado. Às vezes tenho de partir de uma nota grave de contralto até uma bem alta de soprano lírico que a princípio me parece impossível atingir. Mas com calma eu chego lá: um dia sinto como deve ser cantada e a partir de então entendo tudo, a voz passa a vir naturalmente.

Voz que é veludo e luz — segundo um crítico musical. Voz aperfeiçoada ao longo de uma vida inteira dedicada à música, mas que lhe sai da garganta naturalmente, como o canto de um pássaro.

— Eu estava cantando no Parque Anhembi, em São Paulo — me diz ela, e a lembrança parece acender a luz fluorescente que o poeta mineiro de minha geração vislumbrou em seus "olhos líquidos de espanhola": — Era uma ilha, no meio das árvores, e eu cantava as "Bachianas nº 5", a "Dança do Martelo", aquele poema do Manuel Bandeira que fala no "irerê meu passarinho do sertão do Cariri, canta cambaxirra, canta juriti". De repente a passarinhada toda começou a cantar...

Arquivista implacável

MAL ponho o papel na máquina, ele já está ao telefone:

— Então? Como é que vai indo?

Digo-lhe que tenha calma, ainda nem comecei.

— Você me deixa nervoso — se queixa. — Não pude mostrar quase nada, assim não vai. Você é minha última esperança.

Esperança de quê? De ressuscitar uma velha paixão, talvez — a que fez dele o maior cultor dos que buscam se realizar na literatura por vocação e fatalidade.

Durante quase vinte anos a fio a revista *O Cruzeiro* publicou semanalmente a sua seção literária *Arquivos Implacáveis*. Implacáveis por quê? Implacável para ele, na perseguição de um manuscrito, uma fotografia, um bilhete ou o que quer que fosse, relacionado a um escritor. A designação nasceu de uma declaração de Carlos Drummond, exaustivamente repetida como epígrafe no alto da seção, durante aqueles anos todos.

"Se um dia eu rasgasse os meus versos por desencanto ou nojo da poesia, não estaria certo de sua extinção: restariam os arquivos implacáveis de João Condé."

Nestes arquivos, encontro hoje preciosos originais do poeta, e pelo menos um livro inteiro, "Brejo das Almas", em manuscrito, por ele especialmente copiado para o colecionador.

Restaria muito mais. Nada porém, tão definidor da grande aventura de escrever, como essa declaração de George Bernanos, do próprio punho, na tradução de "Diário de um Pároco de Aldeia":

"Um verdadeiro romance é sempre a interpretação desajeitada de um sonho, uma maneira de defendê-lo contra o real, de vingá-lo do real. E como não há outros sonhos além dos da adolescência, poder-se-ia dizer do romance que é a ressurreição da criança no homem maduro."

Enquanto escrevo, o telefone volta a tocar. É João Condé:

— Como é? Já acabou?

A propósito da inauguração do Museu Literário na Casa de Rui Barbosa, alguém sugeriu que ele doasse seus famosos arquivos. A idéia parece tê-lo feito sentir-se como o alfaiate a quem alguém pede que pregue um paletó no seu botão:

— Por que haveria de incorporar meus arquivos ao Museu Literário? O Museu é que devia ser incorporado aos meus arquivos. Dizem que agora completaram mil peças e Plínio Doyle é um sujeito extraordinário, entende do assunto, eles não podiam arranjar melhor diretor. Mas só de fotografias, tenho mais de quinze mil! E pelo menos uns cem originais de livros em manuscrito.

Vai enumerando alguns dos principais, apelando para a memória (que não é das melhores): "Jubiabá", de Jorge Amado, "Fronteira", de Cornélio Pena, "O Tempo e o Vento", de Erico Verissimo, "Oscarina", de Marques Rebelo (e uma carta de Murilo Mendes a Rebelo, datada de 1930, dizendo que achou o livro "da pontinha"), "Vidas Secas", de Graciliano Ramos (e um bilhete do próprio desculpando-se por ter apanhado ao sair de casa um guarda-chuva em vez do prometido exemplar de "São Bernardo"),

"Estrela da Manhã", de Manuel Bandeira, "Mitos de Nosso Tempo", de Alceu Amoroso Lima, "Fruta do Mato", de Afrânio Peixoto, "Mar Desconhecido", de Augusto Frederico Schmidt (e ainda um livro de poemas inéditos), "História Literária de Eça de Queiroz", de Álvaro Lins — seu maior e mais querido amigo. E por aí afora. (Não se esqueceu de mencionar nem os originais de um romance chamado "O Encontro Marcado" que o autor recentemente lhe entregou.)

— Assim não vai — reclama ele: — Estou com medo de você trocar os nomes e confundir as datas. Não está tomando nota de nada!

Ele próprio parece meio perdido no escritório, olhando aqui e ali sem encontrar o que procura. Na verdade está é curtindo a nostalgia de sua velha paixão: folheia um original, olha uma fotografia, faz menção de me mostrar, muda de idéia, sorri ao ler um bilhete amarelado, fica pensativo diante de uma dedicatória, abre uma pasta, torna a fechar, sacode a poeira de um livro, faz um gesto de impaciência:

— Você me pegou de surpresa. Eu precisava de uma secretária. Nunca recebi auxílio de ninguém, nunca houve estímulo de autoridade nenhuma, nenhum órgão de cultura, nada. O que eu tenho a mostrar você nem imagina. Quarenta anos juntando essa tralha toda, e agora querem que eu doe tudo? O Abreu Sodré, quando governador, quis comprar e levar para São Paulo, mas não topei: teria de ficar no Rio. Se eu tiver de doar há de ser para Caruaru. Seria uma maneira de homenagear a minha terra e de promover o turismo lá. Olha aí. Veja a assinatura neste cartão.

É de Stephane Mallarmé. Tem manuscritos de Balzac, Proust, Maupassant, Zola, Victor Hugo, Robert Frost. Isso entre os que se lembra no momento. E vai mostrando: o contrato de Machado de Assis com a Garnier, vendendo-lhe mil exemplares de "Quincas Borba". E a letrinha do mestre: "Recebi a importância de seiscentos mil réis..." Um vale de José Lins: "Vale duzentos cruzeiros. Devo a João Condé". Pagou? Ele não se lembra:

— Eu almoçava todo dia com ele na Colombo. Levava duas folhas de papel e no dia seguinte, ele me devolvia as duas folhas com uma escrita quase ilegível, levava mais duas. Estava escrevendo *Fogo Morto*. Eu passava a noite batucando na máquina com um dedo só para trocar com ele as folhas datilografadas por mais duas em manuscrito. E ia me empolgando com a história, ele também: Papa Rabo fez mais uma das suas — avisava, no almoço da Colombo. Eu perguntava isso e aquilo, ele ia inventando na hora. Não que tivesse influído, nem tenho essa pretensão, mas pelo menos estimulei. Cuidado aí, que esse quadro acaba caindo na sua cabeça.

É o que acaba acontecendo, mal me sento no exíguo sofá. Ele hoje vive de comprar e vender quadros, que se podem ver pelas paredes do escritório. Nunca se considerou escritor — faz questão mesmo de dizer que escritor era o José Condé, cuja morte tanto o abalou: "meu coração hoje é um cemitério", declarou numa entrevista da época. Mas não se referia apenas ao irmão tão querido:

— Todos os grandes do meu tempo já se foram, com pouquíssimas exceções:

E confessa que todas as noites reza para o Manuel Bandeira e para o Ary Barroso.

Eram famosos naquele tempo, os *flashes* que publicava semanalmente: informações pessoais sobre os escritores com quem convivia — praticamente todos da literatura brasileira (e portuguesa) contemporânea.

— Hoje em dia essas coisas não têm tanta importância — queixa-se ele.

Não parece mais tão implacável o nosso querido arquivista. Lembro-me do registro que fez o *Time Magazine*, há alguns anos, da morte de T.S. Eliot, como sendo "a do último homem de letras", juntamente com Ezra Pound. Os que continuam se dedicando a uma vida literária, tal como era concebida então, já estão fazendo obra de arquivo. É o que deve achar João Condé:

— Francamente, não sei o que fazer com essa papelada. E não consigo me desfazer dela.

Penso se não seria melhor aconselhá-lo a tocar fogo em tudo.

Ele agora está me contando o caso da assombração, interrompido a todo momento pela exibição de um documento ou uma foto: Vinicius em uniforme de ginásio, Guimarães Rosa de calças curtas, ou ele próprio com Clark Gable, não podendo distinguir bem qual dos dois era mais galã.

— Você pode pensar que é mentira, mas pergunte ao Ackerman, da Livraria Cosmos.

Ele estava sentado num banco do jardim aos fundos da Biblioteca Nacional, no lusco-fusco de uma tarde sombria e triste, quando percebeu um vulto que sentara na outra extremidade e o abordava:

— O senhor não é o arquivista João Condé?

Era um sujeito magro, pálido, vestido de preto, usando colete. Não encontrando muita receptividade, limitou-se a estender um cartão e desaparecer como chegara. Não sem antes mencionar o Ackerman, da Livraria Cosmos, como referência. Condé meteu o cartão no bolso, depois de uma rápida olhada (era um nome estrangeiro) e não pensou mais no assunto. Uma semana mais tarde, quando passava pela Livraria Cosmos lembrou-se do nome (já havia perdido o cartão) e resolveu perguntar ao Ackerman se o conhecia. Como posso conhecer? — espantou-se o outro. — Foi um famoso alfarrabista inglês do século passado, já morreu há mais de cem anos. E o levou a ver uma velha enciclopédia com uma pequena biografia e o retrato do homem — exatamente o mesmo que o abordara no banco do jardim.

— Em que língua ele te falou? — pergunto agora, desconfiado.

— Em português, é lógico. Se me falasse noutra língua, como é que você queria que eu entendesse?

Assombração ou não, era a própria imagem de um passado que ele continua a cultuar, no qual "essas coisas tinham importância". Como talvez venham a ter de novo um dia, daqui a cem anos, quando ele, eu e todos nós também já tivermos desaparecido no passado.

*Roberto e Erasmo Carlos**

NO palco do Canecão, 27 músicos se empenham no mais sofisticado acompanhamento que jamais teve um cantor brasileiro: cinco saxofones, três trompetes, uma seção de cordas, piano elétrico, órgão elétrico, duas baterias completas, uma harpa. E até um sintetizador — instrumento eletrônico capaz de reproduzir qualquer som, de uma sinfonia inteira a miados de gatos ou ruídos de tempestade.

Vestido de branco, conservando da excentricidade dos tempos da Jovem Guarda apenas os cabelos longos, um anel vermelho no dedo e um medalhão ao peito, Roberto Carlos canta as suas canções que falam em infância, amor, distância, estradas da vida, sonhos revividos, sorrisos iluminados e ilusões perdidas. Com esse repositório de lugares-comuns e o embalo sentimental da melodia, ele mantém em fervoroso silêncio de admiração um auditório de mais de duas mil pessoas. O mesmo fascínio que exercem, sobre milhares de leitores, livros como "Love Story" ou, entre nós, "Meu Pé de Laranja Lima": a exacerbação das emoções mais fáceis até o paroxismo da sentimentalidade. O seu repertório, porém, espantosamente versátil, vai até uma velha canção de Sílvio Caldas, depois de frenético *rock'n'roll*, e um *pot-pourri* de iê-iê-iês da pesada, "a 300 kms por hora".

De repente percebo que na realidade estou não apenas assistindo à atuação de um grande artista brasileiro, mas testemunhando um dos desconcertantes fenômenos de nosso tempo: um homem erigido em ídolo pela máquina, para se comunicar ao vivo através de sua arte.

O próprio cantor me abre a porta do quarto 607 do Hotel Excelsior, onde se hospeda quatro dias por semana. Na portaria, já avisada por ele, não me foi difícil ser admitido, ao contrário de várias jovens que insistiam com o porteiro para pedir a ele que ao menos chegasse um instante à janela.

---
*Roberto, Erasmo: Isso Aí, bicho, em "Gente", 1ª edição.

Sou recebido de maneira simples e cordial, como se fôssemos velhos conhecidos:

— Senta aí, bicho. Quer tomar alguma coisa?

Acabou ele próprio de tomar o seu café da manhã (embora já sejam três da tarde), pelo que posso inferir da mesa ainda posta. Aceito um resto de suco de limão que, segundo ele, é bom para a garganta. E a minha não anda nada boa — não por cantar, mas por fumar demais.

Fico a olhá-lo, curioso. Há nele qualquer coisa de criança:

— As minhas músicas, sem dúvida, nascem na minha infância. São sentimentos que experimentei muito na adolescência. Não tenho vergonha deles. Acho muito bacana o que as crianças sentem. Criança é um negócio muito barra-limpa.

Fico a olhá-lo, enquanto ele me fala de sua vida já tão conhecida, em resposta a uma ou outra pergunta minha: a infância em Cachoeiro do Itapemirim, os primeiros tempos em Niterói, programas de calouros, o conjunto de jovens da Tijuca, Erasmo Carlos, Tim Maia, as primeiras gravações, São Paulo, a Jovem Guarda, e o estouro no mundo musical como Ídolo da Juventude. É um jovem simpático, descontraído, saudável, quase esportivo — mas há uma sombra qualquer de melancolia em seu olhar, certo ar nostálgico de príncipe no exílio, uma conformação diáfana de personagem de sonho, um jeito imponderável de ser, como se estivesse flutuando no espaço.

— Em todos os meus sonhos me vejo voando. No último, vinha correndo, estiquei os braços, comecei a voar. Vôo muito alto e mergulho numa camada azul escuro. Surgem alguns rostos, algumas paisagens. Tem sempre muito espaço e muito silêncio. Alguns corpos boiando...

A propósito do avião que pretende tomar daqui a pouco para São Paulo, pergunto se não tem medo e ele afirma que não: avião com ele não tem perigo de cair. Há mesmo passageiros que se tranqüilizam quando o vêem a bordo, achando que ele dá sorte:

— Sou um otimista, bicho.

O seu modo simples e direto de falar é o de quem a gente pode facilmente se tornar amigo. O escritor mineiro Etienne Filho, que se tornou seu amigo, já me havia dito isso. Agora ele está me dizendo que não tem medo da morte. A morte não é o fim de tudo: a gente permanece — em algum lugar que não pode ser tão feio como o inferno. É de formação católica: mãe muito católica, devota de Nossa Senhora. Sobrou um pouco disso nele.

— Minha mãe caminhando para a missa do domingo, nas manhãs frias. Velhas de preto carregando terços longos, marchando em silêncio nas manhãs frias. Jogos de futebol no descampado. Quem vive em mim é minha mãe.

— Tenho um medo de morrer que me pelo, bicho.

Este Carlos que me fala agora é bem diferente do outro: mais encorpado, Erasmo tem contornos mais definidos, tocando em surdina, puxando comigo uma conversa em tom menor:

— Se ainda somos amigos? Pô, somos o mesmo que irmãos, bicho.

Os dois Carlos: Roberto e Erasmo. Quando me despeço de Erasmo em seu apartamento no Leme, ele faz questão de me dar o LP *Sonhos e Memórias*, com uma dedicatória em que me oferece os seus "versos simples": todas as canções são de parceria com Roberto Carlos. Vim procurá-lo para saber um pouco mais sobre o parceiro, e acabei sabendo sobre ele próprio. Fiquei surpreendido com a diferença entre os dois e que constitui a autenticidade de ambos: a personalidade distinta de cada um, a maneira própria de encarar a vida, o mundo e a própria música, fazendo com que de certo modo se completem e sejam tão amigos.

Roberto comanda um *staff* de vinte pessoas na gestão eficaz do próprio sucesso.

Erasmo tem apenas um auxiliar, conhecido como Negativo, que faz as vezes de vinte empregados.

Roberto às voltas com seus carros, e sempre pronto a ceder ao fascínio da velocidade. (Ainda há pouco, enquanto conversava comigo, pensava em desistir do avião em favor do seu conversível.)

Erasmo se contentando apenas com um carro como meio de transporte, e preferindo distrações mais inofensivamente lúdicas: os jogos de salão que tem em seu apartamento (inclusive uma sinuca mirim), fotografias com teleobjetiva (a cara dos que fazem *cooper* na praia por exemplo, um verdadeiro barato) e mesmo filminhos de Super-8, sua vocação de cineasta.

Enquanto Roberto se fez o protótipo do jovem moderno, Erasmo prefere encarnar o tipo do *cowboy*, o simplório do interior com seu chapéu de abas largas — mesmo no tempo em que andava pelas ruas de São Paulo num Rolls-Royce comprado a Ademar de Barros. Essa era a imagem, bicho: faz questão de exibir a cartucheira com o revolvão de bandido que Roberto lhe trouxe da Itália (pertenceu mesmo a um bandido — tem marca de datas no cano, correspondentes a cada um que matou).

O sonho de Erasmo é viver na roça, cercado de galinhas e vacas.

Já Roberto acalenta a idéia de terminar seus dias numa casa em Cachoeiro do Itapemirim. E sorri com satisfação quando lhe afirmo que ele tem ar de quem vai morrer de velho.

— Se tenho medo de morrer? Não, nenhum medo. Claro que a gente precisa saber envelhecer. Envelhecer com cuidado, sempre mantendo a chama. O importante é sentir sempre alguma coisa. Quando o velho é realmente velho, aí sim, tudo morreu. Aí ele não pode, inclusive, olhar uma flor.

Roberto Carlos, Erasmo Carlos: os menestréis — cavaleiros andantes da música popular, montados na máquina vertiginosa e voraz do sucesso, ambos numa nova fase, seguindo seu próprio caminho. E ambos já com 32 anos — os ídolos da juventude um dia serão velhos.

Mas a juventude que os idolatrou também há de envelhecer — pois que sejam, então, apenas isto que revelaram a meus olhos: dois homens extraordinários que se empenham, a seu modo, em fazer a vida um pouco melhor aos nossos ouvidos.

O gravador de Itapoã*

O DIA mal começa a clarear em Salvador e todos dormem. Acordado está apenas o mar, rugindo ferozmente a cada onda que atira nas areias de Pituba.

Mas lá no fim de Itapoã, numa casa a meio caminho do farol da Barra, tem um homem já entregue ao seu trabalho. Na oficina do fundo do quintal, curvado sobre a mesa, às voltas com espátulas, goivas e formões, ele corta, risca, entalha um pedaço de madeira.

Um marceneiro? Um operário já na luta de todo dia para garantir o seu sustento? Isso mesmo, e alguma coisa mais: é um artista dando forma e sentimento a mais uma de suas criações.

— O que me move não é somente uma necessidade de expressão estética — me diz ele. — Minha proposta é outra. Quero dar a mim alguma coisa através daquilo que realmente sei fazer, como um operário. Sou um trabalhador manual com uma tarefa a cumprir todos os dias e esta é a minha maneira de ganhar a vida.

Ganhar a vida para ele não significa tão-somente prover o seu sustento, mas conquistá-la, merecê-la como homem que tem alguma coisa a dar aos outros homens.

Foi através desta firme disposição no cumprimento da sua vocação de artista, deste exercício a um tempo despretensioso e obstinado de seu talento criador, que Calasans Neto chegou hoje a ser talvez o maior gravador do Brasil.

Os três M mais importantes de sua vida: Mar, Madeira e Mulher. A madeira é o seu exclusivo material de trabalho. Material de possibilidades tão vastas, que a ele se restringiu: egresso do mundo da pintura, reduziu-se a duas ou três cores essenciais em pontas-secas e águas-fortes, para mergulhar mais fundo na sua pesquisa, explorando na textura da madeira o mistério que o seduziu, do preto e branco e seus meios-tons. Já nem sempre imprime gravuras: considera a própria matriz como obra acabada, depois de pintá-la de branco e dar-lhe o realce da tinta de impressão. Hoje tem compradores certos para a sua produção — o mercado na Bahia é vasto, e galerias revendedoras do Rio e São Paulo estão sempre adquirindo seus trabalhos. Mas o princípio foi duro:

O Segredo do Gravador de Itapoã, em "Gente", 1ª edição.

— Levei quinze anos para vender a minha primeira gravura.

Limitando-se à madeira, nem por isso fez da xilogravura uma arte apenas decorativa. Inserido na realidade que o cerca, consciente do mundo e seus problemas, exerce também o ofício de gravador de forma útil e prática, ao alcance de todos: paginando revistas e jornais estudantis, editando livros, ilustrando boletins volantes, confeccionando cartazes para teatro e cinema. Criou as Edições Macunaíma, de livros ilustrados para bibliófilos. Fez os cenários de "Morte e Vida Severina", para a sua apresentação na Bahia. São obras suas os letreiros e cartazes dos filmes "Os Fuzis", de Ruy Guerra, e "Deus e o Diabo na Terra do Sol" de Glauber Rocha.

Do mar, onde mergulha como um golfinho todas as tardes, pode-se dizer que Calasans recebeu o sentimento da própria criação: a força da natureza impregnando de sal e de vida os movimentos do espírito. E do mar recebeu este símbolo da fertilidade que vem a ser um dos motivos mais constantes de sua obra: a baleia.

A fixação do artista na baleia parece até obsessiva: Calasans desenha, pinta, grava baleias onde, como e quando pode. Recentemente editou um belíssimo álbum de gravuras só de baleias, com textos de Vinicius de Moraes, que lhe pôs na boca verdadeiras declarações de amor a elas:

"Todas as baleias me pertencem, fazem parte do meu harém."

A baleia acaba de aparecer em sua casa até em camisetas de malha, por obra e graça da mulher, Auta Rosa — esta que, junto com a mãe, outra grande incentivadora, compõe o terceiro M de seus amores. E a baleia ficou sendo também, para os que convivem com ele, tema de anedotas que lhe contam para que sejam por ele recontadas com mais graça:

— Tem aquela da baleia que, na história de um mentiroso, apareceu no riachinho em meio ao canavial e de uma só vez sugou tudo quanto era pé de cana. Ao que o outro mentiroso perguntou se não era uma baleia grande, escura, de pescoço branco com pintinhas. Esta mesmo, respondeu o primeiro: como é que você sabe? E o outro: vi ela agorinha mesmo lá na Ribeira, com uma torneira no rabo, vendendo caldo de cana.

Sabe que o seu ofício é de um artesão, feito de muita humildade e uma longa paciência. Por isso mesmo, pela autenticidade da vocação tão objetivamente exercida dentro dos limites que se impôs, parece irradiar-se de sua presença, contaminando quem o cerca, aquela descontraída euforia criadora dos que fruem na arte verdadeira a existência de cada dia.

Aqui está ele à minha frente, em seu ateliê, me explicando como trabalha. Mostra-me a prensa manual — bela peça de estilo antigo, com a imensa roda vermelha se destacando sobre o arcabouço negro, que na realidade também é obra sua: foi ele quem a concebeu e mandou fabricar. Anda de um lado para outro, senta-se, torna a se erguer —

movimenta-se com facilidade, apesar da atrofia em conseqüência do mal que sofreu dos nove aos quatorze anos: pode-se imaginar esse sofrimento, que ele soube suportar com abnegação, estimulado pelo amor à vida. Hoje, aos quarenta anos, é um homem bem-sucedido na vida, no amor e na arte.

Mas a fisionomia de menino vivo, inteligente, perspicaz, a cada momento revela que no mundo da arte ainda há muito a realizar. Já teve trabalhos expostos em todo o Brasil e ainda em Lisboa, Madri e Milão. O sucesso é confortante, mas não o afeta. Sabe perfeitamente que a sua arte exige que continue sendo um operário. Talvez por isso João Calasans Neto seja um grande artista.

Menina no elevador

AOS seis anos perdeu a mãe tragicamente. O pai, sem recursos, internou-a num orfanato. Dez anos de orfanato. Aos dezesseis anos perdeu o pai, também tragicamente. Sozinha no mundo, saiu para enfrentar a vida.

Isso, quanto à infância e juventude.

Quanto à carreira artística: cerca de vinte peças teatrais e 45 filmes, inúmeras novelas e programas de televisão, vários prêmios conquistados — dos quais só guarda uma Coruja de Ouro para fazer ginástica, levantamento de peso: nove quilos.

Estou falando da atriz Odete Lara, nascida Odete Righi em São Paulo, onde a conheci há mais de vinte anos. Tornou-se minha amiga desde então.

— Cinema nacional? Apenas isso: os produtores e diretores brasileiros são heróis — afirma ela.

Interpretações que mais lhe agradaram: as de "Copacabana me Engana" e recentemente "Rainha Diaba", ambas sob direção de Antônio Carlos Fontoura. Passou por todas as fases do nosso cinema, só não pegando a da Vera Cruz. Fez comédias, chanchadas, musicais, filmes de ocasião para bilheteria. Tinha de aceitar o que aparecesse.

Hoje pode se dar ao luxo de recusar papéis — os da onda atual de comédias pornográficas, por exemplo. Participou de filmes mais sérios como "Boca de Ouro", de Nélson Pereira dos Santos ou "Noite Vazia", de Walter Hugo Khouri, que quase lhe valeu um prêmio de interpretação no Festival de Cannes. No entanto este filme andou sendo exibido em Londres, no Soho, num cinema especializado em erotismo.

— Ah, o erotismo...

Para ela, a liberação sexual é uma rolha que vinha sendo comprimida dentro d'água e de repente saltou no ar: é preciso que ela volte a repousar na superfície — aliás, parece que já está voltando. Os exageros em nossos dias são conseqüência natural da repressão durante tanto tempo. Mas a liberação era necessária. Uma das poucas coisas boas da vida, desde que feita por amor. Foi casada várias vezes — as que valeram a pena — nunca com papel passado. Desde cedo desconfiou muito deste negócio de papel. Não precisou de ninguém para sustentá-la: sempre por amor.

— Amar, verbo intransitivo — comento.

Pensou em produzir um filme — pois escolheu exatamente o romance de Mário de Andrade com este título: a história de uma governanta alemã que inicia um menino de rica família paulista nas coisas da vida e do amor. Ela seria, naturalmente, a governanta. Escolhido o intérprete, acabou vivendo, na vida real, a experiência do filme que não fez.

Falo-lhe da minha dificuldade em escrever sobre uma pessoa que conheço tão de perto. Ela ri:

— Já sei como você vai começar: um dia eu estava com João Leite num elevador em São Paulo, quando entrou uma menina...

Um dia eu estava com João Leite num elevador em São Paulo quando entrou uma menina, muito bonita, ar sério, compenetrado. João Leite cumprimentou-a, também sério, ela respondeu de maneira discreta e educada.

— Quem é? — perguntei-lhe depois.

— Uma vizinha. Não dá confiança a ninguém.

Devia ter uns dezoito anos, se tanto. Voltei a vê-la mais tarde, numa reunião em casa de Luís Coelho, e repetiu-se a impressão de seriedade que ela transmitia, desta vez acrescida de uma contenção cautelosa, felina, de quem está sempre na defensiva.

— Eu vivia numa selva — me diz hoje: — Tinha de me defender.

Muitas vezes nossos caminhos se cruzaram, no Rio, em São Paulo, na Europa. Ela relembra comigo as fases difíceis que atravessou:

— Aquela época na Europa eu não fazia outra coisa senão chorar. Fui chorar em Roma, chorar em Paris, chorar em Londres.

Uma temporada na Bélgica como cantora, com Baden Powell, não a levou longe nesta sua outra vocação. No entanto é uma voz de rara qualidade, de um timbre íntimo, original, que pode ser ouvida nos seus dois únicos *long-plays*. De volta ao Brasil, sete anos de análise lhe deram a segurança de que precisava para continuar a cumprir seu destino.

— Sou uma exceção, e não é à toa: fui uma precursora. Não é nada fácil.

A mulher emancipada tem de trabalhar o dobro do homem. O movimento de liberação da mulher custou a vir e era necessário, mas não há de ser da noite para o dia. Que é que as mulheres podem fazer? Foram educadas para isso mesmo: para depender do homem. Ela, por exemplo, estudou aquilo de que menos entende, só para ter um diploma: o de perito-contadora. No entanto, sempre que tem de lidar com cifras, estabelecer salários, reivindicar direitos, acaba metendo os pés pelas mãos:

— A primeira coisa que a mulher tem a fazer é acabar com essa bobagem de esconder idade. Ela tem o direito de envelhecer com dignidade. Para isso deve antes de mais nada assumir a idade que tem. Eu resolvi assumir a minha. Olhe aqui.

Estende-me a carteira de identidade, mostrando-me a data de nascimento. Prefiro, porém, reparar que a fotografia, recente, é de uma mulher tão autenticamente bela quanto aquela menina que há mais de vinte anos entrou conosco num elevador.

*Artista feliz**

UM idoso e distinto porteiro nos abre a porta. Entro numa *cave* ao gosto europeu — poderia ser, mais precisamente, um fino restaurante português. Bom gosto por todo lado: na decoração discreta, na iluminação, nas toalhas de renda, nos candelabros de prata, na vestimenta, no comportamento dos garçons, eficientes e atenciosos em justa medida. Carrinhos de comida típica desfilam por entre as mesas: num, pratos regionais à base de peixe, que vão do vatapá à muqueca paulista, do caruru à mariscada; noutro, peru à brasileira, carne assada com molho de ferrugem, frango ao molho pardo, arroz à carreteira, feijão tropeiro. E as sobremesas: doce de coco, ambrosia, baba-de-moça, pudim de leite, quindim de coco. Um coral de músicas também regionais, harmonioso e agradável, é executado por homens e mulheres de cor, que desfilam lentamente pela sala com vestimentas ao estilo das gravuras de Debret.

Por trás de tudo isso, um artista que escapa a todas as classificações.

A porta se abre para lhe dar passagem, e ele vem até minha mesa. Parece mais magro, dentro de um elegante terno esporte de zuarte com pesponto branco na lapela e nos bolsos. O topete negro bem cuidado lhe sobrecarrega a natural jovialidade. Mostra-se contente ao sentar-se comigo, com a mesma delicadeza e simpatia de sempre, mas seu rosto não esconde uma ponta de preocupação.

— Sou um homem feliz — me dirá mais tarde com um sorriso triste.

Agora confessa estar mesmo preocupado — e o motivo são as duas casas cujo sucesso vem sustentando com a sua presença pessoal: o restaurante Sinhá, onde estamos, e a boate Sambão, no andar superior, onde dentro em pouco iniciará o seu *show* de todas as noites. São questões econômicas e administrativas a cada momento, a que não pode ficar alheio, como sócio da casa — embora o negócio esteja indo de bom para melhor.

— Não tenho a menor vocação para negócios — explica ele.

Um Artista Entre os Extremos, em "Gente", 1ª edição.

Mas não vim conversar sobre negócios. Quero apurar alguma coisa sobre aquilo que mais me intriga na sua vitoriosa carreira artística: as circunstâncias que fazem dele um dos mais atuantes e no entanto dos menos ostensivos entre os melhores artistas brasileiros. Agora o seu sorriso é despreocupado como o de alguém conformado com a sua (boa) sorte:

— O público classe C e B me considera muito fino para o seu gosto. O público classe A me considera muito grosso. E eu fico no meio.

Sorriso triste? A alegria de seu riso é efusiva, derramada, contagiante. Mas agora ele está num palco, diante do microfone, monopolizando a participante atenção da boate completamente lotada.

— Riam! — ordena ele.

Todos estouram na maior gargalhada.

— Chorem!

Evidentemente, ninguém chora: mais gargalhadas. É uma anedota que ele está contando:

— Então esse sujeito, um monstro de artista, tinha tal domínio sobre o público, que bastava mandar que rissem, e todos riam, que chorassem, e todos choravam. Um dia, qualquer coisa fez com que ele perdesse a paciência e soltasse um conhecido palavrão com a letra m. Depois que todos saíram, os empregados levaram o resto da noite limpando o salão.

Fino ou grosso? Pouco lhe importa: sabe colocar-se habitualmente entre os extremos e receber os cumprimentos tanto de um malandro da noite carioca como do Embaixador da Suécia.

— Esta música que estão cantando, por exemplo, é minha — conta-me, ainda no restaurante, quando falamos sobre a difícil classificação de seu talento histriônico, entre as numerosas vocações que compõem a sua personalidade de artista. A versatilidade faz dele a um tempo cantor, compositor, humorista, imitador: um *entertainer*, um cançonetista à feição de Maurice Chevalier.

— Ah, Chevalier. Este sim, era um mestre. Cheguei a dizer isso a ele.

Foi num teatro de Lisboa, durante uma das dezesseis vezes que lá esteve. Eu próprio pude testemunhar o sucesso alcançado por ele em terras de Portugal — em 1959, quando encontrei ecos de sua recente passagem por lá: o público já então parecia simplesmente idolatrá-lo. Naquele teatro ele é o único brasileiro que tem o nome gravado em mármore, entre o de artistas imortais que por lá passaram, como Sarah Bernard. Ia ele muito bem em meio ao seu espetáculo, quando dá entrada na platéia Maurice Chevalier, em pessoa. Chegara atrasado (era uma matinê: o cantor francês estava fazendo uma temporada no Estoril) e não havia lugar para ele — teve de ficar de pé a um canto. Depois foi ao camarim para conhecer de perto aquele jovem (27 anos, na época) que cantava tão bem, capaz de dominar tão completamente a platéia. Ao abraçar seu velho ídolo, o cantor brasileiro instintivamente o chamou de "mestre" — o que bastou para que o mestre da canção francesa lhe dissesse a frase que até hoje ainda ressoa em seu ouvido:

— Ninguém é mestre para quem não tem mais o que aprender.

Por sorte sua — acrescenta, lembrando o episódio — tinha por perto um jornalista para registrar o elogio consagrador num jornal do dia seguinte:

— Mas não suportaria a popularidade excessiva que um artista pode alcançar hoje em dia. Nunca tive um agente de publicidade. Não invejo a vida que leva um Frank Sinatra, por exemplo. Não pode fazer nada, ir a lugar nenhum.

Em 1956 chegou a ter cinco discos entre os dez mais vendidos e sua popularidade era tanta que mal podia sair à rua:

— Às vezes, tarde da noite, eu me sentava num banco de praia para descansar um pouco e quando dava por mim havia mais de dez pessoas ao meu redor.

O que me impressiona é que ele fosse buscar descanso na solidão de um banco de praia.

— Não sou um boêmio. Sou notívago, o que é diferente. Só tomo um uísque depois de terminado o meu *show*. Mas gosto de ficar acordado até tarde da noite.

Casado (com uma portuguesa), pai de três filhos (doze, dez e nove anos) e mais um inesperadamente a caminho, gosta de ficar em casa, conversando numa roda de poucos amigos (cita a meu pedido dois ou três, entre os quais Tito Madi, a quem considera homem de fina sensibilidade), e dedica seu tempo livre à família. Cioso da educação dos filhos: o mais novo outro dia foi suspenso no colégio porque fez uma careta para a professora. Como bom careta, fez o menino ficar sem televisão, trancado no quarto, escrevendo repetidamente no caderno inteiro uma frase qualquer sobre como era feio fazer caretas.

— Fiquei com uma pena do guri, de partir o coração.

Não aprendeu música, não toca nenhum instrumento, nem mesmo violão. Arranha um pianozinho, mas não se arrisca a introduzi-lo no *show*: daria para tapear, se não fosse contra as tapeações. Procura ser autêntico em tudo que faz — e talvez venha daí a lenta, regular, segura progressão gradativa de seu sucesso. Não é dos que estouram da noite para o dia, mas dos que vão construindo tranqüilamente sua carreira à margem do sucesso alheio, até que um dia reconhecem nele um artista verdadeiro.

— Sei que não atinjo todas as faixas de público. Tenho as crianças até os doze anos, que me abraçam, me chamam de tio, e os que passaram dos 22. Não tenho os chamados *teen-agers*. Um ou outro às vezes me reconhece na rua, finge que não me vê...

O tempo em que ele próprio, aos dezesseis anos, cantava nas festinhas e na rádio de Caxambu, onde nasceu (e onde hoje é nome de rua). E mudando-se então para o Rio, indo a pé do Posto 2 ao Posto 6 para ver de perto o maior de seus ídolos, hospedado no Hotel Riviera: Jean Sablon, a quem sabia imitar tão perfeitamente (*J'attendrai*), que um disco seu, gravado de favor, foi confundido com o próprio no Copacabana Palace, pelo Barão Stukart. Mas o Barão não quis saber dele, ao abrir o Vogue: quem lhe deu a mão foi Caribé da Rocha, mantendo-o como *crooner* da orquestra de Zacarias durante três anos. Um tempo de aprendizado, em que pode ouvir de perto todas as celebridades que passaram por lá, a partir do próprio Sablon. Aprendeu a admirar Gilbert Becauld e Jacques Brel, aumentando a lista onde já figuraram outros ídolos, das Andrew Sisters a Bing Crosby, de Al Johnson a Carlos Gardel. Depois vieram os tempos da Rádio Tupi, as gravações, até o dia em que se viu num palco de Lisboa recebendo das mãos do Presidente Américo Thomaz a Rosa de Ouro — a maior consagração de um artista em Portugal, que nem Amália Rodrigues chegou a conquistar.

Agora é Carlos Gardel que está cantando, depois que Al Johnson chorou no palco, interpretando *O Mammie*. A imitação chega a afligir de tão perfeita, e é aplaudida de pé por um público onde franceses, ingleses, italianos, japoneses, chilenos e argentinos se misturam aos brasileiros de todas as partes do país. A cada qual ele distingue com um gracejo particular, ou, se estrangeiros, lhes falando em inglês, francês, castelhano com impecável pronúncia. Às tantas o seu provocante conjunto de mulatas entra a solicitar a colaboração deste ou daquele freguês mais animado, e há muito turista que não deixa por menos: acaba subindo ao palco para cair francamente no rebolado — o que constitui um espetáculo à parte.

— É o que me faz feliz — afirma ele, de novo à minha mesa.

O divertido espetáculo chegou ao fim. Os fregueses se movimentam, uns para dançar, outros se retiram. Um sucesso, como todas as noites. Ivon Curi pode realmente se considerar feliz.

Visita ao mestre de Tambaú

— EU estava absolutamente seguro de que venceria as eleições para Presidente da República. Contava com dezessete Estados e meu adversário apenas com três.

Mas ele estava também absolutamente seguro de que haveria o golpe. Ele e todo mundo — penso comigo. Corriam, mesmo, à boca do povo, os versos de uma marchinha popular:

> "*O homem quem será?*
> *Será seu Manduca ou será seu Vavá?*
> *Entre estes dois meu coração balança porque*
> *Na hora H quem ficar é seu Gegê!*"

Ele agora está contando como se deu o golpe de 37:

— Uma noite peguei o General Góis Monteiro, que era a figura central da conspiração e responsabilizei-o cara a cara pelo que estava acontecendo. Eu tinha aceitado ser candidato justamente para ver se evitava o golpe. E os conspiradores oficiosos não paravam. Ele protestou inocência, fazendo-se de desentendido. Vá perguntar ao Presidente, me disse. Pois eu fui.

Foi ao Getúlio e o interpelou, com a mesma liberdade com que o tratava em 1930, quando era seu auxiliar: E então? Que história é essa? Andam dizendo que não vai haver eleição. Em vez de dar uma de suas boas risadas, o Presidente ficou perturbado:

— Deu uma baforada no charuto e procurou me tranqüilizar: tira essa idéia da cabeça. Quando me despedi, disse que eu fosse descansado, tudo não passava de intriga da oposição.

Veio o golpe, apesar de seu esforço de denunciá-lo em discursos da campanha eleitoral. E através de esforços pessoais, procurando um e outro, na tentativa de fazer com que Getúlio "retrocedesse de sua loucura".

Dutra, Valladares, Góis Monteiro, Osvaldo Aranha, João Neves, Eduardo Gomes, Chico Campos, João Alberto, Otávio Mangabeira — são nomes de uma época recente e já tão antiga, que ocorrem a cada momento em seu relato, numa fala mansa e descansada.

É surpreendente a naturalidade com que José Américo de Almeida sai e torna a entrar em nossa História.

Resolvi tirar o meu amigo Simeão Leal de seus cuidados, lá na Escola de Comunicação da qual é diretor, e arrastá-lo até João Pessoa. Queria que me ajudasse na realização de um filme documentário sobre José Américo*, de quem é sobrinho e grande amigo. Sua colaboração foi eficiente e preciosa como a de um assistente de produção.

Encontramos o homem já à nossa espera, afável e acolhedor em seu retiro da bela praia de Tambaú. Bem diferente da imagem que dele ficou na vida pública: a de um homem de fibra temperada na intransigência e às vezes no ódio, terrível em suas reações, implacável na defesa de seus brios:

Romancista ao Norte, da série "Literatura Nacional Contemporânea".

— O ódio me humanizou — diz ele hoje. — Deu-me oportunidade de perdoar, o que mais tenho feito em minha vida.

Confessa que, para ele, ser temido é meia vitória: deve os sucessos de sua vida pública à simplicidade e a certo destemor. O que tem de intratável é o primeiro ato das relações:

— Quando abro a porta pela primeira vez não estou abrindo o coração.

O que não parece ter acontecido conosco. É cativante a hospitalidade com que nos recebe e a paciência com que se põe a colaborar conosco nos trabalhos de filmagem. Aos 87 anos, continua a se lembrar de tudo e conta os episódios hoje históricos de sua vida com a precisão de detalhes de quem repete um depoimento já prestado muitas vezes. (Mais tarde verifico, ao folhear seus livros, que realmente ele já escreveu tudo isso que me está contando.)

A participação na queda do ditador em 1945, por exemplo. Sua versão, como não podia deixar de ser, coincide com a que já me haviam contado outros participantes diretos no acontecimento. Lembro-me de Carlos Lacerda, ao encontrar-se comigo para um chope no Alcazar, em Copacabana, exibindo umas folhas de papel:

— Isto aqui é uma bomba, você vai ver só.

Era a célebre entrevista que José Américo lhe havia dado e que não tinha onde nem como publicar. Luís Camilo de Oliveira Neto, principal instigador da entrevista, mais tarde me contaria como andou de jornal em jornal, até que o *Correio da Manhã* resolvesse publicá-la. No dia seguinte os exemplares se tornavam uma raridade, vendidos a Cr$ 100,00. E os demais jornais rechaçaram no mesmo dia a censura, respondendo com palavrões pelo telefone as instruções do DIP e expulsando aos pontapés os censores das suas redações.

— Preparei-me para o pior. Mas Getúlio supôs que, com meu atrevimento, eu tivesse atrás de mim uma força poderosa.

O resto também já é História. As Forças Armadas derrubando a ditadura, a candidatura do Brigadeiro Eduardo Gomes, Benedicto Valladares lançando a do General Dutra, finalmente vitoriosa.

Consta que Agamenon Magalhães fora dizer ao Getúlio: Presidente, ajeite o Dutra senão ele acaba botando o governo abaixo. Getúlio mandou chamar seu Ministro da Guerra: General, estou cogitando de vários nomes para a minha sucessão, inclusive o seu.

José Américo sorri ao recordar:

— Com certas coisas não se brinca. Dutra respondeu depressa: aceito e agradeço.

Há cerca de vinte anos ele se retirou voluntariamente da vida pública, e se recolheu a esta casa "entre o mar e a colina verde" — que é como chamou uma de suas mais expressivas páginas literárias:

— Fiquei no meu sossego, fora do turbilhão, disposto a dar as costas a todas as grandezas. Pensei comigo e disse: basta.

Só a noite lhe traz sensação de isolamento. Mas dorme cedo, o que lhe dá a alegria de madrugar:

— Faço a volta matinal que é meu banho de sol, boa para o coração de velho que, segundo a nova anatomia, está nos calcanhares.

Mas confessa que não sentiu apagar-se a antiga chama:

— Meu grande defeito é ser um homem de paixões. Apaixonado, cresço dois palmos. Não mudei e é isto o que me preocupa. Envelhecer com o mesmo espírito é o meu drama.

E a literatura? Afinal, viemos vê-lo para documentar a sua presença na história da literatura brasileira, como romancista, e especialmente como autor de "A Bagaceira". Ele fala no romance, relembrando as circunstâncias em que foi escrito, a acolhida triunfal que lhe deu Alceu de Amoroso Lima, como "pontífice da crítica na época", proclamando sua importância com o brado: "Romancista ao Norte!" Reconhece hoje que esta importância é mais didática que literária ou histórica, como precursora que a obra foi do ciclo de romances do Nordeste, voltados para a realidade da terra e do homem brasileiro.

Embora admita que a permanente atualidade do seu romance, comprovada na sucessão regular de edições, possa justificar o interesse que tem despertado, a ponto de ser escolhido para estudo nos exames vestibulares. O tema, inusitado para a época, e o tratamento que lhe deu, como resposta do Norte às inovações literárias introduzidas pelo movimento modernista de São Paulo, é que a seu ver lhe asseguram tais condições de permanência. Quanto aos seus demais romances, acredita que as teses são certas, mas que lhes faltou músculo, faltou nervo: valem como documento da evolução de seu estilo.

Agora ele está andando pelo pomar e apresentando-nos cada árvore, como se fossem filhas suas. Um bando de marrequinhas foge aos nossos pés e se precipita no pequeno lago. No outro, cercado, ele nos mostra a sua criação de rãs, gigantescas como sapos de desenho animado. David Neves segue-lhe os passos, câmera no ombro, Mair Tavares às voltas com o aparelho de som, tentando captar o pio das marrecas.

Depois nos recolhemos ao escritório, que ele chama de inviolável. E logo ficamos sabendo por quê — nem o seu talento literário poderia descrever a desordem que encontramos: livro para todo lado, na mesa, nos armários, nos parapeitos da varanda, no sofá, no chão. Senta-se na rede a meu pedido, para ser filmado, lendo um livro de João Cabral de Melo Neto — que foi por ele acolhido na Academia.

A boa vontade e a disposição em atender às exigências da filmagem chegam a ser espantosas num homem de sua idade: dir-se-ia que ele tem vinte anos menos e que ainda viverá outros vinte. A lucidez com que continua acompanhando o mundo ao seu redor faz dele o grande mestre e conselheiro do Nordeste. Continua sendo procurado por Ministros de Estado, chefes políticos e parlamentares que vêm se aconselhar com ele. Ainda há pouco era Ernani Sátiro, Governador da Paraíba, que aparecia com a exuberante cordialidade de sempre, para uma de suas visitas semanais. Uma eficiente secretária se encarrega de assisti-lo na sua atividade de todos os dias — assistência que ele estende hospitaleiramente a nós, propiciando-nos bom uísque e excelente almoço. Vive rodeado de crianças da vizinhança, que o chamam de vovô — como no tempo em que, no Rio, éramos vizinhos na Rua Getúlio das Neves.

Pena que não me tivesse aproximado dele então. Talvez eu já pudesse sentir não apenas a intransigência em defesa de princípios e ideais, com que compôs a sua figura pública, mas esta mansa compreensão da vida e das coisas com que sabe hoje acolher uma presença amiga. Ou, como ele mesmo diz:

— A solidão me liberta e me valoriza. Enquanto estou só, crio o meu mundo e me basto. Mas uma presença como a sua é sempre um raio de sol a me reconciliar com o mundo exterior.

*Cantora em furta-cor**

COMO será ela, afinal? Tanto que já ouvi falar. Tantas vezes que já ouvi seus discos: *Carcará*, *Manhã*, do Caetano. *Apito da fábrica*, de Noel. Ou "Rosa dos Ventos", aquele lindo *show* do Teatro da Praia. E este agora, "A Cena Muda", a que já assisti. Pois então? Baiana, irmã do Caetano, Santo Amaro da Purificação, Candomblé. Escrever sobre alguém como Maria Betânia — ou Bethania? Terá H no seu nome?

Neste estado de espírito vou para o Teatro Casa Grande. Ela disse ao telefone que eu chegasse às oito, antes vai haver um ensaio e o espetáculo começa às nove e meia. Entrasse pela porta dos fundos, o porteiro se chama Antônio Carlos.

Chego às sete e meia e ela já está se preparando no seu camarim:

— Não ensaiamos ainda, porque o pessoal não chegou.

O pessoal são os sete músicos que a acompanham, e os iluminadores. Ela mesma produz o espetáculo. A direção é de Fauzi Arap, como sempre, que entende seu ofício e entende Bethânia. Há três pessoas com ela — a irmã e dois amigos —, que têm de sair para me dar lugar no minúsculo camarim.

Uma mulher diante do espelho, cabelos presos, roupão amarelo. No palco ela se transfigura, cresce de tamanho — ou os outros diminuem, sei lá. Fico a olhá-la, fascinado,

---
*Diálogo com Bethânia em furta-cor, em "Gente", 1ª edição.

enquanto ela passa meticulosamente uma camada de base no rosto. O nariz adunco, os olhos voltados para mim, brilhantes como os de um menino olhando por cima do muro o quintal do vizinho:

— Quer um uísque?

Uísque sem gelo que ela está tomando — por causa da garganta, talvez. Nunca fez impostação de voz, só um pouco de exercício de respiração. E o cigarro não lhe afeta as cordas vocais (como a mim, que de tanto fumar ando rouco como uma gralha velha). Em compensação, bato à máquina melhor do que ela, que escreve com um dedo só.

— Escreve o quê? Poesia?

— Não: meus sonhos. Escrevo todos os meus sonhos.

— Para o seu analista?

— Não, para mim mesmo. Já parei a análise, não preciso mais.

— De que você mais gosta na vida?

— De brincar. Sou Gêmeos. E você?

— Sendo dois, um brinca com o outro, não é? Sou Balança. Você usa mamadeira?

— Adoro. Como é que você sabe? Não há nada melhor para angústia. Outro dia um amigo meu, homem sério, compenetrado, foi me visitar, e estava na fossa. Então dei uma mamadeira para ele. Ele não queria mas acabou aceitando. Ficou bom logo.

— Com quê? Uísque?

— Não, mingau: de aveia, de maisena, essas coisas. Ou água mesmo. Bebo água o tempo todo.

Várias garrafas de mineral sobre a penteadeira. Mas continuamos no uísque.

— Tem rede na sua casa?

A casa está em reforma — o decorador é o Argolo. Vai ter uma porção de redes. É uma casa chinesa na Estrada das Canoas, lá em São Conrado. Mas não é de sentar no chão não: tem móveis. Tudo baixinho, mas tem. E as paredes não são de papel: são de vidro.

— Só que acabo transformando tudo numa fazenda baiana.

Tem bicho também: cachorro, gato, tartaruga.

— O cachorro é o Sabu. Aquele ator hindu, de turbante, lembra? Sabu comeu a tartaruga. E o gato comeu um rato que tinha comido veneno, acabou morrendo também. Tem passarinho, mas só solto. Gaiola me dá aflição.

Tem um piano, que ela não toca, apesar de haver estudado oito anos. Toca violão — dá para se acompanhar. Vitrola e gravador, é lógico. Principalmente música americana: Bessie Smith, Nina Simone. E Billie Holiday:

— Sou pirada, tenho tudo dela.

Lê o mais que pode — tudo de Clarice, várias vezes, uma glória:

— Ela vem sempre aqui conversar comigo, que criatura adorável. Todo *show* meu tem texto dela. Menos este, que não tem texto nenhum, só música, pois é "A Cena Muda". O que ela tem escrito sobre Brasília é fabuloso. Brasília, aquele fracasso triunfal. Aquele horror que dá na gente, *help! help! help!* Então entra um garçom e pergunta: aceita um cafezinho?

Passamos a falar de nossa admiração por Clarice Lispector. A conversa se ilumina de dourado. Ela me olha pelo espelho:

— Você já leu um livro chamado "Meu Coração é um Caçador Solitário"?

De Carson MacCullers: o amor do casal de surdos-mudos. E a "Balada do Café Triste", história de um anão.

— Já li também Katherine Mansfield...

Agora ela diz que vai me contar uma coisa. Faz um ar matreiro, pára de se maquilar, me olha do fundo de sua adolescência:

— Eu tinha treze anos e eles não queriam que eu lesse seu livro, "O Encontro Marcado". Houve uma espécie de conselho de família. Caetano é que ficou de decidir, como irmão mais velho, ele queria que eu lesse, então eu li.

É a minha vaidade acariciada como um gato angorá. Tento parecer natural:

— Que é que você achou?

— Curti. Principalmente por terem proibido. Mas não havia nada de mais.

Enquanto conversamos, entra e sai gente, ela cumprimenta afetuosamente um e outro. É o pessoal do *show* que está chegando. Tem um sentado no chão a meu lado, outro de pé junto à porta.

— Minha melhor qualidade? Acho que é não saber mentir. Só digo a verdade.

— "Não tenho nenhum prazer em conhecê-lo"?

Ela ri:

— Isso também não. Mas não levo desaforo pra casa. O maior defeito, os meus amigos acham... Sou impulsiva, sabe? Intolerante às vezes, eles dizem. Não gosto de ser mandada.

— Inaptidão para a vida militar.

— Isso mesmo. Só faço o que quero.

Mas é organizada, boa administradora de si mesmo, tem lá a sua própria disciplina. Dependura sua roupa, não deixa toalha no chão depois do banho, não apaga cigarro na xícara de café. Vou perguntando, ela vai respondendo. Não deixa pasta de dente destampada e tem horror de tubo espremido pelo meio. Resultado de educação rigorosa, em família de economia estrita. E colégio de freiras: é de formação católica, como todo brasileiro. Só que o catolicismo tem um Deus distante do mundo, sentado num trono — prefere coisa mais simples, direta, ligada à própria natureza: Candomblé. Na penteadeira o retrato da querida Menininha do Gantois. É filha de Iansã — me explica o sentido de cada colar em seu pescoço: Oxossi, Ogum. Vai à Bahia sempre que pode, mas gosta de morar no Rio. Baiano é ótimo: aquela preguiça, aquele mormaço, um ritmo próprio na maneira de ser e pensar. Saiu de lá aos dezessete anos trazida pela Nara, para o "Opinião". E tome "Carcará" — não queriam que cantasse outra coisa. Ela queria Noel. Fora do palco, que é sua razão de viver, gosta é de fazer talhas em madeira. Tem aqueles instrumentos todos — formões, martelos, e o outro, não se lembra o nome, eu também não, é preciso que alguém à porta do camarim venha em nosso auxílio: goiva. E de pintar com purpurina. Gosta de tudo que brilha: pailleté, lamé, cetim.

— De que cor você é?

— Não sei... Acho que furta-cor. Aquela que muda conforme a luz.

— Cor de pena de pavão.

— É isso aí. Nos bosques de Viena tinha muitos.

— Que é que você foi fazer lá?

— Fui cantar.

— Nos bosques de Viena?

— Em Viena mesmo. Em vários lugares da Europa. Mas eu gosto é daqui mesmo. Aqui é que eu sei viver.

— Você vive com o corpo inteiro.

— Podes crer. Moro sozinha mas meus pais costumam vir, meus irmãos, meus amigos...

Lá fora a platéia repleta como sempre, à espera. Setecentos lugares e mais trezentos sentados no chão. Fila na bilheteria desde três horas da tarde. Uma noite em cada temporada ela não cobra entrada: basta trazer um presente qualquer. Aparece de tudo: desde chicletes a caixas de uísque de vinte anos. E livros, discos, bonecas, bibelôs, cachorro, gato, coelho, porquinho-da-índia, perfume, doces, jóias, tudo quanto é espécie de bebida, de Pitu a Moet-Chandon. Leva três dias para abrir aquilo tudo, quase dois mil presentes. Já lhe deram até um carro — um bugre. Nunca apareceu nada de ofensivo, mesmo por brincadeira de mau gosto.

Nove e meia, já — o espetáculo vai começar atrasado. Não tem importância, tudo no Brasil é assim mesmo — ela me dá um exemplar de seu programa com uma afetuosa dedicatória. Despeço-me, prometendo voltar para rever o *show*. Verei agora com outros olhos — olhos que puderam ver de perto a cantora admirável, e conhecer a fosforescente personalidade com que ela sabe ser Maria Bethânia. Com H, e acento circunflexo.

Alegre brasileiro*

PRIMEIRO grande jogo depois de nossa vitória na Copa de 62: Santos x Botafogo, no qual praticamente todos os craques da Seleção bicampeã se defrontavam. O Maracanã superlotado e nós, um grupo de incautos, do lado de fora por não termos ingressos.

— Que é que há, *my boy*?

Era Carlinhos Niemeyer que chegava. Deixa comigo! E foi nos pondo pra dentro por uma das entradas especiais.

— Não pode, seu Carlinhos — protestou o porteiro.

— Não pode por quê?

— Por aqui só autoridade.

— Que autoridade, os tomates.

E voltando-se para nós:

— Vai entrando, pessoal.

Em 1966 ele irrompeu Embaixada adentro à minha procura:

— Aqui estamos, *my boy*.

Não tive dúvidas: era o Brasil que acabava de chegar a Londres.

— Você vai quebrar um galho pra mim, garoto.

Todo mundo para ele era garoto ou *my boy*, do porteiro ao embaixador. Queria um encontro com o cidadão que vinha a ser exatamente o mais importante do momento em Londres: um magnata do cinema com direitos exclusivos de filmagem da Copa. Empenhando o prestígio da própria Embaixada, consegui a duras penas uma entrevista com o homem para dali a uma semana.

— Esse cara está de safadeza comigo — reagiu Carlinhos: — Vou estar com ele é agora.

Eram cinco horas. Como se virou, só Deus sabe — às sete reaparecia, vitorioso:

— Não te falei? O gringo me deu o direito de filmar três minutos de cada jogo.

— Só três minutos?

— Que é que há, garoto? Com minha equipe lá dentro, então vou deixar de filmar o jogo todo?

Em 1970, na Copa do México, gentis recepcionistas, com elegantes vestidos *rosa-shocking*, foram postas a serviço de jornalistas e torcedores de todas as partes do mundo. Findo o jogo Brasil x Itália, ele promoveu "o caju-amigo da vitória" numa das boates mais

---
*Um Brasileiro e Sua Alegria de Viver, em "Gente", 1ª edição.

badaladas da cidade. E quando a brasileirada começou a chegar para as celebrações, quem senão ele estava lá na porta, como recepcionista, pernas cabeludas de fora, num vestidinho *rosa-shocking*?

— Vivo com alegria — me diz agora, sentado à minha frente em seu escritório, e inesperadamente sério: — Só não gosto da idéia de morrer. Mas não tenho medo.

Numa idade em que os outros começam a pensar em se aposentar ("diga apenas que já passei dos quarenta", pede ele, com uma de suas famosas gargalhadas), continua o mesmo homem jovial, descontraído, com a exuberante vitalidade de sócio-fundador do antigo clube dos cafajestes.

— Corre muita lenda em torno dos cafajestes. Não havia clube: um dia nós íamos passando por uma rua e a mãe de umas meninas mandou que elas entrassem, porque lá vinham os cafajestes. Então, de farra, passamos a nos chamar assim. Éramos um grupo de rapazes como outro qualquer, e a gente se divertia tomando chope, namorando as meninas...

Seria o que os ingleses chamam de *understatement*. Ele próprio acha graça:

— Bem, nem sempre éramos assim tão inocentes. E elas nem sempre tão meninas. Nas festas às vezes acontecia de tudo. Mas de pura alegria. As brigas também — em geral havia muita provocação. Da Polícia Especial, por exemplo. Só brigávamos quando não tinha outro jeito.

Como aconteceu naquela noite em que iam a uma festa na Barra — um cortejo de carros, e ninguém sabia onde era. Deram com aquela casa iluminada e foram entrando na maior balbúrdia — só podia ser ali. Não era: tratava-se de um velório. Foram recebidos a tiros:

— O pau comeu, só o defunto não apanhou.

O tempo passou, o grupo se dispersou, mas ele continuou a cultuar a amizade como a sua principal razão de existir. Quando lhe pergunto o que acha mais importante na vida, responde prontamente: minha família. Isto aqui.

Sua família é a mulher e os dois filhos: isto aqui é o Canal 100, o trabalho, os funcionários, os amigos que fazem parte da sua família. E os filhos dos amigos: aos sábados costuma encher com eles uma Kombi e vai para o sítio em Araruama, onde passa o fim de semana brincando e jogando futebol com os meninos.

O futebol é a sua paixão — ser Flamengo a sua sina. Por que não Botafogo, como eu? Ele sorri:

— Nasci Flamengo, no dia de um Fla-Flu que perdemos. Tenho a certeza que o juiz roubou.

A buzina de seu carro, que toca o hino do Flamengo, é conhecida em toda a cidade. No carnaval, quando não aparece travestido, a camisa rubro-negra é a sua marca registrada.

Fez do carnaval um motivo de viver: "Ser carnavalesco é um estado de espírito que dura os 365 dias do ano", afirmou um dia: "O carnavalesco sincero e puro será mesmo durante a Semana Santa ou o Dia de Finados. A alegria é a forma menos hipócrita e mais autêntica de reverenciar os mortos e traduzir o nosso respeito."

Agora ele está falando nos amigos — outra das razões da sua alegria de existir. E juntos lembramos um dos maiores — Sérgio Porto, meu amigo também. Dos tempos de oficial da FAB, mais tarde de piloto comercial, não lhe ficou apenas a amizade de Paulo Soledade, Mariozinho de Oliveira e a lembrança de Edu, espécie de líder da turma: muito brigadeiro de hoje foi companheiro seu naquele tempo. E exatamente há vinte anos, devido às suas relações na Aeronáutica, participou ativamente dos episódios que cercaram a morte do Major Vaz no atentado da Rua Toneleros. Chegamos a cruzar um com outro por esta época, na casa de Carlos Lacerda, eu como jornalista, ele como caçador de culpados. A partir de então, deu sua carreira política por encerrada.

Meteu-se no cinema-documentário (com algumas incursões no longa-metragem: uma delas não foi adiante, mas ficou famosa por ter feito com que a linda atriz Irma Alvarez, durante muito tempo, andasse por aí completamente careca).

Bem-sucedido, numa atividade em que tantos têm fracassado, continuou sempre o mesmo: aquele brasileiro que durante a Copa atirava moedas sobre as gerais do estádio em Liverpool, para ver os ingleses de quatro catando dinheiro dos subdesenvolvidos. Ou que ganhou uma pequena fortuna na roleta do Playboy Club de Londres: depois de presentear os amigos e os de sua equipe, mandou buscar a mulher no Brasil para gastar tudo com ela em passeios e compras pela Europa.

Qual a origem desse permanente otimismo, dessa invejável saúde física e mental? Quem o visse como eu agora, sentado à sua mesa de trabalho, matando moscas imaginárias com uma espécie de raquete de plástico flexível, certamente ficaria intrigado: a camisa-esporte desabotoada quase até à cintura, mostrando o tórax queimado de sol, não revela, por exemplo, que ele chegou a perder parte do pulmão em operação por moléstia grave. Pratica todos os esportes, do futebol ao judô, bebe o seu uísque e, embora durma tarde, está de pé todos os dias às seis da manhã. Entre as poucas coisas que abomina além das moscas e os tipos de mau-caráter, está o cigarro, abandonado faz mais de três anos. Procura estimular-me, cristão novo de uma semana:

— Não brinque nunca mais com cigarro. Pense noutra coisa.

Em mulher, por exemplo — cuja existência lhe inspirou sempre a mais sincera devoção. Hoje, como bom pai de família, limita-se a cultuá-la à distância, como tudo que há de belo na natureza. Esta é a sua maneira de amar a vida — e tanto pode traduzir-se no espírito gaiato com que aparece fantasiado de Dama de Preto, como no bom humor que consegue tomar o quepe e o apito de um guarda e se põe a dirigir (ou a tumultuar ainda mais) o tráfego na esquina mais movimentada do Leblon. Sua energia vital parece aurida na mais pura fonte lúdica da infância, e por isso continua inesgotável através dos anos.

Há quem afirme que ele é o protótipo antecipado do brasileiro médio, para quando o Brasil for um país desenvolvido. A ser verdade, tanto melhor para o Brasil.

Um criador de ilusões

— SOU um homem à procura de alguma coisa que não sei o que é, e o pior é que não sei nem ao menos se quero encontrar.

A confissão saiu espontânea, sem nenhuma motivação na conversa que já corria lenta como a noite se esvaindo lá fora, na meia claridade de um novo dia. Estávamos em minha casa, onde viéramos tomar o último, egressos de um bar. Ele se fazia acompanhar de Jorge Andrade — a presença a um só tempo de dois grandes autores de novelas acentuava ainda mais a minha ignorância em matéria de televisão.

Nos encontros subseqüentes, em rodas de bar, entre amigos comuns, não cheguei a desvendar o sentido daquela sua confidência, nascida do fundo da noite. O que quer que fosse aquilo que Bráulio Pedroso procurava, o certo é que não estava na televisão:

— A televisão é devoradora — me diz agora.

Estamos em sua casa na Barra, e são seis horas da tarde. Vim visitá-lo expressamente para escrever sobre ele, o que não será coisa fácil: a verdade é que não o conheço tão de perto quanto gostaria, muito embora nossos caminhos se cruzem na mesma inútil procura.

E não será hoje que o conhecerei melhor: de saída, ele se confessa de ressaca, o que seria de se prever, no dia seguinte às celebrações da noite de Natal. Deixa-se ficar, meio estirado no sofá, ruminando bovinamente as conseqüências das libações da véspera, cercado pela família: Marilda, sua mulher, sobre os almofadões no meio da sala, a mãe numa poltrona, dois de seus três filhos brincando ao redor.

— E a novela?

— Cinco capítulos por semana. Quatro a seis horas de trabalho por dia, pelo menos.

Não o invejo. Trabalho braçal da inteligência criadora, só se a inteligência tivesse braços.

— Tudo isso para desaparecer no mesmo dia em que é levado ao ar. Costumo guardar o que já escrevi, e outro dia um de meus filhos perguntou: para que essa papelada toda? Eu disse que um dia talvez valesse alguma coisa, para publicar, levar de novo, sei lá. E o menino: quem é que vai se interessar por história velha?

Cento e dez capítulos — já escreveu sessenta. Faz mentalmente uns cálculos: faltam cinqüenta; dez semanas, dois meses e meio... Sua mulher se entusiasma: Falta pouco! Ele se limita a sorrir para ela como quem diz: Muito obrigado...

A partir de então, seis meses de descanso, que o contrato lhe assegura. Podem lhe pedir um "especial" ou outro, mas de qualquer maneira...

Ele me fala na sua descrença em relação à televisão: quem é que lê um romance ou assiste a um filme, sendo interrompido a todo momento por uma conversa, uma distração qualquer? Isso sem mencionar a interrupção dos comerciais ou a própria efemeridade do programa, que uma vez levado ao ar, terminou para sempre. Houve um tempo em que acreditou na televisão como o meio de comunicação mais eficaz da criação artística. Não era como o teatro, que é visto por cem ou duzentas pessoas a cada noite; atingia de uma vez o Brasil inteiro. Hoje prefere acreditar na última peça para teatro que escreveu, ainda inédita, que só Hélio Pellegrino já leu — e gostou.

— No entanto, segundo as pesquisas, o capítulo da minha novela que será levado hoje, por exemplo, vai ser visto por um milhão e seiscentas mil pessoas.

Conheci Bráulio Pedroso num restaurante de São Paulo, certa noite que Jô Soares tornou memorável: armou conosco um *show* improvisado, mobilizando a atenção de todos os fregueses e garçons, em sucessivos acessos de gargalhadas. Bráulio produzia então a sua primeira novela, "Beto Rockfeller", empolgado com o novo meio de expressão que havia descoberto. Chegou mesmo a me sugerir que me metesse nisso também:

— É o grande meio de comunicação de nosso tempo.

— Mais de comunicação que de expressão — me limitei a comentar.

Hoje, quando lembro o seu entusiasmo daquele dia, ele se justifica:

— Eu havia sofrido um desastre sério: o carro em que viajava na Via Dutra atropelou uma vaca. Quebrei o fêmur, fiquei um tempão no hospital, com a perna engessada. E foi assim que escrevi os primeiros capítulos da novela. Acreditava estar fazendo algo de novo na televisão.

E realmente estava: o cotidiano diretamente focalizado, uma visão mais autêntica de nossa realidade social. Até então só apresentavam novelas como "O Direito de Nascer" ou "O Sheik de Agadir". A surpreendente atualidade de sua temática e o tratamento realista que lhe é dado chegaram a despertar críticas: com sua mordacidade, ele estaria procurando desmoralizar a sociedade brasileira, especialmente a paulista e a carioca. Críticas que ele afasta com um simples comentário:

— Isso é considerar a nossa sociedade segundo padrões tipicamente pequenos-burgueses.

Um cadáver boiando na piscina, durante uma festa de sociedade. A inspiração nasceu do começo do filme "Sunset Boulevard" e, afirma ele, "já um cretino insinuou ter havido plágio".

A própria idéia, em si, não é nova: falo-lhe num romance policial de S.S. Van Dine, em que o aristocrático detetive Philo Vance se vê às voltas com um cadáver na piscina, durante uma festa. Ele manifesta logo desejo de ler, embora não seja muito de romances policiais. Prefere os filmes do mesmo gênero, em geral pela própria televisão. E "O Rebu" não é exatamente uma novela policial, senão na medida em que há mistério em qualquer problema humano, sem que precise existir um crime.

O Rebu, O Cafona, O Bofe: por que esses títulos de mau gosto tão agressivo?

— Não são meus: foram escolhidos pela própria televisão. Com certeza acham que têm mais impacto: "O Rebu", por exemplo, ia se chamar simplesmente "A Festa".

A interferência do pessoal da televisão, todavia, se limita a problemas de ordem prática: imposições relativas aos exteriores (só podem ser filmados duas vezes por semana), número limitado de atores disponíveis, e assim por diante. Dois dias seguidos de chuva podem prejudicar a programação de filmagens de uma semana inteira. E as exigências da censura, gerando problemas mais de ordem técnica que de ordem moral: filmagem prévia de uma cópia em preto e branco para que os censores aprovem antes de verem a versão definitiva em cores, depois de já haverem censurado os originais.

Tudo isso para lançar ao ar duas horas de ilusão que depois se perderão para sempre.

O cinema foi a sua primeira sedução. Aos quatorze anos ganhou uma câmera de 16mm e se meteu a fazer um filme sobre Romeu e Julieta, não deixava por menos. Trabalhou como montador e assistente de direção de alguns filmes, naquela época que antecedeu a fase eufórica dos estúdios da Vera Cruz. Mas o mal físico surgido aos dezesseis anos, e suportado com tanto estoicismo, lhe dificultava os movimentos: desistiu de vez do cinema, que lhe exigiria um esforço extenuante, além do talento já revelado. Voltou-se então para a crítica literária — e data daí a primeira vez que ouvi falar em seu nome, quando lhe remetia livros de nossa Editora, por ele julgados com acuidade e lucidez. Foi editor de arte do *Estado de S. Paulo*, e depois passou a dedicar-se exclusivamente ao teatro e à novela.

Seis novelas já — ele passa a mão pela barba, conformado: — Milhares e milhares de páginas devoradas pela televisão.

É admirado por milhares e milhares de espectadores, que se surpreendem a cada dia com a fecundidade de sua imaginação criadora — ele bem poderia considerar-se um homem realizado. Mas quando lhe pergunto se já encontrou aquilo que procurava, ele sorri, com a conivente simpatia de quem sabe estar falando com um companheiro em semelhante procura:

— Ainda não sei o que é, mas continuo procurando.

A procura de um sorriso

"HÁ um dever de gratidão a cumprir para com ela, da parte da coletividade — e não haverá melhor maneira de resgatar essa dívida do que apoiar-lhe a grande obra." Milton Campos

"Russa mais mineira não há, na assimilação plena de valores e características da gente mineira, em harmonia com o fundo eslavo, que se abre para o sentimento do mundo, sem distinguir limitações convencionais, e quer abarcar no mesmo amor todos os seres carentes de proteção e compreensão." Carlos Drummond de Andrade

ERA uma mulher soberba no tamanho — pelo menos me pareceu, do ponto de vista dos meus onze anos. Havia nela qualquer coisa de portentoso e fidalgo, como se fosse uma figura de alta estirpe nobiliárquica escondida no anonimato. Soube mais tarde que, com o correr dos anos, ela veio se encolhendo em estatura física, até seus últimos dias, já aos 82 anos, pesando menos de trinta quilos, quando se referia com bom humor à sua magreza:

— Acabei me tornando uma mulher de Biafra...

No entanto, sua extraordinária figura humana cresceu de tal maneira, que se tornou hoje uma instituição. Seu nome é uma fonte de inspiração para quantos trabalham nos vários estabelecimentos de amparo à criança, espalhados pelo país, que ela ajudou a criar.

Mas naquele dia em que eu, ainda de calças curtas, a contemplava da minha perspectiva de menino, não poderia imaginar o que estaria fazendo ali aquela mulher, no meio de uma reunião de escoteiros. Mais tarde vim a saber que ela era a própria fundadora daquela associação. Não poderia adivinhar então a importância de seu trabalho ao longo dos anos futuros, que me levaria a fazer dela hoje o assunto deste texto, alguns dias depois de sua morte.

"Brincar com crianças não é perder tempo, é ganhá-lo."
"Não é bom alimentar a criança com palavras, quando ela clama pelas coisas e atos."
"A criança tem vontade própria, mas até a mais revoltada atenderá ao nosso pedido se o fizermos com delicadeza."

São ensinamentos singelos e nem por isso menos sábios, que a sensibilidade poética de Carlos Drummond de Andrade pôde recolher de Helena Antipoff. Há opiniões dela que valem por todo um programa de reforma do ensino entre nós:

— Argila, terra, madeira, água e ferramenta farão a criança criar o que o seu coração deseja e o seu cérebro inventa, em contato com a natureza e a realidade.

Foi o que a levou a interessar-se pelas crianças no meio rural, tão necessitadas de amparo, fundando a Escola Granja na Fazenda do Rosário. Não satisfeita com a assistência que proporcionou aos retardados mentais, por ela compreensivamente chamados *excepcionais*, voltou nos últimos anos de sua vida a atenção para os bem dotados: aqueles que poderiam distinguir-se na ciência e na arte, se as escolas já não fossem tão ineficientes para os apenas normais.

— Se é triste ver meninos sem escola — afirmava ela —, mais triste ainda é vê-los imóveis, em carteiras enfileiradas, em salas sem ar, perdendo tempo em exercícios estéreis sem valor para a formação do homem.

Pergunto a um rapazinho escuro onde posso encontrar a diretora, que está à minha espera.

— Aquela senhora que morreu?

Seria apenas uma reação oligofrênica, se não tivesse a sua conotação dramática: estão todos impressionados com a morte recente da grande inspiradora desta instituição que os acolhe. É o que me explica Cordélia Morais Vital, à frente da Sociedade Pestalozzi do Rio de Janeiro desde 1960 — acrescentando, com bom humor:

— Devo ser meio oligofrênica também, para ficar quatorze anos neste trabalho.

A sua figura, simpática e cativante, também se impõe de imediato como a de alguém que fez da criança uma causa para toda a vida. Fico logo sabendo que tem sete filhos, sendo quatro adotivos. Não recebe nada pelo seu trabalho — ao contrário, paga uma contribuição mensal. O atendimento, destinado às crianças sem recursos, é praticamente gratuito. Na Rua Real Grandeza funciona o estabelecimento destinado às crianças até doze anos. Aqui na praia do Leme, onde estou, são atendidos os maiores de doze.

— Até que idade?

— Difícil de dizer. Não se esqueça que a idade mental deles é muito abaixo da idade real. E eles nunca querem ir embora. Aqui dentro, o tempo se eterniza.

Não se trata de um centro de recuperação com resultados tão positivos como a ABBR, por exemplo, que se dedica a recuperar paraplégicos. O progresso de uma criança excepcional é muito relativo — o que às vezes é doloroso para as mães, pois elas têm esperança até em milagres. O que o menino recebe, antes de mais nada, é simpatia, amor e compreensão para com seus problemas. As diversas oficinas de terapêutica ocupacional — marcenaria, gráfica, pintura — não farão deles competentes profissionais, mas, quando muito, simples auxiliares. Não se pode, ainda mais da noite para o dia, dar condições de vida normal a um jovem cujo problema é aprender a segurar o talher, ou mover-se na direção certa. No entanto, através da música, do teatro, do esporte, eles vão conseguindo progredir, palmo a palmo, na conquista desta ou daquela aptidão para uma vida que não seja normal, mas um pouco menos penosa. Sob orientação dos mestres, há os que pintam, os que compõem suas próprias historinhas e poemas na oficina gráfica, os que trabalham em madeira. E os que jogam futebol: costumam disputar peladas com os soldados do Forte do Leme.

— São os melhores vizinhos que há — afirma a diretora: — Deixam os meninos utilizar as quadras de esporte e jogam com eles. Desconfio que andam até perdendo de propósito, pois o nosso time, afinal de contas, não pode ser tão bom assim e, no entanto, ganha sempre!

Meu objetivo é falar em Helena Antipoff. Procurar aprender, através dos que conviveram com ela, que força poderosa levou esta mulher, nascida na Rússia em 1892, a passar a maior parte de sua vida no interior de um país estrangeiro, dedicada de corpo e alma às crianças menos favorecidas.

Já em sua pátria, como psicóloga, empenhava-se no amparo ao menor abandonado. Um convite vindo de Minas veio arrancá-la dos trabalhos de pedagogia experimental na Suíça, como assistente de Claparède, mestre da psicologia infantil. E se transferiu definitivamente para o nosso país. O que fez desde então em favor da criança brasileira, mesmo apenas enumerado, não caberia nos limites desta página.

Despeço-me da diretora, convencido de que uma rápida visita como esta não bastará para sentir a importância do trabalho que Helena Antipoff inspirou. À saída, vejo uma professora conversando com uma jovem de seus quatorze, quinze anos, enquanto a mãe aguarda, um pouco afastada.

A jovem usa óculos de vidros grossos, mas posso ler nos seus olhos que a idade mental não vai além dos sete, oito anos. Ela está rindo, todavia; rindo alegremente de alguma coisa que a professora acaba de lhe dizer. No corpo de uma jovem adolescente, ela é exatamente uma criança de oito anos, a rir, alegre e feliz. E ainda sorrindo, abraça-se à mãe, ambas se afastam. Pouco importa continue sendo uma criança "excepcional", prisioneira nos estreitos limites da sua inteligência. O sorriso de agora há pouco é uma conquista sobre tal limitação, como uma dádiva que esta Casa lhe soube oferecer. Um sorriso como este é que Helena Antipoff tão simplesmente gostaria de ver no rosto de todas as crianças do mundo.

1975

LOS ANGELES, SÃO FRANCISCO —

Permissividade sexual

A MEIO caminho do motel em Vine Street, onde estou hospedado, me dá vontade de tomar uma cerveja. Detenho o carro diante de um bar na Sunset Boulevard. É um bar como outro qualquer, meio escuro, com alguns poucos fregueses espalhados pelas mesas.

Um feixe de luz corta o ar, projetando na parede uma cena de filme que a princípio me parece meio confusa: dois corpos engalfinhados em luta livre.

Já acomodado, levo de repente o susto de minha vida, quase caio da cadeira. A garçonete que vem me atender está nua da cintura para baixo. Ela não se manca: traz a cerveja e se afasta, rebolando os quartos como uma vaca. Praticamente pelada, isto é: só de sutiã e sapatos.

É o que chamam de *bottonless*.

Para variar, tento prestar atenção no filme. Só agora percebo que não se trata propriamente de uma luta e sim de um casal em pleno coito. Os *closes* enchem a tela de formas rosadas — e ousadas: braços, pernas, ancas e outras saliências e reentrâncias. Nada de agradável e excitante.

Eu tinha me esquecido que estou em pleno reinado da "permissividade". Bem diferente das dinamarcas deste mundo, onde a indústria pornográfica que sucedeu à abolição da censura se tornou atração turística e fonte de divisas. Aqui o livre comércio do sexo, sem qualquer espécie de repressão, se integrou na vida cotidiana do americano. Acabou se tornando trivial, de interesse restrito aos aficcionados.

Los Angeles está cheia de lugares como este bar, com ligeiras variações: em vez de cinema, por exemplo, o palco onde um casal se exibe em pretensas (ou verdadeiras) cópulas. Os jornais especializados no assunto podem ser encontrados em qualquer esquina. Anunciam os espetáculos de nudismo e de "sexo ao vivo", publicam classificados dos praticantes e "entendidos", fornecem listas dos principais bordéis da cidade ou de prostitutas que atendem a domicílio. A massagem e a sauna são eufemismos de requinte oferecidos aos mais exigentes. E as especialidades, segundo o jargão dos iniciados: cultura francesa (sexo oral), cultura inglesa (coito anal), cultura grega (homossexualismo), cultura romana (sado-masoquismo) — e assim por diante (não estou bem certo se os eufemismos são exatamente estes, não sou iniciado). "All Male Staff — for Homossexuals" —

anuncia descaradamente um grande letreiro luminoso, entre outros no gênero, em Santa Monica Boulevard. Nas livrarias de "pornô", as estantes se cobrem de revistas em cores, a partir da capa, retratando tudo quanto é espécie de perversão. E a vitrine sob o balcão, como a de uma casa de artigos ortopédicos, exibe objetos eróticos os mais extravagantes, de plástico, borracha ou metal, com dispositivos elétricos movidos a pilha, como instrumentos de tortura. Até mesmo bonecas do sexo masculino ou feminino, infláveis, de tamanho natural, órgãos genitais completos (com pelos custam mais caro) para atender aos solitários requintados. É uma parafernália o seu tanto surrealista, capaz de assombrar a mais lúbrica das imaginações.

De tudo isso emana um vago sentimento que vai da curiosidade malsã ao franco mal-estar, misto de desencanto e de náusea, logo convertido em indiferença. E dá vontade de perguntar, com ar de tédio, como aquele sujeito da anedota, o que é que eles têm a oferecer em matéria de peixes.

Bebo a minha cerveja já distraído, sem me preocupar mais com a burlesca cena de libidinagens projetada na parede, que não me fala aos baixos instintos, como deve pretender. Prefiro observar os outros fregueses ao redor. Percebo que eles também se entediam, enquanto a garçonete faz circular despercebido o seu traseiro branco como um queijo rachado. Um sujeito ao meu lado pergunta se não tem algo mais interessante a exibir, como lutas de boxe, por exemplo. Penso que ele está brincando, mas em pouco, para meu pasmo, vejo acender-se lá no balcão um feixe de luz transversal ao primeiro e na outra parede projeta-se um filme de velhas lutas de boxe, de Jack Dempsey e Joe Louis. Reaviva-se o interesse no bar, todos se voltam para ver. E os dois filmes vão sendo exibidos ao mesmo tempo — sexo e violência. Pelo jeito, o pessoal daqui já está francamente preferindo a violência.

Vejo à minha frente, no alto do morro, o enorme letreiro que já foi símbolo da cidade — "HOLLYWOOD", em gigantescas letras de madeira hoje carcomida — o que resta do glorioso fastígio de outros tempos.

Tempos não muito antigos, porque há pouco mais de dois anos andei por aqui com David Neves filmando este mesmo letreiro, para constar na apresentação dos "curtas" da série "Crônicas ao Vivo" que fiz para a TV Globo. Pretendia com isso sugerir o romântico fascínio que em Hollywood não existe mais.

Compro na esquina um jornal — para isso basta jogar uma moeda e retirá-lo da caixa de vidro: um tablóide semanal chamado *Hollywood Free Press*. Seu lema é "o direito a uma imprensa livre". Na primeira página publica uma chamada para cem anúncios pessoais com "fotos reveladoras" e telefone de praticantes de *swing* (entre nós respeitosamente designado por "sexo grupal", por não se poder ainda usar livremente aquela palavra que parece nome de peixe). O jornal se abre com um artigo sobre a CIA e o FBI, cujas atividades ilícitas estão sob investigação do Congresso. Mais adiante, a revelação de que o governo vai gastar 12 bilhões de dólares, pagando 10 mil de indenização a cada cidadão que foi molestado pela polícia por ter participado de manifestação pacifista contra a guerra do Vietnã — o que vem a constituir uma violação de seus direitos civis. É o que se espera de uma democracia.

Numa democracia como esta vale tudo. Por exemplo: a foto de uma linda jovem nua, em pose lasciva, ilustrando um artigo sobre o ato sexual como elemento de promoção de vendas do comércio imobiliário. Entre nós, os subdesenvolvidos, as companhias poluidoras da paisagem não passaram ainda das pobres meninas de minissaia distribuindo prospectos de suas monstruosas incorporações.

As páginas seguintes são inteiramente dedicadas ao sexo: mulheres e homens pelados, ativos ou passivos, isolados ou em grupo, anunciando a mais variada e bem sortida mercadoria sexual. São livros eróticos, filmes pornográficos, institutos de massagem, oferecendo "the complete ultimate sexual experience", segundo a cultura inglesa, francesa, sueca, grega e romana.

Sobre a cultura brasileira não encontro nada. Mas há jovens latinos que se oferecem como prodigiosos parceiros sexuais para todos os gostos e ocasiões. Um negro que se diz de boa aparência e excepcionalmente bem-dotado (oito polegadas) se oferece a casais brancos para o fim específico de distrair a esposa sob as vistas do marido. Uma "linda jovem submissa" se dispõe a ser espancada ou chicoteada, depois de amarrada na cama. Em contrapartida, uma mulher que se diz dominadora, procura homem que se submeta às suas fantasias sádicas, para o que dispõe de todo o aparelhamento adequado. Outra procura uma parceira para uma tara de que eu nunca ouvi falar: "que partilhe de sua experiência em vestir meninos (de um a quatorze anos) como meninas". Em meio a tudo isso, uma senhora idosa convoca candidamente jovens que se disponham, mediante pagamento, apenas a conversar com ela durante uma hora por noite, para distrair a sua solidão.

Mas tem também o exercício da liberdade de imprensa fora do âmbito exclusivamente sexual: o anúncio de alguém que se propõe a trazer de volta aos Estados Unidos, em um mês, qualquer americano preso em terra estrangeira, seja qual for o motivo; outro se oferece para ensinar a burlar o imposto de renda; outro ainda ensina como cultivar maconha em sua própria casa.

Isso é que é democracia.

Não deixa de ser curioso notar a evolução pela qual vieram passando as revistas sofisticadas, "só para homens", do tipo *Playboy*. (Ultimamente surgiram mais duas: *Playgirl* e

Viva, com fotos de homens nus, "só para mulheres".) A princípio eram somente os bustos, geralmente enormes, colossais (revelando estranha fixação do americano, que Freud certamente explica); depois vieram as nádegas: corpo inteiro, só de lado ou de costas. Aos poucos foram dando a volta por cima (ou por baixo), um púbis repontando discretamente aqui e ali, para acabar mostrando tudo, às escâncaras. O último número de *Playboy* (7 milhões de exemplares), que tenho em mãos, como pretexto para mais fotos eróticas lança a candidatura de uma mulher à Presidência da República nas próximas eleições: nada menos que Linda Lovelace, aquela engolidora de espadas do famoso filme "Deep Throat". Na realidade, este é o tema do novo filme estrelado pela "mulher de clitóris na garganta"; ela é escolhida numa convenção política por ser, de todos os candidatos, o que tem "a melhor imagem *púbica*".

Mesmo apelando para a graça, e esse tipo de graça, a revista *Playboy* de Hugh Hefner não consegue impedir que sua hegemonia na imprensa erótica "de luxo" se veja seriamente ameaçada pela feroz e provocadora concorrência da *Penthouse*. "Vamos matar coelhos" — é a palavra de ordem de Bob Guccione, referindo-se às *bunnies* de sua rival. Começou sem um tostão e hoje já está com uma tiragem de mais de quatro milhões, botando para quebrar: além de três revistas, a empresa mantém quatro clubes de livros e se especializou na venda de artigos eróticos, ou "auxiliares sexuais" pelo correio. O seu forte é a ousadia na publicação de nus femininos.

— No primeiro dia, o fotógrafo tem muita dificuldade — explica Guccione: — As jovens não são modelos profissionais e o cachê de 2 mil dólares não basta para deixá-las à vontade: acham que o fato de tirar a roupa deve deixar qualquer um louco. No fim do segundo dia, ela não entende como o fotógrafo não se rendeu aos seus encantos. No terceiro dia, quase que é preciso amarrá-la, pois ela já está em estado de alta tensão sexual. Então é que se obtem as melhores fotos.

Além da obsessão já francamente genital nas fotografias, em seu último número a revista parte para o espetáculo "au grand complet": uma sequência de fotos artísticas de duas mulheres e um homem, engajados na intimidade de um "ménage à trois". E continua acolhendo como consultora de assuntos sexuais a célebre ninfômana Xaviera Holander, autora do *best-seller* "The Happy Hooker" (já lançado em tradução no Brasil, não sei com que título, mas que poderia ser "A Piranha Feliz").

Aqui também há pretensão à seriedade, dentro do espírito mais conservador e reacionário do seu editor (sempre foi contra as drogas, contra os *hippies*, a favor da lei e da ordem, e apoiou Nixon "até ele mostrar sua verdadeira face"). Como num artigo sobre a exploração de crianças no comércio do sexo. Ou sobre o presidiário que está processando o governo da Califórnia porque tem de submeter-se "voluntariamente" na prisão a um tratamento pavloviano para cura de sua perversão: condenado por violência sexual contra uma criança, sujeitam-no a olhar uma série de fotografias de mulheres e crianças nuas — só que toda vez que aparece uma criança ele recebe um terrível choque elétrico. (Diga-se de passagem que, em recente pesquisa feita entre os setecentos presidiários, condenados por crimes de violência sexual contra crianças, verificou-se que oitenta por cento deles sofreram na infância alguma espécie de violência sexual.)

Como entender o paroxismo a que chegou aqui a chamada permissividade sexual? Há quem fale até em Sodoma e Gomorra e decadência de uma civilização. Consta que na Dinamarca, ao fim de dois anos de abolição da censura, a eclosão da mais completa liberdade sexual já havia trazido como resultado a queda no índice de crimes que têm no sexo a sua causa imediata ou remota. Não se sabe se nos Estados Unidos aconteceu a mesma coisa. É uma sociedade muito mais numerosa e complexa, para que se possa medir por estatísticas as conseqüências dessa verdadeira revolução nos costumes, que veio a ser a desmistificação do sexo em nosso tempo.

Mas pelo menos aqui na costa oeste americana (não nos esqueçamos que Los Angeles está para Nova York, como o Rio para São Paulo), a liberdade sexual parece já haver colhido os seus frutos, antes de descambar para a área extritamente patológica da depravação. A que distância estamos das revelações do "Kinsey Report"! É de se imaginar o que não apuraria hoje em dia uma pesquisa em semelhantes proporções. A começar pelo que já foi apurado ultimamente por alguns pesquisadores, sob o declínio da própria licenciosidade. Os clubes de homossexuais e bissexuais, as festas com troca de casais, as orgias organizadas vão perdendo o sabor de novidade e sua freqüência se restringindo cada vez mais aos definitivamente fanatizados por desvios psicóticos de sua sexualidade. Os casais que buscavam a promiscuidade sexual "para variar", aos poucos vão se recolhendo à intimidade de seu quarto, a dois, entre quatro paredes, para a prática de tudo que é natural entre um homem e uma mulher. Não sem haver colhido cada um da experiência insana certo sentimento de remorso, por ter tentado negar a si mesmo a sua condição de ser moral.

Na Hollywood Boulevard um casal de jovens vai caminhando à minha frente, um abraçado ao outro. A manhã é fria e cinzenta, certamente se abraçam para aquecer-se mutuamente. Ela é um pouco mais alta do que ele, tem cabelos louros e usa um capote felpudo. Ele é moreno, está de japona, e ri gostosamente de alguma coisa que ela acaba de lhe soprar ao ouvido. Detêm-se na esquina, e enquanto esperam o sinal se abrir, abraçam-se de frente, olhos nos olhos, ele com os braços metidos no capote da moça, apertando-lhe fortemente o corpo contra o seu. Acabam trocando um longo beijo — o sinal se abre, todos caminham, e eles se deixam ficar, lábios colados, esquecidos de tudo. São jovens, ele deve andar pelos seus vinte anos, ela não terá mais que dezessete, mas está se vendo que se amam e certamente o sexo não será para eles apenas a busca do prazer. Só me resta admirá-los e seguir em frente.

Segundo pesquisa feita recentemente nos colégios e universidades da Califórnia, os dormitórios mistos já não estão provocando a promiscuidade dos primeiros tempos, quando moças e rapazes partilhavam de uma cama diferente (ou de várias) a cada noite. Ultimamente vêm se registrando entre os estudantes uma tendência para as relações estáveis, o namoro com o romantismo de antigamente, a união com amor.

É possível que os jovens ainda venham a ensinar aos mais velhos essa condição tão simples para que o ato sexual seja completo: é preciso haver amor.

Terremoto e incêndio

DE REPENTE, em plena rua, no centro mais movimentado de Hollywood, vejo tudo estremecer ante meus olhos. O carro põe-se a sacudir como avião em turbulência. Um ronco surdo vem das entranhas da terra, fazendo o mundo vibrar como num pesadelo. O chão estremece, os prédios vacilam como se fossem de pano, alguns desabam com fragor, reduzidos a escombros sobre a rua. O asfalto se abre em rachaduras profundas como papel dilacerado, os carros colidem doidamente nas esquinas, incêndios irrompem aqui e ali, gente espavorida fugindo para todo lado, gritos, pedidos de socorro, buzinas, sirenes, pânico, desespero.

Segue-se um silêncio — o silêncio pavoroso de alguns segundos de expectativa, que sucede à primeira onda do terremoto.

— Só tomei coragem de fazer esse filme quando me ocorreu a idéia da represa — me diz Mark Robson, em seu escritório nos estúdios da Universal: — O centro da história é a represa, em torno da qual as pessoas e os acontecimentos gravitam. Se essa represa arrebenta, vai arrasar Hollywood — foi o que eu pensei. E o pior é que isso pode acontecer um dia.

Estou agora no Chinese Theater, assistindo ao filme, a convite de Louis Blaine, da Universal. O próprio cinema vibra como se fosse desmoronar. São os efeitos especiais de som que fazem estremecer a platéia, sob o realismo brutal das cenas projetadas na tela, terríveis como a antevisão da hecatombe que imaginei ainda há pouco na rua. A cidade inteira sacudida pelo cataclisma, casas que rolam pela encosta, viadutos que se quebram sobre a rua como bandejas de louça, automóveis atirados pelos ares. Mark Robson me conta um pouco do que fez para conseguir criar impressão tão fantástica, como o cinema até hoje não havia tentado:

— Convertemos uma das ruas dos estúdios da Universal em Hollywood Boulevard e em seguida a destruímos. Foi uma visão terrível: devastamos uma área correspondente a dez quarteirões. Usamos fogo, fumaça, e em certos casos material verdadeiro de construção: tijolo e cimento.

Eram mais de setenta técnicos em efeitos especiais, trabalhando ao mesmo tempo. E os atores tinham de correr riscos, não havia como substituí-los. Houve uma cena, por exemplo, na qual um imenso poste de ferro desabava a poucos centímetros de Ava Gardner. Se ela errasse um passo, seria esmagada.

— Perguntei a ela: posso contar com você? Se ela fizesse tudo certo, nada aconteceria. Se errasse a marcação, não estaria mais viva para repetir a cena. Ela topou, e se saiu bem.

Mark Robson é um sujeito afável, com cerca de sessenta anos, que tem a seu crédito um longa lista de filmes — de "Isle of the Dead" ("A Ilha dos Mortos") a "Payton Place" ("A Caldeira do Diabo"), de "Home of the Brave" ("Um Punhado de Bravos") a "Valley of the Dolls" ("O Vale das Bonecas"). Em seu escritório, nos estúdios da Universal, ele me conta um pouco da própria vida.

Nasceu no Canadá, e quando voltou lá, que tristeza! Montreal não era a mesma cidade da sua infância: a destruição da natureza, a poluição do progresso haviam transformado tudo. Não sabe por que não fez do cinema uma forma de se exprimir pessoalmente, de contar a sua vida, como Fellini e tantos outros. Fellini? Sim, acha "La Strada" uma obra-prima. Mas "Dolce Vita", se lembra bem: estava em Paris, e quando saiu do cinema encontrou William Wyler: então, não é uma maravilha? — perguntou-lhe o outro diretor. Ele não achava maravilha nenhuma, não achava nada. Pois então vai dormir, disse Wyler, que amanhã o filme te pega. Na manhã seguinte acordou pensando no filme, à noite acabou indo ver de novo, e aí sim, saiu convencido: uma maravilha.

— Sou o que se pode chamar de um diretor eclético — explica ele, modestamente: — Gosto de experimentar todos os gêneros. Cada filme é uma aventura diferente, um desafio, sei lá: como se fosse o primeiro.

Robert Wise fez "The Set-Up" ("Punhos de Campeão") com Robert Rian — ele, Mark Robson, fez "The Champion" ("O Invencível") com Kirk Douglas. Wise fez "Somebody Up There Likes Me" ("Marcado Pela Sarjeta") com Paul Newman — ele fez "The Harder They Fall" ("Trágica Farsa") com Humphrey Bogart: tudo isso sobre boxe. Agora ele faz "Terremoto" — que é que Robert Wise vai fazer? São amigos, desde que trabalharam juntos em "Cidadão Kane" até os tempos das produções de horror de Val Newton. Simples coincidência, a carreira dos dois: acabaram sócios, e agora Robert Wise vai fazer "Hindemburg", sobre o incêndio do gigantesco zepelim.

— O que eu sofro em cada filme, é difícil de contar. A pré-estréia de "Terremoto" foi em Atlanta, como sempre. E minha aflição, na noite da exibição? Não vai aparecer ninguém, eu pensava, desesperado. De repente aquela multidão na porta do cinema. Me misturei ao público, assisti ao filme, e depois foram mais alguns meses de trabalho: acerta aqui, corta ali, até ficar como eu queria. O público é que me me mostra o que está errado. Outra pré-estréia, desta vez em Saint-Louis, e me meto a consertar tudo de novo.

Sua obsessão com o tema do filme era tanta, que antes de começar as filmagens já o chamavam de Terremoto: lá vem o Terremoto. Como vai, Terremoto?

— O filme é antes de tudo uma advertência. Os cismólogos não cansam de predizer para mais dia, menos dia, uma catástrofe como essa. Los Angeles será destruída. E as autoridades não se preparam para enfrentar o problema, ninguém liga, será uma hecatombe.

No dia da primeira cena, houve uma ameaça de terremoto. Como um presságio. Mas a represa é a principal ameaça:

— Rompendo-se a represa, vai tudo literalmente por água abaixo. Fiz uma réplica de mais de trinta metros. Não acredito em maquetes e miniaturas: para mim tem de ser tudo quase do tamanho da realidade. Não há nada mais difícil para efeitos especiais que a água e o fogo: uma gota d'água não pode ser reduzida num *close* e uma labareda muito menos. Lidar com ambos em proporção natural é brincar com a morte.

Já se tentou antes no cinema retratar a fúria da natureza, mas nunca na escala de "Terremoto" — a fúria do tremor da terra, o horror apocalíptico que sacode Los Angeles, reduzindo a cidade a um montão de destroços. Até Charlton Heston se sai bem (principalmente por morrer no fim do filme, tentando salvar Ava Gardner), o que é um milagre de direção.

No cinema, durante a projeção, parece que as paredes vão desabar sobre a platéia. A impressão é tão mais dramática, quanto estou no centro dos acontecimentos, assistindo ao filme em Hollywood, e hospedado num motel da Vine Street, pela qual desabam em fúria as águas da represa, arrasando tudo pelo caminho. E lá vou eu de cambulhada — como no verso do Vinicius, "morro ontem, nasço amanhã: meu tempo é quando!"

E nasço em São Francisco, no Hotel Chancelor, em pleno coração da cidade. É um hotel relativamente modesto, mas nem por isso, no bar da sobreloja, onde me detenho para um uísque, deixo de ter como vizinho de mesa nada menos que Bing Crosby em pessoa. É ele mesmo, com seu chapeuzinho Panamá, e já com 70 anos parece que ainda vai muito bem das pernas, pois está ali no canto baixando os comandos numa linda mulher de seus vinte e poucos anos. Não resisto e ouso abordá-lo. "Muito obrigado", responde ele, brincalhão, num português carregado de sotaque, quando lhe digo que sou brasileiro, em meio aos elogios convencionais de um admirador importuno pedindo autógrafo.*

Caranguejo de costa a costa — 1981, em "De Cabeça Para Baixo", 6ª edição.

E saio pela noite, para olhar a cidade. Do restaurante no alto do Bank of America Center, que atinjo em deslumbrante subida pelo elevador de vidro do lado de fora do edifício, posso ver São Francisco em todo seu esplendor: os arranha-céus iluminados do Distrito Financial, recortados contra a baía com sua majestosa Golden Gate; a torre do Fairmont Hotel e seu restaurante giratório; um prédio estranho em forma de pirâmide comprida e fina; o Hyatt Hotel, mais estranho ainda, com suas paredes inclinadas para dentro; outro com as vigas de sustentação do lado de fora, como um edifício pelo avesso. E dominando todos eles, os 138 andares do inconcebível Glass Tower, o edifício mais alto do mundo.

Hoje é a noite da sua inauguração. As figuras mais representativas da política, da indústria e da sociedade estão presentes para testemunhar a cerimônia da entrega à cidade deste gigantesco monolito com 83 andares de moderníssimos escritórios e mais de cinqüenta luxuosos apartamentos, coroados por um *night-club* envidraçado e um heliporto no terraço. Todos se sentem felizes e orgulhosos dessa verdadeira maravilha arquitetônica, com exceção de duas pessoas, que parecem bastante preocupadas: o arquiteto que a concebeu, por temer que alguma coisa não funcione bem, e o comandante de um batalhão do Corpo de Bombeiros de São Francisco, que é contra edifícios de altura que dificulte o combate a incêndios.

O sistema de controle do edifício, dotado de painéis eletrônicos e circuitos fechados de televisão, pode perfeitamente detectar o início da catástrofe. Um curto-circuito no subsolo, um fusível que estoura no depósito de material do 81º andar, uma língua de fogo saindo de um cabo elétrico e lambendo a prateleira com latas de tinta e detergente: em poucos segundos começa o incêndio.

É uma longa noite de horror que mal principia, o pânico que se alastra, a disputa feroz de elevadores logo transformados em crematórios, quartos que explodem em chamas, pessoas desesperadas que se atiram das janelas, helicópteros que tentam em vão alcançar a fornalha em que se converteram os últimos andares. No terror desse holocausto, os fortes que fraquejam, os fracos que descobrem reservas de coragem dentro de si. E os que enfrentam a morte nas operações de salvamento, com a abnegação de verdadeiros heróis.

Como o bombeiro que saltou do helicóptero e dominou a multidão enlouquecida no terraço, organizando o resgate de centenas de pessoas capazes de tudo para sobreviver. Foi ele quem abriu a pesada porta de aço que bloqueava o caminho da salvação dos que se comprimiam em pânico na escada, instalou pontes improvisadas e cabos aéreos para os outros edifícios.

O seu nome é Caldas: capitão Caldas, comandante da IV Guarnição de Salvamento.

Mas aqui já estamos falando do incêndio do Edifício Andraus, em São Paulo. No de São Francisco, o comandante dos bombeiros é Steve McQueen, o arquiteto é Paul

Newman, e ambos serão os heróis da tragédia que traumatiza a cidade inteira. William Holden, Faye Dunaway, Fred Astaire, Jennifer Jones e Robert Wagner estão entre as centenas de pessoas enjauladas no inferno em que logo se transformará o edifício. Sem dúvida, é certo que de alguma forma "The Towering Inferno" se inspirou no incêndio do Andraus: o mais provável é que um dos dois livros em que o filme se baseou, ou ambos ("The Tower" de Richard Martin Stern e "The Glass Inferno" de Thomas M. Scortia e Frank M. Robinson), tenha buscado inspiração na tragédia de São Paulo: as semelhanças são por demais evidentes para que não passem apenas de coincidências.

Com uma diferença fundamental, todavia: enquanto no Andraus, um grande edifício como qualquer outro de São Paulo, as vítimas do incêndio eram pessoas comuns, surpreendidas num dia normal de sua vida, no filme o edifício é o mais alto do mundo, na noite de sua inauguração, vitimando pessoas de destaque excepcional — o que torna o episódio o seu tanto inverossímil. E a qualidade espetacular dos efeitos especiais, no que se refere ao fogo, propriamente, é comprometida pela inexistência imperdoável das nuvens sufocantes de fumaça que os incêndios sempre produzem. Em suma: um filme de pouca fumaça e muito fogo.

— Não faço filmes sobre a crueldade dos homens — afirma o produtor Irvin Allen. — A violência em meus filmes é de fenômenos da natureza, como enchentes, vulcões, incêndios, maremotos. Já existe muita desumanidade neste mundo, para que a gente ainda vá usá-la no cinema a fim de distrair o público.

Com o que o versátil criador de "Poseidon" passa recibo da finalidade última que busca atingir com seus filmes: a de distrair. Estranha distração essa, a de um público que no mundo inteiro está transformando os filmes de catástrofes em campeões de bilheteria.

De minha parte, esmagado por tanto realismo, sacudido pelos terremotos, afogado pelas enchentes, o corpo despedaçado e a alma em chamas, depois de me atirar no espaço e esborrachar-me no chão, prefiro buscar a distração mais simples. E me refugio num modesto cinema de bairro em São Francisco, onde estão exibindo o "Amarcord", de Federico Fellini.

1976

RIO DE JANEIRO —

Arte ou passatempo

PEDEM-ME que escreva sobre minhas razões de amar o cinema. Aos dezoito anos eu diria que amava o cinema por causa da pipoca, do escurinho e da mão da namorada. Mas, se não me engano, infelizmente já passei um pouco dos dezoito anos. Assim sendo, outras serão as razões que hoje em dia me levam a amar o cinema.

Como arte, ou como passatempo?

Eu diria que ambos — embora aos meus olhos o cinema prevaleça sobre as demais criações artísticas, por ser obra realizada em conjunto. Envolve o esforço conjugado de vários artistas, cada um no seu ramo — além dos artistas propriamente ditos, ou atores: mobiliza uma equipe de roteiristas, cenógrafos, fotógrafos, câmeras, iluminadores, figurinistas, contra-regras, como um exército bem treinado, sob o comando do diretor e controle dos produtores. Por essa dimensão coletiva na sua concepção, o cinema ainda poderá vir a ser a grande arte de nosso tempo.

Vir a ser? Por que já não é?

Porque, na minha modesta opinião, seu maior atrativo ainda está condicionado à mão da namorada no escurinho ou, à falta desta, pelo menos à pipoca. Em outras palavras, enquanto não se libertar da sala de espetáculos a que se subordinou desde que surgiu como teatro filmado, o cinema não se emancipará como arte. Ao contrário do que acontece em relação ao palco, a platéia, ante a projeção numa tela, não tem nenhuma função ou razão de existir, sendo perfeitamente dispensável. Aliás, para apreciar devidamente um filme, quanto menos gente, melhor.

Sempre achei que o cinema só atingirá a plenitude da sua dimensão artística quando a projeção puder ser particular e individual, liberta das salas de exibição. Estamos chegando lá, através da televisão, embora os filmes por ela exibidos se ressintam ainda da deficiência visual, devido às dimensões acanhadas da tela (o telão com uma imagem perfeita ainda está para ser inventado). Sem falar na audição ainda pior, enquanto predominar este abominável recurso da dublagem, próprio mesmo para um país de analfabetos como o nosso.

O advento do vídeo implica uma linguagem diferente, com técnica própria e nova dimensão estética, independente do público, sem as limitações, inclusive de tempo, nas salas de projeção. Já é um grande passo para o cinema de uso doméstico podermos comprar ou alugar na loja da esquina o vídeo de nossos filmes prediletos e apreciá-los à vontade em nossa casa, como até agora fazíamos com os livros que mais amamos.

Resta esperar que esta invenção se aperfeiçoe ainda mais, graças às novas descobertas na área da computação. E que o cinema, atualmente já com cem anos de idade, possa ser visto em casa com a definição e dimensões proporcionais às de um filme de 35mm em tela normal, como no melhor dos cinemas.

Até lá, temos de nos contentar é mesmo com a pipoca, o escurinho e — se tivermos sorte — a mão da namorada.

1977

Dito e Feito

NÃO deixa de ser uma estranha sensação, esta de me ver mais uma vez reaparecendo regularmente em jornal. É uma espécie de palco — ou picadeiro — em que me exponho, faço cabriolas e gatimonhas, executo as pelotiquices de costume.

Olhando para trás, percebo que na vida quase não tenho feito outra coisa. Andei como um saltimbanco por vários jornais e revistas, sempre recomeçando, como se fosse pela primeira vez.

E agora aqui estou, realmente pela primeira vez neste jornal.* Começar é sempre difícil, deixa a gente meio sem jeito, não sabendo o que dizer, como no início de um namoro: dá licença de falar com você? posso acompanhá-la? E pronto: admitida a abordagem, que dizer agora? "Permita-me um galanteio", como o português da anedota?

Pois então, sejam minhas primeiras palavras um rápido improviso de saudação aos leitores, um abraço aos novos colegas, lembranças aos meus familiares — e vamos em frente.

Garoto de Ipanema

VEJO na televisão a figura de meu amigo Vinicius de Moraes cantando um samba. E me lembro de uma entrevista sua pela televisão, na qualidade de poeta e diplomata. Foi há vinte e tantos anos, depois de cumprir missão no Consulado de Los Angeles. (Diga-se de passagem que acabou indo parar ali ao fim de uma temporada comigo em Nova York, de uma semana que durou dois meses.) Entrevista séria, cheia de literatura e diplomacia. Para encerrar, perguntaram-lhe que música vinha fazendo mais sucesso nos Estados Unidos. O poeta não conversou — como um garoto de Ipanema, dando uma de Frank Sinatra, segurou o microfone e pôs-se a cantar:

*"I've got you
Under my skin..."*

---

*O Globo, Rio de Janeiro: "Dito e Feito", coluna semanal (ou *seção*, como se dizia na época), publicada de 1977 a 1988 e simultaneamente em *Zero Hora*, *Correio do Povo*, Porto Alegre; *Diário Catarinense*, Florianópolis; *Gazeta do Povo*, Curitiba; *Estado de S. Paulo*, São Paulo; *Estado de Minas*, Belo Horizonte; *A Tribuna*, Vitória; *Correio do Brasil*, Brasília; *A Tarde*, *Jornal da Bahia*, Salvador; *Diário de Pernambuco*, Recife; *Diário do Nordeste*, Fortaleza; *Diário Popular*, Lisboa, Portugal, e 84 jornais em cidades do interior do Brasil..

Na época, aquilo era no mínimo capaz de comprometer sua carreira no Itamarati. Carreira iniciada na tal viagem que fizemos juntos até Nova York, com algumas escalas de permeio.

Lembro-me que no hotel de Ciudad Trujillo, quando fomos ao seu luxuoso toalete, no momento vazio, o poeta começou a me contar uma anedota. Enquanto eu ficava por ali mesmo, praticando o eufemismo de "lavar as mãos", ele se trancafiou num reservado, apesar de haver afirmado que "nós, poetas, não fazemos essas coisas". E continuou a contar-me a tal anedota, em voz alta, gritada (era desses cubículos de porta vazada em cima e embaixo). Cometi então a ignomínia de me retirar à sorrelfa, deixando-o sozinho e aos berros lá dentro.

Em pouco, na sala de espera do hotel, pude ver alguém entrar no toalete e logo sair correndo, para avisar na portaria, alarmado:

— *Hay un hombre que grita como loco in el bagno, hablando solo, a los gritos, em lengua estranjera!*

Logo várias pessoas se aglomeravam no toalete, intrigadas, e o poeta chegava ao fim da sua anedota, que de minha parte não cheguei a escutar. Como ele não ouvisse a risada que esperava de mim, abriu a porta, ainda sentado, para uma espiadela — e deu com aquela pequena multidão de espectadores, num silêncio perplexo. Quando, afinal, me reencontrou na sala de espera do hotel, recusou-se a contar-me o fim da anedota:

— Você me paga — ameaçou apenas, soturno.

Não cheguei a pagar, e a brincadeira acabou num festival de gargalhadas durante o resto da viagem.

Os anos passaram, ele trocou a diplomacia pela Bossa Nova, veio "A Garota de Ipanema", vieram os sucessos e a consagração: "cantando ele espalhou por toda a parte"* a sua inspiração, como verdadeiro menestrel do nosso tempo.**

Um dia Rubem Braga e eu fomos ver uma casa para alugar em Ipanema, pensando instalar ali a nossa Editora Sabiá. A proprietária, uma gorda senhora de *pegnoir*, às tantas voltou para nós seus grandes e lânguidos olhos verdes, perguntando se ainda éramos amigos do Vinicius de Moraes. E pediu com voz romântica, num gesto faceiro:

— Digam a ele que vocês estiveram com a *primeira* garota de Ipanema.

Cantando espalharei por toda a parte, em "Os Lusíadas", Canto Primeiro, II, Luiz de Camões.
**O Menestrel de Nosso Tempo*, em "Gente".

Prévert

MORREU Jacques Prévert. Gostaria de lhe prestar aqui a minha humilde homenagem. Afinal, o mundo de hoje não está assim tão cheio de poesia, para que deixemos passar em brancas nuvens a morte de um poeta. Ainda mais um poeta como ele, talvez dos mais lidos de todos os tempos (somente seu livro "Paroles" já vendeu dois milhões de exemplares) e que soube ser até o fim da vida o mesmo homem simples, autêntico homem do povo, visto sempre nos bistrôs do Quartier Latin, cercado de amigos.

Di Cavalcanti, que o conheceu em seus tempos de Paris, falava-me carinhosamente sobre ele, contando casos e episódios pitorescos que havia testemunhado. Como, por exemplo, a tentativa de suicídio do poeta, numa noite de excessos etílicos, atirando-se da janela de um apartamento — para verificar depois, ao cair ileso ao chão, que saltara de um primeiro andar e não do sétimo, como imaginara.

Telefono a Rubem Braga, que também o conheceu, e certamente terá coisas a contar: entrevistou-o duas vezes. Mas está justamente escrevendo sobre ele, e se limita a dizer que era um bom sujeito, despretensioso e simpático, que fumava sem parar — não é de se admirar que acabasse morrendo de câncer no pulmão. (Se bem que — Rubem não deixa de acrescentar — aos 77 anos sempre se morre de alguma coisa). Quanto ao resto, sugere que eu leia mais tarde o que ele está escrevendo.

Assim sendo, limito-me a homenagear o poeta, traduzindo para o leitor um pequeno e delicado poema, "Quartier Libre", colhido ao acaso em seu livro mais famoso:

> *Pus meu quepe na gaiola*
> *e saí com o passarinho na cabeça*
> *Então*
> *não se faz mais continência*
> *perguntou o comandante*
> *Não*
> *não se faz mais continência*
> *respondeu o passarinho*
> *Ah bom*
> *me desculpe eu pensei que se fizesse*
> *disse o comandante*
> *O senhor está desculpado*
> *todo mundo pode se enganar*
> *disse o passarinho.*

Glauber

POR falar em Di Cavalcanti, acabo de ver o filme que Glauber Rocha realizou sobre a morte do pintor. Tanto se criticou na época o comportamento do controvertido cineasta baiano filmando durante o velório, considerado no mínimo impertinente, para não dizer chocante, que eu não esperava assistir ao que assisti: um filme de rara criatividade artística, surpreendente na sua beleza, desconcertante na sua audácia, apenas aparentemente iconoclasta, como impulsiva homenagem prestada por um artista vivo a um artista morto.

Homenagem digna do pintor que foi Di Cavalcanti, e de resto, de qualquer outro grande artista que se vai — como Jacques Prévert, por exemplo, com quem iniciei e com quem encerro essas linhas.

Frases de caminhão

JÁ deixaram de ser matéria de interesse para crônica*, é assunto que perdeu a graça. Mas de vez em quando surge uma nova.

Como esta, na traseira de um velho e pequenino caminhão que subia penosamente a serra de Petrópolis, à frente de meu carro, barrando-me a passagem e largando fumaça para todo o lado:

"*Sempre a lesma lerda.*"

De ordem econômica

ÊNIO Silveira me conta que um amigo seu, visitando certa editora americana, foi levado a conhecer as oficinas. Eram máquinas fabulosas, produzindo milhares de exemplares, que delas já saíam diretamente para a embalagem, prontos a ser despachados em enormes caminhões.

O livro assim produzido no momento era mais uma edição de um *best-seller*: "Godfather", ou outro do gênero.

Passando ao galpão seguinte, viu que ali se processava a operação inversa: uma máquina gigantesca transformava em polpa de papel os exemplares devolvidos pelas livrarias. Para pasmo seu, verificou que se tratava do mesmo livro, da mesma edição que estava sendo lançada pela outra máquina!

O editor lhe explicou que aquilo tinha a sua razão, de ordem puramente econômica: saia mais barato inutilizar os exemplares que reabsorver as devoluções, contabilizando-as para redistribuição.

Em Código, em "A Mulher do Vizinho".

Pode ser — mas há nessa razão de ordem puramente econômica algo assustador, como a multiplicação desordenada de células vivas que dá origem ao câncer. Se nunca pude engolir a salada que, nos grandes restaurantes americanos, acompanha obrigatoriamente o prato principal sem aumento de preço, muito menos posso engolir a razão pela qual era jogada fora, depois de recusada por mim, em vez de ser recolhida à cozinha e servida a outro: uma razão também de ordem puramente econômica.

De minha parte, acho que melhor seria se tanto os livros como as saladas — alimentos do corpo e do espírito — fossem oferecidos ao consumo segundo uma razão de ordem puramente humana.

Compositores no botequim

JÁ que Noel Rosa continua na moda, decorridos quarenta anos de sua morte, é de se lembrar uma conversa do compositor com um amigo que o encontrou no botequim:

— Sim senhor, hein, seu Noel? Mamando aí sua cervejinha? Depois você vem com aquela conversa de que parou para sempre, jurou nunca mais beber...

— É verdade — confirmou Noel, muito sério: — Jurei sim, e nunca mais bebi. Só que a cerveja, segundo fui informado, tem um valor nutritivo excepcional, em vitaminas, albuminas, essas coisas. Uma garrafa de cerveja corresponde em alimento a um bife dos grandes. É um verdadeiro almoço. Não estou bebendo, estou almoçando.

— Ah, é? E esse copinho de cachaça aí na mesa?

Noel não se abalou:

— Isso? Bem, não vais querer que eu almoce sem tomar ao menos um aperitivo...

Por sua vez, outro grande compositor, Tom Jobim, comparece hoje com argumento semelhante, ao dar entrada no Antonio's já um pouco mais pra lá do que pra cá, depois de "uns chopinhos" no Jangadeiro. Quando pergunto se o médico não lhe proibiu de beber, como ele próprio me contou, faz questão de esclarecer enfaticamente:

— Não *proibiu* assim sem mais nem menos. Apenas sugeriu que eu procurasse não passar de três doses de uísque por dia.

— Quer dizer que sendo chope, pode...

— Sendo chope, pode — confirma ele: — Você sabia que o teor alcóolico contido numa dose de uísque corresponde a nada menos que o de seis chopes? Pois então? Se eu quiser, posso tomar até dezoito chopes.

E este outro compositor, Luís Reis, entrando afobado no Alvaro's:

— Um uísque para mim, depressa!

Pergunto-lhe a razão dessa pressa toda. Ele me explica:

— Minha mulher está aí fora me esperando no carro. Agora ela descobriu essa: quando resolvo entrar no bar dá tempo de tomar um só, e bem rapidinho, porque ela antes compra sorvete para as crianças e fica me esperando, com ele no colo. Se eu demorar, o sorvete derrete.

Romancista Amado

SÃO oito horas da madrugada quando o editor Alfredo Machado me tira da cama para irmos ao aeroporto. Vamos esperar seu editado Jorge Amado, que vem de Salvador para o lançamento do novo livro.

Sigo com ele no carro, ainda meio tresnoitado, enquanto me conta, rindo, que alguém o acusou de estar transformando o escritor baiano numa espécie de Harold Robbins:

— A diferença é que um não passa de comida de avião, enquanto o outro é muqueca com azeite de dendê.

Não posso deixar de achar graça no senso de humor com que Alfredo reage às críticas que lhe fazem. Tanto mais que desta vez está metido como um garotão numa camisa de malha que traz escrito no peito "Tieta do Agreste".

Pois admiro este gigante jovial que vem a ser também meu editor, pelo seu desassombro na promoção dos livros que edita. Camisetas, escudos, sacolas, marcadores de páginas, cartazes, estantes portáteis, faixas e anúncios — haverá de tudo com o título desse seu novo lançamento, como na divulgação de mais um produto comercial. Trata o livro como deve ser tratado, ou seja, uma mercadoria para consumo do público — e com isso vai conquistando novos leitores. É dos poucos que não participam do coro de lamúrias sobre a crise editorial — crise que serve a outros de pretexto para reivindicar favores oficiais e sonegar ao autor o atendimento de seus direitos. Acha que se crise existe, ela é geral, e não só do livro em particular. Não bota a máscara de paladino da cultura; assume com honradez a sua condição de fabricante de produtos que antes de mais nada devem ser vendidos. Ignora o chauvinismo daqueles que vêem na publicação de *best-sellers* estrangeiros apenas um menosprezo ao autor nacional — como se no regime capitalista em que vivemos não mais prevalecesse a velha lei da oferta e da procura. Edita "O Chefão", "O Tubarão", e qualquer outra embromação que o mundo inteiro esteja lendo, por que não? Mas edita também Graciliano Ramos e Jorge Amado.

E se Jorge Amado vende como Harold Robbins, tanto melhor.

Isso não significa que seus livros tenham baixado de qualidade, e sim que o gosto do público está se aprimorando. Sem dúvida que a televisão e o cinema contribuíram para a divulgação de seu nome, mas graças ao interesse de suas histórias e ao respaldo de seu talento criador. Desmerecer um escritor porque se faz cada vez mais querido do público é pedantismo de literato do qual cedo me curei.

Saúdo, pois, o lançamento dos 120 mil exemplares do novo romance de Jorge Amado, que ainda não li mas já gostei.

E saúdo o autor, que acaba de desembarcar, em companhia de Zélia (ela também veste a camisa com o título do livro). Agora são mais dois amigos que chegam para alguns dias de convívio entre nós. O romancista, cercado de malas, traz dependurada no braço uma das bengalas de sua famosa coleção, que exibiu com tanta graça no meu filme sobre ele,* e que tanta cobiça desperta em Dorival Caymmi. Não lhe serve senão de brinquedo, pois continua lépido e desempenado, mas vem a propósito neste momento de pernas bambas, depois de mais uma apavorante viagem de avião. Um deles, em pleno vôo, já dançou um samba em sua homenagem.**

— O pior é que meu medo é incurável — confessa ele: — Quem me mandou ser materialista? Não posso invocar a proteção de Deus nem tenho santo a quem apelar.

Segundo lhe disse o Otto certa vez, os que têm medo de avião (e está convencido de que todo mundo tem) viajam só com o corpo, a alma segue por terra. À porta de casa, ainda sob o efeito da paúra vivida no ar, Jorge despede-se de nós:

— Já estou aqui, mas a minha alma leva uns dois dias, vem vindo por aí de carro na estrada Rio—Bahia. Vamos nos ver assim que ela chegar.

Mulher na janela

CONTEI a história do jornalista mineiro apaixonado pela mulher que via toda noite numa janela, para acabar descobrindo, à luz do dia, que não passava de uma moringa.***

Vários amigos me perguntam quem é este distraído — e fazem suposições, sugerem nomes conhecidos.

De jornalistas mineiros o Brasil está cheio, e dos melhores, mas não suficientemente míopes para tanto. Não digo quem é, porque o caso é antigo; trata-se de uma figura respeitável e, embora ainda mais míope, vive hoje muito feliz, casado com uma barrica.

Macacos me mordam

O BRASIL ainda é para o europeu um país selvagem, com cobras e macacos à solta pelas ruas do Rio? Perguntem ao Guilherme Figueiredo.

---

*A Casa do Rio Vermelho, filme-documentário da série "Literatura Nacional Contemporânea".
**O Capitão de Longo Curso, em "Gente".
***Aventura do Cotidiano — 17, em "A Falta que Ela me Faz".

Estava o escritor almoçando na pérgola de uma churrascaria de Copacabana. Em sua companhia, um jornalista francês, conhecido dos tempos de adido cultural em Paris, que vinha ao Rio pela primeira vez. E vai o francês lhe pergunta justamente isso.

— Pura invenção — protestou o brasileiro: — Ninguém jamais viu cobra nenhuma no Rio, muito menos macaco. Você já andou aí pela cidade: viu alguma cobra? algum macaco?

Nem bem falara, e um macaquinho pulou de uma árvore sobre a mesa, apanhou um monte de batatas fritas no prato do francês e pulou de novo na árvore. Era um sagüi que a churrascaria se dava ao luxo de ter por ali, à solta, para divertimento dos fregueses.

O francês olhava o brasileiro, estupefato. Este, nada divertido, olhava o francês, boquiaberto.

— É isso mesmo — balbuciou, afinal: — Macacos me mordam! Eu digo que não tem porque sou patriota. Tem macaco sim, tem cobras e lagartos.* Se duvidar tem até jacaré.

Poucas e boas

— ENTÃO eu disse a ele poucas e boas.
— Que foi que você disse?
— Eu disse: você está pensando que eu sou dessas? Se acha que eu vim ao seu apartamento para isso, está muito enganado.
— E ele?
— Ele ficou meio sem jeito, disse que eu não fizesse mau juizo, era só para ouvir música, mas ele não podia tocar disco às duas horas da madrugada. Acho que nem vitrola ele tinha!
— E você?
— Eu disse: pois então passe muito bem. Me vesti e saí.

Expressões

VAI levando. Você sabe e não quer dizer. Homem é o Rui! Há sinceridade nisso? Acho-te uma graça...

Perdi alguns minutos medindo o tempo passado pelo efêmero das expressões da moda. Conosco ninguém podemos, tereré não resolve, vamos deixar de lero-lero, tudo azul,

---

Certos Títulos Certos, em "No Fim Dá Certo". Por coincidência, Guilherme Figueiredo publicaria anos mais tarde um livro com o título "Cobras e Lagartos".

sossega leão, estás aí para dar o teco? está com tudo e não está prosa, mas será o Benedito? que há com teu peru? tem bububu no bobobó, é com esse que eu vou.

— Põe também "X.P.T.O London" — recomenda alguém aqui ao meu lado, e que, pelo dito, deve ter cem anos de idade.

Resolvi telefonar para meu amigo Paulo Mendes Campos, que sabe umas e outras:

— Você se lembra de alguma dessas expressões que vão passando de moda?

— Neres de pitibiriba — responde ele: — Quem sou eu, primo? Eu não sou daqui, sou de Niterói. Não quero saber se a mula é manca, o que eu quero é rosetar.

Grande poeta

BASTA folhear "Guerrilhas d'Amor" para ter o sentimento inquietante de estar vivendo o grave momento de uma revelação — o livro aberto na minha mão a inundar-me de poesia.

A descoberta de um grande poeta, especialmente nos dias que correm, é mais do que uma surpresa: é a certeza reconfortante de que nem tudo está perdido. E Sérgio Gama é nada mais nada menos que um grande poeta.

Otto Lara Resende já lhe tinha feito justiça num de seus inspirados artigos. Mas a leitura do livro foi para mim uma deslumbrada e perturbadora experiência. Quer dizer que ainda existe poesia atualmente, e da mais pura, em meio às chamas do rancor e da violência, capaz de sobreviver às injustiças, às torturas, às drogas, e à própria loucura!

Esta estréia é mais do que uma promessa: ela marca a eclosão de uma nova e extraordinária fonte de poesia na década de 70, como foram as de Ferreira Gullar na de 50, João Cabral de Melo Neto na de 40, Vinicius de Moraes na de 30, Carlos Drummond de Andrade na de 20 — e todos os grandes poetas que vêm dando entre nós neste século o testemunho da sua época.

Sérgio Gama é um poeta que já nasce feito. Foi, aliás, o que disse dele Pedro Nava, na comovida apresentação do livro:

"*Sérgio, Sérgio — como foi isso? Que fez você de você mesmo? Agora está feito... Impossível voltar atrás depois das palavras irremediáveis que saíram de sua boca cheia de cinza e de sua língua calcinada por sílabas malditas. Inútil. Agora você tem de seguir o seu destino e ir ao encontro do sol carrasco que espera sua vida para consumi-la — fazendo mais luz com a lenha de sua carne.*"

Para terminar afirmando:

"*Guerrilhas d'Amor é uma das maiores obras da produção brasileira e seu autor um dos nossos poetas que roçam perto o gênio.*"

Procuro apenas propagar a notícia desse extraordinário acontecimento que vem a ser a aparição de um grande poeta na nossa literatura.

Limito-me a informar que Sérgio Gama está atualmente com 27 anos, casado e com dois filhos, mineiro, vivendo em Belo Horizonte, depois de passagens por Portugal, Londres — e aparentemente pelo próprio inferno onde encontrou seus colegas de maldição Arthur Rimbaud, Charles Baudelaire, Wladimir Maiakovski e Edgar Allan Poe, entre outros.

Não depende do futuro dizer o que será dele, pois Sérgio Gama já é. Pela força prodigiosa de sua inspiração, a que se acrescenta o esmero da apresentação gráfica (bela paginação, excelente escolha de tipos, bom gosto dos desenhos de Aubrey Bearsdley aproveitados como ilustração), "Guerrilhas d'Amor", da primeira à última linha, é um livro que veio para ficar.

Mal dito: bem feito

UM leitor que se assina Edésio Troncoso me escreve para dizer, entre outras amabilidades:

"Dito e feito? Qual a desse sujeito? O Brasil cheio de problemas, inflação, censura, ditadura, o diabo a quatro e você a contar casinhos engraçados, a escrever amenidades de fazer sorrir — é de fazer chorar."

Dito e feito: amenidades. Exatamente porque já andamos cheios de problemas, é que alguém tem de sustentar o direito de sorrir de vez em quando — coisa bem difícil hoje em dia, reconheço.

Mas para responder por mim ao Troncoso, ninguém melhor que outro leitor, o cineasta Carlos Hugo Christensen, meu amigo este, com a carta que me enviou esta semana, gentil como uma flor — exatamente sobre minha modesta seção "Dito e Feito".

Afirma ele ter sido tirado de "momentos depressivos ou pessimistas" e ajudado espiritualmente pelo que chama de *efeito terapêutico* de minhas crônicas — definidas de maneira que não resisto à vaidade de transcrever:

"Deixam-nos a alma e o coração mais leves, nos transmitem uma alegria suave que muito se parece com a alegria de viver."

Que poderia um cronista desejar de melhor? É isso aí, seu Troncoso: dito e feito!

E por falar em flor, ofereço ao generoso remetente, com afeto, esta vinheta da noite carioca, que podia ter sido colhida por mim num dos seus bem-sucedidos filmes sobre o "Rio, Cidade Amada":

As duas moças encerraram seu trabalho de coristas e se recolheram ao camarim da boate. No toalete dos homens eu podia ouvir o que as duas conversavam lá dentro, enquanto se vestiam:

— Hoje um amigo meu me mandou uma cesta de flores — dizia uma, com voz juvenil.

— É tão bom receber flores! — suspirou a outra.

— Também acho. A coisa que mais gosto no mundo é uma flor.

— Eu também. É bonito sim. E depois, é muito artístico.

— Às vezes eu entro numa casa de flor e compro meia dúzia de cravos para mim mesmo só para ficar no meio das flores.

— Se eu pudesse, teria um jardim cheio de flores.

— Eu também.

As duas vozes se calaram. Enquanto os homens saiam do toalete abotoando a roupa e voltavam para a atmosfera densa de música e de fumaça, pairava na madrugada um instante impressentido de pureza.*

---

*Por extraordinária coincidência, no último dia de 1999, nem bem o autor acaba de copiar do amarelecido recorte de jornal esse texto de 1977, recebe pelo correio, da Livraria Francisco Alves Editora, o livro "Poemas Para os Amigos" de Carlos Hugo Christensen, falecido poucos dias antes, em vésperas do lançamento. E como um de seus amigos (embora não o visse há longo tempo), tem a emoção de ler pela primeira vez o poema que lhe é dedicado, em outono de 1985, por ocasião da dolorosa perda de sua querida filha Virgínia.
Faz questão de aqui transcrevê-lo, em comovida gratidão ao amigo fraterno e homenagem ao poeta admiravel:

PRESENÇA DE VIRGÍNIA

Para Fernando Sabino

Nessa noite sem círios, sem estrelas,
na lívida luz da igreja austera,
eu conheci o rosto de tua dor.
Os olhos fechei para apagá-lo,
Fernando, amigo amado, e mal ouvindo
as orações e as palavras santas,
recuperei o teu sorriso ausente,
resgatando tua imagem maliciosa
na General Osório, de sandália
e bermudas, segurando nos lábios
uma flor invisível. Bruscamente,
o orgão me tirou do vão enlevo.
Tuas lágrimas caíam de meus olhos.
Teu coração batia no meu peito
como outro órgão de agoniado pranto.
Pensei nela, alegre, debruçada
no mágico universo de tuas crônicas
— e que melhor janela para a Vida?
Pressenti seu sorriso, sua ternura,
e sua vida, agora, sem segredos,
erudita naquilo que ignoramos,
aguardando na morte a nossa vida.
Por isso o meu abraço vai sorrindo
em procura também de teu sorriso.
De sandália e bermudas te esperamos
na General Osório, para um chope.
E não esqueças a flor para Vírginia.

CARLOS HUGO CHRISTENSEN
Outono de 1985

1978

Especiárias

— COMO no tempo em que os navios portugueses iam às Índias buscar especiarias — explica Alfredo, trazendo argumento novo à discussão em que nos empenhamos. Acontece, porém, que ele pronunciou "especiárias".

— EspeciaRIas — corrijo logo.

Ele fica a me olhar, apanhado em flagrante, enquanto eu sorrio, superior: lembro-me daquele dia, já remoto, em que feri com esse mesmo erro os ouvidos finos de Mário de Andrade.

Caminhávamos juntos por uma rua de São Paulo, quando tirei do bolso o cachimbo e pus-me a enchê-lo de fumo. Era ainda no tempo em que eu achava bonito fumar cachimbo.

— Como este fumo é perfumado — observou ele.

— É, deve ser preparado com alguma especiária — comentei, com ares de entendido.

O comentário, de si, já era idiota. Mário se detém, curioso:

— Por que você diz "especiária" e não "especiaria"?

Desconcertado, não dei o braço a torcer:

— Sempre ouvi falar "especiária" — menti cinicamente.

— É curioso... — disse ele, pensativo. E, para minha aflição, puxou do bolso um caderninho, tomou nota: — Vou verificar. Vocês lá em Minas costumam falar certo.

(Nem sempre. Para nós, mineiros, por exemplo, o verbo *emprestar* era só emprestar mesmo, não fazendo sentido o aviso pendurado na estante do Mário: "*Não empreste livro; venha lê-lo aqui.*" Na época impliquei com esta acepção — para mim o correto seria "não *empresto* livro". Consultando agora o dicionário, verifico que ele estava certo: *emprestar* quer dizer também *tomar emprestado*.)

Presidente

COMO dito e feito, vale lembrar aqui o do Presidente Dutra. Assim me foi contado há algum tempo por José Américo de Almeida em João Pessoa, quando eu dirigia ali um filme-documentário sobre o autor de "A Bagaceira".*

---

*Romancista do Norte, filme-docimentário da série "Literatura Nacional Contemporânea.
— 1974 — *Visita ao Mestre de Tambaú*, em "Livro Aberto".

E vale relembrar como dois verbos declinados na hora exata, duas simples palavrinhas pronunciadas (ainda que de forma esdrúxula) num segundo de decisão, podem levar um homem à Presidência da República.

É verdade que esse homem já era Ministro do Exército (ou da Guerra, como se dizia então), e portanto um candidato natural, o que atualmente parece já não mais prevalecer.

Pois um dia, nos idos de 45, Agamenon Magalhães, que também era ministro do Getúlio, procurou-o para dizer:

— Presidente, por um dever de lealdade, tenho de informar à Vossa Excelência que seu Ministro da Guerra está conspirando.

Getúlio ouviu, soltou um risinho daqueles seus e disse apenas, não como na gíria de hoje em dia, mas como era useiro e vezeiro no seu proceder:

— Deixa comigo.

Mandou chamar o Dutra e soltou-lhe em cima uma perturbadora mosca azul, para ver se o engambelava:

— Ministro, é chegada a hora de tomarmos uma importante decisão. A nação reclama eleições, temos que caminhar para a sucessão. Andei pensando em vários nomes, para a escolha de um candidato que poderíamos lançar, e entre eles o seu...

Antes que o Presidente chegasse a prosseguir, Dutra se ergueu solenemente e perfilou-se, afirmando com decisão, naquela maneira de falar toda sua:

— *Axeito e agradexo.*

E pediu licença para se retirar, pois precisava informar imediatamente aos seus pares que vinha de ser escolhido candidato do Governo, por decisão presidencial.

Acabou Presidente da República.

Chuchechão

QUANDO chegou para o Presidente Dutra a hora de passar o cargo, surgiram na voz do povo uns versinhos, registrados na época por Raimundo Magalhães Júnior numa de suas crônicas. Na realidade era um soneto, do qual só me lembro o primeiro quarteto:

> *"Xerá a xuxexão um bom xuxexo*
> *Que poxa xer chamado xuxexão?*
> *Ax vegex xoginho no palaxio penxo:*
> *Xerá xuxexo ou xó xacoalhaxão?"*

Amor na rede

PARA variar, Alfredo traz da Bahia a última do nosso Calasans Neto, que tem sempre uma nova para contar.

Diz ele que estava passando em frente ao jardim de uma casa, quando viu o dono agachado num canteiro, cortando a grama com uma tesourinha de unha. Não resistiu à curiosidade e acabou perguntando:

— Por que o senhor não corta com uma tesoura de grama?

O homem não se abalou:

— Porque sempre gostei de fazer as coisas pelo processo mais difícil. É uma mania minha. Tudo o que faço é assim.

— Por exemplo?

— Por exemplo: o amor. Para mim só na rede.

Ele achou graça:

— Essa não! Da Bahia para cima, todo mundo usa rede para fazer amor... Não é nada difícil, pelo contrário: o senhor vai me desculpar, mas é a coisa mais fácil do mundo.

O homem se voltou para ele, ar de desafio:

— Em pé?

Forma castiça

NO seu artigo de domingo passado, com a finura de sempre, Otto Lara Resende fala sobre a ignorância dos estudantes, revelada na redação obrigatória dos exames vestibulares:

"Parece que ninguém mais sabe escrever. Há multidões nas escolas de todos os graus: e ninguém consegue compor um bilhete à lavadeira pedindo-lhe o obséquio de pregar à camisa um botão."

O articulista enunciou o seu exemplo de forma a mais castiça. Louvo-lha, como diria Jânio Quadros. Mas não posso deixar de pensar o que entenderia a minha lavadeira, se lhe deixasse um bilhete vazado nas mesmas palavras:

"*Dona Maria: peço-lhe o obséquio de pregar-me à camisa um botão.*"

Faz lembrar aquele português em Belo Horizonte que, ao ver-me passar, perguntou:

— Diga-me cá, ó Sabino, sempre é verdade que ao Governador morreu-lhe a mãe?

Bilboquê

HÁ pouco tempo ousei citar Rousseau, a propósito da solução por ele preconizada para os problemas do convívio entre os homens: a moral do bilboquê. E acrescentava que se os donos do poder se distraissem jogando bilboquê, não ficariam inventando lei para oprimir os seus súditos.

Recebo agora de um leitor chamado Ludovico uma carta perguntando onde é que Rousseau disse isso. O Ludovico está desconfiado que é invenção minha.

Tenho inventado coisas, não nego — só que "a moral do bilboquê", ("bilboquet", em francês) é mesmo do filósofo. Eu apenas sugeri que os poderosos de nosso tempo a adotassem, para nos deixar em paz. Mas será que ainda existe hoje em dia alguém que saiba o que é bilboquê? Ou que leia Jean-Jacques Rousseau?

Aqui vai o trecho a que me referi, extraído de "Confissions", devidamente traduzido:

"Se eu voltasse à sociedade, teria sempre no meu bolso um bilboquê, e jogaria o dia inteiro para me dispensar de falar quando nada tivesse a dizer. Se todos fizessem o mesmo, os homens não seriam tão maus, o convívio se tornaria mais seguro e, creio, mais agradável. Enfim, que os gaiatos achem graça se quiserem, mas sustento que a única moral à altura do nosso século é a moral do bilboquê."

Portanto, bilboquê para você também, Ludovico.

Copa do Mundo

"OS brasileiros planavam na defesa adversária com a graça e a leveza de bailarinos. Aparvalhados pelos volteios estonteantes, os defensores não conseguiam encontrar uma falha nessa beleza de jogo, completamente fora da estratégia normal do futebol. Como verdadeiros jograis, os atacantes brasileiros dançavam em redor dos aparvalhados zagueiros adversários: o trio central de elegantes pesos plumas esgueirava-se por todos os pontos da defesa. Os brasileiros passavam a bola com traiçoeiros efeitos. Faziam caretas e trejeitos que desorientavam completamente os experimentados praticantes do melhor futebol. Rencontravam a bola exatamente onde ela não devia estar, corriam em círculos, perfaziam estranhos traçados pelo campo, logo seguidos de um dilúvio de ataques. A pesada maquinária de seus rivais não conhecia defesa contra aquelas mil alfinetadas. O atacante engana o adversário, dá uma corrida, pára com o pé na bola e, com cara de moleque, faz que vai, mas não vai e... finalmente um passe para seu companheiro, que executa a sentença com um tiro inapelável. Ninguém podia nada contra as espadas cintilantes dos esgrimistas diabólicos. Como um arrebanhado de guerrilheiros, estonteavam a defesa contrária, fazendo de tudo: não eram seres normais. Um movimento para a direita, outro para a esquerda, e o goleiro não via mais nada, era bola na rede. Depois reiniciavam a troca de passes, como num idílio, que nem os empurrões do adversário conseguiam interromper..."

E vai por aí. Não interessa transcrever mais o comentário publicado num jornal holandês há vinte anos atrás, sobre a conquista pelo Brasil da Copa do Mundo de 1958.

Esta mesmo que acabamos de perder na fatídica semana que passou. Não sei como ainda tenho ânimo de escrever. Mudemos de assunto.

Outras proezas

VALE lembrar outras proezas de brasileiros. Quando aquele jovem médico patrício apareceu com doença venérea, o diretor da Clínica Mayo, nos Estados Unidos, onde ele estava estagiando, mandou chamá-lo para uma conversa em particular:

— O senhor não nos leve a mal, mas aqui temos de ser extremamente rigorosos. Guardaremos o mais completo sigilo, mas é imperioso que o senhor nos dê o nome da mulher com quem teve relações, se for alguém da nossa clínica. Precisamos tratá-la e evitar que a doença se propague. Contamos com a sua cooperação.

Ele concordou em cooperar e, no dia seguinte, apresentou ao diretor uma lista de enfermeiras, telefonistas, médicas estagiárias e funcionárias do hospital, totalizando dezesseis nomes de mulher.

Guilhermino César

*"Memória é servidão desinibida,
posta a sorrir ao não e ao sim, ao mesmo
e ao talvez; é uma corrente esquiva:
tira do escuro o claro que se vê.*

*Sem pecúlio de amor, perdidos muitos
e muitos remos, sinto-me afogar
numa fluidez de treva e de incerteza,
joguete fatigado do possível.*

*Sozinho, na procura esvai-se o rumo,
a firmeza que sonho, ao me acabar
em cada gesto, em cada pensamento,*

*e só assim consigo ser eu mesmo
e só assim me basto ao meu sustento:
morto, a sonhar o renascer em vida."*

A modéstia, o comedimento, a discrição com que o autor desse belo soneto vem cultivando a poesia, são virtudes mineiras que, se não lhe deram ainda ao nome a projeção que merece, souberam inspirar respeito e admiração aos iniciados, entre os quais me incluo.

Conheço e admiro Guilhermino César desde que me entendo por gente. Os estudiosos de nossa história literária sabem da sua participação no grupo da revista *Verde* em Cataguases, que encampou o movimento modernista. A partir de então a sua atividade intelectual, sempre destacada e influente, se estendeu da literatura ao jornalismo, à magistratura.

Mas eu sei mais do que isso. Tornei-me seu amigo desde os quatorze anos, e a nossa diferença de idade não impediu que ele acolhesse com carinho e interesse a minha literatice juvenil. Ainda me lembro o impacto que foi para mim, ao levar-lhe os meus primeiros contos, encontrá-lo literalmente num oceano de livros: a desordem natural na biblioteca de sua casa se agravava ante uma enchente de água provinda de um cano furado. Ali estava eu, pela primeira vez diante de um escritor consagrado, e ele me parecia um ser humano como outro qualquer, jovial e acolhedor: calças arregaçadas, via-se às voltas com um problema doméstico que afetaria apenas nós outros, simples mortais. Ajudei-o a salvar os livros da inundação, alguns irremediavelmente molhados, e ele escolheu três para me emprestar, depois de haver lido ali mesmo, com benevolência, os meus primeiros contos:

— Você quer ser contista, não é? pois então leia isto... e isto... e isto.

Merimée, Flaubert e Maupassant — três autores franceses, no original, que tentei ler a duras penas, já que o meu francês não dava para tanto — ignorância que não tive coragem de lhe revelar.

Passei a frequentá-lo, e a convivência com ele não foi apenas um arrimo para a minha iniciação literária (ou a de Eduardo Marciano*), mas uma lição permanente de valores humanos e dignidade intelectual. Mais tarde ele trocou Belo Horizonte por Porto Alegre, onde logo marcou presença, fazendo-se admirado e querido como em Minas, e construindo sem pressa a sua obra literária. O soneto que transcrevi de seu último livro, "Sistema do Imperfeito e Outros Poemas", não chega a dar a medida da importância dessa obra, feita de poesia, romance, estudos históricos, ensaios críticos, mas principalmente, como no verso do grande poeta mineiro seu amigo, de sentimento do mundo.**

---

*"O Encontro Marcado", p. 43/45.
**"O Sentimento do Mundo", Carlos Drummond de Andrade.

Pois agora fico sabendo que Guilhermino César completou setenta anos, o que foi devidamente comemorado pelos seus amigos. Como um deles e dos mais convictos, celebro de longe a permanente realização do seu "sonhar o renascer em vida".

Criança

A NETINHA de quatro anos o pegou desprevenido:
— Vovô, compra uma boneca pra mim.
— Quando eu puder, eu compro — desconversou ele: — Ando tão sem dinheiro...
A menininha suspirou, resignada:
— E eu ando tão sem boneca...

O filhinho de três anos se recusava a ir para a cama:
— Estou com medo do fantasma, mamãe.
— Vai dormir, meu filho — a mãe procurou tranqüilizá-lo com um sorriso: — Não tem essa história de fantasma não, é tudo mentira. Pura invenção de gente grande para meter medo em menino.
E ele, muito sério:
— Não tem pra vocês. Pra nós, tem.

Pediu qualquer coisa ao pai e, não sendo atendido, se afastou de carinha amarrada:
— Estou de mal de você pra toda a vida.
Não durou muito: toda a vida, para um menino de quatro anos, são apenas alguns minutos. Em pouco lá estava ele, muito lampeiro, puxando conversa com o pai.
— Uê, você não estava de mal de mim para toda a vida? — estranhou ele.
E o menino, displicente:
— Ora, papai, criança é assim mesmo.

Escravatura ortográfica

DE vez em quando estou escrevendo e paro, releio o que escrevi, só pelo prazer de não precisar mais usar acentos nas palavras homógrafas.
Anos a fio escrevendo com medo de que o meu *medo* fosse tomado como um habitante da Média, e que *toda* fosse um passarinho fissirostro ou uma das línguas dravídicas, e que *vezes* fosse a segunda pessoa do subjuntivo do verbo vezar, e *novo* a primeira do indicativo do verbo novar, e *dele* a terceira do singular do verbo delir.

Em conseqüência, e por via das dúvidas, saía distribuindo acentos em palavras como moça, negro, estrela, temendo que existissem verbos moçar, negrar, estrelar.

Pena que a abolição da escravatura ortográfica que se deu há alguns anos não tenha ido até a eliminação de todos os acentos, para liquidar (ou liqÜidar!) o assunto. Afinal de contas, o inglês não tem acento algum (o idioma, bem entendido) e nem por isso deixa de ser, bem ou mal, uma das línguas mais faladas do mundo. Em todo caso, já é uma grande coisa escrever esse ou aquele sem acento, mesmo correndo o risco de estar falando na letra S ou conjugando o verbo aquelar.

Eu sonho é com o dia em que a Academia Brasileira de Letras e a Academia de Ciências de Lisboa resolvam botar pra quebrar e entrem em acordo, adotando a ortografia Bertoldo Klinger logo de uma vez. O nobre general, que a terra lhe seja leve!, viveu e morreu lutando pela sua grafia ultra-simplificada e muito mais revolucionária do que a própria Revolução de 32 que ajudou a comandar. Com ele não tinha conversa: entre outras simplificações, o S era S mesmo e um só, valendo *C-cedilha*; o Z tinha som de Z e o C propriamente dito liquidava com o Q. O X sempre em lugar do CH — e por aí afora.

A quem estiver interessado, recomendo a leitura de um excelente capítulo sobre o assunto, no livro de Osório Borba "A Comédia Literária". Se bem me lembro, num rompante de entusiasmo, o autor resolveu adotar imediatamente a ortografia do general, e *pasou a redigir dacele jeito porce axou ce asim e ce estava serto, mais fasil, lojico e rasional.*

Tanben axo.

Desavença

ENTRE outras virtudes, as novelas de televisão têm a de enriquecer com novas expressões o vocabulário das empregadas. Só porque a patroa riscou três fósforos para acender o gás e em seguida atirou-os ao chão, a cozinheira exclamou:

— A senhora não devia fazer assim! Por causa disso ainda acaba provocando uma desavença no lar.

Como a patroa não entendesse e pedisse explicações, a cozinheira esclareceu o que lhe parecia óbvio:

— Então isso não pode causar um incêndio?

Anedotas

EM meio à conversa, aquela senhora, que se diz minha leitora, faz uma desdenhosa referência às "anedotas" que eu publico, sob o pressuposto de que, como escritor, deveria assinar "coisas mais sérias".

Na hora gaguejei uma explicação qualquer, cheguei a pedir desculpas por não ser tão sério quanto ela desejava. Agora, com mais calma, tento tardiamente articular uma resposta coerente.

Vá a gente querer agradar a todos os leitores. No entanto, esta seção se propõe em princípio apenas a agradar. Restringe-se, em geral, àqueles casos e comentários, alegres de preferência, que podem surgir na conversa durante o jantar. Amenidades, como costumo dizer. E nada mais ameno que uma anedota.

Que vem a ser uma anedota? Segundo o dicionário, é o "relato sucinto de um fato jocoso ou curioso". Quem inventa as anedotas? Impossível saber; a anedota nasce do espírito anônimo das ruas, vai-se burilando ao longo da tradição oral, não é de ninguém, é de quem está contando. Como certos sambas, segundo Sinhô, é feito passarinho, pega-se no ar; como o nosso amigo Otto Lara Resende que, segundo Rubem Braga, é de quem pegar primeiro. Ou seja: de quem fixá-la no papel, através da expressão verbal adequada. E nem meu nome é assim tão de luxo, que não possa perfilhá-la com a minha assinatura, como parece pensar aquela leitora. Eu lhe diria então, se a timidez não me contivesse, que temos muitos motivos para chorar, hoje em dia; bem-vindo seja, pois, quem nos venha contar "a última", procurando despertar-nos ao menos um sorriso.

Mais uma

PORTANTO, contemos mais uma. Que por sua vez nos foi contada pelo Alfredo, como não podia deixar de ser:

Aquele sujeito era tão otimista que só sabia dizer, a qualquer desgraça que lhe participassem:

— Podia ser pior.
— Bateu com o carro, se arrebentou todo!
— Podia ser pior.
— Foi operado: abriram e fecharam.
— Podia ser pior.
— Tomaram a mulher dele e ainda bateram nele!
— Podia ser pior.

Até o dia em que alguém chegou, excitado, ares de portador da mais trágica das novidades:

— Já souberam o que aconteceu com o João?

Ninguém sabia o que havia acontecido com o João.

— Pois o João, imaginem, estava ontem no escritório como sempre, sentiu uma dor de cabeça, resolveu ir para casa mais cedo, e então, escutem só, chegou em casa, encontrou a mulher na cama com outro. Puxou o revólver e deu um tiro na mulher, um tiro no outro e um tiro na cabeça.

Seguiu-se um silêncio cheio de consternação, até que saltou a voz do otimista:

— Podia ser pior.

Revoltados, todos se voltaram para ele:

— Essa não! Como podia ser pior? Deu um tiro na mulher, um tiro no amante da mulher e meteu uma bala nos chifres! O que é que você ainda queria de pior?

E o otimista, sem se alterar:

— Se o João tivesse tido essa dor de cabeça anteontem podia ter sido pior: quem ia levar um tiro era eu.

Futuro por detrás

VAMOS andando pela rua e, de repente, pá! esbarramos com alguém que vem vindo, a olhar para trás.

— Perdão.

— Não foi nada.

Alguns nem chegam a pedir desculpas. Vão seguindo como se nada houvesse acontecido, mesmo que, depois da trombada, escutem de passagem um palavrão. Quando são dois que vêm olhando para trás em sentido contrário e esbarram um no outro, então a colisão é mais séria — correm ambos o risco de literalmente quebrar a cara.

Eu já havia posto reparo nesse estranho hábito do brasileiro: o de andar na rua olhando para trás. Em lugar nenhum do mundo vi coisa igual, pelo menos em semelhante escala. É sempre alguma vitrine que atrai a atenção do transeunte apressado, ou algum incidente, ou alguém que passa em sentido oposto — freqüentemente uma mulher, dessas que merecem mais ser olhadas por trás que pela frente. E o olhar se volta, a cabeça descreve no pescoço um giro de quase 180 graus, sem que o dono dela se detenha, seguindo sempre em frente como quem não tem tempo a perder.

Eu disse que se trata de hábito brasileiro — talvez seja mesmo uma característica tipicamente nacional, essa mania de voltar a atenção para trás sem deixar de seguir em frente. Tal comportamento tem conotações psicológicas que podem ser detectadas até mesmo no âmbito governamental. Haja vista o novo ministério, recentemente anunciado, e composto, entre seus nomes mais expressivos, de vários que já foram ministros em governos anteriores.

Trata-se realmente de um país que vai para frente — como conclamava aquele *slogan* de um governo passado. Mas olhando sempre para trás. Ou seja: com um grande futuro por detrás.

Começar pela cozinha

ALGUMAS senhoras americanas residentes no Rio se reúnem para debater um problema da mais alta transcendência: o das empregadas brasileiras que têm de contratar.

Depois de animados debates, concluíram que devem observar umas tantas regras, aprender umas palavrinhas em português para uso doméstico: não deixar que a empregada nova se encontre com a que está sendo despedida, não contratar empregada vinda de agência. E recomendam umas às outras um pequeno truque: colocar na cozinha uma cadeira. Se, durante as negociações, a empregada se sentar, é porque não presta.

"Quem de nós não teve uma doméstica que conviveu conosco grande parte de sua vida?"

São palavras do Ministro do Trabalho, por ocasião do 3º Congresso de Empregadas Domésticas, realizado recentemente em Belo Horizonte. Segundo o Ministro, embora as reinvidicações das empregadas sejam justas, elas deveriam tomar cuidado para não quebrar o sistema de relações entre a doméstica e a família, muito mais amplo do que entre empregada e patrão.

Se é que entendi bem o que o Ministro quis dizer, a empregada deveria sobrepor aos seus interesses profissionais o respeito às relações decorrentes do sistema familiar a que se acha vinculada.

O Ministro que me perdoe, mas hoje em dia isso é meio difícil: já não costuma prevalecer um clima de bom entendimento nem entre os próprios membros da família, que dirá entre a família e as empregadas. Infelizmente nem todos os patrões partilham de seus bons sentimentos em relação a elas, dentro desse regime patriarcal que ele nostalgicamente preconiza. O que se vê por toda parte, ao contrário, é a revoltante condição de desamparo da empregada doméstica. As escassas leis de proteção ao seu trabalho, surgidas ultimamente, raras vezes são aplicadas dentro de casa: a conversa ainda não chegou na cozinha. E é na cozinha que se refugia esse verdadeiro remanescente da escravatura.

Pode ser que no interior perdure ainda aquela situação a que é sensível o Ministro, e tão peculiar ao Brasil: a da integração da empregada à economia doméstica, na condição de humilde agregada da família, que sucedeu à emancipação dos escravos. Nas grandes cidades, todavia, o que existe é uma obscura classe de trabalhadoras vivendo à margem da lei, sujeitas à boa ou má vontade dos patrões, submetidas a humilhantes exigências de trabalho durante o dia e atiradas até mesmo à prostituição durante a noite, para assegurar o seu sustento. É de se estranhar que não se tornem relapsas, dissimuladas, irresponsáveis, desonestas, sofram acessos de loucura, façam despachos na cozinha, ponham fogo nos lençóis, vidro moído na comida ou a criança no forno.

Tenho ouvido casos de espantar. A empregadinha de onze anos, por exemplo, cujo ordenado não é nem vinte por cento do salário mínimo, sofre desconto toda vez que a patroa lhe dá comida. Na casa daquela supergrã-fina, cujo nome figura sempre nas colunas sociais, as criadas se sujeitam à alimentação separada, com gêneros de qualidade inferior, tendo de pagar os "extraordinários": a sobremesa, um comprimido para dor de cabeça, sabonete e até papel higiênico. Outra patroa desta laia foi surpreendida por um amigo meu contando os morangos trazidos da feira, para que a cozinheira não ousasse comer algum. E tem até quem instale cadeado na geladeira. Sei de uma que não admite luz acesa no quarto das empregadas a partir de dez da noite.

O quarto das empregadas! Não me canso de admirar os anúncios de página inteira, apresentando a planta de belíssimos apartamentos à venda: quartos amplos e bem arejados, vários banheiros sociais, suítes, terraços, piscinas, dois quartos de empregada. O atrativo sugerido é o contato com a natureza, o verde das florestas, o ar puro da praia ou da montanha, que se pode respirar em locais tão aprazíveis.

Só que há um pormenor comum a vários desses apartamentos maravilhosos: os quartos de empregada em geral não têm janela.

Parece ter ficado estabelecido que empregada não respira.

Respirar para quê? Se quer respirar, volte para a favela. Aqui, terá de se contentar com esse pequeno antro atulhado, às vezes com prateleiras repletas de velhos trastes, e camas beliche como as de uma prisão, sem qualquer coisa de seu, a não ser uma mala usada, um espelho descascado e uma velha gravura de São Jorge.

E onde comem as empregadas? Eis uma pergunta que passa muito além da cogitação de certo tipo de patroas. Se quisessem, poderiam surpreendê-las, na falta de lugar adequado, agachadas como bichos na área de serviço, prato ao colo, comendo com os dedos.

Há mais, e pior: casos de exploração desumana, de tortura mental e até mesmo física. Casos de polícia.

Seria melhor, porém, que a polícia não se metesse; quando aparece, é para esclarecer uma simples suspeita de furto. Em geral começa por prender as empregadas — versão cabocla do velho preceito britânico, segundo o qual o criminoso é sempre o mordomo.

Ao fim de seu 3º Congresso (é confortador, diga-se de passagem, saber que já se realizaram dois outros, embora eu desconheça os resultados obtidos), as empregadas apresentaram um memorial com as tais reivindicações que o Ministro achou justas. E o Ministro prometeu atendê-las, na medida do possível.

Que a medida do possível seja bem ampla, é o que se espera. Se queremos uma sociedade mais justa, essa justiça bem poderá começar pela cozinha.

Espelunca

NO estrangeiro, nem sempre é preciso conhecer o idioma para se fazer entender. Certa vez marquei encontro com outro brasileiro num modesto bar em Hamburgo e fui por ele saudado em português, com uma referência pouco lisongeira ao local:

— Por que você escolheu esta espelunca?

Foi o bastante para que a dona do bar saltasse de trás do balcão e crescesse para ele, dedo em riste:

— *Das ist keine spelunke, main Herr!*

Isto não é uma espelunca, meu senhor — não era preciso entender o que ela dizia, para ficar sabendo que *espelunca*, em português, e *spelunken*, em alemão, significam a mesma coisa.

Patroas

BEM que a cozinheira de um amigo meu me avisou: "as madames vão chiar". Como era de se esperar, as patroas começam a protestar contra a minha crônica em favor das empregadas. Uma delas, em carta a um tempo educada e de mal contido amargor, afirma que as empregadas "passaram a mandar nas patroas e são preguiçosas, mentirosas e ladras". Compara-as a outras classes de trabalhadores, ante os quais são privilegiadas: "Qual o assalariado que tem quarto/banheiro particular, alimentação farta e de primeira (e como comem, as famigeradas!), telefone, televisão (quando não têm no próprio quarto, assistem na sala, até altas horas), rádio (o dia inteiro sem parar), roupas, eletricidade e gás de graça etc. etc. etc. — além de salário!" E termina extravasando o seu ressentimento, ao afirmar que ela própria, "uma profissional de alto gabarito, superqualificada, experiência de anos na profissão" (não diz qual), "tem de engolir sapos o tempo todo e obedecer qualquer ordem ou capricho do patrão", se não quiser ir "pro olho da rua".

Não vou entrar em polêmica com esta nem com qualquer outra dona de casa — sei que são capazes até de derrubar um governo. Direi apenas que concordo com ela quanto à situação de algumas outras classes de trabalhadores, pior que a das empregadas. Só que o câncer de meu vizinho não cura a minha gripe, como diz o nunca assaz citado Otto Lara Resende.

Em suma: se a condição das empregadas é melhor que a das patroas, como acredita a missivista, não sei por que esta prefere continuar sendo patroa e não vai ser empregada.

Leitor

OUTRO dia eu falava na estranha sensação que é a de encontrar, ao vivo, essa figura cuja existência nos escapa à imaginação, pelo menos no momento em que escrevemos: um leitor.

Há o que diz apenas que nos lê de vez em quando — a este não sabemos se é o caso de agradecer, pois o fato de afirmar que lê não quer dizer que goste. Outros, todavia, vão além, desfechando por amabilidade um elogio qualquer à queima-roupa. Neste caso, é melhor tomar cuidado, pois uma resposta de evasiva e delicada modéstia, bondade sua, não é tanto assim, são seus belos olhos, pode botar em brios o juízo crítico do leitor, levando-o a valorizar sua opinião, num rasgo de inesperada franqueza:

— Realmente, tem certas coisas suas que não gosto. Algumas ultimamente, até que bem fraquinhas. Você já foi melhor.

Para o leitor antigo, em geral já fomos melhores. Farto de ouvir dizer que suas crônicas de outro tempo é que eram boas, Rubem Braga um dia consolou-se fleumaticamente com a idéia de que talvez aquele cansado leitor é que tenha piorado.

Mas há os que são mais explícitos ao formular a sua apreciação — ou depreciação. Ainda me lembro de um dia em que Millôr Fernandes e eu fomos apresentados a um casal na casa de um amigo. Depois de rápida troca de cumprimentos, os dois se concentraram em Millôr, dizendo-se admiradores seus. Ele agradeceu com uma resposta bem humorada, como é de seu feitio, gentil e engraçado. Mas o homem não achou graça:

— Bem, não pense que sou desses que gostam de tudo sem restrições. Aquela sua peça, por exemplo, "Do Tamanho de um Defunto": é das melhores coisas suas. Mas para mim tem um defeito grave: o tema não dava para três atos. Quando muito daria uma peça de um ato.

O autor da peça concordou, o homem se deu por satisfeito, e a conversa tomou outro rumo. Mais tarde, já na rua, Millôr se lembrou e comentou comigo:

— Você vê como são as coisas: não dava para três atos.

E acrescentou, a rir:

— A peça só tem um ato...

Este outro me foi apresentado, dizendo-se meu leitor:

— E admirador — acrescentou ele: — Mas o admiro principalmente por uma única coisa. Uma obra-prima, que há de ficar na nossa literatura. Tudo mais que você escreveu pode não ter maior importância, mas aquilo basta para consagrar qualquer escritor.

Fez uma pausa para dar mais ênfase:

— Aquela história do homem que virou cavalo.

Só me faltou dizer: obrigado, cavalo! A história era de Jules Supervielle, eu apenas havia traduzido.

1979

Já está bom

COM a apregoada abertura democrática no Brasil, consta que ela será larga o suficiente para permitir a passagem de volta do Brizola e de outros que tais.

De Miguel Arraes, já nem tanto. Pelo jeito, a abertura é mais embaixo.

A propósito, me lembro que lhe perguntei, quando estive com ele na Europa, há uns dez anos atrás, por que não voltava para o Brasil. Uma pergunta dessas, naquela época, em que a repressão ia no auge, não podia passar de uma brincadeira, a que permitiam as nossas boas relações de amizade. E foi brincando que ele respondeu:

— Assim como vai já está bom.

Era uma referência, conforme me contou em seguida, a um caso passado no interior do Nordeste. Um fazendeiro, chefe político da região, mandou prender um humilde lavrador, que por esta ou aquela razão caíra em desgraça aos seus olhos. E lá vinham os meganhas arrastando o homem pela estrada a golpes de sabre. Quando passavam em frente às terras do tal fazendeiro, um de seus cabras, sentado na porteira, para bajular o chefe na rede lá da varanda, gritou para os soldados, ao ver que eles batiam no prisioneiro com a parte chata do sabre:

— Dá com o gume! Dá com o gume nesse desgraçado!

Ao que o desgraçado, voltando-se com um sorriso súplice, respondeu:

— Assim como vai já está bom...

Antes da meia-noite

ELE arranjou naquela noite um programa bem melhor que voltar para casa, onde a mulher o esperava. A fim de lhe dar cobertura, solicitou o apoio logístico da sua secretária:

— Se eu mesmo falar, ela acaba desconfiando, não sou bom para essas coisas. De modo que você liga aí para ela e diga que eu estou numa reunião extraordinária da diretoria, vai demorar muito, não acaba antes da meia-noite.

A secretária se desincumbiu com eficiência do recado, mas ele notou que ela sorria ao desligar.

— Que é que você está rindo aí? — quis saber, desconfiado.

— Nada não — e a secretária tentava se fazer séria: — Ela perguntou se eu garantia que o senhor não vai chegar mesmo antes de meia-noite.

Entendimento

JORNAIS e revistas se enchem de artigos, notas e comentários sobre Einstein, a propósito de seu centenário. De minha parte encho-me de orgulho, ao dar com a simpática fisionomia do grande cientista por detrás da bigodeira, no retrato que em geral acompanha a matéria, como se fosse o de um velho amigo meu: olá, mestre! — costumo, mesmo, saudá-lo familiarmente.

Tudo isso porque li há tempos, da primeira à última linha, "The Universe and Dr. Einstein", de Lincoln Barnett — um livro que, segundo afirmam os editores na contracapa, contém "o mínimo que um intelectual que se preza deve entender de teoria da relatividade".

O autor contou com o prefácio do próprio Einstein, e isso aumenta o meu orgulho de intelectual que se preza: entendi tudo.

Dizem que o genial cientista, quando esteve no Rio de Janeiro, na década de 20, foi acompanhado em seu roteiro turístico por um então jovem jornalista chamado Austregésilo de Athayde. Às vezes o mestre dava com ele, entre um passeio e outro, rabiscando discretamente alguma coisa numa caderneta.

— Que é que você escreve aí de vez em quando, meu filho? — perguntou o mestre, a certa altura, curioso.

O rapaz explicou que tomava nota de algumas idéias que lhe ocorriam. E, por sua vez, quis saber se Einstein não costumava fazer o mesmo com as dele. O cientista sorriu, modestamente:

— Só tive uma...*

Mudaria o Natal ou mudei eu? Embrenhando-me agora no ensaio de uma revista semanal sobre a teoria da relatividade, vejo-me perdido num cipoal de expressões pernósticas que tolhem por completo o meu entendimento. Só me falta imitar aquele bom crioulo à minha frente no cinema, assistindo a um filme de Godard, escarrapachado na poltrona, e que a horas tantas berrou, em meio ao silêncio da platéia:

— Estou entendendo tudo!

O que me faz lembrar a fama que engrandecia Sérgio Buarque de Holanda aos nos-

---

*"Austregésilo de Athayde, O Século de um Liberal", de Cícero Sandroni e Laura Constância A. de A. Sandroni, 1998, p. 216.

sos olhos, de ter sido o primeiro intelectual brasileiro a ler "Ulysses" de James Joyce, quando nós, ainda jovens, tentávamos em vão realizar semelhante façanha.

Constava, para nosso consolo, que ele havia lido o livro de cabo a rabo, exclamando apenas, ao chegar à última linha:
— Ahn?

Mulher

CONVERSA de botequim:
— Mulher é feito criança: tem que mentir, porque senão entra no cacete.
— Nos dois sentidos.
— O erro do homem é ignorar que a mulher é um ser diferente. Tem que ser tratada de forma especial, com todo o cuidado, como criança, doido, índio, padre, chinês ou baiano.

Uma mulher entra no bar e torna a sair. Alguém, na mesa ao lado se limita a comentar:
— Alface de sanduíche: vem e volta, ninguém come.

Essa outra desperta comentário ainda pior:
— É daquelas que a gente diz assim: agora se veste, meu bem, senão você acaba dormindo aí e vai perder o ônibus.

Há quem seja mais precavido:
— Ouve o que estou lhe dizendo: mulher de olho verde ou azul, cuidado com ela! Antes de qualquer coisa, manda fechar os olhos e examina bem, para ver se não é jogo de luz.

— Mulher de amigo meu para mim é homem — afirma ele, categórico.
— Cuidado... — adverte o outro, cético: — Conforme o caso, você pode começar a gostar de homem.

— Sabem qual é a diferença fundamental entre o homem e a mulher? É uma verdade que está na Bíblia: por que a mãe de Salomé, quando sugeriu a ela que pedisse a Herodes a cabeça de João Batista, foi logo atendida, e de bandeja? Porque ele ficou fascinado ao ver como ela dançava bem. Ouçam o que estou dizendo: o que *toda* mulher gosta mesmo é de dançar.
— É isso aí. E homem que não sabe disso acaba dançando.

— Morávamos juntos numa enorme cobertura na Zona Sul que, na nossa separação, ficou só para ela. Hoje eu moro num apartamentinho da Zona Norte menor que um quadro do Pedro Américo: ouvi dizer que existe um quadro dele de quarenta e cinco metros quadrados. O apartamento onde estou morando não mede nem quarenta.

— Por que você não tem com ela uma conversa razoável sobre essa divisão de bens?

— Pode-se lá ter conversa razoável com alguém que usa umas argolas dependuradas nas orelhas, pinta a boca de vermelho, anda de minissaia e sapato de salto alto?

— Ele vivia dizendo que ela era um amor de mulher: de uma meiguice, uma delicadeza, uma docilidade, sei lá... Tudo que ele falava ela respondia de uma maneira tão suave, com um sorriso tão delicado, não dizia nem sim, nem não... Se ele perguntava, por exemplo: "Quer ir ao cinema hoje, meu bem?" — ela dava um suspiro e fazia um ar vago, erguia os ombros como quem diz: "Você é que sabe..." Casou-se com ela e só então descobriu que era surda feito uma porta.

Paixão felina

LEIO num jornal interessante reportagem sobre o suicídio de cachorros, gatos, cavalos e até passarinhos, afirmando que, em casos extremos são realmente capazes de pôr termo à própria vida.

Pois fui há tempos testemunha ocular, com Paulo Mendes Campos que não me deixa mentir, do tresloucado gesto de um gato, cometendo suicídio. Tratava-se de um caso extremo.

Estávamos tomando nosso uísque no bar do terraço da ABI, muito freqüentado na época pela turma de jornal e adjacências. Foi então que nos chamou a atenção o estranho comportamento da Gilda naquela tarde. Em vez de ficar pelos cantos ou enroscando-se na perna dos fregueses como era seu costume, Gilda, a linda gata, assim por nós apelidada, caminhava languidamente no parapeito do terraço. Ia para lá e para cá, exibindo seus fartos pelos brancos, como um atraente modelo envolta em arminho, na passarela de um desfile de modas. Tamanha foi a impressão de que ela estava se exibindo, que procuramos com os olhos quem seria a vítima de tanto charme — já que, evidentemente, ela não o mobilizara para nós, desprezíveis seres humanos.

Ao fim de algum tempo, demos com os olhos faiscantes de um gato preto no telhado do prédio fronteiro à ABI, do outro lado da rua. O pobre animal parecia o mais miserável dos gatos, e literalmente babava de desejo, olhando as gatimonhas da Gilda sobre a amurada.

De repente não resistiu mais: encolheu-se, armou o salto e atirou-se no espaço como um petardo, indo explodir lá embaixo, no asfalto.

Outros fregueses que assistiram conosco à cena, impressionados, chegaram a alvitrar a hipótese de ter sido burrice do gato, se me permitem a impropriedade — considerando que não lhe passaria pela cabeça a idéia de tomar o elevador, descer, atravessar a rua, tomar outro elevador, subir e assim chegar à gata dos seus desejos. Por isso tentou cruzar o espaço diretamente, num prodigioso salto que gato nenhum jamais realizou.

Tenho para mim, e nisso sou acompanhado pela abalizada opinião de meu amigo Paulinho, que não foi nada disso; o pobre bichano, inferiorizado pela sua condição de desprezível gato preto e vagabundo dos telhados, e percebendo que jamais chegaria perto da inatingível Gilda, cometeu suicídio. Um caso extremo de paixão felina.

Enèas Ferraz

QUANDO eu tinha dezoito anos, meu querido amigo e mestre literário Guilhermino César* um dia me pôs nas mãos um livro:
— Leia isso. Um grande livro.

Nada parecia indicar que se tratasse de um grande livro: o tamanho era pequeno; a capa, inexpressiva; o título, "Adolescência Tropical", meio chegado ao mau gosto; o autor, Enéas Ferraz, um ilustre desconhecido.
— Nunca ouvi falar — confessei.
— Pouca gente ouviu. Até parece que no Brasil temos uma literatura tão rica, que nos damos ao luxo de ignorar completamente a existência de um bom escritor.

De lá para cá muita água correu sob a ponte, outros escritores surgiram e desapareceram, mas as palavras de Guilhermino César permanecem atuais: depois de uma vida inteira dedicada quase que anonimamente à literatura, tendo acrescentado à sua obra outros romances de qualidade como "João Crispim", "Uma Família Carioca" (lançado recentemente em tradução francesa) e "Crianças Mortas", Enéas Ferraz faleceu este mês em São José dos Campos, onde passou os últimos anos de sua vida praticamente esquecido e ignorado.

Não li na imprensa uma linha sequer sobre o acontecimento, e dele tive notícias apenas através da carta de um leitor daquela cidade a um jornal, lamentando o silêncio em torno de sua obra. Com exceção do crítico Wilson Martins e de Maria de Lourdes Teixeira, que

---
*III — INICIAÇÃO, em "O Tabuleiro de Damas", 5ª edição, revista e ampliada.
— 1978 — *Guilhermino César*, em "Livro Aberto".

o leitor também menciona, não sei até hoje de alguém que tivesse se interessado pelos seus livros, além de Guilhermino César. Meu amigo tinha razão: parece que vivemos numa terra em que bons escritores é que não faltam.

Pelo menos em quantidade: seguramente no Brasil realizamos a proeza de termos mais escritores do que alfabetizados.

Linotipista

NÃO é preciso ir muito longe. No meu tempo de editor, eu costumava freqüentar uma gráfica onde nossos livros eram impressos. Um dia o Borsoi, dono da gráfica, comentou comigo, abismado:

— Só no Brasil poderia acontecer uma coisa dessas.

E me contou que havia encaminhado a um dos seus linotipistas bilhete manuscrito com uma recomendação qualquer, e não fora atendido. Mandou chamar o empregado e pediu-lhe que lesse o bilhete em voz alta. Confundido, o homem acabou confessando:

— Essa letrinha difícil do senhor eu não entendo não.

O diretor, desconfiado, mandou que ele lesse uma matéria impressa qualquer, com semelhante resultado.

— Analfabeto! — me diz agora, estupefato: — Analfabeto de pai e mãe! Copia o texto como se estivesse copiando uma língua estrangeira, sem entender nada. E é um dos meus melhores linotipistas! Agora sai dessa!

Um linotipista analfabeto. Só mesmo no Brasil: país de malucos.

Obra-prima

ACABO de ler, emocionado até as lágrimas, "Reunião de Turma", de Fred Uhlman — um livrinho de não mais de oitenta páginas, recentemente lançado no Brasil pela Editora Record, em tradução de Miécio Araújo Jorge Honkins, que se lê em menos de uma hora. No entanto, trata-se de uma autêntica obra-prima — como aliás, afirma Arthur Koestler na sua também pequena introdução.

É uma novela comparável em qualidade a "Morte em Veneza", de Thomas Mann, com a qual tem tantos pontos em comum, ou com "O Professor Taussig", de Alfred Newmann, outra obra-prima — não fosse o autor também alemão.

Pois o livro tem de admirável não apenas o fato de ser a única obra literária de seu autor, mais conhecido como pintor, escrita aos 59 anos: o grande impacto emocional que ele nos reserva para o final advém de uma única palavra — exatamente a última.

Assim, além de recomendar o livro, recomendo ainda ao leitor não estragar o magnífico suspense com que será levado através de suas páginas, e deixe para ler sua última palavra somente quando chegar ao fim.

Espírito cívico

QUANDO era moço, depois de tomar umas e outras, e tomado ele próprio de um surto de espírito cívico, punha-se a defender seu programa de governo: se eu fosse Presidente da República, faria isso e mais aquilo...

Com o correr dos anos, a situação se repetia, mas ele havia restringido um pouco os limites de sua irrealizada vocação política:

— Se eu fosse Ministro da Justiça...

Houve um tempo em que se viu insensivelmente rebaixado da esfera federal para a estadual:

— ... é o que eu faria, se fosse Governador.

Daí a Prefeito foi rápido. Cedo começou a atuar na administração municipal, através da promulgação imaginária de portarias e posturas do mais alto interesse público.

Chegou enfim o dia em que sua área de atuação passou a ser exclusivamente a do futebol:

— Se eu fosse Presidente do Flamengo...

Outro dia, no botequim, alguém o surpreendeu verberando duramente o comportamento de certos moradores daquele edifício, afirmando:

— Estas coisas não aconteceriam, se eu fosse o síndico.

Neste caso, elas continuarão acontecendo, porque na realidade ele é o porteiro.

A cura do tempo

EXPERIÊNCIA da vida tem aquele médico amigo meu. Depois de curar-se da catapora, a moça ficou com uma pequenina marca no nariz, e perguntou a ele se não seria o caso de fazer uma cirurgia plástica.

— Para quê, minha filha? Essa marquinha ao fim de dois anos já desapareceu, é só você ter paciência.

E como eu, surpreendido, lhe perguntasse, depois que ela se foi, se realmente levava dois anos para desaparecer, ele deu uma risada:

— Desaparece coisa nenhuma! Mas fazer cirurgia plástica por causa de uma bobagem daquelas? No fim de dois anos ela se acostumou com a marquinha, nem repara mais.

Elevador enguiçado

AO chegar em casa, minha amiga deu com o elevador enguiçado — e seu apartamento é no 14º andar. Pois sendo assim, que remédio? iniciou a penosa subida pela escada.

Ao atingir o 12º andar, já botando a alma pela boca, encontrou o elevador ali parado. Resolveu experimentar se funcionava, para vencer os dois andares restantes.

Funcionou, mas para baixo. Foi devolvida ao térreo, e o elevador recusou-se a subir. Agora, que remédio? Teve que subir de novo a pé os 14 andares — com os 12 que já subira, foram 26.

Falar difícil

A EMPREGADA de um amigo meu tem mania de falar difícil. Está preparando o enxoval da filha e assegura a todos, com firmeza, que sua filha não se casará enquanto não estiver completamente enxovalhada.

Comentário dela, extasiada diante de um buquê de flores que a patroa trouxe da feira:
— Ah, mas que flores mais bonitas! Tão sinceras! Tão disfarçadas!

Outro dia, o gato da casa começou a se esfregar em suas pernas, ela o espantou com um gesto:
— Chiba, gato, infalivelmente! Que gato exterior, meu Deus.

Josué Guimarães

ESTRANHA carreira literária, a desse meu amigo escritor gaúcho chamado Josué Guimarães. Há tempos publicou discretamente um livro de contos da melhor qualidade, e em seguida entrou nas encolhas. Deixou Porto Alegre, andou por Brasília e pelo Rio, em 64 sumiu por aí, ressurgiu em Portugal, voltou ao Brasil, reinstalou-se em Porto Alegre. Deixou crescer a barba e enfim assumiu o papel de escritor que lhe estava destinado: desandou a escrever de enfiada um livro atrás do outro — a começar pela série cíclica "A Ferro e Fogo", que a nossa antiga Editora Sabiá teve o privilégio de lançar e logo incorporada ao que há de melhor na literatura gaúcha.

Pois agora, depois de alguns trabalhos de importância literária sempre crescente, lança novo livro, não mais que uma simples novela de menos de cem páginas, de um rigor raramente alcançado na nossa literatura, surpreendente na sua singeleza: "Enquanto a Morte Não Vem". É a história de um casal de velhinhos, últimos moradores de um lugarejo em decadência, e um coveiro também velhinho que está de sepultura pronta esperando os dois morrerem para poder partir.

E mais não conto, para não frustrar o leitor, revelando o pungente desfecho desta pequena obra-prima, digna, sem exagero, de ser lida de um só fôlego como uma novela de Tchekhov, ou como "O Velho e o Mar" de Hemingway — de quem o autor já tem pelo menos as barbas.

Estória

ABRINDO uma exceção para Guimarães Rosa, escritor que merece o meu respeito, comunico à praça que não consigo controlar a antipatia despertada em mim por todo aquele que, sem o menor fundamento etimológico ou simplesmente lógico, insiste em escrever "estória".

Que bobagem é essa, afinal? Quem foi que inventou isso? Só porque em inglês existe "history" e "story"? Neste caso teríamos de inventar outra palavra para significar "liberdade", já que em inglês existe "liberty" e "freedom". Que tal "fridão"? E "editor", que em inglês pode ser "editor" mesmo, mas também pode ser "publisher"... Sugiro "publicheiro".

Vamos acabar com essa estória! Aceito adesões.

Remédio para gripe

LEIO com o maior interesse uma notícia publicada em corpo miúdo no jornal, e que certamente terá escapado à atenção da maioria dos gripados desta paróquia:
"Descoberto na Índia remédio para gripe"
Trata-se de um médico da Universidade de Calcutá, Dr. Jagdish Morarji, que anunciou solenemente no VI Congresso da Organização Mundial de Saúde em Calèbes, na Suíça:

— Tenho provas irrefutáveis de que o único remédio infalível para a cura do resfriado é a urina de rinoceronte.

Segundo o Dr. Morarji, a urina de rinoceronte é conhecida como medicamento desde a mais remota antigüidade e faz parte da farmacopéia oriental. Suas propriedades antigripais, entretanto, só foram descobertas recentemente, revelando-se muito mais eficiente do que Vitamina C e qualquer outro remédio milagroso preconizado no Ocidente.

Como eu poderia obter urina de um rinoceronte aqui e agora? — é o que me pergunto, entre um espirro e outro. Dr. Morarji reconhece que não é assim tão fácil. E recomenda outra medicação, igualmente eficiente, para o caso de não termos um rinoceronte à mão: suor de lagarto.

Trocas

ATÉ vestido de noiva apareceu para ser trocado. Houve quem quisesse trocar tudo, desde uma casa por um apartamento, até uma garrafa de cachaça por um disco de Mike Falcão.

Desde que o homem é homem, suas relações se fizeram à base de troca — o dinheiro só entrou para atrapalhar. Até hoje esta espécie de comércio tem sido praticada pelo Brasil afora. Recebe, na boca do povo, designações diversas, conforme a região: escambo, tinhanha, alborque...

Em Minas se chama barganha mesmo, sendo uma instituição particularmente cara ao espírito dos meus conterrâneos. Já andei escrevendo sobre o assunto*, inspirado na seção de trocas que um jornal carioca costumava publicar, espécie de bolsa de mercadorias permutáveis: um rádio de cabeceira por uma pele de raposa; um álbum de ídolos da tela por uma muda de samambaia-chorona; o livro de poesia "Mãe", de diversos autores, com trovas e pensamentos poéticos, por uma lata de lixo de plástico; um sutiã de crochê por um pé de antúrio; as músicas de acordeão "Solamente Una Vez", "La Vie en Rose" e "Pisando Corações" por flâmulas, lápis ou caixas de fósforos de propaganda.

Estes são alguns exemplos que pude colher na época. Tinha mais: Rosária, de Niterói, queria trocar um lindo missal por um retrato de Cauby Peixoto; Alanael, de Copacabana, propunha a troca de um macacão emagrecedor por um casal de canários; Gisele, de Colatina, queria dar um exemplar do romance de Flaubert "Educação Sentimental" em troca do disco "Tenderly"...

"Nada se vende, nada se compra, tudo se troca", é o lema da Feira de Trocas, que a Secretaria de Turismo do Rio de Janeiro, inspirada em Lavoisier, fez inaugurar esta semana na Praça 15. Um gaiato chegou a oferecer sua mulher, em troca de outra mais jovem e compreensiva: daria de quebra a sogra e a cunhada.

Brasileiros

NADA mais instrutivo para conhecer o nosso país que um guia turístico como esse "Fodor's Brazil", publicado por uma editora americana.

Nele fico sabendo, entre outras coisas, que "o brasileiro é um povo relativamente feliz e, ao contrário de seus vizinhos hispano-americanos, prefere cantar em vez de chorar, dançar em vez de lutar". Para ele, "tudo é uma maravilhosa brincadeira, e nada é suficientemente sério que não possa despertar o riso. É melhor ainda, quando se pode fazer um

---

*Departamento de Trocas, em "A Companheira de Viagem".

samba sobre o assunto. Brasileiros são brasileiros, e querem que o visitante e o resto do mundo saibam disso. Não falam espanhol e sua capital não é Buenos Aires, como alguns turistas parecem pensar."

E ainda: "Os brasileiros adoram feriados: qualquer pretexto é usado para largar o trabalho, fechar os bancos, parar as fábricas e ficar em casa sem fazer nada. Aproveitam-se de todos os dias santos e celebram tudo quanto é feriado, nacional ou estadual."

Sobre as praias: "Não há discriminação; o rico se deita ao lado do pobre, enquanto vendedores de frutas e refrescos passam por cima de um e outro, indiferentemente. É talvez a praia mais democrática do mundo. Ali, tudo pode acontecer. De manhã, velhos tentando ser jovens, na prática do *cooper*. Jovens musculosos pulando e brincando. Mendigos urinando na areia. Gatunos furtando. Políticos politicando. Muitos negócios são realizados na areia. Um executivo enfastiado não quer se dar ao trabalho de vestir terno e gravata, então diz ao cliente para se encontrarem na praia. O cliente também aparece de calção e, apesar da areia, das moscas e do barulho ao redor, eles conseguem fazer negócio. Muitas vezes o banhista inocente, estendido ao sol, quando abre os olhos, dá consigo no meio de um campo de vôlei ou de futebol e tem de bater em retirada antes que a bola lhe acerte na cara. Os brasileiros, que não têm a menor inclinação para a briga, limitam-se a recolher sua toalha e mudar-se para outro lugar. Os estrangeiros é que ficam furiosos e ameaçam brigar com os dois times ao mesmo tempo."

Sobre a mulher carioca: " A graça de uma palmeira, o embalo de uma onda que se quebra na praia, a cintilação da areia resplandecente, o brilho do sol tropical, a maciez de uma flor das selvas, o ardor de um leopardo — esta é a receita de uma garota do Rio. Sentadas nos bares ao longo das calçadas, passeando pela praia e sorrindo para você, estão as mulheres que habitam esta cidade encantadora. Exóticas, louras, morenas, cor de creme, mulatas ou negras como ébano, elas enchem a cidade com seu charme e sua graça. São tentadoras, fascinantes, cheias de promessas. Você jamais saberá explicar exatamente o que todas elas têm que as faz tão avassaladoras. A princípio isto o intrigará, depois você aceita, finalmente relaxa e aprecia."

E vai por aí afora, dizendo sobre o Rio em geral: "A própria cidade é feminina. Ela repousa provocantemente aconchegada ao redor de sua baía azul-marinho, seu corpo uma composição de mosaicos pretos e brancos, edifícios de apartamento e montanhas cobertas de árvores. Uma linda mulher tomando sol. Sua cabeça repousa no centro da cidade, os cabelos estendendo-se até a Zona Norte. Seu dorso curvo cobre a área residencial do Flamengo, Botafogo e Copacabana, enquanto suas pernas, dobradas no Arpoador, se projetam nas praias de Ipanema e Leblon. Seus movimentos são lentos e relaxados, sem se perturbar com a agitação do tráfego e dos transeuntes apressados. Sua respiração é forte, doce e cálida. Seus olhos são o brilho das luzes que se refletem no oceano e, à medida que a noite avança e você passa a conhecê-la melhor, ganham um fulgor suave e sedutor. De dia, flocos de nuvens e de pássaros multicores adornam seus cabelos. À noite, ela usa como enfeite um diadema de estrelas e as luzes do Cristo Redentor."

Por aí afora — mas fico por aqui, pois já está me deixando excitado.

Bibiana Calderon

EU ia passando por uma rua de Ipanema, quando alguma coisa atrás de uma parede de vidro me chamou a atenção.

Eram duas meninas.

Raramente tenho visto algo tão lindo. Eram duas meninas entre a infância e a adolescência, que me olhavam por detrás do vidro. O rosto de cada uma era formoso como um anjo de Coreggio, uma Vênus de Botticelli, uma jovem de Renoir. Pois se tratava de um quadro.

Não resisti e entrei. Era uma pequena galeria da Praça General Osório, a Irlandini, expondo atualmente o trabalho da pintora Bibiana Calderon, argentina radicada no Brasil. As mesmas meninas me olhavam de cada quadro; aqui já eram quatro, ali três, naquele outro apenas uma. Em alguns, um pequeno pássaro multicor acrescentava uma nota ainda mais graciosa ao trabalho.

Então fiquei algum tempo ali, envolto na resplandescente pureza daqueles quadros admiráveis, haurindo um pouco da graça e beleza com que enfrentar o mundo tumultuado que me esperava lá fora.

1980

Sinatra e as mulheres

LEIO no jornal mais uma matéria sobre Frank Sinatra. Desta vez se trata das mulheres que ele teve e que deixou de ter, dentro e fora do casamento. E o que elas pensam dele — coisas assim:

"É daquele tipo raro de homem que se vê uma vez e nunca se esquece mais." (Lauren Bacall); "É a pessoa mais admirável que eu já conheci." (Doris Day); "O único homem que me ensinou a amar na vida." (Marilyn Monroe); "O que mais amo nele são os olhos." (Jacqueline Bisset). E, com destaque, as palavras de sua mais espetacular e turbulenta esposa, Ava Gardner:

"Ele é tão selvagem, tão cheio de amor e energia, que mais parece três homens num só. Mas, por trás do sujeito que bebe muito e vive divertindo-se em festas, está um homem extremamente sensível e inteligente. É um coração de ouro..."

Tudo bem — mas falta, em contrapartida, o que ele pensa a respeito das mulheres em geral (e da Ava Gardner em particular). Seu pronunciamento sobre o assunto numa entrevista me pareceu tão impressionante que resolvi recortar e guardar, pois julguei na época que talvez me pudesse ser de algum proveito no futuro. Ei-lo na íntegra:

"As mulheres são perigosas como o veneno de uma cobra. São impiedosas, egoístas, mentirosas, infiéis e falsas. Não foi somente eu quem descobriu isso. Todos o fizeram: os poetas, os autores de canções, os romancistas. As mulheres não podem ser sinceras. Todos os homens apaixonados sabem disso. Compreendi tarde demais que mulheres e carreira não podem andar juntas. A paixão pelo trabalho, a vontade de fazer irromperam dentro de mim sempre depois de uma desilusão amorosa. Até o melhor filme que eu fiz, devo a uma desilusão: minha mulher me havia abandonado sem qualquer aviso prévio, porque estava apaixonada por um toureiro."

O que me faz lembrar Vinicius de Moraes, no remotíssimo ano de 1946 em que fomos juntos para os Estados Unidos. Depois do prazo de que dispunha, de uma semana que durou dois meses comigo em Nova York, o poeta se mandou para Los Angeles a fim de iniciar enfim sua carreira diplomática no Consulado Brasileiro. Ao chegar, do aeroporto mesmo telefonou para sua amiga Carmen Miranda, que o intimou a seguir imediatamente para um animado *garden-party* em sua casa naquele instante. Ao vê-lo perdido em meio a tanta gente desconhecida, a cantora o apresentou a uma linda jovem que iniciava sua carreira de *starlet* em Hollywood. Nem bem o poeta tirou-a para dançar, ela lhe perguntou à queima-roupa:

— What do you think about me, phisically?

O que ele achava dela fisicamente? Não vacilou em elogiar-lhe a beleza, nos termos mais calorosos. E, por sua vez, quis saber a razão da pergunta. Ela respondeu apenas:

— Because, morally, I stink.

Porque, moralmente, eu cheiro mal... Com esta o poeta não contava. Curioso, perguntou-lhe o nome.

— Ava Gardner — respondeu ela.

Índios

AINDA não tive oportunidade de agradecer a Antônio Bento o exemplar que me enviou de seu magnífico livro "Abstração na Arte dos Índios Brasileiros". Faço-o de público porque quem na realidade tem a lhe agradecer é a cultura nacional, a cujo acervo esta obra se incorpora como uma de suas mais preciosas aquisições.

E não é apenas a beleza das ilustrações ou a perfeição gráfica do livro que fazem o encanto do leitor, mas principalmente a qualidade do texto, de leitura agradável, cheia de originalidade e interesse, o que não é comum em trabalhos deste gênero.

E quanto aos nossos índios, propriamente, o que se pode verificar nesta valiosa obra é que eles se situam em relação aos brancos exatamente como definiu para Jung aquele indígena da tribo taos, índios "pueblos" que vivem nos Estados Unidos, acima da fronteira do México. O autor nos narra a conversa do grande psicólogo com o tal índio, na qual este afirmava que os brancos tinham um ar cruel e estavam sempre procurando alguma coisa.

— Que é que eles procuram tanto? Para nós eles são completamente loucos.

Jung quis saber a razão de tão severo julgamento, e o índio respondeu:

— Eles dizem que pensam com a cabeça.

— Naturalmente! — espantou-se o cientista: — Com o que você pensa?

— Nós pensamos aqui — e o índio apontou o coração.

Os simples de coração

FOI buscar os óculos da patroa, a pedido desta, e depois perguntou, muito séria:

— Afinal de contas, a gente diz "ócris" ou "zócris"?

O avô deste outro machucou o olho num ramo de goiabeira. Quis levá-lo num oculista, o velho se recusou:

— Deixa pra lá, dois zóio é luxo.

A empregada veio anunciar o almoço:
— Gente, tá na hora de murçá.
— Não é assim que se fala — corrigiu a patroa.
E ela, imperturbável:
— Eu sei que é "armuçá". Mas eu quero falar murçá.

Perguntou ao jardineiro porque ali dava tanto capim e, no entanto, aquilo que ela plantava não crescia.

— Porque a terra é assim mesmo — informou ele: — Tem mais carinho com o capim, que é filho legítimo, do que com aquilo que a gente planta, que é filho adotivo.

Colocação de pronomes

REENCONTRO num jantar meu velho amigo, o poeta Alphonsus de Guimaraens Filho, que há tanto tempo não via. Ficamos relembrando nossos tempos de Belo Horizonte, tempos de colégio e faculdade, os professores malucos de então. Ele me fala num que lecionava português e que era categórico em matéria de colocação de pronomes:

— Pode-se dizer "eu lhe dou uma laranja". Pode-se dizer "eu dou-lhe uma laranja". O que não se pode dizer jamais é "eu dou uma laranja-lhe".

Valentia

AS três moças acabavam de sair do Shopping Center Rio Sul. À sua frente seguia um rapaz trajado de maneira um tanto exótica e de gargantilha combinando com o brinco numa das orelhas.

De repente surge dos lados do Canecão um crioulo que se precipita sobre o rapaz e tenta arrancar-lhe com um safanão o enfeite do pescoço.

Foi, porém, mal sucedido: antes que realizasse o seu intento, levou um violento bofetão na cara que por pouco não dá com ele no chão.

Apanhado de surpresa — a quase vítima era bem menor do que ele — saiu correndo e só quando se viu a respeitável distância, já na outra calçada, voltou-se para lhe atirar uns palavrões. E arrematou:

— Sua bicha ordinária!

O outro não deixou por menos:

— Vem cá, que eu te mostro quem é bicha — e plantado no meio-fio, desafiava o frustrado assaltante, convocando-o com gestos enérgicos. O crioulo, por via das dúvidas, houve por bem afastar-se rápido e sumir na primeira esquina.

As moças, que assistiram a tudo a poucos passos, romperam em aplausos. Não só ante a surpreendente valentia do rapaz, mas por se tratar — pelo menos, é o que me informa uma delas — de pessoa já de sua admiração: o escritor Fernando Gabeira.

Opiniões

SURPREENDO, numa conversa de gaúchos, algumas opiniões do poeta Mário Quintana e do romancista Josué Guimarães:

— Ele pensa que para escrever um poema, basta ir mudando de linha — diz o poeta.
— O psicanalista dele deve ser o Dr. Scholl — diz o romancista.

Mãe e filho

O MENINO tem só dois anos e já é fã de televisão. Depois do almoço, quando o pai vai à luta, ele fica espichado na cama ao lado da mãe vendo desenhos animados.

Mas outro dia o pai não saiu, era feriado: ficou em casa de chinelos e aderiu ao programa dos dois. À certa altura o menininho resolveu tomar uma providência:

— Papato. Papato — ficou repetindo com insistência.

Como o pai não entendesse, o menino foi ao armário, trouxe com esforço o par de sapatos, fez o pai se erguer para calçá-los. Depois o empurrou pelo traseiro porta afora. O pai se deixou empurrar, para ver até onde ia aquilo. Foi até a porta da rua:

— Tchau — disse o filho, despedindo-se dele com um tapinha. E voltou correndo para o lado da mãe, esfregando as mãos com alegria, como a antecipar a farra que agora ia ser.

Não me surpreenderia se o pai em represália, passasse a chamá-lo de Édipo.

Flagrantes de imaginação

CERTA ocasião fui visto por Ferreira Gullar na mais extravagante das situações: com farda de marinha, quepe e talabarte, comandando o transporte das cinzas dos pracinhas mortos na guerra.

Não me espantei, pois Rubem Braga, já naquele tempo, costumava ver-me atrás de um ensebado balcão de venda do interior, atendendo a todos com eficiência e nariz fino:

— Carne-seca estamos em falta, mas o bacalhau está superior.

Quando Embaixador em Marrocos — o que, diga-se de passagem, mais parecia outra de nossas fabulações — o mesmíssimo Braga de vez em quando me descobria debaixo do albornoz surrado de um mercador, vendendo tâmaras secas num tabuleiro pelas viesgas de Rabat.

Desvario embora, também tenho lá o meu método, como diria Machado. As visões me ocorrem tanto durante o banho e nos momentos que antecedem o sono, como nas ocasiões mais solenes e graves. Às vezes me apanho em flagrante de imaginação delirante numa cerimônia de casamento, por exemplo, a que todos, inclusive os noivos e até o padre, cometem a ousadia de comparecer completamente nus. É de se ver o ridículo irresistivelmente hilariante dos convivas assim despidos e nas posturas mais inesperadas, trocando amabilidades, cheios de compostura. Pirandello, se não me engano, tem um conto em que o personagem, vítima de semelhante alucinação, se mete nas piores trapalhadas, pois ao visitar a noiva, tinha crises de compulsiva gargalhada, imaginando sua futura sogra completamente pelada.

Tendência mais inocente é a de organizar times de futebol. Já assisti a uma animada disputa, durante a qual Juscelino fazia prodígios de verdadeiro Pelé, fulminando num chute de bicicleta a cidadela adversária, guarnecida por Wilson Figueiredo, depois de driblar o zagueiro Vinicius de Moraes.

Tenho também um fraco por conjunto de *jazz*. Já cheguei a ouvir em Nova York uma banda que se compunha, entre outros, de Alfredo Machado ao piano, Alkmim na clarineta, Carlinhos Oliveira na bateria e Di Cavalcanti no contrabaixo.

Às vezes vou um pouco mais longe, em geral no entressono. É quando me aparece um cachorro felpudo e extremamente antipático que tem mania de emitir conceitos os mais idiotas, como se estivesse enunciando a última das verdades:

— Não há paz entre gentes nem felicidade entrementes — latiu-me ele da última vez, abanando o rabo e eu, impaciente, resolvi expulsá-lo para sempre da minha cabeça.

Outras vezes, são pessoas famosas que me visitam nas circunstâncias mais estranhas. Houve um tempo em que o Marechal Dutra costumava aparecer-me vestido de escoteiro. Marlene Dietrich mais de uma vez me procurou com propostas decididamente indecorosas. Athos Bulcão quase sempre sai voando pela janela. Paulo Mendes Campos invariavelmente se apresenta com nome falso (Nicodemus, Nicomedes, Nicobar ou Nicanor). Carlos Drummond me aparece metido numa batina de frade. Marco Aurélio Matos só conversa comigo em latim. Já vi o Ferreira Gullar transformado numa árvore sem folhas, galhos crispados e açoitados pelo vento no meio de uma redação de jornal. Otto Lara Resende, que em outras eras foi vendedor de Evangelhos, de vez em quando eu o via acompanhado de alguém que suponho ser o seu anjo da guarda. Até o dia em que o encontrei às gargalhadas, conversando com um imenso e simpático búlgaro de esplêndidas barbas negras, chamado Nicolau Kikov.

Só que isso era verdade.

O defunto premiado

FOI-ME contado, já não me lembro por quem, como tendo mesmo acontecido. Mas parece inventado, de tal forma se presta para tema de um conto ou mesmo de um filme.

Aconteceu que o grande prêmio da loteria saiu para aquela pequena cidade do interior de São Paulo. Quando o ganhador foi procurado (um modesto cidadão que de seu só tinha a mulher e os filhos), o vendedor do bilhete premiado encontrou apenas uma pobre viúva inconsolável:

— Foi enterrado ontem — choramingava ela.

Ao saber que o finado marido acertara o primeiro prêmio, seus olhos se arregalaram, as lágrimas secaram e as lamúrias se converteram em gritos de alegria:

— É bom demais para ser verdade!

— Fui eu mesmo que vendi o bilhete pra ele não tem nem três dias — e o homem fazia um ar pesaroso, que absolutamente não significava abdicar de uma boa comissão no prêmio:

— Jamais poderia imaginar que fosse acontecer uma desgraça dessas...

— Desgraça? O senhor chama a isso de desgraça? — e a mulher, radiante, só faltava sair pulando pela casa.

Agora, era achar o bilhete.

E toca a procurar. Revirou gavetas, os guardados do falecido em que ainda não havia nem tocado, procura que mais procura, e nada. Enfiou os dedos aflitos em todos os bolsos das roupas dele, que eram poucas.

— Onde é que o desgraçado terá metido esse bilhete, minha Nossa Senhora da Aparecida.

De repente bateu com a mão na testa:

— Não! Só faltava mais essa!

O homem se voltou, pressuroso:

— Que foi? Que aconteceu?

— No terno azul-marinho. Foi enterrado com ele.

— Tem certeza?

— Absoluta. Onde é que mais poderia estar? Comprou, meteu no bolso, e lá ficou.

Ele sacudiu a cabeça, pensativo:

— Quando comprou, estava mesmo de terno azul-marinho...

— E agora? — exclamou ela, aflita.

— E agora? — ele repetiu, aparvalhado: — Sem o bilhete, nada feito. Não pode receber o dinheiro.

Ela se deixou cair prostrada numa cadeira, ele ficou a olhar de um lado para outro. Ambos pensavam a mesma coisa e não sabiam como expressá-la. Até que ele tomou coragem, se deteve diante dela:

— É isso mesmo. Não tem outro jeito.

— Mas como? Assim sem mais nem menos? Só se a gente arranjar uma ordem com o delegado.

Ele repeliu a sugestão com as mãos espalmadas:

— Não vamos botar o delegado nessa, que ele vai querer ficar com a parte do leão. O próprio coveiro lá no cemitério quebra esse galho para nós.

Naquele mesmo dia ele pagava uma cervejinha para o coveiro no botequim em frente ao cemitério. Ao ouvir a história, o homem ficou nervoso, engasgou com a cerveja, não quis saber de gratificação nem mais de conversa nenhuma:

— Não faço nada sem ordem do delegado.

O delegado, a quem ele acabou tendo mesmo que procurar, só faltou mandar metê-lo no xadrez:

— Você ficou maluco? Como é que tem coragem de me pedir licença para cometer um crime, profanar uma sepultura?

Voltou desanimado para a viúva:

— O homem não quis nem ouvir falar. Quase mandou me prender. O mais esquisito é que ele nem se interessou pelo bilhete. Nem ele nem o coveiro. Quem sabe se a gente arranjasse uma ordem do juiz...

— Como é que se arranja isso?

Ele teve um rompante, pôs-se a falar com veemência:

— Olha, quer saber de uma coisa? Eu mesmo é que vou fazer o serviço. Deixa comigo. Tenho lá na loja um elemento de confiança para me ajudar. Agora, antes de mais nada, quero que fique bem claro: é meio a meio, tá?

— Meio a meio como?

— O prêmio — explicou ele, impaciente: — Afinal, quem vai enfrentar o defunto sou eu. Se o bilhete for encontrado, metade é minha, entendido?

— Entendido — e ela acrescentou, decidida: — Mas faço questão de ir também.

No meio da noite, sob a luz da lua, lá estavam os três no cemitério: a viúva, o homem da casa de loteria e um empregado seu — os dois últimos munidos de pás. Remover a terra demandou algum tempo, mas não foi difícil, ainda estava fresca. Era de se esperar que o defunto também estivesse. Quando uma das pás bateu no oco do caixão finalmente posto a descoberto, foi aquele alvoroço: pega de lá, puxa de cá, tira com cuidado, agora vamos abrir.

Abriram e deram com o cadáver muito branco, magro, seco. Completamente pelado.

O escândalo se abateu como uma ventania sobre a cidadezinha. A viúva botava a boca no mundo: roubaram meu marido! Deixaram o pobre sem uma peça de roupa no corpo! Parentes de outras pessoas recentemente falecidas na cidade, desconfiados, resolveram seguir o exemplo da viúva e dar uma espiada nos seus respectivos defuntos que, já com autorização jurídica, fizeram desenterrar. Todos depenados da cabeça aos pés.

A essa altura, descobria-se que uma quadrilha, da qual faziam parte o coveiro e o próprio delegado, estabelecera verdadeiro tráfico de roupas e objetos retirados aos cadáveres, nem bem a última pá de terra havia sido atirada sobre o caixão. A macabra mercadoria era remetida para uma cidade vizinha, e dali, depois de feita a triagem, distribuída para venda em outras localidades do interior. O governo do Estado nomeou um delegado para presidir o inquérito que se instaurou então, o qual apurou tudo isso e muito mais: não havia cemitério da região que tivesse escapado a semelhante profanação.

Enquanto isso a nossa viúva, sempre assessorada pelo homem da casa de loteria, ia fazendo por conta própria suas investigações. Na pista do terno azul-marinho, os dois foram parar na tal cidade vizinha. Pergunta daqui e dali, prometendo gordas propinas a quem os ajudasse a encontrar o bilhete, acabaram chegando à tinturaria para onde eram encaminhadas as roupas. Lá estava o precioso terno, logo identificado pela viúva: dependurado num cabide, lavado e passado, parecia novo.

E no bolso de dentro do paletó finalmente encontraram o bilhete, convertido numa polpa úmida, todo esfarelado.

O dono do defunto

OUTRO dia contei o caso, que por sua vez me foi contado há tempos não sei por quem, do defunto enterrado com um bilhete de loteria premiado no bolso do paletó.

A propósito, um amigo de Minas me fala no defunto que em Diamantina foi enterrado, não com um bilhete premiado, mas (como não podia deixar de ser) com um diamante no bolso. Jorge Amado me diz que se lembra de ter ouvido falar num caso semelhante, mas com final diferente.

São histórias que passam de boca em boca, repetidas aqui e ali, sem que se saiba direito a sua origem. Algumas que eu próprio inventei já me foram contadas como tendo acontecido com "um tio meu que é meio maluco", com "um bêbado lá da minha terra", com "um professor que eu tive que era meio distraído".

Pois acaba de surgir outro dono do defunto — um autor declarado da história: E.

Jamil Farah, de Belo Horizonte, que me envia o original de seu conto "O Bilhete Premiado". Trata-se da narrativa minuciosa de um caso semelhante ao que escrevi, embora em linguagem diversa e com variantes, principalmente no desfecho. É provável que o autor tenha se inspirado na mesma fonte — o fato que me contaram como verídico, do defunto enterrado com o bilhete premiado no bolso.

Com o quê, dou o caso por encerrado. (Ou enterrado.)*

Garbo

COMO então Greta Garbo, a esta altura dos acontecimentos, fará um novo filme. É, pelo menos, o que informa uma notícia no jornal: "não por dinheiro, mas por estar interessada num papel adequado à sua idade e filosofia".

A idade, atualmente, é de 75 anos, nem um a mais, nem um a menos; a filosofia, não posso imaginar qual seja. Só mesmo repetindo os versos de Mário de Andrade:

Detesto os mortos que voltam.
São tão mais nossas as imagens!...

Dela ficou uma imagem que, recentemente, a televisão nos devolveu em dois ou três filmes seus, envolta em nostalgia, mas de maneira um tanto cruel. Não sendo da geração sobre a qual ela atirou o fascínio de sua beleza, incorporei-a por influência dos mais velhos à minha mitologia pessoal, como uma lenda de perfeição feita mulher. Com um pouco de boa vontade, ela quando muito poderia ser minha mãe. Freud explicaria isso...

Mas prefiro tê-la assim, apenas uma lembrança, imanência de uma beleza, como a primeira contemplação do crepúsculo, em meio às deslumbradas descobertas da adolescência.

Descubro em Denis de Rougemont deslumbramento igual. Num de seus livros, o escritor suíço nos fala como chegou um dia a ver o mito de perto, em Nova York — visão que aqui reproduzo, em suas próprias palavras, devidamente traduzidas:

"Garbo de nossa mocidade, voluptuosidade de olhar, rainha das neves, dama dos sonhos de adolescência, mulher mais bela do mundo, figura de mulher reinando sobre milhões de noites, mito evasivo — porque desapareceste como um anjo ao amanhecer? Naquele pequeno restaurante francês na Rua 55, um dia do inverno passado, o garçom veio dizer-me ao ouvido: 'Podia ceder sua mesa? Precisamos de uma mesa para dois dentro de cinco minutos. O senhor verá que compensa o incômodo.' Eu me mudo. Ela entra

---
*Em novembro de 1981 receberia, com dedicatória da autora, um exemplar do livro "A Dança do Bilhete e Outros Contos", de Orbelinda Fazenda, sendo o primeiro deles baseado na mesma história, minuciosamente desenvolvida, e também com desfecho diverso: o bilhete premiado é encontrado no paletó do defunto e sobra dinheiro para todos.

com seus sapatos de salto baixo, com seu chapéu de feltro cinza, a aba erguida de um lado, e o perfil de um sonho. Teria preferido não vê-la nunca, mas confesso que é muito bonita, apesar dos lábios finos."

E fala na impressão que lhe ficou, ao conhecê-la mais tarde, em festa na casa de uma amiga:

"Ela tem o gênio de nada dizer que a torne mais real que uma imagem. Não estará talvez aí o seu segredo? Prestar-se à fantasia de todas as imaginações? Como ela é bela e como ela é ausente! Que elegância na irrealidade! Como ela é jovial para um fantasma..."

1981

Abstêmio

RECEBO de Fernando Lobo um telefonema perguntando meu novo endereço. Os velhos amigos parecem não acreditar que o endereço ainda é o mesmo daqueles tempos.

"Mudam-se os tempos, mudam-se as vontades", como diz o luso, "todo o mundo é composto de mudança"* — inclusive eu. Só que, embora muito mudado, continuo morando na mesmíssima Rua Canning, último reduto de Copacabana, sentinela avançada de Ipanema.**

Lobinho escreveu um livro infantil, "O Menino e o Trem", sobre o qual já ouvi as melhores referências. Acaba de ser publicado e ele vai me mandar um exemplar.

— Que faixa de idade atinge? — pergunto, interessado.

O autor informa que atinge meninos de nove a quinze anos.

Então está bem, concluo, satisfeito: para estas coisas, ainda sou menino.

E passamos a pôr nossas notícias em dia. Uma delas é que ele não bebe já vai para mais de dois anos. Louvo-lhe a decisão, sem pretender imitá-lo. A certas pessoas a bebida acrescenta, a outras tira. E a Fernando Lobo não há nada a acrescentar nem a tirar. A não ser talvez alguns quilinhos:

— Emagreceu? — pergunto.

— Engordei — responde ele, resignado.

Diante do meu espanto — pois sempre ouvi dizer que a abstinência do álcool traz consigo imediato emagrecimento — ele me explica:

— É aquela história do Ciro Monteiro, se lembra? Quando ele deixou de beber, começou a engordar, e a quem estranhava ia explicando logo: "Vocês não fazem idéia quantas espécies de sorvete existem hoje em dia, cada um melhor do que o outro."

E conta ainda que por essa época o cantor, com aqueles olhos que lhe valeram o apelido de Formigão, assim exprimia a sua admiração pelo Parque do Flamengo:

— Que coisa mais bonita! Mais féerica! Tudo iluminado! Cada poste de todo tamanho, cheio de luzes, como se fosse uma porção de luas, vocês já viram?

---

*Sonetos de Amor, XLVII, Luiz de Camões.
**A Paz na Rua Canning, em "A Mulher do Vizinho".
— Em Louvor da Minha Rua, em "No Fim Dá Certo".

— Ora, que bobagem é essa, Ciro — os amigos protestavam: — Aquilo está ali há anos, só agora você reparou?

Ele não tinha jeito senão concordar:

— É verdade. Vai ver que é porque antes, toda noite que eu passava por lá, já estava dormindo no táxi.

Erros de revisão

OCORREU há tempos com um artigo do Otto.

Ele havia escrito: "Mas a verdade é que o Sr. Tristão de Athayde..." Era até uma opinião elogiosa. No dia seguinte teve o dissabor de ver no jornal que o V de *verdade* tinha virado M e a palavra havia perdido a sílaba final.

Mais grave do que isso só mesmo aquele já histórico erro de revisão cometido pelo *Minas Gerais*, órgão oficial do Estado, durante a Segunda Guerra Mundial. Ao publicar na primeira página, com destaque, um telegrama de Londres dizendo que naquele dia "não houve bombardeio e o céu se manteve limpo", a palavra *céu* perdeu o *é*.

E o revisor, claro, o emprego.

Às vezes a emenda é pior do que a sineta.

Exemplo clássico é aquela velha história da notícia sobre o Presidente, que havia torcido o pé, e que só poderia andar "apoiado em duas maletas" — notícia devidamente retificada no dia seguinte: "onde se lê *apoiado em duas maletas*, leia-se: *em duas mulatas*".

Crítica

FALÁVAMOS na crítica literária e no rigor às vezes contundente com que era exercida no passado. Rigor nem sempre procedente. Alguém me contou, por exemplo, que Agripino Grieco, o mais implacável dos críticos de então, recebeu certo dia um livro intitulado "Minaretes", de um estreante chamado Viriato Correia, que ainda viria a ser membro consagrado da Academia Brasileira de Letras. O crítico deu-lhe generosa acolhida em seu rodapé: tratava-se de um jovem autor que, a despeito das vacilações naturais num iniciante, revelava certa sensibilidade poética em seus versos, de um lirismo incipiente mas sem dúvida promissor... e por aí afora. O autor escreveu-lhe agradecendo, sensibilizado, as palavras de estímulo, não porém sem deixar de chamar delicadamente a atenção do crítico para o fato de "Minaretes" ser um livro de contos.

Ao que Agripino Grieco retrucou, de público, depois de pedir perdão pelo equívoco: "Também, com um título desses, como é que eu ia adivinhar que não era de versos?"

Estréia

PIOR (ou melhor) do que esta, só mesmo aquela carta de Groucho Marx a propósito do livro de estréia de S.J. Perelman:

"Do momento em que peguei seu livro até que o larguei, fui possuído de um verdadeiro frouxo de riso. Pretendo lê-lo um dia desses."

Pouca vergonha

ELA fazia ginástica pelo método canadense. Abriu o livrinho na cama e ia seguindo rigorosamente cada exercício.

O marido resolveu acompanhá-la, na parte que servia também para homens. Havia exercícios para se fazer deitado.

— Na sala é melhor — sugeriu ela um dia: — Tem mais espaço.

A partir de então, era de se ver — e de se ouvir — o entusiasmo dos dois, estendidos lado a lado no chão da sala, ofegantes, soprando, gemendo e bufando ao esforço das flexões. Em poucos dias sentiram que faziam progresso, aumentando o número de exercícios.

Mas sentiam também, no olhar de outros moradores do prédio, aumentar um ar de espanto e censura.

Até o dia em que ouviram aquela senhora, gorda e patusca como uma personagem de Nelson Rodrigues, resmungar no corredor ao vê-los passar:

— Pouca vergonha...

Voltaram então a fazer os exercícios no ambiente mais recatado do quarto.

Dicionário luso-brasileiro

AO tempo da nossa Editora Sabiá, Rubem Braga vivia falando na necessidade de um dicionário luso-brasileiro, em favor de um melhor entendimento da língua portuguesa, tanto para os de lá como para os de cá. Chegou mesmo a pensar em iniciar ele próprio o trabalho, e andou recolhendo sugestões, elaborando os primeiros verbetes.

Não sei em que pé ficou a idéia do Braga, senão que ele, de tanto falar nela, passou uns tempos usando um linguajar meio esquisito, com sotaque lusitano, chamando meninos de *miúdos* e meias de *peúgas*.

Esta seria o tipo da obra capaz de interessar a um Paulo Rónai, por exemplo, que não é português, mas, sendo húngaro, tornou-se brasileiro por adoção e coração: mestre em questões de linguagem e tradutor magistral, teria as melhores condições de traduzir o português de Portugal para o Brasil, e vice-versa.

Pois agora acabo de receber um "Esboço de Dicionário Lusitano-Brasileiro", de Eno Theodoro Wank, Edições Plaquete, Rio de Janeiro, que é exatamente o que queria o Rubem. Com apenas 32 páginas, lê-se de uma assentada, e devo dizer que se trata de leitura interessante e instrutiva.

Fico sabendo, por exemplo, que em Portugal não se acende, mas se abre a luz. Não existe água poluída, e sim inquinada. A situação não se agrava: agudia-se. As estradas não são de asfalto e sim de alcatrão. Os alunos não escrevem no quadro-negro nem na lousa, mas na ardósia. Quem nasce em Lisboa é alfacinha. O catálogo telefônico é conhecido como anuário. Sobrenome é apelido; apelido mesmo é alcunha. Quem vende jornais não é jornaleiro, mas ardina, ou entregador. Bancar o bobo é armar um parvo. Uma casa não tem três quartos e sim três assoalhadas. Quem chega em tempo, chega atempadamente. Não se guarda o carro na garagem e sim na autococheira. O ônibus, se for urbano, é autocarro; se for interurbano, é caminhonete. E assim por diante.

Tudo isso sem sair da letra *A*! E ainda dizem que falamos a mesma língua.

Porre

CONTOU-ME que tomou um porre federal e foi acabar numa boate. Na manhã seguinte estava no maior vexame, temendo as conseqüências dos desatinos que cometeu:

— Não me lembro de nada, mas me disseram que, entre outras coisas, passei a noite inteira dançando com a mulher de um oficial de marinha que estava lá e nem conheço. Imagine se esse homem me pega na rua de uma hora para outra e resolve acertar as contas comigo.

Dias depois o encontro mais tranqüilo:

— Não tem perigo, fiquei sabendo de tudo: não dancei com a mulher dele, dancei com o próprio oficial de marinha.

Logo a mim?

CARLOS Castello Branco, desde cedo amante da poesia, me conta que, no seu tempo de rapaz em Belo Horizonte, um companheiro de pensão certo dia lhe pediu:

— Nunca li um livro de versos... Gostaria de ler algum, você me empresta?

Castelinho emprestou-lhe o "Canto da Hora Amarga", de Emílio Moura. Poucos dias mais tarde o outro lhe devolvia o livro:

— Li todo. Achei bem interessante. Só que ele faz umas perguntas esquisitas... Por exemplo: "Por que rolam essas lágrimas em minha face?" Pergunta logo a mim! Eu é que vou saber?

Mais português

HOUVE leitor que gostasse e pedisse mais. Pois então aqui vai um pouco do que aprendi sobre a diferença entre a língua portuguesa de lá e a de cá, no Dicionário Lusitano-Brasileiro de Eno Theodoro Wank, a partir da letra *B*:

Quem vive de fingimento e cheio de pose, está fazendo batota. O batoteiro não passa de um mentiroso. O bebê não mama na mamadeira e sim no bebedeiro. Ou biberão. Se o ciclista encostou sua bicicleta no meio-fio, pode sair dizendo que a deixou ao pé da berma. Quem quiser beber umas e outras, vai beber uns púcaros. E esta novidade para os nossos maconheiros: beata é qualquer espécie de guimba ou toco de cigarro, não é só de maconha. A ponte, ou o edifício, não é nem de cimento nem de concreto, mas de betão armado. A cozinheira não usa avental e sim bibe. Se for avental xadrez, é um bibe aos quadrados. Não se bebe um gole e sim uma bica. Que vem a ser também um cafezinho. Se ela vier sussurrando ao seu ouvido, pode dizer que pare de bichanar-lhe. A bilheteira não é a mulher que atende na bilheteria: é a própria bilheteria. E atenção, responsáveis pelo IPM do Riocentro: o terrorista que solta bombas não passa de um bombista. O que entra sem pagar, não é um penetra: é um borla. E quando a moça bonita passar, pode lhe dirigir esse galanteio: *que borrachinho!* Se quiser tocar a campainha, aperte o botão elétrico. O informante da polícia é um bufo. Se for trapaceiro, é um burlão. Cabaz é uma cesta onde se guarda comida. E quando for convidado para um coquetel, pode dizer que irá a um cacharolete. Onde encontrará uma cachopa, ou seja, uma moça. Já o cachorro é só o filho do cachorro. O pai se chama cão mesmo. E a cadelinha é um marisco. Que vive rondando o cadoz, ou seja, a lata de lixo. Quando for sentar-se na poltrona, diga que vai para o cadeirão. Café de saco é o nosso café de coador. De encher o saco. Toma-se o trem no cais, e não na plataforma. Cais mesmo, vai que é molhe.

Uma rapariga arrebicada é uma moça vestida com exagero. Não se come um sanduíche numa lanchonete e sim num bufete. Um *jeans* é uma calça de ganga. Quem nasce no Canadá é um canadiano. Nas lojas não há vendedoras e sim vendedeiras. Quem anda de metrô não é um passageiro, mas um utente.

Trolha é apenas um pedreiro. O trepador não é o que você está pensando: é aquele que escala, sobe montanhas — alpinista, pois pois. Quem disse que o português chegou ao Brasil de tamancos? Chegou de sulipas. Ou de sócos. O carro não faz a volta no retorno e sim na rotunda. Não se compra uma roupa feita, mas um pronto a vestir. Quem fala nos Três Estarolas está se referindo aos Três Patetas. Os Quatro Aldabrões são os Irmãos Marx. Quem fala no Bucha e no Estica está falando em Oliver Hardy e Stan Laurel, o Gordo e o Magro. E o chiclete é pastilha elástica.

Se você estiver com harpa, isto é, com fome, peça uma carcaça. Não lhe darão um esqueleto de animal, mas um simples pão francês. Quem dá uma lição, na realidade não está dando, está recebendo. Quando dois carros vão de encontro um ao outro, não se dá uma batida, mas um embate. E se você discar o número errado, não diga que foi engano: foi um falhanço. Quem usa cabelo grande é um gadelhudo. Os trabalhadores constituem as classes laboriais e não trabalhistas. Uma mala não passa de uma bolsa; daí haver tanta mulher carregando mala debaixo do braço. Quem traz presentes no dia de Natal não é o Papai Noel e sim o Pai Natal. E se disserem que alguém deu uma palmada em alguém, não houve um tapa em alguma parte do corpo, mas o furto de uma carteira. Uma firma jamais vai à falência: corre sempre o risco de ir à quebradura. O rêiguebe não é senão o futebol americano. Quem, depois de uma noite de farra, acorda pela manhã com gosto de cabo de guarda-chuva, tem a boca a saber a papel de música. A carne se compra no talhante. Ula-ula não é uma dança, mas simples correria. Quem é lelé da cuca não passa de um xexé. Se está bêbado, trata-se de um zaré. E um menino não é só um miúdo: é um puto. Com perdão da palavra — em Portugal não é palavrão.

No mais, lá um gajo zambaio que não sabe onde mete o zangaio é simplesmente um cara vesgo que mete o nariz onde não é chamado. Um velocípede sem motor é um triciclo. E quando for acelerar o carro, não esqueça da embraiagem. O urinol não é o nosso pinico, mas o próprio mictório. Sanita é a privada — abreviatura de sanitário. Já o bidê se chama semicúpio. Quem acerta na loteria ganha a taluda. Quem arromba a vitrine pratica o rebentamento da montra. Papel carbono se chama papel químico. Um paquete pode ser um navio, mas pode ser também um *boy* de escritório. Quem não está na aposentação, está ativo. E quem aluga uma casa sem móveis, aluga nas paredes. Se quiser fazer as unhas, procure a manucure. Se quiser se enxugar, não peça um toalha, mas sim um lençol de banho. Não existe história em quadrinhos e sim em quadradinhos. Não se acende cigarro com isqueiro e sim com iluminador. Um fanqueiro é um negociante de tecidos. O operário não veste macacão e sim fato-macaco. Cuecas são cuecas mesmo, mas podem ser chamadas de calcinhas femininas. Ao pagar, não confira o troco e sim a demasia. Não dependure o paletó no cabide e sim na cruzeta. As crianças excepcionais são diminuídas. Um carpinteiro de limpo é um marceneiro, se for de torto é carpinteiro mesmo. Um sujeito pequenino é um cambuta. Camisola é camisa de dormir; camisa é justa mesmo. E quando a justa for justa? Pode-se ir a pé ou de carripana, isto é, de carro. Ou de carrinha, se o carro for pequeno. Ou de carruagem, se for vagão de trem. Um avião não decola, descola. Não se pede demissão e sim despedimento.

Creio que chega, não chega?

Só fico a imaginar, em contrapartida, como os portugueses devem achar engraçadas certas expressões que os brasileiros inventaram para modificar a língua deles.

Inquietação

CONVERSA de dois velhinhos, numa esquina de Ipanema:
— Ultimamente ando numa inquietação que você não imagina. Não posso ver uma dessas meninas indo à praia de "fio dental", com elas chamam esse traje de banho com a bundinha e tudo mais de fora: fico logo excitado, meu coração começa a bater como se quisesse pular fora. Isso não acontece com você?
— Comigo? — e o outro suspirou, desconsolado: — Se acontece! E não é só o coração que quer pular fora. Não vou mais à feira, pois não posso ver nem abóbora!

O cinema da mamãe

AVISOU à mãe que ia sair para jantar com o namorado.
— Vocês não ficaram de me levar ao cinema hoje? — reclamou a mãe.
— A gente volta em tempo de alcançar a sessão das dez.
Assim ficou combinado, e ela se foi com o seu namorado.
Só que não foram para nenhum restaurante. Como era de se presumir, foram direto para o apartamento dele e nem pensaram em jantar — pois era apenas de amor a fome que sentiam.
E como os que amam não incluem em seu enlevo uma muito nítida consciência do tempo, de repente ela se sentou na cama, assustada:
— Esquecemos o cinema da mamãe.
— Agora é tarde — ele deu de ombros: — Não há nada a fazer. Ela consultou o relógio:
— Ainda dá tempo, se a gente for logo.
Ligou o telefone:
— Mamãe? Estamos aqui no restaurante. O garçom demorou muito a servir.
A mãe deve ter protestado contra a demora dos dois, pois a moça, nervosa, arrematou:
— Ainda dá tempo, mamãe! Pode descer e nos esperar lá embaixo, que é o tempo da gente se vestir e estamos chegando aí.

O tal da televisão

AO chegar em casa, recebi o recado da empregada:
— Telefonou um moço para o senhor.
— Deixou o nome?
— Disse que era o tal da televisão.

Tenho vários amigos na televisão. Só a TV Globo está cheia deles. E os da Bandeirantes, da TV Educativa...

No dia seguinte a mesma coisa:

— O tal da televisão tornou a telefonar.

— Se ligar de novo, pergunta o nome dele.

Da terceira vez, perdi a paciência:

— Eu não disse que era para perguntar o nome?

— Eu perguntei! — protestou ela: — Pois ele tornou a dizer que era o tal da televisão.

Cheguei a pensar se não seria alguém que eu tivesse chamado para consertar a televisão — que, aliás, estava em perfeitas condições.

Até que ele voltou a telefonar — só que desta vez eu estava em casa:

— O tal da televisão está chamando o senhor no telefone.

Fui atender. Era o meu amigo Dalton Trevisan.

Come e dorme

E MINHA amiga Glória Machado me conta que recebeu da empregada o seguinte recado:

— Seu doutor Alfredo telefonou dizendo que vai levar a senhora com ele hoje de noite no come e dorme.

Deixa o Alfredo falar! Ela sabia que o marido é surpreendente e dele tudo se espera — mas não a este ponto. *Come e dorme!* Que diabo vinha a ser aquilo?

Só foi entender quando mais tarde ele voltou do trabalho. Na realidade a convidava para um excelente programa: assistir naquela noite à apresentação no Rio da famosa orquestra de Tommy Dorsey.

Poeta-soldado

SÓ agora fico sabendo com pesar que faleceu há algum tempo em Minas o poeta-soldado Jésu de Miranda, famoso pelo sabor popularesco de seus versos. O próprio Viramundo, o Grande Mentecapto, costumava recitar poemas seus. Inclusive esta jóia de soneto, que não resisto à tentação de transcrever:*

**"O Grande Mentecapto", *Capítulo V.*

"Nasci em Guaxupé, no sul de Minas!
Criado em Juiz de Fora entre a gentalha,
Abracei, tanto o bom, quanto o canalha,
E amei, da mulher santa às messalinas!

Como soldado em campo de batalha,
Lutando pelos montes e campinas,
Ora nos bosques, ora nas colinas,
Batidas pelo fogo da metralha,

Demonstrei o maior patriotismo,
Quando em perigo a impávida Nação!
Cumprindo o meu dever com heroísmo

Na vida militar, cheguei a alferes!
E foi no mundo a minha diversão:
— Briga de galos, versos e mulheres!..."

Chama-se "Eu", e faz parte do livro "Veritas Veritatis", verdadeira preciosidade, tão raro que possuo apenas uma cópia xerox do exemplar de Hélio Pellegrino, do qual ele não abre mão.

Outro livro do mesmo autor, mais raro ainda, tornou-se célebre pela audácia com que o poeta se referia de público às suas musas, sob o título nada modesto "As Cem Mulheres que Amei". Composto de cem sonetos, cada um dedicado a uma das suas amadas (ou amantes), com nome e sobrenome, valeu-lhe sérios riscos de vida ante cerca de cem furiosos maridos, dos quais escapou — graças, sem dúvida, ao jogo de cintura de mulato inspirado e malemolente.

E graças a um estratagema típico de mineiro, conseguiu escapar também à perseguição iniciada contra ele pela repressão, acusado injustamente de subversivo.

Naquela ocasião já fora muito além do posto de alferes, havendo chegado a subtenente da polícia militar. Verdadeiro ou não, o episódio vale pela lição de matreirice. Reza a crônica que um dia o comandante o chamou, apresentando-lhe um requerimento com o seu pedido de baixa:

— Assine aqui.

— Mas eu não quero dar baixa! — protestou ele.

— Não tem outro jeito. Se você não requerer baixa, os homens te pegam.

Resolvido a dormir no chão para não cair da cama, acabou tendo mesmo que assinar, a contragosto, e levou algum tempo bordando a capricho o seu nome no requerimento. Depois sumiu precavidamente de circulação.

Sobrevindo as primeiras aragens da abertura, contratou um advogado e requereu sua reintegração, alegando que aquela letrinha toda enfeitada de moça não era sua assinatura. Feita a perícia, verificou-se que não era mesmo, e ele foi reintegrado, recebendo todos os vencimentos atrasados com correção monetária.

Guilhotina

LEIO num jornal a entrevista de um carrasco francês, apresentado como última vítima da guilhotina: com a abolição da pena de morte pelo governo Miterrand, vai perder o emprego. A menos que o aposentem com vencimentos e vantagens, como aconteceria no Brasil.

Afirma ele que era uma profissão hereditária (começou como ajudante de um tio), para qual não se exigia muita competência, apenas alguma técnica.

O que me faz lembrar aquela história do condenado à guilhotina que manifestou, como sua última vontade, a de ser executado pelo melhor carrasco da França: um velhinho que se aposentara havia anos e vivia pacatamente numa cidadezinha do interior.

A última vontade de um condenado é sagrada. Resolveram atendê-la e foram buscar o homem:

— Um trabalhinho para o senhor, vovô.

O velhinho, lisongeado, não vacilou em aceitar. Para ele, aquilo representava uma deferência especial:

— Deixa comigo. Ele não se arrependerá. Mesmo porquê, não teria tempo...

Apresentado à sua vítima, procurou tranqüilizá-la:

— Siga as minhas instruções, que você não sentirá absolutamente nada.

Recomendou-lhe que procurasse relaxar os ombros e o pescoço, fechasse os olhos, e tentasse não pensar em coisa alguma, como se fosse dormir:

— Você não vai sentir nada — tornou a assegurar-lhe, no momento da execução.

O outro fez o que lhe fora recomendado: relaxou o corpo, fechou os olhos como se fosse dormir. Mas de súbito aquele barulhinho esquisito, como um sopro, e uma sensação de frio no pescoço... A voz do carrasco, delicada, insinuante:

— Então? Sentiu alguma coisa?

— Já? — perguntou ele, intrigado: — Não senti nada!

— Eu não lhe disse? — e o bom velhinho sorriu, satisfeito: — Agora é só mexer a cabeça um pouquinho, que ela cai.

Concisão

CONCISÃO: uma das três qualidades mestras do estilo literário. (As outras duas: clareza e simplicidade.)
Como exemplo, a concisão desta anedota:
— Alô! É do hospício?
— Aqui não tem telefone.
Mais concisa ainda, só esta outra:
— Estou desconfiado que sua mulher anda nos enganando.

Saudosa memória

ENTRO no salão, e sou arrebatado subitamente através dos tempos em direção ao passado — vejo-me nos idos de cinqüenta, entrando no próprio Vogue. Chego mesmo a distinguir um ou outro rosto familiar pelas mesas: o de Carlinhos Niemeyer, por exemplo, o de Carlos Machado... A música me envolve em seus acordes, lá está o Sacha ao piano, e Cipó no sax, o Zacarias na clarineta — quem é aquele jovem grimpado na bateria? Algum amador, certamente — um dos fregueses, eu mesmo? Não sou eu: deve ser o Carlos Guinle, irmão do Jorginho, que não me arrisco mais, pois daqui a vinte e tantos anos o mesmo Sacha haverá de me dizer, numa boate que será somente sua, chamada Balaio, ao ver-me de novo à bateria, depois de tanto tempo:
— Não precisa se desculpar por estar destreinado, você nunca tocou melhor do que isso.*
Vou entrando e a ilusão se desfaz: não encontro pela frente para receber-me a distinção européia do Barão Stuckart no seu português gutural, mas a simpatia acolhedora de Carlos Fraga, do Le Moulin, aqui fazendo as honras da casa. Não estou no Vogue, e sim num hotel dos nossos dias, o Caesar Park, em Ipanema. A música é que é a mesma daquele tempo. E a voz que está cantando é aquela que gravou "Tenderly" pela primeira vez, responsável por seu sucesso no mundo inteiro. O repertório é o de sempre, ou seja: eterno. Não admira que, ao fim, nos leve a dançar rosto a rosto, como antigamente. Ouvir Dick Farney interpretar tanto "Copacabana" ou "Teresa da Praia", como "All the Way" ou alguém ao piano executando, em maravilhoso improviso, "Saint Louis Blues", é mais do que voltar ao passado: é penetrar naquele mundo encantado que o poeta Hélio Pellegrino chamou de tempo sem tempo ou território.**

---
*E Sacha ao Piano, em "A Chave do Enigma".
**Carta-Poema, Hélio Pellegrino, em "O Tabuleiro de Damas", 5ª edição, revista e ampliada.

Falei no Vogue, de saudosa memória, e em fregueses como eu, que o uísque às vezes transformava em músicos improvisados. Lúcio Rangel era outro. E nem sempre com o seu famoso trombone imaginário.

Um dia Newton Freitas o encontrou na rua:

— Ontem no Vogue tive um sonho extraordinário. Bebi um pouco mais, dormi na mesa e sonhei que você estava diante de mim, à frente da orquestra, com uma camisola branca, uma barba também branca e tocando divinamente uma clarineta.

— Não foi um sonho não: foi verdade.

E Lúcio contou tranqüilamente que estava no barbeiro, situado no porão da boate, quando ouviu lá em cima a clarineta do Zacarias. Entusiasmado, subiu assim mesmo, de avental e espuma na cara, arrebatou a clarineta do músico e tentou imitá-lo, enquanto Zacarias, escondido atrás do piano, continuava a tocar noutra clarineta. Newton Freitas à sua frente, assombrado, sonhando de olhos abertos.

Martíni seco

POR falar em nostalgia, haverá coisa mais antiga do que anedota sobre como preparar martini seco? Não há quem não seja o único a saber fazê-lo como deve ser feito.

O clássico oito por um: a proporção de oito de gim para um de vermute francês Noilly Prat (e nenhum outro). Há quem prefira dezesseis por um — dizem que Hemingway era adepto do trinta e dois por um: aquele célebre martini de sua lavra, que virava pedra no congelador. Nunca acreditei muito nisso.

Em qualquer hipótese, o vermute deve ser medido com conta-gotas. Luís Coelho ia mais longe ainda: para ele, o verdadeiro martíni seco deve ser preparado de maneira perdulária, incompatível com o espírito mineiro, a saber: com o desperdício de uma dose inteira do legítimo vermute francês, a ser despejado sobre o gelo e depois posto fora; no que restar do seu gosto na coqueteleira adiciona-se o gim a ser batido (e não sacudido, para não ficar aguado).

Mais do que isso, somente a fórmula mágica do mesmíssimo Luís Coelho, que consiste em pôr no gelo apenas o gim e depois debruçar-se sobre ele, falando baixinho, quase num sopro, a palavra *vermute*.

Tem também aquele do Alfredo, superexigente, a quem o garçom pergunta se pode acrescentar uma casquinha de limão, e que resmunga, em resposta:

— Quando eu quiser limonada, eu peço.

Pois agora me vem o mesmíssimo Alfredo contar mais uma sobre martíni seco. Trata-se da solução encontrada pelos americanos durante a guerra, para salvar os que se perdiam nos desertos gelados do Pólo Norte. Consistia num estojo que o soldado devia levar consigo dependurado ao pescoço, para ser aberto somente em caso de extrema necessidade, ao ver-se definitivamente perdido na imensidão gelada, sem ter ninguém para quem apelar. Dentro da sacola o infeliz encontraria um pequeno frasco com uma dose de gim; outro, menor ainda, com vermute; um copo de coquetel, e mais nada — pressupondo-se que o gelo poderia ser colhido com abundância ao redor. Antes, entretanto, que chegasse a preparar o martini segundo o seu gosto, sentiria logo atrás de si a presença salvadora de alguém, a se debruçar sobre o seu ombro para lhe dizer com segurança:

— Não é assim... Vou lhe ensinar como se prepara um verdadeiro martíni seco.

Gari

O GARI da Comlurb (Companhia de Limpeza Urbana) parou sua carrocinha em frente à agência do Banco do Brasil, tomou coragem e entrou. Foi até a mesa do gerente, vacilante:

— O senhor me desculpe, mas eu ouvi no rádio que o Banco do Brasil está emprestando um dinheiro aí... É verdade?

O gerente o encarou com frieza:

— Para um empréstimo, temos primeiro de colher dados do cliente, fazer o cadastro, essa coisa toda.

— Fazer o quê, doutor?

— O cadastro. Saber quais as garantias que oferece. O senhor tem alguma propriedade?

— Tem o quê, doutor?

— Bens imóveis: casa, apartamento, fazenda. Tem algum carro?

— Ah, sei! Tenho sim senhor... Tenho um apartamento de cobertura em Ipanema e uma fazenda na minha terra. Carro, tenho só uma Mercedes deste ano...

Tanto bastou para que o gerente se queimasse:

— Que é que há, ô Comlurb? Estás querendo me gozar?

— Estou — respondeu ele, muito sério: — Mas quem começou foi o senhor.

Os que não bebem

E O Alfredo descobre mais uma justificativa para os que gostam de beber, ao dar no jornal com a notícia segundo a qual trinta por cento dos causadores de acidentes de trânsito tomam bebida alcóolica.

— Donde se conclui — afirma ele, enquanto prepara um uísque — que a grande maioria dos acidentes, ou sejam, setenta por cento, são causados por pessoas que não bebem.

Frases

VOLTA e meia se ouve falar por aí na célebre frase do General De Gaulle, segundo a qual o Brasil não é um país sério. Literalmente:

"*Le Brésil n'est pas un pays sérieux.*"

Pode ser que não seja — mas a verdade é que De Gaulle jamais disse isso. O Embaixador Alves de Souza esclarece devidamente a origem do equívoco em seu livro de memórias.* Ele próprio é que enunciou tal juízo, em conversa com Luiz Edgard de Andrade, então correspondente do *Jornal do Brasil* em Paris. Foi a propósito de seus entendimentos com o General De Gaulle, sobre o problema da pesca da lagosta por franceses em costas brasileiras, que estava provocando verdadeira guerra diplomática entre os dois países. Luiz Edgard confirma a versão do Embaixador. Como diz este último, "a História está cheia desses equívocos".

O das famosas "forças ocultas" de Jânio Quadros, por exemplo, foi um deles. Pode ser que elas existam, e continuem perseguindo esse personagem mal assombrado de nossa vida pública. O certo, porém, é que ele não as mencionou em sua carta de renúncia, como se apregoa. Falou apenas em "forças terríveis", sem esclarecer quais fossem.

Aliás, uma curiosa comparação a ser feita pelos estudiosos dos obscuros episódios de nossa História recente, é da carta de renúncia de Jânio com a do suicídio de Getúlio. Uma e outra contêm frases praticamente idênticas. O dia 24 de Agosto, em que ambas foram redigidas, vem a ser, pois, mais do que uma simples coincidência.

Outras frases caem em domínio público, como a da lei que "é feito vacina, umas pegam, outras não": foi o Otto quem a recolheu pela primeira vez, em diálogo com um postulante numa repartição pública e do qual me apropriei numa história,** como tenho feito ao longo da vida com tantas criações suas.

Várias frases que circulam por aí são de autoria de Marco Aurélio Matos, verdadeiro gênio na arte de proferir ditos oportunos e hilariantes, ou mesmo mobilizar anedotas para sua aplicação na vida cotidiana. Foi ele, por exemplo, o inventor de metáforas e comparações com a de "furar o olho do passarinho para ele cantar melhor"; "esperar de boca aberta como jacaré na beira do rio". Ou o grande divulgador, adaptando-a para qualquer circunstância, da célebre anedota do sujeito com a faca fincada no peito e que dizia: "Só dói quando eu rio". (Por coincidência, conforme narrei antes***, o mesmo foi dito um dia pelo Ringo, dos Beatles, ao ser operado da garganta.) Eu próprio me locupletei mais de uma vez da inventiva de meu amigo Marco Aurélio em temas de algumas histórias,

---

*A Guerra da Lagosta, em "Um Embaixador em Tempos de Crise", Carlos Alves de Souza, p. 317.
**O Império da Lei, em "A Mulher do Vizinho".
***1965 — *Lord Ringo* em "Livro Aberto".

como a do deputado cuja eloqüência empacou durante um discurso na regência da expressão "não sou daqueles que".*

Esta semana, vi atribuída a Vinicius de Moraes a idéia original de Marco Aurélio de se livrar dos chatos usando óculos escuros, mesmo à noite. E sem saber que era também do Marco Aurélio, Luiz Carlos Miéle me contava ainda ontem, aliás com muita graça, a história daquele padre, na Córsega, em 1769, ao batizar um bebê:

— Nome da criança.
— Napoleão.
— De quê?
— Bonaparte.
— Não me diga! — exclamou o padre, assombrado.

Mico

PARECE história para criança, aventura do Barão de Munchhausen, mas que hei de fazer? Quem me contou foi meu amigo Eloy Lima, que não me deixa mentir.

Na casa da avó dele, em Nova Lima, reza a crônica que havia um mico-estrela de estimação. Pequenino e assanhado como os de sua raça, vivia fazendo estrepolias engraçadas. Uma delas era a de cavalgar os gatos, de que a casa era cheia: havia sempre vários circulando por ali, correndo pelos muros, deslisando pelos telhados. O mico subia no parapeito da janela ou no galho de uma árvore e plá! despencava no costado de um gato. Não adiantava o gato sair pulando adoidado, tentando desfazer-se da carga inesperada: o macaquinho agarrava-se firmemente na montaria como um *cowboy* em cavalo bravo.

A maioria dos gatos que gatejavam por ali já se havia acostumado com aquilo: acabaram conformados com o papel de cavalgadura a que o mico os submetia, às vezes chegavam até a parar e abaixar-se docilmente para que ele montasse logo de uma vez.

Vai um dia aquela brincadeira do mico encontrou a sua hora. Havia no pátio da casa um tanque cheio d'água, onde os cavalos dos visitantes se dessedentavam. Os gatos costumavam rondar o pátio, espiando o movimento, à falta do que fazer. O mico também gostava de ficar por ali, assuntando, à espera de um momento propício para montar.

Naquele dia não havia gato algum; em lugar deles apenas um urubu, que descera do céu tatalando as asas e viera pousar na beira do tanque, com a presumível intenção de beber um pouco d'água.

Eloqüência Singular, em "A Companheira de Viagem".

Não chegou a fazê-lo: o mico saltou de lugar nenhum em cima dele, abraçou-o pelo pescoço e esperou pelo que desse e viesse. Assustado, o urubu arrepiou-se e espadanou as asas o quanto pôde. Sem conseguir se desvencilhar do cavaleiro imprevisto, acabou erguendo vôo aos solavancos, ganhou estabilidade e desapareceu nos ares, levando para sempre o mico-estrela agarrado em seu dorso, rumo à terra do nunca mais.

1982

Efêmero

UMA onda de tristeza percorreu o Brasil, com a morte da cantora Elis Regina.
    Que será desse sentimento, daqui a alguns anos? O efêmero. A vida continua. Certamente ouviremos seus discos, com aquela sensação indefinível de saudade. Não apenas dela, mas principalmente de nós mesmos. De um tempo nosso que se foi. Como ouvimos hoje os de Dolores Duran.
    Ainda me lembro daquele dia — o movimento estranho à porta de um prédio próximo da minha rua. Um pequeno ajuntamento, pessoas conhecidas e mesmo famosas entrando com ar tenso: gente de rádio, televisão, cinema. Junto ao meio-fio um sujeito com o radinho colado ao ouvido, anunciando nervosamente para quem quisesse ouvir:
    — Foi a Dolores Duran que morreu.
    Sentia-se importante, dono da notícia. E acrescentava detalhes:
    — Teve um colapso aí dentro. Na casa de uma amiga dela. Deu aqui no rádio. O locutor anunciou agorinha mesmo: morreu Dolores Duran. Foi às sete horas em ponto. Sei, porque o juiz acabava de apitar o final do jogo.
    — Que jogo? — perguntou alguém.
    — Vasco e Botafogo.
    — Quem ganhou? — perguntou o outro.
    — Botafogo. Três a um.
    — Gols de quem? — perguntou um terceiro.
    Não me lembro exatamente se foi esse o jogo que se travou naquela tarde, nem se teve esse resultado. (Já que falei no meu Botafogo, não me custa fazê-lo vencedor, como costumava acontecer naquele tempo.) Só me lembro que a conversa continuou animada ali na rua, agora sobre futebol — a morte de minha amiga Dolores Duran naquele instante já começando a ser esquecida, como um efêmero acontecimento do passado.

Entrevistas

O ESCRITOR português Arnaldo Saraiva entrevistou Carlos Drummond de Andrade para o *Jornal de Letras*, de Lisboa. O feito pode ser considerado raro, dada a reconhecida resistência do poeta a entrevistas. A propósito, foi-lhe feita a seguinte pergunta:

— Por que não tem nenhuma simpatia pelo gênero ou subgênero de "entrevista"? Por preferir as "entrevistas imaginárias" que surgem tantas vezes nas suas crônicas?

A resposta me pareceu tão sábia, que não só tomo a liberdade de transcrevê-la, mas, se o entrevistado me permite, subscrever e assinar:

"No meu modo de ver, a entrevista pode ser uma inutilidade ou uma provocação. Inutilidade, quando conduz o entrevistado a repisar o que já disse à sua própria maneira, isto é, escrevendo o que lhe interessa escrever. Muitas das perguntas que lhe são feitas já estão respondidas de antemão. Outro tipo de entrevista inútil é a referente a questões frívolas ou de interesse limitado. Isso é uma perda de tempo para todos, autores e leitores. Até que ponto, sem ferir o direito do indivíduo, será possível arrancar dele confissões e depoimentos que não gostaria de fazer? No meu caso pessoal ocorre lembrar que venho sendo jornalista opinativo, de matéria assinada, ao longo da vida. Tudo o que me apetece dizer sobre a vida, os homens e seus problemas eu digo nas minhas crônicas. Para que iria dizê-lo através de uma segunda pessoa?"

Gravador

SEMPRE tive certa aversão a entrevistar ou ser entrevistado com uso de gravador (a não ser, é claro, para rádio ou televisão). Tem-se a impressão de que o entrevistador não presta muita atenção nas respostas às suas perguntas, preocupado com a que vai formular em seguida. Deixa de concentrar-se naquilo que está ouvindo e acompanhar-lhe o sentido, confiante em que o gravador, registrando tudo, mais tarde lhe devolverá o que foi dito. Com isso se dispensa de registrar também e principalmente o que o entrevistado na realidade pretendeu dizer, pois o gravador não pode ser reinquirido. E aquilo que no momento pareceu ser a fiel expressão da verdade, com todas as vacilações na voz do entrevistado, não passa de um registro mecânico sem a recriação do entrevistador. Acaba soando falso — e mesmo ridículo, se entremeado da palavra *risos* entre parênteses nas partes mais jocosas, quando transposto literalmente para o papel.

Pois encontro ilustre companhia em semelhante opinião: a do poeta W.H. Auden, na sua entrevista para a série de *The Paris Review*. Perguntado por que insistia em que a conversa se fizesse sem gravador, respondeu:

— Porque acho que se há alguma coisa que mereça ser registrada, o repórter deve ser capaz de se lembrar dela.

(Nada impede que ele tome notas — acrescento eu: o mais rápida e discretamente possível ou, de preferência, depois que terminar.)

Auden conta ainda o caso de Truman Capote com um repórter cujo gravador enguiçou no meio da entrevista. Enquanto o homem tentava em vão consertá-lo, o escritor esperou com paciência, e afinal perguntou se podia continuar. O repórter lhe disse então que não se incomodasse, pois sem gravador nada poderia fazer:

— Não estou habituado a ouvir o que meus entrevistados falam.

Escritor

ESCRITOR é mesmo gente esquisita. Vejam só o que diz Faulkner, a respeito de nossa profissão:

"A única responsabilidade do escritor é para com sua arte. Ele deve ser absolutamente cruel em relação a tudo mais, se for dos bons. Tem um sonho que o atormenta tanto, que precisa se livrar dele. Até então, não consegue sentir nenhuma paz. Tudo tem de ser descartado: honra, orgulho, decência, segurança, felicidade, tudo, para que o livro seja escrito. Se o escritor tiver de roubar sua mãe, não hesitará. A "Ode a uma Urna Grega"*, por exemplo, vale bem a vida de uma porção de velhinhas."

Por falar nisso, foi reeditado recentemente um clássico sobre o assunto: "Becoming a Writer" ("Tornando-se um Escritor"), de Dorothea Brande, originalmente lançado em 1934. Nele, a autora traça um perfil bastante fiel deste ser estranho e contraditório.

Para ela, o escritor está sempre em desvantagem, em relação ao praticante de outras artes. O instrumento musical, a tela, a argila têm sua própria capacidade de persuasão, por despertar curiosidade, e parecer exóticos aos não iniciados. Ao passo que o escritor tem como meio de expressão a palavra, que serve para a conversa comum, as cartas de negócios ou amistosas. Não carrega consigo um instrumental que imponha respeito aos demais.

Afirmando que o homem comum sempre achará qualquer coisa de esquisito ou engraçado naquele que erigiu como profissão a de "alinhar palavras", a autora termina por aconselhar o escritor a não anunciar aos que não sabem a atividade que exerce:

— Do contrário, você acaba fazendo secar uma fonte de inspiração, ou, pelo menos, de material sobre o que escrever. Denunciando sua intenção você simplesmente espantará a caça.

Ela se esquece, entretanto, de mencionar perigo maior, que é o de fatalmente aparecer alguém que afirme:

— Se eu não tivesse de trabalhar, ia fazer como você: passar o tempo todo escrevendo. A minha vida é um romance...

Ode on a Grecian Urn, John Keats.

Obsoleto

EM matéria de entrevistas pela televisão, só mesmo levando na brincadeira — como aquela equipe de entrevistadores que saía pela rua, câmera na mão, fazendo as perguntas mais estapafúrdias a quem encontrasse pela frente:

— O senhor acha que o liberalismo, segundo o regime da democracia representativa, dentro do sistema pluripartidário, está obsoleto?

O crioulo velho pensou um momento, compenetrado, e respondeu, muito sério, mostrando um só dente na boca:

— Ossolê? Acho sim sinhô: tá ossolê.

Pelé

E POR falar em entrevistas: deixei passar algum tempo antes de comentar a de Pelé no "Canal Livre", para que passasse também certo mal-estar que me causou. Achei um tanto constrangedora, não apenas para o entrevistado mas para o público, a insistência com que alguns dos entrevistadores tentavam arrancar-lhe uma definição política.

— Pelé pode ser um mito, um ídolo, até um deus — disse ele, ao terminar, exausto e visivelmente emocionado: — Mas por favor, lembre-se que o Edson é apenas um ser humano, cheio de defeitos, como outro homem qualquer.

Pode ser que ele próprio sem perceber cultive o mito, referindo-se candidamente a si mesmo na terceira pessoa. Mas hoje compreendo melhor o que quis dizer um dia, também numa entrevista (não como essa)*, quando me afirmou:

— Eu só descanso quando entro no campo.

Nessa agora, duas ou três perguntas sobre o futebol, e estava encerrado o assunto que realmente entende, no qual é absoluto, e que fez dele um gênio, única justificativa de sua presença ali. No mais, foi uma sucessão de perguntas de caráter pessoal, em tom nada simpático, a que ele tentava responder com uma humildade que não chegou a sensibilizar os seus inquiridores. Em vão se referiu à sua condição de homem despreparado para assumir outra posição além da que soube ocupar, e, diga-se de passagem, de maneira perfeita: a do maior jogador de futebol de todos os tempos, física e moralmente o mais completo atleta do século. Que é que você pensa de Giscard d'Estaing e Mitterrand? Em quem você vai votar? Como você se circunstancia em face de sua negritude? Sua mulher quer voltar a viver com você? Tem problemas com seus filhos por causa da separação? Você quer dizer então que jamais sofreu discriminação racial

---

*O Rei Visto de Perto, em "Gente", 4ªedição, revista e ampliada, 1996.

no Brasil? Por que citou duas amigas louras? Não gosta de negras? Que acha do socialismo? Qual o partido de sua preferência? Já teve experiência homossexual? Por que disse que o brasileiro ainda não aprendeu a votar? Foi demagogia sua oferecer o milésimo gol à infância abandonada?

Ele ia respondendo como podia: ainda é cedo para saber sobre Mitterrand, mas parece que os franceses estão gostando. O voto é secreto: vou votar no partido que a seu tempo revele atender melhor aos interesses do povo. Sim, ela quis voltar, mas não daria certo. Outros podem ter sido discriminados, eu nunca fui. Gosto de negras, já tive uma namorada escurinha... O que eu disse é que o brasileiro precisa levar eleição a sério, votando no melhor e não nos amigos ou, de brincadeira, no Pelé, no Cacareco. A oferta do milésimo gol não foi demagogia, foi um desabafo do momento, eu fiquei emocionado, sabia que o país inteiro estava vendo e achei que podia aproveitar e chamar a atenção para o problema do menor...

A certa altura do interrogatório, o mínimo que se poderia esperar do jogador era que ele entregasse uma bola a um dos entrevistadores e pedisse:

— Faz aí umas embaixadas, que depois respondo o que eu penso sobre a política nacional e internacional.

Ao fim, um amigo que assistia comigo ao programa não se conteve e, excitado, formulou também a sua pergunta:

— Pelé, você que é o maior jogador de futebol que jamais existiu, conhecido e consagrado no mundo inteiro, o ídolo das multidões, glória do esporte brasileiro: o que é que tem feito para a descoberta da cura do câncer?

A mesma coisa

PARA variar, Alfredo me pergunta se já reparei que os solteiros mais renitentes costumam ser tão magros, ao passo que os casados de longa data em geral são gordos.

Não, não havia reparado, mas concordo com ele, sem atinar com a causa desta diferença.

Ele me explica:

— O solteiro chega em casa à noite, vai à geladeira, abre, olha e torna a fechar, resmungando: Sempre a mesma coisa. E vai para cama. O casado chega em casa à noite, vai para a cama, olha a mulher e torna a se levantar, resmungando: Sempre a mesma coisa. E vai para a geladeira.

Mulher casada

ESTE outro, conquistador inveterado, já calejado de aventuras, acaba confessando:

— Não há nada mais chato que ter caso com mulher casada. Chato e aflitivo. A gente é apenas freguês, mas não é dono do negócio: acaba tendo de pagar, e caro. Não se falando naquele estado de apreensão permanente, aquele medo de ser apanhado em flagrante. Não há moral que se sustente ante a perspectiva de um revólver. Não há amor que mereça tamanho risco. Não há desejo que resista, nesse clima de susto permanente. E a dependência que se fica das decisões ou indecisões do marido? É ele quem manda, o que é simplesmente insuportável. Decide viajar, e a gente se prepara para alguns dias a sós, no bem bom, arranja a vida de maneira a tirar o máximo de proveito da ausência dele, toma providências, arruma e desfaz compromissos, inventa mentiras para todo lado. Tudo resolvido, pronto para passar uns dias com ela nos braços, vai o desgraçado resolve não viajar mais. E ela continua nos braços dele.

Com um gesto desalentado, arremata:

— Na verdade, o amante é que é sempre o enganado. O marido, se um dia descobre tudo, ainda tira proveito da situação: acaba se separando da mulher numa boa. E o amante que se agüente: acaba tendo de assumir. Como naquela velha história do sujeito que quer tomar um copo de leite e acaba comprando uma leiteria.

As magnólias do paraíso

UM PEIXE que descobre o mistério das coisas líquidas. Uma senhora em cuja mala de viagem cabe o universo. Um frade que se perde num espelho. Um gato revoltado contra a sua cor. A explosão nuclear numa gota de esperma de um macaco. O camelo engolido pela miragem de um oásis. Um aparelho medieval, com polias e roldanas, destinado a ajudar os gordos a copular. Personagens de Machado de Assis em busca do autor. Um rouxinol, um caracol, uma formiga na lâmina da espada durante um duelo em Paris. E mais, muito mais.

Com material tão fantástico se compõe este livro irresistivelmente engraçado que Marco Aurélio Matos afinal acedeu em publicar: "As Magnólias do Paraíso".

O fato de ser o autor meu amigo não invalida a convicção de que ele estará conquistando com o seu livro uma posição singular na literatura brasileira. Foram exatamente os nossos longos anos de convivência que me deram a medida de sua extraordinária capacidade de fabulação literária. Avesso ao sucesso, tem a modéstia como estofo de sua cultura e a discrição como tônica de seu comportamento intelectual. Mas enfim coloca ao alcance do público leitor o mundo maravilhoso de sua imaginação, até agora proporcionado apenas aos que, como eu, têm o privilégio de com ele conviver.

Forma oblíqua

SE Jânio Quadros pensa que é o único brasileiro a amar a forma oblíqua, fá-lo por engano. Tal atributo, Deus nô-lo deu a todos e mais empregá-lo-íamos, mesóclise, próclise e encliticamente, se oportunidade houvesse.

Como fez, por exemplo, o motorista daquela senhora, ao responder com toda a presteza, quando ela lhe recomendou que levasse duas amigas em casa:

— Levasá-las-ei agora mesmo.

Interpretose

VIVEMOS numa época de tamanha pobreza verbal na expressão das idéias (?), que de vez em quando entra em circulação uma palavra com a mais ampla gama de acepções: serve para tudo. O surto de interpretose que assola o país, propiciado por tais expressões, faz lembrar o festival de besteiras do nosso saudoso Stanislaw Ponte Preta.

Certa época andou na moda a *alternativa*, que servia para que o interlocutor, encalacrado numa discussão, ganhasse tempo, com ares de entendido:

— E qual é a alternativa?

Era a reversão das alternativas — como andou acontecendo com as expectativas.

Depois entrou em curso o discurso.

O meu discurso, o seu discurso, o nosso discurso — a impressão que se tinha era a de que todo mundo passara a ser orador. Mas só se usava a palavra no sentido de exposição metódica de determinado assunto. Quem quisesse referir-se a discurso propriamente dito, tinha de usar outra expressão, como, por exemplo, peça oratória.

Logo o discurso cedeu lugar à proposta. Tudo se insere na proposta: idéia, sugestão, planejamento, propósito, programa. Só não se fala mais hoje em dia em proposta de casamento ou proposta indecorosa: caíram de moda. O vocábulo tem conotação política ou ideológica, que o leva a ser usado e abusado em tempos de campanha eleitoral. Outro dia um candidato, sendo entrevistado na televisão, falou na sua proposta (tive a paciência de contar) nada menos que 27 vezes. E o pior é que a proposta dele não se fazia acompanhar de nenhuma idéia.

Há pouco tempo o jornalista Cícero Sandroni, com graça e procedência, chamava a atenção para outra maneira de se exprimir que virou pau para toda obra: o verbo colocar. Nunca tantos colocaram tanto por tão pouco. Atualmente há sempre alguém colocando alguma coisa, sem que se esclareça que coisa é essa, nem onde está sendo colocada. Na verdade, o que se faz é expor, propor, explicar, explanar, argumentar — verbos hoje esquecidos, nessa onda indigente de *colocações*. Foi-se o tempo em que esta maneira de dizer servia apenas para exprimir a necessidade de arranjar um emprego: conseguir uma colocação.

Coloca-se em geral *a nível de* alguma coisa. E a *cooptação* caiu de moda, agora se faz em termos de conquista de espaço.

Já está fazendo falta ouvir alguém colocar a sua proposta num discurso dentro de espaço a nível do legítimo, saudável, numeroso e rico idioma português.

Separação

COMO ele, desconsolado, dissesse ao amigo que está se separando da mulher, o outro procurou reconfortá-lo, afirmando, categórico:
— Essa separação tem tudo para dar certo.

Cervejinha

UMA amiga me fala que seu marido, antes de se recolher ao quarto para dormir, toma toda noite na sala uma cervejinha, e duas, e três... Em geral só aparece no quarto pouco antes de clarear o dia. E ela suspira, conformada:
— É o único caso que conheço de marido que chega tarde toda noite sem sair de casa.

Mesmo nome

UMA jovem de seus dezoito anos, recepcionista de um hotel em Parati, me perguntou, ao confirmar a reserva feita em meu nome:
— Você é parente do escritor?
— Sou eu mesmo — respondi.
— É você mesmo o quê?
— O escritor.
— Eu falo aquele escritor com nome igual ao seu.
— Sou eu mesmo.
— Você também escreve?
— Também por quê? Você é escritora?
Ela sorriu, modesta:
— Quem sou eu... Não passo de uma leitora dele.
— Dele quem?
— Do escritor com este mesmo nome. É seu parente?

— Bem, se há outro escritor com este mesmo nome, não sei dizer. Sei apenas que na minha família, ao que eu saiba, só eu é que escrevo. A não ser a minha filha Eliana Sabino, que assina o nome dela mesmo.

— Você escreve o quê?

— Crônicas, contos, romances, essas coisas. Um pouco de tudo. Você sabe, o que tiver para ser escrito.

— E publica?

— Às vezes.

— Onde?

— Em livros, jornais, revistas... Onde quiserem.

Ela me olhou em desafio:

— E com o mesmo nome?

— Com o mesmo nome de quem?

— Do escritor.

Foi a minha vez de olhá-la com estranheza:

— Minha filha, o escritor com o meu nome sou eu mesmo. Pelo menos, sou um deles. Pode ser que haja outro. Pensando bem, é muito possível. Às vezes, lendo alguma coisa assinada por mim, tenho a impressão de que foi escrita por outra pessoa com o mesmo nome.

— Vocês podem ter o mesmo nome — insistiu ela — mas eu estou falando é do outro. Desde pequenina eu já lia as histórias dele, no meu livro de colégio.

— E por que as histórias dele não podem ser minhas?

— Deixe de brincadeira — e ela, com ar aborrecido, deu por encerrado o assunto, passando a ficha do hotel para que eu preenchesse. Depois de fazê-lo, me lembrei que por acaso tinha na mala um exemplar de meu último livro, para o que desse e viesse. Estava ali a ocasião:

— Vou lhe mostrar uma coisa.

Abri a mala e retirei o livro:

— Olha só este retrato.

Ela olhou distraidamente a foto na contracapa:

— Até que parece...

De repente caiu em si e deixou escapar, voltando-se para mim, espantada:

— Você não morreu não?*

---

*VIII — EQUÍVOCOS, em "O Tabuleiro de Damas", 5a edição, revista e ampliada.

1983

Sabiá da crônica

DEIXEI correr algum tempo para confirmar de público: é verdade, Rubem Braga completou mesmo setenta anos este mês, conforme os jornais noticiaram. Ele parecia não querer que se tocasse no assunto, mas já que todo mundo falou, eu não poderia me calar. Antes que ele partisse para o esconderijo onde se refugiou, escapando às comemorações com que o ameaçavam seus amigos e admiradores, alguém lhe perguntou:

— Por que você não aceita logo as homenagens, como Carlos Drummond ao fazer oitenta anos?

Ele respondeu, convicto:

— Quando fizer oitenta, eu aceito.

Não lhe custará chegar lá. Para quem desde os vinte anos se habituou a aceitar de bom grado e coração à larga sua velhice quando ela vier, chamando-se a si mesmo de "velho Braga", o destino reserva uma serena longevidade, que ele atingirá sabiamente, tocando sem pressa a vida para frente, como vem fazendo até aqui.

A antecedência com que escrevo esta coluna não me permite comemorar efemérides. Tenho, além do mais, certa ojeriza por esta palavra (e também pela palavra *ojeriza*). Mas como já disse o próprio Braga, ultimamente têm passado muitos anos, e não posso deixar que passem mais dez antes de prestar também minha homenagem ao velho amigo, companheiro diurno e noturno, até mesmo sócio em mais de um movimentado (e bem-sucedido) empreendimento. E que vem a ser, como se sabe, o maior cronista da literatura brasileira, desde Pero Vaz de Caminha, por ele atualizado, até o que assina estas linhas, seu humilde discípulo.

Muito tenho aprendido na minha longa convivência com ele — pelo que escreve, pelo que diz, pelo que deixa de dizer. E até por uma ou outra de suas inesperadas reações que, mesmo aparentemente intempestivas, são em geral pertinentes e de justificada procedência. Cheguei a colher ensinamentos sábios, como no no tempo em que fomos sócios na Editora do Autor e depois na Editora Sabiá.

Ao vendermos esta última, um dia lhe fiz ver que precisávamos juntar nossas cabeças para solucionar certos problemas que haviam ficado esquecidos no fundo da gaveta de nossas melhores intenções.

— Como por exemplo? — ele perguntou, precavido.

— Por exemplo: aquele livro do fulano. Ele acabou morrendo e não chegamos a reeditar, embora nos tivesse cedido o direito. Ou aquela antologia poética, que pretendíamos refazer. A gente acaba também morrendo e estes problemas ficam aí, por resolver.

Ele tirou os óculos, ficou me olhando muito sério, e resmungou, afinal:

— Na vida a gente não precisa resolver todos os problemas não: pode perfeitamente morrer deixando alguns por resolver. Ou se resolvem por si mesmo ou nunca se resolverão.*

Borboletas

HAVIA em Belo Horizonte um médico chamado Dr. Cathoud, que resolvera dedicar-se à entomologia, e em especial aos *lepdópteros* — horrível designação com que são conhecidas cientificamente as borboletas.

Certo dia uma amiga, que o Dr. Cathoud fora visitar, disse-lhe ter uma surpresa para ele. E deu-lhe de presente três lindas borboletas que havia apanhado: uma branca, uma amarela e uma azul. Ela também gostava de borboletas e usava, mesmo, uma daquelas varas com rede, para caçá-las no pomar de sua casa. Só não dispunha de local adequado para conservá-las vivas e as havia aprisionado numa compoteira.

Dr. Cathoud exultou com o precioso presente, transferindo logo as três borboletas da compoteira para o seu chapéu e colocando-o na cabeça. Assim elas estariam a salvo até que chegasse em casa.

E foi então que o Dr. Cathoud se viu personagem de uma cena surrealista digna de uma página de Lewis Carroll ou um filme de Jacques Tati. A caminho de casa, ao cruzar com uma senhora sua conhecida na Avenida Afonso Pena, cumprimentou-a, tirando-lhe respeitosamente o chapéu, como se usava então.

E não apenas ela, mas os demais transeuntes, espantados, viram sair da cabeça do Dr. Cathoud, adejando no ar, três lindas borboletas: uma branca, uma amarela e uma azul.

De se tirar o chapéu

RECEBI a seguinte carta do leitor J.J. Nunes (o mesmo nome do filólogo português, que aliás já morreu faz tempo):

"Li recentemente em sua coluna o caso daquele cidadão de Belo Horizonte, Dr. Cathoud, que ao erguer o chapéu para cumprimentar na rua uma conhecida, deixou escapar três borboletas pousadas em sua cabeça. Ocorreu-me, a propósito, contar-lhe outro caso de chapéu, este passado comigo em 1927, quando eu tinha apenas 20 anos. Estava

---

*A Inefável Poesia do Cronista, em "Gente".

na Avenida Rio Branco, no Rio de Janeiro, quando uma lufada de vento arrancou-me da cabeça o chapéu de palha (ou palheta, como se dizia então), fazendo com que ele descrevesse uma parábola no ar e fosse assentar-se à perfeição na cabeça de uma linda jovem que tomava refresco no terraço de um café-concerto. Esta jovem, então com 17 anos incompletos, veio posteriormente a casar-se comigo e desde então vivemos juntos 56 anos de felicidade ininterrupta, estando ela hoje para fazer 73 anos e eu já com 76. Foi como se tivessem saído de minha cabeça para a dela três lindas borboletas, uma branca, uma amarela e uma azul."

Sem querer interromper

ÀS vezes, diante da insistência de algum chato, não posso deixar de dar razão ao mineiro Benedicto Valladares, então senador, que um dia aturava em seu gabinete a lenga-lenga de um postulante. Acabou lhe dizendo com toda a delicadeza, quando ele fez uma pausa:
— Sem querer interrompê-lo: vou dar um pulo ali fora para uma palavra rápida com um colega, você pode continuar falando aí que eu volto agorinha mesmo.

Recado

ALGUÉM me dá notícia de um cidadão que, moribundo, nem morrer sossegado podia, porque uma senhora, à beira do seu leito derradeiro, falava sem parar. A certa altura ele a interrompeu com um suspiro resignado de quem já ia desta para melhor, perguntando:
— Algum recado para sua mãe?

Fardão

COMO membro da Academia Brasileira de Letras, Otto Lara Resende confessa que se sujeita a certos embaraços nas raras ocasiões em que se vê forçado a vestir o célebre fardão. Há, mesmo, entre seus companheiros de imortalidade, quem sugira que o mais prático seria comparecer à paisana e trocar os trajes civis na própria Academia (como fazem, nos quartéis, certos militares envergonhados, em momentos de crise política provocada por seus colegas de farda).

Meu amigo, porém, quando teve de engalanar-se com o honroso fardão acadêmico para a solenidade de posse, acreditou que não haveria problema: morando num edifício de pouco movimento, seria apenas descer de elevador até a garagem e ganhar o carro, seguir nele para a Academia. Lá, entre seus pares, seria tudo como Deus quisesse.

Bem antes disso, porém, Deus quis de maneira diversa: ao ver-se no elevador, no que desceu um andar, a porta se abriu e entrou um oficial de marinha em uniforme de gala.

— Descemos sem coragem de olhar um para o outro — conta-me ele: — Era uma situação surrealista, nós dois metidos naqueles uniformes engalanados, sensacionais, coruscantes como se fôssemos para um desfile de escola de samba.

A crônica acadêmica registra outros casos relacionados ao fardão. Como aquele de Aurélio Buarque de Holanda, tomando um táxi com destino à Academia, metido na fantástica vestimenta. À certa altura do percurso, o motorista, embasbacado, conseguiu recuperar a fala e, cheio de respeito, voltou-se para o ilustre passageiro, perguntando:
— Sois rei?
E como o acadêmico pedisse pressa, dizendo-se atrasado para a cerimônia, afirmou:
— Não hão de começar nada antes da chegada de Vossa Majestade.

Retrato falado

NO mais, há vários motivos para não se confiar em alguém. Inclusive este, invocado por um amigo meu:
— Não sei por quê, mas não confio naquele sujeito: ele tem cara de retrato falado.

Ceguinha

ESTE outro ia todo fagueiro de braço com a amante pela Avenida Rio Branco, contando com todas as surpresas deste mundo. Menos a que se apresentou à sua frente, ao atravessar o sinal da esquina: quem, senão sua mulher, a menos de dez passos!
Nem teve tempo de imaginar o que diabo estaria ela fazendo ali àquela hora, quando devia estar em casa cuidando das crianças: seu primeiro impulso foi sair correndo, em pânico. Mas se conteve — já havia sido visto: plantada na calçada, mãos na cintura, disposta a tudo, ela esperava que ele se aproximasse.
Então ele ordenou baixinho à amante que fechasse os olhos, e continuou a conduzi-la pelo braço. Passou pela esposa fazendo-lhe apenas um sinal que esperasse, levou a outra até o meio da calçada, deixou que ela se fosse, e voltou, dizendo em tom casual:
— Estava ajudando aquela ceguinha a atravessar a rua.

Colégio

SEGUNDO me contou o Alfredo, o pai estava preocupado com o filho, que naquela manhã nunca mais saía da cama para ir ao colégio. Resolveu acordá-lo.

— Eu hoje não vou ao colégio — resmungou o filho, espreguiçando-se.
— Não vai ao colégio? — estranhou o pai. — E posso saber por que você não vai ao colégio?
— Não vou por três razões — tornou o filho: — Primeiro porque estou com muito sono. Segundo, porque aqueles meninos vivem me enchendo. Terceiro, porque não gosto do colégio.

O pai sacudiu a cabeça, respirou fundo:
— Pois eu vou lhe dar três razões para você ir ao colégio:
E enumerou nos dedos:
— Primeiro, porque você tem que cumprir com o seu dever. Segundo, porque você tem 45 anos. Terceiro, porque você é o diretor do colégio.

Equívocos

PRIMEIRO foi a prima que lhe pediu o telefone do Dr. João Mário, aquele oftalmologista seu amigo. Distraída, ela deu o telefone do Dr. João Mário, psicanalista também seu amigo.

E a prima, ao telefone:
— Dr. João Mário? Eu queria marcar um hora com o senhor.
O analista:
— A senhora vai ter que esperar algum tempo. Estou com o meu horário meio apertado. É urgente?
— Um pouco. É para fazer uma revisão.
— Revisão? Revisão como? O que é que a senhora está sentindo?
— Não estou conseguindo ler direito.
— Incapacidade de se concentrar? Dispersão de idéias?
— Não. Nem bem leio uma página tudo vai ficando turvo, não exergo mais nada, começo a chorar...
— Essas crises de depressão têm ocorrido com freqüência?

E por aí foi o diálogo, cada vez mais doido, embrenhando-se no emaranhado dos equívocos. O analista acabou conseguindo uma hora para daí a uns dias. A presuntiva cliente perguntou ainda:
— O senhor quer que eu leve os óculos?
— Se eu quero que traga os óculos? A senhora usa óculos?
— Só para ler.
— Se quiser pode trazer. Só não creio que a senhora vá ter que ler alguma coisa aqui.

Depois foi o próprio filho, que vinha se queixando da vista.

— Você precisa ver isso, meu filho, ir ao oculista. Vai ver que já está precisando de óculos. Ligue para o Dr. João Mário.

E tornou a dar por engano o telefone do analista.

E o filho:

— Dr. João Mário? Estou lhe telefonando por recomendação de mamãe, que se tratou com o senhor.

— Comigo? Não, sua mãe é minha amiga, mas nunca foi minha cliente. Que é que há com você?

— Umas coisas esquisitas. A minha vista...

— Antes de mais nada: você está com quantos anos?

— Dezessete.

— Bem, na sua idade costumam acontecer mesmo coisas esquisitas. Tem sentido angústia, depressão, vontade de chorar?

— Não — estranhou o jovem. — Por quê?

— Porque costuma acontecer. É uma fase difícil esta, a adolescência. Mas isso, em si, talvez nem seja caso para tratamento. Mesmo porque estou com todo meu horário tomado. Você pode esperar algum tempo? Senão talvez fosse o caso de lhe indicar um colega.

— Eu tenho medo é de se agravar — tornou o jovem.

— Agravar o quê, precisamente?

— Essas coisas que estou tendo.

— Por exemplo.

— Estou vendo uns pontinhos pretos, como se fosse uma porção de moscas no ar.

— Você vê mais alguma coisa?

— Mais alguma como?

— Algum outro bicho.

— Bicho?

— É. Esse tipo de alucinação costuma assumir várias formas. A pessoa enxerga tudo quanto é bicho, você não imagina. Mas isso quando entra em delírio-tremens, por excesso de bebida, o que não é o seu caso, presumo. Que mais você sente?

— Não estou enxergando quase nada — queixou-se o jovem. — Principalmente de longe. No futebol não vejo direito os jogadores. Acho que vou mesmo precisar de usar óculos.

De súbito o analista se iluminou:

— Por que você não consulta um oculista?

O telefone é um permanente gerador de equívocos, e confesso que eu próprio tenho incorrido em alguns. Ainda há pouco tempo me pediram que desse um recado ao Chico

Buarque. Olhei na cadernetinha, tirei por engano o número do telefone do seu Chico alfaiate. Liguei e atendeu a mulher dele.

— Eu queria falar com o Chico.

Para mim era a empregada do Chico Buarque.

— Ele não está, já foi trabalhar — informou ela. — Só volta à noite.

— Trabalhar?

Presumi que o Chico deveria estar gravando em algum estúdio:

— Diga a ele para me telefonar logo à noite.

Deixei com ela meu nome e o telefone.

À noite seu Chico telefonou:

— Dr. Sabino? Há quanto tempo! O senhor está querendo fazer um terno?

Escusei-me como pude:

— Infelizmente não, seu Chico, por enquanto não estou precisando. Quando precisar eu lhe telefono.

Coitado do seu Chico, devia estar meio apertado, para telefonar assim sem mais nem menos, querendo me fazer um terno. De qualquer maneira, era delicado da parte dele. Há anos que não faço terno em alfaiate, e o último foi com ele, na época conhecido como De Chico — alusão ao famoso De Sica, que era então o rei da moda.

No dia seguinte voltei a telefonar:

— Por favor, o Chico está?

— Já foi para o trabalho — respondeu a mulher.

Que diabo de trabalho seria aquele? Alguma gravação, talvez. Para mim o Chico trabalhava era em casa, compondo. Dei mais uma vez meu nome e telefone:

— Pede a ele para fazer o favor de me telefonar.

— Eu dei o seu recado ontem. Ele não telefonou para o senhor?

À noite era de novo o Chico alfaiate, todo obsequioso:

— Dr. Sabino? Decidiu fazer a roupinha?

Achei aquilo impertinente, aquela insistência. E assim foi durante um ou dois dias:

— Diga ao Chico para me telefonar, que diabo: tenho um recado que é do interesse dele.

À noite, o alfaiate:

— Como é Dr. Sabino? Mudou de idéia?

Não me importei mais. Para mim o seu Chico não devia era estar regulando bem, para querer me impingir um terno assim à força. O que eu estranhava era o Chico compositor não me ligar de volta.

Só descobri o equívoco quando a mulher do alfaiate, que eu continuava tomando como a empregada do outro, me disse ao telefone:

— O Chico mandou dizer ao senhor que não se preocupe, hoje à noite ele vai aí na sua casa pra tirar as medidas.

Consegui não fazer o terno, mas acabei não dando o recado ao Chico.

Fumaça

ESTA outra foi pessoalmente ao consultório de um psiquiatra, por causa do marido:
— Não sei mais o que fazer, doutor, ele está completamente louco.
— O que é que há com ele, minha senhora?
— Imagine que toda noite depois do jantar ele vai sentar-se na cadeira de balanço, abre um jornal e fica lançando fumaça para o ar, fazendo umas rodelinhas...
— Que mais? Só isso?
— O senhor acha pouco?
— Bem — fez o médico, com um sorriso: — Não creio que isso seja suficiente para indicar um comportamento anormal em seu marido. Pode ser que seja um componente infantil na personalidade dele, esse hábito de distrair-se exalando anéis de fumaça. Mas esteja certa de que não há nada demais nisso, todo homem que fuma em geral se distrai assim com a fumaça, de uma maneira ou de outra.
— É — interrompeu ela, peremptória: — Pode ser, mas acontece que meu marido não fuma.

Vigia noturno

O PORTEIRO do edifício onde mora um conhecido meu inventou o mais perfeito álibi com que sacramentar em clandestinidade a sua bigamia.
— O porteiro do seu prédio é casado com a minha empregada — disse-lhe um dia uma amiga.
— Não é possível: tem mulher e filhos, moram todos com ele no próprio prédio.
— É o que você pensa. Toda noite ele dorme lá em casa com a empregada. Chega de bicicleta depois do jantar e sai de manhã cedo.

Intrigado com aquilo, ele passou a observar o porteiro e viu que, realmente, toda noite o homem saía, de bicicleta. E a uma pergunta sua, respondeu, muito sério:
— Ah, seu doutor, a gente tem que se virar. O que eu ganho como porteiro não dá. Tenho outro emprego de noite.

Este outro emprego é o prêmio Nobel da desculpa que um marido é capaz de inventar para que a mulher não descubra onde ele realmente passa as suas noites:
— Sou vigia noturno no Cemitério do Caju.

Só Deus sabe

DE vez em quando um leitor me pergunta o que eu quis exatamente dizer com alguma coisa que escrevi. Minha vontade é de responder apenas que quis dizer exatamente o que eu disse. Mas não digo:

— Bem, quer dizer...

E acabo tentando articular uma explicação qualquer, no fundo tomado de uma sensação de desânimo, por ser ela necessária.

Consola-me, embora eu não seja inglês nem grande poeta, a resposta dada certa vez por Robert Browning, quando alguém lhe perguntou qual era o significado de um poema seu:

— Quando escrevi o poema, Deus e eu sabíamos o que ele significava. Mas com o tempo acabei me esquecendo, de modo que, hoje, só Deus é que sabe.

1984

Passarinho

QUANDO me disponho a escrever, um passarinho entra pela janela e pousa num ramo da samambaia, de onde fica a me olhar com a cabecinha torta.* É daqueles de barriguinha amarela, a que deram a alcunha tão soez quanto imerecida de *caga-sebinho*.

Rubem Braga, passarinheiro amador, consultado pelo telefone, me informa chamar-se na verdade *cambaxica*, nome pouco usado porque se confunde com *cambaxirra* (como é designada nos meios ornitológicos a popular andorinha). O Aurélio registra também *teque-teque* e *joão-do-cristo*.

Fico a olhar de volta o teque-teque, fascinado, como se visse um passarinho pela primeira vez.

Jayme Ovalle tinha razão: se Deus é o Grande Poeta, o passarinho é a mais perfeita criação nascida de sua inspiração poética. O passarinho é o soneto de Deus.

Mágica

MAS deixemos de passarinhada e vamos ao trabalho. Para começar, contemos a proeza daquele ministro de uma pobre nação latino-americana que compareceu com um colega seu a uma reunião de banqueiros internacionais, para tentar consolidar, com mais um empréstimo, a dívida externa de seu país. Dizem que, depois das negociações, foi oferecido a ambos os ministros um banquete, durante o qual um banqueiro fez a um deles esta pergunta sutil:

— E que mágica vocês vão fazer para pagar esta nova dívida?

No mesmo instante o ministro a quem o banqueiro se dirigia flagrou com olho vivo seu colega embolsando discretamente um garfo de ouro do outro lado da mesa. Alvo das atenções de todos, não podia fazer o mesmo. Então respondeu:

— Não há problema. Será realmente uma mágica. Esta a razão pela qual me nomearam ministro: por ser um grande mágico.

E para provar, se dispôs a fazer ali mesmo uma mágica:

— Prestem bem atenção: vou colocar este garfo de ouro no meu bolso e ele vai aparecer no bolso do meu colega, ali do outro lado da mesa. Querem ver?

---

*1939 — *O caçador de borboletas*, em "Livro Aberto".
Amor de Passarinho, em "A Volta por Cima".

Pôs o garfo no bolso e apontou para o outro ministro, que não teve outro jeito senão meter a mão no bolso e fingir surpresa ao encontrar o garfo.

Depois, como o papagaio da anedota, limitou-se a resmungar para o colega, entre dentes:

— Que mágica besta!

Japonesa

COM o encanto e a graça que tem no palco ou na televisão, Irene Ravache me fala no bazar perto de sua casa, onde é sempre atendida com simpatia por uma japonesa sorridente, como todas as japonesas.

— Qual é o seu nome? — perguntou um dia.

A japonezinha sempre sorrindo e sacudindo a cabeça:

— Xarassua...

Irene passou a chamá-la afetuosamente pelo nome e a recomendava às pessoas do bairro: isso assim assim você encontra ali no bazar da Xarassua. Procura a Xarassua que ela é capaz de ter. Xarassua sua pra cá, Xarassua pra lá.

Até que um dia, a própria Xarassua, sorrindo mais do que nunca e sacudindo a cabeça como boi de presépio, avisou mansamente:

— Meu nome não é Xarassua. Eu sou *xará sua*: e também me chamo Irene.

Se fosse cachorro

CHEGO a Curitiba para o lançamento do meu livro e no aeroporto dispenso tanto o carregador como o carrinho de bagagens: a minha mala nova dispõe de rodas, é só puxá-la pela correia de couro, como a um cachorrinho.

Já na rua, ao passar em frente a um táxi estacionado, ele de súbito dá partida e a mala é apanhada pela roda dianteira.

— Pára! Pára! — gritei: — Olha a minha mala!

O motorista freou bruscamente, a roda esmigalhando um dos lados da mala.

— Eu esperei o senhor passar — defendeu-se ele, com forte sotaque lusitano: — Vi que o senhor puxava alguma coisa pela coleira, pensei que fosse um cachorro.

— Se fosse cachorro, podia, não é? — perguntei, em tom de mofa.

Não havia mais nada a fazer senão pedir a ele que tivesse a gentileza de tirar a roda do táxi de cima da minha mala. Uma mala novinha — já não serviria para nada.

— Se fosse cachorro, podia, sim senhor — retrucou ele, melindrado: — Cachorro sai da frente quando a gente avança, e mala não.

Encontro musical

— ACONTECEU comigo uma daquelas suas — me conta o Edmilson.

Meu amigo Edmilson Caminha Júnior, poeta, crítico, e professor de literatura em Fortaleza, veio passar uns dias no Rio. O seu bom gosto se estende à música popular brasileira e especialmente à tradicional, como o samba de gafieira. Ontem andou por aí, procurando alguma gravação de um músico de sua predileção, o trombonista Raul de Barros. Acabou encontrando uma preciosidade: o LP "O Trombone de Ouro", celebrando cinqüenta anos de carreira do instrumentista.

Contente da vida, foi ouvir o disco no apartamento onde está hospedado, na Rua Senador Vergueiro. A horas tantas, debruçando-se à janela, viu a seu lado, na janela vizinha, um cidadão estranhamente parecido com o músico que escutava. Intrigado, olhou a foto na capa do disco. Não tinha dúvida, parecia ser ele mesmo. Não satisfeito, consultou o catálogo de telefones: *Barros, Raul de — Rua Senador Vergueiro...*

— Me desculpe, mas o senhor é o Raul de Barros? — ousou perguntar, de janela para janela.

Não só era o próprio, como contou ele que, ao ouvir no apartamento ao lado uma música sua, chamou a atenção da mulher; a princípio acharam ambos que fosse um programa de rádio. Mas eram várias faixas, algumas repetidas...

— Pois então traga aqui o disco para que eu ponha uma dedicatória — sugeriu o músico, satisfeito, quando Edmilson lhe falou da sua admiração.

E confraternizados, passaram os dois a celebrar a coincidência do encontro.

Ganha-pão

CORRETOR de imóveis, ele poderia figurar no livro Guinness de Récordes como o melhor do mundo, na minha opinião — independente do fato de ser meu irmão.*

É o Gerson, ele próprio, que me fala modestamente, numa de suas façanhas em Belo Horizonte, onde mora: já vendeu o mesmo terreno nada menos que oito vezes.

— Como assim? — me espanto, ignorante que sou em transações imobiliárias: — Vendeu o mesmo terreno para oito pessoas diferentes?

— Mas não ao mesmo tempo — ele ri, satisfeito: — No que vendo para um, arranjo imediatamente outro comprador. Parece até aquele caso dos dois mineiros com o cavalo de estimação.

E me conta como o primeiro dono do cavalo o estimava a ponto de não pensar em

---
Gerson, em "A Volta por Cima".

vendê-lo por preço nenhum. Mas o outro tanto insistiu, e o preço era tão bom, que acabou vendendo.

Vendeu, mas imediatamente se arrependeu. Vai um dia, não agüentou mais, e foi procurar o novo dono do cavalo para comprá-lo de volta.

— Por preço nenhum — disse o outro, para quem o cavalo também passou a ser de estimação.

Mas o preço que o primitivo dono oferecia era tentador, e lá foi o cavalinho parar de novo no seu curral.

Mais uns dias, era o outro que vinha tentar recomprá-lo:

— Me amarrei naquele cavalo.

E ofereceu um preço que o dono não podia recusar.

Não demorou muito tempo, este vinha se dizer arrependido:

— Pago o que você pedir. Não posso passar sem o diabo do cavalo.

Assim, indo de um para o outro, o tempo rolando, o cavalo acabou morrendo de velho. O último dono recebeu a visita do outro, e os dois se abraçaram, manifestando mutuamente seus sinceros pêsames:

— Perdemos o nosso ganha-pão — diziam, consternados.

Sempre mudando

FALAR português não é difícil — me diz um francês residente no Brasil: — O diabo é que, mal consigo aprender, a língua portuguesa já ficou diferente. Está sempre mudando.

E como! No Brasil as palavras envelhecem e caem feito folhas secas. Ainda bem a gente não conseguiu aprender uma nova expressão, já vem o pessoal com outra.

Não é somente pela gíria que a gente é apanhado. (Aliás, já não se usa mais a primeira pessoa, tanto do singular como do plural: tudo é "a gente".) A própria linguagem corrente vai-se renovando, e a cada dia uma parte do léxico cai em desuso. É preciso ficar atento para não continuar usando palavras que já morreram, vocabulário de velho que só velho entende.

Os que falariam ainda em cinematógrafo, auto-ônibus, aeroplano — estes também já morreram e não sabem. Mas uma amiga minha, que vive preocupada com este assunto, me chama a atenção para quem fala assim:

— Assisti a uma fita de cinema com um artista que representa muito bem.

Os que acharem natural esta frase, cuidado! Não saberão dizer que viram um filme com um ator que trabalha legal. E irão ao banho de mar em vez de ir à praia, vestidos de roupa de banho em vez de calção ou biquíni, carregando guarda-sol em vez de barraca.

Comprarão um automóvel em vez de comprar carro, pegarão um defluxo em vez de resfriado, vão andar no passeio em vez de passear na calçada e percorrer um quarteirão em vez de uma quadra. Viajarão em trem de ferro acompanhados de sua esposa ou sua senhora em vez de sua mulher.

A lista poderia ser enorme, mas vou ficando por aqui, pois entre escrever e publicar há tempo suficiente para que tudo que eu disser caia em desuso — como a palavra *desuso*.

Assaltos

VINDO passar o fim de semana no Rio, a professorinha mineira arriscou-se a ir até um subúrbio tido como perigoso (e qual hoje em dia não é?) para visitar uma prima. Anoiteceu antes de encontrar a rua que buscava e, apreensiva, ela resolveu regressar à paisagem mais familiar da Zona Sul. Sentia-se perdida naquele lugar escuro e deserto, à procura de um ônibus. Bem lhe haviam prevenido que tomasse cuidado, não se metesse naquelas paragens, onde corria o risco até mesmo de ser assaltada.

Já aflita, acabou abordando um cidadão parado na esquina:

— Será que o senhor pode me ajudar a encontrar o ponto do ônibus? Estou com medo de ficar andando sozinha por aí e acabar esbarrando com algum assaltante.

— Está falando com ele — retrucou o homem, e sacou do bolso um revólver. Tomou-lhe a bolsa, o relógio e até o cordãozinho de ouro, de que ela gostava tanto.

— Meu cordãozinho... — choramingou, ainda sem acreditar no que lhe acontecia. — Será possível? O senhor não está brincando comigo não? Querendo me passar um susto?

— Não estou não — o homem respondeu com voz firme. — É mesmo pra valer.

Mas era um assaltante de boas maneiras; a pedido dela, devolveu-lhe os documentos e ainda lhe deixou uns trocados para o ônibus, com a seguinte advertência:

— Não fica por aí sozinha não. É perigoso paca. A barra aqui é pesada.

Estava escrito na porta do caminhão:
"O motorista não transporta dinheiro. Este veículo dispõe de cofre."
Os assaltantes:
— Ah, é? Então desce.
E levaram o caminhão.

Os assaltos se multiplicam, o jeito é a gente ir se acostumando. Cada um que se safe como puder.

Aquele nosso amigo, que é muito safo, saiu-se como pôde do seu assalto. Ele havia levado a moça para comer na Barra da Tijuca. Nos dois sentidos: pretendia levá-la a um restaurante à beira-mar e depois a um motel das proximidades.

Até o jantar, tudo bem, tudo normal. Ao deixar o restaurante é que surgiu a novidade:

— É um assalto.

Tudo de acordo com o figurino: dois homens armados, vai passando a carteira, o relógio, as jóias e caindo fora do carro. Só que estes não importunaram a moça: deixaram que ela também saltasse e se foram, levando o carro.

Não havendo mais nada a fazer, o casal seguiu a pé até o motel. Era sábado, noite concorrida, com fila de carros à entrada. Ele foi passando por um a um e explicando a sua situação:

— Eu também vinha para cá e fui assaltado, levaram o carro, o dinheiro, tudo. Só não levaram a moça, que é o principal. Quer contribuir para a minha caixinha?

Todos contribuíram e em poucos minutos ele conseguiu o que precisava para cumprir a segunda parte do seu programa, e ainda para o táxi depois.

Bandas

ERA uma reunião, de alto nível, dos chefes de seção e professoras vinculadas ao Departamento de Educação, na presença do próprio diretor. O responsável pelo setor musical tomou a palavra e, pedindo desculpas por estar muito rouco, em conseqüência de uma gripe, anunciou:

— Vamos promover um concurso de bandas em todo o País. Escolheremos as melhores bandas de cada município, depois de cada Estado, como numa verdadeira olimpíada. Depois traremos as bandas vencedoras para a capital e promoveremos um grande desfile de bandas, para escolher entre elas a melhor banda do País!

A princípio o seleto auditório ouviu essas palavras na maior perplexidade, e logo todos prorromperam na mais estrepitosa gargalhada. Diante de tal reação, o diretor do departamento, também não podendo mais de tanto rir, achou por bem declarar encerrada a reunião: a rouquidão do pobre homem definitivamente não o deixava pronunciar direito certas palavras, e ele trocava o *A* pelo *U* toda vez que falava em *banda*.

Grande escritor

A GLÓRIA literária e seus equívocos. Carlos Drummond de Andrade me contou que outro dia numa rua de Ipanema uma senhora, acompanhada de duas meninas, se deteve diante dele, dizendo:

— Minhas filhas, olhem bem para esse homem. Um dia, quando vocês forem moças, vão se lembrar que sua mãe lhes mostrou um grande homem, um dos maiores escritores da literatura brasileira em todos os tempos.

E apontando solenemente o poeta paralisado de estupor diante de tamanho arroubo, declarou:

— Vocês estão diante do grande escritor Alvaro Moreyra.

Pedaço de bolo

BATERAM à porta, a moça foi abrir. Era um mendigo, desses já sem idade presumível — pálido, magro, maltrapilho, tanto podia ter vinte como quarenta anos.

— Moça, pelo amor de Deus, estou com fome, há dois dias que não como, será que podia me dar de esmola um pedaço de bolo?

A moça sentiu pena e se dispôs a atendê-lo. Logo, porém, intrigada, se deteve:

— Pedaço de bolo? Por que você não pede comida, ou dinheiro, como todo mundo?

Ele informou, muito sério:

— Porque hoje é o dia do meu aniversário.

Futuro

COM mais de noventa anos, a doença de Dona Benedita era simplesmente velhice. Por isso teve de deixar a casa onde foi cozinheira tanto tempo e internar-se na Santa Casa de Misericórdia. O ex-patrão vai visitá-la sempre, pois lhe quer bem como a uma pessoa da família. Não tendo condições ele próprio de auxiliá-la, e sabendo que ela tinha umas economias na caderneta de poupança, sugeriu-lhe:

— Dona Benedita, porque a senhora não pega esse dinheirinho e paga com ele um quarto particular, contrata uma enfermeira para cuidar da senhora?

Dona Benedita sacudiu a cabeça, muito compenetrada:

— Não senhor: esse dinheiro eu estou guardando pra algum caso de necessidade no futuro.

Casais a bordo

PERGUNTO a meu amigo João Condé, de larga experiência em viagens marítimas, se os navios não costumam jogar muito, provocando enjôo. Ele diz que hoje em dia isso não acontece: os navios modernos têm estabilizadores fabulosos, o passageiro se sente como se estivesse em terra firme.

— A não ser quando acontece como certa vez, num cruzeiro pelo Caribe — acrescenta: — Havia a bordo nada menos que oitenta casais em lua-de-mel. Daquela vez o navio jogou bastante.

Tocaia Grande

GRANDE livro — é tudo que consigo pensar, enquanto leio avidamente estas páginas latejantes de vida. Sua linguagem exuberante e de irresistível sortilégio tem a pujança de um Euclides da Cunha feito romancista — se ao vigor dramático acrescentarmos a graça e o humor concebidos com o mesmo sopro de gênio. Suas palavras têm o gosto, o cheiro e a cor daquilo que descrevem. O romance é uma súmula definitiva, em força e grandeza, de tudo que o admirável ficcionista baiano já escreveu. Não bastasse o sucesso de seus livros anteriores, com "Tocaia Grande — A Face Obscura", Jorge Amado reassegura para a sua obra uma consagração universal.

Grande livro — torno a pensar. E o honroso fato de figurar na dedicatória de uma obra de Jorge Amado é uma garantia de que pelo menos assim meu nome chegará à posteridade.

Filhos

CONVERSA de três senhoras de nossa sociedade sobre os respectivos filhos, todos já crescidos e, para cada uma, motivo de incontido orgulho maternal:

— O meu me deu um apartamento na Avenida Atlântica.

— O meu me deu não somente um apartamento de cobertura em Ipanema, mas também uma Mercedes Benz com chofer.

A terceira não fica atrás:

— Pois o meu vai ao analista cinco vezes por semana, a cinqüenta mil cruzeiros por sessão!

E arremata, vitoriosa:

— Para falar de quem?...

Dorival

— SEM presunção nem vaidade, eu vos afirmo que o canto do povo é imortal. Assim, em nome do povo baiano, que me fez compositor, me deu inspiração e voz, recebo esse alto título e muito obrigado.

Quem assim falou foi Dorival Caymmi. O alto título é o de Doutor Honoris Causa da Universidade Federal da Bahia, à semelhança do que já fora concedido a seus amigos

Jorge Amado e Hector Bernabó, mais conhecido por Carybé (presentes à solenidade de borla e capelo).

O discurso acabou saindo, pois. E saiu bonito, como se esperava. De minha parte, tive outro dia a honra de presenciar, em Salvador, à mesa de jantar no restaurante Yemanjá, a preparação desse brilhante improviso por parte do homenageado.

Carybé insistia em oferecer-lhe o seu discurso, para que o novo doutor nele se inspirasse. Caymmi não aceitou:

— Não sei ainda se escrevo ou improviso, vou decidir. Quero falar na gente humilde que eu represento, só isso. Minha única dificuldade é a introdução: magnífico reitor e tal e coisa, excelentíssimo doutor fulano de tal, excelentíssimo doutor sicrano, minhas senhoras, meus senhores. Acabo esquecendo alguém. Essa parte eu vou pedir ao Otto Lara Resende que escreva para mim.

Antônio Celestino, também presente à mesa, achou que ele fazia bem, e sugeriu que o Otto escrevesse tudo por extenso, para não acontecer como aquele outro orador que leu com voz solene:

— Meus srês e minhas srás!

Caymmi concordou gravemente, afirmando que esse intróito é que era importante, pois ao fim só teria a dizer duas palavras.

— Nunca pensei.

Pois aqui vai com atraso o meu abraço a esse magnífico doutor em harmonia, doçura e grandeza d'alma, essa maravilhosa figura humana que vem a ser Dorival Caymmi. Sempre pensei.

Viva a poesia

UM leitor me escreve perguntando se guardo alguma lembrança pessoal de Murilo Mendes.

São inúmeras as que me vêm à cabeça. Uma delas, por exemplo, é a do dia em que o Otto e eu entrávamos distraidamente numa livraria da Rua Gonçalves Dias, quando fomos saudados aos berros por alguém lá no fundo:

— Vou para Minas! Viva Minas!

Era o poeta Murilo Mendes, com sua palidez, sua testa na cabeça inteira, seu ar de nobre no exílio:

— Vou de férias! Viva a poesia!

Enquanto nos aproximávamos, ele continuava suas exclamações de entusiasmo:

— Viva a poesia! Viva Keats!

Sua euforia nos contagiou, como uma onda de insensatez. Se tivéssemos combinado, não teríamos agido tão em uníssono. Num impulso único nos precipitamos e cada um de nós segurou o poeta por uma perna e o erguemos no ombro, saímos com ele da livraria para a rua. E ele se incomodou? Muito pelo contrário: reagiu com a maior naturalidade, como se lhe prestássemos uma homenagem mais do que merecida. Parecia um jogador de futebol carregado em triunfo depois do gol da vitória.

Dobramos a esquina e enveredamos pela Rua do Ouvidor afora, naquela hora apinhada de gente. O poeta, aboletado em nosso ombro a saudar todo mundo, brandindo o chapéu em gestos largos:

— Viva Keats!

Todos nos olhavam, atônitos, sem saber quem era esse Quites, e muito menos quem era aquele doido.

Só o descarregamos ao chegar na Avenida. Ele se despediu de nós com uma última barretada, viva Keats! e lá se foi para Minas, transportado pela sua poesia.

Esquiva ou escassa

A NÃO ser que se trate de um amigo (o Alfredo, por exemplo), nada me constrange mais que alguém me contar um dito ou um feito com a intenção explícita de ser aproveitado nesta coluna. *Dito e Feito.*

Há os que apenas desejam ser citados, e esses são os piores. Mas há também os bem intencionados, que tomam a minha habitual dificuldade de escrever como sendo falta de assunto e contam logo "um caso ótimo para você fazer uma crônica". Basta isso para me deixar completamente inibido, por melhor que seja o caso, e sem condições de aproveitá-lo, pois, além do mais, soa-me como coisa já escrita por outra pessoa.

E como estou nisso há muito tempo, mais de uma vez aconteceu tratar-se de caso já escrito por mim mesmo. Então torno a escrever.

Para não sair do assunto: às vezes fico imaginando o que pensarão de nós, que vivemos de escrever e por isso passamos o dia todo em casa, aqueles que têm de enfrentar o trabalho na cidade, saindo de manhã e só voltando à noite. Certamente nos tomarão por vagabundos, pelo conceito tradicional de trabalho, segundo o qual para exercê-lo é condição fundamental sair à rua.

Esta contingência a que nos expomos nos leva às vezes à estranha constatação de que se não temos o que fazer lá fora, dentro de casa muito menos. Fica-se à toa, andando de um lado para outro, com incursões à cozinha para tomar um copo d'água ou comer uma banana; uma idazinha ao banheiro, uma revista velha destas boas para serem lidas justamente ali... De vez em quando uma olhada de angústia para a máquina de escrever onde o papel em branco nos espera.

Súbito somos impelidos a sair — não para o centro, mas para uma caminhada pela praia, rolar como pau de enchente pela rua, tomar café na esquina ou mesmo um chope no bar mais próximo: temos de dar à nossa esquiva disposição de escrever a ilusão de que ela não nos custa nada, para que a imaginação, como se diz, fique mais inspirada.

Quanto me custou, por exemplo, encontrar a palavra *esquiva* para usá-la nesta frase! Ocorreram-me *furtiva, escassa, arisca, indócil* e outras menos adequadas (*adequadas*, também, não deixou por menos). Tive de me socorrer, para encontrá-la, de uma dose de uísque e do dicionário de sinônimos. E quem me visse, estirado no sofá, copo na mão, diria que eu estava na minha, descansando, em repouso remunerado.

— Descansando? — perguntou o vizinho ao romancista espanhol Pio Baroja, ao vê-lo na espreguiçadeira da varanda.

— Não: trabalhando — respondeu gravemente o escritor.

E mais tarde, vendo-o a aparar a grama do jardim:

— Trabalhando?

— Não: descansando — o escritor corrigiu.

Temos de nos conformar com o juízo que fazem de nós — o mesmo que levou Platão a expulsar o poeta de sua República: não passamos de uns boas-vidas, levianos, palpiteiros, relapsos, irresponsáveis, que levamos a vida na flauta, escrevendo bobagens. Aos olhos daquele que sai cedo para o trabalho, quem dorme até mais tarde é um vadio, mesmo que tenha passado a noite inteira à procura de uma palavra esquiva — ou escassa, arisca, indócil...

Tudo considerado, nada melhor que este nosso privilégio, o de viver sem trabalhar. Pena que dê tanto trabalho.

Receitas

A COMEÇAR pela falta de assunto: veja-se, a propósito, a magnífica crônica de Rubem Braga em "O Conde e o Passarinho", na qual ele inaugurou a moda de insultar o leitor. Termina desejando que as letras impressas contivessem alguma sorte de veneno sutil e diabólico que entrasse pelos olhos do leitor e o liquidasse de vez.

Outro assunto, já um tanto gasto, de tão usado: a mulher que trabalha. A costureira, a professora — essa operária divina —, a secretária do patrão; os cronistas com inclinação doméstica dão preferência à ama-seca, à lavadeira e, mais raramente, à cozinheira. As manicuras já tiveram o seu tempo. Assim como as caixeirinhas, sempre graciosas e sorridentes. Ultimamente, andam na moda as aeromoças. Convém não esquecer as mulheres da vida, mariposas do vício e do prazer.

O assunto do dia: boa saída é colocar-se exatamente no pólo oposto da opinião corrente, levantar a dúvida, defender o que os outros atacam, instituir a exceção. Tira-se partido de certo tom irônico ou faceto, e está cumprida a tarefa.

Ser da oposição é essencial. Em política, ser do contra, sempre que possível baixar o pau no Governo e nas autoridades constituídas. Muitas vezes, não se sabe por que estamos batendo, mas em geral eles, como certas mulheres, sabem por que estão apanhando.

A reforma do Ministério é assunto sempre atual, desde que Machado de Assis o inventou. Vai bem certo tom de ceticismo indiferente ante os grandes acontecimentos, dizer que eles em nada alteram o curso da História — voltar as costas ao assunto que se impõe, erguer os ombros, bocejar de tédio, dizer que está cansado, ansiando por ar livre, silêncio e esquecimento — e falar em ilhas distantes, em praias desertas, na mulher amada.

Esta amada, convém que se lhe ponha um A maiúsculo e lhe dê proporções de musa irreal, se o cronista é casado. Se não for, melhor que dê logo nome aos bois — a menos que ela o seja. Neste caso, restam as metáforas: falar nas estações do ano, nas flores, nas aves. As pombas, especialmente, e as gaivotas, os passarinhos em geral são sempre de bom efeito. Queixar-se da vida, genericamente, só como último recurso: evidencia-se por demais a superioridade do ser que lê, este insaciável, sobre o que escreve, este pobre sofredor.

No mais, tudo o que havia para se escrever já foi escrito — que se acrescente este novo versículo ao Eclesiastes.

Senha

O ESCRITOR mineiro Godofredo Rangel manteve durante anos correspondência com seu fraternal amigo Monteiro Lobato. Quando Lobato morreu, Godofredo continuou recebendo cartas suas, psicografadas por tudo quanto era *médium* de Minas e alhures.

— Falta a senha — comentava o escritor, sorrindo.

E não dava maior importância àquelas manifestações do Além, por mais autênticas que as cartas pudessem parecer.

Agora, estando ele também já morto, o excelente suplemento literário do *Minas Gerais*, inspirado por Murilo Rubião e que encontrou continuadores à sua altura, publica uma edição dedicada a Godofredo Rangel. Nela se faz um pouco de luz sobre as relações de terceiro grau entre os dois escritores. No fac-símile de uma carta do mineiro ao paulista, o remetente se refere ao entendimento de ambos sobre a possibilidade de um vida extraterrena, que os levou a uma espécie de pacto: Godofredo sugeria uma palavra, que deveria necessariamente constar como senha em qualquer mensagem enviada pelo primeiro que morresse, sob pena de ser considerada apócrifa. E recomendava ainda que o destinatário não deixasse de rasurar a referida palavra, duas vezes mencionada na carta, para que ninguém no futuro fizesse dela uso e abuso.

De fato a palavra aparece duas vezes, na reprodução da carta datilografada, encoberta a tinta por Lobato. Daí nenhum espírito, mesmo espírito de porco, saber sequer a que se referia Godofredo, quando recusava as cartas pretensamente enviadas pelo espírito de Lobato:

— Falta a senha.

Aqui muito entre nós, desconfio que a senha era a própria palavra *senha*.

No escuro

OUTRA curiosidade literária, de proporções mais modestas — esta fazendo parte apenas do mundo das coincidências.

A jovem escritora minha amiga Heloisa Maria Leal me ofertou um exemplar do romance de Philip Roth, em tradução portuguesa, "Diário de uma Ilusão". O personagem, um jovem escritor, às tantas menciona Henry James, citando três linhas de sua autoria.

A obra de Henry James se compõe de mais de oitenta volumes. Tendo-lhe dedicado durante anos verdadeiro culto, vim acumulando ao longo da vida livros de sua autoria, que não representam senão pequena parte do que ele escreveu e, no entanto, ocupam mais de um metro de estante. Sem falar noutro tanto de estudos sobre sua vida e obra (só a biografia de Leon Hedel tem cinco grossos volumes). Pois as linhas citadas por Philip Roth, colhidas entre milhares que Henry James escreveu, são exatamente as mesmas, nem uma palavra a mais ou a menos, que o personagem principal de meu romance "O Encontro Marcado", outro jovem escritor, tinha à sua mesa de trabalho:

"We work in the dark — we do what we can — we give what we have. Our doubt is our passion and our passion is our task. The rest is the madness of art."*

**"Trabalhamos no escuro — fazemos o que podemos — damos o que possuímos. Nossa dúvida é nossa paixão e nossa paixão é nossa tarefa. O resto é a loucura da arte."*

1985

Leite sem escuma

NELSON devia ter uns dez anos, mas se lembra daquele dia como se fosse hoje. Sua mãe o havia mandado comprar leite na leiteria de São Cristóvão, onde moravam. Quando era atendido, achou que o leite não parecia muito fresco:

— Este leite não tem espuma — reclamou.

O homem da leiteria não se dignou sequer de responder, e acabou de encher a garrafa. Mas outro menino já meio grandinho que estava por ali a xeretar, meteu o nariz onde não era chamado:

— Olha o bobo, falou *escuma* — comentou, rindo.

Nelson conhecia aquele menino — freqüentavam o mesmo colégio. Seu nome era Aristeu.

— Eu falei *espuma* — protestou, melindrado.

— Você falou *escuma* — insistiu o Aristeu.

Os outros fregueses riram, o que o deixou morto de vergonha.

— Moço, eu não falei *espuma*? — apelou para o leiteiro, que se limitou a despachar o menino com um gesto, já atendendo outro freguês.

— Falou *escuma*! — o Aristeu arrematou, insistente como um cão tinhoso.

Afastou-se dali arrasado, levando para casa o seu leite, sem espuma e sem escuma.

Correram os anos e Nelson nunca mais teve notícia do Aristeu.

Pois agora, decorrido mais de meio século, relembrou de súbito a figurinha do menino impertinente a chateá-lo na leiteria de São Cristóvão:

— Você falou *escuma*!

Aconteceu que, folheando um dicionário, descobriu por acaso que *espuma* e *escuma* simplesmente significam a mesma coisa: "conjunto de bolhas que se forma à superfície de um líquido". (O que, diga-se de passagem, aquele leite indubitavelmente não tinha.)

À vista disso, na suposição de que o Aristeu também ainda esteja vivo, me pede que lhe dê, através desta crônica, a resposta que merece: cresça e apareça, Aristeu! Escuma para você também!

Informações pessoais

UM jornalista perguntou ao meu amigo Hélio Pellegrino sua opinião sobre um assunto qualquer, e em seguida sua idade. Como ele estranhasse, foi-lhe explicado que o jornal adotou a praxe (imitada do *Time Magazine*) de dar a idade das pessoas mencionadas.

— Estou com 157 anos — informou ele.

Como desta vez o jornalista é que estranhasse, ele esclareceu que, embora tenha 61 anos de idade cronológica, via-se no direito de assumir e enunciar a idade que sentia no momento.

Com o devido respeito para com o jornal, por ser incidentemente o que me publica em São Paulo, ouso dizer que o Hélio tem razão. De minha parte, houve ocasião em que também já tive 157 anos, sendo que, no momento, razões benfazejas para a minha vida me façam sentir que, em vez dos meus 61, tenho apenas dezoito. Mas, a prevalecer esse critério de prestar ao leitor informações pessoais sobre alguns nomes mencionados, concordo com ele em que as mesmas deveriam ser mais precisas. Assim, além da idade, fosse também fornecido o peso, a altura, o número do sapato, o da cintura e do colarinho, bem como a cor da pele, dos olhos e dos cabelos, sinais particulares e pormenores anatômicos que pudessem interessar especialmente aos leitores do outro sexo.

Nomes

UM hábito bem pouco brasileiro que certas publicações estão adotando é o de chamar as pessoas pelo sobrenome. Isto, sem dúvida, contraria a tendência cordial e afetuosa de nossa gente, de designar os outros pelo nome de batismo desde o primeiro encontro.

Quase todos os homens públicos de nosso país sempre foram conhecidos pelo primeiro nome, ou mesmo pelo apelido desde a Proclamação da República, a começar pelos Presidentes: Deodoro, Floriano, Getúlio. As exceções decorrem talvez de imposição do temperamento dos designados: Campos Sales, Rodrigues Alves, Bernardes. Mais recentemente, Juscelino, Jânio e Jango não fugiram à regra.

Ainda me lembro daquele embaixador brasileiro que, depois de muitos anos na Europa, na década de 50, afirmava gravemente, a propósito dos candidatos à eleição presidencial:

— O páreo está duro entre o Távora, o Barros e o Oliveira.

Vá lá que o Juarez fosse Távora e o Ademar fosse Barros. Mas chamar de Oliveira o Juscelino era um pouco forte para o meu gosto mineiro.

É curioso notar que, a partir do malfadado golpe militar de 64, todos os presidentes foram desdenhosamente designados pelo sobrenome: Castelo Branco, Costa e Silva,

Médici, Geisel e Figueiredo. O povo sabe o que faz: passou a chamar esse último de João, quando ele começou a dar mostras de que, por bem ou por mal, acabaria caindo fora e cedendo lugar a um civil, o Tancredo, então depositário de nossas esperanças. O doutor que alguns lhe acrescentam ao nome (em geral grifado), tem evidentemente uma conotação bem humorada, afetiva e esperançosa. Pelo menos até aqui. Se começarem a chamá-lo de Neves, é mau sinal.

Mais nomes

POR falar em nomes, encontro um velho amigo meio aflito por causa de sua empregada. Solteirão, depende da que arranjou, para lhe assegurar o mínimo de ordem doméstica, mas vai acabar tendo de despedi-la:

— O nome dela é Socorro — me explica, desalentado: — Não posso chamá-la um pouco mais alto dentro de casa para pedir que me traga um café no quarto ou uma toalha no banheiro, sem que acabe aparecendo um vizinho para me atender, por achar que estou pedindo socorro.

O caso deste outro é mais simples. A empregada se chama Cacilda; de vez em quando, diante de algum embaraço ou imprevisto, ele costuma exclamar:

— Ih, cacilda!

A empregada mete o nariz na porta:

— O senhor chamou?

Seqüestro

EM vésperas de viagem, aquele passageiro costuma sentir um medo pouco peculiar em matéria de avião: o de haver um seqüestro em pleno vôo.

Um conhecido seu, que é técnico em computação e em cálculo de probabilidades, procura tranqüilizá-lo:

— Não se preocupe: o perigo é remotíssimo. Já calculei para você: num vôo como este que vai fazer, levando-se em conta todos os fatores e circunstâncias, a probabilidade de haver um seqüestro é no mínimo uma em mil.

— É pouco — retrucou ele, preocupado: — Uma em mil? Ainda acho muito arriscado.

— Se você quer viajar inteiramente despreocupado, há um jeito — o outro retornou de seu computador com novos cálculos feitos: — É só levar um revólver ou uma bomba para seqüestrar o avião. A probabilidade de haver dois seqüestradores distintos no mesmo vôo é uma em um milhão.

Educação sexual

A NOVIDADE era uma aula especial naquele dia: educação sexual. Cada aluno, de sete anos, em média, teve de pedir licença aos pais.

E lá estavam eles, atentos, pela primeira vez em completo silêncio, olhos pregados no professor.

Às tantas, porém, o professor se deu mal. Ao falar que as mulheres procuram atrair a atenção dos homens com vestidos justos, saias curtas, decotes, um garoto logo o interrompeu:

— Papo furado, professor. É porque o senhor nunca viu minha mãe de biquíni.

Conversa

A CERTA altura da conversa, esta outra respirou fundo e disse:

— Prefiro conversar com as árvores, as ondas do mar...

Pensei que estava usando figura de retórica, mas o marido me esclareceu, meio de lado:

— É isso mesmo: ela conversa com o mar, sabe disso? Costuma ir à praia bem cedo para ficar mais à vontade. Às vezes vai também passear no Jardim Botânico só para bater um papo com as árvores.

Assombrado, procurei esclarecer o assunto:

— Você não está querendo dizer que conversa mesmo com árvore? Troca idéias, dialoga com ela?

Pelo jeito ela absolutamente não estranhou minha estranheza:

— Que é que você queria? Que eu conversasse com o poste?

O pessoal

SINAL dos tempos:

Naquela roda de respeitaveis senhoras e seus maridos, sendo a conversa sobre a pílula e seus inconvenientes como método anticoncepcional, uma jovem ali presente se arriscou a dar sua opinião: continua preferindo o diafragma — acha o mais seguro.

As outras, embora meio constrangidas, se interessaram:

— Não incomoda nada?

Ela informou candidamente:

— O pessoal não tem reclamado não.

Palavras

E PEDRO Gomes volta a atacar:*
— Qual o significado do verbo *galgar*? — pergunta, ao telefone.
Encho-me de cautela, pois com ele, nessas coisas, convém não facilitar:
— Significa transpor, alcançar, subir...
— Significa *descer* também. Verifica lá.
Verifiquei. À primeira vista achei que desta vez o pegaria, mas qual o quê! Além dos significados que lhe havia dado, encontrei no Aurélio "rolar por", tendo como exemplo: "A pedra galgou a ladeira e bateu contra um muro." E no Laudelino Freire o mesmo "rolar por", com uma citação do Aulete: "A pedra galgou toda a encosta." Onde já se viu uma pedra rolar para o alto? Nem em Minas Gerais, cujos habitantes, segundo Guimarães Rosa, costumam escorregar para cima. Pedro Gomes tinha razão: galgar pode também ser para baixo.
— Agora me fale no crepúsculo — voltou ele.
— Que é que tem o crepúsculo?
— É de tarde, não?
— Se não me falha a memória, é. O entardecer, o anoitecer.
— E o alvorecer. Pode ser também de manhã.
— Essa não.
— Então verifique.
"Crepúsculo: luminosidade, de intensidade crescente ao amanhecer", diz o Aurélio, logo à primeira linha do verbete! Assim não dá:
— Até logo, Pedro — encerro a conversa: — Muito obrigado.
— Não há de quê. Precisando mais alguma coisa, estou às ordens.

Falemos, a propósito de palavras, nesta que é capaz de destroncar a língua de qualquer um, quando levada ao plural:
— Ele é um dos piores *caractéres* que eu conheço.
Falar *caractéres*, como paroxítono, embora certo, é que não pode ser. Assim também, uma mulher casta e pura só pode ser *púdica*. Se for *pudica*, é mulher da vida.

Os prazeres da mesa

TALVEZ por achar que eu já houvesse recebido mais do que o suficiente, Deus teve a piedade de não incluir entre os meus defeitos o pecado da gula. A gastronomia não me

---
*De Mel a Pior, em "O Gato Sou Eu".

diz nada. Comer para mim é uma questão apenas de sobrevivência. Com exceção de lingüiça frita e doce de coco, não passa de um atendimento à necessidade de me sustentar, como uma obrigação. Quase sempre sozinho, costumo abrir mão do almoço (e do jantar) em favor de um sanduíche, ou um pastel de botequim. Devo declarar que me contentaria com um pão de queijo ou uma broinha de fubá.

O que me consola é encontrar de vez em quando alguém como eu, indiferente aos prazeres da mesa (não raro em favor de outros prazeres). Descubro, por exemplo, que as mulheres em geral são mais chegadas aos acepipes (com perdão da palavra) que a maioria dos homens; a estes, quando sozinhos como eu, em geral lhes bastaria o consagrado filé com fritas, às vezes com o mesmíssimo arroz nosso de cada dia, acompanhado de um ovo frito. Como diz o outro, tirante arroz com ovo, bom mesmo é fazer amor. Data vênia.

Por isso mesmo gostei de saber da existência daquele casal de velhinhos, cujo sobrinho um dia desses foi visitá-los em sua casa na Tijuca. Eram pouco mais de seis horas da tarde, e já os encontrou sentadinhos à mesa do jantar. Escusou-se, contrangido:

— Não imaginei que jantassem tão cedo.

Ao que os dois também se escusaram, com um sorriso encabulado:

— Assim a gente fica logo livre desta maçada...

Dentaduras

DE duas atitudes são passíveis aqueles que contam os anos vividos como aos cavalos, segundo o número dos dentes que perdem. Uns aceitam a fatalidade das dentaduras postiças com uma naturalidade que arrasta ao desleixo. Referem-se a todo momento à dificuldade que têm em mastigar certos alimentos, em pronunciar a palavra *sanhaço*, em dormir com a dentadura na boca. São os que invocam, como no verso de Drummond, "a calma que Bilac não teve para envelhecer": a estes, só resta deixar que as dentaduras sigam "mastigando, lestas e indiferentes, a carne da vida".

Outros, ao contrário, ocultam em discreto proceder, até para com os de sua família, as injunções a que se sujeitam no trato diário do aparelho mastigador. Chegam a se queixar de dor de dentes, trancam-se no banheiro para escová-los na palma da mão, confiam cegamente na sigilosa eficiência dos recursos protéticos.

Pois um destes e me contou, vexado, haver esquecido, por imperdoável descuido, de trancar a porta, e foi surpreendido pelo filhinho de cinco anos que, irrompendo no banheiro para fazer pipi, deu com ele a escovar a dentadura. Imediatamente o menino se pôs a berrar na janela, para que todos os vizinhos ouvissem:

— Gente! Olha o papai escovando os dentes fora da boca!

Goteira

ESTA outra, desde pequenininha, quando molhava os lençóis durante a noite, ouvia a mãe perguntar se tinha goteira na cama dela. Um dia aprendeu que não se tratava de goteira nenhuma, era ela mesmo — e nunca mais molhou os lençóis.

Hoje, aos seis anos, ouviu uma senhora dizer que, com as últimas chuvas, quebrou-se uma telha de sua casa e há uma goteira no quarto. Imediatamente chamou-a de lado e lhe segredou:

— Na minha cama também tinha goteira. Até que um dia mamãe parou de me dar água de noite, e nunca mais eu fiz.

Dedicatórias

FALÁVAMOS em livros bons e ruins, e alguém disse que um livro bom precisa ser lido para se saber que é bom, ao passo que um livro ruim se conhece logo pelas primeiras linhas.

Concordo, com restrições. Se fosse sempre assim, eu jamais teria lido Stendhal: achei as primeiras páginas de "Chartreuse de Parme" uma chatice, ao começar a leitura do romance, e admiráveis, quando relidas ao terminar. Mas, realmente, há alguns que entregam tudo já no título, na capa, no índice, até na dedicatória. Não me arrisquei a ler, por exemplo, o livro daquele poeta que me foi enviado com a seguinte dedicatória: "Com um abraço e a admiração sincera como um soco no olho". Eu me machucaria, na certa.

A propósito, me lembrei do dia em que estava de conversa com o Vinicius de Moraes, enquanto ele procurava botar certa ordem nos livros de sua estante. A certa altura abriu um, ao acaso, e leu em voz alta a seguinte dedicatória:

"Envio-te este livro para que um dia, ao atirá-lo fora, meus versos sirvam ao menos de adubo às flores de teu jardim".

— Seja feita a sua vontade — disse o poeta.

E o livro, atirado pela janela, foi cair lá embaixo no jardim.

O homem

BATEM na porta e a dona da casa manda a empregada abrir:
— Deve ser o homem da televisão.

A empregada abre e avisa de lá:
— Não é não senhora: é o homem do telefone.

Foi Ivan Lessa, na perspectiva da distância que separa o Rio de Londres, onde mora, que descobriu estarmos no Brasil sempre às voltas com um homem qualquer:*

— É preciso chamar o homem da geladeira, que ela está vazando água.

— O homem do fogão ficou de vir e não veio.

— Estão batendo aí. Se for o homem do ar-refrigerado, diga que o do quarto está fazendo um barulho esquisito.

A empregada vai abrir, e desta vez anuncia algo que também está se tornando comum hoje em dia:

— É o homem do assalto.

Juca's Bar

ALGUÉM me pergunta se ainda existe o Juca's Bar.

Fico me lembrando com saudade do tempo em que nos encontrávamos quase todas as tardes no Juca's, do Hotel Ambassador.

A partir das seis horas os amigos iam chegando para o uísque habitual, antes do jantar. E, muitas vezes, nem jantar havia. Estimulados pela animação da conversa, formávamos fila ao telefone para avisar em casa que, naquele dia, excepcionalmente (como nos demais), íamos chegar um pouco mais tarde...

Se a noite avançava sem que tivéssemos ânimo de desgarrar dali, nada nos estimulava senão o desejo boêmio de entrar por ela adentro. Se fosse preciso, mudando de bar. Se fosse imprescindível, até de madrugada, como imperativo de nossa fraterna e inocente convivência.

Mas nem todos eram assim inocentes. O deputado, por exemplo. O jovem e impetuoso parlamentar valia-se de vez em quando de nossa companhia para justificar seu atraso, telefonando muito carinhosamente para a mulher:

— Escuta, meu bem, estou aqui com o pessoal no bar, o Vinicius, o Otto, o Paulinho, o Rubem, o Stanislaw, vários outros, eles estão insistindo comigo para que eu fique mais um pouco, você se incomodaria se eu ficasse?

A mulher, em geral compreensiva, dizia que não, absolutamente não se incomodaria, ficasse à vontade, que ela ia jantar logo e dormir mais cedo. E tão à vontade ele ficava, que logo se mandava para outra mulher.

Naquela noite, depois da conversinha jeitosa com a legítima, concedido o *habeas-corpus*, ligou imediatamente para a outra:

— Tudo arranjado, meu bem. Pode descer que te apanho aí, dentro de quinze minutos.

Adivinhe o que Ele Faz, em "No Fim Dá Certo".

De súbito ele ergueu o rosto lívido como o de uma estátua, sem conseguir dizer mais nada, olhos estatelados para nós que, ali perto, aguardávamos a vez de telefonar. Num gesto de sonâmbulo, recolocou o fone no gancho, enquanto o interpelávamos, aflitos:

— Que foi que houve? Aconteceu alguma coisa?

Mal teve forças para balbuciar:

— Liguei de novo para minha casa.

Certos exemplos

NUMA tarde de autógrafos na livraria, a moça puxa conversa:

— O que você escreve aconteceu mesmo ou é invenção sua?

Procuro explicar como é o processo de criação literária, no qual se utilizam elementos da realidade através da imaginação:

— Assim como um pintor que, ao retratar alguém, em vez de copiar fielmente a realidade, usa a sensibilidade e a imaginação. E o retrato, se for bom, fica mais parecido com o retratado do que uma foto de carteira, em que todo mundo sai diferente do que é, com cara de turco dono de armarinho.

Ah, a infelicidade de certos exemplos! Ela, muito séria, mas sem se ofender:

— Meu pai é turco e dono de armarinho.

Só uma vez

UMA amiga me conta o que se passou com uma empregadinha sua, a quem um dia mandou que fosse à padaria comprar pão.

Algum tempo depois a moça apareceu grávida. Quando a patroa lhe perguntou quem tinha sido, informou:

— O padeiro.

— Mas você só foi uma vez à padaria! — estranhou a patroa: — Como foi acontecer uma coisa dessas?

Ela ergueu os ombros, com um suspiro:

— Deus quis...*

O Pão Carioca de Cada Dia, em "No Fim Dá Certo".

A fera na selva*

NA verdade, nada aconteceu a Henry James. Neste sentido, é significativo que eu tenha escolhido na sua imensa obra justamente esta novela para apresentá-lo ao leitor brasileiro: nela, o personagem principal se vê às voltas com o problema de nada lhe acontecer na vida.

Na do autor, se alguma coisa aconteceu, foi negativa: um acidente que lhe injuriou as costas para sempre, impedindo-o que se tornasse soldado durante a Guerra Civil. E levando-o a refugiar-se para sempre na literatura. Nunca se casou, não se registrando ao longo de sua vida nenhuma relação amorosa com alguma mulher — ou algum homem. Nunca precisou trabalhar para assegurar o seu sustento. Morreu aos 73 anos de idade, a 28 de fevereiro de 1916, tendo nascido nos Estados Unidos, na cidade de Nova York, a 15 de abril de 1843. Em 1875, aos 32 anos portanto, mudou-se para a Europa, e passou a viver para sempre na Inglaterra, naturalizando-se inglês um ano antes de morrer. Os seus dados estritamente biográficos se resumem a isto.

Embora nada lhe acontecesse, tudo lhe aconteceu. Privou da amizade dos maiores escritores de seu tempo, como Turgueniev, Flaubert, Renan, Zola, Daudet, George Eliot, Ruskin, Morris, Tennyson, Browning, Gladstone, Stevenson e tantos outros. No plano da cultura, da inteligência e da sensibilidade, foi uma das figuras mais atentas e participantes do século XIX, a se julgar pelo que pôde observar do comportamento humano ao seu redor e registrá-lo ao longo de dezenas de romances, novelas, contos, ensaios críticos, dramas e narrativas de viagem.

Muito admirado (e pouco lido) como precursor da moderna ficção, foi quem introduziu o *flash-back* e a narração indireta no romance. Sua volumosa obra é de fazer o leitor se perder numa profusão avassaladora de volumes, se não disciplinar a leitura, atentando para a divisão em três fases distintas.

A primeira tem como temática principal o conflito entre a mentalidade americana, principalmente o puritanismo da Nova Inglaterra, e a tolerância européia. A obra principal deste período é o romance "Portrait of a Lady" ("Retrato de uma Senhora").

Na segunda, a nota predominante é a da desilusão na meia-idade, decorrente da falta de consagração popular que sua obra não conseguira alcançar até então. Durante alguns anos ele tentou sem sucesso o teatro, voltando à ficção em obras cujo tema refletia o drama do artista em face da sociedade aristocrática. Característico desta época é o romance "The Princess Casamassina" ("A Princesa Casamassina") e particularmente "The Tragic

---

*A Fera na Selva ("The Beast in the Jungle"), Henry James, "Coleção Novelas Imortais", direção, apresentação e tradução de Fernando Sabino, Editora Rocco.

Muse" ("A Musa Trágica") em que já se anteviam as profundezas nas quais o autor em breve mergulharia.

A terceira fase decorreu da sua determinação de escrever apenas para si mesmo e seu reduzido público. Os temas são cada vez mais impregnados da preocupação moral de opção entre o bem e o mal. O leitor já não tem a atenção voltada para a história, propriamente, quase sempre de desenvolvimento arrastado e aparentemente convencional, mas para a maneira com que ela é focalizada: do ponto de vista particular do autor, dando a quem o lê a impressão de estar presente no momento da ação. Com isso ele superava as limitações da ficção tradicional e se tornava um inovador: em vez da aparência do personagem, é seu caráter que se entrevê a cada linha, numa linguagem indireta de admirável finura. A esta fase, na qual sobressaem os livros mais importantes da sua obra, como 'The Ambassadors" ("Os Embaixadores"), "The Wings of the Dove" ("As Asas da Pomba"), 'The Golden Bowl" ("O Vaso de Ouro") e inúmeras novelas, pertence a obra-prima da novelística universal, "The Beast in the Jungle" ("A Fera na Selva"), que selecionei para iniciar a coleção "Novelas Imortais".

Seleção temerária — a partir do próprio autor escolhido. Não me refiro só às dificuldades de compreensão dos mistérios que ele vai semeando a cada página de suas obras, enquanto desvenda outros na página seguinte, num jogo de sutilíssima inteligência em que parece divertir-se com o leitor. Refiro-me também à dificuldade da tradução propriamente dita, que me trouxe o arrependimento tão logo a iniciei. Não é de se admirar que Henry James praticamente mal tenha sido apresentado em língua portuguesa. É que as nuanças de um inglês refinadíssimo, semeado de comparações, metáforas, requintadas expressões idiomáticas e toda espécie de preciosas figuras de retórica, representam para o tradutor uma armadilha a cada passo. Não se falando na dificuldade decorrente do próprio tema desta novela em particular, circunscrito à relação, ao longo dos anos, entre um homem e uma mulher a quem nada acontece. O problema dos possessivos *his* e *her*, por exemplo, que em nossa língua não concordam em gênero com o possuidor, como no inglês, e sim com o objeto possuído, levou o texto, para maior clareza, a embrenhar-se numa verdadeira selva de *deles* e *delas* em vez de *seus* e *suas* — assim como o pronome neutro *it* a uma chuva de *issos* e *aquilos*. A riqueza estilística do autor é tão extraordinária que o faz empregar a mesma expressão, às vezes até na mesma frase, com acepções diversas. Como é o caso, por exemplo, da palavra *vagueness*, que em português tanto pode ser *incerteza, confusão, dúvida* ou *vaguidão* — o tradutor que adivinhe o que o autor quis dizer.

Nem por isso a aventura em que me meti se tornou menos fascinante. Procurei respeitar a duras penas a sintaxe arrevesada do texto original, tão característica do estilo jamesiano, bem como os volteios, meandros e torneios labirínticos em que sua prosa às vezes se mete, tentando (e conseguindo) dizer o indizível. A leitura exige rigorosa atenção — mas é sempre bem recompensada.

Quanto ao conteúdo propriamente dito, nada devo adiantar, para não tirar a surpresa da história, principalmente do final. Estou certo de que na última página a Fera emboscada na Selva haverá de desfechar sobre o leitor o seu bote fatal, como fez comigo, da primeira vez que li esta novela para sempre inesquecível.

BUENOS AIRES —

Para usted también

QUATRO dias em Buenos Aires, para fugir do carnaval. O mesmo calor do Rio, mas vale a pena. Sente-se um ambiente de descontração, respira-se um clima de liberdade e esperança. Da esperança que já dá para sentir um pouco no Brasil.

Tão diferente da última vez que estive aqui. A barra naquela época era pesada; qualquer um podia ser detido no meio da rua e desaparecer para sempre. Como aconteceu com aquele músico que acompanhava o Vinicius numa de suas passagens por Buenos Aires, como hei de esquecer? Um inocente brasileiro que saiu do hotel para comprar cigarro e de quem nunca mais se ouviu falar.

O mesmo podia então ter acontecido comigo — penso, com um arrepio. Ainda bem que eu já tinha deixado de fumar.

Hoje, não — tudo ficou diferente com a democracia. Leio nos jornais que aqueles generais e almirantes todos, alguns até presidentes, responsáveis pelas atrocidades cometidas, estão presos, aguardando julgamento: o Videla, o Massera, o Viola.

Pois é esta a diferença entre a democracia deles e a nossa: o Alfonsin pôs o Viola na cadeia, o Tancredo vai ter de pôr a viola no saco.

Mas em Buenos Aires também tem carnaval. Só que se limita a dois ou três mascarados fazendo momices pelas ruas e, nos bairros, meninos jogando água uns nos outros. Ou nos adultos.

Na Feira de Santelmo, por pouco não levo na cara um saco plástico cheio de uma água meio suspeita, que foi se arrebentar na parede atrás de mim. Haja palavrão para celebrar a má pontaria do menino, às gargalhadas com o susto que me pregou.

Menos sorte tiveram duas jovens e simpáticas brasileiras que me dão hoje o prazer de sua companhia: tomaram um banho em regra, nesta celebração portenha do entrudo com cinqüenta anos de atraso.

Procuro impressionar minhas novas amigas, perguntando se sabem como é vitrine em castelhano:

— O certo em português não é *vitrina*? — quis saber uma delas.
— Pode ser, mas para mim é vitrine mesmo, como se fala lá em Minas. E aqui?
— Será montra?
— Isso é francês, e do bom: *montre*.
— Em francês não é *vitrine*?

E nisso ficaríamos, se eu não exclamasse, triunfante:

— Escaparate!
— Que é isso? — pergunta uma: — Parece um palavrão!
— É vitrine em espanhol.
— Não será em italiano? — pergunta a outra.
— Não é não. Em italiano é...

Como diabo é mesmo em italiano? Não importa: com meu escaparate, ninguém me segura. Para provar, entro numa loja de antigüidades, pergunto o preço daquele relógio no escaparate. O homem me diz um preço assombroso, depois de me olhar com assombro — não sei se pela minha ousadia ou pelo meu escaparate.

Mais tarde consulto o dicionário numa livraria e verifico que pode ser também *vidriera*. Ou vitrine mesmo — e estamos conversados.

Pior se passa com o balde de gelo, que toda tarde peço no hotel, pelo telefone:

— *Un vaso de hielo, por favor*.

Capricho na pronúncia, mas não adianta: trazem só três pedras num copo.

— *Una copa de hielo* — peço então.

Vem uma taça com duas pedras.

— *Una porción de hielo* — insisto no dia seguinte.

Vem um prato com quatro pedras.

Como diabo será balde? Pois agora é chegada a hora de tirar a dúvida. Pergunto ao garçom no restaurante como se chama essa coisa redonda de metal, cheia de gelo, onde pôs o vinho para gelar.

— *Balde* — responde ele.

Mas Sérgio Porto sabia. Sabia tanto que um dia, viajando para Buenos Aires com ele, testemunhei a maneira pela qual Sérgio costumava demonstrar o seu conhecimento do castelhano.

Foi o caso que ao pousar o avião no Aeroporto de Ezeiza, antes que desembarcássemos, entrou a bordo um fiscal, pedindo a cada um o atestado de vacina:

— *Vacunación, por favor* — dizia, de poltrona em poltrona.

Chegou a vez do Sérgio. O fiscal estendeu a mão:
— *Vacunación.*
Sérgio o cumprimentou, apertando-lhe a mão:
— *Vacunación para usted también.*

RIO DE JANEIRO —

O monge negro*

"SENTOU-se na cama e, de maneira significativa, disse, em voz alta e em alemão: '*Ich sterbe*' — estou morrendo. Depois segurou o copo, voltou-se para mim, sorriu com seu maravilhoso sorriso e disse: 'Faz muito tempo que não bebo champanhe.' Bebeu tranqüilamente todo o copo, estendeu-se em silêncio e, alguns instantes depois, calou-se para sempre. E a pavorosa calma da noite foi apenas alterada por uma enorme borboleta noturna, que entrou pela janela e voou, atordoada, pelo quarto, em torno das lâmpadas acesas. O médico retirou-se. No silêncio da noite, com um estampido terrível, a rolha da garrafa interminada saltou. Começou a clarear e, com a natureza a despertar, um primeiro réquiem: os doces e formosos cantos das aves e os acordes do órgão na igreja mais próxima. Nem uma voz humana, nada do cotidiano da vida, somente a calma e a grandeza da morte."

Não, isto não é o fim de um conto de Tchekhov. É uma soberba descrição de seus últimos instantes de vida, feita pela própria esposa do escritor, descrição que tive a ventura de encontrar na introdução de uma coletânea da Abril Cultural. Melhor homenagem não poderia merecer o grande escritor russo que esta admirável página literária inspirada em seu trágico fim.

Trágico, porque encerrou tão cedo uma batalha travada contra a tuberculose e perdida quando o escritor mal completava 44 anos.

Sua disposição para viver o fez enfrentar alegremente a pobreza dos primeiros anos. Nascido em Taganrog, na Rússia, à 17 de janeiro de 1860, Anton Pavlovitch Tchekhov (nome cuja grafia entre nós costuma ser também Chekhov, Tchehov, Chekov e até Tchekof — nunca se acerta), era neto de um servo e filho de um quitandeiro quase arruinado. Foi criado em ambiente humilde, mas de severa disciplina, numa atmosfera conservadora e patriarcal, imposta pela rigorosa observância de preceitos religiosos.

Entre os sete e os dezesseis anos, Anton foi obrigado a cantar com seus irmãos no

---

**O Monge Negro ("Tchiornii Monarkh")*, Anton Tchekhov, "Coleção Novelas Imortais", Editora Rocco.

coro da igreja local. Embora não se possa dizer que o escritor tenha mais tarde conservado alguma coisa da fé inabalável de seus pais, seria exagero considerá-lo um materialista acabado, mesmo com todo o "positivismo" e "cientificismo" da maturidade. Há em sua obra elementos que nos permitem encará-lo pelo menos como um agnóstico. O ambiente religioso da infância e primeira juventude lhe serviu de inspiração para alguns de seus melhores contos, como "O Estudante" (1894), que ele considerava um dos favoritos, ou "O Bispo" (1902). Pode-se mesmo sentir em seu trabalho de mais fôlego, "A Estepe" (1888), a simpatia, digna de um Bernanos, com que ele retratou um pároco de aldeia.

Seus estudos se iniciaram numa escola grega (a população grega de sua cidade natal era bem numerosa), transferindo-se ele mais tarde para uma escola secundária de educação clássica. Nem por isso seu aproveitamento em grego ou latim foi dos mais destacados. Destacou-se desde cedo, isto sim, na sua irrefreável vocação literária, escrevendo contos e uma peça de teatro quando ainda estudante.

As dificuldades financeiras levaram seu pai a se mudar com a família para Moscou. Tchekhov estava com dezesseis anos. A partir de então, matriculado na Faculdade de Medicina, iniciou sua carreira como escritor, com a colaboração, sempre bem recebida, para jornais humorísticos. Eram histórias cômicas, anedotas e até textos para desenhos e caricaturas, que apareciam com crescente sucesso nas publicações do gênero em Moscou e mais tarde em São Petersburgo. Assinava as colaborações com o pseudônimo deliberadamente ridículo (para os russos, é claro) *Antosha Chekhonte*, que também usou na primeira seleção em livro de suas histórias, em 1884, e que alcançou igualmente grande sucesso de público.

A partir de então Dmitry Grigorovich, famoso escritor cuja importância hoje é a de ter sido contemporâneo e amigo de Turgueniev e Dostoievski, conquistaria a de ser também dos primeiros a reconhecer e estimular o talento literário de Tchekhov, apresentando-o a grandes escritores, jornalistas e editores de seu tempo.

A carreira do novo escritor estava assegurada. Coletâneas de contos se sucederam, de uma qualidade mais apurada, pois já não eram produzidos por atacado para atender a demanda e lhe assegurar o sustento. As suas melhores histórias foram escritas a partir de então (entre 1889 e 1898). Como a maioria de seus contemporâneos, houve uma época em que Tchekhov se deixou seduzir pelas extravagantes idéias ético-religiosas de Tolstoi, o que se refletiu em algumas de suas histórias, como "Gente Excelente" (1886), e "O Mendigo" (1887). Mas a influência passou logo, o que se pode sentir em histórias subseqüentes, mais longas, entre as melhores que escreveu, como "Enfermaria nº 6" e "Minha Vida".

Pouco tempo depois de terminar seus estudos universitários, o escritor sentiu as primeiras manifestações da tuberculose, mas não lhes deu maior atenção. Alternando períodos de depressão e desânimo com outros de intensa agitação, chegou a pensar em viajar para a América. Acabou surpreendendo amigos e parentes, com a decisão, nunca se soube bem a que propósito, de cruzar toda a Sibéria até a ilha de Sacalina, para conhecer e descrever a vida de prisioneiros russos ali confinados. As explicações de seus biógrafos para esta excêntrica aventura vão dos motivos humanitários à tentativa de escapar à obsessão por uma mulher casada.

Fosse qual fosse o motivo, o sacrifício era digno de uma grande paixão: não havia estrada de ferro, e o escritor, para chegar ao seu destino, teve de usar toda espécie de transporte. Depois de três meses entre os presos, voltou à Rússia por Hong Kong, Ceilão e o Mar Vermelho. Da experiência resultou um livro, "No Exílio", o único de não-ficção em sua obra.

A doença o levou a buscar clima mais ameno no campo, próximo de Moscou. A conselho médico, passou o inverno em Nice, e fez construir uma vila em Yalta, onde morou durante os seus últimos anos de vida.

Em janeiro de 1904 esteve em Moscou para assistir, sob aclamação do público, à estréia de sua peça "O Jardim das Cerejeiras". Quando, como e com quem se casara, não cheguei a ficar sabendo. O certo é que em abril seu estado de saúde se agravou. A conselho médico, viajou com a mulher para Badenweiler, na Floresta Negra. E ali encontrou a morte, na madrugada do dia dois de julho, que sua mulher tão magistralmente descreveu.

Embora abandonasse a medicina pouco depois de formado, Tchekhov chegou a trabalhar algum tempo num hospital de Moscou e se estabelecer como clínico geral.* Mais tarde viria a declarar que não conhecia melhor prática para um escritor que alguns anos de profissão médica.

Na realidade, precioso mesmo para a sua formação literária foi o aprendizado dos primeiros anos, através da colaboração para jornais e revistas. Adquiriu então a concisão e a objetividade que viriam a ser as mais admiráveis características de sua ficção. Houve uma época, quando eu me iniciava na literatura, que era moda apresentar Tchekhov associado a Katherine Mansfield, como expoentes de uma literatura intimista, de delicadas nuanças na fixação de indefiníveis estados de espírito. Seriam eles os precursores da vertente introspectiva no conto moderno.

Katherine Mansfield pode ser — mas o que nos fica de Anton Tchekhov é mais do que isso: a impressão de uma extraordinária economia verbal e uma incomparável precisão de estilo, cuja fluidez se tornou a marca registrada de seu talento criador.

Tchekhov se realizou de maneira definitiva tanto no conto como no drama teatral,

---

*Em carta de 29.02.86 o escritor Dalton Trevisan (*O Camponês de Curitiba*, em "Gente"), versado em Tchekhov, informa que o mesmo "exerceu a medicina de 1884 a 1897, durante treze anos, 'até o carnaval de sangue de uma famosa hemoptise'".

sendo um inovador em ambos os gêneros literários. Mais do que pelo teatro, todavia, em obras inesquecíveis como "Tio Vânia" ou "A Gaivota", sua posição na literatura russa, em condições de incontestável universalidade ao lado de Gorki e de Bunin, foi-lhe assegurada pelos contos e novelas.

O trabalho que escolhi para integrar a "Coleção Novelas Imortais" é bem o exemplo dos extremos de expressividade a que pode chegar sua prosa refinada e tersa, apresentada, pela primeira vez em língua portuguesa, na impecável tradução de Moacir Werneck de Castro. A lenda da figura fantasmagórica que surge para um intelectual, como a projeção de seus conflitos espirituais, é a um tempo um reflexo da tumultuada religiosidade na alma russa e uma premonitória visão dos abismos do subconsciente, que a ciência na época estava ainda longe de devassar.

E é, sobretudo, uma impressionante visão do drama existencial que ia na alma de Anton Pavlovitch Tchekhov, entregue aos embates da sua própria genialidade.

1986

*Um coração singelo**

— MADAME Bovary sou eu — teria afirmado o escritor, perante o tribunal que julgava o seu direito de ser "realista". A afirmação se inspirava no princípio um tanto óbvio hoje em dia, ou seja, o de que os personagens, mesmo calcados na realidade, são fruto da imaginação criadora do autor. A absolvição do romancista serviu para afirmar outro: o da liberdade do artista no ato de criar.

Gustave Flaubert nasceu na cidade de Rouen, em 1821, e morreu em Croisset, perto de sua cidade natal, em 1880. Foram 59 anos de uma vida quase inteiramente dedicada à literatura como a uma religião.

Embora a vocação literária se tivesse manifestado desde os primeiros anos de juventude, Flaubert chegou a iniciar estudos de Direito, em Paris. Logo se ligou a Maxime du Camp, escritor francês hoje obscuro (pelo menos para mim), com quem faria várias viagens ao exterior (Itália, Egito, Turquia, Argélia, Tunísia). Eram as únicas ocasiões em que abandonava Croisset, onde se refugiara para dedicar-se unicamente à lenta elaboração de sua obra.

Uma obra que se caracteriza pela descrição objetiva de personagens e acontecimentos, e uma obstinada preocupação com o detalhe. Excluía qualquer sentimentalismo superficial que os temas escolhidos pudessem inspirar. Consta que a obsessão por *le mot juste* levava-o a passar vários dias à procura de uma palavra. (Como é, mal comparando, o meu próprio caso, na tentativa de escrever sobre ele.)

Foram duas fases distintas: a de aprendizado, que vai da faculdade em Paris até o retorno do Oriente, durante a qual se livrou de sua tendências para a fantasia; a da realização literária, que começa em 1857 com "Madame Bovary", sua obra mais famosa desde então (pelo escândalo que certas cenas de adultério causaram nos meios conservadores da época), até o esforço final em seu último romance, "Bouvard et Pecouchet", que deixou inacabado. Este seria a consagração do combate ao preconceito, às idéias feitas, às deformações do pensamento burguês, satirizados no seu "Dictionnaire des Idées Reçues" ("Dicionário de Idéias Feitas", que traduzi para o português, complementando com outro, especificamente brasileiro, no meu livro "Lugares-Comuns").

Se Madame Bovary era ele próprio, com não menos razão poderia Flaubert ser tam-

---
**Um Coração Singelo* ("*Un Coeur Simple*"), Gustave Flaubert, "Coleção Novelas Imortais", Editora Rocco.

bém Felicité — ou Felicidade, nesta exemplar tradução aqui apresentada. O coração simples, no título original, ou coração singelo, como preferiu com felicidade (sem trocadilho) o tradutor, representa o que de mais puro, inocente e delicado possa existir como sentimento na alma humana, que o escritor buscou sempre encontrar no fundo de si mesmo, para a realização de sua obra.

Em 1862 Flaubert publica "Salammbô", calcado em elementos da civilização cartaginesa por ele coligidos em sua viagem à África do Norte. Um romance em tudo diferente do anterior, mas que conquistaria igual sucesso. Seguiu-se "L'Éducation Sentimentale" ("A Educação Sentimental"), que lhe exigiu sete anos de trabalho, romance autobiográfico reescrito três vezes antes de sua publicação, em 1869. Cinco anos depois, sob o título "La Tentation de Saint Antoine" ("A Tentação de Santo Antônio"), lança uma obra de juventude anteriormente reescrita e publicada quatro vezes, com títulos diferentes. E em 1877 Flaubert publicou "Trois Contes", cada um num estilo: "Hérodias", em estilo bíblico, "Saint Julien l'hospitalier" ("São Julião o Hospitaleiro"), em estilo medieval, e em estilo realista "Un Coeur Simple": a história de Felicidade, uma das mais refinadas realizações literárias de todos os tempos, escolhida para integrar nossa "Coleção Novelas Imortais".

A tradução foi confiada a Luís de Lima, cuja sensibilidade artística, revelada ao longo de sua vitoriosa carreira de homem de teatro, junto ao conhecimento do francês e uma invejável intimidade com seu próprio idioma, torna-o capaz de descobrir a palavra justa, correspondente à expressão original que Flaubert usou na sua busca da perfeição.

Sem falar na importância da volumosa correspondência (publicada postumamente) como a de toda sua obra: tentar apresentar Gustave Flaubert ao leitor em duas ou três páginas não é brincadeira. Só fazendo como Fats Waller, o grande pianista, ao responder a uma mulher que lhe perguntou o que era *jazz*:

— Se você não sabe, não há como lhe dizer.

Fidel

"JÁ se tornou monótona (pelo menos para ele) a insistência nas mesmas críticas a Fidel Castro:
— Ele foi bom até derrubar Batista. Hoje é um ditador.
— Um sanguinário, fuzilar tanta gente assim!
— Já devia ter raspado aquela barba.
— Vai ou não vai haver eleições?
— Não devia hostilizar os Estados Unidos.
— Deixou-se levar pela influência comunista.

Fidel, com um suspiro de cansaço, é capaz de sorrir com benevolente tolerância:
— ¿Si yo soy um dictador? Pero todavia...

Não há de ser pela aparente autenticidade que sua presença sugere, nem pela simpatia de suas atitudes quando em conversa informal, que haveremos de decidir pela inexistência de ditadura em Cuba. Um ditador se denuncia através de algo além das aparências e sua existência decorre de determinantes mais profundas. A supressão da liberdade é uma delas."

O trecho acima foi escrito por mim, praticamente com as mesmas palavras, depois de haver visitado Cuba, em 1960, integrando a comitiva de Jânio Quadros, então nosso candidato a Presidente.* Eu vivia a ilusão, que a tantos empolgou, de que pela primeira vez no mundo moderno veríamos a realização de um ideal de justiça social sem supressão da liberdade e que respeitasse os direitos humanos.

Doce ilusão.

Não voltei a Cuba. (Mesmo tendo sido dos primeiros a manifestar esperança na revolução, não fizeram muita fé no que eu dizia, pois não se lembraram de me convidar para ir hoje ver de perto, como a tantos outros.) Depoimentos que respeito, como os de Fernando Morais, Frei Betto, Joelmir Beting em seus livros, Roberto d'Ávila entrevistando Fidel na televisão, ou o testemunho pessoal de Hélio Pellegrino, são praticamente unânimes em relação aos aspectos positivos.

Restam os aspectos negativos, sobre os quais nenhum deles avançou muito — talvez por considerá-los irrelevantes, dada a importância do resto.

Mas para mim são também importantes — os mesmos que já inspiravam as críticas nos idos de 60, desdenhados pelo meu entusiasmo juvenil de então, e resumidos num só: a supressão da liberdade.

Valho-me agora de testemunhos igualmente insuspeitos, de outros como eu que a princípio embarcaram na mesma esperança e hoje manifestam sua desilusão — como Jorge Semprun, ou Jorge Edwards, no seu impressionante "Persona non Grata" (para ficar apenas nestes dois Jorges).

Acontece que continuo acreditando cada vez mais naquela opinião de Winston Churchill, segundo a qual a democracia é um regime falível e cheio de imperfeições — pena que até hoje não tenham inventado outro melhor. Estou convencido de que, bem-sucedida haja sido a revolução cubana, a supressão da liberdade é um desrespeito aos Direitos do Homem preconizados na Carta das Nações Unidas.

---

*1960 — *A Revolução dos Jovens Iluminados*, em " Livro Aberto".
Nosso Homem em Havana, 1960, em "De Cabeça Para Baixo".

Pode-se argumentar que no regime capitalista a fome e a miséria decorrentes de uma ordem social injusta representam desrespeito ainda maior. Apesar da procedência do argumento, ele não faz senão repetir aquela velha história do estrangeiro que o russo levou a visitar o metrô de Moscou. Depois de percorrer várias estações, cada qual mais bela, luxuosa e ultramoderna, o visitante estranhou:

— O camarada me perdoe, mas estamos há algumas horas visitando estações de metrô e até agora não vi nenhum trem.

Ao que o russo retrucou:

— O que é que o camarada tem a me dizer sobre a situação dos negros no sul dos Estados Unidos?

O testemunho de escritores como Lesama Lima ou Cabrera Infante bastaria para tornar insuspeito o dos que sofreram na carne, como prisioneiros políticos de Fidel. Por outro lado, travam-se discussões intermináveis entre outros escritores. Como a de duas grandes estrelas da literatura latino-americana, García Márquez e Vargas Llosa, com um travo de mau gosto, ao nível do bate-boca de desafetos, e com ofensas mútuas entre oficiais do mesmo ofício.

A sensação que me vem é a de já ter assistido a esse filme. Ainda me lembro do um amigo, então comunista ortodoxo, negando de pés juntos a existência de crimes do stalinismo na União Soviética. Para ele, os elementos de convicção de que eu dispunha eram de suspeita procedência americana — a maior parte colhida nas denúncias da revista *Politics* de Dwight Macdonald (aquele "trotskista abjeto"): a existência na Rússia de milhões de prisioneiros em campos de concentração, para o meu amigo, não passava de "propaganda imperialista" — haviam-me inoculado o veneno de um incurável "reacionarismo pequeno-burguês".

Isso foi em fins da década de 40; em 1956, ele e tantos outros, apanhados de surpresa pelas denúncias do próprio Krutchev no 20º Congresso, se viram às tontas num cemitério de ilusões políticas.

Hoje, tanto tempo passado e num novo contexto, permanece a ilusão da revolução cubana, como um eco do mito stalinista. Cuba continua sendo "o paraíso socialista do Caribe" (para os que acreditam sem precisar de ver) "onde o povo está feliz e a revolução vitoriosa".

Pois sim.

Em outras palavras: só começo a acreditar nisso no dia em que Fidel Castro tirar a farda e (apesar do queixo pequeno que ela disfarça) raspar aquela barba.

Simpatias

LEIO com a maior simpatia o instrutivo "Álbum de Simpatias", de Roberto Toledo, que minha querida irmã Luiza me enviou de Belo Horizonte, não sei com que secretas intenções — já que a obra se destina em especial às mulheres.

Isto posto, colho na mesma ensinamentos bem interessantes. Como conseguir engravidar, por exemplo (o que não é propriamente o meu caso): basta acender durante nove dias uma vela para a Virgem Maria, às seis horas da tarde, num pirex com um grão de feijão e um pouquinho de mel; depois pegar o que sobrou das nove velas, levar a uma igreja e dizer três vezes:

— Espero vir aqui com o meu bebê, lindo como Jesus e doce como o mel. Só Deus pode me dar esse gosto. Amém.

É gravidez na certa, garante o livro. Só não fiquei sabendo para quê o grão de feijão.

O autor da simpatia, a meu ver, esqueceu também de um pormenor que me parece de suma importância: sugerir que a mulher deve ter relações com algum homem, se quiser engravidar — de preferência com o próprio marido — se for casada, evidentemente.

Para manter a fidelidade do marido (ou do eterno namorado), a mulher deve pegar a palmilha do pé esquerdo de um sapato dele e queimá-la em fogo forte com incenso, arruda e três pedaços de carvalho, depois colocar o que sobrar num saquinho e botar debaixo do colchão do lado em que ela dorme. E o marido lhe será sempre fiel.

Tem simpatia para tudo: para acabar com o cansaço dos pés, hemorróidas, corrimento, caspas, rugas, ínguas, berrugas, dores lombares, insônia, azia, prisão de ventre, dor de dente, gazes soltos, odor nas axilas, gagueira, mau-olhado, maus vizinhos, desinteresse sexual, afastar pessoas fofoqueiras, arranjar pretendente para viúva, amansar marido briguento, acabar com a rival, diminuir a barriga, levantar orelha de cachorro, prender namorado, arrumar casamento — e por aí afora. Ou adentro.

Você

CERTA tendência em chamar uns aos outros de *você* em vez de *senhor* não denota excesso de familiaridade: advém da descontração tão brasileira no convívio, que empresta ao tratamento de *senhor* um respeito mesclado de certa frieza ou distância. Quando não uma deferência devida à idade mais avançada. Ninguém se incomoda de ser chamado de *você*, ao sentir que implicitamente estará sendo considerado moço.

Resta a imposição protocolar do tratamento cerimonioso devido ao cargo. As próprias normas de educação exigem que, pelo menos em público, não se trate com intimidade, ainda que ela exista, uma autoridade, um deputado ou senador, que dirá um ministro, governador ou presidente. Às vezes a relação pessoal já existente cria situações embaraçosas.

— Você o chama de *senhor*? — perguntei um dia ao meu amigo Carlos Castello Branco, referindo-me a alguém nessas condições.

— Não — respondeu ele.

— Chama de *você*, então?

— Também não.

E com um sorriso matreiro, Castellinho me explicou a fórmula mineira e maneira por ele adotada, condizente com seu laconismo peculiar. Consistia em omitir com um sussurro quase inaudível o sujeito antes do verbo — nem *senhor* nem *você*:

— Eu chamo de *ahn*...

O homem da areia*

NEM todos os admiradores do escritor, entre os quais me incluo, sabem que as iniciais antes do nome pelo qual ele se tornaria universalmente conhecido significam Ernst Theodor Wilhelm. Eu sei, porque consultei a enciclopédia, ao escrever esta apresentação.

Wilhelm? Então por que o A de inicial?

Fico sabendo também que Hoffmann trocou o Wilhelm de seu nome por Amadeus, em homenagem a Wolfgang Amadeus Mozart.

Escritor, compositor, empresário de teatro e advogado — Hoffmann foi muita coisa durante os 46 anos de sua vida, que começou na Alemanha, em Koenigsberg, a 24 de janeiro de 1776 e terminou em Berlim, a 25 de junho de 1822. Desde cedo houve motivos para torná-lo infeliz: seus pais não se davam bem e se separaram quando ele tinha apenas três anos; o tio que o criou a partir de então não manifestava a menor compreensão ou simpatia para o seu temperamento dispersivo e sonhador.

Estudou Direito na cidade natal, onde chegou a advogar, transferindo-se em 1795 para Glogau, e três anos depois para Berlim. Em 1800 exerceu um cargo oficial em Posem, do qual logo o afastaram, por conta de umas caricaturas de sua autoria, altamente desrespeitosas para com as autoridades. Como castigo, removeram-no para uma pequena cidade do interior chamada Plosk, onde passou a dedicar suas horas de lazer (que eram muitas) à atividade musical.

Esta veio a ser, durante toda a sua vida, a ocupação que mais o fascinou.

Em 1804 foi transferido para Varsóvia, onde conheceu a obra de Novalis, Ludwig Tieck, e outros expoentes do romantismo alemão, então em plena voga. (Este último,

---

*O Homem da Areia ("Der Sandmann"), E.T.A. Hoffmann,"Coleção Novelas Imortais", Editora Rocco.

aliás, é autor de uma empolgante novela, "Life's Luxuries" — lida por mim em inglês, não sei o título original — que eu gostaria de incluir nesta "Coleção Novelas Imortais".)

Mas em Varsóvia Hoffmann não esqueceu a música, sendo desta época várias composições suas, como a ópera baseada numa peça de Calderon. Com a invasão francesa, foi-se a sua tranqüilidade: passou a viver uma existência incerta e erradia até 1814, quando voltou às atividades jurídicas em Berlim. Dois anos mais tarde seria nomeado consultor da Corte de Apelação. Sua reputação de excelente jurista e funcionário exemplar não impedia que fizesse parte do círculo de romancistas e poetas românticos de então; como Fouquet, ou Chamisso. São desse tempo a sua ópera "Undine", que fez grande sucesso, e uma série de admiráveis artigos de crítica sobre Bach e Beethoven, entre outros.

E a literatura? A par de sua obra musical, em Berlim Hoffmann se firmou como escritor, com histórias de mistério e terror, que o tornaram conhecido e aclamado como um dos mais expressivos novelistas alemães. O poder de imaginação, que o levava às fronteiras da clarividência, fez com que sua obra sobressaísse sobre a dos demais, vindo ao longo do tempo influenciar toda uma série de grandes escritores, que vão de Baudelaire, Maupassant, Poe, Wilde, ou Dostoievski, a Álvares de Azevedo e Fagundes Varela entre nós. Eu ousaria sugerir que sua marca se faz sentir até mesmo na obra de Kafka, embora não saiba dizer se teria exercido influência sobre o mestre do absurdo neste século. Mas não há dúvida que a sua presença se estende até nossos dias, através dos filmes de terror do gênero "Drácula" ou "Frankenstein".

Infelizmente os hábitos irregulares do escritor e a vida dissipada no álcool, que desde cedo já lhe ameaçava a saúde, acabaram por levá-lo à morte, quando ainda no melhor de sua força criadora.

A impressionante novela "Der Sandmann", publicada em 1817 e apresentada na "Coleção Novelas Imortais" sob o título "O Homem da Areia", na exemplar tradução de Ary Quintella, dá bem a idéia das principais características de Hoffmann: seu senso do grotesco, do mórbido, do sobrenatural — e sua extraordinária intuição ao penetrar nos domínios do subconsciente, como verdadeiro precursor das explorações da moderna psicologia.

Antologias

FOI no tempo em que os animais falavam — ou seja, no tempo em que cantava a nossa saudosa Sabiá. Preparávamos uma coleção de antologias poéticas e encomendei ao Ziraldo uma capa original, tendo no alto, em maiúsculas, apenas o nome pelo qual o poeta era mais conhecido.

Estreamos com VINICIUS, seguindo-se BANDEIRA e NERUDA.

— Você ainda vai se dar mal — dizia meu sócio Rubem Braga.

— Poeta digno dessa coleção é conhecido apenas por um nome — eu afirmava, convicto.

E enumerava: Dante, Shakespeare, Camões, Keats, Byron, Shelley, Whitman, Baudelaire, Rimbaud, Verlaine, Mallarmé. Ou entre nós: Gonzaga, Bilac, Casimiro, Varela...

(Não me ocorria pensar em Gonçalves Dias, Cruz e Souza, e tantos outros do passado com os quais eu me estrepava: só publicaríamos os modernos.)

— E quando chegar no Mário de Andrade?

— Mário, apenas. Todo mundo sabe quem é.

— Cecília Meireles?

— Cecília. Há outra com esse nome?

— João Cabral de Melo Neto.

— Cabral. Por que não? A menos que o leitor confunda com Pedro Álvares Cabral.

Rubem sacudia a cabeça como uma ave de mau agouro:

— Você ainda vai se dar mal.

E nossa coleção de antologias prosseguia com grande sucesso em suas lindas capas: DRUMMOND, QUINTANA, BORGES... Eu me lembrava do desgosto de Gilberto Amado no dia em que alguém disse na sua presença que, no Brasil, bastava falar *Gilberto* para todo mundo saber que se tratava de Gilberto Freyre. Ao que alguém mais acrescentou que bastava falar *Amado* e todo mundo sabia tratar-se do Jorge.

Ainda bem que a coleção de antologias só incluía poetas.

Foi quando chegou a vez de Jorge de Lima. E agora? JORGE só? Não dava: todo mundo ia pensar no romancista Jorge Amado. LIMA, apenas, não queria dizer nada. DE LIMA, então, nem pensar. Nome de alfaiate.

— Agora você sai dessa — tripudiava meu sócio.

A contragosto, para que a coleção não perdesse o aspecto gráfico da capa, que era a sua principal característica, tive de apelar para um recurso que deve ter arrepiado o Ziraldo, e outros artistas gráficos: mandei desenhar um JORGE e um DE pequeninos, montados um no outro, à esquerda da palavra LIMA. Ficou um horror — mas não havia mais nada a fazer para sair dessa. E dei por encerrada a coleção.

O clube dos suicidas*

SE a arte de contar histórias é a de divertir, ensinar, espantar, arrebatar, e manter aceso o interesse do ouvinte, conforme acontecia com as que lhe contava a governanta na sua infância, então Stevenson aprendeu bem a lição. O encantamento com que, em menino, acompanhei as aventuras do seu Capitão Kid na busca do tesouro, corresponde à emoção adulta que me despertou o arrepiante confronto entre o bem e o mal travado pelo médico e o monstro. E ao enternecimento que me inspira na maturidade o seu "Jardim-da-Infância de Versos".

O curto período de 44 anos que durou sua vida pode não ter sido pontilhado de aventuras sensacionais, como sugeria na época a legenda que ele ajudou a manter. Mas sem dúvida foi uma vida bem agitada, em movimentação incessante por este mundo, apesar dos violentos acessos de hemoptise de que era vítima. A tuberculose foi a sua grande inimiga.

E grande instigadora — a ser verdade que essa doença traz consigo, como determinante da personalidade, uma permanente agitação, uma exacerbada excitação intelectual. São prova disso não só os desconcertantes caminhos que tomou sua vida ao longo das sucessivas viagens, como a elaboração tumultuada de numerosa e variada produção literária.

Robert Louis Balfour Stevenson nasceu a 13 de novembro de 1850 em Edimburgo, na Escócia. Pressionado pelo pai, que vinha de uma linhagem de engenheiros navais, começou estudando engenharia e acabou se formando em direito, profissão que nunca chegou a exercer (pelo menos isso nós temos em comum): sua verdadeira vocação era a literatura.

O primeiro livro, publicado em 1878, "An Inland Voyage" ("Uma Viagem pelo Continente"), descrevia uma viagem de canoa da França à Bélgica, já prenunciando suas deambulações do futuro. Numa passagem por Fountainebleau em 1876, conheceu uma senhora americana, casada, já com dois filhos, onze anos mais velha do que ele, e que nem por isso deixou de lhe despertar uma paixão arrasadora. Acabaram se casando na Califórnia em 1880, depois de tumultuado divórcio dela. Em seu livro "The Silverado Squatters" ("Os Posseiros de Silverado"), publicado em 1883, ele descreve as agruras sofridas na sua viagem da Europa até o extremo-oeste americano, já com a saúde profundamente abalada.

A partir do casamento, percorreu com a mulher várias cidades do continente europeu, buscando um clima ideal para enfrentar a doença que o consumia. Enquanto isso, ia produzindo livros de viagem, ensaios e contos, sem maior sucesso.

---

*O Clube dos Suicidas ("The Suicide Club"), Robert Louis Stevenson, "Coleção Novelas Imortais", Editora Rocco.

Em 1881, a partir do desenho de um mapa, havia inventado para o enteado uma história de piratas, da qual nasceu o seu famoso romance "The Treasure Island" ("A Ilha do Tesouro"), publicado em 1883 e lhe trazendo enfim a consagração no mundo inteiro.

Acabou de volta à América, em 1887, internando-se num sanatório em Nova York, onde, coberto de fama, foi recebido como verdadeiro herói. Fama que se consolidara em 1886 com "The Strange Case of Dr. Jekil and Mr. Hyde" ("O Estranho Caso de Dr. Jekil e Sr. Hyde", mais conhecido como "O Médico e o Monstro"). Finalmente ele obtinha o reconhecimento do pai, que até então lastimava não fosse o filho engenheiro e repudiava seu casamento.

Melhorando a saúde, Stevenson comprou um barco e partiu numa viagem errante pelas ilhas dos mares do sul, com o que se iniciava a parte mais exótica de sua vida, descrita nos livros que se seguiram. Acabou se fixando com a família na ilha de Upolu, onde construiu uma grande mansão no alto do morro. Dali passou a se envolver na política dos nativos da região, pelos quais acabou sendo reverenciado como um verdadeiro deus branco. Com notoriedade estabelecida no mundo inteiro, publicou "Kidnapped" ("Raptado") e sua continuação "David Balfour" em 1893. No dia 3 de dezembro de 1894, depois de ditar durante algumas horas para a mulher o romance "Weir of Herminston" ("O Açude de Herminston"), considerado sua obra-prima, sem outro aviso ele deu um grito, levando a mão à cabeça, e caiu fulminado por uma hemorragia cerebral. Ao fim, não foi a tuberculose que o matou.

Durante algum tempo prevaleceu entre a crítica especializada uma tendência a desdenhar os seus trabalhos de ficção como desleixados, e considerá-los sem maior importância literária. Era um preconceito advindo do sucesso popular. Preconceito do qual não participava seu confrade e amigo Henry James — a deduzir-se pela interessantíssima correspondência com ele trocada, invejando a aceitação que sua obra alcançara por parte do público.

O seu sucesso nas letras era considerado fruto de afetação daquele homem romântico e aventureiro, alto, magro, de longos cabelos negros e olhos negros ainda mais longos. Com o tempo, entretanto, esta imagem se esvaneceu (inclusive fisicamente: era um feixe de ossos ao morrer) e ficou apenas a do autor de uma das obras mais palpitantes e renovadoras da literatura universal.

Haveria motivos para considerar desleixada na sua concepção a novela aqui apresentada — não fosse apenas aparente o desentrosamento das duas partes entre si e destas com o surpreendente desfecho. Na realidade, além de levantar os costumes da época através de ambientes e personagens, conduzindo a ação com admirável desenvoltura, o que fez Stevenson, nesta sua verdadeira extravagância literária, foi antecipar-se ao moderno romance policial. Tornou-se precursor de uma vertente que passou por criações como as de Sherlock Holmes, Rafles ou Arsène Lupin, para desaguar em criadores que vão de Edgar

Wallace a Graham Greene na Inglaterra, Simenon na França, Dashiell Hammet e Raymond Chandler nos Estados Unidos.

Esta é, certamente, uma das qualidades de "O Clube dos Suicidas" que recomendam sua inclusão na nossa "Coleção Novelas Imortais". Pelo menos aos olhos dos aficionados do gênero, como eu.

Quanto à tradução, dando-me por suspeito, ouso dizer apenas que confiei a uma profissional competente, e que ela, minha filha Eliana Sabino, soube se sair bem da tarefa, com um trabalho digno do original.

Feminismo

SEMPRE tive cauteloso respeito pelas feministas. Sendo disparadamente a favor das mulheres, nunca ousei escrever defendendo os seus direitos, como fazia de vez em quando, e com invejável sucesso, meu colega e amigo Affonso Romano de Sant'Anna. Eu sabia que o assunto dava prestígio entre elas, mas poderia errar na dose e acabar levando de alguma feminista um joelhaço entre as pernas.

As coisas mudaram muito desde então — ainda assim, todavia, é cheio de dedos que toco neste assunto.

Certa ocasião escrevi sobre alguns filhos já crescidos que usam e abusam do direito de chatear os pais, principalmente as mães.* Foi a propósito do livro "Eu, Sua Mãe", de Christiane Colange, publicado então pela Editora Rocco. A autora, uma jornalista francesa, dirigia-se aos filhos reivindicando o direito a um pouco de sossego dentro de casa, depois de um dia inteiro de trabalho. A repercussão que provoquei me deixou atônito: os que se tocaram não foram apenas as mães na mesma situação da autora, mas principalmente os jovens que não estavam nessa de azucrinar a vida dos pais. Henrique, meu sobrinho, telefonou-me entusiasmado para dizer que havia tirado cinquenta xerox da crônica a fim de distribuir entre seus conhecidos. Outro sobrinho, Saulo, se manifestou afirmando que "devia ser lida por todos os adolescentes do mundo". Filhos e filhas de amigos se mostraram solidários com aqueles pais submetidos aos abusos de insuportáveis galalaus que não se mancavam, como eles próprios diziam.

Mas a surpresa maior foi a reação das esposas, atribuindo ao marido abusos semelhantes. Recebi manifestações por carta, telefone, ou pessoalmente de mulheres que tinham as mesmas queixas a fazer, em relação ao convívio conjugal.

Andei contando em outra crônica** o caso dos três irmãos que viviam na mesma

---
*Os Filhos da Mãe, em "A Volta por Cima".
**Ela Lava e Ele Enxuga, em "No Fim Dá Certo".

casa com o pai viúvo, numa cidade do interior de Minas. Um deles se casou e, na primeira visita que fez aos demais, comentou, deslumbrado:

— Vocês não sabem como mulher é bom. Serve pra tanta coisa...

Além da serventia nas *coisas d'amor* (a que o idiota obviamente se referia) que diabo de "tanta coisa" seria essa para a qual, segundo ele, a mulher serve?

Certos sambas antigos talvez contenham a resposta:

"Quero uma mulher que saiba lavar e cozinhar..."

São os atributos que o sambista reconhecia na famosa Emília, sem a qual não podia viver. O caso da Amélia, mais famosa ainda, não me parece o mesmo. Tornou-se erradamente o símbolo da mulher passiva, submissa, sujeita aos caprichos do seu homem e a ele escravizada nos encargos domésticos. No entanto, o samba enaltece é a mulher solidária no sofrimento do companheiro: "às vezes passava fome ao meu lado, e achava bonito não ter o que comer; quando me via contrariado, dizia, meu filho, que se há de fazer..."

Já tive ocasião de comentar com o autor dessa obra-prima de letra, o grande Mário Lago, como ele soube criar em poucos versos uma personagem imortal, de causar inveja ao melhor dos romancistas.

Mas a Amélia é uma exceção, respeitada na sua grandeza de mulher — o que em geral não sucedia na criação de outros compositores. O próprio Noel Rosa, por exemplo, depois de dizer que não se deve obrigar a mulher a trabalhar, advertia "mas não vá dizer depois que você não tem vestido ou que o jantar não dá pra dois".

Não dá para ela, evidentemente. A mulher, na voz do samba, tinha consciência da sua inferioridade, segundo "O Último Desejo" de Noel:

*"Diga sempre que eu não presto,
que eu não mereço a comida
que você pagou pra mim"*

Ela comprava com o trabalho doméstico o carinho do seu homem, segundo Lupiscínio:

*"De dia me lava a roupa,
de noite me beija a boca,
e assim nós vamos vivendo de amor"*

E tome pancada! Heitor dos Prazeres

"Quanto mais apanha a ele tem amizade"

O próprio Caymmi, tão terno, entrou nesta:

*"Se eu dou carinho ela não quer.
Será que ela quer pancada?
É só o que me falta dar..."*

Isso já é caso para a Delegacia de Mulheres.

Estou me referindo é aos homens que buscam, quando se casam, alguém que seja o prolongamento da mãe. (Aquela pobre mãe sofredora, finalmente respirando, aliviada, ao ver pelas costas o filho que não lhe dava descanso dentro de casa e nunca mais virava homem.) Alguém que lave e passe toda a sua roupa, pregue botão na sua camisa, limpe seus sapatos, arrume a cama, varra o chão, faça as compras da casa, cozinhe, lave a louça, faça tudo para ele sem reclamar, e achando bom. O que ele quer, em suma, é uma empregada. Que trabalhe para ele de graça e, ainda por cima de noite esteja na cama à disposição, porque mulher serve é para isso mesmo. E assim nós vamos vivendo de amor!

Pois ele não se mata de trabalhar o dia inteiro na rua para o sustento de ambos? Não se falando nos filhos, que por viverem também à sua custa, lhe dão direito de reclamar da mãe deles: exigir que cuide de cada um o tempo todo, leve ao médico, ao dentista, ao colégio, dê banho, vista, ajude a estudar a lição. Pouco importa que ela hoje em dia também trabalhe, para ajudar a aliviar as despesas de casa: geralmente a parte dele é que vem a ser a substancial do orçamento doméstico.

Então ela que se vire. Ele não está nem aí para ao menos dependurar uma roupa no cabide, esticar a toalha depois do banho, esvaziar um cinzeiro, ajudar a tirar a mesa, nem pensar! Não é coisa pra homem. E me traga um copo d'água, mulher. Vê se passa um café pra mim. Como é, esse almoço sai ou não sai? Tira gelo na geladeira, me serve um uísque. E bota água no feijão que esses amigos que eu trouxe vão ficar pra jantar.

Acontece nas melhores famílias. Ainda outro dia um conhecido me contava que, num jantar de cerimônia, sentou-se ao lado de uma senhora cujo principal assunto era o marido:

— Ele é um grosso — dizia, sem meias palavras. — Pensa que eu sou sua escrava, incapaz da menor ajuda dentro de casa, do menor gesto de delicadeza. Mal educado, grosso, porco. Larga a roupa suja no chão, pisa na toalha molhada, se esquece até de dar descarga. No que dependesse dele, a casa seria um chiqueiro.

Ao sair, descobriu que se tratava da esposa de um ilustre, e na sua época prestigiadíssimo ex-Ministro de Estado.

Se é esse o tipo de machismo a que se referem as feministas, elas têm razão de reclamar — embora historicamente se explique. É coisa que vem de longe, desde que o mundo é mundo, a partir de Adão e Eva, e que a tradição só fez cultivar: o sexo forte e o fraco; o protetor e a protegida; o conquistador e a conquistada. Afinal de contas, foi ela quem cedeu primeiro à tentação da serpente...

*Sílvia**

NÃO é de estranhar que ele acreditasse em *metempsicose***, ou seja, a passagem da alma, depois de morta, de um corpo para outro: o culto a esta e outras crenças esotéricas se explica pelo fato de ter desde cedo, como leituras prediletas, velhos livros de misticismo e ciências ocultas. Sustentava que "nossos sonhos são uma segunda vida" — afirmação com que abre o livro "Aurélia", no qual pretende descrever as alucinações que o assaltavam em seus períodos de ansiedade. No último, enforcou-se, em circunstâncias misteriosas, aos 47 anos.

Mas comecemos pelo princípio: Gérard de Nerval nasceu em Paris a 2 de maio de 1808 e ali morreu a 25 de janeiro de 1855. Seu pai era cirurgião do exército e a mãe acompanhava o marido nas campanhas militares, deixando o filho aos cuidados de um tio. Ela acabou morrendo na Silésia, e o pai, de regresso, passou a educá-lo à sua maneira, ensinando-lhe, além de grego e latim, rudimentos de árabe e persa. Daí talvez a preocupação com um passado obscuro e legendário que impregna toda a sua criação literária.

Ainda era estudante quando publicou o primeiro livro, de elegias patrióticas, "La France guerrière". Aos vinte anos lançou uma tradução do "Fausto" de Goethe, em que Berlioz mais tarde basearia a sinfonia "A Danação de Fausto". Aos 21 anos tinha estabelecido sua reputação literária com algumas peças poéticas e comédias, que o levaram a associar-se a Théophile Gautier na elaboração de um folhetim dramático publicado regularmente na imprensa.

Foi então que se abateu sobre ele violenta paixão por uma atriz chamada Jennie Colon. Paixão devastadora, que lhe acendeu na mente a primeira chama da loucura: julgava reconhecer naquela mulher a sua *Adriana* — mito feminino que lhe incendiou a imaginação desde os tempos de menino. O casamento da atriz e a morte em 1842 foram golpes que abalaram para sempre o seu vulnerável sistema nervoso. Partiu em viagem pela Alemanha em companhia de Alexandre Dumas e depois sozinho pelo resto da Europa, levando desde então uma vida irregular e excêntrica.

Em 1843 foi parar na Síria, onde por pouco não se casa com a filha de um *sheik*. Suas viagens se tornaram assunto de alguns relatos publicados em revistas de Paris, para onde

---
*Sílvia ("Sylvie"), Gérard de Nerval, "Coleção Novelas Imortais", Editora Rocco.
**Numa Vida Anterior, em "A Falta que Ela me Faz".

voltou em 1844. Retomou as atividades de folhetinista e, embora as extravagâncias redobrassem, deu seguimento à sua obra literária, em 1852, com o livro "Les Illuminés" ("Os Iluminados"), contendo uma série de trabalhos inspirados em personagens pitorescos, precursores do socialismo. Dele constam também alguns estudos e uma análise do estado de espírito que sucedeu a um de seus ataques de loucura. Seguiram-se vários livros de contos e novelas, além de uma peça de teatro de parceria com Alexandre Dumas, e "Aurélia, ou Le Rêve et la Vie" ("Aurélia, ou o Sonho e a Vida") publicado no ano de sua morte.

De todo esse trabalho, o principal acabou sendo "Les Filles du Feu" ("As Filhas do Fogo"), contendo "Sílvia", considerada sua obra-prima, e que passa a integrar a nossa "Coleção Novelas Imortais", em mais uma irrepreensível tradução de Luís de Lima.

O estilo de Gérard de Nerval, simples e despretensioso, empresta um ar de naturalidade às criações mais inspiradas de sua fantasia. Evocando aqui a região de Valois, no interior da França, onde passou a infância, ele faz renascer o eterno mito feminino que sempre o perseguiu: Adriana — desdobrada em Sílvia, que encarna a pureza campestre, o idílio rural, e Aurélia, que representa a culminância do êxtase redentor. Juntas, compõem a idealização do amor, concebido nos sonhos desvairados de Gérard de Nerval, como a extrema perfeição de um sentimento absoluto.

José Bento e Beatriz

DE José Bento, sobre Beatriz:
"Seja como for, a verdade é que ela vive de sonhos e ilusões. E é bom que assim aconteça, antes que venha a realidade da vida e lance por terra todo um castelo de ideais e esperanças. (...) Ponho-me a pensar, cuidando de minha filha: feliz criança sonhadora e confiante! E ai de mim, pobre homem cético e desiludido!"

De Beatriz, sobre José Bento:
"Meu pai é um homem bom e sensível. Tem um grande coração, um pouco sofrido, eu acho. Vive recoisando as coisas. Às vezes, fica emburrado. E quando está assim, pode-se sair de perto, porque não é fácil. Mas, no geral, é de boa convivência. Gosta tanto de brincar com as pessoas que quem não o conhece direito nunca sabe se ele está falando sério ou não. (...) Acho que é através das implicâncias e brincadeiras que ele demonstra seu carinho e seu amor."

José Bento Teixeira de Salles, meu ex-colega de Faculdade, companheiro de geração em Belo Horizonte. Maria Beatriz Teixeira de Salles, sua filha mais nova. Ambos se juntaram numa experiência inédita e arriscada: escrever uma espécie de diário a quatro mãos, abordando cada um o mesmo assunto, em separado e à sua maneira. Arriscada, mas se saíram bem.

A idéia nasceu da intenção do pai de alimentar na filha o hábito de escrever, congênito em parte da família. Começaram em 1982, ele com sessenta e ela com vinte anos, mantendo a média de dois textos por mês. Ela passou algum tempo em Londres, sem que sua contribuição caísse de produção ou qualidade. A intenção de ambos era cotejar a visão que têm do mundo e das coisas duas pessoas de gerações diversas. Segundo a editora (distribuição da Itatiaia, Belo Horizonte), "para nossa felicidade, este exercício de carinho e de extrema competência tomou forma, virou livro".

Para felicidade da editora e de um leitor como eu.

Comecei a leitura de "Tarde / Manhã — Um Diálogo de Duas Gerações" com interesse e simpatia, por ser de quem é, mas um pouco cético: à primeira vista a experiência me pareceu um tanto singela, emprestando aos autores uma visão meio convencional dos assuntos abordados, cada um do ponto de vista de sua geração. E terminei a leitura com inesperado fascínio.

Singela a idéia é, no que tem de cândido e um pouco edificante, a despeito da inegável originalidade. Mas nisso reside o seu maior encanto — e estou pensando no valor literário de uma Helena Morley, por exemplo. O que me soou a princípio um tanto formal nos comentários, sobretudo nos dele (como ao chamar a mulher de esposa), não é senão um eco da linguagem com que se formulavam em Minas as idéias, opiniões, conceitos e preconceitos. Na realidade é um reencontro com experiências adormecidas no fundo da minha consciência, e que eu nunca trouxe à tona, pelo menos de maneira tão explícita. Quando ele escreve sobre as ruas de Belo Horizonte, onde esbanjávamos a nossa louca mocidade, é como se eu estivesse revolvendo um arquivo secreto de minhas preciosas recordações. Quando fala no lento e laborioso processo de amadurecimento que transformou "o jovem arrebatado num adulto tranqüilo", é como se estivesse falando na minha sempre acalentada pretensão de um dia vir a ser um homem sereno, ponderado, condescendente — um adulto tranqüilo:

"Fui estremado no conceituar fatos e pessoas. A verdade era uma só: a minha, a dos meus líderes e correligionários. Julgava com arrebatamento, agia sob os impulsos da paixão que perturba e cega. (...) Hoje sou compreensivo na interpretação, cordato no diálogo, prudente no julgamento."

Exatamente como eu gostaria de ser. Com a coincidência de nos reencontrarmos na admiração pela mesma figura que um dia encarnou aos nossos olhos este ideal: Milton Campos — o homem que, segundo Carlos Drummond de Andrade, todos nós gostaríamos de ser.

Mais do que tudo, porém, nos une um sentimento comum, sempre presente em minha vida atual e que ele exprime ao confessar:

"A verdade é que muitas vezes tenho saudade dos velhos tempos, quando os impulsos da juventude imprimiam em meus gestos a marca da espontaneidade e do arrebatamento."

Coincidência ainda maior me une à sua sócia nesse empreendimento que me tocou tão de perto. Não apenas por sua leveza verbal e frescor de sentimentos: pela feliz circunstância de estar minha filha, aos vinte anos, vivendo atualmente em Londres uma experiência semelhante à sua. Imagino como Mariana haverá de se sentir ao ler o que ela fala sobre a cidade onde deixamos, os três, um pouco do melhor de nossa vida.

A página tocante sobre a primeira noite de Natal, por exemplo, que Beatriz passou sozinha:

"Confesso que a princípio a idéia me dava um pouco de medo. As pessoas me diziam que seria horrível, que a solidão seria insuportável, coisas desse tipo. Eu pensava comigo mesmo em tantos Natais que passara no meio de muita gente mas sentindo-me completamente só. (...) Comprei uma *pizza* e vinho, vim para casa, fiz um almoço de Natal para mim mesma. (...) Depois, caminhei um pouco pelas ruas, li bastante, escrevi, escutei música. Assim passei meu Natal que, por estranho que pareça, foi dos mais felizes da minha vida."

Chego a invejar o relato de sua volta a Londres, que, como a mim, também a marcou para sempre:

"Na noite da chegada, caía uma chuva fininha. Encontrei uma Londres quase adormecida. Linda e fascinante como da outra vez. Em minha cabeça o tempo deixou de existir e era como se eu nunca tivesse saído de lá. Foi bom (...) Pela primeira vez senti vontade de chorar porque ficou tão claro que agora Londres já não era minha. Eu era uma simples turista, sem direito a entrar em sua vida. O Tâmisa, tão poluído e tão puro para quem sabe enxergá-lo. Recordações. Londres, Londres, andei por suas ruas e vi que você ainda era a mesma cidade que me encantou há três anos atrás. Eu é que já não era a mesma. Já não olhava suas ruas, lojas, prédios e pessoas com surpresa. Já não acreditava que estava ali a solução de meus problemas."

E a saudade de Londres no frio de Belo Horizonte — frio que senti em ambas as cidades e que invade minha alma neste momento:

"Em minha cabeça, revivo aquelas longas caminhadas no vento frio, a sensação de aconchego ao voltar para casa, os vinhos madrugada adentro, esquentando o corpo e diminuindo a solidão. Ah, Londres, como sinto você em minha lembrança, neste frio brasileiro! (...) Cada rajada de vento, cada arrepio de frio que sinto aqui, faz-me reviver por um segundo seus parques misteriosos, suas ruas úmidas e cinzentas, seu frio tão aconchegante, seus segredos que começavam a deixar de ser segredos para mim, quando a deixei. (...) Não, não que o frio continue. Que venha o verão tropical para adormecer em mim a saudade e a dor de não viver mais em Londres. De não me ter mais."

Passagem do ano, exame vestibular, morte de Elis Regina ou de Henry Fonda, primeiro emprego, família, carnaval, violência, futebol, boemia mineira, Tancredo Neves, Carlos Drummond, viagem pela Europa — tudo era assunto para ser abordado pelos dois, em comentários que de certa forma se completam no ápice da geração de cada um. Um livro pessoal, como diz ela na apresentação, que talvez faça mais sentido para as pessoas de sua convivência. Mas que faz sentido para mim, ao reviver minha própria vida em certas passagens — especialmente nas palavras com que ele encerra a sua parte, sobre a geração a que ambos pertencemos — e que peço ao nosso José Bento licença para fazer minhas:

"Arrebatados ou complexados, indóceis ou inconformados, visionários ou falsos profetas, mal sabíamos que a vida era bela e pura."

O escriturário*

VERIFICO com surpresa que a Enciclopédia Britânica, por mim consultada, dedica ao escritor apenas um pequeno verbete, não mais que um quarto de página, informando: "Seus escritos são numerosos, e de mérito variado; seus versos, patrióticos e outros, estão esquecidos; seus trabalhos de ficção ou de viagem são de realização irregular."

Por que semelhante desconsideração? Descubro logo que não se trata de menosprezo: a edição que possuo é de 1947. E foi só a partir de então, nos últimos trinta anos, que Melville passou a ser gradativamente redescoberto, e reconhecida a sua importância na literatura norte-americana.

Tanto assim que a Delta Larousse, já na edição de 1973, numa menção embora menor ainda, afirma que "Melville é hoje considerado um dos grandes romancistas norte-americanos" e que "todas as suas obras têm alta significação moral e crítica da vida". E a Delta Universal, em 1980: "Um dos mais importantes escritores norte-americanos; escreveu 'Moby Dick', um dos grandes romances da literatura mundial. Muitas de outras obras suas também são criações literárias de alto nível — em que se misturam fatos da vida real, ficção e um sutil simbolismo." Como se vê, o tom já é outro.

E ainda: "A popularidade de Melville começou a declinar, curiosamente, com a publicação de sua obra-prima 'Moby Dick'. O romance foi ignorado ou mal compreendido pela crítica e pelos leitores. A seguir publicou o romance 'Pierre' (1853), pessimista e trágico, que fez com que sua popularidade decaísse mais ainda."

---
*Bartleby, o Escriturário ("Bartebly, the Scribner"), Herman Melville, "Coleção Novelas Imortais", Editora Rocco.

Por aí se verifica que a reputação de um escritor, ao longo do tempo, sofre variações ao sabor das ondas de crédito e descrédito que o público vai gratuitamente provocando. Oscila como um navio daqueles em que Melville embarcou, para iniciar as suas viagens pelos mares deste mundo.

E como esta apresentação não pretende ser muito mais do que simplesmente informativa, passemos aos dados biográficos.

Herman Melville nasceu no dia 1º de agosto de 1819, em Nova York. Aos dezoito anos, embarcou como camareiro num navio que o levou pela primeira vez à Inglaterra. Aos 22 anos, engajou-se na tripulação de um baleeiro para uma viagem de quatro anos pelos mares do Pacífico. Ao fim de um ano e meio desertou, em protesto contra o tratamento desumano a que o capitão submetia os seus subordinados. (Aí estava o protótipo do capitão Ahab, imortal personagem de sua obra-prima.)

Nas Ilhas Marquesas foi capturado pelos canibais, que não se serviram dele para o jantar, mas para trabalhos forçados durante quatro anos de cativeiro. Esta terrível experiência forneceu o tema de seu primeiro livro, em 1856: "Typee, a Peep at Polynesian Life or Four Months Residence in a Valle of the Marquesas" ("Typee, uma Espiada na Vida Polinésia ou Quatro Meses de Permanência num Vale das Marquesas"). Conseguiu escapar, e continuou se servindo de sua experiência como inspiração para os livros que se seguiram: "Ommoo, a Narrative of Adventures in the South Seas" ("Ommoo, uma Narrativa de Aventuras nos Mares do Sul"), em 1847, e "White Jacket, or the World in a Man-of-war"* ("Túnica Branca, ou o Mundo num Navio-de-Guerra"), de 1850, e finalmente "Moby Dick, or the White Wale" ("Moby Dick, ou a Baleia Branca"), de 1851, no qual revelou toda a força do seu gênio criador. É possível que ele próprio não tivesse consciência do profundo sentido simbólico da história nascida de sua poderosa intuição: a sinistra baleia representando as forças cósmicas que se desencadeiam sobre o homem e este se dispondo a enfrentá-las, apesar de todas as suas limitações.

Mesmo com a importância do romance, e apesar dos esforços para ajudá-lo de Nathaniel Hawthorne, outro grande escritor seu contemporâneo, Melville não conseguia estabilidade econômica para prosseguir a sua obra. Foi forçado então a escrever romances seriados, novelas e contos para revistas da época. Daí a queda de qualidade nas obras que se seguiram: o romance "Israle Potter" e as histórias reunidas no livro "Piazza Tales". A partir de mais um livro sem maior importância, publicado em 1856, deixou de escrever por muito tempo.

Pouco antes de morrer, em Nova York, a 28 de setembro de 1891, terminou o último romance. "Billy Budd", só publicado em 1924 e considerado o seu melhor trabalho, depois de "Moby Dick".

---

*Pérolas de Tradução, em "No Fim Dá Certo" (p. 39 sobre "Man-of-War").

A novela aqui apresentada tem em sua obra um lugar de destaque, a partir da admirável adequação da linguagem ao espírito do velho narrador da história de Bartleby. A patética figura do escriturário, com a sua abulia e crescente alienação, que faz lembrar um personagem de Kafka, vem a ser uma verdadeira antevisão do homem robotizado do nosso tempo: o pobre-diabo esmagado pelas condições desumanas da vida em sociedade, cujo destino final é mesmo o hospício.

O fato de ser mais uma vez, nesta coleção, Luís de Lima o tradutor, tem outro mérito além da garantia de um trabalho como sempre impecável: o de relembrar extraordinário feito seu, como homem de teatro. Em 1953, por sugestão de Vinicius de Moraes, ele concebeu, dirigiu e interpretou em São Paulo (e no Rio de Janeiro, em 1956) um memorável drama de pura mímica baseado nesta novela — trabalho pioneiro na América Latina, onde jamais se fizera antes espetáculo dramático sem recorrer ao uso da palavra.

O que vem comprovar mais uma vez que a criação de um grande escritor, como a de Herman Melville, vai muito além das palavras em si, até o território silencioso onde pulsa o profundo mistério da vida.

1987

Mais algumas

UM leitor me escreve perguntando se já se esgotei meu repertório de coincidências.

Ainda agora, a propósito de cinema nacional, me lembrei daquela noite, há algum tempo, quando saía do Cine Leblon, onde acabara de ver um filme qualquer. Sem saber por quê, senti naquele instante vontade de comer um chocolate. Não um qualquer, mas aquele recheado de coco, envolto em papel vermelho e branco, chamado *Prestígio* — que, diga-se de passagem, não era ainda de minha especial predileção.

Na confeitaria em frente ao cinema, pude satisfazer o meu surpreendente desejo.

Mais tarde, já no Antonio's, pergunto a alguém onde estaria metido o pessoal do cinema, que ultimamente não aparecia por ali, como de costume: Joaquim Pedro de Andrade, Cacá Diegues, Gustavo Dahl, Miguel Faria, David Neves... Com certeza andavam às voltas com algum festival.

Pois no que acabei de falar, a porta se abriu, dando entrada a um deles: Joaquim Pedro. Falei-lhe na coincidência e ele, sem saber, compareceu com outra bem maior. Contou-me que naquela noite resolvera dar uma chegada até ali, ao sair do cinema. Só que antes passou na confeitaria, porque lhe dera vontade de comer um chocolate daqueles recheados de coco, chamado *Prestígio*...

— Isso aconteceu foi comigo — interrompi, assombrado.

Se ambos tivéssemos vontade de tomar apenas um uísque, não seria de espantar (era o que já estávamos fazendo). Mas chocolate! E ainda mais da mesma marca... A não ser que houvesse no cinema alguma propaganda subliminar à qual ambos fomos sensíveis. Parecia coisa de menino... Ou desejos de mulher grávida.

Em tempo: poucos minutos não são decorridos, e a porta do Antonio's se abre dando entrada a praticamente todos eles: Cacá, Gustavo Dahl, Miguel Faria... Só ficou faltando o David — que, como sempre, não perderíamos por esperar. (Já devia estar chegando, certamente depois de se deter no caminho para comprar um chocolate chamado *Prestígio*.)

Borjalo

"BELO Horizonte, 31 de Dezembro de 1953.
   Fernando:
   Aqui vão alguns trabalhos meus publicados na "Folha". Vão também cinco originais, os únicos (dos 56 que já fiz) que escaparam ao meu relaxamento. Peço a você levar em conta o seguinte: essas páginas, embora sejam a melhor coisa que já fiz, são executadas em cima do joelho. Trabalho das 8:30 da manhã às 6 da tarde num escritório de publicidade e das 6:30 às 8 da noite no "Diário de Minas", onde, sob o pseudônimo de Borjalo, faço diariamente uma charge política. (Já publicadas cerca de 1.500.) Como você vê, somente me sobra a noite para pensar nestas páginas. E assim mesmo, uma noite por semana, pois nas outras a garota faz questão da minha presença. Veja aí o que for possível fazer por mim e desde já aceite o meu abraço. Borjalo"

   Transcrevi na íntegra, porque tenho orgulho desta carta. Não era preciso fazer nada por ele, pois ele já nasceu feito. Dão testemunho disso tanto o Otto Lara Resende no prefácio, como o Hélio Pellegrino na apresentação do seu maravilhoso "Caçador de Borboletas"*, no qual ele enfim acedeu em reunir seus desenhos. Resgatou assim, para a posteridade, uma preciosa parcela da arte brasileira até agora perdida nas páginas de velhos jornais e revistas.
   Ao ver meus dois amigos embarcados no êxito de Mauro Borja Lopes, dito (e feito) *Borjalo*, senti inveja, querendo saber a parte que me cabe nesse latifúndio. Diz o Hélio que ele "é o talento fulgurante e, como tal, condenado à criação artística". E o Otto afirma com graça que o livro é "uma lição de vida, na mão firme e generosa de Borjalo, ontem, como hoje, no caminho da obra-prima, graças à graça que Deus lhe deu — e que ele aqui nos dá de graça, neste reencontro de hoje e para sempre".
   Teria graça eu pretender acrescentar alguma coisa ao que de definitivo dizem os dois, senão a graça (se o Otto me permite) de ter também partilhado de doce convívio diário de Borjalo desde os seus primeiros tempos no Rio. Chegamos até a planejar juntos uma incursão nos sedutores domínios da televisão. Ao fim, ele se iniciou sozinho e acabou vencendo. O poderoso complexo que vem a ser hoje a Rede Globo de Televisão deve à prodigiosa criatividade de Borjalo uma parte substancial do seu sucesso no domínio da arte visual.
   E o Brasil tem no seu desenho finíssimo, digno de Steinberg, verdadeiro patrimônio de humor, de beleza e (vá lá) de graça.
   Se observarmos com atenção, descobriremos uma constante nas figuras humanas por ele criadas: não têm boca. Um dia lhe perguntei a razão disso:

---

*Por coincidência, o mesmo título da abertura de "Livro Aberto", 1939.

— Porque não falam — respondeu ele, sério.

Antes de ser engraçada, esta explicação exprime a rigorosa economia mineira de seu traço, restrito ao essencial, na busca da perfeição linear — e indo além de si, ao sugerir o que não foi desenhado. Ainda me lembro do dia em que o diretor da *Manchete*, na qual ambos colaborávamos, relutou em conceder-lhe um merecido aumento pelo seu trabalho, se justificando:

— Que trabalho? Um desenho só de risco, não tem nada dentro!

A sina de ter que enfrentar esse tipo de incompreensão vem de longe, desde o tempo da *Folha de Minas*. Certa noite, em meio à balbúrdia da redação, cada um empenhado em seu trabalho, estava ele a um canto, debruçado sobre a prancheta a desenhar durante horas, quando entrou o negro velho. Era desses tipos populares que naquele tempo freqüentavam os jornais, à procura de um trocado ou um simples calor humano na fria madrugada mineira: desdentado, carapinha branca, em andrajos, curvado sobre um cajado. Parou atrás de Borjalo, olhou longamente por cima de seu ombro o desenho em que ele se empenhava, e comentou, espantado:

— Uai, nhozinho, quê isso? Todo mundo trabaiando, e ocê aí rabiscando catita e garatuja?

Pois rendamos graças (de novo) a Deus pelas catitas e garatujas que "a sobriedade exemplar do traço de Borjalo", no dizer do Otto, "fatalizado pela vocação que o convoca", no dizer do Hélio, veio enriquecer a nossa arte, dando-nos através da graça (!) uma fascinante visão da natureza humana.

Pronúncia

UMA amiga me fala em alguém que foi operado da garganta por causa de um... E vacilou: *pólipo* ou *polipo*?

Recorro ao dicionário: o Aurélio registra *pólipo*. Já o Laudelino nos dá *pólipo* e *polypo*. Então tudo bem: que seja *pólipo*.

Dúvida semelhante me ocorre em relação ao gênero de certas palavras. Ouço pela televisão alguém falar no fraude cometido. Não seria *a* fraude, no feminino? De novo o dicionário: é feminino mesmo: eu estou com a razão.

Mas já fui apanhado questionando a palavra *grama*, que para mim se falava no feminino: *uma* grama. Daquela vez o dicionário foi cruel: grama no feminino, qual é, ó ignaro? Só se for a de jardim. A de peso sempre foi e continua sendo no masculino.

De uns tempos para cá, deram para falar boêmia em vez de boemia. Pode estar certo, acredito, nem preciso de conferir no dicionário. Mas não tem dúvida que o samba perdeu uma boa rima para Maria, alegria e fantasia. E todavia — se me permitem a rima — boêmia continua sendo para mim aquele lugar onde se fazem cristais, uma marca de cerveja, ou uma mulher da farra.

São coisas da semiologia, com perdão da palavra. Antes de recolher-me à minha ignorância, descubro ainda que a parte da gramática sobre a pronúncia correta das palavras tem duas pronúncias, ambas corretas: *ortoépia* ou *ortoepia*.

Donde se conclui que tinha razão, afinal, aquele célebre almirante bátavo — ou batavo, da conhecida anedota.

E tem o caso da palavra *record*: era *récorde*, e dizem ter virado *recór* quando o César Ladeira começou a falar assim na estação de rádio de São Paulo com esse nome. Mas ele não era *speaker* da Rádio Mayrink Veiga, no Rio? E *recór* não é pronúncia de paulista? Pois recórde ficou sendo. Ainda bem que a nossa Editora continua Récord — graças ao Alfredo Machado, que sempre soube onde botar o acento (das palavras, bem entendido).

Motorista

TOMEI um táxi na Rua São Clemente, sentei-me ao lado do motorista e pedi que me levasse a um restaurante em Copacabana.

— Tem um encontro marcado lá? — perguntou ele com um sorriso.

Olhei-o, surpreso: seria uma referência ao meu romance com este nome, ou mera indiscrição de sua parte? Reparei que era um homem de meia idade, já de cabelos brancos, mas de aspecto jovial e simpático. Deixou logo claro que havia me reconhecido, acrescentando alguns comentários sobre coisas que andei escrevendo.

— Aquela crônica sobre o seu reencontro com Alceu Amoroso Lima, por exemplo. Nunca me esqueci: o senhor tinha ido a São Paulo ver Mário de Andrade, na volta encontrou com o Dr. Alceu no trem, deixou um cartão na pasta dele. E não é que vinte anos depois, em Belo Horizonte, ele encontra o cartão na mesma pasta!*

Era incrível como ele podia se lembrar de tudo que havia lido, com uma exatidão de detalhes de que eu próprio não seria capaz. E não se tratava apenas de um leitor das crônicas de jornal, mas também dos livros, que mencionou ao longo da conversa. Afirmou que lia esta coluna todos os domingos, não perdendo, da mesma forma, os artigos de Otto Lara Resende, para ele simplesmente admiráveis. Referiu-se ainda ao Hélio Pellegrino, escritor e psiquiatra também de sua admiração, fazendo as mais elogiosas referências à nossa geração.

"O Bilhete de Despedida, em "No Fim Dá Certo".

— Como é que o senhor sabe tudo isso? — perguntei, impressionado. — Também escreve?

Ele descartou a pergunta com um sorriso bom:

— Andei escrevendo uns versinhos para a namorada quando era jovem. Depois me casei, tive filhos, não foi mais preciso. Mas continuei lendo sempre que posso. Tenho cinco enciclopédias completas, todas compradas com o meu trabalho, estes anos todos. Além dos livros que a gente vai juntando, na medida do possível. O senhor sabe, tive seis filhos para criar. Hoje são todos formados. Minha filha mais velha é médica, outra se formou em zoologia...

Perguntei-lhe o que é que anda lendo ultimamente. E minha admiração cresceu ainda mais quando respondeu em tom natural:

— Ultimamente estou lendo os diálogos de Platão. Tem gente que acha que livros de filosofia, principalmente Platão, são de leitura penosa, de compreensão difícil. Não acho nada disso, pelo contrário: é admirável a clareza, a limpidez dos argumentos com que Sócrates vai com a sua dialética conduzindo a conversa sobre o amor no "Banquete", por exemplo, até provar o seu ponto de vista e fazer o outro aceitar as suas idéias.

Eu o escutava, assombrado. Com isso havíamos chegado ao restaurante e a conversa infelizmente teria que acabar aí. Por mim continuaria a conversar com este novo amigo e leitor, encontrado ao volante de um táxi no Rio de Janeiro, e que atende pelo nome tão singelo de Manoel da Silva: alguém que nesses nossos dias cheios de ignorância, violência e iniqüidade, enfrenta corajosamente a vida, cumpre seus deveres para com a família e ainda consegue cuidar das coisas do espírito. São pessoas assim que nos devolvem a confiança no ser humano.

Sobre as mulheres

OUTRO dia li uma notícia segundo a qual os cientistas descobriram que o cérebro das mulheres é diferente do cérebro dos homens. Melhor ou pior, a notícia não diz: só diferente.

Deve ser verdade, pois o meu nunca deu para entender muito bem as mulheres. O que me consola foi ouvir dizer que o próprio Freud declarou, ao fim de sua vida e de sua longa obra:

— Vou morrer sem saber o que as mulheres pretendem.

Algumas, hoje em dia, pretendem direitos iguais aos dos homens — no que obram bem. Para elas, não há diferenças (senão físicas) entre fêmeas e machos. Nem por isso são tidas como machistas, mas feministas. Não sei se sairão ganhando ou perdendo.

Seja como for, no Brasil as mulheres têm conquistado merecida posição de destaque, e não apenas em atividades especificamente femininas. Para ficar só na literatura, elas se impuseram ao longo de uma gama de valores que, na prosa vai de Clarice Lispector a Nélida Piñon, e na poesia, de Cecília Meireles a Adélia Prado.

Dito o quê, ouso temerariamente transcrever uma declaração que descobri de Tolstoi, numa carta a Gorki:

"A verdade sobre as mulheres, eu só direi quando tiver uma perna dentro do caixão; em seguida recolho depressa a outra perna e fecho a tampa."

Cantáridas

LIGO a televisão e dou com uma moça exibindo uma caixa cheia de baratinhas vivas. O programa é o "Cem Censura" (assim mesmo, com C), da TV Educativa, que reúne todo tipo de gente para um encontro com Lúcia Leme, animadora.

A conversa vai realmente animada. A moça, sorridente, está dizendo, pelo que entendi, que é naturalista e que aquelas baratinhas são cantáridas, recebidas diretamente da China. Constituem um excelente alimento que, entre outras virtudes, tem a de ser afrodisíaco.

Meio de brincadeira, a coordenadora do programa pergunta se alguém ali não se habilita. Para surpresa geral, um dos presentes aceita o desafio: um cidadão de bigodes grisalhos. E para surpresa minha, trata-se do meu amigo Autran Dourado, o admirável romancista mineiro. Não seja por isso, sirva-se — e lhe passam a caixa com as baratinhas.

Ele escolhe uma e come. Enorme comoção ao redor. Close no romancista mastigando tranquilamente a baratinha, como se fosse um amendoim. Aliás, a moça acaba de informar que amendoim é o alimento delas. Talvez por isso sejam afrodisíacas — comenta um monge presente à roda, que verifico ser o meu também amigo Dom João Evangelista. Mas que programa cheio de surpresas! Talvez fosse o caso de comer diretamente o amendoim, sugere o monge. O romancista não está para brincadeiras: diz que acaba de publicar seu vigésimo livro: "Violetas e Caracóis", no qual um médico recomenda comer caracóis como afrodisíaco. Por isso resolveu experimentar aquela baratinha. Que gosto tem? — pergunta a coordenadora. É agridoce — informa ele, sério. E acrescenta: já estou de cabelos brancos, ando precisando mesmo de afrodisíaco.

Quando a coordenadora passa a entrevistar outro dos presentes, registra-se ligeira perturbação para os lados do romancista. Pede-lhe que espere, pois voltará a entrevistá-lo daqui a pouco. Mas ele diz de que se trata: acaba de avisar à moça ali ao seu lado que se cuidasse, por que ele está ficando impossível, já começou a sentir o efeito.

A coordenadora avisa que chegou a hora do intervalo, e que já não é sem tempo, "pois a conversa está ficando muito surrealista".

Também acho — concluo, e desligo a televisão.

Os sete enforcados*

"ELE quer me amedrontar, mas eu não tenho medo."

Quem assim falou foi Tolstoi. A História não esclarece o que exatamente ele quis dizer, quando se referiu nestes termos ao seu coleguinha de letras.

Coleguinha, tendo em vista as modestas proporções, em tamanho, da produção literária de Andreiev, se comparada à gigantesca obra do autor de "Guerra e Paz". Certamente este não se referia como autor ao medo de uma concorrência em prestígio no âmbito da literatura, mas como leitor, ao sentimento que inspirava uma obra nascida de uma visão tão amarga da vida, permeada de horror, como nos mais terríveis pesadelos. Um dos críticos desta obra chamou mesmo o seu autor de "matemático do horror" — tal a mórbida precisão com que ele retrata os aspectos mais trágicos das criaturas que povoam o sombrio universo de sua imaginação. Ali não se encontra o menor vestígio da normalidade do dia-a-dia, mas os desencontros, os sofrimentos e o terror, desencadeados pelas mais desvairadas paixões.

Andreiev, cujo nome em russo era Leonid Nikolaievic Andreyev, nasceu na cidade de Orel, na Rússia, no dia 10 de junho de 1871. Educou-se numa escola pública como qualquer criança pobre. Consta que foi a pobreza de sua família, e em conseqüência o amargor de uma juventude carente, que o levou a tentar o suicídio aos 22 anos. Mas consta também que o gesto de desespero decorreu de um amor infeliz, quando ainda estudante. Desta tentativa (de cuja forma não cheguei a apurar) teria resultado uma lesão cardíaca que o levou à morte aos 48 anos de idade.

Iniciando sua carreira como repórter, Andreiev logo se consagrou como escritor de ficção com seu primeiro conto, o único que narra uma feliz história de amor. A partir de 1901 passou a escrever uma série de contos que o apresentavam como uma espécie de filho espiritual de Tchekhov — mas filho maldito: segundo um crítico da época, levava aos últimos extremos o elemento melancólico, e com isso tornando completamente negra a tonalidade cinzenta do seu antecessor. Sua obra logo adquiriu feição própria e extremamente original. Máximo Gorki se referiu a ele com a maior admiração: "É de uma intuição surpreendentemente fina. Por tudo que se refere aos aspectos mais sombrios da

---

*Os Sete Enforcados ("Rasskag o Semi Poveshennikh"), Leonid Andreiev, "Coleção Novelas Imortais", Editora Rocco.

vida, às contradições da alma humana, às fermentações no domínio dos instintos, ele é de uma espantosa perspicácia."

Do realismo das primeiras histórias, Andreiev passou às puras criações de sua imaginação, embora baseadas em temas de interesse na época, como a Revolução, os atentados, as execuções — e, de permeio, a relação entre o homem e a mulher. Encontrou logo o seu lugar próprio, entre a corrente realista, de que Gorki era então expoente, e a simbolista, que começava a predominar na Rússia. Dedicou-se também ao teatro, marcando sua presença na dramaturgia russa com peças de grande impacto, que refletiam o mesmo terror da vida. Mas sua consagração definitiva se deu a partir da abordagem, em contos e novelas, de temas considerados malditos, como o problema sexual e a prostituição em casas de tolerância.

Dedicada inteiramente à atividade literária e pobre de acontecimentos excepcionais, a vida de Andreiev nada de especial tem a oferecer. É verdade que ele aderiu ao movimento revolucionário. Chegou mesmo a promover reuniões clandestinas em seu apartamento. Mas o fogo sagrado da revolução não chegou a incendiar-lhe a alma, como os demais sentimentos humanos que tanto arrebatavam os seus personagens e de que se compunha a sua vida interior. Não seguiu o exemplo de Gorki e se recusou a reconhecer o regime bolchevista, que lhe oferecia em vão todas as honrarias. Acabou se refugiando na Finlândia e perdendo com isso a fortuna adquirida com a sua atividade literária.

Ao fim da vida, voltava a experimentar as agruras da mais extrema pobreza. A última obra, significativamente chamada "S.O.S.", foi o seu canto de cisne: considerada uma das mais importantes da literatura russa, foi publicada na Finlândia, onde morreu do coração no dia 12 de setembro de 1919.

A obra de Andreiev até que é bastante numerosa. Iniciou-se em 1902, com os livros "O Abismo", "Na Névoa" e "O Pensamento".

Seguiram-se vários volumes de contos e novelas como "O Sorriso Vermelho", em 1904; "Savva" e "Judas Iscariotes", 1907; "Os Sete Enforcados", 1908; "Sachka Jeguliov", 1911. As peças teatrais incluem "Os Dias de Nossa Vida", 1908; "Anátema", 1909; "Anfissa", 1910; "Ekaterina Ivanocna" e "Professor Storitsine", 1912. Publicou também alguns livros de ensaios.

A novela aqui apresentada é das que sistematicamente aparecem em coleções deste gênero. E seria imperdoável que assim não acontecesse: "Os Sete Enforcados" vem a compor, com "A Morte de Ivan Ilitch" de Tolstoi, "A Dama de Espadas" de Puchkin e "O Capote" de Gogol (cuja publicação acabo também programando a seu tempo), um magnífico quarteto de novelas realmente imortais com que a Rússia enriqueceu a literatura universal. Trata-se de um pungente libelo contra a pena capital — para dizer o menos sobre esta terrível e aterrorizante antevisão da morte de sete jovens condenados à forca, por um atentado político que não chegaram a cometer.

Carioca

CARIOCA, como se sabe, é um estado de espírito: o de alguém que, tendo nascido em qualquer parte do Brasil (ou do mundo) mora no Rio de Janeiro e enche de vida as ruas da cidade.

A começar pelos que fazem a melhor parte de sua população, a gente do povo: porteiros, garçons, cabineiros, operários. mensageiros, sambistas, favelados. Ou simplesmente os que as notícias de jornal chamam de *populares:* esses que se detêm horas e horas na rua, como se não tivessem mais o que fazer, apreciando um incidente qualquer, um camelô exibindo no chão a sua mercadoria, um propagandista fazendo mágicas. A improvisação é o seu forte, e irresistível a inclinação para fazer o que bem entende, na convicção de que no fim da certo — se não deu é porque não chegou ao fim.*

E contrariando todas as leis da ciência e as previsões históricas, acaba dando certo mesmo porque, como afirma ele, Deus é brasileiro — e sendo assim, muito possivelmente carioca.

Pois também sou filho de Deus — ele não se cansa de repetir, reivindicando um direito qualquer. Que pode ser pura e simplesmente o de dar um jeitinho, descobrir um "macete", arranjar lugar para mais um.

Toda relação começa por ser pessoal, e nos melhores termos de camaradagem. Para conseguir alguma coisa em algum lugar, conhece sempre alguém que trabalha lá: procure o Juca no primeiro andar, sugere ele; ou o Nonô, no Gabinete, diga que fui eu que mandei. Até os porteiros, serventes ou ascensoristas têm prestígio e servem de acesso aos figurões. Todo mundo é "meu chapa", "velhinho", "nossa amizade". Todos se tratam pelo nome de batismo a partir do primeiro encontro. E se tornam amigos de infância a partir do segundo, com tapas nas costas e abraços efusivos em plena rua, para celebrar este extraordinário acontecimento que é o de se terem encontrado.

A maioria dos encontros é casual, e em geral em plena rua — pois ninguém resiste às ruas do Rio: a gente se vê por aí, quando puder eu apareço. Os compromissos de hora marcada são mera formalidade de boa educação, da boca para fora. Mesmo estabelecidos de pedra e cal, há uma sutileza qualquer na conversa, que escapa aos ouvidos incautos do

---
**Como Dizia Meu Pai*, em "A Volta por Cima".
"No Fim Dá Certo", p. 215.

estrangeiro, indicando se são ou não para valer. Na linguagem do carioca, "pois não" quer dizer "sim", "pois sim" quer dizer "não";"com certeza", "certamente", "sem dúvida" são afirmações categóricas que em geral significam apenas uma possibilidade.

Encontrando-se ou se desencontrando, como se mexem! As ruas do Rio, mesmo em dias comuns, vivem cheias como em festejos contínuos. Todos andam de um lado para outro, a passeio, sem parecer que estejam indo especialmente a lugar nenhum. As esquinas, as portas dos botequins e casas de comércio, os *shopping-centers* cada vez mais numerosos, todos os lugares, mesmo de simples passagem, são obstruidos por aglomerações de pessoas a conversar em grande animação.

E como conversam! Falam, gesticulam, cutucam-se mutuamente, contam anedotas, riem, calam-se para ver passar uma bela mulher, dirigem-lhe galanteios amáveis, voltam a conversar. Ninguém parece estar ouvindo ninguém, todos falam ao mesmo tempo, numa seqüência de gargalhadas. Em meio à conversa, um se despede em largos gestos e se atira no ônibus que se detém para ele fora do ponto, a caminho da Zona Sul.

Copacabana, Arpoador, Ipanema, Leblon — praias cheias de cariocas, como se todos os dias da semana fossem domingos ou feriados. Espalhados na areia, ou andando no calçadão, se misturam jovens e velhos de calção, mulheres em sumárias roupas de banho, gente bonita ou feia, alta ou baixa, magra ou gorda, na mais surpreendente exibição de naturalidade em relação ao próprio corpo de que é capaz o ser humano.

Do Leblon em diante, convém por hoje não se aventurar: São Conrado, Barra, Jacarepaguá, Floresta da Tijuca — o dia não terá mais fim. Em vez disso, se o visitante, depois de se deslumbrar com a Lagoa Rodrigo de Freitas, dobrar uma esquina do Jardim Botânico, Botafogo ou Flamengo, de repente se verá numa rua sossegada, ladeira acima, com casarões antigos cobertos de azulejos que o atiram aos tempos coloniais. Laranjeiras, Cosme Velho — uma viela tortuosa o conduz a um recôndito Largo do Boticário, de singela beleza arquitônica, que faz lembrar Florença.

Se o visitante subir esta outra rua, logo se verá cercado de verde por todos os lados, à sombra de frondosas árvores onde cantam passarinhos e esvoaçam borboletas — podendo até mesmo surpreender num galho as macaquices de um sagüi.

E do alto do morro, verá a paisagem abrir-se a seus pés, exibindo lá embaixo a cidade inteira, do Corcovado ao Pão de Açúcar, entre montanhas e o mar. Depois de admirá-la, sentirá vontade de integrar-se a ela, regressar ao bulício das ruas e ao excitante convívio dos cariocas.

A partir deste instante estará correndo sério risco de ficar no Rio para sempre e se tornar carioca também.

*Margot**

DELE eu só conhecia "La Conféssion d'un Enfant du Siècle" ("A Confissão de um Filho do Século"), lido por mim com encantamento, ainda na juventude. Um livro, aliás, que por si só justificaria a inclusão do autor nesta coleção. Foi inspirado na sua hoje lendária ligação com George Sand. (Apesar do nome, uma mulher, e ainda por cima baronesa: pseudônimo masculino da escritora Aurore Dupin, na vida real.)

Louis Charles Alfred de Musset nasceu em Paris a 11 de dezembro de 1810 e morreu a 2 de maio de 1857 — aos 46 anos, portanto. Desde cedo revelou talento literário: ganhou aos dezessete anos o segundo lugar num concurso em seu colégio, com um ensaio que tinha o expressivo título "A origem de nossos sentimentos". Tentou estudar Direito e depois Medicina, sem resultado. Encontrou o caminho de sua verdadeira vocação ao ser levado à casa de Victor Hugo por um colega, cunhado do poeta. Foi bem acolhido, e logo se viu integrando uma brilhante geração de jovens escritores, como Alfred de Vigny, Prosper Mérimée, Sainte-Beuve, entre outros.

Aos dezenove anos, publicou com sucesso seu primeiro livro, "Contes d'Espagne et d'Italie" ("Contos da Espanha e da Itália"), que despertou ao mesmo tempo admiração e protesto, por conter paródias em verso de certas obras românticas da época. Como ousava um discípulo de Victor Hugo ser alguma coisa mais que lírico, sentimental e sonhador? Na "Ballade à la Lune" ("Balada à Lua"), por exemplo, comparava o luar que brilhava sobre a torre da igreja ao pingo de um i. O autor se divertiu com os que levaram a sério as suas imagens.

Por esta época um primeiro amor já o fazia conhecer a duplicidade feminina. Sentiu pela primeira vez o gosto amargo da traição, que o acompanharia até o fim da vida. Achou que estava para sempre comprometida sua capacidade de amar, e se deixou envolver por um doloroso ceticismo, que seus versos passaram a exprimir.

O mesmo se deu com as experiências teatrais. A primeira peça, escrita em 1830, não chegou então a ser representada. A segunda, de um ato, levada à cena naquele mesmo ano, recebeu tamanha vaia que ele jurou nunca mais enfrentar uma representação.

Cumpriu a palavra durante longo tempo, sem deixar de prosseguir com sua obra dramática. As peças poéticas em "Un spectacle dans un fauteuil" ("Um Espetáculo numa Poltrona") publicadas em 1832, foram concebidas de maneira deliberadamente irrepresentável. Seguiram-se outras, como "André del Sarto" e "Les Caprices de Marianne" ("Os Caprichos de Mariana"). Firmava-se então, na sua dramaturgia, certa propensão shakes-

---
*Margot ("Margot"), Alfred de Musset, "Coleção Novelas Imortais", Editora Rocco.

peariana para misturar o terrível e o grotesco em tom de alta comédia. Uma sensação de fatídico se impõe ao tratamento aparentemente cômico do brilhante diálogo e da rapidez de ação.

Em 1833, a *Revue de Deux Mondes* publicou seu poema "Rolla", escrito no começo da ligação com George Sand, no qual se fazem sentir os sintomas do "mal do século" que já o atormentava: a consciência da esperança perdida, que se exprime agora através de um lirismo grave e profundo. A partir de então, a expressão leve e graciosa, às vezes mesmo humorística de suas criações, se mesclará com os gritos de angústia e os gemidos de amor não correspondido.

Naquele mesmo ano iniciou com sua amada uma dramática viagem pela Itália — narrada mais tarde tanto pelo irmão Paul de Musset em "Lui et Elle" ("Ele e Ela"), como pela própria George Sand em "Elle et Lui" ("Ela e Ele"), em forma de ficção. O próprio Musset, em "Nuit de Décembre" ("Noite de Dezembro"), descreve sua paixão — mas não por ela, como se poderia imaginar, e sim por outra mulher.

Em George Sand, seis anos mais velha, e já célebre romancista, Musset encontrava, além da beleza feminina, uma inteligência ágil e audaciosa, uma liberdade de maneiras que excitava suas fantasias ainda juvenis de artista. Ela lhe devolvia a esperança na capacidade de amar, por lhe parecer uma mulher que merecia um grande amor.

Esta ilusão durou pouco. Algum tempo depois, estando com ela em Veneza, Musset caiu doente, vitimado por uma febre tifóide. Acabou se curando, mas lhe ficou uma ferida no coração: a relação entre eles se modificara. De um amor intenso e sensual, convertera-se de comum acordo numa espécie de amizade literária. Ele procurava em vão se distrair com outras mulheres; quando ela fez o mesmo, ligando-se a um jovem médico italiano, ele entrou em desespero e voltou a Paris sozinho, para sempre desiludido.

A correspondência que trocavam desde então é cheia de calor e confiança mútua, com intensas declarações de amor, mas se fazendo notar, da parte dela, um tom fraternal, às vezes mesmo maternal.

Encontraram-se ainda para um último adeus, e a partir daí ele passou a viver só com o seu desespero, considerando-se um fracassado, tanto no amor como na literatura. A separação definitiva se deu em março de 1835. Neste mesmo ano, sem deixar de prosseguir na intensa elaboração de sua obra poética e teatral, escreveu a já mencionada "La Conféssion d'un Enfant du Siècle", onde retrata com precisão o caráter não apenas sentimental, mas intelectual e moral do seu sofrimento.

Em 1840, Musset já se sentia derrotado pela convicção de que o público não reconhecia o seu gênio. A produção dali por diante começou a cair em qualidade e em quantidade, embora ele viesse a colher algum sucesso com a apresentação de suas peças.

Sainte-Beuve a princípio negou, mas depois reconheceu a sua condição de escritor de primeira grandeza. É ponto pacífico entre os críticos que o melhor e mais profundo de sua obra foi escrito entre os dezoito e os 28 anos.

Mas Musset ainda viveu o suficiente para conhecer a consagração, a partir de 1850. Seu maior mérito terá sido talvez o de se colocar sempre adiante de seu tempo, dando à própria obra dramática uma justeza e uma profundidade pouco comuns entre os seus contemporâneos.

"Margot", publicada em 1850, me foi sugerida para integrar a "Coleção Novelas Imortais" por Luís de Lima, responsável pela tradução — da melhor qualidade, como as demais de sua autoria. A novela em si, apesar de algumas imperfeições, é bem representativa das qualidades que fizeram de Musset um grande escritor: a leveza de estilo, a delicadeza de sentimentos, o toque mágico no descrever o ambiente, tanto urbano como campestre, em que se desenrola a ação. Em alguns momentos atinge inigualável sutileza (como na cena em que Margot, numa viagem de carruagem, repousa o pé sobre a mão do homem por quem se sente perdidamente apaixonada sem que ele saiba).

Se a história termina de maneira singela, diria mesmo um tanto ingênua, pela ligeireza da solução que lhe deu o autor, tem pelo menos o mérito de um desfecho inesperado e original: em vez do casto beijo final, como era moda então, o que se dá é um juntar de lábios que vem a ser precursor da respiração boca a boca, como método de salvação dos afogados.

Pintou o sete

QUANDO Donatella Berlendis me pediu que escrevesse para a sua editora uma história inspirada nos quadros de Carlos Scliar, aceitei logo.

Scliar já foi meu parceiro noutra ocasião, ilustrando o romance "O Menino no Espelho". Mas desta vez os papéis se invertiam e me cabia tarefa mais dura: eu é que tinha de inventar um texto de ficção para ilustrar os quadros dele.

O texto acabou saindo, na forma de uma historinha chamada "O Pintor que Pintou o Sete"*: um menino, evidentemente chamado Pedro Pereira, que pintava portas, paredes, panelas, penicos e tudo o mais com a letra pê que lhe caísse sob o pincel.

Há quem pense que se trate do próprio Scliar na sua meninice. Pode ser — embora não me conste que ele tenha começado a sua carreira artística pintando a cara de todo mundo, a da mãe inclusive, e depois a sua própria, com a tinta que usava para os quadros, como faz o pintorzinho da minha história.

---
*"O Pintor que Pintou o Sete", Fernando Sabino — *Berlendi & Vertecchia Editores, 1987.*

Durante o lançamento desse novo livro, Scliar me contou um sonho que teve outro dia, quando se esforçava em vão para conseguir um nuance particular de luminosidade num quadro seu.

Sonhou que um japonezinho lhe dizia com insistência: "É o contlálio! É o contlálio!" Assim mesmo, com L em lugar do R. De manhã, impressionado com o sonho — e por que diabo um japonês? — foi olhar o quadro que estava tentando pintar, e de repente descobriu tudo: era o contlálio! Em cima do laranja e do branco brilhante que estava usando, deu umas pinceladas de preto, e logo começou a surgir do quadro o efeito luminoso que buscava.

Não importa quem seja esse japonês (que Scliar espera mesmo reconhecer em cada um que encontra desde então): o certo é que muitas vezes, quando nos obstinamos na procura de uma solução e teimosamente enveredamos por um caminho como se fosse o único, ela talvez esteja no caminho oposto. Podemos ir mais longe, repetindo a sábia advertência de Charles Fort: quem deseja com muita intensidade alguma coisa, é bom tomar cuidado, porque pode ter o azar de acabar conseguindo.

Confúcio disse (ou teria dito, caso não haja sido o Alfredo Machado): há mil maneiras de se conseguir uma coisa que desejamos com obstinação, e uma é desistir dela.

É o contlálio! — como ensina o japonezinho do Scliar.

E esta é uma verdade ao alcance de qualquer menino, descoberta pelo pintor que pintou o sete.

Amável leitor

RECEBI do "amável leitor" Pelágio Ramos Leite, com grande atraso, uma carta chamando-me de "Majestade" e enumerando quarenta pessoas que não deixaram de responder suas cartas, entre as quais as seguintes:

Júlio Prestes, Altino Arantes, Washington Luís Pereira de Souza, Getúlio Vargas, Oswaldo Aranha, José Américo de Almeida, Eurico Gaspar Dutra, Ademar de Barros, Lucas Nogueira Garcez, Guilherme de Almeida, Paulo Setubal, Origenes Lessa, Jorge Amado, Luiz Carlos Prestes, Teotônio Vilela, Tancredo Neves, Franco Montoro, José Sarney, Bete Mendes, Severo Gomes, Dilson Funaro "e o saudoso Presidente dos Estados Unidos Franklin Delano Roosevelt que, mesmo com a tremenda responsabilidade da 2ª Guerra Mundial, respondeu minha sugestão para que ocupasse Portugal antes que Hitler o fizesse".

E prossegue o missivista:

"Mas V. Excia., do alto de seu pedestal, negou-se sequer a acusar o recebimento da minha carta, solicitando apoio da sua coluna para a construção do Teatro Municipal João Tuca, em São José dos Campos."

Que me perdoe o Pelágio, mas não poderia responder uma carta que não recebi. Em compensação, respondo esta, conclamando os leitores desta coluna, de todos os jornais que a publicam em diversos Estados do Brasil, em Portugal e adjacências, a apoiar a construção do Teatro João Tuca, em São José dos Campos.

Símiles cognatos

ANDEI comentando a semelhança de expressões em diferentes idiomas. Um leitor me escreve para sugerir outros "símiles cognatos" capazes de induzir a erro o tradutor mal avisado.

Os argentinos, por exemplo, acham engraçado existir no Rio de Janeiro uma *Casa da Borracha*, que para eles quer dizer *Casa da Bêbada*.

Em romeno, *jornal* é jornal mesmo, *carne de vaca* é carne de vaca. Até aí tudo bem. Mas *perna* é travesseiro, *lucrar* é trabalhar, *castigar* é ganhar e *curva* é prostituta. Daí o espanto do romeno entre nós, toda vez que depara com um cartaz advertindo: "curva perigosa".

E é só, por hora. (*Porora,* * em romeno, quer dizer *basta*.)

Botafogo

EU poderia enumerar dezenas, centenas de exemplos que ilustrassem a mais brasileira das paixões, e estaria chovendo no molhado.

O mundo inteiro sabe que milhões de brasileiros são adeptos de uma seita cuja verdade se encarnou num profeta chamado Pelé, e vem sendo anunciada ao longo dos tempos por santos de nomes estranhos como Garrincha, Didi, Zizinho, Perácio, Tostão. Somos fiéis contritos que rendemos graças à Bola todos os domingos nos templos do Maracanã, do Pacaembu, do Mineirão, do Beira-Rio. Nosso altar é o gol. Oramos unidos nas arquibancadas sob nossos estandartes e celebramos com hosanas e aleluias o milagre da vitória no Santo Gramado.

Às vezes há choro e ranger de dentes, quando somos esmagados pela derrota. Mas o drible, a tabelinha, a cabeçada, o passe certeiro, o chute a gol, ou a defesa espetacular do nosso goleiro, realizam para nós o milagre da criação mais pura, e nos irmanamos em meio à torcida, tanto na alegria como no pênalti.

Porora: palavra inventada pelo autor.

Essa é a nossa maneira de louvar a Deus nas alturas e desejar paz na terra aos homens de boa jogada.

No Brasil, futebol é religião.

Por isso nós que, por atavismo, teimosia ou simplesmente excesso de caráter, continuamos rendendo graças ao glorioso Botafogo, nos perguntamos: até quando purgaremos nossos pecados alvinegros à espera de um título?

Não há como suportar mais a diabólica maldição da famigerada praga das "coisas que só acontecem com o Botafogo".

Mas eis que, do alto de sua infinita clemência, o Santo Protetor dos Campeonatos se compadece de nosso infortúnio ao longo das injustas derrotas, com uma mensagem de esperança: "Continuem fiéis, que vocês não perdem por esperar!" E nos afiança que atenderá nossos mais profundos anseios, na sempre renovada esperança, a última que morre, de que *botafoguense* deixe de ser sinônimo de sofredor, porque em breve o nosso Botafogo voltará a ser campeão.

Repetição

ESTRANHO ofício é o de escrever. De tudo que já publiquei na vida, houve sempre um leitor que achasse ser a melhor e um que achasse ser a pior coisa já escrita por mim. Por isso mesmo é que publico aqui o que bem entendo. Como dizia o poeta Carlos, se o meu verso não deu certo, seu ouvido é que entortou. Limito-me a escrever aquilo que me agradaria ler, como leitor, aos domingos, passando preguiçosamente os olhos pela matéria impressa e procurando uma brecha de interesse por onde entrar. Por isso costumo deixar tantas nesta coluna.

Macaco velho, venho de longa experiência da opinião de eventuais leitores além de mim mesmo, para meter a mão em cumbuca.

Uma leitora, por exemplo, me telefona e deixa gravado um recado, queixando-se que estou me repetindo um pouco ultimamente.

Já disse alguém que um escritor começa a envelhecer no dia em que pela primeira vez fica na dúvida se já escreveu ou não sobre certo assunto. Sejamos humildes, minha desconcertante leitora: já dizia o Eclesiastes que não há nada de novo debaixo do sol, e que tudo não passa de vaidade e aflição de espírito. Também poderia dizer-lhe que você nada mais faz que repetir uma observação de outros leitores. E ainda: sua observação prova que você me vem lendo repetidamente. Em última análise, concluo que quem se repete é mesmo você, pois lê uma coisa duas vezes com os mesmos olhos, as mesmas exigências, a mesma curiosidade insatisfeita. Tamanha dedicação me acaricia a vaidade;

para a sua aflição de espírito, recomendo uma leitura mais edificante do que este "Dito e Feito" — já não digo o Eclesiastes, mas o livro "Repetição", do teólogo dinamarquês Sören Kierkegaard.

Não desista, insista! — é o que ele lhe ensinará, entre outras coisas, afirmando: "Uma resolução negativa não sustenta ninguém; quem a assumir é que terá de sustentá-la."

1988

Rural

DE jovem economista no Rio, meu filho Pedro passou a fazendeiro no interior de Minas, onde vai aprendendo certas coisas da vida.

Um dos empregados da fazenda, por exemplo, lhe informa que não se deve recolher do ninho todos os ovos que a galinha houver botado:

— Tem de deixar o indeis.

Indeis? Que diabo vinha a ser aquilo? O homem explicou tratar-se de um ovo que servia para fazer a galinha botar outros. Estímulo um tanto freudiano da produção galinácea — concluiu Pedro, intrigado com aquele vocábulo.

Mais tarde, em conversa comigo, por via das dúvidas resolvemos consultar o Aurélio: pelo sim, pelo não, o mineiro do interior às vezes carrega na cachola alguns remanescentes de português arcaico.

E não deu outra. Só que não era *indeis,* como na pronúncia do capiau, e sim *indez* — significando, literalmente: *"o ovo que se deixa no ninho para servir de chama às galinhas".*

Outro empregado da fazenda pretende entender mais de mulheres que de galinhas — a se julgar por um comentário seu:

— Mulher da gente às vezes é feito chuchu: O chuchu é aguado, sem gosto, dá o ano inteiro, mas se a gente não comer o vizinho come.

Para não sair do meio campestre, aquele costureiro, amaneirado de gestos e costumes, falava nas vacas que havia visto no curral. Quando lhe perguntaram de que raça eram, respondeu:

— Não sei. Só sei que umas eram beges e outras estampadas.

Enterros

UM amigo me pergunta se vou ao enterro de alguém falecido ontem. Vontade de responder que hoje em dia já não me disponho a ir ao enterro de ninguém, a não ser o meu — e assim mesmo se de todo isso for absolutamente inevitável.

O que me faz lembrar uma opinião meio macabra de Pedro Nava* (não fosse ele autor do extraordinário poema "O Defunto"). Para dar uma idéia do espírito negligente do brasileiro, sustentava que no Brasil os defuntos só são enterrados pontualmente porque ao fim de pouco tempo entram em decomposição.

Se tal não acontecesse, o aborrecimento das providências a tomar, agência funerária, atestado de óbito, avisos fúnebres, despesas e tudo mais, fariam com que a cerimônia do enterro fosse sendo adiada indefinidamente.

— Vamos deixar para depois do carnaval — concordariam os parentes.

De vez em quando, preocupado com o problema, um membro da família perguntaria, à mesa do jantar:

— Afinal de contas, pessoal, quando é que a gente vai enterrar o vovô?

(O vovô, já sequinho, esperando num canto do sótão ou do porão.)

— Tem chovido muito esses dias. Enterro com chuva, nem pensar.

E os protestos, as escusas saltariam, a partir do momento em que o morto se tornasse um trambolho dentro de casa:

— Quem é que botou ele aqui no corredor?

— No porão não tem mais lugar.

— O melhor é a gente enterrar e acabar logo com isso.

— Bem, acontece que sexta-feira é feriado. Sábado e domingo é que não pode ser.

— Na semana que vem a gente dá um jeito. Isto é, se não chover.

Baterista

JULIO Cortázar, em seu livro "La Vuelta al Dia en Ochenta Mundus", que estou lendo agora, menciona Louis Armstrong, Jack Teagarden, Thelonious Monk e outros monstros de minha admiração: ele também é chegado ao *jazz* e descubro com alegria que curtimos a mesma gente.**

Do grande Lester Young, conta que um dia lhe perguntaram por que havia trocado a bateria, seu primeiro instrumento, pelo sax tenor, em que se tornou gênio. O músico explicou com simplicidade algo que é capaz de me fazer abominar para sempre a minha pretensão de baterista amador:

— A bateria era legal, dava para ficar olhando as mulheres enquanto a gente tocava.

O Escritor na Rua da Glória, em "Gente".
XV — *Confrades*, em "O Tabuleiro de Damas", edição revista e ampliada.
**Aqui Jazz o Músico*, em "Gente".

Mas ao fim, tudo terminado, quando eu acabava de desmontá-la, todas elas já tinham ido embora.

Falo no assunto com meu amigo Zezinho Dias, invejável baterista, que entre outras virtudes tem a de ser filho do grande ator Oscarito, de quem herdou o talento. Ele ficou pensativo e nada comentou, enquanto desmontava a bateria, ao fim de uma de nossas sessões semanais de *jazz*. (Costuma tolerar que eu toque seu instrumento a partir do meu terceiro uísque.) Mas na semana seguinte contestou Lester Young, afirmando apenas, com convicção:

— Nem todas! Tem umas que esperam.

*A espanhola inglesa**

POUCA coisa se sabe dos primeiros anos da vida de Cervantes. Nem mesmo a data de seu nascimento, que se presume tenha sido pouco antes do dia do batismo, segundo o registro na igreja de Santa Maria la Mayor em Alcalá, na Espanha: 9 de outubro de 1547. Consta que seu pai residiu em Valladolid por volta de 1554, mudando-se para Madrid em 1561 e Sevilha em 1564/1565, sendo provável que o futuro escritor o tenha acompanhado. Tudo são conjecturas.

O certo é que Cervantes estava em Roma no ano de 1569, portanto já com 21 anos, de acordo com um registro feito pelo pai, provando a legitimidade de sua ascendência cristã. Era um dado muito importante na época, devido aos choques que então se travavam entre cristãos e mouros.

Consta também que em 1570 ele se alistou no exército italiano. Em 1571 estava engajado em um famoso regimento, que embarcou em Messina num navio da armada de Dom João da Áustria, participando da batalha de Lepanto, embora doente e com febre. Recebeu três ferimentos a bala — dois no peito e um que mutilou para sempre a sua mão esquerda, "para maior glória da direita", como diria mais tarde.

Já recuperado dos ferimentos, participou da batalha de Navarino em 1572, da captura de Túnis em 1573 e da fracassada tentativa de liberação de Goletta em 1574. Uma aventura por ano. Prestou o resto do serviço militar em Palermo e Nápoles, obtendo em 1575 permissão para retornar à Espanha.

Não terminaram aí suas peripécias: o navio em que embarcou foi abordado por piratas turcos, que o mantiveram prisioneiro na Argélia — durante cinco anos! Em 1576 escapou com alguns companheiros, convencendo um mouro a conduzi-los até

---

*A Espanhola Inglesa ("La Española Inglesa") "Coleção Novelas Imortais", Editora Rocco. (a publicar).

Oran. Foram abandonados no meio do caminho, sendo recapturados e reconduzidos à Argélia, onde Cervantes foi tratado com extrema severidade. Em 1577 fez mais uma tentativa de fuga, sendo novamente traído, desta vez por um renegado cujos serviços contratara. Assumiu a culpa e foi condenado à morte, mas o vice-rei da Argélia, impressionado com sua coragem, comutou a pena e comprou-o de seu senhor por 500 coroas. Escreveu uma carta em versos ao Secretário de Estado da Espanha, sugerindo que se fizesse uma expedição para invadir a Argélia — projeto que não chegou a ser realizado. No ano seguinte escreveu uma carta (em prosa) ao Governador de Oran, pedindo ajuda, pelo que foi condenado a receber duas mil chibatadas. Ainda desta vez escapou ao castigo.

Enquanto isso, sua família não descansava, tentando libertá-lo. O pai encaminhou uma petição ao rei da Espanha. Em 1579 sua mãe requeria licença para enviar de Valença a Argélia produtos equivalentes a dois mil ducados, entregando ainda por intermédio de dois monges a soma de 250 ducados — tudo isso para resgate do filho. Este, por seu lado, também não esmorecia: em fins de 1579 conseguiu arranjar uma fragata para fugir, mas um monge dominicano, que o odiava, denunciou-o às autoridades. Mais uma vez sua vida foi salva pelo vice-rei, que se declarou disposto a protegê-lo enquanto vivesse. Todavia, se recusava a receber menos de quinhentos ducados de ouro por seu resgate.

Os que tentavam resgatá-lo não dispunham de tanto. Só quando os comerciantes cristãos da Argélia concordaram em completar a quantia, Cervantes finalmente se viu livre. Embarcou para Constantinopla em setembro de 1580 e de lá para a Espanha.

As aventuras vividas por Cervantes vieram a constituir uma fonte substancial de inspiração para várias de suas histórias, como se poderá verificar na novela aqui apresentada. São confusas e contraditórias as notícias que se tem dele por esta época: teria ido para Portugal onde se casou com uma portuguesa, que lhe deu uma filha; teria participado de algumas batalhas em Portugal e nos Açores; retornou à Argélia, numa missão a Oran.

Não há dúvidas, no entanto, quanto à sua atividade como autor teatral. Escreveu de 1582 a 1587 várias peças, manifestando preferência por uma, chamada "La Confusa", que, segundo afirmou, "com todo respeito por tantas peças de capa-e-espada que já foram representadas até o presente, poderá assegurar um lugar proeminente como a melhor entre as melhores". Em 1585 publicou um romance pastoral, "Primera Parte de la Galatea", que não lhe deu nada além de reputação como escritor.

Durante os trinta anos que viveu desde então, anunciou repetidamente a segunda parte, que jamais chegou a ser escrita. O que não foi de todo ruim, pois ele próprio reconhecia os defeitos decorrentes do excessivo artificialismo da narrativa, declarando: "Propõe alguma coisa e não conclui coisa alguma." O relativo fracasso da obra, todavia, não deixou de afetá-lo, pois além do mais não tinha outra fonte de renda.

Em 1587 retomou suas andanças: foi para Sevilha, onde trabalhou em contato com fornecedores de suprimentos para a Armada. Em 1590, desanimado, encaminhou ao Rei uma petição, enumerando os serviços prestados e se candidatando a um dos quatro postos oficiais vagos nas Colônias Americanas. Não foi atendido. Sua situação econômica era tão penosa que teve de pedir dinheiro emprestado até para comprar roupa.

Como último recurso, voltou-se novamente para a literatura, assinando um contrato para produzir seis peças, e impondo-se a condição de nada receber por elas, se pelo menos uma não fosse a melhor surgida na Espanha. O contrato não levou a nada — entre outras razões porque depois de assiná-lo Cervantes foi preso, por motivos até hoje desconhecidos (embora haja quem diga ter sido por homicídio).

Quando se viu novamente livre, continuou pela Andaluzia, tentando ainda realizar suas ambições literárias. Em 1595 ganhou o primeiro prêmio num obscuro concurso de poesia em Saragoça. Logo depois se meteu em complicações bancárias, responsável por um pagamento não efetuado, com a falência do intermediário. Acabou preso em Sevilha e, ao ser libertado, viu-se demitido de um cargo que exercia (ou não) no serviço público, caindo em grande miséria.

Depois da publicação de "Galatea", a atividade literária de Cervantes se restringiu a alguns poemas. A primeira notícia que se tem de "Dom Quixote", que o consagrou para sempre, nos é dada numa carta de Lope de Vega, em 1604, dizendo a um desconhecido destinatário: "Não há poeta tão ruim quanto Cervantes, nem tão idiota a ponto de elogiar Dom Quixote". Desde 1602 os dois grandes escritores já se hostilizavam, e Lope de Vega não perdia por esperar o troco que lhe daria Cervantes, satirizando-o em seu próximo livro. "Dom Quixote" já circulava clandestinamente (para publicação era necessário obter licença oficial, só concedida em 1604). A primeira parte foi publicada em 1605, alcançando sucesso imediato. Naquele ano, apenas, teve seis edições.

Em 1608 a corte se transfere para Madrid, e Cervantes com ela. Pouco se sabe sobre sua vida por essa época. Há notícias de que vivia pobremente, mesmo depois da publicação de "Dom Quixote". Fala-se na traição da mulher e numa filha ilegítima (cuja existência foi confirmada em documentos recentemente descobertos). Em 1611 teria restabelecido relações amigáveis com Lope de Vega. Nesse mesmo ano enviou ao editor suas "Novelas Exemplares", lançadas em 1613.

São doze histórias, escritas em épocas diferentes, e de qualidade desigual. No prefácio, ele anuncia o lançamento da continuação de "Dom Quixote". Pouco depois, em 1614, surge na cidade de Tarragona uma obra intitulada "Segundo volume do engenhoso fidalgo Dom Quixote de la Mancha", contrafação de autoria de um "Fernandez de Avellaneda, natural de Tordesilhas", pseudônimo atribuído a vários ex-amigos e inimigos de Cervantes, e especificamente a três dramaturgos: Lope de Vega, Tirso de Molina e Ruiz de Alarcón. Fosse quem fosse, era alguém disposto a impedir que Cervantes jamais viesse a escrever a sua segunda parte: num prefácio insolente e ofensivo, procurava desmoralizá-lo, falando nos seus defeitos físicos, fraqueza moral, idade avançada, e condição de ex-prisioneiro. Com isso só fez acirrar o ânimo de Cervantes, que já estava no 59º capítulo de sua versão e se apressou a terminá-la, publicando-a em fins de 1615.

Neste mesmo ano terminou a última obra, "Los trabajos de Persiles y Segismunda", que, segundo afirmou no prefácio da segunda parte de "Dom Quixote", "será o pior ou o melhor livro jamais escrito em nossa língua". No ano seguinte morria no dia 23 de abril, com quase setenta anos.

Depois desses dados que consegui alinhavar, colhidos aqui e ali em numerosas e por vezes contraditórias fontes de informação, chego à conclusão de que a vida de Cervantes seria o seu mais prodigioso romance, se lhe tivesse ocorrido escrevê-la. Em vez disso, recolhe dela a inspiração com que compôs uma obra literária para sempre imortal. Se "Dom Quixote" inscreveu seu nome entre os maiores escritores de todos os tempos, bastariam as "Novelas Exemplares" para consagrá-lo como um dos grandes mestres da literatura espanhola.

Entre elas, escolhi "A Espanhola Inglesa" para figurar na "Coleção Novelas Imortais". Pode não ser a melhor, mas é das mais fascinantes e bem representativa da riqueza barroca do estilo de Cervantes. Ela reflete bem, ao longo de seu entrecho movimentado e cheio de peripécias, o clima de aventuras e desventuras em que decorreu a vida do autor. É uma história de amor, que se desenvolve em meio a intrigas da Corte e episódios complicados, à moda espanhola da época. A cuidadosa tradução de Luís de Lima, como sempre, é uma garantia de fidelidade à linguagem opulenta e saborosa do original.

Autógrafos

ANDEI lançando novo livro*, numa maratona de autógrafos: na Bienal e na Livraria Siciliano do Morumbi, em São Paulo; na Livraria Eldorado e no Florentino Grill, em Brasília; e ainda no Rio, em Belo Horizonte, Campinas, Ribeirão Preto e São José do Rio Preto.

A minha cabeça, a partir de então, passou a ser um verdadeiro saco de bombril em matéria de nomes e dedicatórias.

A cada novo bloqueio ante uma cara conhecida, a sorrir, esperando que me lembre de seu nome, o que me vem a cabeça é o aperto que passou o meu colega e mestre João Ubaldo Ribeiro, em transe semelhante. Contou ele outro dia, numa deliciosa crônica sobre semelhantes situações, que, já desesperado diante daquele senhor de nome ignorado que lhe estendia o livro aberto aguardando a dedicatória, levantou-se e foi apelar para um colega na fila:

— Pelo amor de Deus me ajude, me deu um branco, não consigo me lembrar do nome daquele ali.

— Não se aflija, isso acontece — tornou o outro. — Lapsos como esse são comuns em noite de autógrafo. A gente é capaz de esquecer o nome de todo mundo, até do próprio pai.

O escritor confirmou, nervoso:

— Isso mesmo! Aquele ali é o meu pai! Como é mesmo o nome dele?

Academia

A ACADEMIA Brasileira de Letras voltou a se agitar recentemente, com a eleição para mais uma vaga, o que de vez em quando acontece: a imortalidade que confere a seus membros não os torna literalmente imortais.

O candidato favorito deixou de se eleger por um voto, apesar da ostensiva atuação de seu prestigioso cabo eleitoral — o Presidente da República, também acadêmico.

O que leva alguém a disputar com tanto denodo a vaga naquele sodalício? Que sentimento é esse, tão desusado, que me leva num só parágrafo a usar palavras como desusado, denodo e sodalício?

Não tenho nada contra a Academia, pelo contrário: alguns acadêmicos são meus amigos fraternos, vários da minha admiração, outros ainda da minha elevada estima e

---
*"O Tabuleiro de Damas".

distinta consideração. Saber que nem todos têm maior expressão especificamente literária não faz da Academia de Letras uma agremiação diferente das existentes em outras áreas de atividade. Nas de Ciência ou de Medicina, por exemplo, também figuram alguns de mérito apenas relativo, sem desdouro para os demais que lhes dão legitimidade.

A se julgar pelo período acima, não há dúvida: o assunto está mesmo influenciando o meu estilo.

Para comprovar que não é fácil reunir na Academia somente escritores de excepcional valor literário, procurei enumerar quarenta que realmente mereciam a glória de estar lá dentro e que continuam de fora. Não consegui contar nem dez.

Pois agora, novamente se agitam os candidatos ao preenchimento de uma vaga: visitas, cartas, telefonemas e compromissos em busca de votos, para enfrentar a complexa sistemática dos vários escrutínios na votação, em que as preferências se transferem de um para outro candidato. Sem falar nas surpresas com a falaciosa natureza humana (sobre a qual Guilherme Figueiredo escreveu em seu livro de ex-candidato), ante o desfecho adverso para aquele que já se considerava eleito. Certo candidato que, numa eleição, tinha assegurados sob compromisso de honra 24 votos e obteve somente quatro, costumava dizer, com um suspiro de desalento:

— Eu quis entrar para um lugar onde pelo menos a metade é composta não só de velhos, mas de velhacos. E o pior é que continuo querendo.

Talvez não fossem propriamente velhacos, mas "parasitas literários" — na expressão do imortal fundador da Academia: "sendo o parasita literário o vampiro da paciência humana, acha leitores — que digo? adeptos, simpatias, aplausos!"*

Creio haver uma solução para essas constrangedoras situações, geradas pelas eleições acadêmicas: um sistema eleitoral capaz de dirimir quaisquer problemas que a Academia enfrenta, até mesmo o da sua própria existência.

Consistiria simplesmente em só admitir como candidatos a preenchimento de uma vaga os próprios acadêmicos. Seria para eles um galardão a mais, poder ocupar duas, três ou quantas cadeiras para as quais lograssem eleger-se, com direito aos respectivos votos, e reduzindo assim o número de confrades.

Naturalmente, quando um acadêmico ocupasse mais de vinte vagas, teria a maioria dos votos. A partir de então, as demais seriam dele à medida que se dessem.

Até que só restasse ele próprio, como único acadêmico, titular das quarenta vagas — Presidente natural da Academia e que se reuniria consigo mesmo todas as quintas-feiras, exemplar de Matias Aires debaixo do braço, para as suas solitárias reflexões sobre a vaidade dos homens.

O Parasita, em "O Espelho", Machado de Assis, crônicas, 1899,

Natal

E ASSIM chegamos mais uma vez ao Natal. Mais uma vez nasce aquele que vem ao mundo para nos salvar e acaba pregado por nós numa cruz.

Mais um ano que passou. Passou, levando consigo para sempre a melhor parte de mim, que era o meu amigo Hélio. Tudo bem, não adianta chorar, faz parte do jogo da vida.

Só me resta desejar aos leitores um Natal cheio de amor e de paz, um Ano-Novo alegre e promisssor. Que o espírito do Nascimento nos ilumine, que mãos desarmadas se abram para acolher outras mãos. Que o sonho renasça.

1989

*Longe de tudo**

QUEM é mais importante: Pirandello novelista ou Pirandello dramaturgo?

Questão bizantina, que pode se distender ao infinito, atingindo proporções pirandellianas, como aquela discussão sobre quem nasceu primeiro, o ovo ou a galinha.

Tendo ele próprio nascido em Agrigento, na Sicília, a 28 de junho de 1867, aos 22 anos estreou na literatura nem como uma coisa nem outra, mas como poeta: com um livro de versos, a que se seguiram dois outros em 1891 e 1895. Já se definira como professor, graduando-se em filosofia na Alemanha, pela Universidade de Bonn, e passando a lecionar literatura italiana em Roma, no Instituto Superior de Magistério, até 1923.

Outro escritor siciliano seu amigo o convenceu a escrever ficção. Já no primeiro romance, "L'esclusa" ("A Excluída"), deixava ele entrever os primeiros traços de uma expressão tipicamente pirandelliana.

Mas o que vem a ser isto, afinal? Que *pirandellismo* é esse? No caso, ainda não eram senão os primeiros resquícios de uma visão peculiar da vida, impregnada de amargo realismo. Seguiu-se uma série de contos, e em 1904 ele surgiria com seu romance até hoje mais celebrado, "Il fu Mattia Pascal" ("O Falecido Matias Pascal"). Nele já se definem as linhas mestras do que se poderia chamar de filosofia pirandelliana: uma visão paradoxal do mundo e das coisas, nascida da impossibilidade de discernir no ser humano os verdadeiros limites entre o aparente e o real. É a história de um homem que, depois de simular a própria morte, tenta em vão recomeçar a vida num mundo diferente, com outro nome e outra personalidade.

Foram numerosas as coleções de contos e novelas que passou publicar desde então, mais tarde reunidos sob o título definitivo de "Nouvelle per un Anno" ("Novelas para um Ano"). Suas convicções artísticas se definiram em 1907 em dois volumes de ensaios intitulados "Arte e scienza" ("Arte e Ciência") e "Umorismo" ("Humorismo"). E em sua ficção se sucedem personagens envolvidos em situações equívocas e contraditórias, que se denunciam a partir da originalidade dos títulos como "Amori senza amore" ("Amores sem Amor"), "Un cavalo nella luna" ("Um Cavalo na Lua"), "Il carnevale dei morti" ("O Carnaval dos Mortos").

---
*Longe de Tudo ("Lontano"), Luigi Pirandello, "Coleção Novelas Imortais", Editora Rocco (a publicar).

"Acho que a vida é uma triste palhaçada" disse ele em 1920: "Temos em nós, sem que saibamos por quê, onde ou quando, a necessidade de nos iludirmos constantemente, criando uma realidade (uma para cada um e nunca a mesma para todos), que de tempos em tempos se percebe ser vã e ilusória. Minha arte é cheia de uma amarga compaixão por aqueles que enganam a si mesmos; mas esta compaixão não pode deixar de se fazer acompanhar de desprezo feroz pelo destino que condena o homem a tal engano."

A concepção pessimista que tinha Pirandello da natureza humana atingiu a sua mais expressiva afirmação nas peças de teatro. É o outro lado da moeda de sua intrigante obra literária, e que se funde com a dos contos, novelas e romances, para compor uma das mais fascinantes figuras de artista do nosso tempo.

Sua dramaturgia, tida a princípio como muito cerebral, e acusada de deformar arbitrariamente a realidade, acabou reconhecida e aclamada no mundo inteiro, conquistando para ele o Prêmio Nobel. Peças como "Cosi è se vi pare" ("Assim É se lhe Parece"), "Ma non è una cosa seria" ("Mas Não É uma Coisa Séria"), "Vestire gli ignudi" ("Vestir os Nus"), "Sei personaggi in cerca d'autore" ("Seis Personagens em Busca de um Autor") são variações, como num jogo de espelhos, de seu tema principal: o homem não é o que pensa ser — o que se presume seja a verdade não passa de uma ilusão.

Em 1925, Pirandello instalou em Roma um teatro para encenar suas peças e de outros autores. Naquele mesmo ano viajou com sua *troupe* pela Europa, apresentando-as em Londres, Paris, Basiléia e em dezoito teatros na Alemanha. Sua vida transcorreu relativamente vazia de episódios extra-artísticos de maior interesse. Uma crise financeira lhe abalou as economias, investidas no comércio de enxofre. Uma crise de loucura de sua mulher lhe abalou a vida conjugal. Mesmo depois de consagrado, não deixou de ser o trabalhador intelectual infatigável, e infenso às seduções da glória literária até os seus últimos dias. Morreu de pneumonia em 16 de dezembro de 1936.

A novela "Lontano" ("Distante"), que Luís de Lima apresenta como sempre em excelente tradução, com o título mais sugestivo de "Longe de Tudo", é representativa da temática peculiar a Pirandello: baseia-se no conflito entre o que o ser humano é para si mesmo e aos olhos dos outros. Um velho pescador de um porto chamado Empédocles, na Sicília, exerce as funções de cônsul honorário da Escandinávia, para o fim específico de atender os navios mercantes noruegueses, dinamarqueses e suecos que ali aportam. Um deles deixa certo dia aos seus cuidados um marinheiro gravemente doente. Mas quem dele cuida é sua sobrinha, uma jovem a quem criou com desvelo, sua única companhia. O desconhecimento do idoma um do outro não impede que os dois se entendam além das palavras, através da sutil e secreta linguagem do amor.

O regresso daquele mesmo navio ao porto, muitos meses depois, vem encontrar uma complexa relação já estabelecida entre os dois, com reflexos no resto da cidade, e conduzida a um desfecho inesperado, através de delicada trama de sentimentos. Como só Pirandello sabe tecer.

Canadense

IMPRESSÃO que me ficou de uma viagem de dez dias ao Canadá:

A humanidade se divide em cinco raças: a branca, a amarela, a vermelha, a negra e a canadense. Os desta última são translúcidos. Embora estejam por toda parte, enchendo as ruas e os lugares públicos, não se distinguem uns dos outros como indivíduos, constituindo um todo que vem a ser a população deste belo país sem identidade própria, tão próximo da perfeição. A sensação de uma vaga insipidez no sabor dessa perfeição não decorre da monotonia de uma organização social sem falhas, como a dos alemães ou dos suíços: os canadenses até que têm mais jogo de cintura do que eles, são mais leves, delicados e sensíveis. Talvez esteja na indefinição da nacionalidade: parecem não haver decidido ainda se são franceses ou ingleses.

Novo filme

ANUNCIARAM num jornal que estou para escrever um novo romance. Quando me pedem que confirme, sinto no coração um aperto. E sem termo de comparação, me vem à memória a resposta de Fellini outro dia, quando lhe perguntaram como se sente ante a perspectiva de iniciar novo filme:

— Me sinto como um senhor às vésperas de setenta anos, no inverno, de sobretudo, cachecol, luvas e chapéu, ainda sentindo um frio desgraçado, no cais de Calais, pronto a me atirar na água gelada, porque prometi que atravessaria a nado o Canal da Mancha. E não me aparece nem ao menos um amigo para me tirar essa idéia maldita da cabeça! Estão todos me esperando em Dover.

*Duplo engano**

UM cínico — ou um gozador, como se diria hoje em dia. É o que ele deve ter sido no seu tempo.

Esta, pelo menos, foi a impressão que me ficou, tanto da sua reconhecida atitude de

---

*Duplo Engano ("La Double Méprise"), Prosper Mérimée, Coleção Novelas Imortais, Editora Rocco (a publicar).

indiferença e ceticismo em relação a tudo, como pelos juízos críticos cheios de sarcasmo que emitia, inspirados certamente em Stendhal. Com quem, aliás, chegou a conviver, embora vinte anos mais moço do que o autor de "Le Rouge et le Noir".

Alguns traços do caráter de ambos se assemelhavam, mas em relação à obra existe uma diferença fundamental entre um e outro, salientada por Albert Thibaudet:

"Stendhal será sempre citado a propósito de Mérimée porque este precisa disso, mas Mérimée não será citado a propósito de Stendhal, porque isso em nada aumenta a importância de Stendhal."

O que não impede que Prosper Mérimée, nascido em Paris a 27 de setembro de 1803 e falecido em Cannes a 23 de setembro de 1870, seja um dos grandes autores franceses do século XIX. É mesmo considerado (fama aliás discutível) o criador da novela como gênero literário, eqüidistante do conto e do romance em extensão e contextura.

Aos dezoito anos desejava realizar-se na pintura. Seu pai, ele próprio pintor, em boa hora o dissuadiu. Ingressou então no serviço público, mas já freqüentando assiduamente as rodas literárias de Paris.

Em 1825 publicou seu primeiro livro, "Le Théatre de Clara Gazul", apresentado como de autoria de uma atriz espanhola, passando ele por ser apenas o tradutor e editor. A venda foi medíocre, mas o sucesso literário foi enorme, abrindo-lhe os mais badalados salões em moda na época, como o da célebre Madame Récamier.

Repetiria a façanha em 1827, publicando outra pseudotradução sob o título "La Guzla", anagrama de Gazul, personagem do livro anterior. Em seguida fez-se passar pelo tradutor de um escritor da Ilídia (região dos Bálcãs) chamado Hyacinthe Maglanovich. Composto em quinze dias, com o auxílio de dois outros livros de viagem e meia dúzia de palavras em dialeto da região para dar cor local, o livro enganou todo mundo. Inclusive Puchkin, que chegou a traduzir alguns trechos para o russo.

Seguiu-se em 1828 um romance curto de interesse histórico, "La Lacquerie", e outro no mesmo ano, "La Famille de Carvajal", sobre um caso de incesto, de interesse restrito ao fato para nós curioso de passar-se na América do Sul. Com "La Chronique de Règne de Charles IX", em 1829, obra histórica de menor importância, Mérimée conquistou a celebridade, em seguidas edições.

Ainda não havia atingido a pujança literária do futuro criador de "Mateo Falcone" (1829), "Le Vase Étrusque" (1830) e outras novelas que se seguiram. Nelas, a concisão e a sobriedade, às vezes permeadas de violência, vêm exprimir o melhor de seu talento.

Por essa ocasião foi para a Espanha, onde conheceu a condessa de Montijo, cuja amizade assumiria importância para o seu futuro: a filha de sua amiga viria a se tornar a imperatriz Eugénie, casando-se com Napoleão III. Graças à proteção destas e de outras pessoas influentes com quem convivia, ao regressar foi nomeado chefe de gabinete do

Ministério da Marinha, depois do Comércio e do Interior. Em 1833 se fez nomear Inspetor Geral dos Monumentos Históricos.

Enquanto isso, continuava a publicar várias novelas em seqüência, entre as quais "La Colomba", mais extensa, por muitos considerada sua obra-prima, e "La Double Méprise", aqui apresentada.

Passando a dedicar-se às suas funções e ao estudo de arqueologia e arquitetura em viagens através da França, teve oportunidade de salvar da ruína vários monumentos históricos. Depois de viajar também pela Espanha e pela Turquia, a partir de então parece haver relegado a sua criação literária a um segundo plano, em favor de estudos e traduções de obras, agora reais, como as de Puchkin e Gogol. Mas entre 1840 e 1850 escreveu ainda algumas novelas, entre as quais "Arsene Guillot" e "Carmen". Esta última, com tema espanhol, veio a ser a mais famosa delas, não só pela alta qualidade literária como pela ópera de Bizet, e mais recentemente o balé e o filme nela inspirados.

O cinismo mencionado no princípio desta apresentação, que se manifestava através de seu humor um tanto rabelaisiano e a maneira de se comportar, decorria de uma decisão cedo tomada por Mérimée: à semelhança de Stendhal, resolveu manter ao longo da vida uma atitude de permanente descrença em relação a tudo. Consta que isto se deu em conseqüência de uma terrível e obscura experiência de infância, quando descobriu haverem abusado de sua inocência (nunca revelou como) e decidiu que tal jamais voltaria a acontecer.

Apesar de tudo, Mérimée era leal e fiel às suas amizades, o que teve ocasião de demonstrar mais de uma vez. Quando, por exemplo, um amigo seu foi acusado de haver roubado valiosos manuscritos de várias bibliotecas francesas: o escritor assumiu a sua defesa de maneira tão calorosa que acabou sendo também condenado, como o outro, a pagar uma multa e cumprir pena de prisão.

Sua obra literária, que no fim da vida se restringiu a coleções de cartas com destinatário inexistente, algumas sequer publicadas, nem por isso deixou de alcançar dezoito volumes. A novela escolhida para representá-la nesta coleção, não figurando entre as mais famosas de Mérimée, tem qualidades que fazem o melhor de sua prosa. A postura cética e *blasé* do jovem Darcy, principal personagem masculino, em face da sonhadora Lúcia, reflete a do próprio autor. Pode-se mesmo imaginar que haja traços de uma sutil ironia de sua parte, ao descrever os episódios impregnados de tão ingênuo sentimentalismo.

O entrecho sugere o de um romance encerrado bruscamente, com um desfecho melodramático não muito convincente: uma jovem mulher (mal) casada que, depois dos desmaios de praxe, se consome até morrer de vergonha. Ela se acreditava desonrada, por haver revelado sua paixão pelo homem que apenas lhe beijou ardentemente a mão, ao trocar confidências com ele numa carruagem.

Mas há que considerar a atmosfera romântica que prevalecia na época, em que tais coisas até que deviam mesmo acontecer. E a fluência da prosa de Mérimée tem aqui aquela nitidez, aquela precisão de algo contado ao vivo, de que nos fala Saint-Beuve a seu propósito.

"Há um pouco de Goya em Mérimée", disse Barbey d'Aurevilly. Ao que acrescenta Remy de Gourmont:

"Mérimée tinha quase todas as qualidades que fazem um excelente escritor: a imaginação, a medida, a audácia, o gosto, a penetração, a arte de observar a vida sem se fazer notar; mas ele tinha pouco estilo."

Esta última observação, ainda que procedente, só faz confirmar a definição de Jules Renard, segundo a qual o estilo vem a ser o esquecimento de todos os estilos.

Onde estamos?

ENCONTRO na rua um amigo e digo-lhe que anda sumido. Ele me explica a razão: foi operado. E conta que se submeteu à anestesia geral, para ele uma experiência terrível:

— Morri todinho. Quando voltei a mim, não sabia se voltava a este mundo ou se entrava pela primeira vez no outro.

Pergunto-lhe o que lhe dá tanta certeza assim de estar vivo. Quem sabe esta conversa, a paisagem que o cerca, tudo enfim não passe de excesso de sua imaginação, viciada em viver?

— Quem sabe você morreu mesmo?

E vou além: para que não leve um grande choque ao entrar na eternidade, certamente a revelação lhe virá de mansinho, em incidentes esquisitos, de difícil explicação. Um dia pensará em dar um recado a um amigo e, tão logo pense, o amigo lhe telefonará dizendo ter recebido o recado. Uma coincidência, concluirá, meio intrigado: transmissão de pensamento, qualquer coisa assim. Outra coincidência será a sua vontade de beber um copo d'água, por exemplo, e dar com o copo ali mesmo, ao alcance de sua mão. Quem deixou esse copo aqui? — perguntará. E assim por diante.

Despeço-me dele, desejando-lhe muitos anos de vida. Acaba de ocorrer-me que também já fui operado com anestesia geral, e só Deus sabe onde nós dois estamos.

Sonho

LEIO em Julien Green a história arrepiante da moça que se prepara para dormir, fecha a porta, apaga a luz e estende-se na cama. Então ela ouve, a seu lado, uma desconhecida voz de homem dizendo:

— Que bom, nós dois aqui sozinhos.

Comigo foi um pouco diferente. Eu estava dormindo, quando ouvi a voz dela a meu lado na cama:

— Acorda, meu amor! Você está tendo um pesadelo, não aconteceu nada entre nós dois, eu continuo com você, foi tudo um sonho mau, eu estou aqui a seu lado, como sempre.

Acordei, e vi que a meu lado na cama não havia ninguém.

Poema-oração

PARA encerrar o ano, não há como não transcrever na íntegra esse poema (ou oração) que me caiu nas mãos, cuja origem se perde nos tempos da Idade Média. Da autoria presumível de uma freira, foi descoberto entre as ruínas de um convento medieval na Itália, segundo me contaram (só tenho o poema, sem nada que documente a sua origem):

"Senhor,
sabes melhor do que eu que estou envelhecendo,
e que, mais dia menos dia, farei parte dos velhos.
Guarda-me daquela mania fatal
de acreditar que é meu dever dizer algo a respeito de tudo
e em qualquer ocasião. Livra-me do desejo obsessivo
de pôr ordem nos negócios dos outros.
Torna-me refletida mas não ranzinza,
serviçal mas não autoritária.
Acho uma pena não utilizar
toda a imensa reserva de sapiência
que acumulei por longos anos,
mas bem sabes, Senhor...
faço questão de conservar alguns amigos.
Segura-me quando eu começar a desfiar detalhes
que não acabam mais,
dá-me asas para ir direto ao fim.
Sela meus lábios acerca de minhas mazelas e doenças,
embora essas aumentem sem cessar
e, com o passar dos anos,
me dê certo prazer enumerá-las.

Não me atrevo a pedir-te
que eu chegue até a gostar de ouvir as outras
quando desenrolam a ladainha dos próprios sofrimentos,
mas ajuda-me a suportá-las com paciência.
Não me atrevo a reclamar uma memória melhor,
dá-me porém uma crescente humildade
e menos suscetibilidade,
quando a minha memória esbarrar na dos outros.
Ensina-me a gloriosa lição
de que pode até acontecer que eu esteja enganada.
Toma conta de mim,
Não é que eu tenha tanta vontade de virar santa
(com certos santos é tão difícil conviver!)
mas uma velha, além de velha, amarga
é com certeza uma das supremas invenções do diabo.
Faz-me capaz de ver algo de bom onde menos se espera,
e de reconhecer talentos,
em gente na qual estes não se percebem
e dá-me a graça de proclamá-lo.
Amém."

Sejamos felizes

SE preciso for, é seguir a sugestão do poeta Carlos Pena Filho em seu belo soneto "A solidão e sua porta"* (que lamentavelmente ele já transpôs, ainda jovem, ao encontro da eternidade): a de "entrar no acaso e amar o transitório".

Entremos no acaso, amemos o transitório.

E por ora me despeço, desejando mais uma vez ao amigo leitor (e a mim) um Feliz Natal. Feliz Ano Novo! Sejamos felizes, na medida do possível.**

---

*"O Tabuleiro de Damas", 5ª edição, revista e ampliada, p. 57.
**Em 1990, deixou de escrever para publicação regular e permanente na imprensa (senão colaborações eventuais) passando a dedicar-se integralmente à atividade literária através de livros. Seguem-se alguns depoimentos e comentários seus sobre três deles.

1992

Zélia*

NÃO se trata de uma "aventura extraliterária", conforme vem sendo divulgado na imprensa e fora dela. Em especial pelos que não leram e não gostaram.

Os detratores não são propriamente contra o autor, mas contra a "autora" do bloqueio de suas poupanças. E com isso tentam bloquear o livro. Como se a ousada e talvez extemporânea medida econômica tenha sido unicamente dela, e não de toda a equipe, sujeita aos mandos e desmandos do Presidente Collor.

Mas alguns chegaram a ler — conforme declarou, por exemplo, aquele famoso entrevistador de televisão, ao receber a ex-Ministra em seu programa. Quando mencionou o fato de haver sido sorteado por ela o limite da importância bloqueada nas cadernetas de poupança, a entrevistada lhe sugeriu ler o livro para verificar que nele não constava sorteio algum.

— Mas eu li o livro — ele afirmou, surpreendido: — Tenho a impressão que consta...

— Quer dizer que Goebels tinha razão — retornou ela: — Basta repetir uma mentira muitas vezes, que ela acaba se tornando verdade.

A própria ex-Ministra declarou, em artigo divulgado pela imprensa:

"A longo prazo, a História costuma repor a verdade, mas eu não quero esperar. Quero a verdade agora, porque não se trata apenas de minha reputação pessoal. Trata-se também da atuação da equipe que liderei, trata-se da minha conduta no Ministério da Economia. Sei que enquanto Ministra atingi interesses que secularmente infelicitam esta nação, embora sob a aparência de honestidade. (...) Mas eles têm demonstrado possuir reservas imensas de poder. Como se verificou agora, no episódio do lançamento do livro de Fernando Sabino, escritor e meu amigo. Os direitos são dele, como dele foi a condução do tema. Ele é o autor. Eu sou a personagem."

Assim se refere ela ao episódio do "sorteio" inexistente no relato de sua vida:

"O livro nem sequer insinua papeizinhos ou sorteio. A minha decisão sustentou-se em dados, cálculos e opiniões, inclusive de outros economistas que me assessoravam naquele momento tão grave e que estão citados no livro."

Ela comenta ainda, com a maior dignidade, outros episódios narrados por mim, e que constituíram matéria de escândalo nos comentários maldosos que se sucederam:

---
*"Zélia, uma Paixão" — romance-biografia — Editora Record, 1991.

"Fizeram tudo o que quiseram com o capítulo que chamaram 'O Romance de Zélia', 'O Bolero de Zélia'. A minha vida pessoal foi explorada na mídia em todos os gêneros: matérias, piadas, chacotas, paródias, insinuações. Por que este incômodo brutal quando alguém se dispõe a expor um pedaço da História? A condução da política econômica não foi afetada em nenhum momento pela minha experiência pessoal de uma relação amorosa."

E assim encerra o seu justo protesto:

"Não me arrependo de nada do que fiz. Só lamento não ter podido fazer mais em eqüidade e justiça para o povo brasileiro. Acima de tudo me orgulho de, por ter sofrido muito, ter aprendido muito. E me orgulho de nunca ter perdido a integridade. Nem o ideal."

Ao que Jorge Amado acrescenta, numa "menção honrosa" em seu fascinante livro "Navegação de Cabotagem", recentemente publicado:

"Três romances, dúzia e meia de volumes de crônicas, contos, viagens, entrevistas, deram a Sabino posição excepcional em nossas letras, público enorme e fiel, sempre crescente.(...) A ordem correu entre a gentalha: vamos acabar com ele. Não foram razões literárias, discordâncias estéticas que ditaram a opinião dos críticos. (...) Aliás, alguns dos articulistas escreveram horrores do livro, do autor e da biografada, declarando ao mesmo tempo que por precaução não haviam lido "Zélia, uma Paixão". Boa crítica é isso, se querem saber, o resto é bobagem, atraso de uns pobres diabos por aí."

A esta altura, cabe a pergunta: o que me levou a escrevê-lo?

Ao contrário do que tem sido propagado pelos que não o leram, foi precisamente uma experiência literária inédita que me desafiou: escrever em termos de ficção sobre uma insigne personagem da vida real. Desafio apaixonante: o de um "romance da figura mais surpreendente de nossa vida pública nos últimos tempos" — conforme consta na própria capa do livro.

Sempre constituiu um desafio para mim, como romancista, conciliar os fatos e personagens da realidade com os nascidos da imaginação. Problemas técnicos de tempo e espaço, cronologia e topografia representam em geral um risco para a verossimilhança. Tolstoi conseguiu botar Napoleão e o Marechal Tukuzov praticamente de ceroulas em "Guerra e Paz". Mas ele escreveu cinqüenta anos depois dos eventos. E era Tolstoi. Já Flaubert, quando foi processado por conta de suas ousadias literárias, declarou que Madame Bovary era ele próprio, desvinculando-a de qualquer figura da vida real.

Infelizmente não sou nem Tolstoi nem Flaubert. Zélia, pois, não sou eu — é ela própria.

Ainda assim, pude escrever, em termos de ficção, com as naturais limitações que a realidade impunha, sobre Zélia Maria Cardoso de Mello, uma personagem real, inserida na própria conjuntura histórica de nosso tempo. E que foi de admirável compreensão, sem nada exigir e nenhuma interveniência pessoal, colaborando para que eu enfrentasse livremente esse desafio literário. Enfrentando ela própria, com bravura, as conseqüências da ousadia de ser fiel à sua verdade.

1995

*Graça**

GRAÇA nos dois sentidos. É inegável que Jesus foi um ser humano, sem perder a sua condição divina. Além de inspirar a graça de sua divindade, teve muita graça como ser humano, sujeito a todas as variações de temperamento, ânimo e disposição de espírito.

Sou de formação católica, pouco litúrgico por temperamento, mas respeito tanto o dogma como o ritual religioso. Sou de boa fé — uma fé além da razão. Estou com Dostoievski, ao afirmar que mesmo se lhe provassem que Cristo nunca existiu, continuaria acreditando nele.

Sei que o demônio também existe — embora Baudelaire tenha afirmado que uma de suas artimanhas é nos convencer da sua inexistência. Ou, como diz Guimarães Rosa, "o diabo diverte a gente com a sua dele nenhuma existência". Mas minha preocupação não é com o diabo, Deus me livre! É com Deus mesmo.

O próprio Einstein declarou, depois de conceber a sua "Teoria do Campo Unificado", que dali para frente sem Deus não havia como prosseguir. De tal maneira o espírito prevalece sobre a matéria que, para mim, como disse Tristão de Athayde numa carta a Jackson de Figueiredo, "é mais fácil ao espírito compreender Deus, do que compreender uma mesa".** Sempre acreditei em Deus — o importante é fazer com que Deus acredite em mim.

Se não fosse a divindade de Jesus, ele seria uma espécie de Viramundo, o Grande Mentecapto. Um sujeito sem dimensão divina que expulsasse os vendilhões do Templo a chicotadas, como ele fez, não passaria de um doido. Ele ainda afirmou: "Se destruírem este Templo, eu o reconstruirei em três dias." Era um Templo que levou apenas 57 anos para ser construído!

Nas suas longas andanças, como o Viramundo, Jesus foi um grande andarilho. De Nazaré a Jerusalém, salvo engano, eram cerca de 150 quilômetros. Andava tudo isso a pé! Como ele próprio afirmava, não tinha onde descansar a cabeça. Andou até em cima d'água, no lago chamado Mar da Galiléia, para grande espanto dos seus discípulos. São Pedro quis imitá-lo, duvidou do poder divino e levou dele aquele susto, por pouco não afundou.

Cristo era um grande contador de histórias. Suas parábolas têm os três requisitos fundamentais de um estilo perfeito: concisão, clareza e simplicidade. A do Filho Pródigo,

---
*"Com a Graça de Deus" — Leitura Fiel do Evangelho segundo o humor de Jesus" — Editora Record, 1994.
**Alceu Amoroso Lima — Jackson de Figueiredo, "Correspondência — Harmonia dos Contrastes", Tomo II — Academia Brasileira de Letras, 1992.

por exemplo, é literariamente uma obra-prima. Inspirou muitos escritores ao longo dos séculos. A ironia contida em algumas de suas parábolas, quando não apreendida devidamente, se levada ao pé da letra, gera os maiores equívocos. A do Feitor Infiel, por exemplo, fez com que o Imperador Juliano afirmasse que Cristo não prestava para nada. Por sua vez, Nietzsche achava essa parábola uma prova de que Jesus defendia a desonestidade, a picaretagem, a safadeza. A parábola, obviamente, está entre aspas — trata-se de ironia pura: o seu sentido é o inverso do que afirma.

A ironia vem a ser justamente o que faz o melhor de algumas das histórias — certa criatividade, por assim dizer, que mascarava a mensagem para aqueles que não partilhavam de sua fé, tornando-a acessível aos discípulos. Mas a capacidade criativa de Jesus não era apenas como a de um artista, um escritor, um pintor, um músico. Consistia em ser ele próprio, como Homem e como Deus.

A abstinência de Jesus, por exemplo, como o voto de castidade dos religiosos, era perfeitamente natural, se considerada uma opção voluntária, a fim de melhor cumprir a sua vocação. Como transparece no Evangelho, ele tinha para com as mulheres um comportamento varonil e ao mesmo tempo de generosa simpatia, sem qualquer preconceito. Em várias ocasiões manifestou isso: no tratamento afável que dispensou à samaritana junto ao poço de Jacob, por exemplo — e era uma mulher já na sua sexta união ilícita; a consideração que teve para com aquela que lhe ungiu os pés e os enxugou com os cabelos — e era uma mulher "mal-afamada"; a carinhosa acolhida que dispensava a Maria, por "haver escolhido a melhor parte" — e era uma mulher que se descuidava de ajudar Marta, sua irmã, nos afazeres da casa; o perdão concedido a aquela que pretendiam apedrejar por ser uma adúltera. Ele não considerava o adultério uma justificativa para a rejeição da mulher? Uma coisa nada tinha a ver com a outra: deixando de condená-la, nem por isso justificou o adultério, pois advertiu que ela não pecasse mais.

Cristo provou que até o sacrifício da própria vida pode ser necessário, na defesa de uma causa. Ele próprio afirmou: "Aquele que tentar salvar a sua vida a perderá." Afinal, bastaria um milagre como os que costumava fazer, para escapar de morrer na cruz.

Para mim, a fé prevalece sobre a razão, mas não a contraria. O homem só é um ser racional porque tem fé, mesmo quando pensa que não tem: neste caso, o que ele não tem é razão. Como meu amigo Murilo Rubião, que dizia não acreditar em Deus, mas tinha muita fé em Nossa Senhora...

O maior pecado de um escritor seria o de trair a sua inspiração em proveito próprio, por pura ambição ou simples vaidade, buscando apenas sucesso, fama, dinheiro. Por mais modesta que seja, ele tem uma missão a cumprir: a de buscar uma verdade que se esconde além da realidade. Como Jayme Ovalle me disse um dia, "o escritor é o profeta do passado"*: recupera, restaura e, de certa forma, adivinha uma verdade que está perdida no rolar do tempo. Hoje em dia, por exemplo, para se conhecer a Rússia ao tempo do Czar e antes do movimento socialista, não é preciso a ajuda de nenhum historiador: basta ler Tolstoi, Gorki, Dostoievski, por exemplo. E isso não acontece apenas com a literatura, mas com a música, a pintura e demais criações artísticas. Tudo que nasce da imaginação criadora do homem leva à recuperação de uma verdade, no fundo ligada à fé e à sua origem divina, mesmo que ele não tenha consciência disso.

Escrever é um ato de amor. Não é um parto, como costumam dizer. O parto é a publicação. Só que um ato de amor é praticado a dois. Pelo menos... E o escritor, diante do papel em branco ou do computador, está sozinho. Não se trata do chamado "vício solitário", porque ele tem em mente um parceiro ideal — o presumível leitor. A partir daí, sua capacidade de criar o leva a desaprender tudo e recomeçar do nada. Regredir a uma condição infantil. Essa criança vai escrever, gerida pelo adulto, que é a consciência a zelar por ela. Mas de longe, sem interferir. Como uma governanta que leva a criança para passear no parque: deixa que ela se solte, como se estivesse sozinha, mas fica por ali, para evitar que ela caia num lago, atravesse a rua e venha a ser atropelada, ou importunada por algum desconhecido. É assim a nossa consciência, a zelar de longe pelo que escrevemos, sem interferir. Porque escrevemos sobre aquilo que não sabemos, justamente para ficar sabendo. Só que, como no ato de amor, às vezes pode falhar...

Vem a ser, pois, um estado de transcendência e pureza — como sonhar acordado. Mas o escritor precisa ficar atento para jamais invejar outros escritores: correrá o risco de descer a escada que leva da inveja ao ressentimento, deste à frustração e finalmente ao rancor. Até certo ponto, o desejo de ser lido, compreendido e admirado é natural. Mas desde que se faça do ato de escrever, antes de mais nada, um exercício de louvor a Deus.

Foi isto, conscientemente, que me levou a escrever este livro sobre o humor de Cristo.

Se estivéssemos na Idade Média, é bem possível que eu caísse nas garras da Inquisição. Hoje em dia, porém, isso não acontece, graças a Deus! Além do mais, estou protegido, sob a bênção de meu amigo Dom Timóteo, abade do Mosteiro de São Bento na Bahia, com uma apresentação do livro que é verdadeiro imprimatur. As reações de antigamente decorriam de interpretações tendenciosas do Novo Testamento. Mas eu me baseio apenas nos quatro Evangelhos propriamente ditos, sem acrescentar ou eliminar nada, e ignorando os apócrifos. Consultei outros livros para enfatizar uma coisa ou outra, sem proselitismo, sem a postura exegética ou teologal. É uma visão literária, de um escritor

---

*Entrevista, em "O Tabuleiro de Damas", 5ª edição, revista e ampliada.

afeito tanto a Jesus como ao humor. Achei que podia destacar essa linha do humor na vida de Cristo, que tem sido ignorada, por se tratar de livros sagrados — como se uma coisa excluísse a outra.

Quanto a mim, como escritor, mesmo através do humor, gostaria de recuperar um pouco daquilo que faz a vida digna de ser vivida. Mais modestamente, me dou por bem pago, como não me canso de repetir, se conseguir com o que escrevo provocar um sorriso de alegria ou uma lágrima de ternura.

1998

*Capitu**

"ULTIMAMENTE ando de novo intrigado com o enigma de Capitu. Teria ela traído mesmo o marido, ou tudo não passou de imaginação dele, como narrador? Reli mais uma vez o romance e não cheguei a nenhuma conclusão. Um mistério que o autor deixou para a posteridade."

Este é o primeiro parágrafo de minha novela "O Bom Ladrão". Foi transcrito por meu amigo Otto numa de suas crônicas sobre o assunto (*Inocente ou Culpada*, no livro "Bom Dia Para Nascer").

Começa ele por duvidar que, de minha parte, se tratasse de "simples truque do narrador". E conclui matreiramente que o autor "talvez esteja entre os que entendem que existe mesmo o tal enigma de Capitu. Nem por isto o Dalton Trevisan e eu vamos deixar de cumprimentá-lo". Ele havia mencionado antes o Dalton como "machadiano de mão-cheia e olho agudíssimo", "que fica tiririca, e com toda razão, com essa história tão mal contada que desmente o próprio Machado". E terminava por afirmar: "Dalton Trevisan e eu recusamos o cinto de castidade que impuseram a Capitu. Só ela tem de ser fiel nesta época de permissividade? Dá pra discutir com quem leu o Machado. Ou discretear, mas com estilo e graça. Machadianamente."

Pois eu também fico "tiririca", só de pensar que os meus dois diletos amigos e colegas possam me atribuir opinião diversa da deles. Merecem um piparote.

Vamos, pois, discretear. Ottomente e daltonicamente.

O que sempre me atraiu neste romance admirável, desde a primeira leitura e mais de uma releitura, não foi a intrigante e todavia óbvia infidelidade da personagem principal, motivo de tantas especulações da crítica ou pseudocrítica: foi descobrir até que ponto a dúvida teria sido premeditada pelo autor, através de um narrador evasivo, inseguro, ingênuo, preconceituoso e casmurro como o apelido que assumiu para si mesmo.

Pode-se duvidar da culpa de Capitu — mas não sob o fundamento de que só conhecemos o testemunho pessoal de seu marido. Tudo que acontece no mundo se sujeita ao

---
*"Amor de Capitu" — Leitura fiel do romance de Machado de Assis sem o narrador Dom Casmurro — Recriação literária — Editora Ática, 1998.

testemunho pessoal de cada um. Mesmo sendo o narrador declaradamente um advogado, trata-se de ficção e não de um libelo acusatório.

A narração do romance na primeira pessoa apresenta uma fascinante versão, mas sobrecarregada de digressões, referências literárias, citações históricas, comentários do pseudo-autor travestido em cronista de época, conceitos (e preconceitos) como caracterização psicológica do principal protagonista, já idoso. Tudo isso a meus olhos de leitor acaba mascarando aqui e ali o relato, a ponto de criar artificialmente um mistério a mais. Como se não bastasse aquele que é inerente à natureza humana, encarnado em todos os figurantes do romance, e não apenas em Capitu. A não ser que fosse exatamente este o objetivo de Machado de Assis: um mistério a mais.

Só que o mistério, como a esmola do pobre, quando é demais o leitor desconfia. Daí a minha experiência de eliminar o narrador Dom Casmurro como intermediário entre os fatos por ele vividos e o público-leitor.

A recriação literária vem-se dando ao longo dos séculos, através de traduções em verso ou em prosa, paráfrases e adaptações de obras clássicas como as de Homero, Dante, Virgílio. Não se falando nos temas bíblicos ou em histórias lendárias como as de "Mil e Uma Noites".

O "eterno feminino" tem inspirado grandes escritores em todos os tempos: de Shakespeare a Proust, de Stendhal a Tolstoi, de Dostoievski a Joyce, de Flaubert a Machado de Assis, através de personagens imortais como Desdêmona, Albertine, Madame de Rênal, Ana Karenina, Nastasia Filipovna, Molly Bloom, Emma Bovary, Capitu.

É verdade que certa versão exegética da obra proustiana chegou a dar como tendo sido do sexo masculino a fonte de inspiração da sua Albertine. Assim também, uma interpretação ousada de Dom Casmurro em nossos dias poderá eventualmente encontrar, na relação do personagem principal Bento Santiago com o seu "comborço" Escobar, um sutil componente homossexual.

Praticamente todos os estudiosos da obra de Machado de Assis abordam a fundo ou pelo menos se detêm no que se convencionou chamar "o enigma de Capitu". (Este vem a ser, mesmo, o título do livro de Eugênio Gomes.) Ao que eu saiba, nenhum deles chama a atenção para dois sugestivos pormenores que passaram despercebidos ao "narrador" (mas não certamente ao autor do romance). Primeiro: como Capitu podia saber que o cavaleiro com quem trocara olhares suspeitos ia se casar com uma amiga sua, se declarou ao namorado que nem sequer o conhecia? Segundo: fosse ela inocente, como sustentava, era pouco provável que elogiasse tanto, conforme contou o filho, um marido que a houvesse injustamente repudiado.

Não li recentemente nada de novo a respeito (a não ser a excelente introdução de Fábio Lucas na edição de "Dom Casmurro" pela Editora Ática). Apenas corri os olhos em alguns livros já lidos que, verifico agora, ocupam na estante uma prateleira inteira. Entre outros, o clássico "Vindiciae", de Lafayette Rodrigues Pereira, o Labieno, em defesa de Machado de Assis, contra os ataques de Sílvio Romero; o de Graça Aranha; as conferências de Alfredo Pujol; o de Mário Matos, sobre os mineiros na obra do autor; os de R. Magalhães Junior, não só a Biografia em três volumes, como seu "Machado de Assis Desconhecido"; o de Afrânio Coutinho (com um interessante estudo sobre "Dom Casmurro"); o de Lúcia Miguel Pereira; o de Barretto Filho (um dos melhores, embora pequeno); e ainda os de Miécio Tati, Miguel Reale, J.Galante de Sousa, Luís Viana Filho, Augusto Meyer, Alcides Maia, Maria Nazaré Lins Soares, Therezinha Mucce Xavier (sobre personagens femininas do autor); por último, e bem a propósito, o ensaio de Mário Casassanta "Machado de Assis e o Tédio à Controvérsia". Sem deixar de mencionar "The Brazilian Othello Machado de Assis", da americana Helen Caldwell, no qual a autora defende exaustivamente a fidelidade de Capitu; consegue provar apenas um relativo desconhecimento da língua portuguesa, pois verte para o inglês como "noble" e "aristocrat" o chamado "peralta" da vizinhança.

O "mistério" de Capitu vem desafiando sucessivas gerações de leitores e críticos de "Dom Casmurro". Talvez tivesse sido justamente esta a secreta intenção do autor. Uma hipótese a partir da qual todas as demais são admissíveis — inclusive a de não existir mistério algum.

A não ser o do "eterno feminino", que existe, e existirá eternamente, na literatura ou fora dela.

"E bem, e o resto?"
Encerrando minhas considerações sobre a recriação literária que ousei realizar, sirvo-me, em homenagem ao autor, deste título do último capítulo de seu extraordinário romance. O resto, de minha parte, está em afirmar, como disse Braz Cubas, que "a obra em si é tudo: se te agradar, fino leitor, pago-me da tarefa; se te não agradar, pago-te com um piparote, e adeus".

Índices

Índice Onomástico

Abner, Li'l, 403
Abreu, Casimiro de, 576
Abreu, Ovídio de, 96
Adão, 582
Adler, Peter Lawrence, 319
Aires, Matias, 613
Al Capone, 368
Alarcón, Ruiz de, 611
Alberto, João, 429
Aleijadinho, Antônio Francisco Lisboa, *dito*, 402
Alencar, José de, 8
Alexander, Marechal, 264
Alfonsin, Raul, 563
Alighieri, Dante, 576, 631
Alkmim, José Maria de, 499
Alleh, Roger, 336
Allen, Irvin, 455
Almeida, Guilherme de, 129, 602
Almeida, José Américo de, 429, 430, 602
Almeida, Jubileu de, 204
Alvarez, Irma, 438
Alves, Rodrigues, 553
Amado, Gilberto, 576
Amado, Jorge, 129, 403, 415, 463, 464, 502, 546, 547, 576, 602, 624
Amaral, Márcia Barroso do, 408
Amaral, Tarsila, do, 101
Amaral, Zózimo Barroso do, 408
Américo, Pedro, 486
Andrade, Carlos Drummond de, 8, 38, 87, 90, 90n, 125, 168, 169, 179, 340, 381, 395, 384, 400, 415, 442, 443, 466, 474, 499, 521, 530, 544, 557, 576, 584, 586, 604
Andrade, Joaquim Pedro de, 408, 589

Andrade, Jorge, 439
Andrade, Luiz Edgard, de, 518
Andrade, Mário de, 8, 22, 22n, 23, 73, 73n, 130, 159, 160, 193, 227, 376, 424, 469, 503, 576, 592
Andrade, Oswald de, 317
Andreiev, Leonid Nikolaevic, 595, 596
Andrews, Dana, 370
Andrews, Ursula, 374
Anjos, Cyro dos, 168, 312, 380, 394
Antipoff, Helena, 443, 444, 445
Antônio, Santo, 570
Antrobus, John, 277
Aparecida, Nossa Senhora da, 500
Apollinaire, Guillaume, 151, 152
Aquino, Flávio de, 96
Aranha, Graça, 24, 632
Aranha, Osvaldo, 429, 602
Arantes, Altino, 602
Araújo Neto, Francisco Pedro, 408
Armstrong, Louis, 607
Arquimedes, 73
Arraes, Miguel, 483
Artaud, Antonin, 368
Assis, Machado de, 7, 24, 87, 120, 416, 526, 550, 613, 630, 631, 632
Astaire, Fred, 269, 455
Athayde, Austregésilo de, 484
Athayde, Tristão de, 107, 506, 626
Attlee, Clement, 264
Auden, W. H., 283, 343, 522
Auger, Claudine, 301
Aulete, Caldas, 556
Auto de Oliveira, José, 372
Avellaneda, Fernandez de, 611

Azevedo, Aluísio, 24
Azevedo, Álvares de, 575
Azevedo, Aroldo de, 140
Azevedo, Artur de, 8

Babo, Lamartine, 391
Bacall, Lauren, 495
Bach, Johann Sebastian, 59, 575
Baker, Josephine, 182
Baleeiro, Aliomar, 380
Balzac, Honoré de, 416
Bandeira, Manuel, 41, 54, 85, 139, 160, 223, 224, 370, 414, 416, 417, 576
Barbosa, Abelardo (Chacrinha), 406
Barbosa, Rui, 24, 25, 190
Barnett, Lincoln, 484
Baroja, Pio, 549
Barrault, Jean Louis, 382
Barretto Filho, 632
Barros, Ademar de, 553, 602
Barros, Raul de, 541
Barroso, Ary, 169, 200, 201, 391, 417
Batista, Fulgencio, 173-174, 209, 211, 570
Batista, São João, 485
Baudelaire, Charles, 467, 575, 576, 626
Bazin, Germain, 402
Beach, Sylvia, 368
Bearsdley, Aubrey, 467
Beatles, 238, 248, 299, 300, 374
Beauvoir, Simone de, 182
Becauld, Gilbert, 428
Becker, Cacilda, 163
Beethoven, Ludwig van, 53, 59, 262, 575
Bellini, Hideraldo Luís, 208, 334, 411
Bellow, Saul, 371
Benedita, Dona, 545
Benoit, Pierre, 183
Bento, Antônio, 496
Bergman, Ingrid, 381, 389
Berlendis, Donatella, 601
Berlioz, Louis Hector, 582
Bernanos, George, 415
Bernard, Sarah, 426
Bernardes, Arthur, 380, 553
Beswick, Martine, 301
Bethânia, Maria, 390, 432, 435
Beting, Joelmir, 571

Betto, Frei, 578
Bilac, Olavo, 54, 557, 576
Bispo do Porto, 180
Bisset, Jaqueline, 495
Bizet, Georges, 619
Blackman, Honor, 301
Blaine, Louis, 451
Bloch, Adolpho, 379
Bogart, Humphrey, 61, 388, 452
Bonaparte, Napoleão, 182, 618, 624
Boni, José Bonifácio de Oliveira Sobrinho, *dito*, 404, 406
Bopp, Raul, 96
Borba, Osório, 476
Borges, Jorge Luís, 576
Borjalo, Mauro Borja Lopes, *dito*, 157, 404, 590, 591
Borsoi, João Luís, 488
Botticelli (Alessandro di Mariano Filipepi), 494
Bracque, Georges, 368
Braga, Roberto, 399, 404
Braga, Rubem, 72, 90, 107, 107n, 108, 136, 154, 155, 156, 166, 172, 175, 178, 199, 204, 216, 219, 223, 273, 333, 381, 382, 399, 400, 402, 405, 406, 408, 459, 460, 477, 482, 498, 499, 507, 508, 530, 539, 549, 559, 576
Brancusi, Constantin, 196
Brandão, Claudio, 24
Brandão, Darwin, 134, 166, 167, 380, 381
Brande, Dorothea, 523
Brando, Marlon, 370
Brel, Jacques, 428
Breton, André, 96, 368
Brizola, Leonel de Moura, 483
Brontë, Emily, 31
Brook, Peter, 302
Browning, Robert, 538, 561
Bueno, Maria Ester, 279, 280
Buffon, George Louis Leclerc, Conde de, 25
Bunin, Ivan Alexeievitch, 568
Buñuel, Luis, 368
Burbage, Richard, 319
Burton, Richard, 301
Butor, Michel, 183
Byron, George Gordon, lord, 576

Cabral, Mário, 99
Cabral, Pedro Álvares, 175, 576
Caine, Michael, 301

Calas, Nicolas, 54
Calasans Neto, João, 421, 422, 423, 471
Caldas, capitão, 454
Caldas, Sílvio, 418
Calder, Alexander, 196, 197
Calderon de La Barca, Pedro, 575
Calderon, Bibiana, 494
Caldwell, Helen, 632
Callado, Antonio, 406
Calloway, Cab, 371
Caminha Júnior, Edmilson, 541
Caminha, Pero Vaz de, 8, 530
Camões, Luiz de, 54, 86, 103, 324n, 459, 505, 576
Camp, Maxime du, 569
Campos, Augusto de, 284
Campos, Francisco, *dito* Chico, 429
Campos, Haroldo de, 284
Campos, Milton, 89, 442, 584
Campos, Paulo Mendes, 8, 29, 138, 154, 155, 164, 166, 284, 291, 292, 380, 405, 406, 466, 486, 499, 559
Campos, Humberto de, 8
Camus, Albert, 89
Canale, Gianna Maria, 372
Candelária, Maria, 381
Candido, Antonio, 159
Capote, Truman, 371, 522
Cardoso, Adauto, 28
Cardoso, Elizete, 382
Cardoso, Lindenbergue, 413
Carlos II, 295
Carlos, Emílio, 380
Carlos, Erasmo, 419, 420
Carlos, Roberto, 418, 420
Caro, Herbert, 14
Carrero, Tônia, 406
Carroll, Lewis, 531
Carvalho, José de, 400
Carybé (Hector Bernabó), 547
Casassanta, Mário, 632
Castaneda, Carlos, 402
Castejon Branco, João Batista, 198, 393
Castello Branco, Carlos, 508, 553, 574
Castelo Branco, Humberto, 333
Castro, Fidel, 173, 199, 208, 210, 211, 212, 213, 214, 215, 216, 217, 218, 373, 570, 571, 572
Castro, Moacir Werneck de, 369, 369n, 406, 568

Castro, Raul, 213
Castro, Tarso, 408
Cathoud, Dr., 531
Cavalcanti, Alberto, 368
Cavalcanti, Duda, 333
Cavalcanti, Tenório, 380
Cavallieri, Alyrio, 9
Cavalheiro, Edgar, 27
Caymmi, Dorival, 391, 412, 464, 546, 547, 581
Celestino, Antônio, 547
Celi, Adolfo, 301
Cerejeira, D. Manuel Gonçalves, *cardeal*, 176
Cerqueira, Fernando, 413
Cervantes, Miguel de, 608, 609, 610, 611
César, Guilhermino, 23, 167, 473, 474, 475, 487, 488
Cézanne, Paul, 397
Chagas, Walmor, 400
Chamisso, Albert von, 575
Chandler, Raymond, 579
Chaplin, Charlie, 193, 238, 319, 368, 381
Chaplin, John, 319
Chateaubriand, Fred, 101, 101n
Chesterton, Gilbert Keith, 402
Chevalier, Maurice, 426
Chopin, Frederico, 262
Christensen, Carlos Hugo, 467, 468
Churchill, Randolph, 262
Churchill, Winston, 261, 261n, 262, 263, 264, 359, 360, 571
Cienfuegos, Camilo, 214, 217
Cipó, 515
Clair, René, 368
Claparède Edouard, 97
Clarck, Walter, 404
Claudel, Paul, 104, 182
Cleverdon, Douglas, 323
Clift, Montgomery, 370
Cocteau, Jean, 72, 104, 182, 368
Coelho, Luíz Lopes, 134, 405, 424, 516
Coelho Neto, Henrique Maximiano, 8
Cohen, Sidney, 292
Cohn, Philip, 295
Colange, Christiane, 579
Colbert, Claudette, 382
Cole, Nat King, 372
Coleman, Sidney H., 79, 80
Colette, Gabrielle, 182, 368

637

Collor de Mello, Fernando, 623
Colman, Ronald, 64
Colon, Jeannie, 582
Condé, João, 415, 416, 417, 545
Condon, Eddie, 372
Confúcio, 602
Connery, Sean, 301
Cony, Carlos Heitor, 8
Cooper, J. Fenimore, 142
Corção, Gustavo, 178
Corregio, Antonio Allegrida, 494
Correia, Viriato, 506
Cortazar, Julio, 607
Cortezão, Jayme, 177
Costa e Silva, Arthur da, 553
Costa, Jairo, 400
Coutinho, Afrânio, 632
Coutinho, Piedade, 168
Couto, Diogo do, 8
Cragun, Richard, 376, 377
Crandall, Lee S., 78
Cranko, John, 376
Crawford, Broderick, 388
Crispim, João, 487
Cristie, Agatha, 354
Cristo, Jesus, 573, 626, 627, 628, 629
Crosby, Bing, 428, 453
Cruz e Souza, João da, 576
Cunha, Euclides da, 546
Cunha, Flores da, 380
Cunha, Vasco Leitão da, 264
Cuoco, Joyce, 377
Curi, Ivon, 428

D'Aurevilly, Barbey, 620
D'Estaing, Giscard, 524
d'Arc, Joana, 182
d'Ávila, Roberto, 571
d'Horta, Arnaldo Pedroso, 134
d'Horta, Oscar Pedroso, 134
Dalí, Salvador, 59, 196, 368
Dandridge, Dorothy, 381
Dante, Alighieri, 103, 104
Dassin, Jules, 370
Daudet, Léon, 561
Day, Doris, 381, 495
De Gaspari, Alcide, 373

De Gaulle, Charles, 181, 183, 263, 518
De Sica, Vittorio, 193, 373, 536
Dean, James, 370
Debret, Jean Batiste, 402, 425
Debussy, Claude, 368
Delamare, Nando, 408
Delfino, Luís, 129, 382
Delfino, Marlene, 129, 382
Delgado, Humberto, 178, 180
Dempsey, Jack, 371, 395, 447
Di Cavalcanti, Emiliano, 134, 406, 460, 461, 499
Dias, José Carlos Teresa, *dito* Zezinho, 608
Dickens, Charles, 233, 282
Didi, 603
Diegues, Carlos José Fontes, *dito*, Cacá, 390, 399, 408, 589
Dietrich, Marlene, 232, 369, 499
Dine, S. S. Van, 441
Diniz Ângela, 400
Diniz, Leila, 399, 406
Djanira da Mota e Silva, *dito*, 372, 381
Dom João (da Áustria), 608
Dorsey, Tommy, 372, 512
Dostoievski, Fiódor, 183, 362, 566, 575, 626, 628, 631
Douglas, Kirk, 452
Dourado, Autran, 594
Doyle, Plínio, 415
Drouet, Minou, 412
du Maurier, Daphne, 15, 16, 17
Duarte, Anselmo, 381
Duchamps, Marcel, 368
Duchin, Eddie, 371
Dumas Filho, Alexandre, 582, 583
Dunaway, Faye, 455
Duran, Dolores, 521
Durbin, Diana, 413
Dutra, Eurico Gaspar, 89, 429, 430, 469, 470, 499, 602

Édipo, 498
Eduardo VII, 251
Edwards, Jorge, 571
Einsenhover, Dwight, 264, 382, 411, 412
Einstein, Albert, 367, 484, 626
Eldridge, Roy, 372
Eliachar, Leon, 382
Eliot, George, 561

Eliot, T.S., 103., 282, 283, 417
Elizabeth II, 347, 348, 350, 351, 353, 355, 356
Ellington, Duke, 372
Ellison, Ralph, 371
Epstein, Jean, 368
Escorel, Lauro, 159
Etchgoyen, Alcides, 381
Eugénie, Imperatriz, 618
Eva, 582
Evangelista, Dom João, 594

Fabrizzi, Aldo, 372
Faithfull, Marianne, 361-363, 363n, 374, 406
Falcão, Mike, 492
Farah, Jamil, 503
Faria, Miguel, 589
Faria, Octavio de, 19-21, 26, 124
Farney, Dick, 515
Farouk, rei, 372
Fath, Jaques, 382
Faulkner, William, 523
Fazenda, Oberlinda, 503
Fellini, Federico, 193, 372, 452, 455, 617
Fernandes, Millôr, 133, 134, 135, 136, 138, 140, 141, 142, 146, 399, 482
Ferraz, Enéas, 487
Figueiredo, Guilherme, 157, 464, 465, 613
Figueiredo, Jackson de, 626
Figueiredo, João Baptista de Oliveira, 554
Figueiredo, Wilson, 499
Fitzgerald, Scott, 164, 368, 379, 380, 388, 402
Fitzgerald, Zelda, 380
Flaubert, Gustave, 16, 104, 126, 474, 492, 561, 624, 631, 569, 570
Florentino Pietro Grana, *dito*, 407
Flynn, Errol, 174
Fonda, Henry, 586
Fonseca, Ademilde, 382
Fonseca, Cássio, 406
Fonseca, Deodoro da, 553
Fontes, Hélio, 128
Fontoura, Antônio Carlos, 423
Fort, Charles, 602
Fortunato, Gregório, 213
Fouquet, Jean, 575
Fraga, Carlos, 515

França Junior, Joaquim José de, 8
Franco, Francisco, 58
Freire, Laudelino, 94, 556, 591
Freitas, Newton, 96, 516
Freud, Sigmund, 242, 297, 351, 368, 449, 503
Freyre, Gilberto, 576
Frost, Robert, 416
Fulton, Robert, 35
Funaro, Dilson, 602

Gabeira, Fernando, 498
Gable, Clark, 417
Galegos, Romulo, 402
Galsworthy, John, 402
Gama, Sérgio, 466, 467
Gantois, Menininha do
Garbo, Greta, 165, 175, 368, 503
Garcez, Lucas Nogueira, 602
García Lorca, Federico, 57
Garcia, Marcelo, 127
Gardel, Carlos, 428
Gardner, Ava, 382, 452, 453, 495, 496
Garnett, David, 43, 43n
Garrincha, Manoel dos Santos, *dito*, 190, 208, 334, 411, 603
Gattai, Zélia, 464
Gauguin, Paul, 397
Gautier, Théophile, 582
Geisel, Ernesto, 554
Genet, Jean, 183
George, Stefan, 368
Gerson, 411
Gibran, Kahlil, 402
Gide, André, 8, 107, 108, 182, 186
Gilberto, João, 391
Gill, Eric, 49
Gilmar, 334, 411
Ginsberg, Allen, 282, 283
Giono, Jean, 182
Gittins, Rob, 324n
Gladstone, William Ewart, 561
Godard, Jean-Luc, 361, 484
Goddard, Paulette, 382
Godoy, Maria Lúcia, 412, 413
Goebels, Joseph Paul, 623
Goethe, Johann Wolfgang von, 56, 188, 189, 339, 582
Gogol, Nikolai Vassilievitch, 596, 619

Góis Monteiro, Pedro Aurélio de, 94, 381, 429
Gomes, Eduardo, 41, 178, 429, 430
Gomes, Eugênio, 631
Gomes, Pedro, 556
Gomes, Severo, 602
Gonçalves Dias, Antônio, 576
Gonçalves, Suzana, 408
Gonzaga, Luís, 382
Gonzaga, Tomás Antônio, 576
Goodman, Benny, 371
Gorki, Máximo, 568, 594, 595, 596, 628
Gosset, Renée Pierre, 382
Goulart, João Belchior Marques, *dito* Jango, 553
Gould, Joe, 58
Gourmont, Remy de, 620
Goya, Francisco de Paula José, 291, 620
Grable, Betty, 370
Graciano, Clóvis, 134
Grande Otelo, 129, 158
Grant, Cary, 301, 371, 389
Greco, Juliette, 183
Green, Julien, 183, 620
Greene, Graham, 96, 104, 579
Greene, Hugh, 285
Grieco, Agripino, 506
Griffin, John Howard, 344, 345
Grigorovitch, Dmitry, 566
Guareschi, Giovannino, 373
Guccione, Bob, 449
Guerra, Ruy, 408, 422
Guevara, Ernesto Che, 214, 215, 217, 218, 362
Guimaraens Filho, Alphonsus de, 93, 497
Guimarães Rosa, João, 7, 230, 417, 491, 556, 626
Guimarães, Josué, 166, 167, 490, 498
Guiness, Alec, 301, 302
Guinle, Carlos, 515
Guinle, Jorge, 515
Gullar, Ferreira, 224, 466, 498, 499

Hailey, Arthur, 302
Hall, Albert, 282
Hammarskjold, Dag, 343
Hammet, Dashiell, 579
Hampton, Lionel, 372
Hamsun, Knut, 72
Händel, George Friedrich, 262
Hardy, Oliver, 509

Harrison, George, 300
Harvey, Liliam, 369
Hawkins, Colleman, 372
Hawthorne, Nathaniel, 587
Haydée, Márcia, 376-377
Heath, Edward, 313
Hecht, Ernest, 302, 330, 336, 338, 403
Hedel, Leon, 551
Hefner, Hugh, 449
Helman, Jerry, 301
Hemingway, Ernest, 165, 174, 368, 491, 516
Herodes, 485
Hesse, Hermann, 384
Heston, Charlton, 453
Hitchcock, Alfred, 389, 393
Hitler, Adolf, 211, 282, 368, 369, 602
Hoffman, E.T.A. (Ernst Theodor Wilhelm), 574, 575
Hofmannsthal, Hugo von, 368
Holanda, Aurélio Buarque, de, 533, 539, 556, 591, 606
Holanda, Francisco Buarque de, *dito* Chico, 384, 390, 406, 413, 535-536, 537
Holanda, Sérgio Buarque de, 484
Holander, Xaviera, 449
Holden, Willian, 455
Holiday, Billie, 372, 433
Homero, 631
Honkins, Miécio Araújo Jorge, 488
Horne, Lena, 372
Houaiss, Antônio, 358
Hugo, Victor, 416, 599
Hungerford, Visconde Portal de, 264
Huston, John, 183

Infante, Cabrera, 572
Isabel, princesa, 357
Isherwood, Christopher, 369

Jaffet, Ricardo, 381
Jagger, Mick, 361, 374, 406
Jairzinho, 411
James, Harry, 371
James, Henry, 104, 124, 551, 561, 562, 578
Jandl, Ernst, 283
Jarry, Alfred, 317
Jatobá, Luiz, 41
Jesus, Carolina Maria de, 219
Jimenez, Juan, 182

Jobim, Antônio Carlos, *dito* Tom, 380, 384, 406, 413, 462
Jofre, Éder, 395-398
Jofre, Marcel, 395
Johnson, Al, 428
Johnson, Samuel, 282
Jones, Brian, 361
Jones, Jennifer, 455
Jota, Zélio dos Santos, 222
Joyce, James, 166, 368, 485, 631
Julião, São, 570
Jung, C. G., 496

Kafka, Franz, 575, 588
Kapeller, Tamara, 380
Kaye, Danny, 382
Kazan, Elia, 370
Keats, John, 523, 547, 548, 576
Kelly, Gene, 370
Kelly, Grace, 372
Kelly, Silvio, 381
Kempis, Thomas A., 132, 132n, 343
Kennedy, John, 283, 351
Khouri, Walter Hugo, 423
Kierkegaard, Sören, 72, 73, 120, 605
Kikov, Nicolau, 500
Kinsey, Alfred Charles, 370
Kipling, Rudyard, 86
Klimov, Pierre, 376
Klinger, Bertoldo, 476
Knopf, Alfred, 403
Krupa, Gene, 371
Krutchev, Nikita Sergueievitch, 572
Kubitschek, Juscelino, 159, 215, 333, 406, 412, 499, 553

La Guardia, Fiorello, 371
Lacerda, Abel Tavares de, 86
Lacerda, Carlos, 301, 318, 319, 430, 438
Lacombe, Cláudio, 393
Ladeira, César, 592
Lago, Mário, 580
Laje, Eliane, 381
Lamego, José Maria, 169
Lang, Fritz, 302
Lara, Odete, 423, 424
Laurel, Stan, 509

Laurentis, Dino de, 373
Lavoisier, Antoine Laurent de, 71, 492
Lawrence, T. E., 359, 402
Leaf, Earl, 381
Leal, Estillac, 381
Leal, Heloisa Maria, 551
Leal, Simeão, 96, 429
Leandro, Consuelo, 158
Leão, Danuza, 381
Leão, Múcio, 87
Leão, Nara, 390, 399, 408, 435
Léautaud, Paul, 182
Leclery, Regina, 406
Léger, Fernand, 368
Lehár, Franz, 367
Leitão, Mário Melo, 137
Leite, João, 134, 135, 424
Leite, Pelágio Ramos, 602, 603
Leme, Lúcia, 594
Lennon, John, 300
Lessa, Gibson, 167
Lessa, Ivan, 559
Lessa, Orígenes, 602
Lester, Richard, 302
Lima, Alceu Amoroso, 416, 431, 592
Lima, Eloy Heraldo, 519
Lima, Jorge de, 87, 576
Lima, Lesama, 572
Lima, Luís de, 570, 583, 588, 601, 611, 616
Lindsay, John, 292, 293
Linhares, Temístocles, 138
Lins, Álvaro, 18, 178, 179, 415
Lins do Rego, José, 416
Lins, Osman, 336
Lispector, Clarice, 30-32, 161, 392, 392n, 434, 594
Litowski, Inês, 380
Lobato, Monteiro, 53, 53n, 550, 551
Lobo, Edu, 391, 407, 408, 438
Lobo, Fernando, 40, 40n, 505, 506
Lobo, Vanda, 408
Lollobrigida, Gina, 373
Lombard, Carole, 388
Lombroso, Cesare, 50
Longfellow, Henry Wadsworth, 86
Loren, Sophia, 194, 302, 373
Louis, Joe, 371, 395, 410, 447
Lovelace, Linda, 449

641

Lowell, Robert, 371
Lucas, Fábio, 631
Lunceford, Jimmy, 371
Lyon, Leonard, 371

MacCartney, Paul, 300, 374
Machado, Alcântara, 8
MacDonald, Dwight, 572
Macedo, Joaquim Manoel de, 8
Machado, Alcântara, 8
Machado, Alfredo, 402, 403, 463, 469, 471, 477, 499, 512, 516, 517, 525, 533, 548, 592, 602
Machado, Aníbal, 36n
Machado, Carlos, 515
Machado, Glória, 512
MacNeill, Andrew, 271
Madi, Tito, 427
Magalhães, Agamenon, 430, 470
Magalhães Junior, Raimundo, 470, 632
Maglanovich, Hyacinthe, 618
Magritte, René, 393
Mahler, Gustav, 377
Maia, Alcides, 632
Maia, Tim, 419
Maiakovski, Wladimir, 56, 467
Mailer, Norman, 371
Makendrick, Alexander, 302
Malaparte, Curzio, 373
Mallarmé, Stephane, 416, 576
Malraux, André, 57, 182
Mangabeira, Otávio, 411n, 429
Mann, Elizabeth, 315, 316
Mann, Thomas, 315, 488
Manolo, R.R., *dito*, 407
Manrique, José, 56-58
Mansfield, Jayne, 194
Mansfield, Katherine, 434, 567
March, Fredric, 370
Marciano, Eduardo, 474
Margaret, princesa, 260, 352, 374
Maria (Nossa Senhora), 573, 627
Marini, Marino, 291
Marques, Armando, 410
Marques, Sarah, 121
Márquez, Gabriel García, 196n, 197, 402, 572
Martin, Carlos, 96
Martins, Maria, 96

Martins, Wilson, 487
Marx, Groucho, 283, 507
Marx, irmãos, 509
Masoch, Sade, 363n
Mason, Charles, 79
Mastroiani, Marcelo, 372
Matarazzo, Conde, 350
Matos, Marco Aurélio, 95, 300, 499, 518, 519, 526
Matos, Mário, 632
Maupassant, Guy de, 416, 474, 575
Mauriac, François, 182, 183
Maurier, Daphne du, 15, 16, 17
Mc Cullers, Carson, 371
McCarthy, Mary, 247
McLuhan, Marshall, 402
McQueen, Steve, 454
Mead, Margaret, 321
Médici, Emílio Garrastazu, 554
Meireles, Cecília, 86, 576, 594
Mello Franco, Afonso Arinos de, 169, 380
Mello, Zélia Maria Cardoso de, 623, 624, 625
Melo Neto, João Cabral de, 390, 434, 466, 576
Melville, Herman, 586, 587, 588
Mendelssohn, Felix, 262
Mendes, Bete, 602
Mendes, Manuel, 175, 181
Mendes, Murilo, 87, 90, 93, 151, 415, 547
Meneses, Emílio de, 51
Merimée, Prosper, 474, 599, 617, 618, 619, 620
Meyer, Augusto, 632
Michaux, Henri, 182
Miéle, Luiz Carlos, 408, 519
Miguel Ângelo, 320
Milfod, Nancy, 379
Milhaud, Darius, 368
Millan, Mac, 264
Milland, Ray, 370
Millen, Mània, n. 9
Miller, Arthur, 389
Miller, Henry, 371
Milliet, Sérgio, 378
Miranda, Carmem, 389, 495
Miranda, Jésu de, 512
Miró, Joan, 326
Mistinguette, 368
Mitchell, Adrian, 283
Miterrand, François, 514, 524, 525

Modigliani, Amedeo, 397
Molina, Tirso de, 611
Monk, Thelonious, 607
Monroe, Marilyn, 194, 351, 382, 495
Montaigne, Michel de, 378
Monteiro, Ciro, 505
Montijo, Condessa de, 618
Montoro, Franco, 602
Moore, Henry, 283
Moraes, Tati de, 400
Moraes, Vinicius de, 37, 82, 83n, 86, 101, 129, 159, 160, 188, 223, 226, 372, 384, 390, 391, 399, 400, 406, 417, 422, 458, 459, 466, 495, 499, 519, 558, 559, 563, 576, 588
Morais, Fernando, 571
Morand, Paul, 183
Morango, Teresinha, 166
Morarji, Jagdish, 491
Moravia, Alberto, 373
More, Kenneth, 270
Moreyra, Álvaro, 8, 545
Morgan, Michèle, 183, 186
Morley, Helena, 164, 584
Morley, Robert, 302
Morris, William, 561
Mountbatten, Lord, 262, 264, 354
Moura, Emílio, 168, 508
Mourão, Noêmia, 100, 372
Mozart, Wolfgang Amadeus, 574
Müller, Filinto, 177
Munchhausen, Barão de, 519
Murray, Greta, 302
Musset, Alfred de, 599, 600, 601
Musset, Paul de, 600
Mussolini, Benito, 211, 372

Nabokov, Vladimir, 402
Nabuco, Carolina, 15, 16
Nascimento, Milton, 391
Nasser, Gamal Abdel, 214
Nava, Pedro, 466, 607
Negromonte, Padre Álvaro, 381
Nehru, Sri Jawaharlal, 179
Neruda, Pablo, 128, 129, 130, 282, 283, 284, 576
Nerval, Gérard de, 582, 583
Neves, David, 386, 408, 431, 447, 589
Neves, Ezequiel, 363n

Neves da Fontoura, João, 429
Neves, Tancredo de Almeida, 554, 563, 586, 602
Newman, Paul, 370, 452, 454-55
Newmann, Alfred, 488
Newton, Val, 452
Niemeyer, Carlos, 436, 515
Niemeyer, Oscar, 372, 393
Nietzche, Friedrich Wilhelm, 627
Nixon, Richard, 449
Nobre, Marlos, 413
Nogueira, Armando, 280, 334, 404, 408
Nogueira, Paulo, *dito* Paulinho, 384
Nogueira, Raimundo, 400
Novak, Kim, 372
Novalis (Friedrich Leopold von Hardenberg), 574
Nunes, J.J., 531
Nureiev, Rudolf, 376, 406

O'Hara, John, 371
Olinto, Antônio, 7
O'Neill, Eugene, 163
O'Toole, Peter, 283, 302
Oberon, Merle, 382
Oliveira, Aloysio de, 408
Oliveira, José Carlos de, *dito* Carlinhos, 205, 406, 499
Oliveira, João Freitas de, 84
Oliveira Mário, *dito* Mariozinho de, 438
Oliveira Neto, Luis Camillo de, 43
Olivier, Laurence, 283, 301, 317, 318
Osborn, Fairfield, 78
Oscarito, Oscar Teresa Dias, *dito*, 608
Ovalle, Jayme, 40, 41, 53, 53n, 59, 101, 161, 162, 250, 372, 539, 627
Owens, Jesse, 369

Pabst, Georg Wilhelm, 369
Palance, Jack, 370
Paluzzi, Luciana, 301
Pancetti, José, 138, 161, 162
Papa Pio XII, 382
Papini, Giovani, 8
Pascal, Blaise, 102
Pasolini, Pier Paolo, 373
Passos, John Dos, 164
Paulistano, Luís, 260
Pavèse, Cesare, 373

Pavlov, Ivan, 316
Pearson, Drew, 371
Peck, Gregory, 208
Pedro II, 357
Pedro, São, 626
Pedrosa, Mário, 197
Pedroso, Braúlio, 408, 439, 440
Pedroso, Marilda, 408, 439
Peixoto, Afrânio, 416
Peixoto, Cauby, 492
Peixoto, Floriano, 553
Pelé (Edson Arantes do Nascimento), 331, 333, 357, 406, 409, 410, 411, 499, 524, 525, 603
Pellegrino, Hélio, 82, 204, 440, 512, 515, 553, 571, 590, 591, 592, 614
Pena Filho, Carlos, 622
Pena, Cornélio, 415
Perácio, José, 603
Pereira, Lafayete Rodrigues, 632
Pereira, Lúcia Miguel, 632
Pereira, Pedro, 601
Perelman, S.J., 507
Peron, Eva, 381
Péron, Juan, 140
Peters, Molly, 301
Philip, príncipe, 235, 260, 355
Piazzola, Astor, 391
Picabia, Francis, 368
Picasso, Pablo, 368
Picchia, Menotti del, 87, 129
Pila, Raul, 94
Píndaro, 161
Pinheiro, Israel, 380, 394
Piñon, Nélida, 594
Pirandello, Luigi, 120, 499, 617, 615, 616
Platão, 73, 593
Poe, Edgar Alan, 172, 467, 575
Polanski, Roman, 302
Pompéia, Raul, 54
Pongetti, Henrique, 381
Ponti, Carlo, 302, 373
Portinari, Cândido, 138
Porto, Flávio, 134
Porto, Sérgio, *dito* Stanislaw Ponte Preta, 158-159, 406, 438, 527, 559, 564, 565
Poty, Napoléon Potiguara Lazarotto, *dito*, 138
Pound, Ezra, 41, 165, 166, 284, 368, 417

Powell, Baden, 289, 424
Prado, Adélia, 594
Prates, Newton, 167
Prazeres, Heitor dos, 580
Presley, Elvis, 189, 190
Prestes, Júlio, 602
Prestes, Luis Carlos, 602
Prévert, Jacques, 183, 460, 461
Proby, 271
Proust, Marcel, 416, 631
Puchkin, Alexander, 596, 618, 619
Pujol, Alfredo, 24, 632

Quadros, Jânio da Silva, 213, 214, 358, 381, 393, 471, 518, 527, 553, 571
Quant, Mary, 374
Queiroz, Eça de, 16, 24, 109, 416
Queiroz, Rachel de, 7, 8, 133
Quinn, Anthony, 302
Quintana, Mário, 167, 498, 576
Quintella, Ary, 575

Rabelo, David, 167
Raft, George, 239, 371, 373
Ramos, Graciliano, 415, 463
Ramos, Nereu, 381
Rangel, Godofredo, 550, 551
Rangel, Lúcio, 101, 406, 516
Ravache, Irene, 540
Ravel, Maurice, 413
Read, Herbert, 73, 197
Reale, Miguel, 632
Rebelo, Marques, 409, 415
Récamier, Madame, 618
Regina, Elis, 521, 586
Reis, Luís, 462
Reis, Mário, 391
Remarque, Eric Maria, 402
Renan, Joseph-Ernest, 561
Renard, Jules, 185, 409, 620
Renault, Abgar, 157
Renoir, Pierre Auguste, 397, 494
Resende, Helena Pinheiro de Lara, 90
Resende, Otto Lara, 81, 90, 121, 151, 178, 187, 188, 198, 204, 205, 255, 378, 404, 464, 466, 471, 477, 481, 499, 506, 518, 532, 547, 559, 590, 591, 592, 630

Reynolds, Stanley, 321
Rian, Robert, 452
Ribeiro, João Ubaldo, 8, 612
Richardson, Tony, 302
Richter, Hans, 317
Rimbaud, Arthur, 232, 467, 576
Robbins, Harold, 402, 403, 463
Roberto, Maurício, 408
Robins, Harold, 302
Robson, Frank M, 455
Robson, Mark, 451, 452
Rocha, Aurimar, 399
Rocha, Bento Munhoz da, 137
Rocha, Caribé da, 428
Rocha, Glauber, 422, 461
Rocha, Marta, 193
Rocha, Bento Munhoz da, 136
Roche, Mazo de la, 402
Rocheford, Louis de, 295
Rodrigues, Amália, 428
Rodrigues, Lupiscínio, 580
Rodrigues, Nelson, 204, 317, 507
Rodrigues, Sérgio, 400
Rogers, Ginger, 269, 382
Rolling Stones, 361, 363n
Romero, Sílvio, 632
Rónai, Paulo, 507
Rondon, Cândido, 140, 141
Roosevelt, Franklin Delano, 602
Rosa, Auta, 422
Rosa, Noel, 40, 391, 432, 435, 462, 80
Rosemblat, Maurício, 167
Ross, Harold, 371
Rossellini, Roberto, 372, 373
Roth, Philip, 551
Rougemont, Denis de, 503
Rousseau, Jean Jacques, 472
Rubião, Murilo, 104, 550, 627
Rudnov, marechal, 264
Ruskin, John, 561
Russel, Jane, 382

Sá, Hernane Tavares de, 103
Sabino, Bernardo Estill, 337
Sabino Diniz, Maria da Conceição, 162
Sabino Diniz, Saulo, 579
Sabino, Eliana Valladares, 28, 121, 126, 197, 408, 529, 579

Sabino, Fernando Tavares, 468, 471, 536, 590, 601, 623
Sabino, Gerson Tavares, 541
Sabino Diniz, Henrique, 579
Sabino, Luiza Tavares, 573
Sabino Teixeira, Leonora Valladares, 155, 408
Sabino, Mariana Estill, 238, 335, 337, 407
Sabino, Pedro Domingos Valladares, 90, 97, 408, 606
Sabino, Verônica Estill, 238, 337, 338
Sabino, Virgínia Valladares, 225, 226, 236, 468
Sablon, Jean, 428
Sacha Rubin, 515
Sagan, Françoise, 183
Sainte-Beuve, Charles Augustin, 599, 600, 620
Saint-Exupéry, Antoine, 217
Salazar, Antonio de Oliveira, 175, 176, 177, 178, 179, 180, 181
Sales, Aloysio de, 405, 406
Sales, Campos, 553
Sales, Valter Moreira, 381
Salinger, J. D., 371
Salles, José Bento Teixeira de, 583, 586
Salles, Maria Beatriz Teixeira de, 583
Salomão, Gilberto, 393
Salomé, 485
Sampaio, Silveira, 380, 399
Sand, George (Aurore Dupin), 599, 600
Sandroni, Cícero, 484, 527
Sandroni, Laura Constância A. de A., 484
Sant'Anna, Affonso Romano de, 579
Santana, Pascoal, 97
Santos, Carmen, 382
Santos, Djalma, 334
Santos, Nelson Pereira dos, 423
Santos, Nílton, 408, 409
Saraiva, Arnaldo, 521
Sarney, José, 602
Sartre, Jean-Paul, 55, 182, 196, 207n, 218, 219, 321
Satie, Eric, 368
Sátiro, Ernani, 432
Sayão, Bidu, 413
Schell, Maximilian, 301
Schisparelli, Giovanni, 382
Schmidt, Augusto Frederico, 87, 416
Schofield, Paul, 283
Scliar, Carlos, 601, 602
Scortia, M. Thomas, 455

Segall, Lasar, 402
Sellers, Peter, 301
Semprun, Jorge, 571
Sérgio, Antônio, 177
Setúbal, Paulo, 602
Shakespeare, William, 188, 193, 248, 261, 308, 319, 576, 631
Shaw, Artie, 371
Shaw, Bernard, 104
Shaw, Irwin, 371, 402
Shelley, Mary Wollstonecraft, 576
Shelley, Percy Bysshe, 576
Sherer, Gall, 311
Sigmund, Freud, 593
Silva, Ademar Ferreira da, 382
Silva, Geraldo Eulálio do Nascimento, 239
Silva, Manoel da, 593
Silveira, Ênio, 461
Silveira, Joaquim Guilherme da, 382
Silveira, Joel, 136
Silveira, Mônica, 400
Silveira, Tasso da, 87
Simenon, Georges, 120, 579
Simone, Nina, 433
Sinatra, Frank, 370, 372, 458, 495
Sjöberg, Leif, 343
Smith, Bessie, 433
Smith, Ian, 260
Soares, Ilka, 381
Soares, Jô, 440
Soares, Maria Nazaré Lins, 632
Sócrates, 593
Sodré, Antônio Carlos de Abreu, 416
Sousa, J. Galante, 632
Souza, Carlos Alves de, 518
Souza, José Luís Moreira de, 400
Spanier, Muggsy, 372
Spender, Stephen, 103, 291, 292, 369
Stalin, Josef, 211
Stamp, Terence, 374
Star, Ringo (Richard Starkey), 299, 300, 518
Steiger, Rod, 370
Stein, Gertrude, 368
Steinbeck, John, 14, 58, 402
Steinberg, Joseph von, 590
Stendhal (Henry Beyle), 558, 618, 619, 631
Stephenson, George, 35

Stern, Richard Martin, 455
Stevenson, Robert Louis Balfour, 54, 54n, 561, 577, 578
Stokowski, Leopold, 413
Storr, Anthony, 297
Strauss, Richard, 367
Stravinski, Igor, 283
Stresser, Adherbal, 136, 137, 138, 139
Stresser, Ronald, 137, 141, 142
Stuckart, Barão, 515
Styron, Willian, 371
Sued, Ibrahim, 301
Supervielle, Jules, 482
Swanson, Gloria, 233, 388

Taker, Michael, 321
Tati, Jacques, 531
Tati, Miécio, 632
Tatum, Art, 372
Tavares, Mair, 431
Tavares, Marcelo, 358
Távora, Juarez, 142, 176, 553
Taylor, Brian, 350
Tchekhov, Anton Pavlovitch, 491, 565, 566, 567, 568, 595
Teagarden, Jack, 607
Tedim, César, 406
Teixeira, Maria de Loudes, 487
Tennyson, Alfred, 561
Tenório, Carlos Alberto, 372
Terranova, Franco, 400
Thibaudet, Albert, 618
Thiré, Carlos, 400
Thoburn, June, 301
Thomas, Dylan, 323, 324, 324n
Thomaz, Américo, 428
Thurber, James, 165, 371
Tieck, Johann Ludwig, 574
Tierney, Gene, 382
Timóteo, Dom, 628
Togliatti, Palmiro, 373
Toledo, Roberto, 573
Tolstoi, Léon, 72, 566, 595, 596, 624, 628, 631
Toquinho, Antônio Pecci Filho, *dito*, 408
Tormé, Mel, 372
Tornaghi, Ana Maria, 408

Tostão, Eduardo Gonçalves de Andrade, *dito*, 383-385, 395, 603
Toynbee, Philip, 317
Trevisan, Dalton, 137, 512, 567, 630
Troncoso, Edésio, 467
Trujillo Molina, Rafael Leonidas, 32, 34
Tuca, João, 603
Tukuzov, Marechal, 624
Turgueniev, Ivan, 561, 566
Tynan, Kenneth, 247, 248
Tzara, Tristan, 368

Uhlman, Fred, 72, 488
Underwood, Anthony, 271
Updike, John, 402

Valentino, Rodolpho, 56
Valéry, Paul, 196, 196n
Valladares, Benedicto, 380, 429, 430, 531
Vance, Philo, 441
Varela, Fagundes, 575, 576
Vargas, Darcy, 382
Vargas, Getúlio Dornelles, 32, 176, 177, 181, 381, 429, 430, 470, 518, 553, 553, 602
Vargas, Ivete, 380
Vargas Llosa, Mario, 572
Vargas, Lutero, 381
Vasconcelos, Marcos, 406, 408
Vasconcelos, Regina, 408
Vega, Lope de, 610, 611
Veloso, Caetano, 432, 434
Veloso, Fernando, 405
Verissimo, Érico, 165, 166, 167, 177, 415
Verlaine, Paul, 576
Viana Filho, Luís, 632
Vidal, Gore, 371
Vidal, Henri, 186, 187
Vigny, Alfred de, 599
Vilela, Teotônio, 602
Villa-Lobos, Heitor, 413
Vinhais, Ernesto, 14
Vinkenoog, Simon, 283
Viola, Paulinho da, 384

Vírgilio, 631
Visconti, Luchino, 372
Vital, Cordélia Morais, 443
Vitória, Rainha, 284
Volusia, Eros, 381
Von Sternberg, Joseph, 369
Voznesensky, 282, 283, 284

Wagner, Robert, 455
Walborg, Patrick, 317
Wallace, Edgar, 17, 578-579
Wallace, Irving, 402
Waller, Fats, 570
Wank, Eno Theodoro, 508, 509
Washington Luís (Washington Luís Pereira de Souza), 602
Wayne, John, 140
West, Morris, 402
Wetmore, Alexander, 78
Whitman, Walt, 576
Wilder, Billy, 370
Wilson, Harold, 30
Wintchel, Walter, 371
Winters, Shelley, 370
Wise, Robert, 452
Wodehouse, P.G., 402
Woodward, Joanne, 370
Worthington, Alec, 289
Wren, P.C., 64
Wyler, William, 370, 452

Xavier, Therezinha Mucce, 632

Young, Lester, 607, 608

Zacarias, 515, 516
Zagalo, Mário Jorge Lobo, 411
Ziraldo Alves Pinto, *dito*, 575, 576
Zito, José Eli de Miranda, *dito*, 411
Zizinho, Tomás Soares da Silva, *dito*, 603
Zola, Émile, 16, 416, 561
Zweig, Stefan, 367

Índice Geral

1999 7
    Agradecimento

1939 11
    BELO HORIZONTE — *O caçador de borboletas*

1940 14
    Vinhas da ira • Rebecca • Na mesma tecla

1941 19
    Escritor de almas

1942 22
    Resposta

1943 24
    Estilos literários

1944 26
    O anjo de pedra

1945 27
    Cavalheiro • Brincadeira tem hora • Eliana

1946 30
    O sentimento e a linguagem • CIUDAD TRUJILLO — *Noturno dominicano •* NOVA YORK —
    Parábola do trem de ferro • Dor de dente • No Colbie's • (Na)morada nova • Ainda que
    tardia • Lombroso explica

1947 53
    NOVA YORK — *Uma do Ovalle • Suicidas • El señorito • Outras do Ovalle • (Des)aventuras*
    de um fotógrafo amador • Legionários • Gordos • Nevada • Meditações de leitura

1948 75
    NOVA YORK — *Nostalgia de Paris • Teleolema Filicauda • Tédio • Despedida*

1949 84
RIO DE JANEIRO — *Um Pierrot apaixonado • De cabo a rabo • Convenções • Assunto da semana • Chegada de Pedro • A estrela-do-mar*

1950 93
Solteirão • Um queijo • Rifa poética • Olhos de noivo • Meio complicado • Uma dama • Zorrilho • Chatos • Romancistas • Escultora • Psicologia da Criança • Pregos de sobremesa

1951 99
Saudoso pianista • Distraída pintora • Até a volta

1952 103
Stephen Spender • Linguagem infantil • Macacos • Sobre essas coisas • "Index" • O Destino de Cada Um — Pedro Garcia de Toledo: Cobrou pela calúnia o preço de uma vida • A louca sorriu depois do crime • Voltou com o filho para atender ao apelo da morte • Cada algarismo alterado era mais um passo para a morte • Presente de Natal

1953 124
Os loucos • Recitativo • Primeira Comunhão

1954 127
Menino • Elefante • Sapatos • Desencontro com Neruda • Resposta de Neruda • Casa para morar

1955 133
Relato de viagem — I • Relato de viagem — II • Relato de viagem — III • Relato de viagem — IV • Relato de viagem — V

1956 147
Ao meu amigo

1957 149
Das Canárias • Cheiros • Definição • Santo do dia

1958 153
Ao redator-chefe • Um acordo • Homenagem crônica • Jogador em viagem • Certos nomes • Picolé • Poetas vivos • Cartas de Mário • Pancetti • Positividades • Ratos e homens • Helena Morley • John Dos Passos • Joyce • Misses • Fantástica • Nadadora • Escritores • Pantera

1959 172
Literatura infantil • Aeroplano • Padre cubano • LISBOA *— O dono de Portugal •* PARIS *— Velha Lutécia • Michèle •* BRUXELAS *— Moinhos, vacas e tulipas •* FRANKFURT *— Casa de Goethe • Elvis •* ROMA *— Língua italiana • Pappagallo •* RIO DE JANEIRO *— Cinema • Bustos • O caso da moça morta • Calder • Mendigo • Ano Bom • Fim de carta*

650

1960 200
Ary • Doido manso • Batom • Meninos • Jubileu • Comido pelos índios • Regime • Escala em Lisboa • HAVANA *— A revolução dos jovens iluminados •* RIO DE JANEIRO *— Furacão • Quarto de despejo*

1961 221
Sofá • Gêmeos • Rotina • Dificuldades • Azul

1962 225
Para Virgínia • Reconhecimento do Anjo

1963 228
Antipático

1964 229
LONDRES *— Esses ingleses • Bola de gude • Delicadeza e distração • Onde morar • O lado direito • A mulher e a flor • Crianças • Uma elegância britânica • Entendimentos conjugais • Borboletas ao pé do altar • Maridos • A palavra proibida • O pecado de ser jovem • Príncipe de Gales • Anônimos • Como não matar • Uma boa velhinha • Cachorros ingleses*

1965 261
LONDRES *— Funerais de Churchill • Ladrões de respeito • Delicadezas • Contingências da natureza • Gente célebre • "Leave it alone" • Notícias de importância • Qualquer coisa • Da cabeça aos pés • Portas de bar • A Rainha do Brasil • "Swinging city" • Necessidade de poesia • Um inglês à minha espera • Mulheres de todo tamanho • Exemplos de honestidade • Poeta e cientista • Comandos • O fantasma decadente • Continua aos quarenta • Nobres para sempre • Lord Ringo • Festival de cinema • Flagrantes conjugais • Mais um Natal*

1966 308
LONDRES *— Guarda-chuvas e capacetes • Suco de laranja • Manequim • Eleições e outros xelins • Tudo bem, tudo normal • Arte para cachorro • Um Othello a menos • Quad • Projetados no infinito • Dylan Thomas sob a Via Láctea • Oitenta miligramas • Miró • Guerra em tempo de paz • O roubo da Taça • Diário da Copa — 1 • Diário da Copa — 2 • Diário da Copa — 3 • Diário da Copa — 4 • Diário da Copa — 5 • Diário da Copa — 6 • Domingo de inverno • Domingo negro • Despedida*

1967 343
RIO DE JANEIRO *— O triunfo do espírito*

1968 346
Coisas simples e banais • A Rainha na visão dos trópicos • Coroa bem-apanhada • Forma oblíqua • Camelos

1969 361
    Razões de uma jovem inglesa • Relato

1970 367
    De dez em dez anos

1971 376
    STUTTGART — *Márcia vai bem* • RIO DE JANEIRO — *Montaigne no original*

1972 379
    RIO DE JANEIRO — *Manchete • Zelda • João Feijão • Primeiros números • Bororó • Mais que um Tostão • Lei do cão* • LOS ANGELES — *Coalhada de automóveis • Crônicas ao vivo*

1973 390
    RIO DE JANEIRO — *Chico • Brasília • Campeão • Em torno de uma praça*

1974 402
    Alfredo, cláusula única • Segredo do Antonio's • O professor de bola • Voz de veludo e de luz • Arquivista implacável • Roberto e Erasmo Carlos • O gravador de Itapoã • Menina no elevador • Artista feliz • Visita ao mestre de Tambaú • Cantora em furta-cor • Alegre brasileiro • Um criador de ilusões • A procura de um sorriso

1975 446
    LOS ANGELES — SÃO FRANCISCO — *Permissividade sexual • Terremoto e incêndio*

1976 456
    RIO DE JANEIRO — *Arte ou passatempo*

1977 458
    Dito e Feito • Garoto de Ipanema • Prévert • Glauber • Frases de caminhão • De ordem econômica • Compositores no botequim • Romancista Amado • Mulher na janela • Macacos me mordam • Poucas e boas • Expressões • Grande poeta • Mal dito: bem feito

1978 469
    Especiárias • Presidente • Chuchechão • Amor na rede • Forma castiça • Bilboquê • Copa do Mundo • Outras proezas • Guilhermino César • Criança • Escravatura ortográfica • Desavença • Anedotas • Mais uma • Futuro por detrás • Começar pela cozinha • Espelunca • Patroas • Leitor

1979 483
    Já está bom • Antes da meia-noite • Entendimento • Mulher • Paixão felina • Enéas Ferraz • Linotipista • Obra-prima • Espírito cívico • A cura do tempo • Elevador enguiçado • Falar difícil • Josué Guimarães • Estória • Remédio para gripe • Trocas • Brasileiros • Bibiana Calderon

1980 495
   Sinatra e as mulheres • Índios • Os simples de coração • Colocação de pronomes • Valentia • Opiniões • Mãe e filho • Flagrantes de imaginação • O defunto premiado • O dono do defunto • Garbo

1981 505
   Abstêmio • Erros de revisão • Crítica • Estréia • Pouca vergonha • Dicionário luso-brasileiro • Porre • Logo a mim? • Mais português • Inquietação • O cinema da mamãe • O tal da televisão • Come e dorme • Poeta-soldado • Guilhotina • Concisão • Saudosa memória • Martíni seco • Gari • Os que não bebem • Frases • Mico

1982 521
   Efêmero • Entrevistas • Gravador • Escritor • Obsoleto • Pelé • A mesma coisa • Mulher casada • As magnólias do paraíso • Forma oblíqua • Interpretose • Separação • Cervejinha • Mesmo nome

1983 530
   Sabiá da crônica • Borboletas • De se tirar o chapéu • Sem querer interromper • Recado • Fardão • Retrato falado • Ceguinha • Colégio • Equívocos • Fumaça • Vigia noturno • Só Deus sabe

1984 539
   Passarinho • Mágica • Japonesa • Se fosse cachorro • Encontro musical • Ganha-pão • Sempre mudando • Assaltos • Bandas • Grande escritor • Pedaço de bolo • Futuro • Casais a bordo • Tocaia Grande • Filhos • Dorival • Viva a poesia • Esquiva ou escassa • Receitas • Senha • No escuro

1985 552
   Leite sem escuma • Informações pessoais • Nomes • Mais nomes • Seqüestro • Educação sexual • Conversa • O pessoal • Palavras • Os prazeres da mesa • Dentaduras • Goteira • Dedicatórias • O homem • Juca's Bar • Certos exemplos • Só uma vez • A fera na selva • BUENOS AIRES — *Para usted tambièn •* RIO DE JANEIRO — *O monge negro*

1986 569
   Um coração singelo • Fidel • Simpatias • Você • O homem da areia • Antologias • O clube dos suicidas • Feminismo • Sílvia • José Bento e Beatriz • O escriturário

1987 589
   Mais algumas • Borjalo • Pronúncia • Motorista • Sobre as mulheres • Cantáridas • Os sete enforcados • Carioca • Margot • Pintou o sete • Amável leitor • Símiles cognatos • Botafogo • Repetição

1988 606
   Rural • Enterros • Baterista • A espanhola inglesa • Autógrafos • Academia • Natal

1989 615
   Longe de tudo • Canadense • Novo filme • Duplo engano • Onde estamos? • Sonho • Poema-oração • Sejamos felizes

1992 623
   Zélia

1995 626
   Graça

1998 630
   Capitu

Índice Onomástico 635

Os textos constantes deste livro foram originalmente divulgados em publicação regular, entre outros, nos seguintes órgãos de imprensa:
1939/1944 — *O Diário, Folha de Minas, Mensagem,* revistas *Belo Horizonte e Alterosa,* Belo Horizonte.
1945 — *O Diário,* Belo Horizonte; *Correio da Manhã,* Rio de Janeiro.
1946/1955 — *O Jornal, Diário Carioca, Diário de Notícias, Comício, Manchete,* Rio de Janeiro; *Estado de S. Paulo,* São Paulo; *Revista do Globo,* Porto Alegre.
1956/1976 — *Jornal do Brasil, Manchete, Senhor, Visão,* Rio de Janeiro; *Cláudia, Status,* São Paulo; *Rádio BBC,* Londres.
1977/1989 — *O Globo,* Rio de Janeiro; *Zero Hora,* Porto Alegre; *Diário Catarinense,* Florianópolis; *Gazeta do Povo,* Curitiba; *Folha de São Paulo, Estado de S. Paulo,* São Paulo; *Estado de Minas,* Belo Horizonte; *Correio do Brasil,* Brasília; *A Tarde,* Salvador; *Diário de Pernambuco,* Recife; *Diário do Nordeste,* Fortaleza; *Diário Popular,* Lisboa.

FERNANDO *(Tavares) SABINO nasceu em Belo Horizonte, a 12 de outubro de 1923. Fez o curso primário no Grupo Escolar Afonso Pena e o secundário no Ginásio Mineiro, em Belo Horizonte. Aos 13 anos escreveu seu primeiro trabalho literário, uma história policial publicada na revista* Argus, *da polícia mineira.*

Passou a escrever crônicas sobre rádio, com que concorria a um concurso permanente da revista Carioca, *do Rio, obtendo vários prêmios. Uniu-se logo a Hélio Pellegrino, Otto Lara Resende e Paulo Mendes Campos em intensa convivência que perduraria a vida inteira. Entrou para a Faculdade de Direito em 1941, terminando o curso em 1946 na Faculdade Federal do Rio de Janeiro.*

Ainda na adolescência publicou seu primeiro livro, Os Grilos Não Cantam Mais *(1941), de contos. Mário de Andrade escreveu-lhe uma carta elogiosa, dando início a fecunda correspondência entre ambos. Anos mais tarde, publicaria as cartas do escritor paulista em livro, sob o título* Cartas a um Jovem Escritor *(1982). Em 1944 publica a novela* A Marca *e muda-se para o Rio. Em 1946 vai para Nova York, onde fica dois anos, que lhe valeram uma preciosa iniciação na leitura dos escritores de língua inglesa. Neste período escreveu crônicas semanais sobre a vida americana para jornais brasileiros, muitas delas incluídas em seu livro* A Cidade Vazia *(1950). Iniciou em Nova York o romance* O Grande Mentecapto, *que só viria retomar 33 anos mais tarde, para terminá-lo em dezoito dias e lançá-lo em 1976 (Prêmio Jabuti para Romance, São Paulo, 1980), com sucessivas edições. Em 1989 o livro serviria de argumento para um filme de igual sucesso, dirigido por Oswaldo Caldeira.*

Em 1952 lança o livro de novelas A Vida Real, *no qual exercita sua técnica em novas experiências literárias, e em 1954* Lugares-Comuns — Dicionário de Lugares-Comuns e Idéias Convencionais, *como complemento à sua tradução do dicionário de Flaubert. Com* O Encontro Marcado *(1956), primeiro romance, abre à sua carreira um caminho novo dentro da literatura nacional.*

Morou em Londres de 1964 a 1966 e tornou-se editor com Rubem Braga (Editora do Autor, 1960, e Editora Sabiá, 1967). Seguiram-se os livros de contos e crônicas O Homem Nu *(1960),* A Mulher do Vizinho *(1962, Prêmio Fernando Chinaglia do Pen Club do Brasil),* A Companheira de Viagem *(1965),* A Inglesa Deslumbrada *(1967),* Gente I e II *(1975),* Deixa o Alfredo Falar! *(1976),* O Encontro das Águas *(1977),* A Falta que Ela me Faz *(1980) e* O Gato Sou Eu *(1983).*

Com eles veio reafirmar as suas qualidades de prosador, capaz de explorar com fino senso de humor o lado pitoresco ou poético do dia-a-dia, colhendo de fatos cotidianos e personagens obscuros verdadeiras lições de vida, graça e beleza.

Viajou várias vezes ao exterior, visitando países da América, da Europa e do Extremo Oriente e escrevendo sobre sua experiência em crônicas e reportagens para jornais e revistas. Passa a dedicar-se também ao cinema, realizando em 1972, com David Neves, em Los Angeles, uma série de minidocumentários sobre Hollywood para a TV Globo. Funda a Bem-te-vi Filmes e produz curtas-metragens sobre feiras internacionais em Assunção (1973), Teerã (1975), México (1976), Argel (1978) e Hannover (1980). Produz e dirige com David Neves e Mair Tavares uma série de documentários sobre escritores brasileiros contemporâneos.

Publicou ainda O Menino no Espelho (1982), *romance das reminiscências de sua infância*, A Faca de Dois Gumes (1985), *uma trilogia de novelas de amor, intriga e mistério*, O Pintor que Pintou o Sete, *história infantil baseada em quadros de Carlos Scliar*, O Tabuleiro de Damas (1988), *trajetória do menino ao homem feito*, e De Cabeça para Baixo (1989), *sobre "o desejo de partir e a alegria de voltar" — relato de suas andanças, vivências e tropelias pelo mundo afora...*

Em 1990 lançou A Volta por Cima, *coletânea de crônicas e histórias curtas*. Em 1991 a Editora Ática publicou uma edição de 500 mil exemplares de sua novela "O Bom Ladrão" (constante da trilogia A Faca de Dois Gumes), um recorde de tiragem em nosso país. No mesmo ano é lançado seu livro Zélia, Uma Paixão. Em 1993 publicou Aqui Estamos Todos Nus, *uma trilogia de ação, fuga e suspense, da qual foram lançadas em separado, pela Editora Ática, as novelas "Um Corpo de Mulher", "A Nudez da Verdade" e "Os Restos Mortais"*. Em 1994 foi editado pela Record Com a Graça de Deus, *"leitura fiel do Evangelho, segundo o humor de Jesus"*. Em 1996 relançou, em edição revista e aumentada, De Cabeça para Baixo, *relato de suas viagens*, e Gente, *encontro do autor ao longo do tempo com os que vivem "na cadência da arte"*. Também em 1996, a Editora Nova Aguilar publicou em 3 volumes a sua Obra Reunida. Em 1998 a Editora Ática lançou, em separado, a novela "O Homem Feito", do livro A Vida Real, e Amor de Capitu, *recriação literária do romance* Dom Casmurro, *de Machado de Assis*. E ainda em 1998, além de O Galo Músico, *"contos e novelas da juventude à maturidade, do desejo ao amor"*, a Record editou, com grande sucesso de crítica e de público, o livro de crônicas e histórias No Fim Dá Certo — *"se não deu certo é porque não chegou ao fim"* e em 1999, A Chave do Enigma. No mesmo ano foi agraciado com o Prêmio Machado de Assis da Academia Brasileira de Letras pelo conjunto de obra.

Este livro foi composto na tipologia Original
Garamond, em corpo 11/14, e impresso em
papel Offset 75g/m² no Sistema Cameron da
Divisão Gráfica da Distribuidora Record.

Seja um Leitor Preferencial Record
e receba informações sobre nossos lançamentos.
Escreva para
**RP Record
Caixa Postal 23.052
Rio de Janeiro, RJ – CEP 20922-970**
dando seu nome e endereço
e tenha acesso a nossas ofertas especiais.

Válido somente no Brasil.

Ou visite a nossa *home page*:
http://www.record.com.br